Značky a zkratky použité ve slovníku

Značky:

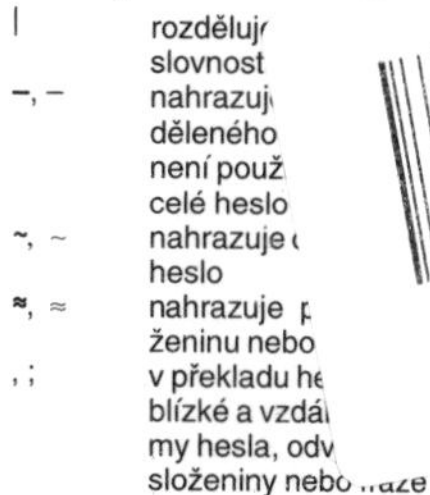

|	rozdělují slovnost
–, –	nahrazují děleného není použ celé heslo
~, ~	nahrazuje heslo
≈, ≈	nahrazuje ženinu nebo
, ;	v překladu he blízké a vzdá my hesla, odv složeniny nebo fráze

…slovo v …aném spojení nemůže být použito nepravidelně.

Zkratky:

ADJ	*adjective* - přídavné jméno	obv.	obvykle
ADV	*adverb* - příslovce	odb.	odborný
am.	americký	*os.*	*oneself* - sám
ap.	a podobně	PL	*plural*
austr.	australský	poč.	počítačový
brit.	britský	polit.	politický
chem.	chemický	PP	*past participle* - předpřítomný čas
COMP	*comparative* - 2. stupeň		
CONJ	*conjunction* - spojka	práv.	právní
div.	divadelnický	PREP	*preposition* - předložka
el.	elektrotechnický	přen.	přenesený význam přeneseně
film.	filmový		
fot.	fotografický	PT	*past tense* - minulý čas
hanl.	hanlivý	*sb.*	*somebody* - někdo
hovor.	hovorový	SG	*singular*
hud.	hudební	slang.	slangový
inf.	infinitiv	sport.	sportovní
jaz.	jazykovědný	*st.*	*something* - něco
kniž.	knižní	SUP	*superlative* - 3. stupeň
kuch.	kuchařský	tech.	technický
mat.	matematický	v.	viz
med.	lékařský	V	*verb* - sloveso
n.	nebo	voj.	vojenský
N	*noun* - podstatné jméno	vulg.	vulgární
např.	například	zvl.	zvláště
obch.	obchodní	žel.	železniční

KAPESNÍ ANGLICKO-ČESKÝ ČESKO-ANGLICKÝ SLOVNÍK

NAKLADATELSTVÍ KPS

Slovník uspořádal Martin Knezovič a kol.
Vydalo nakladatelství Fragment, Havlíčkův Brod, Humpolecká 1503 a
nakladatelství KPS, Kafkova 17, Praha 6
Poprvé vyšlo v roce 1991
Vytiskly Tiskárny Hořovice, a. s.
2. vydání

ISBN 80-7200-027-6 (pro: Fragment, Havlíčkův Brod)
ISBN 80-901133-3-8 (pro: KPS, Praha)

Úvod

Slovník, který se vám dostává do rukou, si klade za cíl maximálně pomoci při používání jazyka. Proto jsou do slovníku zařazeny také běžně používané fráze, přepočty měr a vah, používaných v anglosaských zemích, a základní gramatika.

Cílem slovníku je podat co nejširší slovní zásobu a její použití a zároveň postihnout nejnovější vývoj ve slovní zásobě. Je naší snahou přerušit zvyk vydávat 20 - 30 let stále stejný slovník. Po tomto vydání bude zanedlouho následovat další aktualizované vydání díla.

Na vytvoření slovníku se podíleli: autorský kolektiv Martina Knezoviče na části hesel, Kateřina Přádová na gramatice, Martin Gimerský na frázích, celkově Daniela Krátká, na všech anglických částech Barry Marsh.

Při tvorbě slovníku byl především použit *K.Hais, B.Hodek: Velký anglicko český slovník* a *OXFORD Advanced Learner's Dictionary,* dále pak *LONGMAN Dictionaru of Contemporary English, COLLINS Gem English Dictionary, PONS COLLINS English - Deutch, Deutch - English.* Výslovnost vychází z *D.Jones, A.C.Gimson, S.Ramsaran: Everyman's English Pronouncing Dictionary.* Je však použita zčeštělá forma mezinárodní fonetické abecedy z důvodu jejího zažití u nás. Fráze byly vybrány z *Česko anglická konverzace (SPN).*

Budeme vděčni za veškeré připomínky a požadavky, které nám můžete zaslat na adresu: KPS, Kafkova 17, 160 00 Praha 6. Objednávky na libovolné množství kusů (lze i jeden kus) můžete zaslat na adresu: FRAGMENT, Humpolecká 1503, 580 01 Havlíčkův Brod, tel. 0451 23475. Případné reklamace provádějte výhradně u Vašeho knihkupce.

Závěrem děkujeme všem, kteří se na přípravě slovníku podíleli.

ANGLICKO-ČESKÁ ČÁST

A

a, před samohláskou **an** [ə, ən; pod přízvukem ei, æn] neurčitý člen; jeden, nějaký; za, po (*twice a day* dvakrát za den)
abandon [ə'bændən] opustit, zanechat, vzdát se čeho **–ed** [-d] opuštěný, nemravný, zpustlý
abbey ['æbi] opatství budova
abbreviat|e [ə'bri:vieit] zkrátit obv. slovo **–ion** [ə,bri:vi'eišn] zkratka
abdomen ['æbdəmen] med. břicho
abduct [əb'dakt] unést ženu, dítě
abhor [əb'ho:] (*-rr-*) ošklivit si; děsit se čeho
ability [ə'biləti] schopnost, vlohy
able ['eibl] schopný, nadaný, dovedný **be* ~ to do st.** moci, umět
abnorm|al [æb'no:ml] nezvyklý, abnormální, výjimečný **–ality** [,æbno:'mæləti] odchylka, nepravidelnost, med. vada
aboard [ə'bo:d] na palub|ě(u)
abode [ə'bəud] bydliště
aboli|sh [ə'bališ] zrušit zákonem **–tion** [,æbəu'lišn] zrušení
abomin|able [ə'bomin|əbl] ohavný **–ate** [-eit] ošklivit si; děsit se čeho
aborigin|al [,æbə'ridžən|l] prapůvodní, domorodý **–e** [-i] domorodec
abort [ə'bo:|t] med. potratit, selhat, nezdařit se **–ion** [-šn] potrat
abound [ə'baund] oplývat (*in st.* čím); hojně se vyskytovat
about [ə'baut] asi, přibližně; kolem
above [ə'bav] nad, naho|ře(ru); v citaci výše, shora **~ all** především
abridge [ə'bridž] zestručnit, zhustit
abroad [ə'bro:d] v cizině, do ciziny
abrupt [ə'brapt] náhlý, nečekaný; strohý, strmý, příkrý
abscess ['æbsis] med. absces
absence ['æbsəns] nepřítomnost, nedostatek, neexistence
absent ['æbsənt] (duchem) nepřítomný, roztržitý **~-minded** [,-'maindid] roztržitý
absolute ['æbsəlu:t] úplný, absolutní, neomezený, absolutistický (*monarchy* monarchie) **–ly** [-li] absolutně, brit. hovor. samozřejmě
absolve [əb'zalv] zprostit (*from* čeho), osvobodit (*from, of* od, z) **~ of sin** dát rozhřešení
absorb [əb'so:b] pohltit, vstřebat, absorbovat, zaměstnat úplně (*be* –ed in* být zabrán do)
abstention [əb'stenšn] zdržení se zvl. hlasování (*from* čeho)
abstain [əb'stein] zdržovat se (*from* čeho); nepít alkohol
abstract ['æbstrækt] abstraktní, odtažitý # výtah, obsah, abstraktní pojem # [æb'strækt] abstrahovat (*from* od); oddělit, odstranit
absurd [əb'sə:d] nesmyslný, absurdní **–ity** [-iti] nesmyslnost, absurdnost, nemožnost
abund|ance [ə'band|əns] hojnost, nadbytek (*of st.* čeho) **–ant** [-ənt] oplývající (*in* čím), hojný, bohatý
abuse [ə'bju:z] zneužívat, nadávat # - [ə'bju:s] zneužití (*of* čeho); nadávky
abyss [ə'bis] bezedná propast i přen.
academic [,ækə'demik] akademický, vysokoškolský; humanitní **~ year** univerzitní studijní rok **–ian** [ə,kædə'mišn] akademik
accelerat|e [ək'seləreit] (z)u|rychlit (se) **–ion** [ək,selə'reišn] odborně zrychlení, akcelerace **–or** [ək'seləreitə] plynový pedál
accent ['æksent] přízvuk
accept [ək'sept] přijmout; akceptovat, uznávat **–able** [-əbl] přijatelný **–ance** [-əns] přijetí; souhlas (*of st.* s čím)
access ['ækses] přístup **–ible** [ək'sesəbl] přístupný, dosažitelný **–ion** [æk'sešn] vstoupení (*to* do); nastoupení do úřadu; přírůstek **–ory** [ək'sesəri] (obv. PL *–ories*) příslušenství, módní doplňky
accident ['æksidənt] náhoda, neho-

da, neštěstí **by** ~ náhodně, náhodou **–al** [,æksi'dentl] náhodný
acclimatiz|ation [ə,klaimətai'zeišn] aklimatizace **–e** [ə'klaimətaiz] aklimatizovat
accommodat|e [ə'komədeit] ubytovat; přizpůsobit (*to* čemu); urovnat (*differences* spory), vypomoci **–ion** [ə,komə'deišn] ubytování
accompan|iment [ə'kampənimənt] průvodní jev; hud. doprovod **–y** [ə'kampəni] doprovázet
accomplice [ə'kamplis] spoluviník, spolupachatel
accomplish [ə'kampliš] provést, vykonat, uskutečnit, dosáhnout čeho
accord [ə'ko:d] shoda, souhlas **of one's own** ~ dobrovolně **–ance** [-əns] shoda **in ≈ with** v souhlasu s **–ing to** [-iŋ tu:] podle (*John* Jana; *instructions* návodu); v souladu (s něčím) (*–ing to principles* podle zásad)
accordion [ə'ko:djən] harmonika, akordeon
account [ə'kaunt] konto, účet, zpráva (*of* o) **on** ~ **of** kvůli **take* into** ~ vzít v úvahu **–ancy** [-ənsi] účetnictví **–ant** [-ənt] účetní; revizor účtů
accumulat|e [ə'kju:mjuleit] (na)hromadit (se), (na)shromáždit **–ion** [ə,kju:mju'leišn] akumulace **–or** akumulátor, baterie
accur|acy ['ækjər|əsi] přesnost **–ate** [-ət] přesný, správný **–ately** [-ətli] přesně, správně
accus|e [ə'kju:z] (ob)vinit, obžalovat (*sb. of st.* koho z čeho) **–ation** [,ækju:'zeišn] obvinění, žaloba **–ed** [-d] obžalovaný
accustom [ə'kastəm] (na)z|vyknout (*to st.* na) **be* –ed to** být zvyklý na
ache [eik] bolest tupá, trvalá **#** bolet
achieve [ə'či:v] dosáhnout čeho (*success* úspěchu), dokončit; provést co **–ment** [-mənt] výkon, úspěch; dosažení, dokončení
acid ['æsid] kyselý **#** kyselina ~ **rain** kyselý déšť **–ity** [ə'sidəti] kyselost
acknowledg|e [ək'nolidž] (při)u|znat, vzít na vědomí **–(e)ment** [-mənt] ocenění; potvrzení (*of* příjmu čeho) (≈ *of an application* potvrzení o obdržení žádosti)
acorn ['eiko:n] žalud
acoustic [ə'ku:stik] akustický, sluchový **–s** [-s] PL akustika
acquaint [ə'kweint] seznámit (*with st.* s) **–ance** [-əns] známý člověk, ještě ne přítel
acqui|re [ə'kwaiə] získat, nabýt čeho, osvojit si (*knowledge* znalosti) **–sition** [,ækwi'zišn] získání, nabytí (*of* čeho)
acquit [ə'kwit] (*-tt-*) zprostit viny (*of* čeho) ~ **os.** vést si jak
across [ə'kros] napříč, křížem, přes, na druhou stranu (*a bridge ~ the river* most přes řeku; *run ~ the street* přeběhnout přes cestu)
act [ækt] skutek, čin konkrétní; zákon; div. jednání **#** jednat, postupovat; hrát; předstírat, hrát si (na něco) **–ion** ['ækšn] činnost, jednání, chování obecně, často PL, děj literární hodila **–ivate** [-iveit] fyzikálně činit radioaktivním; pohnout (se) **–ive** [æktiv] činný, aktivní, živý **–ivity** [æk'tivəti] činnost, aktivita, čilost (zvl. PL *social –ies* společenská činnost) **–or** ['ækt|ə] herec **–ress** [-ris] herečka
actual ['ækčuəl] skutečný, současný **–ity** [,ækču'æləti] skutečnost **–ly** ['ækčuəli] skutečně, vlastně
acute [ə'kju:t] prudký; naléhavý, ostrý
A.D. [,ei'di:] = latinsky *Anno Domini* našeho letopočtu
adapt [ə'dæpt] přizpůsobit (se) (*to st.* čemu), adaptovat **–able** [-əbl] přizpůsobivý, přizpůsobitelný **–or** [-ə] adaptér, rozvodka
add [æd] přidat, sčítat ~ **up** sečíst
adder ['ædə] zmije
addict [ə'dikt] ~ **to** propadnout čemu (*be –ted to drink* propadnout pití) **#** - ['ædikt] narkoman; nadšenec, fanoušek

addition [ə'dišn] sčítání; dodatek, doplněk, přísada **in ~ to** navíc, kromě čeho **–al** [ə'dišənəl] dodatečný
address [ə'dres] adresovat (*a letter to* dopis komu); oslovit koho; obrátit se (na koho) # adresa; proslov **–ee** [,ædre'si:] adresát
adequate ['ædikwət] přiměřený, adekvátní
adher|e [əd'hiə] lnout (*to* k) **–ence** [-rəns] věrnost (*to* čemu)
adhesive [əd'hi:siv] lepkavý, přilnavý; lepicí (*tape, plaster* páska, leukoplast) # lepidlo, lepicí páska
adjacent [ə'džeisənt] přiléhající (*to* k), přilehlý; sousední, vedlejší
adjective ['ædiktiv] adjektivní # přídavné jméno
adjoin [ə'džoin] sousedit (s), přiléhat (k) **–ing** [-iŋ] vedlejší, přilehlý, sousední (*room* pokoj)
adjust [ə'džast] přizpůsobit (*to* čemu) upravit, seřídit **–ment** [-mənt] přizpůsobení; úprava
adlib [,æd'lib] improvizovat při proslovu, při jednání
administer [əd'ministə] spravovat, řídit (*a country* zemi); vykonávat (*the law* právo)
administrat|ion [əd,mini'streišn] správa; am. státní správa, vláda **–ive** [əd'minisrətiv] správní, administrativní **–or** správce
admir|able ['ædmərəbl] obdivuhodný; skvělý **–ation** [,ædmə'reišn] obdiv (*of,for* k); předmět obdivu
admire [əd'maiə] obdivovat **–r** obdivovatel, ctitel
admission [əd'mišn] vstup; vstupné; (při)do|znání (*of* čeho) **~ free** vstup volný
admit [əd'mit] (*-tt-*) vpustit (*into* dovnitř); připustit, uznat; přijmout (*in(to)* kam) **–tance** [-əns] vstup, přístup **no ≈** vstup zakázán
admonish [əd'moniš] napomenout
adolescent [,ædəu'lesnt] dospívající, mladistvý
adopt [ə'dopt] přijmout za vlastní, adoptovat; převzít formálně; zavést (*a method* metodu) **–ion** adopce; formální přijetí, zavedení; odhlasování
adorable [ə'do:rəbl] rozkošný, roztomilý
adore [ə'do:] uctívat, zbožňovat
adorn [ə'do:n] (o)zdobit **~ os.** se
adult ['ædalt,ə'dalt] dospělý
adulter|ate [ə'daltər|eit] falšovat, pančovat potraviny, nápoje **–y** [-i] cizoložství
advanc|e [əd'va:ns] postupovat, dělat pokroky, pokrok; záloha **~ copy** signální výtisk **in ~** napřed, předem **be* in ~ of** mít náskok před **~ booking** předprodej **–ed** [-t] pokročilý; zdokonalený
advantage [əd'va:ntidž] výhoda **take* ~ of** využít čeho; vyzrát na koho **–ous** [,ædvən'teidžəs] výhodný, prospěšný
adventur|e [əd'venčə] dobrodružství **–ous** [-rəs] dobrodružný **–er** dobrodruh
adverb ['ædvə:b] příslovce
adversary ['ædvəsəri] protivník, odpůrce
adverse ['ædvə:s] nepříznivý; stojící v opozici
advertis|e ['ædvətaiz] inzerovat **–ement** [əd'və:tismənt] inzerát, reklama **–ing** [-iŋ] reklama, propagace
advice [əd'vais] jen SG rada # [əd'vaiz] poradit (*about, on* o, v)
advisable [əd'vaizəbl] vhodný **it is ~** rozumné
advise [əd'vaiz] poradit komu (*on* o); doporučit **–r** [əd'vaizə] poradce
advocate ['ædvəkət] advokát, právní zástupce # [-keit] obhajovat, zastávat se čeho
aerial ['eəriəl] vzdušný, vzduchový; letecký # anténa
aerobics [eə'rəubiks] aerobik
aeroplane ['eərəplein] letadlo
aesthetic [i:s'θetik] estetický; mající smysl pro krásu **–s** estetika
affair [ə'feə] záležitost, věc; milostná

pletka
affect [ə'fek|t] působit (*st.* na), ovlivnit nepříznivě; předstírat **–ion** [-šn] náklonnost **–ionate** [-šənət] milující, něžný **–ation** [,æfek'teišn] afektovanost
affirm [ə'fə:m] potvrdit **–ative** [-ətiv] kladný, souhlasný
affix [ə'fiks] připojit, přilepit (*to st.* k čemu, na co) # ['æfiks] předpona
afflict [ə'flikt] postihnout někoho, trápit, rmoutit (*with st.* čím)
affluence ['æfluəns] nadbytek, hojnost, blahobyt
afford [ə'fo:d] dopřát (si), dovolit si
affront [ə'frant] veřejně urazit, napadnout
afloat [ə'fləut] plovoucí na vodě, vznášející-cí se ve vzduchu
afraid [ə'freid] v obavách, obv. **be* ~ of** bát se, obávat se čeho; hovor. **I am ~ that** bohužel
after ['a:ftə] po, za; podle očekávání, stylu # později, potom # když **~ all** konec konců **day ~ day** den co den **–noon** [,a:ftə'nu:n] odpoledne **–wards** [-wədz] později, pak
again [ə'gen, ə'gein] zase, znovu
against [ə'genst, ə'geinst] proti
age [eidž] věk, stáří; doba, epocha (*Elizabethan ~* alžbětinská doba) **–s** [-iz] PL hovor. dlouho **–d** [-d] letitý, starý
agency ['eidžənsi] jednatelství, agentura, kancelář (*travel ~* cestovní kancelář)
agenda [ə'dženda] pořad jednání (*an item on the ~* bod jednání)
agent ['eidžənt] zástupce, zprostředkovatel, agent
aggravate ['ægrəveit] ztížit, zhoršit; hovor. dopálit, naštvat
aggregation [,ægri'geišən] shluk, seskupení
aggress|ion [ə'gre|šn] útok, přepadení, agrese **–ive** [-siv] agresivní; průbojný **–or** [ə'gresə] útočník, agresor
aghast [ə'ga:st] zděšený, užaslý
agile ['ædžail] čilý, hbitý, agilní
agitat|e ['ædžiteit] zmítat, zneklidňovat; agitovat **–ed** [-id] rozčilený, vzrušený **–ion** rozrušení, nervozita; diskuse, debata
ago [ə'gəu] před **two days ~** před dvěma dny
agony ['ægəni] muka, agónie, vzrušení, křečovité chování
agree [ə'gri:] souhlasit (*to* s čím; *about* v čem; *with* s kým) dohodnout se (*on* o); (s)ujednat co **–ment** [-mənt] souhlas, shoda, smlouva **–able** [ə'griəbl] příjemný
agricultur|e ['ægrikalčə] zemědělství **–al** [,ægri'kalčərəl] zemědělský
ague ['eigju:] zimnice
ahead [ə'hed] vpřed(u); dopředu **~ of** před koho, co, kým, čím **get* ~ of** předhonit koho **go* ~** pokračovat, hovor. jen do toho, jen si poslužte
aid [eid] pomoc (*first ~* první pomoc); pomůcka (*teaching ~* učební pomůcka)
A.I.D.S. = *Acquired Immune Deficiency Syndrome*
aim [eim] (za)mířit, zacílit (*at* na); usilovat (*at, for* o co) # zacílení (*take* ~* cílit, mířit); záměr **–less** ['eimlis] bezcílný, bezúčelný
air [eə] vzduch; ovzduší **in the open ~** v přírodě, pod širým nebem **be*, go* on the ~** být, dávat (se) v rozhlase **~ bed** nafukovací matrace **~-conditioning** ['eəkən,dišəniŋ] klimatizace **–craft** ['eəkra:ft] SG a PL letadlo **–liner** ['eə,lainə] dopravní letadlo **–lines** PL ['eəlains] aerolinie **~-mail** ['eəmeil] letecká pošta **–man*** ['eəmən] (PL v. *man**) letec **–port** ['eəpo:t] letiště **–ship** ['eə,šip] vzducholoď **be* ~-sick** ['eəsik] mít mořskou nemoc v letadle **–tight** ['eətait] vzduchotěsný **–y** ['eəri] vzdušný; dobře větraný;, lehounký; vzduchový
aisle [ail] ulička mezi sedadly
alarm [ə'la:m] poplach, poplašné zařízení; neklid, úzkost, strach # vybur-

covat, alarmovat, polekat **~ clock** [-klok] budík
album ['ælbəm] album
alcohol ['ælkəhol] alkohol **–ic** [,ælkə'holik] alkohol|ový(ický) # alkoholik **–ism** [-izəm] alkoholismus
ale [eil] anglické světlé pivo
alert [ə'lə:t] ostražitý, bdělý; čilý # voj. stav pohotovosti # varovat (*to* před), zalarmovat
algebra ['ældžibrə] algebra
alien ['eiliən; 'eiljən] cizí # cizinec, cizí státní příslušník; vetřelec **–ate** [-eit] odcizit(si) **–ation** [,eiljə'neišn] odcizení
alight [ə'lait] sestoupit, vystoupit; snést se z výšky
align [ə'lain] (s)vy|rovnat (se), postavit (se) do řady
alike [ə'laik] podobný (*the twins are ~* dvojčata si jsou podobná) # stejnou měrou
alimony ['æliməni] výživné, alimenty
alive [ə'laiv] živý, naživu
all [o:l] celý, veškerý; všechno, všichni, celek; úplně, zcela **above ~** především **after ~** konec konců **not at ~** vůbec (ne); rádo se stalo **~ the more** tím víc **~ but** téměř **~ but one** až na jednoho **for ~ I care** pro mne za mne **~ in ~** celkem vzato **~ of us** my všichni **~ at once** náhle, současně, najednou **once for ~** jednou provždy **~ right** dob|ře(rá), souhlasím # v pořádku, zdráv **~ the same** přesto, však, stejně **~ the time** stále, po celou tu dobu **~ over the world** na celém světě
alleg|e [ə'ledž] prohlásit, tvrdit **–ed** [-d] údajný
allerg|y ['ælədži] alergie **–ic** [ə'lə:džik] alergický, nesnášející (*to* co)
alleviate [ə'li:vieit] zmírnit, (u)tišit (*the pain* bolest)
alley ['æli] cesta lemovaná zelení, ulička
alliance [ə'laiəns] svazek příbuzenský, příbuznost, spolek, spojenectví
allied [əlaid] spojený; spřízněný; spojenecký
all-night [,o:l'nait] celonoční, otevřený celou noc
allocate ['æləukeit] přidělit peníze (*to* komu); vymezit, určit (*to, for* pro)
allot [ə'lot] (*-tt-*) (při)u|dělit
allow [ə'lau] dovolit (*~ sb. to do st.* dovolit někomu něco dělat); připustit, poskytnout, vyměřit (*for* co) **~ for** vzít v úvahu co **–ance** [-əns] příděl, podpora, přídavek
alloy ['æloi] slitina
allude [ə'lu:d] dělat narážky (*to* na)
alluring [ə'ljuəriŋ] lákavý
allusion [ə'lu:žən] narážka (*to* na)
ally [ə'lai] spojit se (*with* s) # ['ælai] spojenec
almighty [o:l'maiti] všemohoucí
almond ['a:mənd] mandle
almost ['o:lməust] skoro, téměř
alone [ə'ləun] sám, osamělý # sám bez pomoci, jedině, výlučně
along [ə'loŋ] podél, podle, spolu, s sebou (*is (s)he coming ~ with us?* jde s námi?) **–side** [-'said] těsně vedle
aloofness [ə'lu:fnis] stranění se, rezervovanost
aloud [ə'laud] nahlas
alphabet ['ælfəbet] abeceda **–ical** [,ælfə'betikəl] abecední
alpine ['ælpain] alpský, vysokohorský
Alps PL Alpy
already [o:l'redi] již, už
Alsatian [æl'seišən] alsaský **~ dog** německý ovčák
also ['o:lsəu] také, též, rovněž
altar ['o:ltə] oltář
alter ['o:ltə] (po)změnit; přešít; upravit, adaptovat **–ation** [,o:ltə'reišən] pozměnění, úprava; předělání, přešití
alternat|e ['o:ltə:nət] střídat (se) # [o:l'tə:nət] střídavý **–ive** [o:l'tə:nətiv] volba mezi dvěma nebo více možnostmi; alternativa # alternativní **≈ medicine** léčitelství
although [o:l'ðəu] ačkoli, třebaže, i

když
altitude ['æltitju:d] nadmořská výška; PL výšiny, výšky
altogether [,o:ltə'geðə] naprosto, úplně; celkem (vzato)
aluminium [,ælju'miniəm] hliník, aluminium
always ['o:lweiz] vždy, stále
a.m. [,ei'em] = *ante meridiem* [æntimə'ridiəm] ráno, dopoledne (*9 a.m.* 9 hodin dopoledne)
amass [ə'mæs] nakupit (se), nahromadit (se)
amateur ['æmətə] ochotník, amatér # amatérský **–ish** [,æmə'tə:riš] amatérský, neprofesionální; nešikovný
amaz|e [ə'meiz] ohromit **–ement** [-mənt] ohromení, úžas, překvapení **–ing** [-iŋ] ohromný, úžasný, udivující
ambassador [æm'bæsədə] velvyslanec
amber ['æmbə] jantar
ambigu|ity [,æmbi'gju:əti] dvojznačnost; dvojsmysl **–ous** [æm'bigjuəs] dvojznačný, dvojsmyslný, nejasný
ambit|ion [æm'biš|n] ctižádost; předmět ctižádosti; úsilí, touha **–ious** [-əs] ctižádostivý
ambulance ['æmbjuləns] sanitka
amend [ə'mend] opravit, doplnit **–ment** [-mənt] oprava, změna, dodatek **–s** [-z] PL náhrada, odškodné **to make* –s** odškodnit (*to sb. for st.* koho za co)
American [ə'merikən] americký **~ Indian** Indián # Američan
amiable ['eimiəbl] přívětivý, roztomilý
amicable ['æmikəbl] přátelský, vlídný
amiss [ə'mis] chybně, špatně, nevhod **take* st. ~** zazlívat, brát ve zlém
ammonia [ə'məuniə] čpavek, amoniak
ammunition [,æmju'nišn] střelivo, munice
amnesty ['æmnəsti] amnestie (*for* pro)
among [ə'maŋ] mezi více osobami n. věcmi
amount [ə'maunt] činit, obnášet (*to* kolik); rovnat se (*to* čemu) # částka, obnos; množství
amphibian [æm'fibiən] obojživelný # obojživelník
ampl|e ['æmpl] hojný, bohatý; rozsáhlý, prostorný **–ifier** [-ifaiə] el. zesilovač **–ify** ['æmplifai] zvětšit, zesílit; podrobněji rozvést
amputate ['æmpjuteit] amputovat
amus|e [ə'mju:z] bavit **be* –ed** [-d] bavit se, těšit se (*by, with* čím) **–ement** [-mənt] zábava **–ing** [-iŋ] zábavný
an v. *a*
anachronism [ə'nækrənizəm] anachronismus, přežitek
anaem|ia [ə'ni:|miə] chudokrevnost **–ic** [-mik] chudokrevný
anaesthe|sia [,ænis'θi:ziə] celková narkóza; lokální umrtvení **–tic** [,ænis'θetik] umrtvující anestetikum **–tize** [ə'ni:sθitaiz] zanestetizovat, znecitlivit
analog|ous [ə'nælə|gəs] analogický, obdobný (*to, with* s čím) **–y** [-dži] analogie, obdoba (*to, with* s čím)
analys|e ['ænəlaiz] brit. rozebrat, analyzovat **–is*** [ə'næləsis] (PL *–es* ['ænəlaiziz]) rozbor, analýza
analytic(al) [,ænə'litik(l)] analytický
anarch|ist ['ænək|ist] anarchista **–y** [-i] anarchie; zmatek
anatomy [ə'nætəmi] med. anatomie, anatomická stavba těla
ancestor ['ænsestə] předek
anchor ['æŋkə] kotva # (za)kotvit **to weigh ~** zvednout kotvu **–age** [-ridž] kotviště
ancient ['einšənt] starý, starodávný; starověký
and [ænd,ənd, ən] a, i (*~ so on* (zkratka *= etc.*) a tak dále)
anecdote ['ænikdəut] anekdota
angel ['eindžəl] anděl
anger ['æŋgə] zlost
angina [æn'džainə] angína
angle ['æŋgl] úhel (*at a right ~* v pra-

vém úhlu); hledisko # rybařit **–r** [-ə] rybář lovící na udici
Anglican ['æŋglikən] anglikánský
Anglo-Saxon [,æŋgləu 'sæksən] Anglosas, anglosaština # anglosaský
angry ['æŋgri] rozzlobený (*with sb.*; *at, about st.* na) **be*** ~ with zlobit se na
angular ['æŋgjulə] hranatý; kostnatý; úhlový
animal ['æniml] zvíře, živočich # živočišný
animate ['æni|meit] oživit, animovat # [-mət] živý **–d cartoon** [-meitid ka:'tu:n] kreslený film
aniseed ['ænisi:d] anýz
ankle ['æŋkl] kotník
annals PL ['ænəlz] kronika, anály
annex [ə'neks] připojit; obsadit, anektovat
annihilate [ə'naiəleit] vyhladit, zničit
anniversary [,æni'və:səri] výročí
announce [ə'nauns] oznámit, ohlásit **–r** [-ə] hlasatel **–ment** [-mənt] oznámení, zpráva
annoy [ə'noi] obtěžovat, znepokojovat **–ing** [-iŋ] nepříjemný, mrzutý **–ance** [-əns] rozmrzelost; obtíž, nepříznivá záležitost
annual ['ænjuəl] roční, každoroční, výroční
annuity [ə'nju:iti] roční splátka; renta
anonymous [æ'nonimes] anonymní
anorak ['ænəræk] větrovka
another [ə'naðə] (nějaký) jiný; ještě jeden; druhý, jiný
answer ['a:nsə] odpověď # odpovědět ((*to*) *st.*, *sb.* na co komu); odpovídat (*for* za) ~ **the phone** zvednout telefon ~ **the door** jít otevřít **–ing machine** [-riŋ] telefonní záznamník
ant [ænt] mravenec **–hill** ['ænt,hil] mraveniště
antagonize [æn'tægənaiz] odporovat, oponovat
anthem ['ænθəm] hymna
anthology [æn'θolədzi] antologie
antibiotic [,æntibai'otik] antibiotikum
anticipat|e [æn'tisipeit] předvídat, očekávat (*trouble, question* problémy, otázky), předejít **–ion** [æn,tisi'peišn] očekávání, tušení
anticlimax [,ænti'klaimæks] vystřízlivění; přen. rozčarování
anticlockwise [,ænti'klokwaiz] proti směru hodin. ručiček
anticyclone [,ænti'saikloun] meteorologicky tlaková výše
antidote ['æntidəut] protijed, protilátka (*against, for* proti)
anti–Fascist [,ænti'fæšist] protifašistický # antifašista
antiqu|e [æn'ti:k] starověký, antický; starobylý(dávný) # starožitnost ~ **shop** starožitnictví **–ity** [æn'tikwəti] starověk, antika **–ities** [æn'tikwətiz] PL starožitnosti
antiseptic [,ænti'septik] antiseptický; antiseptická látka
antisocial [,ænti'səušl] (**person**) nespolečenský, samotářský
antler [æntlə] paroh
anxi|ety [æŋ'zaiəti] úzkost, starost (*about, for* o); snaha (*for* o) **–ous** ['æŋkšəs] znepokojený, plný obav (*about* n. *for* o)
any ['eni] v otázce nějaký (*Have you ~ children?* Máte nějaké děti?) # se záporem žádný (*I haven't ~ books* Nemám žádné knihy) # jakýkoli, kterýkoli, každý (~ *train stops there* Zastavuje tam každý vlak) **–body** [-,bodi], **–one** [-wan] kdokoliv, **in ~ case** v každém případě **–how** [-hau] jakkoli; nějak **–thing** [-θiŋ] něco, cokoliv ~ **time** kdykoliv **–way** [-wei], **–how** [-hau] v každém případě stejně **–where** [-weə] kdekoliv, kamkoliv
apart [ə'pa:t] stranou, od sebe; odděleně ~ **from** nehledě na, kromě
apartment [ə'pa:tmənt] pokoj v hotelu; am. byt
ape [eip] lidoop # opičit se (po), napodobovat koho
aperitif [ə,peri'ti:f] aperitiv
aperture ['æpə,tjuə] otvor; štěrbina

fot. závěrka
apolog|ize [ə'polədž|aiz] omlouvat se (*for* za; *to sb.* komu) **–y** [-i] omluva
appal [ə'po:l] (*-ll-*) děsit, (po)lekat **–ling** [-iŋ] (ú)děsný, hrozný
apparatus* [,æpə'reitəs] zařízení, aparát
apparent [ə'pærənt] zřejmý, zjevný, patrný; domnělý, zdánlivý **–ly** [-li] zřejmě
appeal [ə'pi:l] naléhavá žádost, prosba (*for st.* o něco); odvolání (*to* k, na) # půvab, přitažlivost # apelovat, obrátit se (*to sb. for st.* na koho proč); odvolat se **–ing** [-iŋ] přitažlivý, půvabný
appear [ə'piə] objevit se, vyjít tiskem, jevit se vypadat, dostavit se, přijít **–ance** [-rəns] objevení (se), vydání, publikace # dostavení se, vzhled
append [ə'pend] připojit, doplnit
append|ix* [ə'pend|iks] (PL *–ices* [-isi:z]) dodatek (*in book* v knize); přívěsek slepého střeva **–icitis** [ə,pendi'saitis] zánět slepého střeva
appeti|te ['æpitait] chuť (*for* na) **–zing** ['æpitaiziŋ] chutný, chuť budící
applaud [ə'plo:d] tleskat čemu
applause [ə'plo:z] potlesk
apple ['æpl] jablko **~ tree** ['æpltri:] jabloň
appliance [ə'plaiəns] zařízení, přístroj
applicable ['æplikəbl] vhodný (*to* pro) # použitelný
applica|nt ['æplikənt] žadatel (*for* oč) **–tion** [,æpli'keišn] žádost (*for* oč) # aplikace, používání
apply [ə'plai] obrátit se na, žádat (*to sb. for st.* o) # použít, upotřebit
appoint [ə'point] jmenovat (*sb. to st.* koho čím), určit, sjednat, umluvit (si) **–ment** [-mənt] jmenování; schůzka, úmluva
apposite ['æpəzit] výstižný (*to* pro), přiléhavý
appraise [ə'preiz] zhodnotit, ocenit
appreciat|e [ə'pri:šieit] ocenit, hodnotit; uznávat, vážit si čeho; stoupnout v ceně **–ion** [ə,pri:ši'eišn] ocenění, zhodnocení uznání; stoupnutí v ceně
apprentice [ə'prentis] učeň **–ship** [ə'prentišip] učení
approach [ə'prəuč] přiblížit se (k); obrátit se (na koho) # přiblížení, přístup, pojetí
appropriate [ə'prəupriət] vhodný, přiměřený (*for* k)
approval [ə'pru:vl] souhlas, schválení
approve [ə'pru:v] schválit (*of* co), souhlasit, potvrdit
approximate [ə'proksimət] přibližný **–ly** [-li] přibližně
apricot ['eiprikot] meruňka
April ['eiprəl] duben
apron ['eiprən] zástěra
aquatic [ə'kwætik] vodní rostlina, živočich
Arab ['ærəb] Arab; arabský kůň # arabský **–ian** [ə'reibiən] arabský # Arab; arabský kůň **–ic** ['ærəbik] arabský # arabština
arable ['ærəbl] orný, obdělávatelný
arbitra|ry ['a:bitrəri] libovolný; svévolný **–tion** [,a:bi'treišn] smírčí řízení, arbitráž **–tor** ['a:bitreitə] smírčí soudce
arc [a:k] geometricky oblouk
arcade [a:'keid] podloubí
arch [a:č] oblouk, vyklenutí; klenba
archaeolog|y [,a:ki'olədži] archeologie **–ical** [,a:kiə'lodžikə] archeologický **–ist** [,a:ki'olədžist] archeolog
archaic [a:'keiik] starobylý, archaický
archbishop [,a:č'bišəp] arcibiskup
archery ['a:čəri] lukostřelba
archipelago [,a:ki'peligəu] souostroví
architect ['a:kitekt] architekt **–ure** ['a:kitekčə] stavitelství; architektura **–ural** [,a:ki'tekčərəl] architektonický
archives ['a:kaivz] PL archív
ardent ['a:dənt] nadšený, horlivý
are [ə] ar
area ['eəriə] plocha; oblast
arena [ə'ri:nə] aréna
argue ['a:gju:] argumentovat (*for, against* pro, proti); diskutovat, hádat se (*about, over* o)
argument ['a:gjumənt] důvod, argument; hádka, spor, pře **–ative**

['a:gju'mentətiv] svárlivý; polemický
arise* [ə'raiz] (PT *arose* [ə'rouz], PP *arisen* [ə'rizn]) vzniknout (*difficulties* problémy); stát se, vyskytnout se
aristocra|cy [,æri'stokrəsi] aristokracie, šlechta **–t** ['æristəkræt] aristokrat, šlechtic **–tic** [,æristə'krætik] aristokratický, šlechtický
arithmetic [ə'riθmetik] aritmetika, počty, aritmetika **–al** [-l] aritmetický
arm[1] [a:m] paže, ruka; rukáv **–chair** [,a:m'čeə] křeslo **–pit** ['a:m,pit] podpaží
arm[2] [a:m] zbraň # ozbrojit **~s race** závody ve zbrojení
armament ['a:məmənt] výzbroj, vyzbrojení; zbrojení
armful ['a:mful] náruč (*of* čeho)
armistice ['a:mistis] příměří
armour ['a:mə] brnění
army ['a:mi] vojsko, armáda
aroma [ə'rəumə] vůně, aroma
arose [ə'rəuz] PT od *arise**
around [ə'raund] kolem dokola, okolo; asi, přibližně
arouse [ə'rauz] vzbudit i přen.; podnítit, vyvolat; vzrušit sexuálně
arrange [ə'reindž] (us)pořádat, dát do pořádku; zařídit (*for* co); dohodnout se (na), stanovit **–ment** [-mənt] seřazení, uspořádání; dohoda **make*** ≈ for zařídit aby, učinit opatření (k čemu)
arrest [ə'rest] zatknout # zatčení
arriv|al [ə'raivl] příjezd, příchod **–e** [ə'raiv] přijít, přijet (*at,in* kam); dosáhnout (*at* čeho)
arrog|ance ['ærəgən|s] nadutost, arogance **–ant** [-t] nadutý, arogatní
arrow ['ærəu] šíp; šipka, značka
arsenal ['a:sənl] zbrojnice, skladiště zbraní, arzenál
arsenic ['a:snik] arzén
arson [a:sn] žhářství
art [a:t] výtvarné umění; dovednost, šikovnost **–s** [-s] PL společenské vědy **fine** ≈ krásná umění
artery ['a:təri] tepna
article ['a:tikl] článek, stať; předmět, kus
articulate [a:'tikjul|ət] výřečný, správně se vyjadřující; srozumitelný # [-eit] členit; artikulovat, mluvit zřetelně
artificial [,a:ti'fišl] umělý, vyumělkovaný, strojený
artillery [a:'tiləri] dělostřelectvo
artist ['a:tist] umělec, zvl. malíř **–e** [a:'ti:st] artista; estrádní umělec **–ic** [a:'tistik] umělecký
artless ['a:tləs] prostý, upřímný, naivní
as [æz; nedůrazně əz] jak, jako; protože, zatímco, když **~ soon ~** jakmile **~ big ~** tak velký jako **~ if, ~ though** jako (kdy)by
asbestos [æs'bestos; æz'bestəs] azbest
ascend [ə'send] stoupat, vystoupit (na); nastoupit (na) (*~ the throne* nastoupit na trůn)
ascent [ə'sent] výstup, stoupání; vzestup
ascertain [,æsə'tein] zjistit
ash[1] [æš] jasan
ash[2] [æš] popel; PL popel z mrtvoly
ashamed [ə'šeimd] zahanbený **be*, feel*** ~ stydět se (*of* za)
ashore [ə'šo:] na břeh(u)
ash-tray ['æštrei] popelník
Ash Wednesday [,æš'wenzdei] Popeleční středa
aside [ə'said] stranou
ask [a:sk] ptát se, zeptat se (*about, after* nač; *for* na koho); žádat, prosit (*for* oč) **may* I ~ you a question?** smím se na něco zeptat?
asleep [ə'sli:p] spící **to be*** ~ spát **to fall*** ~ usnout
asparagus [ə'spærəgəs] chřest
aspect ['æspekt] aspekt, zřetel, ohled (*from this ~* z tohoto pohledu)
asphalt ['æsfælt] asfalt # asfaltovat # asfaltový
aspire [ə'spaiə] toužit (*to* po čem), usilovat oč
ass [æs] osel; vulg. prdel

assassinat|e [ə'sæsineit] úkladně zavraždit důležitou osobu **–ion** [ə,sæsi'neišn] úkladná vražda, atentát
assault [ə'so:lt] útok, (pře)na|padení # (na)pře|padnout
assembl|e [ə'sembl] shromáždit (se), svolat, sejít se; sestavit, smontovat **–y** [-i] shromáždění
assent [ə'sent] souhlasit (*to* s čím) souhlas, schválení
assert [ə'sə:t] uplatňovat, prosazovat (se) **–ive** [ə'sə:tiv] sebevědomý, asertivní
assess [ə'ses] ocenit; odhadnout ohodnotit; vyměřit, stanovit (*a tax* daň, pokutu)
asset ['æset] užitečná, prospěšná věc, přínos **–s** [-s] PL majetek, aktiva
assign [ə'sain] přidělit; určit, stanovit **–ment** [-mənt] přidělování; úkol, pověření
assimilate [ə'simileit] přizpůsobit (se), asimilovat
assist [ə'sist] napomáhat, pomáhat, přispět (*in, with* při čem) **–ance** [-əns] pomoc, podpora **–ant** [-ənt] pomocník, asistent **shop** ≈ prodavač(ka), příručí
associat|e [ə'səuši|eit] spojit, spojovat; spolčovat se, stýkat se # [-ət] společník, spolupracovník; mimořádní člen **–ion** [ə,səusi'eišn] sdružení
assort|ed [ə'so:t|id] roztříděný, různých druhů **–ment** [-mənt] souprava, kolekce; sortiment
assume [ə'sju:m] předpokládat, mít za to; přijmout, osvojit si
assumption [ə'sampšn] předpoklad, domněnka
assurance [ə'šo:rəns] ujištění, záruka; pojištění; sebedůvěra
assure [ə'šə:] zajistit, zaručit; ujistit (*sb. of* koho o čem)
asthma ['æsmə] astma
astonish [ə'stoniš] naplnit úžasem, udivit **be* –ed** [-t] být užaslý (*at, by* nad) **–ment** [-mənt] úžas, údiv
astound [ə'staund] ohromit, šokovat
astray [ə'strei] zbloudilý **go*** ~ sejít z pravé cesty, zabloudit
astrology [ə'strolədži] astrologie
astronaut ['æstrəno:t] astronaut, kosmonaut
astronom|ic(al) [,æstrə'nomik(l)] hvězdářský, astronomický **–er** [-ə] astronom **–y** [ə'stronəmi] hvězdářství, astronomie
astute [ə'stju:t] mazaný, bystrý
asylum [ə'sailəm] psychiatrická léčebna, blázinec; azyl; útočiště
at [æt; nedůrazně ət] místo, směr v, na, u (~ *home, school* doma, ve škole; ~ *John's* u Johna); čas v (~ *two o'clock* ve 2 hodiny; ~ *night* v noci); věk v (~ *the age of 16* v 16 letech); množství, rychlost za (~ *$5* za 5 dolarů; ~ *20 mph* rychlostí 20 mil za hodinu); způsob (~ *a stroke* jednou ranou; ~ *peace* v míru); činnost (*to be** ~ work být v práci; *to be* good** ~ *st.* být dobrý v něčem); příčina (*surprised* ~ *st.* být překvapen čím)
ate [et] PT od *eat**
atheis|m ['eiθi-izəm] ateismus; bezbožnost **–t** ['eiθi-ist] ateista **–tic** ateistický
athlet|e ['æθi:t] atlet, sportovec **–ic** [æθletik] atletický # sportovně založený **–ics** [æθletiks] PL lehká atletika
Atlantic [ət'læntik] atlantský, atlantický # Atlantik
atlas ['ætləs] atlas
atmosphere ['ætmə,sfiə] ovzduší, atmosféra; přen. atmosféra nálada
atom ['ætəm] atom **–ic** [ə'tomik] atomov|ý(á) (*bomb, energy, nucleus, weapons* bomba, energie, jádro, zbraně)
atone [ə'təun] pykat (*for* za), odčinit co
atrocity [ə'trositi] ukrutnost, zvěrstvo
attach [ə'tæč] připevnit (*to* k), připojit; přikládat, přisuzovat (*importance* důležitost)
attack [ə'tæk] (za)útočit, napadnout;

postihnout nemocí ap. útok; záchvat
attain [ə'tein] dosáhnout, docílit
attempt [ə'tempt] pokusit se oč, zkusit co; pokus (*to do st., at doing st.* o co)
attend [ə'tend] navštěvovat, účastnit se čeho, chodit (do, na); starat se (o); dávat pozor (*to* na), všímat si čeho **–ance** [-əns] návštěva, účast, prezence (*at* v, při, na) **–ant** [-ənt] hlídač
attent|ion [ə'ten|šn] pozornost; ošetření, péče **–ive** [-tiv] pozorný
attic ['ætik] podkroví
attitude ['ætitju:d] postoj, držení těla, stanovisko (*to, towards* k)
attorney [ə'tə:ni] am. právní zástupce, advokát, zplnomocněnec
attract [ə'træk|t] přitahovat; vábit **–ion** [-šn] přitažlivost; půvab; atrakce **–ive** [-tiv] atraktivní, přitažlivý
attribute ['ætribju:t] vlastnost; znak, symbol # [ə'tribju:t] přisuzovat, přičítat
aubergine ['əubəži:n] baklažán, lilek
auction ['o:kšn] dražba, aukce (*sell** by, am. *at ~* prodat v dražbě)
audible ['o:dəbl] slyšitelný
audience ['o:diəns] publikum
audio-visual [,o:diəu'vižuəl] audiovizuální
audit ['o:dit] obch. revize, kontrola účtů # revidovat, kontrolovat účty **–or** [-ər] revizor účtů **–ory** ['o:ditəri] sluchový
audition [o:'dišn] zkouška, konkursní výkon
auditorium [,o:di'to:riəm] posluchárna, hlediště, sál
August ['o:gəst] srpen
aunt [a:nt] teta
au pair (girl) [,əu 'peə] mladá cizinka přijatá do rodiny k drobné posluze (obvykle se studiem jazyka)
aural ['o:rəl] ušní
auster|e [o'stiə] strohý; asketický; střízlivý **–ity** [o'sterəti] odříkavost
authentic [o:'θentik] autentický, spolehlivý, důvěryhodný
author ['o:θə] spisovatel(ka), autor(ka), původce **–ess** ['o:θəris] autorka, spisovatelka **–itative** [o:'θoritətiv] autoritativní, panovačný, směrodatný, úřední **–ity** [o:'θorəti] autorita, (pravo)moc, oprávnění; odborník, autorita **the authorities** [-z] PL správa, úřady **–ize** ['o:θəraiz] schválit, autorizovat; zmocnit, oprávnit
autobiography [,o:təbai'ogrəfi] autobiografie, vlastní životopis
autograph ['o:təgra:f] autogram, podpis
automat|e [,o:təmeit] automatizovat **–ic** [,o:tə'mætik] automatika; automatický **–ion** [,o:tə'meišn] automatizace v průmyslu
automobile ['o:təməubi:l] zvl. am. automobil
autonom|y [o:'tonəmi] autonomie, samospráva **–ous** [o:'tonəməs] autonomní, samosprávný
autopsy ['o:topsi] ohledání mrtvoly, pitva
autumn ['o:təm] podzim
auxiliary [o:g'ziljəri] pomocný
avail [ə'veil] **to little ~, of no ~** zbytečný # **~ os.** použít, využít (*of st.* čeho) **–able** [-əbl] dosažitelný, k dispozici **–ability** [ə,veilə'biliti] dosažitelnost, dostupnost
avalanche ['ævəla:nč] lavina
avenge [ə'vendž] pomstít **~ os.** pomstít se (*on sb. for st.* komu za co)
avenue ['ævənju:] stromořadí; třída, široká ulice
average ['ævəridž] průměr # průměrný # zjistit průměr
aversion [ə'və:šn] nechuť, odpor (*to* k, vůči)
avert [ə'və:t] odvrátit (*from* od); zabránit čemu
aviary ['eiviəri] voliéra
aviation [,eivi'eišn] letectví, létání; am. letectvo
avoid [ə'void] vyhnout se, vyvarovat se
await [ə'weit] čekat, očekávat
awak|e* [ə'weik] (PT *awoke* [ə'wəuk];

PP *awoken* [ə'woukən]) vzbudit (se), probudit (se) **be*** ~ být vzhůru, bdít
–en [-ən] vzbudit (se) přen. kniž.
award [ə'wo:d] udělit (*prize* cenu; *grant* stipendium); soudně přiřknout # cena, stipendium
aware [ə'weə] vědom si (*of* čeho)
away [ə'wei] pryč, venku, nepřítomen; daleko, vzdálen
awful ['o:fl] hrozný, strašný, děsný, příšerný **an ~ lot**, **–ly** [-i] hrozně, strašně, děsně moc
awkward ['o:kwəd] neohrabaný, nemotorný; nepříjemný, mrzutý, trapný; nešikovný, nešikovně umístěný, vyrobený
awoke [ə'wəuk] PT od *awake** **–n** [ə'woukən] PP od *awake**
awry [ə'rai] nakřivo # křivý **go*** ~ zhatit se
axe, am. **ax** [æks] sekera # osekávat; drasticky omezit
axis* ['æksis] (PL *axes* ['æksi:z]) osa
axle ['æksl] náprava

B

B.A. [,bi:'ei] = *Bachelor of Arts* bakalář svobodných umění
babble ['bæbəl] žvatlat, blábolit; žvanit
baby ['beibi] dítě, nemluvně; benjamínek **~-sitter** [-,sitə] denní opatrovatelka
bachelor ['bæčələ] svobodný mládenec; bakalář nejnižší univerzitní hodnost
back [bæk] záda, zadní strana # podpořit; jet pozpátku, couvat # zadní # zpět **–bone** ['-bəun] páteř **–ground** ['bækgraund] pozadí; společenský, kádrový profil, zázemí, něčí minulost **–stage** ['-steidž] zákulisí # zákulisní i přen. # v zákulisí, do zákulisí **–stroke** ['-strəuk] plavecký znak **–ward** ['-wəd] zpětný; zaostalý; opožděný ve vývoji **–ward(s)** ['-wədz] dozadu, zpět
bacon ['beikən] slanina
bacteri|um* [bæk'tiəriəm] (PL *-a* [bæk'tiəriə]) baktérie
bad* [bæd] (COMP *worse* [wə:s] SUP *worst* [wə:st]) špatný; zkažený (*meat* maso); zlý
bade [bæd, beid] PT a PP od *bid** **~ for** škodlivý komu, čemu **be*** ~ **at** nebýt dobrý, nevyznat se v **feel*** ~ necítit se dobře **not** ~ docela dobrý **that's too** ~ hovor. to je mrzuté; hloupé
badge [bædž] odznak
badger ['bædžə] jezevec
badminton ['bædmintən] badminton
bag [bæg] pytel; taška, kabel(k)a # (*-gg-*) dávat do pytle, pytlovat; hovor., žert. sebrat, ztopit **–gage** ['bægidž] zavazadla **–pipes** ['-paips] dudy
bail[1] [beil] vylévat vodu z loďky
bail[2] [beil] záruka, kauce # **~ (out)** práv. docílit propuštění na záruku; zaručit se
bait [beit] vnadidlo, návnada # nasadit návnadu; nalákat
bak|e [beik] péci **–er** [-ə] pekař **–ery** ['-əri] pekařství **–ing-powder** [-iŋ] prášek do pečiva
balance ['bæləns] rovnováha; váhy; účetní rozvaha, bilance # rozvážit (si); (u)držet v rovnováze, balancovat; vyrovnat (*an account* účet)
balcony ['bælkəni] balkón
bald [bo:ld] holohlavý, plešatý; suchý slohově, strohý (*statement* prohlášení)
bale [beil] žok
Balkan [bo:lkən] balkánský **–s** PL Balkán
ball[1] [bo:l] míč; koule; klubko nití **~-point (pen)** ['bo:lpoint] kuličkové pero
ball[2] [bo:l] ples **~-room** ['bo:lrum] taneční sál
ballast ['bæləst] zátěž námořní, letecká
ballet ['bælei] balet
balloon [bə'lu:n] balón(ek)
ballot ['bælət] hlasovací lístek při tajném hlasování; tajné hlasování; počet odevzdaných hlasů # tajně hlasovat (*for* pro)

balm ['ba:m] balzám **–y** [-i] vonný; hojivý
Baltic [bo:ltik] baltský, baltický # Baltické moře
bamboo [bæm'bu:] (PL *–s* [-z]) bambus # bambusový
ban [bæn] (*-nn-*) zakázat # zákaz (*on* čeho)
banana [bə'na:nə] banán
band[1] [bænd] tlupa; kapela
band[2] [bænd] stuha, pásek; radiotechnické pásmo (*wave ~* vlnové pásmo) # svázat do svazečku **–age** ['-idž] obvaz, obinadlo # (ob)za|vázat
bandit ['bændit] bandita
baneful ['beinfəl] zhoubný
bang [bæŋ] udeřit, tlouci; bouchnout, prásknout (*a door* dveřmi), třískat # rána, třesknutí # bum!, prásk!
bangle ['bæŋgl] náramek, nákotníček
banish ['bæniš] vypovědět, vyhostit (*from a place* odkud); zbavit se (*fear* strachu)
banister ['bænistə] PL zábradlí na schodech
bank[1] [bæŋk] břeh řeky; násep # (o)hradit náspem, zahradit; v letectví naklonit (se) v zatáčce
bank[2] [bæŋk] banka; bank v kartách # uložit, ukládat peníze; mít účet (*with* u banky) **–er** [-ə] bankéř **~-note** ['bæŋknəut] brit. bankovka
bankrupt ['bæŋkrəpt] úpadce, lidově přen. bankrotář # neschopný platit # udělat úpadek **–cy** [-rəptsi] úpadek, bankrot
banner ['bænə] transparent
banquet ['bæŋkwit] recepce, banket
baptism ['bæptizəm] křest
baptize [bæp'taiz] pokřtít
bar [ba:] tyč, mříž, závora na dveřích; výčepní pult, přen. překážka (*to* čeho) **~ code** [-kəud] čárkový kód **~ of soap** kostka mýdla **–maid** ['-meid] barmanka **–man*** ['-mən] (PL v. *man**) výčepní, barman **–tender** ['ba:,tendə] barman
barbarous ['ba:bərəs] barbarský
barbed [ba:bd] ostnatý
barber ['ba:bə] holič
bare [beə] holý, nahý, nepokrytý; prázdný # obnažit **–foot(ed)** [,-'fut(id)] bosý **–headed** [,-'hedid] s nepokrytou hlavou, prostovlasý **–ly** [-li] sotva, stěží; chatrně
bargain ['ba:gin] obchodní dohoda; výhodná, nahodilá koupě # smlouvat (*for* oč)
barge [ba:dž] barže vlečný nákladní člun # hovor. potácet se **~ in** hovor. přijít nevhod; skákat do řeči
bark[1] [ba:k] kůra stromu
bark[2] [ba:k] štěkání, štěkot # štěkat
barley ['ba:li] ječmen
barn [ba:n] stodola, chlév, stáj
barometer [bə'romitə] tlakoměr, barometr
baroque [bə'rəuk] barokní # barok(o)
barrack ['bærək] obv. PL kasárny
barrel ['bærəl] sud; dutá míra barel
barren ['bærən] neúrodný; neplodný
barricade [,bæri'keid] barikáda # zabarikádovat
barrier ['bæriə] zábrana; bariéra; přen. překážka (*to* čeho)
barrister ['bæristə] obhájce, advokát
barrow ['bærəu] kolečko, trakař
basalt ['bæso:lt] čedič
base[1] [beis] základna; opěrný bod; základ, podklad; spodek; podstavec # založit, stavět (*on, upon* na čem), opírat oč **~–less** [-ləs] bezdůvodný, neopodstatněný, zbytečný **–ment** ['-mənt] suterén
base[2] [beis] nízký, nečestný
basic ['beisik] základní; programovací jazyk **–ally** ['beisikli] v základě, v podstatě
basin ['beisn] umývadlo; mísa; nádrž, zeměpisně povodí
bas|is* ['beisis] (PL *–es* [beisi:z]) základ
bask [ba:sk] slunit se
basket ['ba:skit] koš(ík) **~-ball** ['ba:skitbo:l] košíková
bass [beis] basový bas; basa
bassoon [bə'su:n] fagot

bast [bæst] lýko
bastard ['bæstəd] nemanželské dítě, bastard
bat[1] [bæt] netopýr
bat[2] [bæt] pálka # (-*tt*-) (od)pálkovat
bat[3] [bæt] mrkat
batch [bæč] várka; série
bated: ['beitid] **with ~ breath** se zatajeným dechem
bath [ba:θ] (PL *-s* [ba:ðz]) koupel, lázeň; vana; PL lázně budova **have*, take* a ~** vykoupat se ve vaně **~-room** ['ba:θrum] koupelna **–e** [beið] (vy)koupat (se) venku
baton ['bæton] obušek; taktovka; štafetový kolík; hůl velitelská
battalion [bə'tæljən] voj. prapor
batter ['bætə] tlouci; bušit (*at* na) # lité těsto **~ down** rozbořit
battery ['bætəri] baterie
battle ['bætl] bitva # bojovat **~-field** ['bætlfi:ld] bojiště
bay[1] [bei] vavřín
bay[2] [bei] záliv, zátoka
bay[3] [bei] výklenek **~ window** [,bei'windəu] arkýřové okno
bay[4] [bei] štěkání, štěkot # štěkat, výt
bazaar [bə'za:] bazar
B.B.C. [,bi:bi:'si:] = *British Broadcasting Corporation* britský rozhlas
B.C. [,bi:'si:] = *before Christ* před n.l., před Kristem
be* [bi:] (PT *was* [wəz; woz]; PP *been* [bi:n]) pomocné sloveso, v. kap. Gramatika; být, stát cena; mít se **come* into –ing** ['bi:iŋ] vzniknout
beacon [bi:kən] světelné znamení, maják
beach [bi:č] pláž # vytáhnout loď na břeh
bead [bi:d] korálek; krůpěj
beak [bi:k] zobák ptáků; zobáček **–er** ['-ə] archeologicky pohár; kádinka
beam [bi:m] trám, břevno; paprsek; svazek (*of rays* paprsků) # zářit
bean [bi:n] fazole, bob; zrn(k)o kávové, kakaové
bear[1] [beə] medvěd
bear*[2] [beə] (PT *bore* [bo:]; PP *borne* [bo:n]) nést břemeno; mít jako vlastnost; strpět, snést, vydržet; rodit, plodit mláďata, nést plody **–able** ['beərəbəl] snesitelný **–er** ['beərə] nosič; doručitel; nositel **be* born** narodit se
beard [biəd] vous(y), brad(k)a
bearing ['beəriŋ] způsoby, chování; držení těla; vztah, poměr (*on* k); ložisko (*ball ≈* kuličkové ložisko) **–s** ['beəriŋz] orientace, určení polohy
beast [bi:st] zvíře **–ly** ['-li] zvířecký, brutální
beat* [bi:t] (PT ~; PP *–en* [-n]) bít (se), bušit, tlouci (*at, on door* na dveře; *a drum* na buben); šlehat vejce; (v)zaltlouci (*into* do); sport., voj. porazit # úder, rána; taktování, rytmus; tlukot srdce; obchůzka hlídky
beaut|iful ['bju:təful] krásný **–y** ['bju:ti] krása; krasavice
beaver ['bi:və] bobr
became [bi'keim] PT od *become**
because [bi'koz] protože, poněvadž # **~ (of)** pro co, kvůli čemu
beckon ['bekən] kývnutím, gestem přivolat; dát znamení (*to* komu)
become* [bi'kam] (PT a PP v. *come**) stát se čím; slušet komu (*what has ~ of him?* co se s ním stalo?)
bed [bed] postel, lůžko; záhon; řečiště, dno; ložisko, sloj uhlí **~ and breakfast** nocleh se snídaní **–clothes** ['bedkləuðz] PL ložní prádlo **–ding** ['-iŋ] lůžkoviny **go* to ~** jít spát **make* the ~** ustlat **–ridden** ['-,ridn] upoutaný na lůžko **–room** ['-rum] ložnice **–side** ['-said] místo u lůžka **–spread** ['-spred] pokrývka, přehoz na postel **~ table** ['-,teibl] noční stolek **–time** ['-taim] čas, kdy se chodí spát
bee [bi:] včela **–hive** [-hi:] úl, včelín
beech [bi:č] buk # bukový
beef [bi:f] jen SG hovězí maso **–steak** [,bi:f'steik] biftek; plátek hovězího
been [bi:n] PP od *be**
beer [biə] pivo
beet [bi:t] řepa **sugar ~** (řepa) cukro-

vka **~-root** ['-ru:t] červená řepa
beetle ['bi:tl] brouk
before [bi'fo:] (již) dřív, předtím # před o místě, pořadí, čase # v časových větách (dříve) než **–hand** [-hænd] předem
beg [beg] (*-gg-*) žebrat; prosit naléhavě, poníženě (*I ~ your pardon* promiňte (prosím); prosím? neporozumění) **–gar** ['gegə] žebrák
began [bi'gæn] PT od *begin**
begin* [bi'g|in] (PT *–an* [-æn]; PP *–un* [–an]) (*-nn-*) začí(na)t **–ner** [-ə] začátečník **–ning** [-iŋ] (za)po|čátek
begun [bi'gan] PP od *begin**
behalf [bi'ha:f] **on ~ of** jménem koho, v zájmu koho
behav|e [bi'heiv] chovat se (*well**, *badly* ~ (*os.*) slušně, špatně se chovat o dětech); o stroji fungovat (*well** dobře) **–iour** [bi'heivjə] chování
behead [bi'hed] setnout hlavu komu
behind [bi'haind] za # vzadu, pozadu (*in, with* v čem, s čím) zpět, dozadu dívat se
beige [beiž] béžový
being ['bi:iŋ] existence; bytost, tvor
belch [belč] chrlit, soptit (*smoke* oheň, kouř; urážky); krkat, říhat # říhnutí
belfry ['belfri] zvonice
belief [bi'li:f] víra (*in* v, na); domněnka
believe [bi'li:v] věřit (*in* v, na); mít za to, domnívat se (*he is –ed to be* je prý)
belittle [bi'litl] přen. snižovat, znevažovat, podceňovat
bell [bel] zvon(ek); rolnička; zvonění ve škole
bellow ['beləuz] bučet; řvát # bučení; řev
belly ['beli] břicho
belong [bi'loŋ] patřit, příslušet, náležet (*to* komu, čemu), patřit kam **–ings** [-iŋz] PL čí věci, svršky
beloved [bi'lavid] milovaný, drahý
below [bi'ləu] pod # dolů, níže
belt [belt] pásek, opasek, řemen; hnací řemen # (o)pře|pásat; připevnit řemenem n. pásem
bench [benč] lavice, lavička; pracovní stůl **the ~** soudci
ben|d* [ben|d] (PT a PP *–t* [-t]) ohýbat # zatáčka, ohyb; zahnutí **~ down** (o)se|hnout
beneath [bi'ni:θ] pod čím, vespod, dole; přen. pod
beneficial [,beni'fišl] prospěšný, užitečný (*to the health* pro zdraví)
benefit ['benifit] prospěch (*for the ~ of* v čí prospěch), užitek; podpora, příspěvek (*maternity, medical* v mateřství, v nemoci) # dobročinný koncert, představení # prospívat komu; těžit (*from* z)
benevolent [bi'nevələnt] laskavý, dobrotivý, benevolentní
bent [bent] sklon; dispozice, nadání (*from* k) # PT a PP od *bend**
beque|ath [bi'kwi:ð] odkázat v závěti **–st** [bi'kwest] odkaz; dědictví
bereave* [bi'r|i:v] (PT a PP *–eft* [-eft]) smrtí připravit koho o příbuzné **the –d** [-d] truchlící pozůstalí
bereft [bi'reft] PT a PP od *bereave**
beret ['berei] baret
berry ['bəri] bobule; zrnko
berth [bə:θ] lůžko na lodi, ve spacím voze, kajuta; kotviště
beside [bi'said] vedle, u
besides [bi'saidz] mimo to, kromě toho, nadto # kromě čeho
besiege [bi'si:dž] obléhat město; přen. obtěžovat, dožadovat se (*for* čeho)
bespeak* [bi'spi:k] (PT *bespoke* [bi'spouk]; PP *bespoken* [bi'spoukən]) objednat si, zajistit si; vymínit si co, (po)žádat oč; svědčit (o)
bespok|e [bi'spouk] brit. na míru # PT od *bespeak** **–en** [-ən] PP od *bespeak**
best [best] SUP od *good** nejlepší # nejlépe **do* one's ~** dělat maximum
bestow [bi'stəu] umístit, uložit
bestseller ['best'selə] bestseller
bet* [bet] (*-tt-*) (PT a PP ~) vsadit (*on* na); vsadit se (*sb.* s kým; *st.* o kolik) #

sázka
betray [bi'trei] zradit; prozradit (*os.* se) **–al** [-əl] zrada; prozrazení
better ['betə] COMP od *good** lepší # COMP od *well** lépe, líp
between [bi'twi:n] mezi dvěma (*in* ~ uprostřed; ~ *ourselves* mezi námi)
beverage ['bevəridž] nápoj
beware [bi'weə] jen inf. a rozkazovací způsob dát si pozor (*of* na)
bewilder [bi'wildə] zmást **–ment** [-ment] zmatek; ohromení
beyond [bi'jond] za dále než; mimo (~ *all doubt* veškerou pochybnost); nad, přes **it is ~ me** na to nestačím **~ control** nekontrolovatelný
bias ['baiəs] předpojatost, předsudek **–(s)ed** [-t] zaujatý
bib [bib] slintáček, bryndáček
Bible ['baibl] bible
bibliography ['bibli'ogrəfi] bibliografie; knihověda
bicycle ['baisikl] jízdní kolo
bid* [bid] (*-dd-*) (PT *bade* [bæd, beid] n. *bid*; PP *bid* n. *bidden* [-n]) obch. nabízet cenu, při dražbě (*for* za); kniž. přikázat komu co; kniž. dát pozdrav (*farewell* sbohem) # nabídka **–den** [-n] PP od *bid**
big [big] (*-gg-*) *velký*
bigamy ['bigəmi] bigamie
bigheaded ['big'hedid] hovor. namyšlený
bike [baik] hovor. kolo # jezdit na kole
bikini [bi'ki:ni] bikiny dvojdílné plavky
bilberry ['bilbəri] borůvka
bile [bail] žluč; mrzutost
bilingual [bai'liŋgwəl] dvojjazyčný
bill [bil] účet; am. bankovka; návrh zákona; oznámení, plakát
billiards ['biljədz] kulečník
billion ['biljən] am. miliarda, brit. bilión
billy-goat ['bili gəut] kozel
bin [bin] zásobník, bedna na obilí, zmí **dust** ~ koš na odpadky
bind* [baind] (PT a PP *bound* [band]) (při)vázat; svázat, vázat
binge [bindž] slang. flám, mejdan **shopping** ~ nákupní horečka
binoculars [bi'nokjuləz] PL divadelní kukátko, triedr
biograph|er [bai'ogrəf|ə] životopisec **–y** [-i] životopis
biolog|ical [,baiəu'lodžikl] biologický **–ist** [bai'olədžist] biolog **–y** [bai'olədži] biologie
birch [bə:č] bříza
bird [bə:d] pták; slang. brit. kočka dívka ~ **of prey** dravý pták **–'s-eye view** ['bə:dzai] ptačí perspektiva
birth [bə:θ] narození (*give* ~ *to* porodit koho); vznik, počátek; rod, původ ~ **certificate** ['-sə'tifikeit] křestní list **~-control** ['-kən,trəul] antikoncepce řízení porodnosti **–day** ['bə:θdei] narozeniny **~-place** ['-pleis] rodiště **~-rate** ['-reit] porodnost
biscuit ['biskit] sušenka, keks
bishop ['bišəp] biskup
bit[1] [bit] hovor. kousek, trošek **not a ~** vůbec ne, ani trochu
bit[2] [bit] vědecky jednotka informace
bit[3] [bit] PT od *bite**
bitch [bič] fen(k)a **~wolf*** vlčice; nadávka čubka
bite* [bait] (PT *bit*; PP *bitten* [bitn]) kousat; štíp|at(nout); uštknout; brát o rybě # kousnutí; štípnutí; uštknutí; sousto
bitter ['bitə] hořký; přen. trpký; ostrý, pronikavý # hořké pivo **–ness** [-nis] hořkost, trpkost; zloba, rozhořčení
bitten [bitn] PP od *bite**
bizarre [bi'za:] bizarní, zvláštní
black [blæk] černý; tmavý, temný; černošský # čerň; černá barva; černoch **–berry** ['blækbəri] ostružina **–bird** ['-bə:d] kos **–board** ['-bo:d] (školní) tabule **–en** ['-ən] (z)černat; (za)o|černit **–mail** ['-meil] vydírat # vydírání **–out** ['-aut] voj. zatemnění; přen. okno v paměti **–smith** ['-smiθ] kovář
bladder ['blædə] měchýř **football ~** duše do míče
blade [bleid] čepel nože, žiletka; lopatka vesla; list vrtule; list, čepel trávy

blame [bleim] obviňovat (*for* z); svalovat vinu (*on* na) (*he is to* ~ je vinen (*for* čím)) # vina, obviňování **–less** [-ləs] bezúhonný
bland [blænd] jemný, uhlazený; nedráždivý, šetřivý dieta # bez chuti
blank [blæŋk] prázdný, nevyplněný; bezvýrazný, netečný (*look* pohled) # prázdné, vynechané místo; nevyplněný formulář
blanket ['blæŋkit] přikrývka, deka
blare [bleə] hlasitě troubit, vytrubovat
blast [bla:st] tlaková vlna; poryv větru **~-furnace** [-,fə:nis] vysoká pec, huť
blatant ['bleitənt] řvavý, křiklavý, do nebe volající, bezostyšný
blaze [bleiz] plameny, plápol; zář(e), jas, výbuch vášně # planout, plápolat; zářit; přen. razit cestu **–r** ['-ə] sportovní sako člena klubu, družstva
bleach [bli:č] bílit; odbarvit vlasy
bleak [bli:k] ponurý; pustý, holý; větrem ošlehaný; mrazivý
bleat [bli:t] mečet, bečet # mečení, bečení
ble|ed* [bli:d] (PT a PP *bled* [bled]) krvácet **~ to death** vykrvácet **–d** [bled] PT a PP od *bleed**
blemish ['blemiš] pokazit; přen. poskvrnit # vada, poskvrna
blend [blend] směs # míchat **–er** [-ə] mixér
bless [bles] (po)žehnat; velebit **–ing** [-iŋ] požehnání, milost; modlitba před jídlem
blew [blu:] PL od *blow**
blight [blait] hniloba; plíseň
blind [blaind] slepý i přen.; slepecký # roleta # oslepit; přen. zaslepit **–fold** ['-fəuld] zavázat, zakrýt oči
blink [bliŋk] mrkat (*at* na), mžourat; blikat # mrknutí; bliknutí, záblesk
bliss [blis] blaho
blister ['blistə] puchýř(ek)
blizzard ['blizəd] vánice
bloc [blok] blok, seskupení států
block [blok] špalek; kvádr # zatarasit, blokovat **~ of flats** velký moderní činžák; am. blok domů **~ letters** PL tiskací n. hůlkové písmo # zatarasit; blokovat **–ade** [blo'keid] blokáda
bloke [bləuk] chlap slang.
blond(e) [blond] světlovlasý, blond # blondýn(ka), plavovláska
blood [blad] krev **~-donor** ['-,dəunə] dárce krve **~-group** ['-gru:p] krevní skupina **~-poisoning** ['-,poizniŋ] otrava krve **~-pressure** ['-,prešə] krevní tlak **–shot** ['-šot] krví podlitý oko **~-vessel** ['-,vesl] céva **–y** ['-i] krvavý; zakrvácený; krvácející; vulg. zatracený, zasraný
bloom [blu:m] květ # kvést (*in* ~ kvetoucí) **–ing** [-iŋ] hovor., eufemizmus, tj. zjemňující projev zatracený
blossom ['blosəm] květ ovocného stromu (*be in* ~ kvést)
blot [blot] skvrna; kaňka; přen. poskvrna # (*-tt-*) pokaňkat; poskvrnit **~ out** přeškrtat; přen. vymazat vzpomínky **–ting-paper** ['-iŋ,peipə] piják
blouse [blauz] halenka
blow[1] [bləu] rána, úder
blow[2] [bləu] ~* (PT *blew* [blu:]; PP *–n* [bloun]) foukat, fučet; (vy)fouknout též sklo # závan, fouknutí **~ one's nose** vysmrkat se **~ out** ['-aut] zhasit, sfouknout plamen **~ up** vyhodit, vyletět do vzduchu; zvětšit foto # závan; fouknutí **–er** [-ə] dmychadlo; foukač skla
blown [bloun] PP od *blow**
blue [blu:] modrý **–bell** ['-bel] květina zvonek **–bottle** ['-,botl] chrpa **–s** [-z] sklíčenost; hud. blues
bluff [blaf] blafovat zastrašovat předstíranou silou
blunder ['blandə] chyba, přehmat, kiks # tápat, klopýtat; udělat chybu z nepozornosti
blunt [blant] tupý nůž; hrubý, neomalený, neotesaný člověk # otupit
blur [blə:] (*-rr-*) rozmazat; zatemnit, zastřít # rozmazaná skvrna, čmouha
blush [blaš] (za)červenat se # ruměnec

blustering ['blastəriŋ] chvástavý
boa [boə] hroznýš; boa kožišina
boar [bo:] kanec; kančí maso
board [bo:d] prkno; deska; paluba, výbor, rada; šachovnice; strava **–er** [-ə] strávník; chovanec internátu **–ing card** [-iŋ] palubní lístek **–ing-house*** ['bo:diŋhaus] penzión **–ing-school** ['bo:diŋsku:l] internátní škola
boast [bəust] vychloubat se # chlubení, chvástání; chlouba
boat [bəut] loďka, člun, loď, parník; omáčník # jet, jezdit na loďce **burn* one's –s** [-s] spálit za sebou všechny mosty
bobsleigh ['bobslei] bob, závodní sáně
body ['bodi] tělo; těleso; trup; hlavní část něčeho trup, kostra, karoserie; těleso, orgán; sbor, kolektiv; masa lidí **–work** [-wə:k] karoserie
bog ['bog] močál **–gy** ['bogi] močálovitý, bažinatý
bogus ['bəugəs] falešný, padělaný, pseudo-
bohemian [bəu'hi:miən] bohémský
boil [boil] (pře)(u)(vy)vařit ve vodě: vejce, zelenina; kypět i přen. # var **on the ~** ve varu # var **–er** [-ə] parní kotel; bojler **–ersuit** [boiləsu:t] montérky, kombinéza
boisterous ['boistərəs] bouřlivý počasí; bouřlivě veselý, hlučný večírek, společnost
bold [bəuld] smělý, nebojácný; drzý; výrazný
Bolshevik ['bolšivik] bolševik # bolševický
bolt [bəult] závora, zástrčka; šroub s maticí # zavřít na závoru; splašit se kůň
bomb [bom] puma, granát, bomba # bombardovat
bond [bond] závazek; obligace, dlužní úpis; PL pouta
bon|e [bəun] kost # vykostit **–y** kostnatý
bonfire ['bon,faiə] hranice, vatra, oheň
bonnet ['bonit] dětský čepeček, čepec uvázaný pod bradou; skotsky baret; kapota
bonus ['bəunəs] prémie
book [buk] kniha; sešit # zapsat, zaznamenat; rezervovat si; brit. koupit si lístek v předprodeji **–case** ['-keis] knihovna skříň **–ing office** ['-iŋ,ofis] pokladna vstupenek **–ish** knihomolský; knižní nepraktický; nehovorový **–keeping** ['buk,ki:piŋ] účetnictví **–let** ['-lit] brožur(k)a **–mark** ['-ma:k] záložka **–seller** ['-selə] knihkupec **–shop** ['-šop] knihkupectví **–stall** ['-sto:l] stánek s knihami
boom [bu:m] konjunktura, rozmach; dunění, hukot # dunět, hučet; mít konjunkturu
boost [bu:st] protlačovat, prosazovat koho, dělat reklamu; zvyšovat, hnát vzhůru (*prices* ceny); pozvednout morálku # vzestup; podpora; povzbuzení; reklama
boot [bu:t] bota; zavazadlový prostor v autě
booth [bu:ð] prodejní stánek; budka se specifickým účelem
booty ['bu:ti] kořist, lup; zisk
booze [bu:z] chlastat slang., opíjet se # flám
border ['bo:də] hranice; pohraničí (*~ line* hraniční, přen. dělící čára) # hraničit, sousedit (*on* s)
bor|e[1] [bo:] nudit, hovor. otravovat; vrtat # nuda; nudný člově; (vý)vrt **–edom** ['-dəm] nuda **–ing** [-riŋ] nudný
bore[2] [bo:] PT od *bear**
born [bo:n] narozen
borne [bo:n] PP od *bear**
borough ['barə] brit. město zastoupené v parlamentě; am. správní obvod v New Yorku
borrow ['borəu] vypůjčit si
bosom ['buzəm] ňadra **~ friend** důvěrný přítel
boss[1] [bos] výčnělek
boss[2] [bos] mistr, šéf # hovor. poroučet (*sb.* komu)
botan|ical [bə'tænikl] botanický **–y** ['botəni] botanika

both [bəuθ] oba
bother ['boðə] obtěžovat, trápit se (*about* čím) # trápení, obtíž
bottle ['botl] láhev, sklenice ~ **up** utajovat ~-**neck** [-nek] zúžená cesta; kritické místo při výrobě ~ **opener** otvírač na láhve
bottom ['botəm] dno, spodek # spodní; nejnižší
bough [bau] hlavní větev
bought [bo:t] PT a PP od *buy**
boulder ['bəuldə] balvan
bounce [bauns] skákat; odrazit (se), odskočit o míči
bound[1] [baund] skok, odraz # skákat
bound[2] [baund] PT a PP od *bind** # hranice, meze # omezovat **be* –ed** [-id] hraničit (*by* s) **–ary** ['-əri] hranice; pomezní čára **–less** ['-lis] neomezený, nekonečný
bouquet [bu'kei] kytice; aróma, vůně vína
bow[1] [bəu] oblouk; luk; smyčec; mašle ~-**tie** [,bəu'tai] vázanka; motýlek
bow[2] [bau] (u)s|klonit, sklánět (se) (*to* před kým) # poklona, úklon
bow[3] [bau] obv. PL příď lodi
bowels ['bauəlz] útroby, vnitřnosti, střeva
bowl [bəul] polokulovitá mísa; kulovitá váza; básnicky pohár, číše; PL hra bowls
bowling ['bəuliŋ] kuželkový sport
box[1] [boks] krabi|ce(čka); budka telefonní; div. lóže # dávat, balit do krabic(e) ~-**office** ['-,ofis] div. pokladna
box[2] [boks] boxovat **–er** [-ə] boxer sport. i druh psa **–ing** [boksiŋ] box(ování)
Boxing Day brit. den sv. Štěpána, druhý svátek vánoční
boy [boi] hoch, chlapec **–friend** ['-frend] přítel chlapec
boycott ['boikət] bojkot
bra [bra:] podprsenka
brace [breis] přezka, spon(k)a; rovnátka # připevnit, utáhnout, napnout **a pair of –s** [-iz] šle
bracelet ['breislit] náramek
bracken ['brækən] kapradí
bracket ['brækit] držák police, rameno lampy; závorka; skupina, třída
brag [bræg] (*-gg-*) chvástat se, chlubit se
braid [breid] cop; stužka; pletená šňůra
brain [brein] mozek; obv. PL rozum, inteligence **–y** ['-i] hovor. inteligentní, nápaditý
braise [breiz] dusit maso
brake [breik] brzda i přen.
branch [bra:nč] větev; obor vědní; pobočka ~ (**out**) rozkládat větve, vět-vit se přen.
brand [brænd] obchodní značka; druh; cejch, vypálené znamení # vypálit znamení ~-**new** [,-'nju:] zbrusu nový
brandish ['brændiš] mávat hrozivě čím; ohánět se čím
brandy ['brændi] brandy, pálenka
brass [bra:s] mosaz ~-**band** [,-'bænd] dechová kapela
brassiere ['bræsiə] podprsenka
brave [breiv] statečný, odvážný # vzdorovat, statečně snášet **–ry** ['-əri] udatnost
brawl [bro:l] výtržnost, rvačka # hádat se hlučně
brawn [bro:n] silné svaly, síla svalů
brazen ['breizn] drzý; mosazný, kovový zvuk
bread [bred] chléb i přen. (~ *and butter* chléb s máslem) **–crumbs** [bredkrams] PL strouhanka
breadth [bredθ] šířka; šíře přen.
break* [breik] (PT *broke* [brəuk]; PP *broken* [brəukn]) zlomit, porušit ~ **down** porouchat (se) ~ **in** vloupat se # přestávka, mezera # přestávka, mezera **–down** ['-daun] zhroucení; tech. porucha, defekt
breakfast ['brekfəst] snídaně
breast [brest] prs(a); hruď
breath [breθ] dech i přen.; vdech **–e** [bri:ð] dýchat ~-**taking** uvádějící v úžas **–less** [ləs] udýchaný; bezdechý; bezvětrný
bred [bred] PT a PP od *breed**
breed* [bri:d] (PT a PP *bred* [bred]) o

zvířatech rodit, plodit i přen.; pěstovat, chovat # plemeno, rod, rasa; druh o lidech **–ing** [-iŋ] pěstování, chov; plození, množení, (vy)chování, způsoby
breez|e [bri:z] vánek, větřík **–y** ['-i] větrný; svěží i přen.; rozmarný
brethren [breðrən] zast. PL od *brother** člen téhož řádu, cechu
brevity ['breviti] krátkost, stručnost
brew [bru:] vařit pivo **–ery** ['bruəri] pivovar
brib|e [braib] úplatek # (u)pod|plácet **–ery** ['-əri] úplatkářství
brick [brik] cihla **–layer** ['-,leiə] zedník
bride [braid] nevěsta **–groom** ['-grum] ženich **–smaid** ['-zmeid] družička
bridge [bridž] most; lávka; kapitánský můstek; bridge karetní hra # přemostit
bridle ['braidl] uzda
brief [bri:f] krátký; stručný **–case** ['-keis] aktovka **–s** [-s] slipy
brigade [bri'geid] brigáda voj.; pracovní skupina
bright [brait] jasný, světlý; pestrý; veselý, šťastný úsměv; bystrý, chytrý **–en** ['-n] rozjasnit; oživit
brilliant ['briljənt] zářivý; skvělý, brilantní, vynikající
brim [brim] okraj sklenice; střecha klobouku
bring* [briŋ] (PT a PP *brought* [bro:t]) přinést **~ about** způsobit **~ up** vychovávat
brisk [brisk] živý, čilý; svěží (*air* vzduch)
bristle ['brisl] štětina # (na)ježit (se) i přen.
brittle ['britl] křehký i přen.
broach [brəuč] načít láhev, narazit sud; začít hovořit o
broad [bro:d] široký, širý; obsáhlý, značný **–cast** ['bro:dkast] rozhlasové vysílání # ≈* (PT a PP =)vysílat rozhlasem # **–en** ['-n] rozšířit **–minded** [,-'maindid] tolerantní, velkorysý
brochure [bro'šuə] odborné brožura
broke [brəuk] PT od *break** # hovor. úplně bez peněz **–n** [-n] PP od *break**
brokenhearted ['broukən'ha:tid] zoufalý, mající zlomené srdce
broker ['brəukə] zprostředkovatel; makléř
bronchi ['broŋkai] PL průdušky
bronze [bronz] bronz(ový)
brooch [brəuč] brož
brood [bru:d] sedět na vejcích; hluboce přemýšlet
brook [bruk] potok
broom [brum] koště
Bros ['braθəz] = *Brothers* Bří v názvu firmy
broth [broθ] masová polévka, vývar
brothel ['broθl] bordel
brother* ['braðə] (pro členy téže církve PL *brethren* [breðrin]) bratr **–hood** bratrství **~-in-law** ['braðərinlo:] švagr
brought [bro:t] PT a PP od *bring**
brow [brau] obv. obočí; čelo; sráz skály
brown [braun] hnědý; kaštanový; opálený # opálit (se)
browse [brauz] pást se; listovat, probírat se knihami
bruise [bru:z] modřina, pohmožděnina # pohmoždit
brunette [bru:'net] bruneta
brush [braš] kartáč(ek); štětec; kartáčování # vykartáčovat; zavadit (*against* o); oprášit **~ up** přen. zopakovat si **–wood** chrastí, houští
Brussels sprout [,brasl'sprauts] růžičková kapusta
brut|e [bru:t] hrubý, surový # bestie i přen., žert. **–al** ['bru:tl] surový, brutální **–ality** [bru:'tæliti] brutálnost, surovost
B.Sc. = *Bachelor of Science* bakalář přírodních věd
bubble ['babl] bublin(k)a # bublat
buck [bak] samec vysoká zvěř, zajíc, králík; am. slang. dolar # skákat, vyhazovat kůň
bucket ['bakit] kbelík
buckle ['bakl] přezka # zapínat (na) přezku; ohýbat (se) kov teplem, nárazem
bud [bad] pupen; poupě # (*-dd-*) pučet, rašit
budget ['badžit] rozpočet

buff [baf] bůvolí n. hovězí kůže; žlutohnědá barva
buffalo ['bafələu] bůvol; am. zubr, bizon
buffer ['bafə] nárazník
buffet[1] ['bufei] bufet
buffet[2] ['bafit] udeřit
bug [bag] štěnice; poč. chyba # (-*gg*-) instalovat odborně odposlouchávací zařízení; odposlouchávat
build* [bild] (PT a PP *built* [bilt]) stavět, budovat **–ing** [bildiŋ] budova, stavba
built [bilt] PT a PP od *build** **~-in** vestavěný **~-up** zastavěný
bulb [balb] cibulka rostliny; žárovka
bulge [baldž] vypuklina, vydutí
bulk [balk] velký objem, rozměr, velikost **–y** ['-i] objemný, rozměrný
bull [bul] býk **–dozer** ['buldəuzə] buldozer
bullet ['bulit] kulka
bulletin ['bulitin] bulletin, zprávy
bullock ['bulək] vykleštěný býk; vůl
bully ['buli] rváč, násilník, surovec # surově týrat, terorizovat zvl. spolužáky
bum [bam] brit. hovor. zadek; am. hovor. tulák, vandrák
bumble-bee ['bambəlbi:] čmelák
bump [bamp] uhodit (*one's head against* se do hlavy oč), narazit (*into* do čeho) # náraz, tupý úder; boule
bumper ['bampə] nárazník auta # ohromný, bohatý žně
bun [ban] sladká žemle
bunch [banč] trs, chomáč ; slang. parta; banda **~ of flowers** kytice
bundle ['bandl] uzel, ranec; balík knih, otep # sbalit, svázat
bungalow ['baŋgələu] přízemní dům, bungalov
bunk [baŋk] palanda
buoy [boi] bóje
burden ['bə:dn] náklad; břímě # uvalit břemeno (na koho), obtížit koho přen.
bureau* [bjuə'rəu] (PL *–x* [-z]) brit. psací stůl; am. prádelník; kancelář
bureaucr|acy [bjuə'rokrəsi] byrokracie **–at** byrokrat **–atic** byrokratický
burgl|e ['bə:gl] vloupat se, (vy)loupit **–ar** [-ər] lupič **–ary** [-əri] vloupání, krádež vloupáním
burial ['beriəl] pohřeb
burn* [bə:n] (PT a PP *–t* [-t]) (s)pálit; svítit; hořet # popálenina **–er** ['-ə] hořák **–ing** ['-iŋ] palčivý (*question* otázka)
burst* [bə:st] (PT a PP ~) puknout, prasknout; (pro)roz|trhnout; vrazit (*in* do), vpadnout (*into* do)
burnt [bə:nt] PT a PP od *burn**
burrow ['barəu] doupě, nora # vyhrabat, vyvrtat; hrabat doupě, chodbičku
bury ['beri] pohřbí(va)t
bus [bas] autobus **~-stop** ['basstop] autobusová zastávka
bush [buš] keř; austr. buš **–y** ['-i] křovinatý; chundelatý
business ['biznis] zaměstnání, obchod; záležitost, věc; firma **–like** ['biznis-laik] věcný, systematický **–man*** ['biznismæn] (PL v. *man**) obchodník
bust [bast] bysta, poprsí
bustle ['basəl] honit (se); kypět, být v pohybu # ruch, chvat
busy ['bizi] zaneprázdněný; rušný ulice
but [bat, nedůrazně bət] ale, avšak; až na, kromě **the last ~ one** předposlední
butcher ['bučə] řezník # porážet dobytek
butt [bat] držadlo, násada; pažba; nedopalek
butter ['batə] máslo # (na)mazat máslem **–fly** ['batəflai] motýl **–milk** ['batəmilk] podmáslí
buttocks ['batəks] zadek, hýždě
button ['batn] knoflík; tlačítko **~ up** zapnout na knoflíky
buxom ['baksəm] baculatý, zdravím kypící žena
buy* [bai] (PT a PP *bought* [bo:t]) koupit, kupovat **–er** ['baiə] kupující, kupec
buzz [baz] bzučet # bzukot; šum hovoru **–er** [-ə] bzučák

by [bai] u, při, okolo místně, do časově **~ day**, **night** ve dne, v noci **~ train** vlakem **~ sb.**, **st.** 7. pád prostřednictvím koho, pomocí čeho; **–pass** ['baipa:s] obchvat silniční **~-product** ['bai,prodakt] vedl. produkt

C

cab [kæb] taxi, drožka; kabinka pro řidiče
cabbage ['kæbidž] zelí; kapusta
cabin ['kæbin] kabina, kajuta; srub, chata, bouda ze dřeva
cabinet ['kæbinit] skříňka s policemi a zásuvkami; vláda, kabinet **~-maker** [-,meikə] umělecký truhlář
cable ['keibl] lano; kabel (~ *television* kabelová televize) # telegrafovat **~-car** kabinka u lanovky
cache [kæš] skladiště, zásobárna, úkryt zbraní, drog
cackle ['kækl] slepice kdákat; chichotat se, štěbetat, klábosit, žvanit
cactus* ['kæktəs] (PL *–es* [-iz] n. *cacti* ['kæktai]) kaktus
Caesarean [,si:zə'riən] (**section**) císařský řez
café ['kæfei] kavárna
cafeteria [,kæfi'tiəriə] jídelna zvl. podniková n. školní, restaurace se samoobsluhou
cage [keidž] klec; kabina zdviže # zavřít do klece, držet v kleci
cagoule [kə'gu:l] dlouhý plášť do deště
cake [keik] dort, koláč; kus, kousek (*of* čeho)
calamity [kə'læmiti] neštěstí; pohroma
calcium ['kælsiəm] vápník
calculat|e ['kælkjuleit] počítat, vypočítat; odhadnout; myslet, domnívat se **–ing** [-iŋ] vypočítavý **–ion** [,kælkju'leišn] výpočet, uvažování, úvaha; vypočítavost
calendar ['kælində] kalendář
calf*[1] [ka:f] (PL *calves*) lýtko
calf*[2] [ka:f] (PL *calves*) tele; mládě slona, hrocha, losa, velryby ap.; (též **–skin** ['ka:fskin]) teletina
calibre ['kælibə] ráže, kalibr; přen kalibr, formát, význam
call [ko:l] (za)volání; výzva; krátká návštěva # (za)volat; nazývat; telefonovat; zastavit se (u) **~ back** zavolat zpět; zatelefonovat osobě, která mě nezastihla když mi telefonovala **~ box** telefonní budka **~ for** požadovat; přen. říkat si (o); přijet a vyzvednout koho, co **~ off** odvolat; zrušit, zavolat zpět **~ out** povolat na pomoc; vyzvat ke stávce **~ up** am. telefonovat; brit. povolat k vojenské službě, mobilizovat **–er** [-ə] návštěvník, návštěva; volající telefonem
callous ['kæləs] kůže zatvrdlý; tvrdý, bezcitný, necitelný
callus ['kæləs] mozol
calm [ka:m] tichý, klidný; bezvětrný # ticho, klid, bezvětří **~ (down)** uklidnit (se), utišit (se)
calori|e ['kæləri] kalorie **–fic** [,kælə'rifik] tepelný; kalorický
came [keim] PT od *come**
camel ['kæml] velbloud
camera ['kæmərə] fotoaparát; kamera **–man*** [-mæn] (PL v. *man**) kameraman
camomile (**chamomile**) ['kæməumail] heřmánek
camouflage ['kæməfla:ž] maskování, kamufláž # (za)maskovat
camp [kæmp] tábor; kemp # tábořit, utábořit (se) **~-bed** [,-'bed] skládací lehátko **–er** [-ə] táborník **–ing site**, **campsite** [-iŋ] kemp, kemping
campaign [kæm'pein] válečné tažení; kampaň # účastnit se kampaně, vést kampaň
campsite ['kæmpsait] kemp, (auto)-kempink
campus ['kæmpəs] univerzitní areál
can*[1] [kæn; kən; kn] (PT *could* [kud; nedůrazně kəd]) v. kap. Gramatika; moci; umět **I can*** umím, dovedu, mohu
can[2] [kæn] konev; plechovka, konzerva # (*-nn-*) konzervovat **–ned** konzervovaný, zavařený

canal [kə'næl] průplav, kanál
canary [kə'neəri] kanár(ek)
cancel ['kænsl] (-*ll*-) (pře)vy|škrtnout; zrušit **–lation** [,kænsə'leišn] odvolání, zrušení
cancer ['kænsə] rakovina
candid ['kændid] upřímný, otevřený
candidate ['kændidət] kandidát
candle ['kændl] svíčka
candy ['kændi] cukrkandl, bonbón **~-floss** [-flos] cukrová vata
cane [kein] rákos; rákoska, hůlka, prut # nasekat rákoskou
cannabis ['kænəbis] marihuana
cannibal ['kænibl] lidožrout, kanibal
cannon ['kænən] dělo; historicky kanón
canoe [kə'nu:] kánoe
canopy ['kænəpi] nebesa nad postelí, baldachýn nad trůnem, nad osobou ap.
canteen [kæn'ti:n] kantýna, závodní jídelna, kuchyně, studentská menza; polní láhev
canter ['kæntə] drobný klus, poklus # jet drobným klusem
canvas ['kænvəs] plátno malířské; plachtovina
canvass ['kænvəs] agitovat, provádět volební kampaň
canyon ['kænjən] kaňon
caoutchouc [kaučuk] kaučuk # kaučukový
cap [kæp] čepice; uzávěr; víčko # (-*pp*-) přikrýt n. opatřit čepicí, uzávěrem, víčkem; přikrývat jako čepičkou
cap|ability [,keipə'biliti] schopnost; způsobilost, kvalifikace **–able** ['keipəbl] schopný (*of* čeho)
capacity [kə'pæsəti] kapacita; duševní schopnosti, chápavost, chápání
cape[1] [keip] přehoz, pláštěnka
cape[2] [keip] zeměpisně mys
capital ['kæpit|l] (též ~ *city*) hlavní město, (též ~ *letter*) velké písmeno; kapitál # písmeno velký, tiskací, hůlkový; trestný čin hrdelní **–ism** [-əlizm] kapitalismus **–ist** [-əlist] kapitalista # kapitalistický
capitulat|e [kə'pičuleit] kapitulovat **–ion** [kə,piču'leišən] kapitulace
capricious [kə'prišəs] vrtošivý, rozmarný
capsize [kæp'saiz] převrhnout (se), převrátit se
capsule ['kæpsju:l] botanicky tobolka; med. kapsle s práškem; v kosmické lodi kabina pro kosmonauta, schránka s přístroji
captain ['kæptin] kapitán
caption ['kæpšn] nadpis, titul, záhlaví, hlavička; film. titulek
captiv|e ['kæptiv] zajatec # zajatý **–ity** [kæp'tiviti] zajetí
capture ['kæpčə] zajetí; zajatec, kořist # zajmout; dobýt čeho; ukořistit; zaujmout, upoutat
car [ka:] vůz auto; tramvajový, nákladní, žel. vůz, vagón **~-park** ['-pa:k] parkoviště
caramel ['kærəmel] karamel
carat ['kærət] karát
caravan [,kærə'væn] přívěsný obytný vůz; maringotka; karavana
caraway ['kærəwei] kmín
carbohydrate [,ka:bəu'haidreit] karbohydrát, uhlovodan
carbon ['ka:bən] uhlík; (též ~ *copy*) průklep; (též ~ *paper*) uhlový, průklepový papír
carburettor [,ka:bjuretə] karburátor
carcass ['ka:kəs] zdechlina
card [ka:d] hrací karta; lístek, pohlednice; navštívenka; legitimace **–board** ['-bo:d] lepenka, kartón
cardiac ['ka:diæk] srdeční
cardigan ['ka:digən] zapínací svetr bez límce
cardinal ['ka:dinl] hlavní, základní # kardinál **~ points** světové strany
care [keə] péče, starost # dbát (*for* na), pečovat, starat se (*for* o), mít zájem **take* ~ of** starat se (o), ochraňovat **take* ~ (that; to do st.)** být opatrný; dát si pozor, snažit se (aby) **With ~!** Opatrně! (*for* o) **I don't ~** je mi to jedno, nic proti tomu nemám **–ful** ['-ful] pečlivý; opatrný **be* ~!** pozor! **–free** ['-fri:] bezstarostný

–less ['-lis] nepozorný, neopatrný, nedbalý, lehkomyslný **–taker** ['-,teikə] domovník, hlídač, správce, školník
career [kə'riə] povolání, profese; úspěšná životní dráha, kariéra # řítit se, hnát se
caress [kə'res] laskání, mazlení # laskat, mazlit se
cargo ['ka:gəu] náklad lodi, letadla
caricature ['kærikəčuə] karikatura # karikovat
caries ['keəriz] zubní kaz; zánět kosti
carnation [ka:'neišn] karafiát
carnival ['ka:nivl] karneval; masopust
carol ['kærəl] koleda
carp[1] [ka:p] (PL ~) kapr
carp[2] [ka:p] naříkat, stěžovat si nevrle (*at, about* na)
carpenter ['ka:pintə] tesař, truhlář
carpet ['ka:pit] koberec # pokrýt kobercem
carriage ['kæridž] vůz, povoz; osobní železniční vůz **–way** [-wei] vozovka
carrier ['kæriə] nosič; dopravce, přepravce; nosič zavazadel na kole ap. bacilonosič
carrot ['kærət] mrkev, karotka
carry ['kæri] nést, nosit; vézt, vozit; prosadit, přijmout návrh; zvuk nést se **~ on** pokračovat **~ out** vykonat, splnit, provést
cart [ka:t] kára, dvoukolák # vozit
carton ['ka:tən] lepenková krabice; kartón
cartoon [ka:'tu:n] skica, náčrtek; polit. karikatura; kreslený seriál; kreslený film
cartridge ['ka:tridž] nábojnice, patrona; náboj; fot. kazeta se svitkem filmu; přenoska gramofonu; vložka, náplň do kuličkové tužky
carv|e [ka:v] vyřezat, vytesat; krájet, porcovat maso **–ing** [-iŋ] řezbářská n. sochařská práce **–r** [-ə] řezbář
case[1] [keis] případ (*in any ~* v každém případě; *in ~* pro případ, že; pro všechny případy, pro jistotu; *in ~ of* v případě, že); jaz. pád
case[2] [keis] pouzdro, schránka, skříňka, bedna, krabice; kufr
cash [kæš] hotové peníze, hotovost (*pay ~* platit hotově) # proplatit, inkasovat např. šek **~ on delivery** na dobírku, splatno při dodání **–ier** [kæ'šiə] pokladník
cashmere [kæš'miə] kašmír
casino [kə'si:nəu] kasino
cask [ka:sk] sud, soudek **–et** [-t] pouzdro, schránka na cennosti; rakev
casserole ['kæsərəul] nádoba, v které se jídlo vaří, a pak i podává; rendlík
cassette [kə'set] kazeta s magnetofonovým páskem n. filmem
cast* [ka:st] (PT a PP ~) hodit, házet, vrhat; spustit kotvu; odlít z kovu; shodit parohy, svléci kůži; div. obsadit do role # hod, vrh; div., film. obsazení; odlitek
caste [ka:st] kasta
castle ['ka:sl] hrad; věž v šachu
castor ['ka:stə] (též *caster*) kolečko u nábytku; sypátko, cukřenka **~-oil** [,ka:stər'oil] ricinový olej
casual ['kæžuəl] náhodný; příležitostný, zběžný, letmý pohled; nenucený, nedbalý **–ty** [-ti] oběť nehody, zraněný, mrtvý
cat [kæt] kočka
catalogue, am. **catalog** ['kætəlog] katalog, seznam, soupis # zapsat do, uvést v katalogu
cataract ['kætərækt] katarakt; oční zákal
catarrh [kə'ta:] katar
catastrophe [kə'tæstrəfi] katastrofa
catch* [kæč] (PT a PP *caught* [ko:t]) chytit; přistihnout, zastihnout; stihnout vlak; zachytit (se); dostat, chytit nemoc; porozumět; chytnout začít hořet # chytání; úlovek; přen. háček, zádrhel **~ attention** upoutat, zaujmout **–ing** [-iŋ] nakažlivý **~ up** pochytit; osvojit si **~ up with sb.** dohnat koho
categor|y ['kætigər|i] kategorie, skupina, třída **–ize** [-aiz] kategorizovat, roztřídit na kategorie, zařadit do kate-

gorií
cater ['keitə] ~ **for** dodat, obstarat potraviny, pohoštění, hostinu **–ing** [-iŋ] hromadné stravování
caterpillar ['kætəpilə] housenka; tech. housenkový pás
cathedral [kə'θi:drəl] katedrála, dóm, chrám
catholic ['kæθəlik] obecný, všeobecný, obecně platný **C~** katolický # katolík
cattle ['kætl] hovězí dobytek
caught [ko:t] PT a PP od *catch**
cauliflower ['koli,flauə] květák
cause [ko:z] důvod; příčina; soudní proces, spor, pře; věc otázka, problém, záležitost # způsobit, být příčinou
caustic ['ko:stik] chem. žíravý, leptavý; kousavý, uštěpačný
cauti|on ['ko:š|n] opatrnost, obezřetnost; výstraha, varování **–ous** [-əs] opatrný, obezřetný
cavalry ['kævəlri] voj. jízda, jezdectvo
cave [keiv] jeskyně ~ **in** propadnout se, zřítit se
caviar(e) ['kævia:] kaviár
cavity ['kæviti] dutina
cease [si:s] přestat, ustat, zastavit (se), upustit od **–less** [-lis] ustavičný, nepřetržitý, nekonečný
cedar ['si:də] cedr
cede [si:d] odstoupit, postoupit (*to* komu)
ceiling [si:liŋ] strop; přen. horní mez
celebrat|e ['selibreit] slavit, oslavovat; velebit, vychvalovat; církevně sloužit mši **–ed** [-id] slavný, proslulý **–ion** [,seli'breišn] oslava
celery ['seləri] celer
cell [sel] cela; buňka; el. článek
cellar ['selə] sklep
cello ['čeləu] (violon)cello
cellophane ['seləufein] celofán
cellulose ['seljuləus] celulóza, buničina # buničitý, celulózový
Celt ['kelt] Kelt **–ic** ['keltik] keltský # keltština
cement [si'ment] cement # cementovat, vycementovat, zalít cementem; přen. stmelit, zpevnit, upevnit
cemetery ['semitri] hřbitov
censor ['sensə] cenzor # cenzurovat **–ship** ['sensəšip] cenzura
censure ['senšə] činit výtky, nepříznivě kritizovat, vytýkat (*for* co)
census ['sensəs] sčítání lidu
cent [sent] měna cent setina dolaru **per ~** [pə'sent] procento
centenary [sen'ti:nəri] sté výročí, sté jubileum
centi|grade ['senti|greid] stostupňový, stodílný **–metre** [-,mi:tə] centimetr
central ['sentrəl] centrální; ústřední (*heating* topení); hlavní, nejdůležitější
centre, am. **center** ['sentə] střed; centrum; středisko; ústředí, centrála # umístit do středu; sport. centrovat; soustředit se (*on, upon, round* na, kolem) ~ **forward** sport. střední útočník
century ['senčuri] století
ceramic [si'ræmik] keramický **–s** [-s] PL keramika
cereal ['siəriəl] obilovina, obilnina; potravina z obilovin
ceremony ['seriməni] obřad, ceremonie
certain ['sə:tn] jistý, zaručený; jistý (*of, about* čím), přesvědčený (o); jistý, jakýsi **for ~** jistě, určitě, bezpečně **–ly** [-li] jistě, určitě, bezpochybně; ovšem, jistě odpověď na přání **–ty** [-ti] jistota; jistá věc; jistý vítěz zvl. v dostizích
certificate [sə'tifikit] vysvědčení, osvědčení, potvrzení, průkaz
certify ['sə:tifai] potvrdit, dosvědčit, osvědčit; ověřit správnost
chaffinch ['čæfinč] pěnkava
chain [čein] řetěz; řetízek; skupina typizovaných obchodů ~ **reaction** řetězová reakce **–s** [-z] PL pouta, okovy i přen. # ~ **(up)** uvázat na řetěz
chair [čeə] židle; křeslo; předsednictví; předseda # předsedat **–man*** ['čeəmən] (PL v. *man**) předseda
chalet ['šælei] horská bouda, chata
chalice ['čælis] kalich

chalk [čo:k] křída
challenge ['čælindž] výzva (*to* k); složitý, náročný problém, úkol # vyzvat (*to* k); stimulovat, podnítit, budit, provokovat
chamber ['čeimbə] komora zbraně, orgánu; sněmovna; zastarale pokoj, komnata, komora **C~ of Commerce** obchodní komora **~ music** komorní hudba **–maid** [-meid] pokojská **–s** [-z] PL kancelář soudce n. advokátů
chamois ['šæmwa:] kamzík; [šæmi] jelenice zvl. na čištění
champagne [,šæm'pein] šampaňské víno
champion ['čæmpjən] sport. přeborník, šampión, mistr **–ship** [-šip] sport. mistrovství, šampionát
chance [ča:ns] náhoda; šance; možnost, naděje; riziko # risknout; náhodou se stát **by ~** náhodou
chancellor ['ča:nsələ] kancléř; brit. rektor univerzity
chandelier [,šændi'liə] lustr
chang|e [čeindž] změna; vystřídání, výměna; přestupování, přestup v dopravě; peníze nazpět; (též *small ~*) drobné peníze; (též ~ *of clothes*) šaty na převléknutí, čisté prádlo # změnit (se); (vy)měnit (si) (*for* zač); proměnit (se) (*into* v); přesednout, přestoupit v dopravě; převléknout se **~ one's mind** změnit názor **for a ~** pro změnu **–eable** ['-əbl] proměnlivý **–ing** [-iŋ] proměnlivý **≈ room** šatna
channel ['čænl] koryto toku, řečiště průliv; kanál; cesta, postup # (*-ll-*) prorazit, vyhloubit stoku, kanál; přen. vést, usměrňovat **The (English) C~** průliv La Manche
chant [ča:nt] zpěv; nápěv; žalm, chorál; skandované volání # monotónně recitovat n. odříkávat; skandovat
chaos ['keios] chaos
chap [čæp] hovor. chlápek, chlapík, maník
chapel ['čæpl] kaple; modlitebna
chapter ['čæptə] kapitola; kapitula
character ['kæriktə] charakter, povaha; člověk s pevným charakterem; figurka, postavička, podivín, originál; literární postava; pověst, jméno; znak, písmeno **–istic** [,kæriktə'ristik] příznačný, charakteristický (*of sb.* pro koho) # charakteristický rys, znak; charakteristika **–ize** ['kæriktəraiz] charakterizovat
charcoal ['ča:kəul] dřevěné uhlí; kreslířský uhel
charge ['ča:dž] obvinění; poplatek; starost, péče, dohled; povinnost, úkol, zodpovědnost; el. náboj # obvinit; účtovat; nabít zbraně, baterie; pověřit (*with* čím) **free of ~** bezplatný, zdarma **be* in ~ of** být odpovědný za **reverse the –s** [-iz] telefonovat na účet volaného
charit|able ['čærit|əbl] dobročinný; shovívavý **–y** [-i] shovívavost; dobročinnost; almužna, milodar; dobročinná charitativní instituce
charm [ča:m] půvab, kouzlo; talisman, amulet # okouzlit, očarovat; chránit jako kouzlem **–ing** [-iŋ] okouzlující, půvabný
chart [ča:t] letecká n. námořní mapa; tabulka, diagram # zanést do mapy n. diagramu, zmapovat
charter ['ča:tə] výsadní listina, privilegium; charta # udělit výsadu, právo; najmout si loď, letadlo **–ed accountant** [-d] autorizovaný účetní znalec, přísežný revizor účetních knih
char|woman* ['ča:,wumən] (PL v. *woman**) brit. uklízečka, posluhovačka
chase [čeis] hnát, honit, lovit, stíhat, pronásledovat (*after* koho, co) # hon, pronásledování
chassis* ['šæsi] (PL ~ [-z]) šasi, podvozek
chat [čæt] (*-tt-*) povídat si, vykládat, klábosit # popovídání, kus řeči **–ty** ['čæti] upovídaný, řečný
chatter ['čætə] pták štěbetat; opice vřeštět; tlachat, klábosit, mlít pusou; jektat zuby # štěbetání; vřeštění; tla-

chání, klábosení
chauvin|ism ['šəuvin|izəm] šovinismus **–ist** [-ist] šovinista
chauffeur ['šəufə] šofér, řidič soukromého n. služebního auta
cheap [či:p] laciný, levný i přen. # lacino
cheat [či:t] podvádět, šidit # podvodník, falešný hráč; podvod
check [ček] (pře)(z)kontrolovat; zarazit, zastavit, zabrzdit; ovládat, kontrolovat např. smích # kontrola (*on* čeho); zastávka, přerušení, zdržení **~ in** ubytovat se, nastěhovat se do pokoje v hotelu; dostavit se k odbavení, provést odbavení na letišti, před odletem letadla **–ers** ['čekəz] am. dáma hra **~- in** odbavení na letišti odbavovací pult **–point** kontrolní stanoviště zvl. na hranicích **–room** am. úschovna zavazadel, šatna **–up** lékařská prohlídka
cheek [či:k] tvář, líce; hovor. drzost **–y** ['-i] hovor. drzý
cheer [čiə] potěšit, povzbudit; pozdravovat, vítat, provolávat slávu # volání slávy **~ up** vzmužit se, vzchopit se; povzbudit **–s** [-z] na zdraví při přípitku; nashle; děkuji **–ful** ['-ful] veselý; radostný, potěšující
cheese [či:z] sýr
cheetah ['či:tə] gepard
chef [šef] vrchní kuchař
chemical ['kemikl] chemický # chemikálie, preparát
chemist ['kemist] chemik; lékárník **–ry** [-ri] chemie; chemická struktura
cheque am. **check** [ček] šek **~ card** bankovní karta, průkazní lístek **–book** ['-buk] šeková knížka
chequered ['čekəd] pestrý, proměnlivý
cherish ['čeriš] s láskou opatrovat, chránit; uchovávat mít v srdci, dělat si iluze
cherry ['čeri] třešně, třešeň; višeň
chess [čes] šachy hra **–board** ['-bo:d] šachovnice **–man*** ['-mæn] (PL v. *man**) šachová figurka **–player** [-pleiə] šachista
chest [čest] bedna; truhla; skříň(ka); prsa, hruď **~ of drawers** prádelník
chestnut ['česnat] kaštan
chew [ču:] žvýkat **–ing-gum** ['ču:iŋgam] žvýkací guma
chic [ši:k] vkusný, elegantní # vkus, elegance
chick [čik] kuřátko, ptáčátko **–en** ['-in] kuře **≈-pox** plané neštovice
chief [či:f] náčelník, vůdce, šéf, hlava, velitel, vedoucí, přednosta, ředitel # hlavní, nejdůležitější
chilblain ['čilblein] omrzlina
child* [čaild] (PL *–ren* ['čildrən]) dítě **–birth** [-bə:θ] porod **–hood** ['-hud] dětství **–ish** ['-iš] dětský; dětinský **–like** ['-laik] dětský; dětsky prostý, upřímný
chill [čil] chlad, zima; nastuzení, nachlazení **–y** [-i] chladný, studený, mrazivý i přen.
chilli ['čili] čili
chime [čaim] zvonění, vyzvánění, zvonková hra # rozeznít zvon, zvonit; hodiny odbíjet
chimney ['čimni] komín **~- sweep** [-swi:p] kominík
chimpanzee [,čimpən'zi:] šimpanz
chin [čin] brada
china ['čainə] porcelán
chip [čip] tříska, štěpina dřeva, úlomek, střep; lupínek, hranolek; el. čip # (*-pp-*) otlouci hrany, okraje nádobí; odštípnout; rozštípnout se, prasknout, odlomit se; krájet brambory na hranolky
chiropod|y [ki'ropədi] pedikúra **–ist** [-st] pedikér
chirp [čə:p] cvrlikat, cvrkat
chisel ['čizl] dláto
chives [čaivz] pažitka
chlorine ['klo:ri:n] chlór
chocolate ['čokələt] čokoláda; čokoládový bonbón # čokoládový
choice [čois] volba, výběr # vybraný kvalitní
choir ['kwaiə] pěvecký sbor; kůr
choke [čəuk] (u)dusit (se); (u)škrtit
choleric [kolərik] cholerický, vznětlivý

choose* [ču:z] (PT *chose* [čouz]; PP *chosen* [čouzn]) zvolit (si), vybrat (si); rozhodnout se
chop [čop] (*-pp-*) sekat, štípat # kotleta, řízek, seknutí, sečná rána
choral ['ko:rəl] sborový, chorální
chord [ko:d] med. chorda, struna; hud. akord
chore [čo:] navyklá práce, běžný úkol; nepříjemná práce, povinnost
choreograph|y ['kori'ogrəfi] choreografie **–ic** [-k] choreografický **–er** [,kori'ogrəfə] choreografie
chorus ['ko:rəs] pěvecký sbor; refrén
chos|e [čouz] PT od *choose** **–en** [-n] PP od *choose**
Christ [kraist] Kristus
christen ['krisn] (po)křtít **–ing** [-iŋ] křest
Christian ['krisčən] křesťan # křesťanský **–ity** [,kristi'æniti] křesťanství
Christmas ['krisməs] vánoce (*at* o) **~-card** [-ka:d] vánoční pohlednice **~ Day** [-dei] Boží hod vánoční 25. prosince **~ Eve** Štědrý den, Štědrý večer **~ tree** [-tri:] vánoční stromek
chromium ['krəumjəm] chróm **~-plated** [,-'pleitid] (po)chromovaný **~-plating** [,-'pleitiŋ] (po)chromování
chronic ['kronik] chronický, vleklý; nikdy nepřestávající, věčný
chronicle ['kronikl] kronika
chronological [,kronə'lodžikl] chronologický
chrysanthemum [kri'sænθəməm] chryzantéma
chubby ['čabi] buclatý, boubelatý
chuck [čak] hovor. zahodit; hovor. vykašlat se na; pohladit pod bradou **~ it!** nech toho!
chuckle ['čakl] smát se pro sebe, usmívat se
chum [čam] kamarád
church [čə:č] kostel **the C~** církev **–yard** ['-ja:d] hřbitov u kostela
churn [čə:n] máselnice; kovová konev na mléko # stloukat máslo **~ out** chrlit myšlenky
chute [šu:t] skluz, svoz, skluzový žlab, skluzavka
cider ['saidə] kvašený jablečný mošt
cigar [si'ga:] doutník **–ette** [,sigə'ret] cigareta
Cinderella [,sində'relə] Popelka, přen. popelka
cine|-camera ['sini|,kæmərə] ruční kamera **~-film** [-film] kinofilm **–ma** [-mə] kino, biograf
cinnamon ['sinəmən] skořice
cipher ['saifə] šifra, šifrování; šifrovaná zpráva; arabské číslice od 1 do 9
circle ['sə:kl] kruh; kroužek skupina lidí; div. balkón # kroužit, obíhat (*about, round* kolem)
circuit ['sə:kit] obvod čára ohraničující plochu; oběh, dráha oběhu; okruh; el. obvod
circular ['sə:kjulə] kruhový; točitý; okružní # oběžník
circulat|e ['sə:kjuleit] obíhat, cirkulovat; dát do oběhu, rozšířit **–ion** [,sə:kju'leišn] oběh krve, peněz, zpráv ap.; počet prodaných výtisků novin
circumference [sə'kamfərəns] obvod
circumstance ['sə:kəmstəns] okolnost **–s** [-iz] PL poměry, finanční situace
circus ['sə:kəs] cirkus; brit. v názvech kruhové náměstí
cistern ['sistən] nádrž, cisterna, jímka
citizen ['sitizn] občan **–ship** [-šip] občanství
citrus ['sitrəs] citrus
city ['siti] velké n. významné město **the C~** londýnská city finanční a obchodní centrum Londýna
civic ['sivik] občanský; městský
civil ['sivl] občanský; civilní; zdvořilý, uctivý **~ engineer** [-,endži'niə] stavební inženýr **~ servant** [-'sə:vənt] státní zaměstnanec **~ war** [-wo:] občanská válka **–ian** [si'viljən] civilista # civilní
civiliz|ation [,sivilai'zeišn] civilizace **–ed** ['sivilaizd] civilizovaný; slušný, zdvořilý

claim [kleim] požadovat, domáhat se čeho, uplatňovat nárok (na); přihlásit se (o), vyzvednout si; požadovat; tvrdit # nárok (*to*, *on* na), požadavek, právo (*to* na); tvrzení
clam [klæm] mlž, škeble
clamber ['klæmbə] s námahou lézt, šplhat, škrábat se
clamour ['klæmə] křičet, volat, protestovat (*against* proti); hlučně se dožadovat (*for* čeho)
clamp [klæmp] svěrák # sevřít
clang [klæŋ] řinčení, třeskot # znít, zvučet, řinčet
clap [klæp] (*-pp-*) tleskat, poklepat, poplácat
clari|fy ['klæri|fai] objasnit, vysvětlit; pročistit (se); vyjasnit (se) **–ty** [-ti] jasnost
clarinet [,klærə'net] klarinet
clash [klæš] srážka, konflikt; nesoulad # třesknout, zařinčet; srazit (se), střetnout se; překrývat se časově, kolidovat
clasp [kla:sp] přezka, spona; stisk, sevření # (za)se|pnout přezkou, sponou; sevřít, obejmout; sepnout ruce
class [kla:s] třída **~-mate** ['-meit] spolužák **~-room** ['-rum] třída místnost
classic ['klæsik] klasický vzorný; tradiční; typický; pamětihodný **–al** [klæsikəl] klasický antický; tradiční; typický
classif|y ['klæsifai] třídit, klasifikovat **–ication** [,klæsifi'keišən] klasifikace, třídění, skupina, kategorie
clatter ['klætə] klapot, rachocení, chřestot, řinkot # klapat, chřestit, rachotit, řinčet
clause [klo:z] jaz. hlavní n. vedlejší věta v souvětí; doložka, klauzule, odstavec
claw [klo:] dráp, pařát; klepeto raka # poškrábat, podrápat
clay [klei] jíl; hrnčířská n. sochařská hlína
clean [kli:n] čistý # (vy)(o)čistit (si) **~ up** uklidit místnost **–er** [-ə] uklízečka; čisticí prostředek **–liness** ['klenlinis] čistota; čistotnost **–ly** čistotný **–ness** [-nis] čistota **–se** [klenz] čistit
clear [kliə] jasný; zřetelný; srozumitelný, zřejmý barva, pleť čistý; volný cesta # vyjasnit (se); očistit jméno, pověst; odklidit, sklidit; uvolnit cestu; zaplatit, proplatit, vyrovnat **~ up** uklidit, dát do pořádku; objasnit, vyjasnit **–ance** ['-rəns] odklizení, vyklizení; povolení **–ing** [-riŋ] mýtina
cleave* [kli:v] (PT a PP *cleft* [kleft] n. *clove* [kləuv]) rozštípnout (se); štípat (se) dřevo; rozrazit, rozčísnout
cleft [kleft] PT a PP od *cleave**
clench [klenč] zatnout (se), sevřít; pevně uchopit
clergy ['klə:dži] duchovenstvo, duchovní **–man*** [-mən] (PL v. *man**) duchovní, kněz
clerical ['klerikl] duchovní, duchovenský, kněžský; písařský, administrativní, úřednický
clerk [kla:k] úředník
clever ['klevə] chytrý, bystrý; důmyslný, dobře udělaný; obratný, dovedný, šikovný; vychytralý, mazaný
cliché ['kli:šei] klišé, fráze # frázovitý
click [klik] cvaknout; mlasknout
client ['klaiənt] klient; zákazník
cliff [klif] útes
climat|e ['klaimit] podnebí; přen. ovzduší **–ic** [klai'mætik] klimatický
climax ['klaimæks] vrchol, vyvrcholení
climb [klaim] stoupat, šplhat; vystoupit, vylézt, vyšplhat # výstup, šplhání **~-down** přiznání porážky, chyby
cling* [kliŋ] (PT a PP *clung* [klaŋ]) lpět (*to* na), držet se čeho; viset (*to* na), lnout (k), těsně přiléhat, lepit se
clinic ['klinik] klinika
clink [kliŋk] cinknout, cinkat # cinkot
clip[1] [klip] kancelářská sponka
clip[2] [klip] výstřižek; vystřižený záběr z filmu # (*-pp-*) stříhat, (při)za|střihnout; useknout část slova, zkrátit, proštípnout jízdenku **–s** [-s] PL malé nůžky
clipper ['klipə] klipr rychlá plachetnice
clique [kli:k] klika zájmová skupina

cloak [klǝuk] plášť(ěnka), i přen. pláštík, zástěrka, záminka # přen. zahalit, zakrýt pláštěm **–room** ['-rum] šatna; záchod
clock [klok] hodiny; rychloměr, tachometr **o'~** kolik hodin při udávání času (*it's one o'~* je jedna hodina) **–wise** ['-waiz] ve směru hodinových ručiček **~-work** ['-wǝ:k] hodinový stroj i přen.
clod [klod] hrouda
cloister ['kloistǝ] klášter, křížová chodba
close [klǝus] blízký (*to* čemu), důvěrný; těsný, přiléhavý; dusný vzduch; přesný, bedlivý; přísný # těsně, blízko, skoro # [klǝuz] (u)zavřít (se); (u)(s)za|končit **~ by** blízko, u **~ on** málem, skoro **–ly** [klǝusli] úzce pevně, těsně; pozorně, důkladně
closet ['klozit] skříň vestavěná, komora, komůrka
closure ['klǝužǝ] (u)zavření
clot [klot] chuchvalec, sraženina; slang. moula, pitomec
cloth [kloθ] látka, tkanina; utěrka, prachovka; ubrus
clothes [klǝuðz] PL šaty, oblečení **~-brush** ['-braš] kartáč na šaty **~-line** ['-lain] šňůra na prádlo **~-peg** ['-peg] kolíček na prádlo
clothing ['klǝuðiŋ] = *clothes*
cloud [klaud] oblak, mrak, mračno **–burst** ['-bǝ:st] průtrž mračen **–y** ['-i] zamračený, oblačný
clove[1] [klǝuv] PT a PP od *cleave**
clove[2] [klǝuv] cibulka, stroužek
clove[3] [klǝuv] hřebíček koření
clover ['klǝuvǝ] jetel
clown [klaun] šašek, klaun
club [klab] (*-bb-*) klub; klacek, hůl **~ together** složit se, společně uhradit
clue [klu:] záchytný bod, stopa, vodítko, klíč **not have* a ~** nemít ponětí, tušení
clumsy ['klamzi] nemotorný, nešikovný
clung [klaŋ] PT a PP od *cling**
clutch[1] [klač] pevně sevřít; uchopit; chytit se křečovitě (*at* čeho) # křečovité sevření, uchopení
clutch[2] [klač] hnízdo vajec, kuřat
Co. [kǝu] = *Company* spol.
c/o = *care of* v adrese na adresu koho, toho času (u)
coach [kǝuč] žel. osobní vůz, vagón; dálkový autobus; kočár, dostavník # sport. trenér; soukromý učitel připravující ke zkouškám # připravovat studenta; trénovat koho
coal [kǝul] uhlí **–field** ['-fi:ld] uhelná pánev, uhelný revír **~-mine** ['-main] uhelný důl
coalition [,kǝuǝ'lišn] seskupení, sdružení; koalice
coarse [ko:s] hrubý hrubozrnný; nerovný, drsný; nezdvořilý, obhroublý
coast [kǝust] mořské pobřeží **~-guard** ['-ga:d] pobřežní hlídka, pobřežní policie **~-line** ['-lain] pobřežní čára
coat [kǝut] kabát; kabátek, sako; zvířecí kožich; povlak, potah # pokrýt; potáhnout, povléci **~ of arms** erb, štít, znak **–ing** [-iŋ] nátěr; povlak; kuch. poleva
coax [kǝuks] přemlouvat (*into, out of* k; aby; aby ne)
cobble ['kobl] (též *~-stone*) kulatý dlažební kámen, valoun, kočičí hlava
cobweb ['kobweb] pavučina
cocaine [kǝu'kein] kokain
cock [kok] kohout; sameček # kohoutek střelné zbraně # zvednout, vztyčit, napřímit; natáhnout kohoutek střelné zbraně
cockle ['kokl] srdcovka jedlá mořský mlž
cockpit ['kokpit] kabina pilota letadla n. kosmické lodi
cockroach ['kokrǝuč] šváb
cocktail ['kokteil] koktejl směs
cocoa ['kǝukǝu] kakao
coconut ['kǝukǝnat] kokosový ořech, kokos
cod [kod] treska
COD [,si:ou'di:] = *cash* (am. *collect*) *on delivery* na dobírku, splatno při

dodání
code [kəud] kód; práv. zákoník
coexistence [,kəuik'zistəns] koexistence, soužití
coffee ['kofi] káva
coffin ['kofin] rakev
cognac ['konjæk] koňak
cog-wheel ['kog-wi:l] ozubené kolo
coil [koil] svinout (se), stočit (se) # kotouč provazu, kolo drátu, uzel vlasů; el. cívka
coin [koin] mince # razit mince; přen. razit rčení, frázi
coincid|e [,kəuin'said] shodovat se, překrývat se, krýt se časově i místně **–ence** [kəu'insidəns] časová, náhodná shoda, shoda okolností, náhoda
coke [kəuk] koks; kola coca-cola; slang. koks kokain
cold [kəuld] studený, chladný; přen. neosobní, chladný # chlad, zima; rýma, nastuzení **I am ~** je mi zima **in ~ blood** chladnokrevně
coleslaw ['kəulslo:] salát ze syrového zelí
collaborator [kə'læbəreitə] spolupracovník (*on* na); kolaborant
collaps|e [kə'læps] zřítit se; přen. zhroutit se # zřícení, zhroucení, pád **–ible** [-əbl] sklápěcí, skládací
collar ['kolə] límec; psí obojek; koňský chomout # chytit za límec **~-bone** [-bəun] klíční kost
colleague ['koli:g] kolega
collect [kə'lek|t] sbírat; shromažďovat (se), hromadit (se); vybírat peníze; vyzvednout zavazadla **–ion** [-šn] sbírka; sbírání, sběr, vybírání **–ive** [-tiv] kolektivní **–or** [-tə] sběratel; výběrčí
college ['kolidž] vyšší střední škola; vysoká škola, univerzita; kolej součást univerzity
colli|de [kə'laid] srazit se (*with* s); střetnout se **–sion** [kə'ližn] srážka, střetnutí
colloquial [kə'ləukwiəl] hovorový
colon[1] ['kəulən] tlusté střevo
colon[2] ['kəulən] dvojtečka
colonel ['kə:nl] plukovník
colon|ial [kə'ləunjəl] koloniální **–ialism** [kə'ləuniəlizəm] kolonialismus **–ization** [,kalənai'zeišn] kolonizace **–y** ['kaləni] kolonie
colour, am. **color** ['kalə] barva # barvit, nabarvit; zbarvit (se) **~ (up)** zčervenat, zardít se, zrudnout (*at* nad) **~-blind** [-blaind] barvoslepý **–ed** [-d] barevný; člověk jiný než bílé pleti **–ful** [-ful] barevný; barvitý, pestrý **–less** [-lis] bezbarvý **–s** [-z] PL barvy odznak n. symbol příslušnosti
colt [kəult] hříbě; nováček
column ['koləm] sloup; sloupec; rubrika, sloupek v novinách; kolona
coma kóma, hluboké bezvědomí
comb ['kəum] hřeben # česat; pročesat důkladně prohledat
combat ['kombæt] boj # bojovat (*against*, *with* proti, s)
combin|e [kəm'bain] spojovat (se), slučovat (se); kombinovat # [kombain] kombinát, koncern; (též ~ *harvester*) kombajn **–ation** [,kombi'neišn] spojení, sloučení, kombinace
combust|ion [kəm'basčən] hoření, spalování **–ible** [kəm'bastibəl] hořlavý, zápalný # hořlavina
come* [kam] (PT *came* [keim]; PP ~) přijít, přijet; ujít, ujet; dojít, dospět (k čemu) **~ about** ['-ə'baut] stát se, přihodit se **~ across** ['-ə'kros] přejít, přejet; narazit (na), náhodou potkat koho **~ away** ['-ə'wei] odpadnout, oddělit se, upadnout; odejít, odejet **~-back** ['-bæk] vrátit se **~ by** ['-bai] přijít (k čemu), získat co **~-down** ['-daun] sejít, sestoupit, slézt; klesnout ceny; zhroutit se, zřítit se **~ off** ['-of]podařit se, vyjít; konat se, uskutečnit se **~ on** ['-on] dařit se, dělat pokroky, dobře prospívat; objevit se **~ on!** pojďme!, vzhůru!; tak pojď, pospěš si; (no) tak **~ out** slunce, kniha vyjít, vyjít najevo; vstoupit do stávky **~ round** přijít k sobě, nabýt vědomí; zaskočit, zajít na návštěvu **~ up** slunce vyjít; vynořit se, ob-

jevit se
comed|ian [kə'mi:djən] komik; autor komedií **–y** ['komidi] veselohra, komedie
comet ['komit] kometa
comfort ['kamfət] pohodlí; útěcha; uspokojení # utěšit **–able** [-əbl] pohodlný
comic ['komik] směšný, komický # komik; obrázkový seriál
comma ['komə] jaz. čárka
command [kə'ma:nd] rozkaz, příkaz, nařízení; velení; ovládání (*of* čeho); znalost (*of* čeho) # rozkázat, přikázat, nařídit; velet komu, čemu; ovládat, kontrolovat **–ment** [kə'ma:dmənt] přikázání
commemorate [kə'meməreit] připomínat památku čeho
commend [kə'mend] chválit, vychvalovat; doporučit; svěřit do ochrany (*to* komu) **–able** [kə'mendəbəl] chvályhodný
comment ['koment] poznámka, komentář (*on* k, o) # komentovat, poznamenat (*on* co) **–ary** ['koməntəri] komentář (*on* k) **–ator** ['koməntei tə] komentátor
commerc|e ['komə:s] obchod **–ial** [kə'mə:šl] obchodní, komerční # reklama v televizi n. rozhlase
commiserate [kə'mizəreit] soucítit (*with* s) # vyjádřit soucit n. účast komu
commission [kə'mišn] pověření; zakázka, objednávka, úkol; komise, výbor, úřad; provize, odměna; jmenování listina # pověřit; zadat zakázku, objednat (si); jmenovat kým **–aire** [kə,mišə'neə] posluha, vrátný v hotelu ap. **–er** [kə'mišənə] komisař; člen komise
commit [kə'mit] (*-tt-*) spáchat co, dopustit se čeho; odevzdat, předat; mravně zavázat **–ment** [-mənt] svěření, odevzdání; závazek
committee [kə'miti] výbor, komise
commodity [kə'moditi] zboží, výrobek, produkt
common ['komən] společný; obvyklý, běžný; hrubý, obhroublý, sprostý # obecní pozemek, občina **the C~ Market** společný trh EHS **~ sense** zdravý rozum **have* nothing in ~ with** nemít nic společného s **the Commonwealth** Britské společenství národů **the House of Commons** brit. dolní sněmovna
commotion [kə'məušn] nepokoj, rozruch
commune ['komju:n] komuna # důvěrně rozmlouvat (*with* s)
communic|ate [kə'mju:ni|keit] sdělit, oznámit (*to* komu); přenášet nemoc; dorozumívat se (*by* čím) **–able** [-kəbl] přenosný (*disease* choroba) **–ation** [kə,mju:ni'keišn] dorozumívání, komunikace; přenášení nemoci sdělení, zpráva **–ative** [kə'mju:nikətiv] sdílný, hovorný
communiqué [kə'mju:nikei] komuniké, úřední zpráva
commun|ism ['komju|nizm] komunismus **–ist** [-nist] komunista # komunistický
community [kə'mju:niti] společenství osob, obec; společenství majetku, zájmů
commut|e [kə'mju:t] pravidelně dojíždět do zaměstnání **–er** [-ə] dojíždějící do zaměstnání
compact[1] ['kompækt] dohoda, smlouva
compact[2] ['kompækt] pudřenka # [kəm'pækt] kompaktní, pevný, hustý; hutný sloh **~ disc** kompaktní disk
companion [kəm'pænjən] společník, druh; průvodce příručka
company ['kampəni] společnost skupina osob, hosté; společnost, podnik, firma
compar|e [kəm'|peə] srovnat, porovnat (*with* s); být srovnatelný, snést srovnání (*with* s); přirovnávat (*to* k); jaz. stupňovat **–ative** [-pærətiv] srovnávací; poměrový **–ison** [kəm'pærisn] srovnání; přirovnání; jaz. stupňování
compartment [kəm'pa:tmənt] oddělení; část; přihrádka; žel. kupé

compass ['kampəs] kompas **–es** [-iz] PL kružítko
compassion [kəm'pæš|n] slitování, soucit (*for* s) **–ate** [-ənit] soucitný
compat|ibility [kəm,pætə'biliti] slučitelnost, kompatibilita; snášenlivost **–ible** [-bl] slučitelný, kompatibilní; snášenlivý
compel [kəm'pel] (-*ll*-) (při)do|nutit; vynutit si co **–ling** [-iŋ] podmanivý, neodolatelný; přesvědčivý
compensat|e ['kompenseit] vyrovnat, vyvážit; nahradit (*for* co); odškodnit (*for* za) **–ion** [,kompen'seišn] vyrovnání; odškodné, náhrada
compete [kəm'pi:t] soutěžit, soupeřit (*with* s kým; *in* v čem; *for* oč); konkurovat
compet|ence ['kompitə|ns] schopnost, způsobilost, kvalifikace; kompetence, pravomoc **–ent** [-nt] schopný, vhodný, kvalifikovaný, šikovný
competitive [kəm'petitiv] soutěživý, soutěžní; konkurenční
competit|ion [,kompi'tišn] soutěž, závod; konkurence; konkurs **–ive** [kəm'petit|iv] soutěž|ivý(ní); konkursní; konkurenční **–or** [-ə] závodník, účastník soutěže, konkursu, uchazeč; konkurent, soupeř
compile [kəm'pail] shromáždit, sestavit; poč. překládat program
compl|ain [kəm'pl|ein] stěžovat si (*about, at* na) **–aint** [-eint] stížnost; med. potíže, choroba
complement ['kompli|mənt] doplněk **–ary** [,-'mentəri] doplňkový; doplňující se vzájemně
complet|e [kəm'pli:|t] úplný, celý, hotový, dokončený # dokončit; (do)vy|plnit formulář **–ion** [-šn] doplnění, dohotovení
complex ['kompleks] složený; složitý # celek, komplex; med. komplex
complexion [kəm'plekšn] pleť, barva pleti; ráz, charakter
complicat|e ['komplikeit] komplikovat **–ed** [-id] složitý, komplikovaný **–ion** [,kompli'keišn] komplikace
compliment ['kompliment] pocta, poklona (*on* pro, kvůli) # dělat poklony, obdivovat (*on* co) **–s** [-s] PL poručení, pozdrav **–ary** [,kompli'mentəri] pochvalný, lichotivý; čestný, volný vstupenka
comply [kəm'plei] vyhovět (*with* komu, čemu)
component [kəm'pəunənt] složka, součást, komponent # dílčí, jednotlivý
compos|e [kəm'pəuz] skládat, tvořit určitý celek; hudební n. slovesné dílo **–ed** [-d] tvořený (*of* čím, z čeho); klidný, vyrovnaný **–er** [-ə] hud. skladatel
compos|ite ['kompə|zit] složený # složenina, smíšenina **–ition** [,-'zišn] skládání, sestavování, komponování; složení, skladba; skladba hud. a literární dílo; školní kompozice, úloha; směs, složenina; chem. sloučenina **–itor** [kəm'pozitə] sazeč
compost ['kompost] kompost
composure [kəm'pəužə] klid, vyrovnanost
compound ['kompaund] složenina; chem. sloučenina; jaz. složené slovo, složenina # složený; složitý
comprehen|d [,kompri'hen|d] pochopit; zahrnovat **–sible** [sibəl] pochopitelný, srozumitelný (*to* komu) **–sion** [-šn] chápání, chápavost **–sive** [-siv] vyčerpávající, obsáhlý, zevrubný # (též ≈ *school*) brit. všeobecná střední škola
compress [kəm'pres] stlačit; slisovat # obvaz; obklad
comprise [kəm'praiz] zahrnovat, obsahovat; skládat se (z); tvořit
compromise ['kompremaiz] kompromis # udělat kompromis, dohodnout se na kompromisu, udělat ústupek, slevit; kompromitovat (*os.* se)
compuls|ion [kəm'pal|šn] nátlak, donucení **–ory** [-səri] povinný
comput|e [kəm'pju:t] pracovat s počítačem; vypočítat, odhadnout **–er** [-ə]

počítač
comrade ['komrid] druh, kamarád; polit. soudruh
conceal [kən'si:l] zatajit, utajit, skrýt (*from* před)
conceited [kən'si:tid] domýšlivý, ješitný
conceiv|e [kən'si:v] počít dítě; otěhotnět; pochopit, představit si **–able** [-əbl] myslitelný, představitelný
concentrat|e ['konsən|treit] soustředit (se) (*on* na) **–ion** [,-'treišn] soustředění, koncentrace (≈ *camp* koncentrační tábor)
concept ['konsept] pojem **–ion** [kən'sepšn] početí dítěte; pojetí, koncepce; pojem (*of* o)
concern [kən'sə:n] starost, znepokojení; zájem; záležitost, věc; koncern, podnik # týkat se, dotýkat se čeho **be* –ed to do st.** [-d] mít zájem (na), usilovat (o) **–ing** [-iŋ] týkající se čeho
concert ['konsət] koncert; soulad, souhra **~- hall** [-ho:l] koncertní síň
concerto [kən'čə:təu] koncert hudební skladba
concession [kən'sešn] ústupek (*to* komu, čemu); úleva (*for* pro); koncese, povolení, oprávnění
conciliatory [kən'siliətəri] smířlivý
concise [kən'sais] stručný
conclu|de [kən'klu:|d] uzavřít, (u)za| končit; usuzovat, soudit; uzavřít, dohodnout smlouvu **–sion** [-žn] (u)za|končení, závěr; rozhodnutí; uzavření, sjednání **–sive** [-siv] rozhodující, přesvědčivý, nezvratný
concrete ['koŋkri:t] konkrétní; hmotný, materiální # beton
concur [kən'kə:] (*-rr-*) souhlasit, být zajedno (*with* s); vyskytovat se současně
concussion [kən'kašn] otřes mozku
condemn [kən'dem] odsoudit (*to* k); odsoudit nesouhlasit; prohlásit za nevhodné, nepoživatelné ap. **–ation** [,kondem'neišn] odsouzení
condense [kən'dens] zkapalnit (se), srazit (se); zahustit (se), kondenzovat; zhustit text **–d milk** [-t] kondenzované mléko
condescend [,kondi'send] snížit se (*to* k); chovat se blahosklonně (*to* k, vůči) **–ing** [-iŋ] blahosklonný; povýšený
condition [kən'diš|n] podmínka; stav **–s** [-nz] PL podmínky, okolnosti; poměry # podmínit, podmiňovat, určovat; navyknout; upravit, uvést do žádoucího stavu **–al** [-ənl] podmíněný (*on, upon* čím), závislý (na); jaz. podmínkový; podmiňovací
condol|e [kən'dəul] projevit soustrast (*with* komu; *on* s) **–ence** [-əns] projev soustrasti, kondolence
condom ['kondəm] kondom
condone [kən'dəun] odpustit, prominout, omlouvat, přehlížet
conduct ['kondakt] chování; vedení, řízení # [kən'dakt] vést, řídit; provádět; vést, vyprovodit; hud. dirigovat **~ os.** chovat se; vést teplo, elektřinu **–ive** [-iv] vodivý **–or** [-ə] hud. dirigent; průvodčí autobusu, tramvaje, am. i vlaku; fyzikálně vodič
cone [kəun] kužel; šiška; kornoutek zmrzliny
confection [kən'fekš|n] cukroví **–er** [-ənə] cukrář **–ery** [-nəri] cukrovinky; cukrářství
confer [kən'fə:] (*-rr-*) radit se, jednat, hovořit (*with* s); udeřit, propůjčit hodnost, titul **–ence** ['konfərəns] porada, zasedání; konference
confess [kən'fe|s] přiznat (se) (*to* k); (vy)zpovídat (se) **–ion** [-šn] přiznání; vyznání, náboženské přesvědčení; zpověď
confid|e [kən'faid] svěřit se (*to* komu); svěřit; důvěřovat (*in* komu) **–ence** ['konfidəns] (sebe)důvěra; důvěrnost, důvěrné sdělení **–ent** [-nt] sebejistý; pevně přesvědčený (*of* o) **–ential** [,konfi'denšl] důvěrný tajný; důvěřivý
confine [kən'fain] zavřít držet člověka n. zvíře v omezeném prostoru (*in, to* do); omezit

(*to* na)
confirm [kən'fə:m] potvrdit; schválit, ratifikovat; biřmovat, konfirmovat **–ation** [,konfə'meišn] potvrzení; biřmování, konfirmace **–ed** [-d] nenapravitelný; zapřisáhlý, zatvrzelý
confiscat|e ['konfi|skeit] (z)konfiskovat, zabavit **–ion** [,-'skeišn] konfiskace, zabavení
conflict ['konflikt] spor, konflikt; voj. srážka, střetnutí # [kən'flikt] být v rozporu, odporovat si
confluence ['konfluəns] soutok
conform [kən'fo:m] přizpůsobit (se); vyhovovat (*to* čemu), řídit se čím
confront [kən'frant] musit čelit; konfrontovat (*with* s), postavit proti sobě **–ation** [konfrən'teišən] konfrontace; konflikt
confus|e [kən'fju:|z] zmást, poplést; plést si, zaměňovat (*sb. with sb.* koho s kým) **–ed** [-zd] zmatený, popletený, nejasný **–ion** [-žn] zmatek, záměna **–ing** [-ziŋ] matoucí
congenial [kən'dži:njəl] příjemný, sympatický
congenital [kən'dženitl] vrozený
congest|ed [kən'džest|id] přeplněný, přecpaný; med. překrvený **–ion** [-šən] med. překrvení; nahromadění, nával; ucpání, zácpa
congratul|ate [kən'græčulei|t] blahopřát, gratulovat (*on* k) **–ation** [-šn] přání, gratulování **–ations** [-šns] blahopřání, gratulace **-atory** [kən,græču'leitəri] blahopřejný
congregate ['koŋgrigeit] shromáždit se, sejít se
congress ['koŋgres] sjezd, kongres **C~** kongres zákonodárný orgán
conifer ['konifə] jehličnatý strom **–ous** [-rəs] jehličnatý
conjecture [kən'džekčə] dohad, domněnka; domýšlet se čeho
conjugat|e ['kondžugeit] časovat (se) **–ion** [-šən] časování
conjuncti|on [kən'džaŋkšn] spojení; jaz. spojka **–va** [,kondžaŋk'taivə] med. spojivka **–vitis** [kən,džaŋkti'vaitis] med. zánět spojivek
conjur|e ['kandžuə] čarovat, kouzlit, dělat kouzla, kejkle **~ up** vykouzlit, vyvolat, přivolat **–er**, **–or** [-rə] kouzelník, kejklíř
connect [kə'nekt] spojit (se), připojit (se); spojovat v mysli (*with* s) **–ion** [kə'nekšn] spojení; vztah, souvislost, spojitost
connive [kə'naiv] přimhouřit oko (*at* nad), mlčky schvalovat
connoisseur [,koni'sə:] znalec
conque|r ['koŋkə] dobýt; porazit **–ror** [-rə] dobyvatel, vítěz **–st** ['koŋkwest] dobytí, zábor; dobyté území
conscien|ce ['konšəns] svědomí **–tious** [,konši'enšəs] svědomitý
conscious ['konšəs] kteří jsou při vědomí, při smyslech; vědomý (si) (*of* čeho); uvědomělý, vědomí **–ness** [-nis] vědomí stav při vědomí; vědomí uvědomování si (*of* čeho)
conscript ['konskript] odvedenec, branec **–ion** [kən'skripšn] branná povinnost, odvod
consecutive [kən'sekjutiv] po sobě jdoucí; nepřetržitý
consensus [kən'sensəs] shoda, souhlas (*of* v)
consent [kən'sent] svolit (*to* k), souhlasit (s čím)
consequ|ence ['konsi|kwəns] následek, důsledek; důležitost, význam **–ently** [-kwəntli] v důsledku toho, proto, tedy
conservat|ion [,konsə'veišn] zachování (*of* čeho) **–ive** [kən'sə:vətiv] konzervativní; umírněný, opatrný **–oire** [kən'sə:vətwa:r] konzervatoř **–ory** [kən'sə:vətri] skleník; konzervatoř
conserve [kən'sə:v] uchovat, zachovávat # (obv. PL) ovocná zavařenina, džem
consider [kən|'sidə] rozmyslit si, uvážit; vzít v úvahu; považovat, pokládat (*as* za); mít v úmyslu **–able** [-'sidərəbl] značný, značně velký

–ate [-'sidərit] pozorný, ohleduplný **–ation** [-,sidə'reišn] uvažování; ohled (*for* na); odměna, úplata **–ing** [-,sidriŋ] uvážíme-li (že), vzhledem (k)
consign [kən'sain] odevzdat, předat, svěřit; podat k přepravě, odeslat, zaslat zboží **–ment** [-mənt] zaslání, odeslání, dodání; zásilka
consist [kən'sist] spočívat (*in* v); skládat se, sestávat (*of* z) **–ent** [-ənt] souhlasný, shodný, jsoucí v souladu n. shodě (*with* s),odpovídající čemu; důsledný, zásadový
consol|e [kən'səul] utěšit **–ation** [,konsə'leišn] útěcha
consonant ['konsənənt] jaz. souhláska
conspicuous [kən'spikjuəs] nápadný; dobře viditelný
conspir|e [kən|'spaiə] spiknout se, osnovat spiknutí, tajně se dohodnout **–acy** [-'spirəsi] spiknutí, konspirace
constable ['kanstəbəl] brit. policejní strážník
constant ['konstənt] stálý, neměnný, konstantní; neustálý, ustavičný, nepřetržitý; věrný **–ly** [-li] stále, neustále, nepřetržitě; každou chvíli; pořád
constellation [,konstə'leišn] souhvězdí
consternation [,konstə'neišn] ohromení, úžas, zděšení
constipat|ion [,konsti'peišn] zácpa **–ed** ['konstipeitid] mající zácpu
constitu|ency [kən'stitju|ənsi] volební obvod **–ent** [-ənt] základní, podstatný, tvořící část celku; volební, volící; ústavodárný
constitut|e ['konsti|tju:t] ustavit, zřídit; tvořit, vytvářet **–ion** [,-tju:šn] ústava, konstituce; ustavení, ustanovení; zřízení; složení; tělesná soustava, konstituce **–ional** [,-tju:šənl] ústavní; tělesný
constrain [kən'strein] (při)nutit **–ed** [-d] nucený, strnulý, nepřirozený
constraint [kən'streint] donucení, nátlak; omezení; stísněnost, rozpaky, zábrany, zdrženlivost, rezervovanost
construct [kən'strak|t] stavět, postavit, vybudovat, sestrojit, sestavit **–ion** [-šn] stavba, výstavba, konstrukce; výklad, smysl **–ive** [-tiv] konstruktivní; tvořivý, činorodý; vynalézavý
consul ['kons|əl] konzul **–ar** [-julə] konzulský; konzulární **–ate** [-julit] konzulát
consult [kən'sal|t] konzultovat, poradit se, zeptat se na radu n. názor **–ant** [-tənt] poradce; konzultant **–ation** [,konsəl'teišn] porada, konzultace **–ing room** [kən'saltiŋ] med. ordinace
consum|e [kən'sju:m] spotřebovat; vypotřebovat, vyplýtvat, promarnit; strávit, zničit, zahubit **–er** [-ə] spotřebitel
consumption [kən'sampšn] spotřeba
contact ['kontækt] styk, dotyk; kontakt, spojení # [kən'tækt] vejít ve styk, navázat spojení; obrátit se (na), spojit se (s)
contagi|on [kən'teidž|ən] nákaza **–ous** [-əs] nakažlivý
contain [kən'tein] obsazovat; ovládnout (se) **–er** [-ə] nádoba, krabice, bedna; kontejner, přepravník
contaminat|e [kən|'tæmineit] znečistit, kontaminovat; přen. poskvrnit **–ion** [-,mi'neišn] znečištění
contemplat|e ['kontempleit] zamyšleně pozorovat, dívat se (na), prohlížet si; rozjímat; zamýšlet, mít v úmyslu **–ion** [,kontem'pleišn] rozjímání, uvažování; úmysl
contemporary [kən'tempərəri] současný, soudobý # současník
contempt [kən'temp|t] opovržení (*for* k, nad), pohrdání (*of, for* čím) **–ible** [-təbl] opovrženíhodný **–uous** [-čuəs] pohrdavý
contend [kən'tend] zápasit, bojovat (*against* proti; *with* s; *for* za); tvrdit
content[1] [kən'tent] (PL *–s* ['kontents])

obsah náplň, objem; obsah myšlenka
content[2] [kən'tent] spokojenost # spokojený **~ os.** spokojit se (*with* s) **–ment** [-mənt] spokojenost
contention [kən'tenšn] svár, spor; tvrzení; soupeření, soutěžení
contest [kən'test] napadnout tvrzení, vzít v pochybnost, popírat; bojovat, účastnit se závodu, ucházet se (o) # ['kontest] zápas, soutěž **–ant** [kən'testən] soutěžící, závodník
context ['kontekst] souvislost, kontext
continen|t[1] ['kontinənt] zdrženlivý **–ce** [-əns] zdrženlivost
continent[2] ['kontin|ənt] pevnina, světadíl **the C~** brit. evropská pevnina, Evropa bez Británie **–al** [,konti'nentl] pevninský, kontinentální, vnitro-zemský
contingency [kən'tindžənsi] možnost, eventualita
continu|al [kən|'tinjuəl] ustavičný, nepřetržitý **–ation** [-,tinju'eišn] pokračování
continu|e [kən'tin|ju:] pokračovat **–ance** [kən'tinjuəns] trvání; setrvávání; pokračování seriálu **–ity** [,konti'nju:iti] souvislost, spojitost, kontinuita; plynulost **–ous** [-juəs] nepřetržitý, ustavičný; souvislý, plynulý
contraband ['kontrəbænd] kontraband, pašované zboží
contrabass [,kontrə'beis] kontrabas
contraception [,kontrə'sepšn] antikoncepce
contract ['kontrækt] smlouva # [kən'træk|t] uzavřít smlouvu; uzavřít sňatek, přátelství; chytit nemoc; získat návyky, zálibu, přátele; zúžit (se), stáhnout (se), scvrknout (se), smrsknout (se) **–ion** ['kontrækšn] smrštění, stažení, zmenšení, zúžení
contradict [,kontrə'dik|t] popřít, popírat, být v rozporu (s); odporovat si **–ion** [-šn] odpor, nesouhlas; rozpor, protiklad
contrary ['kontrəri] opak # tvrdohlavý, paličatý **on the ~** naopak
contrast [kən'tra:st] kontrastovat (*with* s), napadně se lišit, porovnat # ['kontra:st] kontrast, opak
contribut|e [kən'tribju:t] přispět (*to* k, na) **–ion** [,kontri'bju:šn] příspěvek
contrive [kən'traiv] (vy)nalézt, vymyslit (si); dovedně dumyslně provést, uskutečnit, vyrobit; dokázat, umět
control [kən'trəul] (*-ll-*) ovládat, řídit; kontrolovat regulovat, ověřovat # ovládání, vláda, moc, kontrola; dozor, autorita; řízení, regulace; kontrola ověření **get* out of ~** vymknout se z ruky, dostat se mimo kontrolu
controvers|ial [,kontrə'və:šl] sporný, diskutabilní; polemický **–y** ['kontrəvə:si] spor, polemika, diskuse
convalesc|e [,konvə'les] zotavit se, uzdravit se **–ence** [-ns] rekonvalescence **–ent** [-nt] uzdravující se # rekonvalescent
conveni|ence [kən'vi:nj|əns] výhoda, pohodlí, potřeba **at your ~** jak se vám to nejlépe hodí **–ent** [-ənt] vhodný, příhodný, vyhovující (*for* komu, čemu)
convent ['konvənt] ženský klášter
convent|ion [kən'ven|šn] shromáždění; konvence, dohoda, zvyklost **–ional** [-šənl] obecný, obvyklý, tradiční, konvenční
converge [kən'və:dž] sbíhat se, sbližovat se mat.; soustředěně směřovat kam; soustředit do jednoho bodu
convers|e[1] [kən'və:s] rozmlouvat, konverzovat (*with* s *about* o) **–ation** [,konvə'seišn] (roz)hovor, konverzace, rozmluva, zábava
converse[2] [kən'və:s] opak
conversion [kən'və:šn] změna, přeměna; úprava, adaptace, přestavba; obrácení na víru
convert [kən'və:|t] přeměnit, proměnit; upravit, přestavět, adaptovat; jaz převrátit, obrátit; obrátit (*to* na víru) **–ible** [-təbl] zaměnitelný; proměnitelný; přestavitelný, mnohoúčelový; ekonomicky směnitelný, konvertibilní
convex ['konveks] vypouklý, konvexní

convey [kən'vei] dopravit, přepravit; vyřídit, sdělit, oznámit; vyjádřit, vyslovit; znamenat (*to* komu, pro), říkat komu co; přenášet, vést, rozvádět **–or** [-ə] (též *–or belt*) dopravník, běžící pás
convict [kən'vik|t] usvědčit (*of* z), uznat vinným # ['konvikt] odsouzenec, trestanec **–ion** [-šn] odsouzení, usvědčení; přesvědčení
convinc|e [kən'vins] přesvědčit (*of* o) **–ing** [-iŋ] přesvědčivý
convoy ['konvoi] konvoj; kolona
convulsion [kən'valšn] (obv. PL) křeče; záchvat křečovitého smíchu; prudký záchvat, vzplanutí
cook [kuk] vařit (se) # kuchař(ka) **~-book** [-buk], am. **–ery-book** ['kukəri buk] kuchařka kniha **–er** [-ə] sporák; vařič **–ery** ['-əri] vaření, kuchařství, kuchařské umění **–ie** ['kuki] am. sušenka **–ing** [-iŋ] vaření; kuchyně způsob úpravy pokrmů
cool [ku:l] chladný i přen.; chladivý; klidný # chlad; chládek # ~ (**down**) ochladit (se)
co-op ['kəuop] družstvo **the C~** brit. družstevní prodejna
co-operat|e [kəu|'opəreit] spolupracovat **–ion** [-,opə'reišn] spolupráce **–ive** [-'opərətiv] ochotný spolupracovat, kooperující; družstevní, kooperativní # družstvo
co-ordinate [kəu'o:dineit] koordinovat, sladit # mat. souřadnice
cope [kəup] poradit si, vypořádat se (*with* s), zvládnout co
copier ['kopiə] kopírovací přístroj
copper ['kopə] měď
copy ['kopi] opis, kopie; výtisk; předloha # opsat, udělat kopii, okopírovat; napodobit **–right** ['kopirait] autorské právo
coral ['korəl] korál
cord [ko:d] provázek, šňůra, šňůrka
cordial ['ko:djəl] srdečný; hluboký intenzivně pociťovaný # sladký, aromatický likér
cordon ['ko:dn] kordón řada n. kruh policistů ap.; ozdobná stuha, šerpa
corduroy ['ko:dəroi] manšestr **–s** [-z] PL manšestrové kalhoty, manšestráky
core [ko:] ohryzek; jádro i přen.
cork [ko:k] korek; zátka **–screw** ['-skru:] vývrtka
corn[1] [ko:n] obilí; zrno; am. kukuřice **–flakes** ['-fleiks] kukuřičné vločky **–flour** ['-flauə] kukuřičná n. rýžová moučka
corn[2] [ko:n] kuří oko
corner ['ko:nə] roh, kout # zahnat do úzkých
cornet ['ko:nit] hud. kornet; zmrzlinový kornout
coronation [,korə'neišn] korunovace
coroner ['korənə] koroner úřední ohledávač mrtvol a vyšetřující soudce v případě náhlé n. násilné smrti
corporal[1] ['ko:pərəl] tělesný (*punishment* trest)
corporal[2] ['ko:pərəl] voj. desátník; kaprál
corporat|e ['ko:pərət] společný; podnikový; jednotný, jednotlivý **–ion** [,ko:pə'reišn] správa, zastu-pitelstvo; právnická osoba; sdruže-ní, spolek, společnost, podnik, korporace
corps [ko:z] sbor armádní, baletní, diplomatický
corpse [ko:ps] mrtvola
corpuscle ['ko:pasl] med. krvinka
correct [kə'rek|t] správný; přesný # opravit **–ion** [-šn] oprava
correspond [,kori'spond] odpovídat (*with* čemu), shodovat se (s čím); dopisovat si, psát si **–ence** [-əns] shoda, soulad, souhlas; korespondence, dopisování **–ent** [-ənt] dopisovatel, korespondent
corridor ['korido:] chodba
corroborate [kə'robəreit] doložit, dosvědčit, potvrdit
corro|de [kə'rəu|d] rozežírat, rozleptávat; korodovat **–sion** [-žn] koroze, rozežírání, rozleptávání **–sive** [kə'rəusiv] korozní, žíravý
corrugate ['korəgeit] zvrásnit se, svraštit se, zvlnit **–d** [-id] vlnitý

corrupt [kə'rap|t] přen. zkažený; úplatný, zkorumpovaný # přen. zkazit; podplatit **–ion** [-šn] mravní zkaženost; úplatkářství, úplatnost, korupce
corset ['ko:sit] korzet
cosmetic [koz'metik] kosmetický prostředek # kosmetický
cosmic ['kozmik] kosmický
cosmonaut ['kozməno:t] sovětský kosmonaut
cosmopolitan [,kozmə'politən] kosmopolitní, světoobčanský
cost* [kost] (PT a PP ~) stát koho, kolik, co i přen., mít cenu, přijít koho nač # cena i přen., náklad, náklady (*at all –s* za každou cenu; *how much does it ~* kolik to stojí) **–ly** ['-li] drahý, nákladný
costume ['kostju:m] kroj, kostým ~ *jewellery* bižutérie
cosy ['kəuzi] útulný, pohodlný, příjemný
cot [kot] dětská postýlka
cottage ['kotidž] chalupa, chata ~ **cheese** tvaroh
cotton ['kotn] bavlna; bavlnka nit ~ **wool** [,-'wul] vata
couch [kauč] divan, pohovka, lehátko, kanape **–ette** [ku:'šet] lehátko v lehátkovém voze
cough [kof] kašel # kašlat
could [kud, nedůrazně kəd] podmiňovací způsob mohl by # PT od *can**
council ['kaunsl] rada; (též *city* ~) městská rada ~ **estate** sídliště
counsel ['kauns|l] rada, rady; právní zástupce # (*-ll-*) radit **–lor** [-lə] poradce; am. právník
count [kaunt] počítat # počítání, sčítání; celkový počet, výsledek; práv. bod žaloby; bod, uvažovaná věc ~ **as** považovat, pokládat (za); platit, mít cenu (*for* jakou) **–less** ['-lis] nesčetný, nespočetný
counter[1] ['kauntə] pult, přepážka, okénko; hrací známka, žeton
counter[2] ['kauntə] čelit čemu, odpovědět útokem
counterfeit ['kauntəfit] padělaný, falešný # padělek
counterfoil ['kauntəfoil] kontrolní útržek šeku, vstupenky ap.
counterpart ['kauntəpa:t] protějšek koho, čeho
country ['kantri] země, kraj **the ~** venkov **~ dance** [,-'da:ns] vesnický lidový tanec **~-house** [,-'haus] panské venkovské sídlo **–man*** [-mən] (PL v. *man**) venkovan; krajan **~-side** [-said] venkov; krajina
county ['kaunti] brit. hrabství; kraj, okres, správní obvod
coup d'état [,ku:dei'ta:] státní převrat, puč
couple ['kapl] pár, dvojice # spojovat po dvou; spojovat v duchu, dávat do souvislosti **married** ~ manželé **a ~ of** pár, dva; pár, několik
coupon ['ku:pon] ústřižek, kupón, poukázka
courage ['karidž] odvaha **–ous** [kə'reidžəs] odvážný, statečný
courier ['kuriə] posel, kurýr; průvodce zahraniční turistické skupiny
course [ko:s] běh, průběh; kurs směr, trať; chod jídla; kurs soubor přednášek; med. léčba, kůra; golfové hřiště
court [ko:t] dvůr domu, nádvoří; soudní dvůr; panovnický dvůr; dvorec, hřiště **–eous** ['kə:tjəs] zdvořilý, galantní **–esy** ['kə:tisi] zdvořilost, vybrané chování, ohleduplnost **~-house*** ['ko:thaus] soudní budova **–yard** ['-ja:d] dvůr, dvorek; nádvoří
cousin ['kazn] bratranec; sestřenice
cove [kəuv] malý záliv, mělká zátoka
cover ['kavə] (po)krýt (si); (při)za|krýt (*os.* se); obsahovat, zahrnovat # pokrývka; uzávěr, víko, víčko, poklice; úkryt, skrýše; deska, vazba knihy, obálka, přebal **under ~ of** pod ochranou čeho; pod záminkou čeho ~ **charge** [-ča:dž] přirážka v restauraci **–ing letter** [-riŋ] vysvětlující, průvodní dopis
cow [kau] kráva **–boy** ['kauboi] kovboj **–shed** ['kaušed] kravín, chlév

coward ['kauəd] zbabělec **–ice** [-is] zbabělost **–ly** [-li] zbabělý
crab [kræb] krab
crack [kræk] prásknutí biče, pušky, hromu ap., třesknutí, šlehnutí biče; třesk, praskot; prasklina, puklina, trhlina, škvíra; šleh, řízný vtip, vtipná po-známka **–er** ['-ə] suchar, keks, sušenka, krekr; prskavka, třeskavý bonbón **–ers** ['-əz] PL louskáček **–le** ['-l] praskat, šustit # praskot
cradle ['kreidl] kolébka
craft [kra:ft] řemeslo; cech; dovednost, šikovnost, obratnost; lstivost, prohnanost, mazanost; plavidlo; letadlo, stroj **–sman*** ['-smən] (PL v. *man**) řemeslník
crag [kræg] útes, skalisko
cram [kræm] (*-mm-*) nacpat (*into* do), přecpat; slang. (na)dřít, (na)biflovat
cramp [kræmp] křeč # ochromit, sevřít **–ed** [-t] drobný, špatně čitelný rukopis; omezený prostorem, stěsnaný, natěsnaný
cranberry ['krænbəri] brusinka
crane [krein] jeřáb pták; stroj
crank [kræŋk] klika
crash [kræš] (za)praštět, třesknout, (za)rachotit; rozbít (se) s třeskotem, roztříštit se; prudce narazit (*into* do); srazit se, narazit, vrazit do sebe; přen. zhroutit se, zkrachovat # rána, třesk, praskot, řinčení; zřícení, havárie, srážka; přen. zhroucení, krach
crate [kreit] dopravní bedna; bedna na láhve
crater ['kreitə] jícen, kráter
crave [kreiv] dychtit (*for* po)
crawl [kro:l] plazit se; hemžit se (with čím) # sport. kraul
crayfish ['kreifiš] rak
crayon ['kreiən] pastelová tužka, pastel, barevná křída
craz|e [kreiz] mánie, posedlost; velká přechodná móda **–y** ['-i] bláznivý, šílený; zblázněný, poblázněný, potrěštěný; blázen (*about* do), posedlý čím
creak [kri:k] vrzat, skřípat
cream [kri:m] smetana; krém **~ cheese** [,-'či:z] smetanový sýr
crease [kri:s] puk na kalhotách; zmačkání, záhyb, rýha, přehyb, řasa, vráska # mačkat (se), zmačkat
creat|e [kri'eiْt] vytvořit, stvořit; udělat, vyvolat, způsobit **–ion** [-šn] stvoření, vytvoření; výtvor, dílo **–ive** [-tiv] tvořivý, tvůrčí **–or** [-tə] stvořitel, tvůrce **–ure** ['kri:čə] tvor, stvoření, bytost; kreatura, stvůra
creche [kreiš] dětské jesle
creden|ce ['kri:dəns] **attach, give* ~ to st.** uvěřit, dopřát sluchu **–tials** [kri'denšlz] pověřovací list(iny) n.
credible ['kredəbl] věrohodný, důvěryhodný, spolehlivý; uvěřitelný
credit ['kredit] důvěra; dobrá pověst, dobré jméno; zásluha; obch. úvěr, kredit # dát na úvěr; připisovat, přisuzovat (*st. with* komu co) **–able** [-əbl] slušný, chvályhodný
credulous ['kredjuləs] důvěřivý, lehkověrný
creed [kri:d] krédo, víra, vyznání víry, přesvědčení
creek [kri:k] úzká zátoka, záliv; am. potok, říčka
creep* [kri:p] (PT a PP *crept* [krept]) vplížit se; rostlina plazit se, popínat se
cremat|e [kri'meit] zpopelnit **–ion** [kri'meišn] kremace, pohřeb žehem **–orium*** [,kremə'to:riəm] (PL *–oriums* [-z] n. *–oria* [-ə]) krematorium
crept [krept] PT a PP od *creep**
crescent ['kresnt] srpek, půlměsíc; půlkruhovitá řada domů, obloukovitá ulice
cress [kres] řeřicha
crest [krest] hřebínek kohouta, chocholka ptáka; hřeben hory, vlny; šlechtická korunka, erb, znak **–fallen** ['-,fo:lən] se spadlým hřebínkem, schlíplý, sklíčený
crevice ['krevis] trhlina, prasklina, štěrbina, puklina
crew [kru:] posádka; pracovní četa, parta **~-cut** ['-kat] účes na ježka # PT od *crow**

crib [krib] jesle, krmelec pro dobytek a zvěř
cricket[1] ['krikit] cvrček
cricket[2] ['krikit] kriket hra
crim|e [kraim] zločin **–inal** ['kriminl] zločinec # zločinný; trestný, kriminální **–inality** [,krimi'næləti] zločinnost, kriminalita
crimson ['krimzn] rudý, karmínový
cringe [krindž] hrbit se, krčit se (*at, from* při, před)
cripple ['kripl] mrzák # zmrzačit
cris|is* ['krais|is] (PL *–es* [-i:z]) krize
crisp [krisp] křehký, křupavý, chroupavý; kadeřavý, kučeravý, kudrnatý; rázný, řízný, břitký; jiskřivý, perlivý; vzduch svěží, mrazivě štiplavý, ostrý, pronikavý
crite|rion* [krai'tiəri|ən] (PL *–ria* [-ə]) kritérium
critic ['kriti|k] kritik **–al** [-kl] kritický; rozhodující **–ism** [-sizm] kritika **–ize** [-saiz] kritizovat
croak [krəuk] žába skřehotat, krákorat i přen.
crochet ['krəušei] háčkování
crockery ['krokəri] hliněné n. porcelánové nádobí, kamenina
crocodile ['krokədail] krokodýl
crocus ['krəukəs] krokus, šafrán
crook [kruk] darebák, lump, gauner; ohyb, zákrut, zátočina; ohnutá hůl pastýře, berla biskupa, opata # ohnout (se) **–ed** ['-id] křivý, pokroucený, zkřivený, pokřivený; křivácký, nepoctivý, darebácký
crop [krop] úroda, sklizeň # (*-pp-*) dávat úrodu, rodit; okusovat trávu; krátce ostříhat, kupírovat **~ up** vyplout na povrch, vynořit se
croquette [kro'ket] kroketa, smaženka
cross [kros] kříž, křížek # přejít, přejet; protínat se; potkat se; zkřížit, překřížit; přeškrtnout # rozmrzelý, mrzutý, podrážděný, rozzlobený, zlý **~ os.** pokřižovat se **~ one's fingers** držet palec **~-country** [,-'kantri] přespolní závod, běh **~-examine** [,-ig'zæmin] podrobit křížovému výslechu **~-eyed** ['-aid] šilhavý **–ing** ['-iŋ] přeplavba, přechod, přejezd; křižovatka; přechod pro chodce **–road** ['-rəud] křižovatka, rozcestí **~-section** [,-'sekšn] příčný řez **~-word (puzzle)** ['krowə:d] křížovka
crouch [krauč] skrčit se
crow [krəu] vrána # **~*** (PT *crew* [kru:]; PP *–ed* [-d]) kokrhat; dítě jásat, výskat
crowd [kraud] zástup, dav # tlačit se, tísnit se; nacpat, zaplnit, přecpat; nacpat (se), natlačit (se), navalit (se), nahrnout (se) **–ed** [-id] nabitý, přeplněný
crown [kraun] koruna; věnec # korunovat, ověnčit; završit
crucial ['kru:šl] rozhodující, kritický, velmi důležitý
crucif|ix ['kru:si|fiks] krucifix; kříž **–ixion** [,-'fikšn] ukřižování **–y** [-fai] ukřižovat
crude [kru:d] surový nezpracovaný; hrubý, primitivní; hulvátský, vulgární, sprostý **~ oil** surová ropa
cruel [kruəl] krutý, surový **–ty** ['-ti] hrubost, surovost
cruet ['kru:it] karafa, stolní lahvička na ocet n. olej
cruis|e [kru:z] loď křižovat; plout z místa na místo; konat zábavní plavbu kde # zábavní plavba **–er** [-ə] křižník
crumb [kram] drobe|k(ček); střída, střídka **–le** ['-bl] obrobit (se)
crumpet ['krampit] lívanec
crumple ['krampl] zmačkat (se), zmuchlat (se)
crusade [kru:'seid] křižácké tažení i přen. # křižák
crush [kraš] rozdrtit i přen.; rozmačkat; pomačkat látku
crust [krast] kůra, kůrka; škraloup **–acean** [kra'steišn] korýš # korýšovitý
crutch [krač] berla
cry [krai] křičet, volat; plakat (*over* nad) # (vý)křik; pláč

crypt [kript] krypta, podzemní hrobka **–ic** ['-ik] tajný; záhadný, tajemný, mystický
crystal ['kristl] mineralogicky krystal; křišťál(ové sklo)
cub [kab] mládě masožravců medvídě, lvíče
cub|e [kju:b] krychle; kostka; mat. třetí mocnina **~ root** třetí odmocnina **–ic** ['-ik] krychlový, kubický
cubicle ['kju:bikl] oddělený prostor; kabina
cuckoo ['kuku:] kukačka **~ clock** [-klok] kukačkové hodiny
cucumber ['kju:kəmbə] okurka
cuddl|e ['kadl] chovat v náručí, obejmout, přitisknout k sobě, laskat, mazlit se **–y** [-i] mazlivě
cue[1] [kju:] div. narážka
cue[2] [kju:] tágo
cuff [kaf] manžeta **–s** [-s] PL želízka pouta **~-link** manžetový knoflíček
cuisine [kwi'zi:n] kuchyně národní
cul-de-sac ['kaldəsæk] slepá ulice
culminat|e ['kalmi|neit] vrcholit, kulminovat; vy|vrcholit, dosáhnout vrcholu **–ion** [,-'neišn] vrchol, vyvrcholení
culprit ['kalprit] viník, pachatel
cult [kalt] kult
cultivat|e ['kalti|veit] obdělávat půdu; pěstovat i přen., šlechtit, věnovat péči n. pozornost, rozvíjet **–ion** [,-'veišn] obdělávání půdy
cultur|e ['kalčə] kultura **–al** ['kalčərəl] kulturní **–ed** [-d] vzdělaný, kultivovaný; obdělaný půda
cumbersome ['kambəsəm] nešikovný, nepohodlný; těžkopádný
cunning ['kaniŋ] prohnaný, mazaný, vychytralý; vynalézavý, nápaditý # prohnanost, mazanost, vychytralost
cup [kap] šálek; sport. a přen. pohár; kalich; kalíšek, číška, miska
cupboard ['kabəd] kredenc, skříň s policemi
curb [kə:b] přen. uzda (*on* na); podbradní řetízek koňského postroje # přen. držet na uzdě; přitáhnout koně uzdou
curdle ['kə:dl] srazit (se) ve sraženinu; krev (z)tuhnout
cur|e [kjuə] lék, léčebný prostředek (*for* proti); léčení, léčba, léčebná kúra # (vy)léčit; konzervovat (se), nakládat, nasolovat, udit, sušit **–able** léčitelný
curi|osity [,kjuəri|'ositi] zvědavost; zvláštnost, kuriozita, rarita **–ous** [-əs] zvědavý; zvláštní, nezvyklý, podivný
curly ['kə:li] kadeřavý, kudrnatý, vlnitý
currant ['karənt] rybíz; hrozinka
curr|ency ['karən|si] měna, peníze **–ent** [-t] běžný; současný, nynější, tento; aktuální, nejnovější, poslední # proud
curricul|um* [kə'rikjuləm] (PL *–ums* n. *–a*) školní osnovy, učební plán **~ vitae** [-'vi:tai] životopis
curry ['kari] kari koření; jídlo připravené s kari
curse [kə:s] kletba, prokletí; kletba zaklení # klít, proklínat
curt [kə:t] úsečný, strohý
curtail [kə:'teil] zkrátit; omezit, snížit
curtain ['kə:tn] záclona; opona
curve [kə:v] křivka; zatáčka, ohyb, oblouk # křivit (se), zkřivit (se), koutit (se); ohnout (se); opsat křivku, kroužit
cushion ['kušn] polštář na sezení, opírání, klečení
custard ['kastəd] vaječný krém, puding
custody ['kastədi] opatrování, péče, starost; úschova; soudní vazba
custom ['kastəm] zvyk, obyčej **–s** PL clo **the –s** [-z] celnice **–s officer** celní úředník, celník **–ary** ['kastəm|əri] obvyklý **–er** [-ə] zákazník
cut* [kat] (*-tt-*) (PT a PP ~) řezat, krájet; stříhat; sekat; protínat, přetínat; snížit, zmenšit, zkrátit # říznutí, seknutí, stříhnutí; řez, řízek, plátek; střih šatů; snížení, omezení, redukce; zkrácení, seškrtání **~ off** ['-of] přerušit dodávku, spojení, jednání, program **~ out** ['-aut] vyříznout, vystřihnout; vynechat, vy-

pustit **~ up** rozstříhat, rozřezat, rozkrájet, nakrájet **~-price** ['-prais] zlevněný **–ting** ['katiŋ] novinový výstřižek; zahradnický řízek; výkop, průkop, příkop
cute [kju:t] roztomilý, rozkošný, kouzelný
cutlery ['katləri] jídelní příbor
cutlet ['katlit] řízek, kotleta
cwt. = *hundredweight* ['handrədweit] brit. jednotka hmotnosti
cyanide ['saiənaid] kyanid
cybernetics [,saibə'netik] kybernetika
cycl|e ['saikl] cyklus; jízdní kolo; motocykl # jezdit na kole **–ist** [-ist] cyklista
cylind|er ['silində] válec **–rical** [si'lindrikl] válcový, bubnovitý
cymbal ['simbl] činel
cynic ['sinik] cynik **–al** [-l] cynický
cypress ['saipris] cypřiš
cyst [sist] cysta

D

daddy ['dædi] hovor. tatínek, táta
daffodil ['dæfədil] narcis
daft [da:ft] hovor. hloupý
dagger ['dægə] dýka; křížek polygrafická značka
dahlia ['deiljə] jiřinka
daily ['deili] denní, každodenní # denně # deník **~ (help)** hovor. posluhovačka
dairy ['deəri] mlékárna **~ produce** mléčné výrobky
daisy ['deizi] sedmikráska, chudobka
dally ['dæli] plýtvat časem, lelkovat (*over* nad); pohrávat si, flirtovat
dam [dæm] hráz; přehrada # (*-mm-*) **~ (up)** (za)pře|hradit
damage ['dæmidž] škoda, poškození # poškodit (se) **–s** [-iz] PL odškodné, náhrada škody
damn [dæm] proklít, proklínat, poslat k čertu; odsoudit, nepříznivě posoudit # kletba, zaklení; stará bela, houby # (též *–ed*) naprostý, úplný, totální; pitomý protivný, bezvýznamný # zatraceně, proklatě, úžasně, pekelně **I don't give a ~** houby mi na tom záleží, je mi to fuk
damp [dæmp] vlhko(st) # vlhký, navlhlý # (též *–en*) navlhčit; utlumit, oslabit, zmírnit
danc|e [da:ns] tanec # tančit **–er** [-ə] tanečník, tanečnice **–ing** [-iŋ] tanec
dandelion ['dændilaiən] pampeliška
dandruff ['dændraf] lupy ve vlasech
danger ['deindžə] nebezpečí (*of* čeho) **–ous** [-rəs] nebezpečný
dare [deə] v. kap. Gramatika; troufat si, odvážit se
dark [da:k] tma # tmavý, šerý; tmavé pleti; snědý; tajemný **~ room** ['-rum] fot. temná komora **–en** ['-ən] zatemnit **–ness** [-nis] tma, temnota
darling ['da:liŋ] miláček # milovaný, drahý
darn [da:n] zalátat
dart [da:t] šipka, lehký oštěp, kopí, šíp # mrštit, prudce hodit, vrhnout, prudce se pohybovat; letět jako šipka **–s** [-s] PL šipky hra
dash [dæš] běh, úprk; čára, čárka, pomlčka; příměs, nádech, trocha, kapka # mrštit, vrhnout (se); rozbít (se), roztříštit (se); (vy)řítit se, uhánět, pádit **~ off** vychrlit ze sebe, vysypat z rukávu
data ['deitə] PL data, údaje **–base** [-beis] databáze **~ processing** zpracování dat
date[1] [deit] datle
date[2] [deit] datum; schůzka # datovat; určit dobu vzniku, stáří; mít n. dát si schůzku; chodit s dívkou n. chlapcem **out of ~** zastaralý, staromódní **up to ~** moderní; aktuální
daughter ['do:tə] dcera **~-in-law** ['do:təinlo:] snacha
dauntless ['do:ntlis] neohrožený, nebojácný
dawn [do:n] svítání, úsvit i přen. # rozednívat se i přen.

day [dei] den **the ~ after tomorrow** pozítří **the ~ before yesterday** předevčírem **by ~** ve dne **~ by ~** denně, den co den, den za dnem **the other ~** onehdy, nedávno **–break** ['-breik] úsvit, rozbřesk **–light** [-lait] denní světlo **–time** ['-taim] denní doba, den
daze [deiz] omámit, omráčit; oslepit
dazzle ['dæzl] oslnit, oslepit i přen.
dead [ded] mrtvý i přen. # smrtelně, úplně, naprosto, absolutně, totálně **the ~** PL mrtví **–line** ['-lain] krajní lhůta, konečný termín **–lock** ['-lok] mrtvý bod **–ly** ['-li] smrtelný; vražedný; úhlavní; umrtvující, otravný nudný
deaf [def] hluchý **–en** ['defn] ohlušit; zbavit sluchu
deal[1] [di:l] **a good, great ~ of** hodně, mnoho, dost
deal*[2] [di:l] (PT a PP *–t* [delt]) dohoda, domluva; uzavřený obchod **~ in** zabývat se čím; obchodovat čím **~ with** pojednávat (o), zabývat se čím; jednat (s), zacházet (s); vypořádat se, vyrovnat se (s) **–er** ['-ə] obchodník (*in* s)
dealt [delt] PT a PP od *deal**
dean [di:n] děkan
dear [diə] drahý, milý # drahoušek, miláček, andílek **~ me!** bože!, proboha!, jejda!
death [deθ] smrt
debase [di'beis] znehodnotit, pokazit, zvulgarizovat
debate [di'beit] diskuse, debata # diskutovat, debatovat; přemýšlet, uvažovat (*about* o)
debris ['debri:] trosky
debt [det] dluh (*be* in ~ to sb.* přen. být čím dlužníkem) **–or** ['-ə] dlužník
debug [,di:bag] (*-gg-*) am. odhmyzit, odstranit závady
decade ['dekəd] desetiletí, dekáda
decaden|ce ['dekədəns] úpadek **–t** úpadkový
decaffeinated [di:'kæfineitid] bez kofeinu
decanter [di'kæntə] karafa, ozdobná stolní láhev
decay [di'kei] rozpad, rozklad; úpadek # kazit (se), rozpadat se; hnít, rozkládat se i přen.
decease [di'si:s] skon, úmrtí # zesnout, skonat **the –d** [-t] zesnulý, nebožtík
deceit [di'si:t] podvod **–ful** [-ful] nepoctivý, klamný
deceive [di'si:v] podvádět, klamat
December [di'sembə] prosinec
decen|cy ['di:snsi] slušnost, slušné vystupování **–t** ['di:snt] pořádný, slušný, ucházející, decentní; zdvořilý, slušný
decepti|on [di'sep|šn] podvod, klam, klamání **–ve** [-tiv] klamný, ošidný
decide [di'said] rozhodnout (se) **–d** [-id] výrazný, nápadný; vyhraněný
decimal ['desiml] desetinný
decipher [di'saifə] dešifrovat
decis|ion [di'sižn] rozhodnutí **–ive** [di'saisiv] rozhodný, rozhodující; rázný, energický
deck [dek] paluba lodi; plošina autobusu **~-chair** ['-čeə] rozkládací lehátko
declar|ation [,deklə'reišn] vyhlášení, deklarace; prohlášení, daňové přiznání **–e** [di'kleə] (pro)vy|hlásit; vyslovit se (*for* pro; *against* proti); hlásit k proclení (*have you anything to ≈?* máte něco k proclení?)
declension [di'klenšn] skloňování
decline [di'klain] pokles, úpadek # upadat, klesat, snižovat, ubývat; zdvořile odmítnout
decompos|e [,di:kəm'pəuz] rozložit (se), rozkládat (se); hnít, tlít **–ition** [,di:kompə'zišn] rozkládání; rozklad, rozpad
décor ['deiko:] dekorace, výzdoba, jevištní výprava
decorat|e ['dekəreit] (vy)zdobit; vymalovat, vytapetovat; vyznamenat, dekorovat **–ion** [,dekə'reišn] (o) vý|zdoba; malování; vyznamenání **–ive** ['dekərətiv] ozdobný; okrasný, dekorativní

decrease ['di:kri:s] úbytek, zmenšení # [di:'kri:s] ubývat, zmenšovat
decree [di'kri:] výnos, dekret
decrepit [di'krepit] vetchý, sešlý
dedicat|e ['dedikeit] zasvětit; věnovat **–ion** [,dedi'keišn] věnování; oddanost, horlivost, nadšení
deduce [di'dju:s] dedukovat, vyvozovat (*from* z)
deduct [di'dak|t] odečíst, odpočítat **–ion** [-šn] odpočítání, odečtení; odpočet, srážka; dedukování, dedukce, závěr
deed [di:d] čin, skutek; práv. listina, smlouva, dokument
deep [di:p] hluboký # hluboko **–en** ['-ən] prohloubit (se), vyhloubit **~-freeze** [,di:p'fri:z] rychle zmrazit hluboko pod bod mrazu # mraznička **–ly** [-li] hluboce
deer* [diə] vysoká zvěř; (PL ~) jelen
defam|e [di'feim] pomluvit, očernit **–ation** [,defə'meišn] hanobení, pomluva, urážka
defeat [di'fi:t] porážka; zmaření # porazit, zvítězit; zmařit, překazit
defect [di'fek|t] nedostatek, vada # odpadnout, přeběhnout, zběhnout, ilegálně emigrovat **–ive** [-tiv] vadný, chybný, nedokonalý
defence [di'fens] obrana; obhajoba **–less** [-ləs] bezbranný
defend [di'fend] bránit; obhajovat **–ant** [di'fendənt] (ob)žalovaný **–er** [-ə] obránce; obhájce
defensive [di'fensiv] obranný, defenzívní # obranné postavení; defenzíva
defer [di'fə:] (*-rr-*) odložit časově **–ence** ['defərəns] úcta **–ment** ['defə,mənt] odklad zvl. vojenské služby
defian|ce [di'faiən|s] odpor; vzdor (*in ~ of* navzdory čemu, přes) **–t** [-t] vzdorný, vzdorovitý
deficiency [di'fišnsi] nedostatek (*of* čeho); nedostatek, nedokonalost, vada
deficit ['defisit] deficit, schodek, manko
define [di'fain] definovat; formulovat; vymezit, přesně popsat
definit|e ['definit] určitý, přesný; jednoznačný, konečný **–ion** [,defi'nišn] definice; vymezení; jasnost, ostrost obrazu **–ive** [di'finitiv] rozhodný, konečný, definitivní; autoritativní
deflate [di'fleit] vypustit vzduch, vyfouknout; splasknout i přen.
deflect [di'flect] vychýlit (se)
defraud [di'fro:d] ošidit podvodem, připravit (*of* o)
defrost [,di:'frost] rozmrazit; odmrazit
deft [deft] šikovný, hbitý, obratný, zručný
defuse [,di:'fju:z] zneškodnit nevybuchlou bombu; i přen.
defy [di'fai] postavit se na odpor, vzdorovat komu, čemu, neuposlechnout koho, čeho; vzpírat se čemu
degenerat|e [di'dženərət] degenerovat **–ion** [di,dženə'reišn] degenerace, rozklad
degree [di'gri:] stupeň; akademická hodnost
dehydrated [,di:haidreitid] dehydrovaný; suchý, sušený
deice [,di:'ais] odstranit námrazu, bránit tvoření námrazy
dejected [di'džektid] sklíčený, skleslý, deprimovaný
delay [di'lei] odklad, zpoždění # odložit; zdržet (se), zpozdit (se); váhat, otálet, ztrácet čas **without ~** bez prodlení, neprodleně, ihned
delegat|e ['deligit] delegát, zástupce # ['deligeit] delegovat, vyslat jako delegáta; prověřit koho, uložit komu co **–ion** [,deli'geišn] delegování; delegace
deliberat|e [di'libər|eit] záměrný; rozvážený # [di'libəreit] uvažovat; rokovat, radit se **–ely** [-ətli] schválně, úmyslně, záměrně; rozvážně
delic|acy ['delikə|si] jemnost, citlivost, křehkost; delikátnost, ožehavost; ohleduplnost, takt; lahůdka, pochoutka **–ate** [-t] jemný, křehký,

choulostivý; delikátní, ožehavý; citlivý, ohleduplný, taktní; lahodný, lahůdkový, pochoutkový, vybraný **–atessen** [,delikə'tesn] lahůdky; lahůdkářství **–ious** [di'lišəs] chutný, lahodný, výborný; rozkošný, nádherný, skvělý

delight [di'lait] potěšení, požitek, rozkoš, radost # potěšit; mít potěšení, požitek, radost (*in* z), radovat se (*in* z) **–ful** [-ful] rozkošný, nádherný

delinquent [di'liŋkwənt] provinilec, viník, delikvent

delirious [di'liriəs] třeštící, blouznící; přen. šílený, šílící, bláznivý

deliver [di'livə] dodat, doručit; předat; proslovit, pronést řeč; pomáhat při porodu ženě **–y** [-ri] doručení, dodání; dodávka; porod; pronesení, proslovení řeči, přednes

delu|de [di'lu:|d] oklamat (*with* čím), namluvit (*sb. into* komu, aby) **–sion** [-žn] klamání, podvádění, podvod; sebeklam, falešná představa

demagog|y ['deməgogi] demagogie **–ic(al)** [,demo'gogikl] demagogický **–ue** ['deməgog] demagog

demand [di'ma:nd] požadavek; poptávka (*for* po) # žádat, požadovat; vyžadovat

demean [di'mi:n] **~ os.** snížit se, ponížit se **–our** [-ə] chování, způsoby

demented [di'mentid] šílený i přen.; dementní

democra|cy [di'mokrəsi] demokracie **–t** ['deməkræt] demokrat **–tic** [,demə'krætik] demokratický

demoli|sh [di'moliš] strhnout, zbourat, zdemolovat; zničit, rozdrtit, vyvrátit názor **–tion** [,demə'lišn] stržení, zbourání, demolice budovy, ničení

demonstrat|e ['demənstreit] (pro)do|kázat, předvést, demonstrovat, manifestovat **–ion** [,demən'streišn] průkaz, důkaz; názorná ukázka; předvedení, předvádění; manifestace, demonstrace

demoraliz|e [di'morəlaiz] demoralizovat, oslabit n. podkopat morálku **–ation** [di,morəlai,zeišn] demoralizace, úpadek mravů

demote [,di:'məut] degradovat (*from* z; *to* na)

den [den] doupě, brloh, nora, díra i přen.

denial [di'naiəl] popření, zapření, odepření, odmítnutí

denim ['denim] kepr, džínovina **–s** [-z] PL texasky, džínsy

denomination [di,nomi'neišn] náboženské vyznání; hodnota známky, mince

denote [di'nəut] znamenat, být označením pro, udávat

denounce [di'nauns] udat; veřejně odsoudit, kritizovat

dens|e [dens] hustý; hutný; tupý, nechápavý, hloupý **–ity** ['densəti] hustota

dent [dent] důlek, stopa po úderu, promáčknutí

dent|al ['dentl] zubní **–ist** ['dentist] zubní lékař **–istry** ['dentistri] zubní lékařství **–ures** ['denčəz] PL umělý chrup

denunciation [di,nansi'eišn] udání; veřejná obžaloba, veřejné odsouzení

deny [di'nai] (po)za|přít; odepřít

depart [di'pa:|t] (též ~ *from*) odjet, odcestovat; odbočit, odchýlit se (*from* od) **–ure** [-čə] odjezd; odbočení, odchýlení, odchylka (*from* od)

department [di'pa:tmənt] oddělení; katedra; ministerstvo; oblast činnosti **~ store** obchodní dům

depend [di'pend] záviset, být závislý (*upon, on* na); záležet (*on* na); spoléhat (*on* na) **–able** [-əbl] spolehlivý **–ant** [di'pendənt] rodinný příslušník **–ence** [-əns] závislost (*on* na); spolehnutí (*on* na), důvěra (v) **–ent** [-ənt] závislý (*on, upon* na)

depict [di'pikt] vykreslit, zobrazit

deplor|able [di'plo:rəbl] politováníhodný; žalostný **–e** [di'plo:] odsoudit co; želet čeho

deploy [di'ploi] voj. rozestavit (se), rozmístit (se)

deport [di'po:t] vykázat, vypovědět
depose [di'pəuz] sesadit, zbavit funkce; přísežně vypovídat
deposit [di'pozit] vklad; záloha; nános, deponát; sedlina, usazenina; ložisko horniny # uložit peníze; dát do úschovy; dát jako zálohu; klást, položit; usadit, naplavit, nanést **–ion** [,depə'zišn] sesazení; výpověď před soudem
depot ['depəu] skladiště
depreciate [di'pri:šieit] znehodnotit (se), klesnout v ceně; podceňovat, zlehčovat
depress [di'pre|s] stlačit; stisknout; deprimovat, sklíčit **–ion** [-šn] sklíčenost, stísněnost, skleslost; pokles, stagnace; proláklina, důlek **–ing** [-siŋ] skličující, depresivní **–ive** [di'presiv] depresivní
deprive [di'praiv] zbavit (*sb. of st.* koho čeho) **–d** [-d] zanedbaný
depth [depθ] hloubka
deput|ation [,depju'teišn] deputace, poselstvo **–ize** ['depjutaiz] zastupovat (*for* koho) **–y** ['depjuti] zástupce, náměstek; poslanec v některých parlamentech
derail [di'reil] vykolejit
derelict ['derilikt] opuštěný, nepoužívaný, zpustlý
deri|de [di'raid] posmívat se, vysmívat se čemu **–sive** [di'raisiv] posměšný, výsměšný
derisory [di'raisəri] směšný, k smíchu malý, nestojící za řeč
derogatory [di'rogətəri] hanlivý
descend [di'send] sestoupit, snést se; dědictví přejít (*from* z) **–ant** [-ənt] potomek; následovník
descent [di'sent] sestup, spád; původ; nájezd útok
descri|be [di'skraib] popsat, vylíčit **–ption** [di'skripšn] popsání, vylíčení; popis **–ptive** [di'skriptiv] popisný
desert ['dezət] poušť # [di'zə:t] opustit; voj. zběhnout, dezertovat
deserve [di'zə:v] zasloužit si, být hoden čeho
design [di'zain] nárys, náčrt, výkres; návrh, projekt; vnější úprava, konstrukce; vzor, vzorek; plán, úmysl # navrhnout; nakreslit, projektovat; sestrojit, zkonstruovat; (na)plánovat **–er** [-ə] návrhář, projektant, konstruktér; výtvarník; vzorkař
designate ['dezignit] označit, určit, vyznačit; ustanovit, jmenovat
desir|able [di'zaiərəbl] žádoucí, vhodný **–e** [di'zaiə] touha (*for* po) # toužit
desk [desk] psací stůl, školní lavice; pult, přepážka
desolat|e ['desəlit] pustý, opuštěný, zpustlý; bezútěšný, skleslý, sklíčený **–ion** [,desə'leišn] zpustošení; bezútěšnost
despair [di'speə] zoufalství # zoufat si (*of* nad), ztratit naději (*of* na)
despatch [di'spæč] = *dispatch*
desperat|e ['despərit] zoufalý; zoufale potřebující n. hledající (*for* co) **–ely** [-li] zoufale **–ion** [,despə'reišn] zoufalství
despicable [di'spikəbl] opovrženíhodný, ohavný, mrzký, bídný
despise [di'spaiz] opovrhovat kým, čím; pohrdat čím
despite [di'spait] přes, navzdory
despot [,despot] despota **–ic** [de'spotik] despotický
dessert [di'zə:t] dezert, zákusek
destin|ation [,desti'neišn] místo určení, cíl cesty **–y** ['destini] osud
destitute ['destitju:t] isoucí bez prostředků, v bídě
destroy [di'stroi] zničit; utratit zvíře **–er** [-ə] torpédoborec; ničitel, zhoubce
destructi|on [di'strak|šn] zničení, zkáza **–ve** [-tiv] ničivý; destruktivní
detach [di'tæč] oddělit, odpojit (*from* od) **–able** [-əbl] oddělitelný; sejmutelný **–ed** [-t] stojící osamotě, oddělený, samostatný; objektivní, nezaujatý, nestranný **–ment** [-mənt] oddělení, odtržení, odpojení; objektivita,

nestrannost; lhostejnost, netečnost
detail ['di:teil] podrobnost, detail # podrobně uvést, vyjmenovat, vy-počítat; voj. přidělit **in ~** podrobně **–ed** [-d] podrobný
detain [di'tein] zdržet; zadržet, držet ve vazbě
detect [di'tek|t] objevit, zjistit, odhalit **–ion** [-šn] odhalení, objevení, vypátrání **–ive** [-tiv] detektiv # detektivní **≈ story** detektivka
détente [dei'ta:nt] uvolnění mezinárodního napětí
detention [di'tenšn] zadržení, vazba
deter [di'tə:] (*-rr-*) odstrašit (*from* od) **–rent** [di'terənt] odstrašující n. zastrašovací prostředek
detergent [di'tə:džənt] čisticí, prací n. mycí prostředek
deteriorat|e [di'tiəriəreit] zhoršit (se), zkazit (se) **–ion** [di,tiəriə'reišn] zhoršení, zkažení
determin|ation [di,tə:mi|'neišn] odhodlanost, rozhodnost; vymezení, určení, stanovení **–e** [-n] určit, vy-mezit, stanovit; rozhodnout (*on, upon* o) **–ed** [-nd] rozhodný; roz-hodnutý, odhodlaný
detest [di'test] ošklivit si, hnusit si, nenávidět
detonate ['detəneit] vybouchnout, detonovat, explodovat
detour ['di:,tuə] am. objížďka
detract [di'trækt] ubrat, ubírat (*from* za), umenšit, zlehčit
detriment ['detrimənt] újma, škoda (*to* na)
devalu|e [,di:'vælju:] devalvovat, znehodnotit **–ation** [,di:vælju'eišn] devalvace
devastat|e ['devəsteit] zpustošit **–ion** [,devə'steišn] zpustošení **–ing** [-iŋ] pustošivý, ničivý
develop [di'veləp] (vy)roz|vinout (se) **–er** [di'veləpə] vývojka **–ing country** [-iŋ] rozvojová země **–ment** [-mənt] (vý)roz|voj; využití pozem-ku (vý)stavba
deviat|e ['di:vieit] odchýlit se, odbočit (*from* od) **–ion** [,di:vi'eišn] odchylka (*from* od), vymykání se čemu
device [di'vais] prostředek, zařízení, přístroj
devil ['devl] ďábel, čert
devise [di'vaiz] vymyslet, navrhnout
devious ['di:vjəs] ne zcela čestný, všelijaký; točitý, křivolaký
devoid [di'void] postrádající, nemající (*of* co)
devot|e [di'vəu|t] věnovat, zasvětit **–ed** [-tid] oddaný **–ion** [-šn] oddanost
devour [di'vauə] hltat, zhltnout i přen.; pohltit, strávit, zničit
devout [di'vaut] zbožný; upřímný, vroucný
dew [dju:] rosa
diabetes [,daiə'bi:ti:z] med. cukrovka
diagnos|is* [,daiəg'nəus|is] (PL *–es* [-i:z]) diagnóza
diagonal [dai'əgənl] úhlopříčný, diagonální # úhlopříčka, diagonála
diagram ['daiəgræm] diagram, graf, nákres, schéma
dial ['daiəl] ciferník; číselník telefonu # (*-ll-*) vytočit telefonní číslo **–ling code** [-iŋ] předčíslí **–ling tone** oznamovací tón v telefonu
dialect ['daiəlekt] nářečí, dialekt
dialectic [,daiə'lektik] dialektický # dialektika; dialektik
dialogue ['daiəlog] rozhovor, dialog
diameter [dai'æmitə] průměr
diamond ['daiəmənd] diamant; kosočtverec
diaper ['daiəpə] plátno s kosočtverečným vzorem; am. plenka
diaphragm ['daiəfræm] med. bránice; membrána
diarrhoea [,daiə'riə] průjem
diary ['daiəri] deník; diář, kapesní kalendář
dice [dais] ~* (PL ~) hrací kostky; hra v kostky # hrát v kostky
dictat|e [dik'tei|t] diktovat **–ion** [-šn] diktát **–or** [-tə] diktátor **–orship** [-təšip] diktatura
dictionary ['dikšənri] slovník

did [did] PT od *do**
die [dai] (*dying*) (u)ze|mřít **~ away** utichnout, zaniknout, ztratit se **~ off** umírat jeden po druhém, vymřít **~ out** vymřít; zaniknout*
diesel (engine) ['di:zl] dieselový, naftový motor, diesel; (též ~ *fuel*, ~ *oil*) motorová nafta
diet ['daiət] strava; dieta # držet dietu **–ary** ['daiətəri] dietní
differ ['difə] lišit se (*from* od); mít jiný názor, nesouhlasit **–ence** ['difrəns] rozdíl; neshoda, spor **–ent** ['difrənt] rozdílný, odlišný (*from* od); různý, rozmanitý **–entiate** [,difə'renšieit] odlišit; odlišovat se
difficult ['difikəlt] obtížný, nesnadný, těžký **–y** [-i] obtížnost; obtíž, nesnáz, překážka
dig* [dig] (*-gg-*) (PT a PP *dug* [dag]) kopat, vykopat # kopnutí motykou ap.; místo archeologických vykopávek
digest ['daidžest] krátký výtah, zhuštěný přehled # [di'džest] (s)trávit potravu, zažívat; strávit, pochopit **–ible** [di'džestəbl] stravitelný **–ion** [di'džesčən] trávení, zažívání **–ive** [di'džestiv] zažívací
digit ['didžit] arabská číslice od 0 do 9; med. prst **–al** ['didžitl] digitální, číslicový; prstový
digni|fy ['digni|fai] ozdobit, pozvednout svou přítomností ap. **–fied** [-faid] důstojný **–ty** [-ti] důstojnost; hodnost, vysoký úřad
digress [dai'gres] odbočit, odchýlit se (*from* od) tématu **–ion** [dai'grešn] odbočení, odbočka
dilapidated [di'læpideteitid] zchátralý, zanedbaný
dilemma [di'lemə] dilema, těžké rozhodování
diligen|ce ['dilidžəns] píle **–t** ['dilidžənt] pilný, pracovitý, přičinlivý
dill [dil] kopr
dilute [dai'lju:t] (ro)zředit (*with* čím)
dim [dim] (*-mm-*) kalný, šerý, matný, nejasný, mdlý; přihlouplý, tupý, omezený # (*-mm-*) zakalit, zamlžit, zaclonit, zastínit
dimension [di'menšn] rozměr
diminish [di'miniš] zmenšit (se), zkrátit (se), ztenčit (se); ubývat, slábnout
diminutive [di'minjutiv] maličký, drobný, drobounký # jaz. zdrobnělina, deminutivum
dimple ['dimpl] důlek, jamka
din [din] hluk, lomoz, hřmot, rámus
din|e [dain] obědvat, večeřet **–er** [-ə] kdo obědvá, večeří; am. jídelní vůz **–ing-car** [-iŋ] jídelní vůz **–ing-room** jídelna v bytě **–ner** ['dinə] hlavní jídlo dne oběd n. večeře **≈-jacket** [-,džækit] brit. smoking **≈-party** večeře, hosti-na, večírek
dioptr|e [dai'optə] dioptrie **–al** [dai'optəl] dioptrický
dip [dip] (*-pp-*) namočit; ponořit # namočení; svah, spád, sklon
diphtheria [dif'θiəriə] záškrt
diphthong ['difθoŋ] dvojhláska
diploma [di'pləumə] diplom **–cy** [-si] diplomacie **–t** ['dipləmæt] diplomat **–tic** [,diplə'mætik] diplomatický i přen.
direct [di'rek|t] přímý; přímo # ukázat, říct cestu; adresovat (*to* kam, komu); řídit, vést, dohlížet (na) **–ion** [-šn] směr; řízení, správa **–ive** [di'rektiv] instrukce, příkaz **–s** [-ts] PL pokyny, návod **–ly** [-tli] přímo; ihned, okamžitě **–or** [-tə] ředitel; režisér **–orate** [di'rektərət] ředitelství, ředitelování; správní řada **–ory** [-təri] telefonní seznam
dirt [də:t] špína, nečistota, bláto i přen. **~ cheap** [,-'či:p] směšně laciný, za babku **–y** ['-i] špinavý; sprostý
disab|ility [,disə'biliti] tělesná n. duševní nezpůsobilost, vada **–le** [dis'eibl] zbavit schopnosti; učinit nezpůsobi-lým (*from* k) **–led** invalida [dis'eibld]
disadvantage [,disəd'va:ntidž] nevýhoda **–ous** [,disædva:n'teidžəs] nevýhodný
disagree [,disə'gri:] nesouhlasit (*with* s) (*about* v) **–able**

[,disə'griəbl] nepříjemný **–ment** [-mənt] nesouhlas, neshoda
disappear [,disə'piə] zmizet **–ance** [-rəns] zmizení
disappoint [,disə'point] zklamat (*in, with* v); zmařit **–ment** [-mənt] zklamání
disapprov|al [,disə'pru:v|l] nesouhlas (*of* s); neschválení **–e** [-] ne-schválit; zamítnout
disarm [dis'a:m] odzbrojit **–ament** [-əmənt] odzbrojení
disast|er [di'za:st|ə] neštěstí, pohroma **–rous** [-rəs] katastrofální
disbelief [,disbi'li:f] nevíra, nedůvěra
disc [disk] v. *disk*
discard [di'ska:d] vyřadit, odložit
discern [di'sə:n] rozeznat v dálce; rozlišovat (*from* od), činit rozdíl (*between* mezi) **–ing** [-iŋ] bystrý, pronikavý inteligence; vytříbený vkus
discharge [dis'ča:dž] složení, vyložení, vyprázdnění; propuštění z vězení, ze zaměstnání # složit, vyložit náklad, loď, vyprázdnit; vybít el.; vystřelit; splnit, vykonat (*duties* povinnosti)
discipline ['disiplin] kázeň, disciplína; výchovný prostředek, cvičení
disclos|e [dis'kləu|z] odkrýt, odhalit; prozradit veřejně **–ure** [-žə] odkrytí, objevení, odhalení; prozrazení
disco ['diskəu] diskotéka
discoloured [dis'kaləd] obarvený, přebarvený
discomfort [dis'kamfət] nepohodlí
disconcert [,diskən'sə:t] vyvést z míry, rozrušit
disconnect [,diskə'nekt] odpojit, oddělit; přerušit spojení
discontent [,diskən'tent] nespokojenost
discontinue [,diskən'tinju:] přerušit, zastavit
discount ['diskaunt] srážka, sleva # nevšímat si, ignorovat
discourage [di'skaridž] odradit (*from* od); vzít odvahu, znechutit; zastrašit **–ment** [-mənt] zrazování (*from* od), odrazování; zastrašování
discover [di'skavə] objevit, vypátrat **–y** [-ri] objev
discredit [dis'kredit] špatná pověst; pochybnost, nedůvěra # nevěřit, podezírat; poškodit dobrou pověst, zdiskreditovat
discreet [di'skri:t] diskrétní, taktní
discriminat|e [di'skrimineit] rozlišovat (*between* mezi) (*from* od); diskriminovat (*against sb.* koho), rozdílně nakládat (s kým) **–ion** [di,skrimi'neišn] rozlišování, dělání rozdílu; diskriminace (*racial* ≈ rasová diskriminace)
discus ['diskəs] sport. disk
discuss [di'ska|s] hovořit (*st.* o), (pro)jednat **–ion** [-šn] diskuse, debata, rozhovor
disdain [dis'dein] pohrdání, přezírání # pohrdat, opovrhovat (*sb* kým)
disease [di'zi:z] nemoc, choroba
disembark [,disim'ba:k] vylodit (se), vystoupit z dopravního prostředku
disentangle [,disin'tæŋgl] rozplést (se), rozmotat (se) i přen.
disfigure [dis'figə] znetvořit, zohyzdit
disgrace [dis'greis] nemilost, nepřízeň; hanba # potupit, zahanbit **–ful** [-ful] hanebný, ostudný
disguise [dis'gaiz] přestrojení, převlek; předstírání, neupřímnost # přestrojit; zakrýt, zatajit
disgust [dis'gast] ošklivost, odpor (*at, for* k) # zhnusit **–ing** odporný, hnusný, nechutný
dish [diš] mísa; jídlo; chod **the –es** [-iz] nádobí **–cloth** ['dišklоθ] utěrka na nádobí
dishevelled [di'ševld] neupravený o oblečení, vlasech
dishonest [dis'onist] nepoctivý, nečestný **–y** [-i] nepoctivost
dishonour [dis'onə] hanba, ostuda; zneuctění, zostuzení # zneuctít
dishwasher ['diš,wošə] myčka nádobí
disinfect [,disin'fek|t] dezinfikovat

–**ion** [-šn] dezinfekce
disintegration [dis,inti'greišn] rozložení; rozklad
disinterested [dis'intrəstid] nestranný; nezištný
disjointed [dis'džointid] nesouvislý, trhavý např. film
disk [disk] kotouč; disk
dislike [dis'laik] nelibost, nechuť (*to, of, for* k) # nemít rád
dislocate ['disləukeit] vykloubit, podvrtnout; narušit, vyvést z rovnováhy
disloyal [,dis'loiəl] nevěrný, neloajální (*to* k, vůči) (*to* k)
dismantle [dis'mæntl] rozebrat; odstranit, demontovat
dismay [dis'mei] hrůza, úlek, úděs, zděšení # poděsit
dismiss [dis'mis] pustit z mysli; propustit z práce
dismount [,dis'maunt] sesednout, sestoupit z kola, koně ap.
disobedien|ce [,disə'bi:djəns] neposlušnost –**t** [,disə'bi:djəns] neposlušný
disobey [,disə'bei] neposlouchat
disobliging [,disə'blaidž] neochotný, nevlídný
disorder [dis'o:də] nepořádek; zmatek; výtržnost; zdravotní porucha (*mental* ~ duševní porucha) # uvést v nepořádek, rozrušit; způsobit zdravotní poruchu –**ed** [-əd] v nepořádku; nemocný, nefungující; duševně nemocný
disorganized [dis'o:gənaizd] nepořádný; neuspořádaný, nezorganizovaný
disparity [di'spærəti] nerovnost, rozdílnost
dispassionate [di'spæšnət] objektivní, nezaujatý, střízlivý
dispatch [di'spæč] poselství, depeše; odeslání; urychlení; rychlé vyřízení, odbavení # odeslat; rychle vyřídit
dispens|able [di'spens|əbl] postradatelný –**ary** [-əri] lékárna; ošetřovna –**e** [-] rozdělovat, udílet; obejít se (*with* bez čeho)
disperse [di'spə:s] rozehnat, rozprášit; rozptýlit; rozšiřovat
displace [dis'pleis] vyhnat, vysídlit; odstranit, přemístit; zaujmout místo koho, čeho
display [di'splei] vystavení, přehlídka; poč. obrazovka # ukazovat, vystavovat; stavět na odiv
displease [dis'pli:z] znelíbit se; vzbudit nespokojenost
dispos|able [di'spəuz|əbl] pro jedno použití; dosažitelný, dostupný –**al** [-l] odstranění, likvidace; dispozice –**e** [-] uspořádat, rozmístit; disponovat, volně nakládat (*of* čím); zbavit se (*of* čeho), odstranit –**ition** [,dispə'zišn] uspořádání; povaha; sklony
disproportion [,disprə'po:šn] nepoměr, disproporce –**ate** [-ət] nepřiměřený
disprove [,dis'pru:v] vyvrátit důvod
disput|able [di'spju:t|əbl] sporný –**e** [-] hádka, spor; diskuse # mít spor (*st.* oč), diskutovat; zpochybňovat
disqualif|y [dis'kwolifai] prohlásit nezpůsobilým (*from* pro); sport. diskvalifikovat –**ication** [dis,kwolifi'keišn] vyřazení, vyloučení; sport. diskvalifikace
disregard [,disri'ga:d] nevšímavost (*for, of* k, vůči), lhostejnost # nedbat, nevšímat si
disrespect [,disri'spekt] neúcta, nevážnost (*for* k, vůči); nezdvořilost, hrubost –**ful** [-ful] neuctivý, nezdvořilý
disrupt [dis'rapt] rozbít, rozvrátit –**ion** [dis'rapšən] rozvrácení
dissatis|faction ['dis,sætis'fækšn] nespokojenost (*with, at, over* s) –**fied** [,di'sætisfaid] nespokojený (*with, at* s)
dissection [di'sekšn] pitva studijní
dissertation [,disə'teišn] pojednání, disertace doktorská (*(up)on, concerning* o)
dissociat|e [di'səušieit] odloučit, roz-

dělit **~ os.** distancovat se; nechtít mít nic společného (*from st.* s) **–ion** [di,səusi'eišn] oddělení, odluka
dissolut|e ['disəlu:t] nevázaný, zpustlý **–ion** [,disə'lu:šn] rozpuštění, zrušení (*~ of a marriage, a business partnership* zrušení manželství, obchodního partnerství)
dissolve [di'zolv] rozpustit (se); zaniknout
dissuade [di'sweid] odrazovat koho (*from* od)
distan|ce ['distən|s] vzdálenost **–t** [-t] vzdálený; zdrženlivý člověk
distil [di'stil] (*-ll-*) destilovat (se) **–lation** [,disti'leišn] destilace **–lery** [di'stiləri] lihovar
distinct [di'stiŋk|t] odlišný (*from* od); jasný, zřetelný **–ion** [-šn] rozlišování, rozdíl; vyznamenání **–ive** [-tiv] rozlišující, výrazný, typický
distinguish [di'stiŋgwiš] rozlišovat, činit rozdíl; vyznačovat **–ed** [-t] význačný, vynikající (*for* čím); elegantní, distingovaný
distort [di'sto:|t] pokroutit, zkřivit; zkreslit smysl **–ion** [-šn] pokroucení; zkreslení
distract [di'stræk|t] odvrátit, odvést pozornost **–ion** [-šn] odvrácení pozornosti, rozptýlení; zábava
distress [di'stres] úzkost, bolest; nouze, tíseň
distribut|e [di'stribju:t] rozdělit, rozdat; (roz)šířit **–ion** [,distri'bju:šn] rozdělení, rozvoz; rozšíření, distribuce
district ['distrikt] okres, obvod; oblast; městská čtvrť
distrust [dis'trast] nedůvěra (*of* k) # nedůvěřovat **–ful** [-fl] nedůvěřivý
disturb [di'stə:b] (po)(vy)rušit; znepokojit **–ance** [-əns] (po)(vy)rušení; výtržnost
ditch [dič] příkop
dive [daiv] potopení, ponoření # ponořit se, potápět se; zahloubat se (*into* do) **–r** [-ə] potápěč
diverge [dai'və:dž] rozcházet se, rozbíhat se; odchýlit se **–nce** [-əns] rozbíhavost, rozdílnost, neshoda; odchylka
divers|e [dai'və:|s] rozmanitý, různorodý **–ion** [-šn] objížďka; odklonění, odbočka **–ify** [-sifai] obměnit, zpestřit **–ity** [-siti] rozmanitost
divert [dai'və:t] odchýlit, odklonit; rozptýlit
divide [di'vaid] (roz)dělit (*into* v, na) (*by* čím); oddělit (*from* od)
divine [di'vain] boží, božský od boha
division [di'vižn] dělení; rozdělení; oddělení, oddíl; dělicí čára, hranice
divorce [di'vo:s] rozvod # rozvést manželství; odtrhnout, oddělit
dizz|y ['dizi] působící závrať; o člověku *he feels*, is ~* má závrať, točí se mu hlava **–iness** ['dizinis] závrať
do* [du:] (PT *did*; PP *done* [dan]) pomocné sloveso, v. kap. Gramatika; dělat, činit, konat; živit se čím # význam vyplývá z předmětu (*~ your teeth* vyčisti si zuby; *~ the flowers* naaranžovat květiny) # pomocné sloveso pro negaci: (*It doesn't matter* To nevadí); **~ st. about st.** snažit se řešit co **That will ~** To stačí **~ sb.'s best** snažit se ze všech sil **~ away with** zbavit se čeho **~ in** oddělat **~ up** zavázat (*~ one's hair* svázat si vlasy) **~ without** obejít se bez otázka (*What did he say*?* Co řekl?); zdvořilý rozkaz (*~ have some more* Jen si ještě vezměte) **how ~ you ~?** při představování dobrý den!, těší mě
dock [dok] dok, přístaviště
dockyard ['dokja:d] loděnice
doctor ['doktə] doktor titul; lékař
document ['dokjumənt] listina, dokument; doklad, průkaz **–ary** [,dokju'mentəri] písemně doložený # dokumentární pořad **–ation** [,dokjumen'teišn] dokumentace
dodge [dodž] uskočit stranou; vyhnout se čemu, komu
dog [dog] pes
dogmatic [dog'mætik] dogmatický **–s** dogmatika

dole [dəul] podpora v nezaměstnanosti (*be* n. *live on the* ~ brát podporu v nezaměstnanosti)
doll [dol] panenka, loutka
dollar ['dolə] dolar
dome [dəum] kupole
domestic [dəu'mestik] domácí
domicile ['domisail] domov, trvalé bydliště
domina|nt ['dominənt] převládající, dominantní **–te** ['domineit] ovládat, vládnout (*over* nad); být hlavní složkou **–tion** [,domi'neišn] (nad)vláda
dominion [də'miniən] nadvláda (*over* nad); polit. dominium
donat|e [dəu'neit] darovat, věnovat **–ion** [dəu'neišn] darování, dar
done [dan] PP od *do**
donkey ['doŋki] osel
donor ['dəunə] dárce
door [do:] dveře; brána **next** ~ vedle, u sousedů
dope [dəup] narkotikum, droga # podat drogu
dormitory ['do:mətri] místnosti na spaní, noclehárna; am. studentská kolej
dose [dəuz] dávka # dávkovat
dot [dot] bod; tečka # (*-tt-*) tečkovat **on the** ~ přesně, včas
double ['dabl] dvojnásobek # dvojnásobný; dvojitý # zdvojnásobit; zdvojit # dvojmo **~ room** [,-'rum] dvojlůžkový pokoj **~-bass** [,-'beis] kontrabas **~-bed** [,-'bed] dvoulůžko **~-decker** [,-'dekə] patrový autobus
doubt [daut] pochybnost, nejistota **no** ~ bezpochyby **–ful** ['-ful] pochybný; nerozhodný **–less** ['-lis] nepochybně
dough [dəu] těsto **–nut** ['-nat] kobliha
dove [dav] holub, holubice
down [daun] namířený dolů; spodní # dole, dolů **put*** ~ (na)za|psat (si) **~hill** [,-'hil] (dolů) z kopce **up and** ~ nahoru a dolů **~-and-outer** somrák nezaměstnaný bezdomec **–fall** ['-fo:l] pád, zánik **–pour** ['daunpo:] liják **–right** [-rait] naprostý o něčem nežádoucím; upřímný, přímý **–stairs** [,-'steəz] dole pod schody, dolů po schodech **–stream** [,-'stri:m] po proudu **–town** [,-'taun] centrum měst **–ward(s)** [-wəd] směřující dolů; klesavý # směrem dolů
dowry ['dauəri] věno
doz|e [dəuz] dřímota # dřímat **–y** ['dəuzi] ospalý
dozen ['dazn] tucet
draft [dra:ft] nárys, náčrt, koncept # načrtnout; zkoncipovat
drag [dræg] vlek; přítěž # (*-gg-*) vléci (se) **~ on** táhnout se, protahovat se dlouho trvat
dragon ['drægən] drak
drain [drein] odpad, odtok; odvodnění # vysušit, odvodnit; odčerpat; odtékat, vyprazdňovat se
drama ['dra:mə] divadelní hra; dramatické umění, drama **–tic** [drə'mætik] dramatický; divadelní **–tist** ['dræmətist] dramatik **–tize** ['dræmətaiz] dramatizovat
drank [dræŋk] PT od *drink**
draper ['dreipə] obchodník s textilem **–y** [-ri] obchod s textilem; textil; závěs
drastic ['dræstik] drastický
draught [dra:ft] tah; průvan; doušek **on** ~ čepované pivo **–s** [-s] PL dáma **–horse** [-ho:s] tažný kůň
draw [dro:] (PT *drew* [dru:]; PP *–n* [-n]) # remíza; loterie; lákadlo, trhák # ~* táhnout; přitahovat; kreslit, líčit co **–back** ['-bæk] stinná stránka, nevýhoda **–er** ['dro:ə] kreslič; zásuvka **–ing** [-iŋ] kreslení; kresba **–ing-board** ['-iŋbo:d] kreslicí prkno **–ing-pin** ['-iŋpin] brit. napínáček **–ing-room** ['-iŋrum] přijímací pokoj, salon **–n** [-n] PP od *draw**
dray [drei] valník zvl. pivovarský
dread [dred] děs, hrůza (*of* z) # děsit se **–ful** [-fl] hrozný, strašný i přen.
dream [dri:m] (PT a PP *–t* [dremt]) # sen; snění # ~* zdát se, snít (*of about* o) **–t** [dremt] PT a PP od *dream**

dreary ['driəri] chmurný, bezútěšný
drench [drenč] zmáčet, promočit
dress [dres] oblečení; šaty # obléci se; obvázat ránu; upravit vlasy, jídlo ap.; vyzdobit **~-circle** [,dres'sə:kl] první pořadí v divadle **–ing** [-iŋ] oblékání; úprava, výzdoba; obvaz; přísada např. do salátu **–ing-table** ['-iŋ,teibl] toaletní stolek **–maker** ['-,meikə] švadlena; dámský krejčí **~ rehearsal** ['rihə:səl] generální zkouška v divadle
drew [dru:] PT od *draw**
drift [drift] být nesen, unášen, hnán # rychlost proudění
drill [dril] vrtačka; výcvik # vrtat; podrobit výcviku
drink [driŋk] nápoj # ~* (PT *drank* [dræŋk]; PP *drunk* [draŋk]) pít **~ sb.'s health** pít na čí zdraví **–ing water** pitná voda
drip [drip] kapka; kapání # (*-pp-*) kapat, odkapávat
driv|e [draiv] (PT *drove* [drouv]; PP *–ven* ['drivn]) jízda; vyjížďka # ~* jet n. vézt; řídit auto **–en** ['drivn] PP od *drive** **–ing-licence** ['-iŋ,laisns] řidičský průkaz **–ing-test** řidičská zkouška **–er** ['draivə] řidič
drivel ['drivl] žvanit hloupě
drizzle ['drizl] mrholení, mžení # mrholit, mžít
drone [drəun] bzukot, hukot; monotónní řeč # hučet, bzučet; monotónně mumlat
drop [drop] kapka; pád # (*-pp-*) (u)padnout; (u)pustit; přestat (s čím)
drought [draut] sucho, období sucha
drove [drouv] PT od *drive**
drown [draun] utopit (se); (po)za|topit
drows|e [drauz] dřímat, klímat **–y** ['drauzi] ospalý; uspávající
drudge [dradž] dřít (se) (*at, over* na, s) **–ry** [-əri] dřina
drug [drag] droga; lék # (*-gg-*) brát drogy; otrávit, omámit; přecpat léky **~ addict** narkoman**–gist** ['dragist] am. lékárník **–store** ['-sto:] am. lékárna; automat, bufet prodej kosmetického zboží, novin, cukrovinek ap., lehké občerstvení
drum [dram] buben # (*-mm-*) bubnovat
drunk [draŋk] PP od *drink** # opilý **–ard** ['draŋkəd] opilec, alkoholik **–en** ['draŋkən] opilý; způsobený v opilosti **–eness** [drankənis] opilost; opilství
dry [drai] suchý; sušit, uschnout **~-clean** [,-'kli:n] chemicky čistit **~-cleaner's** [,-'kli:nəz] chemická čistírna **~ up** vyschnout **~ out** nechat pití alkoholu
dual ['dju:əl] dvojí, dvojitý
dub [dab] (*-bb-*) dabovat film
dubious ['dju:biəs] pochybný; nejistý, nerozhodný
duck [dak] kachna
due [dju:] co komu patří; dluh # dlužný, splatný; způsobený, zavině-ný (*to* čím); očekávaný, mající přijet, přiletět (*the train is ~ at six* vlak má přijet v šest)
dug [dag] PT a PP od *dig**
dull [dal] nudný; tupý, hloupý; mdlý, bezvýrazný; pochmurný počasí
dumb [dam] němý; mlčenlivý
dump [damp] skládka # složit zboží; vysypat smetí
dumpling ['dampliŋ] knedlík
dune [dju:n] duna, písečný přesyp
dung [daŋ] hnůj
duplicate ['dju:plikət] duplikát, přesná kopie # ['dju:plikeit] zdvojit, zdvojnásobit; pořídit kopii **in ~** dvojmo
dura|bility [,djuərə'biliti] trvanlivost **–ble** [djuərəbl] trvanlivý **–tion** [djuə'reišn] trvání, doba, délka
during ['djuəriŋ] během; za o čase
dusk [dask] šero, soumrak
dust [dast] prach # utřít prach (*st.* z) **–bin** ['-bin] popelnice **–er** ['-ə] prachovka **–man*** ['-mən] (PL v. *man**) popelář **–pan** ['dastpæn] lopatka na smetí **–y** ['dasti] zaprášený
dutiable ['dju:tjəbl] podléhající clu
duty ['dju:ti] povinnost; služba (*on ~* ve službě); clo **~-free** [,dju:ti'fri:] osvobozený od cla

duvet ['du:vei] peřina
dwarf [dwo:f] trpaslík
dwelling ['dweliŋ] obydlí
dwindle ['dwindl] ubývat, ztrácet se
dye [dai] barva, barvivo # barvit
dying ['daiiŋ] v. *die*
dynam|ic [dai'næmik] dynamický **–o** ['dainəməu] dynamo
dynasty ['dinəsti] dynastie

E

each [i:č] každý zvl. z určitého počtu **~ other** jeden druhého, navzájem
eager ['i:gə] dychtivý (*for, to do st.* čeho, aby)
eagle ['i:gl] orel
ear [iə] ucho; sluch **–ache** ['iəreik] bolest ucha **–drum** ['iədram] ušní bubínek
earl [ə:l] hrabě
early ['ə:li] časný, brzký # časně, brzy
earn [ə:n] vydělat (si), vydělávat si na živobytí; zasloužit si **–ings** ['ə:niŋz] PL výdělek
earnest ['ə:nist] vážný; svědomitý, opravdový
earphones ['iəfəunz] sluchátka
earring ['iəriŋ] náušnice
earth [ə:θ] země(koule) # uzemnit; zahrnout zemí, navršit hlínu **–en** ['ə:θn] hliněný **–enware** ['ə:θn,weə] hrnčířské zboží **–quake** ['-kweik] zemětřesení **–worm** ['ə:θwə:m] žížala
ease [i:z] pohoda, klid; uvolněnost, lehkost; snadnost **at ~** pohodlně, nenuceně # ulehčit (*of* co, v čem); uklidnit, zmírnit
easel ['i:zl] malířský stojan; rám tabule
east [i:st] východ (*the far E~* Daleký východ) # východní # na východ (*of* od) **–ern** ['i:stən] východní **–ward(s)** ['-wəd(z)] směrem na východ
Easter ['i:stə] velikonoce
easy ['i:zi] snadný; přirozený, samozřejmý; pohodlný, klidný, neuspěchaný **–going** [gəiŋ] bezstarostný; tolerantní, dobrácký
eat* [i:t] (PT *ate* [et]; PP *–en* [-n]) jíst; žrát **–en** [-n] PP od *eat**
ebb [eb] odliv # ubývat
eccentric [ik'sentrik] tech. výstředník, excentr; výstřední člověk # mat. výstředný; výstřední **–ity** [,eksen'trisəti] výstřednost
echo ['ekəu] ozvěna # ozývat se; opakovat (po kom)
eclipse [i'klips] zatmění; přen. ztráta lesku, zatlačení do pozadí # způsobit zatmění; přen. zastínit
ecology [i:'kolədži] ekologie
econom|ic [,i:kə'nomik] ekonomický, hospodářský (*situation* situace) **–ical** [-l] hospodárný, šetrný **–ics** [-s] PL ekonomika **–ist** [i'konəmist] ekonom **–ize** [i'konəmaiz] šetřit **–y** [i'konəmi] hospodářství
ecosystem [i:kəusistəm] ekosystém
edg|e [edž] hrana; (o)kraj; ostří **–y** ['edži] podrážděný, nervózní
edible ['edibl] jedlý
edict ['i:dikt] edikt, výnos, dekret
edit ['edit] připravit k vydání; redigovat; upravit, editovat **–ion** [i'dišn] vydání; náklad **–or** [-ə] vydavatel; redaktor **–orial** [,edi'to:riəl] úvodník, redakční článek # vydavatelský; redakční
educat|e ['edjukeit] vychovávat, vzdělávat **–ion** [,edju'keišn] výchova, vzdělání; školství
EEC = *European Economic Community* Evropské společenství, EHS
eel [i:l] úhoř
efface [i'feis] vymazat, smazat i přen.
effect [i'fekt] účinek; výsledek, efekt # uskutečnit, provést **–ive** [-iv] působivý, účinný; účelný
efficien|cy [i'fišn|si] výkonnost, schopnost; účinnost **–t** [-t] schopný; výkonný, účinný
effort ['efət] úsilí, námaha; pokus

e.g. [,i:'dži:] = latinsky *exempli gratia* = *for example* například
egg [eg] vejce (*hard-boiled, soft-boiled* ~, *-s* na tvrdo, na měkko; *scrambled -s* míchaná vejce) **fried -s** [-z] sázená vejce
ego|ism ['egəu|izəm] sobectví **-ist** [-ist] sobec **-istic** [-istik] sobecký
Egypt ['i:džipt] Egypt **-ian** [i'džipšn] Egypťan # egyptský
eight [eit] osm **-een** [,ei'ti:n] osmnáct **-ty** ['eiti] osmdesát
either ['aiðə] kterýkoli ze dvou; oba ~... **or** buď... (a) nebo
elaborate [i'læbərət] (pro)vy|pracovaný # [i'læbəreit] vypracovat, podrobně rozpracovat
elapse [i'læps] čas uplynout
elastic [i'læstik] prádlová guma # pružný, ohebný; gumový **-ity** [,elæ'stisəti] pružnost i přen.
elbow ['elbəu] loket
elder ['eldə] COMP od *old** starší z osob **-s** [-z] PL obecní, církevní starší **-ly** [-li] (po)starší
eldest ['eldist] SUP od *old** nejstarší
elect [i'lek|t] (z)volit **-ion** [-šn] volba
electric [i'lektrik] elektrický poháněný elektřinou (*cooker* sporák; *current* proud) **-al** [-l] elektrický týkající se elektřiny **-ian** [i,lek'trišn] elektrotechnik **-ity** [i,lek'trisəti] elektřina
electro|magnet [i,lektrəu'mægnit] elektromagnet **-meter** [,ilek'tromitə] elektroměr **-motor** [i,lektrəu'məutər] elektromotor
electronic [,ilek'tronik] elektronický
elegan|ce ['eligən|s] elegance **-t** [-t] vkusný, úpravný, elegantní
element ['elimənt] prvek, základní složka; živel **-al** [,eli'mentl] živelný; základní **-ary** [,eli'mentəri] základní; jednoduchý
elephant ['elifənt] slon
elevat|e ['eliveit] (po)zvednout; povýšit **-or** [-ə] výtah
eleven [i'levn] jedenáct
eligible ['elidžəbl] přicházející v úvahu; způsobilý; vhodný
eliminate [i'limineit] odstranit, vyloučit; opominout, nepřihlédnout (k)
Elizabeth [i'lizəbəθ] Alžběta, Eliška
elk [elk] los zvíře
ellipse [i'lips] elipsa
elm (tree) [elm] jilm
elongate ['i:loŋgeit] prodloužit
eloquen|ce ['eləkwən|s] výmluvnost **-t** [-t] výmluvný
else [els] jiný # jinde; jinak, sice; ještě **nobody** ~ nikdo jiný **what** ~ co ještě **-where** [,-'weə] někam jinam, někde jinde
emancipat|e [i'mænsipeit] osvobodit (se), emancipovat (se) **-ion** [i,mænsi'peišn] osvobození z podřízení, zrovnoprávnění, emancipace
embankment [im'bæŋkmənt] nábřeží
embargo [em'ba:gəu] embargo, obchodní blokáda
embark [im'ba:k] naložit na loď, nalodit (se)
embarrass [im'bærəs] uvést do rozpaků **-ing** trapný **-ment** [-mənt] rozpaky
embassy ['embəsi] velvyslanectví
embed [im'bed] (*-dd-*) zapustit, vložit
ember ['embə] (obv. PL) **-s** žhavý popel
embezzle [im'bezl] zpronevěřit
emblem ['embləm] symbol, odznak
embod|iment [im'bod|imənt] ztělesnění **-y** [-i] ztělesňovat; spojovat v sobě, obsahovat
embrace [im'breis] objetí # obejmout (se); zahrnovat
embroider [im'broidə] vyšívat; přikrášlit vyprávění **-y** [-ri] vyšívání; výšivka
embryo ['embriəu] zárodek, embryo
emerald ['emərəld] smaragd
emerge [i'mə:dž] vyjít najevo; vynořit se (*from* z) **-ncy** [-ənsi] naléhavá potřeba, stav nouze **in case of** ≈ v případě nutnosti ≈ **exit** nouzový východ
emigra|nt ['emigr|ənt] vystěhovalec,

emigrant **–te** [-eit] emigrovat
–tion [,emi'greišn] vystěhování, vystěhovalectví
eminent ['eminənt] vynikající, významný
emission [i'mišn] záření, vyzařování; vydání do oběhu, emise známek, bankovek
emotion [i'məušn] citové pohnutí, dojetí; cit, emoce **–al** [-əl] citový, citově založený; dojemný; působící na city; emocionální
emperor ['empərə] císař
empha|sis* ['emfəs|is] (PL *–ses* [-i:z]) důraz **–size** [-aiz] zdůraznit **–tic** [im'fætik] důrazný; výrazný, rozhodný
empire ['empaiə] říše; císařství, carství
employ [im'ploi] zaměstnávat koho **–ee** [,emploi'i:] zaměstnanec **–er** [-ə] zaměstnavatel **–ment** [-mənt] zaměstnání
empower [im'pauə] zplnomocnit
empty ['empti] prázdný; pustý; nicotný # vyprázdnit (se); vylít
enable [i'neibl] umožnit
enact [i'nækt] hrát roli, jako herec; uzákonit
enamel [i'næml] smalt; glazura; sklovina zubní
encircle [in'sə:kl] obklíčit, obklopit
enclos|e [in'kləu|z] přiložit, vložit např. do dopisu; obehnat, uzavřít **–ure** [-žə] ohrada; příloha
encounter [in'kauntə] setkání zvl. nepříjemné; utkání # setkat se, narazit na problémy, těžkosti
encourage [in'karidž] povzbuzovat, podporovat, dodávat odvahu **–ment** povzbuzení, podpora
encyclopaedia [in,saikləu'pi:djə] encyklopedie
end [end] konec; výsledek, závěr; zánik # (s)končit **~ up** skončit kde, jak
endanger [in'deindžə] ohrozit
end|ing ['endiŋ] konec, zakončení **–less** [-lis] nekonečný
endorse [in'do:s] podepsat šek; schvalovat
endur|e [in'djuə] trpět, snášet co **–able** [in'djuərəbl] snesitelný
enemy ['enəmi] nepřítel; nepřátelský
energ|y ['enədži] energie, síla **–etic** [,enə'džetik] energický **–etics** energetika
en face [ən feis] en face, tváří vpřed
enforce [in'fo:s] vynutit (si); prosadit
engage [in'geidž] zaměstnat; zasnoubit; zavázat slibem **–d** [-d] zasnoubený; obsazený **–ment** [-mənt] závazek, úmluva; zasnoubení
engine ['endžin] stroj; lokomotiva; motor
engineer [,endži'niə] inženýr, technik; strojník **–ing** [-riŋ] inženýrství, technika; strojírenství # strojařský
engrav|e [in'greiv] (vy)rýt **–er** [-ə] rytec **–ing** rytí; rytina
enhance [in'ha:ns] zvýšit na vyšší úroveň; zkrášlit
enjoy [in'džoi] těšit se čemu; spokojeně užívat, trávit **–ment** požitek, radost
enlarge [in'la:dž] zvětšit; rozšířit **–ment** zvětšení, zvětšenina; rozšíření
enlighten [in'laitn] objasnit, osvětlit
enlist [in'list] (dát se) odvést do armády (*in, for* do); získat podporu, peníze
enmity ['enməti] nepřátelství
enormous [i'no:məs] ohromný
enough [i'naf] dost **I have had ~** už mám dost
enquir|e [in'kwaiər] **–y** [-i] v. *inquir|e, –y*
enrich [in'rič] obohatit
ensemble [a:n'sa:mbl] celkový efekt; dámský oděvní komplet; hud. souhra, nástrojová skupina
enslave [in'sleiv] zotročit i přen.
ensure [in'šuə,in'šo:] zajistit, zabezpečit; opatřit, postarat se (o)
enter ['entə] vstoupit, vejít (*the room* do místnosti); vstoupit, stát se členem
enterpris|e ['entəpraiz] podnik; projekt, akce; podnikavost **–ing** průbojný, podnikavý
entertain [,entə'tein] hostit; (po)bavit

–**ment** zábava
enthusias|m [in'θju:ziæzəm] nadšení (*for, about* pro) **–tic** [in,θju:zi'æstik] nadšený
entice [in'tais] vylákat (*from* odkud); zlákat (*into* na)
entire [in'taiə] úplný, naprostý, celý
entitle [in'taitl] opatřit názvem; opravňovat (*to* k)
entrance ['entrəns] vstup, vchod ~ **examination** přijímací zkouška ~ **fee** vstupné
entreat [in'tri:t] snažně prosit (koho o co)
entrepreneur [,ontrəprə'nə:] podnikatel
entrust [in'trast] svěřit komu co; pověřit koho čím
entry ['entri] vstup, vchod (*into* do); záznam; údaj; heslo ve slovníku **řNo E~ ř** Vstup, Vjezd zakázán
enumerat|e [i'nju:məreit] vyjmenovat **–ion** [i,nju:mə'reišn] výčet
envelop [in'veləp] zabalit; obklopit **–e** ['envələup] dopisní obálka
envi|able ['enviəbl] záviděníhodný **–ous** [-s] závistivý (*of* na)
environ|ment [in'vaiərənmənt] okolí, prostředí **–s** [in'vaiərənz] PL okolí města
envisage [in'vizidž] představovat si živě
envy ['envi] závist; předmět závisti # závidět
epidemic [,epi'demik] epidemie # nakažlivý, epidemický
epic ['epik] epický # epos i přen.
epilogue ['epilog] doslov, závěr; epilog
episode ['episəud] epizoda
epitaph ['epita:f] náhrobní nápis
epoch ['i:pok] období, epocha
equal ['i:kwəl] stejný, rovný (*to, with in st.* čemu) platící pro každého, spravedlivý **–ity** [i'kwoləti] rovnost, rovnoprávnost
equat|ion [i'kweižn] rovnice; rovnost **–or** [-tə] rovník **–orial** [,ekwə'to:riəl] rovníkový
equilibrium [,i:kwi'libriəm] rovnováha
equinox ['i:kwinoks] rovnodennost
equip [i'kwip] (*-pp-*) vybavit, opatřit (*with* čím) **–ment** výstroj; vybavení, zařízení
equivalent [i'kwivələnt] ekvivalent (*of* čeho); protějšek # rovnocený, ekviva-lentní (*to* čemu)
equivocal [i'kwivəkl] dvojznačný, dvojsmyslný
era ['iərə] éra, věk
erase [i'reiz] vymazat, smazat **–r** [-ə] guma na vymazávání
erect [i'rekt] vzpřímený, vztyčený # vztyčit; postavit, vybudovat
erode [i'rəud] rozrušit, narušit mechanicky n. chemicky
erosion [i'rəužn] eroze; nahlodání, narušení
erotic [i'rotik] erotický
err [ə:] chybovat; hřešit
errand ['erənd] pochůzka, posílka
error ['erə] chyba, omyl
erupt [i'rap|t] vybuchnout; vyrazit vyrážka **–ion** [-šn] výbuch i přen.; vyrážka
escalat|e ['eskəleit] vystupňovat **–or** [-ə] pojízdné schody, eskalátor
escape [i'skeip] únik, útěk # uniknout, uprchnout; unikat, ucházet plyn, pára
escort ['esko:t] ochranný doprovod # [is'ko:t] doprovázet
especial [i'speš|l] (ob)zvláštní, výjimečný **–ly** [-əli] zvláště
espionage ['espiəna:dž] vyzvědačství, špionáž
essay ['esei] literární esej; pojednání, stať, písemná práce
essence ['esns] podstata; výtažek
essential [i'senšl] podstatný; nezbytný
establish [i'stæbliš] zřídit, založit; ustanovit, jmenovat; uvést do chodu **–ment** usta(no)vení, založení, zřízení; instituce; firma, podnik
estate [i'steit] majetek; (velko)statek, nemovitosti **housing** ~ sídliště ~ **agent** pozemkový makléř

esteem [i'sti:m] vážit si; považovat za
estimat|e ['estimət] odhad # ['estimeit] ocenit, odhadnout (*at* na) **–ion** [,esti'meišn] odhadnutí, ocenění, zhodnocení; názor (*of* na)
estrange [i'streindž] odcizit koho komu, odcizit se přátelům, partnerovi
estuary ['estjuəri] ústí řeky do moře
etc. [it'setərə] = latinsky *et cetera* a tak dále
etch [eč] (vy)leptat, (vy)rýt **–ing** [-iŋ] lept
etern|al [i'tə:n|l] věčný **–ity** [-iti] věčnost
ethic|al ['eθik|l] etický **–s** [-s] etika
ethnic ['eθnik] etnický
ethnograph|y [eθ'nogrəf|i] národopis, etnografie **–er** [-ə] etnograf **–ic** etnografický
Europe ['juərəp] Evropa **–an** [,juərə'piən] Evropan # evropský
evacu|ate [i'vækjueit] evakuovat **–ation** [i,vækju'eišn] evakuace
evade [i'veid] obejít přen.; vyhnout se podvodně
evaluat|e [i'væljueit] ohodnotit, ocenit **–ion** [i,vælju'eišn] ocenění, (o)(z)hodnocení
evaporat|e [i'væpəreit] vypařovat se **–ed milk** [-id] kondenzované mléko
evasi|on [i'vei|žn] výmluva, vytáčka; vyhnutí se **–ve** [-siv] vyhýbavý
eve [i:v] předvečer (*on the* ~ *of* v předvečer čeho) **Christmas Eve** Štědrý večer **New Year's Eve** Silvestr
even ['i:vn] rovný; stálý; shodný; sudý čísla # dokonce; ještě; ani v záporné větě **not** ~ ani ~ **though**, ~ **if** i kdyby
evening ['i:vniŋ] večer ~ **dress** večerní úbor **in the** ~ večer
event [i'vent] událost; případ; akce; sport. disciplína **–ful** památný; bohatý událostmi, rušný
eventual [i'venčuəl] konečný, výsledný **–ity** [i,venču'æləti] konečný výsledek; poslední eventualita, možnost **–ly** [-i] nakonec
ever ['evə] kdy; někdy; vždy, stále **for** ~ navždy **hardly** ~ skoro nikdy **–green** ['evəgri:n] stále zelený
every ['evri] každý ~ **other day** obden ~ **now and then** občas **–body** [-,bodi] každý **–day** [-dei] každodenní **–one** [-wan] každý (člověk) **–thing** [-θiŋ] všechno **–where** [-weə] všude
eviden|ce ['evidən|s] důkaz; svědectví **–t** [-t] očividný, zřejmý
evil ['i:vl] zlo, špatnost # ~* (COMP *worse* [wə:s]; SUP *worst* [wə:st]) zlý, špatný
evoke [i'vəuk] vyvolávat vzpomínky
evolution [,i:və'lu:š|n] vývoj, evoluce **–ary** [-nəri] vývojový, evoluční
evolve [i'volv] vyvíjet se
exact [ig'zækt] přesný **–ing** [-iŋ] náročný **–ness** [-nis] přesnost **–ly** [-li] přesně; v odpovědi zcela správně
exaggerat|e [ig'zædžəreit] přehánět, nadsazovat **–ion** [ig,zædžə'reišn] přehánění, nadsázka
exam [ig'zæm] = *examination*
examin|ation [ig,zæmi'neišn] zkouška; vyšetření; prohlídka **cross** ~ křížový výslech **take*** **an** ~ dělat zkoušku **fail in the** ~ propadnout **pass an** ~ udělat zkoušku **–e** [ig'zæmin] prohlížet; zkoušet (*in*, *on* z); vyšetřovat **–er** [ig'zæminə] zkoušející, vyšetřovatel
example [ig'za:mpl] příklad; vzorek **for** ~ například
exasperat|e [ig'za:spərei|t] podráždit, popudit **–ion** [-šn] podráždění
excavat|e ['ekskəveit] vyhloubit, vykopat **–ions** [,ekskə'veišnz] vykopávky **–or** [ekskəveitə] bagr; kopáč
exceed [ik'si:d] překročit, přesahovat míru **–ingly** [-iŋli] mimořádně
excel [ik'sel] (*-ll-*) předčit, (*in*, *at* v) vynikat **–lent** ['eksələnt] znamenitý, výborný
except [ik'sep|t] vyloučit # kromě, vyjma (*for* čeho) **–ion** [ik'sepšn] výjimka (*to*, *from* z) **–ional** [-šənl] výji-

mečný
excerpt [ek'sə:pt] výňatek
excess [ik'ses] přebytek ~ **baggage** nadváha **–ive** [-iv] nadměrný, přehnaný, přílišný
exchange [iks'čeindž] výměna; telefonní ústředna **stock** ~ burza # vyměnit (*for* za) ~ **rate** směnárenský kurs
excit|e [ik'sait] podráždit; vzrušit **–ed** [-id] vzrušený **–ing** vzrušující, napínavý **–ment** vzrušení
exclaim [ik'skleim] zvolat vykřiknout
exclamation [,eksklə'meišn] zvolání, (po)vý|křik ~ **mark** vykřičník
exclu|de [ik'sklu:|d] vyloučit (*from* z) **–sive** [-siv] výhradní, výlučný **–sively** [-sivli] výhradně, výlučně, pouze
excruciating [ik'skru:šieitiŋ] strastiplný, mučivý
excursion [ik'skə:šn] výlet, exkurze
excuse [ik'skju:z] omluva # omluvit; prominout
execut|e ['eksikju:t] provést, uskutečnit, realizovat; popravit **–ion** [,eksi'kju:šn] provedení, uskutečnění, realizace; vykonání rozsudku **–ive** [ig'zekjutiv] obchodní náměstek; výkonná moc # výkonný
exemplary [ig'zempləri] příkladný; výstražný
exempt [ig'zempt] zproštěný (*from* čeho) # zprostit (*from* čeho) **–ion** [ig'zempšn] zproštění (*from* čeho)
exercise ['eksəsaiz] cvičení ~ **book** učebnice
exert [ig'zə:t] uplatnit, vynaložit (*on* na) ~ **os.** snažit se
exhale [eks'heil] vydechovat; vypařovat se
exhaust [ig'zo:st] výfuk # vyčerpat; vyprázdnit; vyfukovat **–ed** [-id] vyčerpaný **–ing** vyčerpávající
exhibit [ig'zibit] exponát # projevit, ukázat; vystavit **–ion** [,eksi'bišn] výstava
exile ['eksail] vyhnanství, exil; vyhnanec # poslat do vyhnanství
exist [ig'zist] být, existovat **–ence** [-əns] bytí, existence **–ing** existující; nynější, současný
exit ['eksit] východ
exodus [eksədəs] hromadný odchod
exotic [ig'zotik] exotický
expan|d [ik'spæn|d] rozšířit (se); rozpínat (se) **–sion** [-šn] rozpínavost; rozmach **–sive** [-siv] šířící se; rozpínavý; expanzivní
expect [ik'spekt] očekávat; předpokládat **–ation** [,ekspek'teišn] očekávání; domněnka **–ations** [,ekspek'teišnz] PL naděje, vyhlídky
expedient [ik'spi:diənt] kniž. vhodný, prospěšný
expedit|e ['ekspidait] kniž. urychleně vyřídit; odeslat **–ion** [,ekspi'dišn] výprava
expel [ik'spel] (*-ll-*) vyhnat, vypudit; vyloučit
expend [ik'spen|d] vydat peníze, vynaložit, utratit **–iture** [-diče] vydání, výdaj (*on*, *for* na)
expens|e [ik'spens] vydání, výdaj **at the ~ of** na účet **–es** [-iz] náklady, výlohy **–ive** [-iv] nákladný, drahý
experience [ik'spiəriəns] zážitek; jen SG zkušenost(i) # zažít, zakusit **–d** [-t] zkušený (*in* v)
experiment [ik'speriment] pokus # dělat pokusy (*on*, *with* s; *upon* na; *with* s) **–al** [-l] pokusný
expert ['ekspə:t] odborník (*at*, *in*, *on* v, na)
expir|e [ik'spaiə] vydechnout; zaniknout; uplynout lhůta **–ation** [,ekspi'reišn] uplynutí, vypršení lhůty; vydechnutí **–y** [ik'spaiəri] uplynutí, vypršení lhůty, platnosti
explain [ik'splein] vysvětlit
explanat|ion [,eksplə'neišn] vysvětlení, výklad **–ory** [ik,splænətəri] vysvětlující
explicable [ik'splikəbl] vysvětlitelný
explicit [ik'splisit] výslovný; zřetelný
explode [ik'spləud] vybuchnout; přen.

prudce se rozvinout; vyhodit do povětří, přen. vyvrátit
exploit ['eksploit] hrdinský čin # - [ik'sploit] využít; vykořisťovat **–ation** [-eišn] vykořisťování; těžba, zužitkování
explor|ation [,eksplə'reišn] průzkum, bádání **–e** [ik'splo:] (pro)zkoumat, (pro)bádat
explosi|on [ik'spləužn] výbuch, exploze, přen. prudký vzrůst **–ve** [ik'spləusiv] výbušnina # výbušný
export ['ekspo:t] vývoz # [ik'spo:t] vyvážet
expos|e [ik'spəuz] vystavit účinkům; exponovat **–ure** [ik'spəužə] vystavení účinkům; odhalení skandální; fot. expozice
expound [ik'spaund] objasnit, vyložit
express [ik'spre|s] rychlík # vyjádřit # spěšný; zřetelný, výslovný **–ion** [-šn] vyjádření, vyslovení; výraz tváře; jaz. výraz, fráze
expropriate [eks'prəuprieit] vyvlastnit
exquisite ['ekskwizit] vybraný, znamenitý
extend [ik'stend] rozšířit, prodloužit; táhnout, prostírat se (*to* až kam)
extens|ion [ik'sten|šn] prodloužení, rozšíření; přístavek, doplněk; telefonní linka **–ive** [-siv] (ob)roz|sáhlý
extent [ik'stent] rozloha, rozsah; meze, hranice
exterior [ik'stiəriə] (ze)vnějšek # vnější
exterminat|e [ik'stə:mineit] vyhladit **–ion** [ik,stəmi'neišn] vyhlazení
external [ik'stə:nl] vnější, zevní; externí
extinct [ik'stiŋkt] vyhaslý sopka; vyhynulý
extinguish [ik'stiŋgwiš] uhasit **fire –er** [-ə] hasicí přístroj
extort [ik'sto:t] násilím vynutit, vymámit
extra ['ekstrə] příplatek # zvláštní, mimořádný, navíc # mimo, zvlášť
extract ['ekstrækt] výtah, výpis; výňatek, ukázka; výtažek **–ion** [ik'strækšn] vytažení, vytržení zubu; původ
extradite ['ekstrədait] vydat hledanou osobu
extramural [,ekstrə'mjuərəl] výuka, přednášky externí pro studenty jiného než denního studia
extraordinary [ik'stro:dnri] mimořádný, zvláštní
extravagant [ik'strævəgənt] rozhazovačný; přehnaný
extreme [ik'stri:m] krajnost, extrém # krajní, mimořádný **–ly** [-li] neobyčejně, nesmírně
eye [ai] oko; zrak; poutko, ouško **–brow** ['-brau] obočí **–lash** ['-læš] řasa **~-lid** ['-lid] oční víčko **~-witness** [,ai'witnis] očitý svědek

F

fable ['feibl] bajka; výmysl, povídačky
fabric ['fæbrik] tkanina, látka **–ate** [,fæbrikeit] vykonstruovat, vymyslet si; zfalšovat **–ation** [,fæbri'keišn] výmysl; padělek
fabulous ['fæbjuləs] báječný, skvělý; bájný
face [feis] obličej; výraz obličeje; povrch; přední část # být obrácen čelem (*sb., st.* k); být postaven před problém **in the ~ of** v přítomnosti čeho, při čem **~ to ~** tváří v tvář
facetious [fə'si:šəs] nemístně vtipkující
facilit|ate [fə'silit|eit] usnadnit **–y** [fə'siləti] snadnost, lehkost (*in* při, v), nadání; obratnost; vlohy **–ies** [-iz] PL zařízení, celkové vybavení
facsimile [fæk'siməli] (tele)fax
fact [fækt] skutečnost, fakt; pravda **in ~** ve skutečnosti
factor ['fæktə] činitel
factory ['fæktəri] továrna
factual ['fækčuəl] faktický, reálný
faculty ['fæklti] schopnost; fakulta
fad [fæd] přechodná móda, poblázněni

fade [feid] (z)vadnout; blednout; zvolna mizet
fail [feil] selhat, propadnout ve škole, neuspět **–ing** chyba, slabost, nedostatek **–ure** ['feiljə] neúspěch, nezdar, neúspěšný člověk
faint [feint] mdloba, slabost # slabý, mdlý, chabý; nejasný, nezřetelný; bázlivý # omdlít
fair[1] [feə] trh, veletrh, výstava
fair[2] [feə] pěkný; blond, světlý; poctivý, čestný; přijatelný, uspokojivý **–ly** dosti; docela
fairy ['feəri] víla **~-tale** [-teil] pohádka
faith [feiθ] důvěra, víra; věrnost; vyznání **–ful** věrný **Yours –fully** ['-fuli] v úctě, s veškerou úctou v závěru dopisu **–fulness** [-fulnis] věrnost
fake [feik] padělek; imitace; podvod, výmysl # falšovat, padělat; napodobit
falcon ['fo:lkən] sokol
fall [fo:] (PT *fell* [fel]; PP *–en* [-lən]) # pád, padání # ~* padat, spadnout **~ down** spadnout dolů **–en** [-lən] PP od *fall**
fall-out ['fo:laut] radioaktivní spad
fals|e [fo:ls] nepravdivý, falešný; nevěrný, zrádný **~ alarm** planý poplach **–ify** ['fo:lsifai] falšovat, padělat; prokázat nesprávnost čeho
fame [feim] sláva, věhlas
familiar [fə'miliə] dobře známý; důvěrný, intimní; běžný **to be* ~ with** být zadobře s **–ity** [fə,mili'ærəti] obeznámenost; důvěrný vztah
family ['fæməli] rodina **~ name** příjmení **~ planning** plánované rodičovství
famine ['fæmin] hladomor; velký nedostatek
famished ['fæmišt] vyhladovělý
famous ['feiməs] proslulý, slavný (*for* čím)
fan[1] [fæn] vějíř; větrák # (*-nn-*) ovívat; roznítit
fan[2] [fæn] fanoušek
fanatic [fə'nætik] fanatik # fanatický
fancy ['fænsi] fantazie; představa, domněnka; chuť (*for* na) # zdobený; pestrý; vybraný, prvotřídní # mít zálibu (v čem); představovat si (*take* a ~ to st.* oblíbit si co) **~-dress** [,-'dres] maškarní kostým **~-goods** [,-'gudz] módní zboží galanterie, bižuterie, ap.
fantas|tic [fæn'tæstik] fantastický; prazvláštní; skvělý, fantastický **–y** ['fæntəsi] fantazie
far* [fa:] (COMP *farther* ['fa:ðə] n. *further* ['fə:ðə]; SUP *farthest* ['fa:ðist] n. ['fə:ðist]) daleký; vzdálený # daleko **the F~ East** Dálný východ ; nesmírně **as ~ as I know*** pokud vím **so ~** až dosud **~ away** ['fa:rəwei] vzdálený # daleko
farce [fa:s] fraška
fare [feə] jízdné **–well** [,feə'wel] rozchod
farm [fa:m] statek; farma # hospodařit; obdělávat **–er** [-ə] zemědělec, rolník; farmář
farming [fa:miŋ] zemědělství
farmstead ['fa:msted] statek
farth|er ['fa:ð|ə] COMP od *far** vzdálenější # dále **–est** [-ist] SUP od *far** nejvzdálenější # nejdále
fascinat|e ['fæsineit] okouzlit, fascinovat **–ing** úchvatný
fascis|m ['fæši|zəm] fašismus **–t** [-st] fašista # fašistický
fashion ['fæšn] střih; móda (*latest ~* poslední móda); způsob **out of ~** vyšlý z módy **–able** [-əbl] módní; elegantní
fast[1] [fa:st] půst # postit se
fast[2] [fa:st] rychlý, pevný; stálý # rychle, pevně **~ train** rychlík **to be* ~** předbíhat se o hodinách **~ food** rychlé občerstvení
fasten ['fa:sn] připevnit, zapnout, pevně zavřít; přen. upřít, upnout (se)
fastidious [fə'stidius] vybíravý, náročný (*about* v, na)
fat [fæt] tuk # (*-tt-*) tučný; tlustý; úrodný
fat|al ['feitl] osudný, osudový; smrtel-

ný **–e** [feit] osud
father ['fa:ðə] otec **–hood** ['fa:ðəhud] otcovství **~-in-law** [-inlo:] tchán **–land** [-lænd] vlast
fatigue [fə'ti:g] únava, vyčerpání; únava materiálu # unavit
fatty ['fæti] tučný, mastný jídlo
faucet ['fo:sit] am. vodovodní kohoutek
fault [fo:lt] vada; chyba, vina (*It's my ~* Je to moje vina) **–less** ['-lis] bezvadný **–y** ['fo:lti] chybný, nedokonalý
favour ['feivə] přízeň; náklonnost; prokázaná služba; zájem, prospěch (*be in, out of ~ with* mít, nemít čí přízeň; *do me a ~* buď(te) tak laskav; prosím při žádosti) # přát komu, čemu, podporovat, stranit komu **in ~ of** ve prospěch **–able** [-rəbl] příznivý **–ite** [-rit] oblíbenec # oblíbený
fax [fæks] posílat telefaxem # fax dokument **~ machine** (tele)fax přístroj
fear [fiə] strach (*of* z, před) (*for ~ of* z obavy před) # bát se (*st.* čeho) **–ful** ['-ful] bázlivý; strašný **–less** ['-lis] nebojácný
feasible ['fi:zəbl] proveditelný
feast [fi:st] svátek; hostina, hody # hodovat
feat [fi:t] velký čin, výkon
feather [feðə] pero **–s** [-z] PL peří
feature ['fi:čə] rys obličeje # obsadit herce do hlavní role; vystupovat v hlavní roli; rys, charakteristický znak; hlavní program v rozhlase, nejzajímavější článek v novinách **~ film** hlavní film **–s** [-z] PL obličej
February ['februəri] únor
fed [fed] PT a PP od *feed**
federa|l ['fedərəl] spolkový, federální **–tion** [,fedə'reišn] federace
fee [fi:] poplatek; vstupné
feeble ['fi:bl] slabý, mdlý **~-minded** [,fi:bl'maindid] slabomyslný
feed [fi:d] (PT a PP *fed* [fed]) # krmivo; krmení; palivo; přísun materiálu # **~*** krmit, živit; žrát, živit se; zásobovat **be* fed up with st.** mít čeho až po krk
feel [fi:l] (PT a PP *felt* [felt]) cit (*for* pro); # omak; dotyk # **~*** cítit; cítit se; ohmatat **–ing** cítění, city, pocit; sympatie, porozumění **≈s** [-z] PL city
feet [fi:t] PL od *foot**
fell [fel] PT od *fall**
fellow ['feləu] druh, společník; člověk, chlapík; odborný asistent, člen učené společnosti **~-citizen** [,-'sitizn] spoluobčan **~-man** [,-'mæn] PL bližní **–ship** [-šip] kamarádství; členství **~-traveller** [,-'trævələ] spolucestující
felt[1] [felt] plsť **~-tip pen** [,-'tip] fix, popisovač
felt[2] [felt] PT a PP od *feel**
female ['fi:meil] ženský; samičí; ženského pohlaví
femini|ne ['femən|in] ženský **–st** [-ist] feministka; feministický
fen [fen] bažina, močál
fenc|e [fens] ohrada, plot # ohradit; šermovat **–ing** šerm
fender ['fendə] nárazník; ochranná mříž krbu
ferment ['fə:ment] kvas; neklid, vzrušení # [fə'ment] kvasit, vyvolat n. způsobit kvašení; rozrušit (se)
fern [fə:n] kapradina
ferocious [fə'rəušəs] divoký, dravý; strašidelný
ferrous ['ferəs] železnatý, železný
ferry ['feri] převoz, trajekt # převážet
fertil|e ['fə:tail] úrodný **–ity** [fə'tiləti] úrodnost **–ize** ['fə:təlaiz] zúrodnit **–izer** ['fə:tilaizə] hnojivo
ferv|our ['fə:və] horlivost; zápal, ohnivost **–ent** [-nt] vroucí, vášnivý; zanícený
fester ['festə] hnisat
festiv|al ['festəvl] slavnost, festival; svátek **–e** ['festiv] slavnostní, sváteční
fetch [feč] jít a přinést n. přivést **–ing** poutavý, přitažlivý
fete [feit] slavnost
fetters ['fetəz] PL pouta, okovy i přen.
feud [fju:d] dlouhotrvající svár, spor **–al**

[-l] feudální **–alism** ['fju:dəlizəm] feudalismus
fever ['fi:və] horečka **–ish** [-riš] horečný, zimničný
few [fju:] málo **a ~** několik málo
fiancé [fi'ansei] snoubenec **–e** [-] snoubenka
fibre ['faibə] vlákno
fickle ['fikl] vrtkavý, nestálý
fiction ['fikšn] smyšlenka; beletrie, románová literatura **–al** [-l] vymyšlený, fiktivní; beletristický, románový
fiddle ['fidl] housle, skřipky # fidlat, hrát na housle; slang. švindlovat **~ with st.** hrát, pohrávat si s něčím
fidelity [fi'deləti] věrnost
field [fi:ld] pole; hřiště; oblast, sféra
fiend [fi:nd] ďábel **–ish** ['-iš] ďábelský; krutý
fierce [fiəs] divoký, prudký
fiery ['faiəri] ohnivý; pálivý chuť; prchlivý; vznětlivý, náruživý, horoucí
fift|een [,fif'ti:n] patnáct **–y** ['fifti] padesát
fig [fig] fík
fight [fait] ~* (PT a PP *fought* [fo:t]) bojovat, zápasit # boj, zápas **–er** bojovník, zápasník
figurative ['figərətiv] obrazný
figure ['figə] číslice; částka, suma, cena; figura; postava, tělo; osobnost; obrázek, diagram, schéma # figurovat; domnívat se, myslit **~ out** pochopit
file [fail] pořadač, rejstřík, archiv; desky; poč. soubor; obsah kartotéky; řada; pilník # zařadit, uspořádat do souboru, jít v řadě; pilovat
fill [fil] plnost, dostatek; naplnění; výplň # plnit, (na)s|plnit **~ in** vyplnit **–ing** plnění; nádivka **~ station** benzínová stanice
fillet ['filit] páska, stužka; proužek; řízek, plátek
film [film] blána, povlak; film # filmovat
filter ['filtə] filtr # filtrovat; proniknout, prosáknout
filth [filθ] špína, svinstvo **–y** [-i] špinavý, oplzlý
fin [fin] ploutev
final ['fainl] konečný, závěrečný; definitivní # finále; (též PL –*s*) závěreč-né zkoušky **–ize** ['fainəlaiz] ukončit; dát konečnou formu **–ly** ['fainəli] nakonec; s konečnou platností
financ|e [fai'næn|s] finance (též PL –*s*) # financovat **–ial** [-šl] peněžní, finanční **–ier** [-siə] finančník
find* [faind] (PT a PP *found* [faund]) nalézt, najít; objevit; shledávat jakým, čím **I ~ it difficult** zdá se mi to těžké **~ out** zjistit
fine[1] [fain] pokuta # pokutovat
fine[2] [fain] pěkný, hezký, jemný; čistý; skvělý; vybraný, uhlazený # pěkně, skvěle
finger ['fiŋgə] prst # dotknout se, ohmatat prstem, sáhnout si **~-nail** [-neil] nehet **–print** [-print] otisk prstů **–tip** [-tip] špička prstu
finish ['finiš] závěr, konec # ukončit, dodělat; skončit **–ing line** [-iŋ] cílová čára
fir [fə:] jedle
fire ['faiə] oheň; požár # zapálit; rozpálit (se), nadchnout (se); hovor. vyhodit z práce; pálit, střílet (*at* na) **~ brigade** požární sbor; krb, kamna; střelba, palba **~ alarm** [-rə,la:m] požární poplach **–arm** [-ra:m] (obv. PL –*s*) střelná zbraň **~-engine** [-r,endžin] hasičská stříkačka **~ escape** [-ri,skeip] požární žebřík **–man*** [-mən] (PL v. *man**) požárník **–place** [-pleis] krb **–proof** [-pru:f] ohni-vzdorný **–wood** [-wud] palivové dříví **–works** [-wə:ks] PL ohňostroj
firm [fə:m] pevný; tuhý # upevnit # firma, podnik **–ness** [-nəs] pevnost, tuhost; neústupnost; stálost
first [fə:st] první # nejprve **at ~** zpočátku **~ of all** především **~ aid** první pomoc **~ name** křestní jméno **~-hand** [,-'hænd] z první ruky **~-rate** [,-'reit] prvotřídní

fish [fiš] (PL ~) ryba (~ *rod* rybářský prut; ~ *tackle* rybářské náčiní) # chytat ryby **–erman*** ['fišəmən] (PL v. *man**) rybář **–ing** [-iŋ] rybolov # rybářský (~ *boat* rybářský člun) **–monger** ['fiš,maŋgə] obchodník s rybami
fist [fist] pěst
fit[1] [fit] záchvat
fit[2] [fit] střih # (*-tt-*) vhodný; schopný; v kondici # (*-tt-*) hodit se; padnout; přizpůsobit, upravit **~ in** dobře zapadat **~ out**, **~ up** vybavit, opatřit (*with* čím) **–ter** [-ə] montér, instalatér **–ting** [-iŋ] zkouška u krejčího; vybavení, zařízení; instalace # vhodný
five [faiv] pět
fix [fiks] připevnit; upřít zrak (*on* na); pevně určit; (o)(u)při|pravit **~ up** zařídit, zorganizovat **–ative** [fiksətiv] ustalovač **–edly** [fiksidli] upřeně, strnule **–ture** ['fiksčə] (PL *–tures*) příslušenství v domě - potrubí ap.
fizz [fiz] šumění, syčení; šumivý nápoj # šumět
flag[1] [flæg] dlažební kostka
flag[2] [flæg] ochabovat
flag[3] [flæg] vlajka # (*-gg-*) vyzdobit vlajkami; označit **–staff** [-sta:f] stožár, vlajková žerď
flagrant ['fleigrənt] křiklavý, nápadný
flair [fleə] smysl (pro co), talent, nadání; elegance, šik
flake [fleik] vločka; tenká vrstva **corn –s** [-s] kukuřičné vločky
flame [fleim] plamen # plápolat
flannel ['flænl] flanel **–s** [-z] PL flanelové kalhoty
flap [flæp] plesknutí, plácnutí; co volně visí chlopeň, klopa, patka, jazyk v botě ap. # (*-pp-*) plesknout, třepotat (se), plácat se
flare [fleə] záblesk i přen. # plápolat **~ up** vzplanout
flash [flæš] záblesk; zablesknutí, blesk; blesk u fotoaparátu # zablesknout se; vzplanout **–light** [-lait] fot. blesk; signalizační bleskové světlo; am. kapesní svítilna
flask [fla:sk] chem. baňka; láhev na víno, olej ap.; čutora
flat [flæt] byt # (*-tt-*) plochý, rovný; mdlý, nudný # na plocho; přímo **–let** [-lit] malý byt, garsoniéra **–ten** ['-n] vyrovnat, srovnat
flatter ['flætə] lichotit **–y** [-ri] lichotka, pochlebování
flavour ['fleivə] chuť a vůně; příchuť; chuťový druh # okořenit **–ed** [-d] s příchutí
flaw [flo:] kaz, vada # poškodit, pokazit **–less** [-ləs] bezvadný, dokonalý
flax [flæks] len; lněné vlákno
flea [fli:] blecha
flee* [fli:] (PT a PP *fled*) prchat, uprchnout
fleet [fli:t] loďstvo; flotila i letadel; vozový park
fled [fled] PT a PP od *flee**
flesh [fleš] živé maso; tělo; dužina
flew [flu:] PT od *fly**
flex [fleks] el. šňůra, kabel **–ibility** [,fleksə'biləti] ohebnost, poddajnost, pružnost i přen. **–ible** ['fleksəbl] ohebný, pružný i přen.
flick [flik] švihnutí; lehký úder # švihnout; klepnout, lehce udeřit **–er** ['-ə] třepotat se, chvět se plamen, vlajka # třepotání
flight [flait] let; létání; roj, hejno ptáků; útěk **~ of stairs** schody **to take* ~** utéci, uprchnout
flimsy ['flimzi] průklepový papír # tenký, křehký
fling* [fliŋ] (PT a PP *flung* [flaŋ]) hodit, mrštit, třísknout
flint [flint] křemen; kamínek do zapalovače; pazourek
flipper ['flipə] ploutev želvy, tuleně, tučňáka; nožní ploutev k plování n. potápění
flirt [flə:t] flirtovat, koketovat (*with* s) # koketa; muž, který rád flirtuje
float [fləut] plovák, splávek # plout; vznášet se
flock[1] [flok] stádo, hejno; zástup # shluknout se, shromáždit se

flock[2] [flok] chumáč
floe [fləu] kra
flog [flog] (*-gg-*) trestat mrskáním, bičováním
flood [flad] záplava, povodeň; záplava, příval i přen., příliv # zaplavit **–ing** záplava
floor [flo:] podlaha; dno; poschodí **ground** ~ brit. přízemí **first** ~ am. přízemí, brit. první poschodí **second** ~ am. první poschodí ~ **board** podlahové prkno ~ **show** kabaretní představení **–ing** [-riŋ] podlahový materiál
flop [flop] neúspěch, propadák **–py** (**disk**) ['flopi] poč. disketa
florist ['florist] květinář(ka) **~'s** [-s] květinářství
flour ['flauə] mouka
flourish ['flariš] vzkvétat, prosperovat # rozmáchlé gesto **–ing** vzkvétající, prosperující
flow [fləu] tok, proud; příliv, přítok i přen. # téci, proudit, plynout i přen.
flower ['flauə] květina # kvést ~**-bed** [-bed] květinový záhon **–pot** [-pot] květináč
flown [floun] PP od *fly**
flu [flu:] chřipka
fluctuat|e ['flakčueit] kolísat; měnit se, fluktuovat **–ion** [,flakču'eišn] kolísání, výkyv, fluktuace
fluen|cy ['flu:ən|si] plynulost ~ **in English** plynulá angličtina **–t** [-t] plynulý
fluid ['flu:id] tekutina # tekutý
flung [flaŋ] PT a PP od *fling**
fluorescent [flo:resnt] světélkující, fluorescenční ~ **lamp** zářivka
fluorine ['flo:ri:n] fluor
flush [flaš] zardění; nával citu; příval vody, spláchnutí # (s)vy|pláchnout; zardít se
flute [flu:t] flétna
flutter ['flatə] třepetání; vzrušení # třepetat (se), chvět se
flux [flaks] neustálá změna
fly [flai] (PT *flew* [flu:]; PP *flown* [floun]) # moucha # ~* létat, letět ~**-over** ['-,əuvə] brit. nadjezd

foal [fəul] hříbě
foam [fəum] pěna # pěnit
focal ['fəukl] ohniskový; ústřední ~ **point** ohnisko i přen.
focus* ['fəukəs] (PL *–cuses* n. *–ci* [-iz ,-ai]) ohnisko; střed pozornosti, zájmu # zaostřit; zaměřit, soustředit (*on* na) **out of** ~ neostrý
fodder ['fodə] suché krmivo
fog [fog] mlha # (*-gg-*) zamlžit (se); zmást **–gy** ['fogi] mlhavý, zamlžený; zmatený, nejasný
foil[1] [foil] fólie; alobal
foil[2] [foil] překazit, zabránit (v čem)
fold [fəuld] záhyb; přeložení # složit, přehnout ~ **up** zhroutit se, rozpadnout se; zkrachovat **–er** [-ə] desky, pořadač; skládaný leták, prospekt **–ing** skládací (*bed* postel)
folk [fəuk] (obv. *–s*) lidé # lidový ~ **art** lidové umění ~ **dance** ['-da:ns] lidový tanec ~ **song** ['-soŋ] lidová píseň **–lore** ['fəuklo:] folklór
follow ['foləu] následovat, jít za (*st.* čím); sledovat co; řídit se čím **as –s** [-z] jak následuje ~ **up** sledovat, dovést do konce; navázat (na), okamžitě udělat další krok **–er** [-ə] stoupenec následovník **–ing** [-iŋ] následující
folly ['foli] hloupost, pošetilost, bláznovství; hloupý nápad
fond [fond] něžný, milující **be*** ~ of sb. mít rád koho **be*** ~ of doing st. rád něco dělat
font [font] kropenka; poč. font sada znaků
food [fu:d] potrava, jídlo ~ **stuffs** ['fu:dstafs] PL potraviny
fool [fu:l] blázen, hlupák, pošetilec; idiot; šašek # ošidit **All F~'s Day** prvního apríla ~ **around**, about dělat hlouposti, žertovat **–ish** [-iš] hloupý, pošetilý, nerozumný; trapný **–ishness** [išnəs] pošetilost
foot* [fut] (PL *feet* [fi:t]) noha chodidlo; stopa míra **–ball** ['futbo:l] kopací míč; kopaná ~**-brake** ['-breik] nožní brzda ~**-bridge** ['-bridž] lávka, most pro pěší **–ing** [-iŋ] pevné místo k stání;

základ, základna; postavení ve společnosti **–lights** ['-laits] světla rampy; přen. divadlo **–note** ['-nəut] poznámka pod čarou **–path** ['-pa:θ] stezka, pěšina **–print** [-print] šlépěj **–step** ['-step] krok; zvuk kroku **–wear** [-weə] vše, co se nosí na nohou, hlavně obuv

for [fo:, fə] pro (*a letter ~ you* dopis ~ tebe); na, pro účel, záměr (*a room ~ sleeping in* pokoj na spaní; *go* ~ a walk* jít na procházku); na, do, k směr (*a train ~ London* vlak do Londýna, na Londýn); o žádat, prosit (*ask ~ directions* ptát se na cestu; *ask ~ help* žádat o pomoc); za směna (*pay* two pounds ~ a book* zaplatit za knihu dvě libry); po, celý čas a vzdálenost, často se nepředpokládá (*it hasn't rained ~ 3 weeks* (celé) 3 týdny nepršelo); neboť, protože **what ~?** proč?, k čemu?

forb|id* [fə'b|id] (*-dd-*) (PT *–ad(e)* [-æd, -eid]; PP *–idden* [-idn]) zakázat **–ad(e)** [-æd,-eid] PT od *forbid** **–idden** [-idn] PP od *forbid**

force [fo:s] síla; vliv, tlak # přinutit, přimět; vynutit **the –s** [-iz] armáda **come*** into ~ vstoupit v platnost **–d** [-t] vynucený, nouzový

ford [fo:d] brod # přebrodit

fore [fo:] přední na přední části vozidla # vpředu, dopředu na lodi, v letadle # příď lodi **to the ~** do popředí na oči veřejnosti

forearm ['fo:ra:m] předloktí

foreboding [fo:'bəudiŋ] předtucha

forecast ['fo:ka:st] předpověď # **~*** (PT a PP ~) před(po)vídat

forefront ['fo:frant] popředí, přední místo

foregone [fo:'gon] **a ~ conclusion** předem hotová věc

foreground ['fo:graund] popředí

forehead ['forid, 'fo:hed] čelo část hlavy

foreign ['forən] cizí, zahraniční **the F~ Office** brit. ministerstvo zahraničí **F~ Secretary** brit. ministr zahraničních věcí **–er** cizinec

foreman* ['fo:mən] (PL v. *man**) předák, mistr; hlavní porotce

foremost ['fo:məust] nejpřednější, první, nejlepší, na prvním místě

foresaw [fo:'so:] PT od *foresee**

foresee [fo:'si:] předvídat

foreseen [fo:'si:n] PP od *foresee**

foresight ['fo:sait] předvídavost, prozíravost

forest ['forist] (pra)les **–ry** [-ri] lesní hospodářství

forestall [fo:'sto:l] včas předejít koho

forever [fə'revə] navždy; pořád, stále

foreword ['fo:wə:d] předmluva

forfeit ['fo:fit] ztráta, trest, pokuta; propadnutí # přijít (o), ztratit, pozbýt; propadnout ztratit platnost

forg|e [fo:dž] kovárna # kovat; padělat **–er** [-ə] padělatel **–ery** ['fo:džəri] padělání; padělek

forget* [fə'get] (*-tt-*) (PT *forgot* [fə'got]; PP *forgotten* [fə'gotn]) zapomenout **~-me-not** [-minot] pomněnka **–ful** [-ful] zapomnětlivý **–fulness** [-fulnis] zapomětlivost

forgive* [fə'giv] (PT a PP v. *give**) odpustit, prominout **–ness** [-nis] odpuštění

forgiven [fə'givn] PP od *forgive**

forgot [fə'got] PT od *forget** **–ten** [-n] PP od *forget**

fork [fo:k] vidlička; vidle; vidlice # rozbíhat se, větvit se

forlorn [fə'lo:n] opuštěný; zoufalý

form [fo:m] tvar; způsob; podoba, forma; formulář # (u)tvořit; formovat (se) **he is on ~** je ve formě **–al** ['fo:ml] formální **–ality** [fo:'mæləti] konvečnost **–ation** [fo:'meišn] formace; utváření; útvar

format ['fo:mæt] formát **–ive** [fo:mətiv] formující

former ['fo:mə] dřívější; dříve jmenovaný **–ly** [-li] dříve, kdysi

formidable ['fo:midəbl] hrozivý; nelehký; imponující

formula ['fo:mjulə] vzorec

formulat|e ['fo:mjuleit] formulovat **–ion** [,fo:mju'leišn] formulování; formulace

forsake* [fə'seik] (PT *forsook* [fə'suk]; PP *forsaken* [fə'seikən]) opustit; vzdát se, zanechat čeho
fors|ook [fə's|uk] PT od *forsake**
–aken [-eikən] PP od *forsake**
forth [fo:θ] dále, vpřed **and so ~** a tak dále **–coming** [,-'kamiŋ] blížící se **–right** [,-'rait] přímý, otevřený **–with** [,-'wiθ] ihned, bez odkladu
fortif|ication [,fo:tifi'keišn] opevňování **–ications** [-z] PL opevnění **–y** ['fo:tifai] opevnit; upevnit, posílit
fortnight ['fo:tnait] brit. čtrnáct dní **–ly** ['fo:t,naitli] každé dva týdny
fortress ['fo:tris] pevnost
fortunate ['fo:čənət] šťastný, mající štěstí **–ly** [-li] naštěstí
fortune ['fo:ču:n] štěstí; osud; jmění **good***, **bad* ~** šťastná, nešťastná náhoda; **make*** a **~** zbohatnout
forty ['fo:ti] čtyřicet
forum ['fo:rəm] fórum i přen.
forward ['fo:wəd] směřující vpřed; přední; pokročilý # dopředu poslat, odeslat dopis, zboží # sport. útočník
fossil ['fosl] zkamenělina # zkamenělý
foster ['fostə] vychovávat cizí dítě; podporovat **~-child*** [-čaild] schovanec, schovanka **~-mother** [-,maðə] pěstounka
fought [fo:t] PT a PP od *fight**
foul [faul] sport. faul # odporný, hnusný; špinavý, smrdutý; mizerný, špatný počasí; sprostý, hrubý; nečestný # faulovat; znečisťovat **fall* ~** of sb. mít problémy s
found [faund] PT a PP od *find** # založit, zřídit **–ation** [faun'deišn] založení, nadace **-ations** PL základy **–er** zakladatel
foundry ['faundri] slévárna
fountain ['fauntin] vodotrysk; fontána, kašna **~-pen** [-pen] plnicí pero
four [fo:] čtyři **–teen** [,fo:'ti:n] čtrnáct
fowl [faul] (*–s* PL) drůbež
fox [foks] liška **–y** prohnaný, vychytralý; ryšavý, zrzavý

foyer ['foiei] vstupní hala; společenská místnost
fraction ['frækšn] zlomek, část i mat.
fracture ['frækčə] zlomenina
fragile ['frædžail] křehký
fragment ['frægmənt] zlomek, útržek; úlomek **–ary** [-əri] zlomkovitý, neúplný
fragrance ['freigrəns] příjemná n. sladká vůně
frail [freil] křehký, slabý
frame [freim] rám, rámec; konstrukce, kostra # zarámovat; formulovat **~ of mind** stav, nálada **–work** ['-wə:k] kostra, konstrukce; soustava, systém; rámec
frank [fræŋk] upřímný, otevřený # frankovat dopis
frankfurter ['fræŋkfə:tə] párek
frantic ['fræntik] šílený (*with* čím) **~ with worry** ustaraný
fratern|al [frə'tə:n|l] bratrský **–ity** [-əti] bratrství; bratrstvo; příslušníci určité profese jako společenské skupiny
fraud [fro:d] podvod; podvodník **–ulent** ['fro:djulənt] podvodný, falešný
fray [frei] odřít (se), rozedřít (se); napnout nervy, vztahy
freak [fri:k] podivín; nevysvětlitelná náhoda **–ish** ['-iš] podivínský
freckle ['frekl] piha **–d** [-d] pihovatý
free [fri:] svobodný; volný; bezplatný **for ~** zdarma **tax-~** bezcelný **–dom** ['fri:dəm] svoboda **-lance** ['-la:ns] nezávislý, na volné noze # pracovník na volné noze
freez|e* [fri:z] (PT *froze* [frəuz]; PP *frozen* [frəuzn]) (z)mrznout; zmrazit # mráz **–er** ['-ə] mraznička **–ing-point** ['-iŋpoint] bod mrazu
freight [freit] náklad **–er** nákladní loď n. letadlo
frenzy ['frenzi] záchvat šílenství; posedlost (*of* čím)
frequen|cy ['fri:kwən|si] častost, četnost; frekvence, kmitočet **–t** [-t] častý **–tly** [-tli] často
fresco ['freskəu] (PL také *-es*) freska

fresh [freš] čerstvý, svěží; nejnovější; čilý **~ water** ['-,wo:tə] sladká voda
friction ['frikšn] tření; třenice
Friday ['fraidi] pátek **good ~** Velký pátek
fridge [fridž] lednička
fried [fraid] smažený
friend [frend] přítel(kyně); známý(á) **make* –s** with sb. [-z] spřátelit se s kým **–ly** přátelský **–ship** ['-šip] přátelství
fright [frait] zděšení, leknutí **–en** ['fraitn] polekat, vystrašit **–ful** hrozný, strašný
frigid ['fridžid] ledový i přen.; frigidní, chladný
fringe [frindž] ofina; třásně; okraj
frivol|ous ['frivəl|əs] lehkomyslný **–ity** [-iti] lehkomyslnost; drobnost, nicotnost
fro [frəu] **to and ~** sem a tam
frock [frok] šaty dětské, dámské
frog [frog] žába
from [from, frəm] od, z **~ time to time** občas **~ behind** zezadu
front [frant] průčelí, přední strana; přední část # přední **in ~ of** před čím **–ier** ['fran,tiə] hranice; pomezí
frost [frost] mráz **~-bitten** ['-bitn] omrzlý **–y** ['-i] mrazivý
froth [froθ] pěna # pěnit
frown [fraun] zamračený pohled # mračit se
froze [frəuz] PT od *freeze** **–n** [-n] PP od *freeze**
frugal ['fru:gl] skromný, střídmý; šetrný
fruit [fru:t] ovoce; plod **–s** [-s] PL výsledky **–less** [-lis] bezvýsledný, zbytečný
frustrat|e [fra'streit|t] zmařit, překazit; znechutit **–ion** [-šn] zklamání, nezdar; pocit marnosti, nespokojenosti
fry [frai] smažit **–ing-pan** [-iŋ] pánev
fuck [fak] vulg. šoustat; vysrat se (na) # vulg. hergot, sakra, do prdele ap. # vulg. hovno **–ing** [-iŋ] posraný
fuel ['fju:əl] palivo, pohonná látka
fugitive ['fju:džətiv] uprchlík
fulfil [ful'fil] (*-ll-*) vyplnit, splnit **–ment** [-mənt] splnění; vykonání, provedení
full [ful] plný, úplný **~ moon** [,-'mu:n] úplněk **~-time** (**job**) [,-'taim] na plný úvazek
fumble ['fambl] hrát si nervózně (*with* s); šmátrat (*at, for* po), tápavě hledat; tápat
fume [fju:m] vnitřně soptit, zuřit **–s** [-z] PL výfukové plyny
fun [fan] zábava; žert, legrace **for ~** žertem **have* ~** bavit se, užít si **make* ~** of sb. dělat si z někoho legraci **~-fair** ['fanfeə] zábavní park **–ny** ['fani] legrační; podivný
function ['faŋkšn] funkce, účel; společenská událost; mat. funkce # fungovat, být v provozu **–ary** [-əri] často hanl. funkcionář
fund [fand] fond; zásoba **–s** [-z] PL finanční prostředky **–amental** [,fandə'mentl] základní, podstatný
funeral ['fju:nərəl] pohřeb # pohřební
fungus* ['faŋgəs] (PL *fungi* [-ai]) houba
funicular [fju:nikjulə] pozemní lanovka
funnel ['fanl] nálevka
fur [fə:] kožešina; kožešinový **~ coat** kožich kabát
furious ['fjuəriəs] zuřivý, rozzuřený
furnace ['fə:nis] pec hutnická, kotel ústředního topení
furni|sh ['fə:ni|š] opatřit, dodat, zařídit; zařídit (*with* čím) nábytkem **–ture** [-čə] jen SG nábytek, zařízení bytu
furrier ['fariə] kožešník
furrow ['farəu] brázda; hluboká vráska # vyorat brázdu
furth|er ['fə:ð|ə] COMP od *far** vzdálenější; pozdější; další ve výčtu # dále, kromě toho; později **~ education** další vzdělávání **–est** [-ist] SUP od *far** nejvzdálenější # nejdále
fury ['fjuəri] zlost, vztek; nával vzteku, záchvat zuřivosti
fuse [fju:z] el. pojistka; roznětka #

(roz)tavit (se); svařit, spojit
fuss [fas] povyk; zbytečný rozruch # dělat mnoho povyku (*about* kvůli)
futile ['fju:tail] marný; bezvýsledný, zbytečný, neplodný přen.
future ['fju:čə] budoucnost # budoucí

G

gable ['geibl] štít domu
gadget ['gædžit] šikovný mechanismus, důmyslný přístroj
gag [gæg] roubík; film. gag # (*-gg-*) zacpat ústa roubíkem
gai|ety ['geiləti] veselost, veselí **–ly** [-li] vesele
gain [gein] zisk; příjem, výtěžek # získat; dosáhnout; hodinky předbíhat se; dohánět (*on* koho)
gale [geil] vichřice; bouře na moři
gallant ['gælənt] chrabrý, udatný, dvorný, galantní **–ry** [-ri] udatnost; dvornost
gallbladder ['go:l,blædə] žlučník
gallery ['gæləri] galerie
gallon ['gælən] galon
gallop ['gæləp] cválat # trysk, cval
gallows ['gæləuz] SG šibenice
gamble ['gæmbl] hrát hazardní hry, o peníze
game [geim] hra, utkání; lovná zvěř a ptactvo **–keeper** [-,ki:pə] hajný
gammon ['gaemən] šunka; prorostlá slanina
gang [gæŋ] gang; parta; pracovní četa
gangway ['gæŋwei] ulička mezi sedadly; přístavní můstek
gaol [džeil] = *jail* vězení
gap [gæp] otvor; mezera i přen.; rozpor, propast v názorech
gape [geip] zírat (*at* na), civět
garage ['gæra:ž] garáž; dílna
garbage ['ga:bidž] odpadky; smetí
garbled ['ga:bld] zmatený; matoucí
garden ['ga:dn] zahrada **–er** [-ə] zahradník **–ing** [-iŋ] zahradničení, zahrádkářství
gargle ['ga:gl] kloktat
garish ['geəriš] křiklavý; přeplácaný ozdobami
garlic ['ga:lik] česnek
garment ['ga:mənt] kus oděvu
garnish ['ga:niš] ozdoba # ozdobit podávané jídlo
garrison ['gærisn] vojenská posádka # vybavit posádkou
garrulous ['gæruləs] upovídaný
gas [gæs] plyn; am. benzín # (*-ss-*) zamořit plynem; otrávit plynem **~-meter** ['-,mi:tə] plynoměr **~ station** am. benzínová pumpa **–sy** ['-i] plný plynu, naplněný plynem pocházející od plynu **–works** [-wə:ks] (PL stejný, sloveso v PL i SG) plynárna
gash [gæš] řezná rána, šrám # pořezat (se), říznout (se)
gasoline ['gæsəuli:n] am. benzín
gasp [ga:sp] těžce dýchat # těžký dech, těžké oddychování **~ for breath** lapat po dechu
gastric ['gæstrik] žaludeční
gate [geit] brána; vrata **–way** [-wei] cesta branou, vchod, vjezd; brána i přen.
gather ['gæðə] shromáždit (se); sklízet; sebrat **~ from** usoudit z čeho **–ing** [-riŋ] shromáždění
gauche [gəuš] neohrabaný společensky
gauge [geidž] standardní míra; kalibr; rozchod kolejí
gaunt [go:nt] hubený, vyzáblý **–let** ['-lit] dlouhá rukavice
gauze [go:z] mul, gáza
gave [geiv] PT od *give**
gay [gei] veselý, bezstarostný zastarale # homosexuál(ní)
gaze [geiz] upřený pohled # upřeně se dívat (*at* na)
gear [giə] výstroj, výzbroj sport.; nářadí, příslušenství, pohon, soukolí; převodový stupeň, rychlost **landing ~** podvozek letadla **~-box** ['-boks] převodová, rychlostní skříň
gem [džem] drahokam
gender ['džendə] jaz. rod
gene [dži:n] gen biologicky

general ['dženərəl] generál # všeobecný; obyčejný; generální (*strike* stávka) **–ize** [aiz] generalizovat, zevšeobecnit
generat|e ['dženəreit] vyrábět energii; generovat **–ion** [,dženə'reišn] generace, pokolení
gener|osity [,dženə'rositi] velkomyslnost, štědrost **–ous** [-rəs] velkomyslný, štědrý; hojný
genetics [dži'netiks] genetika
genial ['dži:njəl] žoviální, společenský, příjemný člověk
genitals ['dženitlz] PL genitálie, pohlavní orgány
genius ['dži:njəs] genialita; génius
genre ['ža:nrə] žánr
gentle ['dženti] jemný, něžný **–man*** [-mən] (PL v. *man**) pán; džentlmen
genuine ['dženjuin] pravý, skutečný
geograph|y [dži'ogrəfi] zeměpis **–ical** [džiə'græfikl] zeměpisný
geolog|y [dži'olədži] geologie **–ical** [,džiəu'lodžikl] geologický **–ist** [dži'olədžist] geolog
geometr|y [dži'omitri] geometrie **–ical** [,džiəu'metrik] geometrický
George [džo:dž] Jiří
germ [džə:m] zárodek; mikrob
Germanic [džə:'mænik] germánský # germánština
gesticulate [dže'stikjuleit] gestikulovat
gesture ['džesčə] gesto
get* [get] (*-tt-*) (PT a PP *got* [got], am. PP *gotten* ['gotn]) obdržet, dostat; stát se jakým
geyser ['gi:zə] gejzír; průtokový ohřívač vody
ghastly ['ga:stli] příšerný
gherkin ['gə:kin] okurka nakládačka
ghost [gəust] duch, strašidlo
giant ['džaiənt] obr # obrovský, obří
giblets ['džiblits] PL drůbky
giddy ['gidi] trpící závratí; závratný (*I feel** ~ mám závrať)
gift [gift] dar; talent **–ed** [-id] nadaný
gigantic [džai'gæntik] obrovský, gigantický
giggle ['gigl] hihňat se, chichotat se # hihňání
gills [gilz] PL žábry
gilt [gilt] pozlacený # pozlátko
gimmick ['gimik] reklamní trik
ginger ['džindžə] zázvor **–bread** ['-bred] perník
gipsy ['džipsy] cikán(ka)
giraffe* [dži'ra:f] (PL ~ n. *–s*) žirafa
girder ['gə:də] nosník; traverza
girdle ['gə:dl] opasek; přen. pás, pruh
girl [gə:l] děvče, dívka
gist [džist] podstata, jádro věci
give* [giv] (PT *gave* [geiv]; PP *–n* [-n]) dát; věnovat, darovat **~ in** vzdát se (*to* komu) **~ up** vzdát se; nechat čeho **–n** [-n] PP od *give**
glacier ['glæsjə] ledovec
glad [glæd] **to be* ~ about** být rád proč **to be* ~ to do st.** rád něco udělat
glamour ['glæmə] kouzlo krásy
glance [gla:ns] letmý pohled # zběžně pohlédnout (*at* na)
gland [glænd] žláza
glare [gleə] oslnivé světlo; pronikavý pohled # oslnivě zářit, svítit; zabodávat se pohledem
glass [gla:s] sklo; sklenice; barometr **–es** [-iz] PL brýle **~-house*** ['-haus] skleník **–ware** [-weə] skleněné zboží **- works** [wə:ks] (PL stejný, sloveso v PL i SG) sklárna
glaz|e [gleiz] glazura, poleva # zasklít; opatřit glazurou, polít polevou **–ier** ['-iə] sklenář
gleam [gli:m] záblesk; lesk # třpytit se, lesknout se
glen [glen] horské údolí, soutěska
glid|e [glaid] klouzat; pohybovat se klouzavě n. neslyšně; plachtit **–er** [-ə] větroň **–ing** plachtění
glimmer ['glimə] slabě zářit, mihotat se
glimpse [glimps] zběžný pohled # letmo zahlédnout
glisten ['glisn] lesknout se, třpytit se
glitter ['glitə] třpyt # třpytit se

gloat [gləut] pást se očima (*over* na), mít škodolibou radost (*over* z)
glob|e [gləub] koule; glóbus **the ~** zeměkoule **-al** ['gləubl] celosvětový; celkový, souhrnný, komplexní
gloom [glu:m] sklíčenost; temno, šero **-y** ['-i] temný, šerý; ponurý, deprimující; stísněný, pesimistický
glor|ious ['glo:riəs] slavný vítězství; nádherný **-y** [-i] sláva, nádhera; chlouba **-ify** [-ifai] velebit, oslavovat
gloss [glos] lesk **-y** ['-i] lesklý
glossary ['glosəri] glosář
glove [glav] rukavice
glow [gləu] sálat; žhnout; rdít se
glue [glu:] klih, lepidlo # klížit, lepit
glut [glat] nadbytek; přesycení trhu
glutton ['glatn] žrout, nenasyta
gnarled [na:ld] sukovitý
gnat [næt] komár
gnaw [no:] hlodat; rozežírat
go* [gəu] (PT *went* [went]; PP *-ne* [gon]) jít, jet **I am -ing to** [-iŋ] budu, hodlám (*do st.* dělat co) **~ on** pokračovat **-ne** [gon] PP od *go**
goal [gəul] cíl; branka, gól **~-keeper** [-,ki:pə] brankář
goat [gəut] koza
goblet ['goblit] vinná sklenka s nožkou
god [god] bůh **-child***, **-father**, **-parent** ['-čaild; 'god,fa:ðə, 'perənt] kmotřenec, kmotr, kmotr a kmotra **-dess** [godis] bohyně
goggles ['goglz] PL ochranné brýle potápěčské, lyžařské, motoristické
gold [gəuld] zlato # zlatý **-en** ['-ən] zlatý i přen.; drahocenný **-en age** zlatý věk **-finch** [-finč] stehlík **-smith** [-smiθ] zlatník
golf [golf] golf **~-club** ['-klab] golfová hůl **~-course** ['-ko:s] golfové hřiště
gone [gon] PP od *go**
good* [gud] (COMP *better* ['betə]; SUP *best* [best]) dobrý; hodný; prospěšný; užitečný # dobro, blaho; prospěch **~-bye** [,gud'bai] na shledanou, sbohem! **~-natured** [,-'neičəd] dobromyslný **-ness** ['-nis] dobrota, laskavost **-s** [-z] PL zboží **≈ train** ['-ztrein] brit. nákladní vlak
goose* [gu:s] (PL *geese* [gi:s]) husa **-berry** ['guzbəri] angrešt **-flesh** ['-fleš] husí kůže
gorge [go:dž] roklina, strž
gorgeous ['go:džəs] nádherný, oslnivý
gorilla [gə'rilə] gorila
gospel ['gospl] evangelium
gossip ['gosip] klepna; klepy # klevetit, šířit klepy
got [got] PT a PP od *get**
Gothic ['goθik] gotický
gourmet gurmán, labužník
gout [gaut] dna
govern ['gavən] řídit, ovládat stát; panovat **-ess** [-is] vychovatelka, guvernantka **-ment** [-mənt] vláda **-or** [-ə] guvernér
gown [gaun] dlouhé dámské šaty; talár
G.P. [,dži:'pi:] = *general practitioner* praktický lékař
G.P.O. [,dži:'pi:'ou] = *General Post Office* hlavní pošta
grab [græb] (*-bb-*) popadnout, shrábnout co **~ at** sáhnout po čem
grac|e [greis] půvab, gracie; milost boží, lhůta z milosti **-eful** ['-ful] půvabný **-ious** ['greišəs] milostivý, dobrotivý
grade [greid] stupeň # (od)stupňovat, třídit, klasifikovat
gradual ['grædjuəl] postupný, pozvolný
gradu|ate ['grædju|it] absolvent university # [-eit] promovat; absolvovat **-ation** [,-'eišn] promoce; absolvování
graft [gra:ft] roub; transplantovaná tkáň # roubovat (*on* na co); med. transplantovat
grain [grein] obilí; zrno
gram(me) [græm] gram
grammar ['græmə] mluvnice **~ school** [-sku:l] střední škola, brit. gymnázium
grammatical [grə'mætikl] mluvnický, gramatický; mluvnicky správný

granary ['grænəri] obilnice; sýpka
grand [græn|d] veliký; velkolepý; znamenitý **–child*** ['-tčaild] vnouče **–dad** ['-dæd] hovor. dědeček **–daughter** ['græn,do:tə] vnučka **–father** ['-d,fa:ðə] dědeček **–ma** [-ma:] babička **–mother** ['-,maðə] babička **–son** ['-san] vnuk
granite ['grænit] žula
granny ['græni] hovor. babička
grant [gra:nt] podpora, dotace # povolit, (u)při|dělit; připustit **take* for –ed** [-id] předpokládat, brát jako samozřejmost
granul|ated ['grænjuleitid] **~ sugar** pískový cukr **–e** ['grænju:l] zrno, zrníčko
grape [greip] bobule n. zrnko vína **–fruit** ['greipfru:t] grapefruit **~- vine** ['-wain] vinná réva
graph [græ:f] graf, diagram **–ic** ['græfik] názorný; grafický **–ics** ['græfiks] grafika
grasp [gra:sp] pevně sevřít, uchopit, pochopit # pevné uchopení; chápání
grass [gra:s] tráva **–hopper** ['-,hopə] kobylka luční
grate[1] [greit] rošt
grate[2] [greit] strouhat; skřípat, vrzat
grat|eful ['greitful] vděčný **–itude** ['grætitju:d] vděčnost
gratifying ['grætifaiŋ] potěšitelný, radostný
gratuity [grə'tju:iti] spropitné
grave[1] [greiv] (zá)vážný, důstojný, důležitý
grave[2] [greiv] hrob **–yard** ['-ja:d] hřbitov
gravel ['grævl] štěrk
gravit|ate ['grævi|teit] být přitahován (*towards* k čemu) **–ation** [,-'teišn] gravitace **–y** [-ti] přitažlivost zemská; závažnost
gravy ['greivi] šťáva z masa, omáčka
graze[1] [greiz] pást (se)
graze[2] [greiz] škrábnout se; zavadit (o); lehce odřít # škrábnutí
greas|e [gri:s] sádlo; mazadlo, kolomaz; mastnota # [gri:z] namazat **–y** ['gri:zi] mastný; kluzký
great [greit] velký; význačný; hovor. skvělý; bezvadný **~- grand(child*)** **(father)** ap. pra(vnuk)(děd) ap. **–ly** [-li] velice, značně **–ness** [-nis] velikost
greaves [gri:vz] PL škvarky
greed [gri:d] lakota, hrabivost; nenasytnost **–y** [-i] nenasytný i přen., chtivý (*for* čeho)
green [gri:n] zelený **–grocer** ['-,grəusə] zelinář **–house*** ['-haus] skleník
greet [gri:t] (po)zdravit **–ing** [-iŋ] pozdrav
grenade [grə'neid] granát
grew [gru:] PT od *grow**
grey [grei] šedý # šeď **~- haired** [,-'heəd] šedovlasý **–hound** ['-haund] chrt
grid [grid] rozvodná síť; mříž(ka)
grie|f [gri:|f] zármutek, hoře **–vance** ['gri:vns] skutečný n. domnělý důvod ke stížnosti **–ve** [-v] způsobit zármutek; truchlit (*for* pro koho; *over, about* nad čím)
grill [gril] rošt; rožeň # opékat na rožni, grilovat
grill(e) [gril] mříž(ka), zamřížovaná přepážka
grim [grim] (*-mm-*) ponurý, pochmurný, děsivý
grimace [gri'meis] grimasa
grim|e [graim] špína **–y** ['-i] špinavý, umouněný
grin [grin] (*-nn-*) široce se usmívat, zubit se # široký úsměv
grind* [graind] (PT a PP *ground* [graund]) rozmělnit; (roze)(se)u|mlít; (na)brousit; (roz)drtit; skřípat zuby
grip [grip] sevření, stisk # (*-pp-*) pevně chopit, sevřít
gristle ['grisl] chrupavka
grit [grit] písek; statečnost
groan [grəun] sten # sténat
groats [grəuts] PL kroupy
grocer ['grəusə] obchodník potravinami n. smíšeným zbožím **–ies** [-riz] PL

potraviny zboží **–y** [-ri] obchod potravinami n. smíšeným zbožím
groin [groin] slabina, tříslo
groom [gru:m] čeledín ke koním, štolba; ženich
groove [gru:v] rýha, žlábek
grope [grəup] tápat, hmatat (*for, after* po); ohmatávat koho
gross [grəus] hrubý (*error* chyba); sprostý, hrubý chování; celkový (*profit* zisk)
grotesque [grəu'tesk] groteskní
ground [graund] PT a PP od *grind** # půda, země; obv. PL důvod (*on the ~ of* z důvodu); hřiště **~-floor** [,-'flo:] přízemí **–ing** [-iŋ] vyučování základům **–less** ['-lis] bezdůvodný, neopodstatněný
group [gru:p] skupina # seskupit(se)
grouse [graus] tetřev
grove [grəuv] háj, lesík
grow* [grəu] (PT *grew* [gru:]; PP *–n* [groun]) růst; stát se (*~ old* zestárnout; *~ worse* zhoršit se); pěstovat **~ up** dospívat **–n** [groun] PP od *grow** **–th** [grəuθ] růst
growl [graul] vrčet
grown [groun] PP od *grow**
grown–up [,grəun'ap] dospělý člověk
grub [grab] ponrava, červ, larva **–by** ['-i] umouněný, špinavý
grudge [gradž] nepřát komu co, nerad dělat co, jen s nechutí dovolit # zaujatost, nevraživost, zášť
gruelling ['gruəliŋ] vyčerpávající, zničující
gruesome ['gru:səm] příšerný, strašlivý
grumble ['grambl] bručet, reptat (*at, about* na co)
grumpy ['grampi] nabručený, nevrlý
grunt [grant] chrochtání # chrochtat
guarantee [,gærən'ti:] záruka # dát záruku, ručit
guard [ga:d] stráž, hlídka # střežit, chránit **–s** [-z] PL garda; brit. průvodčí; hlídač **–ian** ['-iən] stráže; poručník
guerilla [gə'rilə] partyzán
guess [ges] hádat; odhadovat; tušit; myslit, domnívat se # tušení, hrubý odhad
guest [gest] host
guidance [gaidns] vedení; poučení, směrnice; poradenství
guide [gaid] průvodce; vodítko přen. **–book** ['-buk] průvodce kniha **–line** [-lain] direktiva, hlavní linie, směrnice
guild [gild] spolek, cech
guilt [gilt] vina **–y** [-i] vinný
guitar [gi'ta:] kytara
guinea ['gini] guinea stará anglická zlatá mince
gulf [galf] záliv; propast
gull [gal] racek
gullet ['galit] hltan
gullible ['galəbl] lehkověrný, důvěřivý
gulp [galp] doušek, lok, velké sousto # polykat rychle n. hltavě
gum[1] [gam] dáseň
gum[2] [gam] lepidlo
gun [gan] jakákoliv střelná zbraň; puška, pistole, dělo **–powder** ['gan,paudə] střelný prach
gurgle ['gə:gl] bublat, zurčet
gusset ['gasit] cvikl, klínek z látky
gust [gast] prudký závan větru
gut [gat] střevo; PL vnitřnosti; PL lidově kuráž
gutter ['gatə] okap; stoka
guy[1] [gai] přídržné lano, řetěz, šňůra stanu
guy[2] [gai] hovor. člověk, chlap
guzzle ['gazl] hltavě jíst n. pít; žrát, chlastat
gym [džim] (**–nasium** [džim'neizjəm]) tělocvična **–nastics** [džim'næstiks] tělocvik, gymnastika
gynaecolog|y [,gainə'kolədž] gynekologie **–ist** [-ist] gynekolog
gypsy ['džipsi] = *gipsy*

H

haberdashery ['hæbədæšəri] galantérie

habit ['hæbit] zvyk **–ual** [hæ'bičuəl] obvyklý; navyklý; notorický (*drinker* alkoholik) **–at** ['-æt] lokalita, naleziště
habitable ['hæbitəbl] obyvatelný, vhodný byt
hackneyed ['hæknid] otřepaný fráze, banální
had [hæd] PT a PP od *have**
haddock ['hædək] treska
haggard ['hægəd] přepadlý obličej
hail[1] [heil] krupobití # **it is –ing** padají kroupy **–stone** ['-stəun] kroupa
hail[2] [heil] (po)zdravit voláním; přivolat taxi
hair [heə] vlas(y), chlup(y), srst **–brush** ['-braš] kartáč na vlasy **–cut** ['-kat] sestřih vlasů **~-do** ['-du:] účes **–dresser** ['-,dresə] kadeřn|ík(ice) **~-dryer** n. **~-drier** ['-,draiə] fén **–pin** ['-pin] vlásnička **–slide** ['-slaid] zavírací sponka do vlasů **–y** ['-ri] vlasatý, chlupatý
half* [ha:f] (PL *halves*) polovina # poloviční (*~ an hour* půl hodiny) # napůl, zpola **~-time** [,-'taim] poločas
hall [ho:l] hala, sál; (před)síň **~ of residence** kolej vysokoškolská
hallmark ['ho:lma:k] punc # puncovat
hallo [hə'ləu] ahoj, nazdar; haló; no ne, to je překvapení
hallucination [hə,lu:si'neišn] halucinace
halo ['heiləu] svatozář; aureola
halt [ho:lt] zastávka # zastavit (se)
halve [ha:v] půlit, dělit
ham [hæm] šunka; kýta
hamburger ['hæmbə:gə] karbanátek
hammer ['hæmə] kladivo # (za)tlouci kladivem
hammock ['hæmək] visuté lůžko, houpací síť
hamper[1] ['hæmpə] koš(ík)
hamper[2] ['hæmpə] překážet v pohybu
hamster ['hæmstə] křeček
hand [hænd] ruka; ručička; pracovní síla **at ~** po ruce **on the one (other) ~** na jedné (druhé) straně # podat **~ out** rozdávat **~-bag** ['-bæg] kabelka **–ball** [-bə:l] míčová hra **–book** ['-buk] příručka **–ful** [-ful] hrst **–made** [,-'meid] ručně vyrobený **–rail** ['-reil] zábradlí u schodů, madlo **–shake** ['-šeik] stisk ruky **–stand** ['-stænd] stoj na rukou **–writing** ['-,raitiŋ] rukopis **–y** ['-i] šikovný věc; zručný; po ruce **–yman*** ['-imæn] (PL v. *man**) kutil
handic|ap ['hændi|kæp] handicap, tělesné postižení, vada # (*-pp-*) znevýhodnit; handicapovat **–raft** [-kra:ft] umělecké řemeslo, rukodělná výroba
handkerchief ['hæŋkəčif] kapesník
handle ['hændl] dotknout se rukou, držet v ruce; ovládat, manipulovat, zacházet (*st.* s čím) # držadlo, rukojeť **–bars** [-ba:z] řídítka jízdního kola
handsome ['hænsəm] hezký člověk
hang [hæŋ] ~* (PT a PP *hung* [haŋ]) viset; (po)za|věsit **~ up** zavěsit; zrušit ~ (PT a PP *–ed*) oběsit; být pověšen **–er** ['hæŋə] věšák
hangar ['hæŋə] hangár
hangover ['hæŋəuvə] kocovina
haphazard [,hæp'hæzəd] náhodný
happen ['hæpən] stát se, (při)hodit se (*I –ed to meet him* náhodou jsem ho potkal) **–ing** [-iŋ] událost
happ|y ['hæpi] šťastný (*~ about st.* spokojený s čím) **–iness** [-nis] štěstí
harass ['hærəs] týrat, sužovat, sekýrovat
harbour ['ha:bə] přístav # poskytnout útulek
hard [ha:d] tvrdý; nesnadný; drsný # vší silou; intenzívně, usilovně pracovat; nesnadno **~-boiled** [,-'boild] natvrdo vařený vejce **–en** ['-n] (u)za|tvrdit; ztvrdnout; otužovat **–ly** [ha:dli] stěží, sotva **–ship** ['-šip] strast, útrapy, těžkosti **–ware** ['-weə] železářské zboží, technické vybavení
hardy ['ha:di] otužilý, odolný
hare [heə] zajíc
harm [ha:m] poškození, škoda # poškodit, ublížit **–ful** škodlivý **–less**

['-lis] neškodný
harmon|ic [ha:'monik] harmonický **–ica** [-ə] foukací harmonika **–ious** [ha:'məunjəs] harmonický i přen. **–ize** ['ha:mənaiz] být harmonický; (s)ladit **–y** ['ha:məni] harmonie, soulad
harness ['ha:nis] postroj; výstroj parašutisty # zapřáhnout; využít zdroje
harp [ha:p] harfa
harpoon [ha:'pu:n] harpuna
harrowing ['hærəuiŋ] znervozňující, rozčilující
harsh [ha:š] drsný, hrubý; krutý trest
harvest ['ha:vist] žně # sklízet **–er** žací stroj, kombajn
has [hæz] 3. osoba SG přít. času od *have**
hash [hæš] hašé
hashish ['hæši:š] hašiš
hast|e [heist] spěch, chvat **–y** spěšný, rychlý; ukvapený
hat [hæt] klobouk
hatch[1] [hæč] poklop, dvířka ve stěně, v podlaze
hatch[2] [hæč] vysedět vejce; zosnovat spiknutí
hatchet ['hæčit] sekyrka
hate [heit] nenávidět; mít hrozně nerad **–ful** ['-ful] protivný, odporný
hatred ['heitrid] nenávist (*of* k)
haughty ['ho:ti] nadutý, povýšený
haul [ho:l] namáhavě táhnout, vléci, dopravovat, přepravovat po silnici, po železnici # tažení; přepravní vzdálenost **–age** [ho:lidž] dálková doprava
haunt [ho:nt] strašit
have* [hæv] (PT a PP *had* [hæd]) v. kap. Gramatika; mít; vlastnit; musit (*to do st.* co udělat) ~ **on** mít na sobě
haven ['heivn] útočiště; přístav
havoc ['hævək] zpustošení; spoušť
hawk [ho:k] jestřáb, luňák, sokol
hay [hei] seno (*make** ~ sušit seno) **~-fever** ['-,fi:və] senná rýma **–stack** ['-stæk] stoh sena
hazard ['hæzəd] riziko, odvážný kousek # odvážit se, riskovat **–ous** [-əs] riskantní, nebezpečný
haz|e [heiz] mlžný, opar # zamlžit; přetěžovat prací **–y** ['heizi] mlhavý, nejasný
hazel ['heizl] líska **–nut** [-nat] lískový ořech
H-bomb ['eič bom] vodíková puma
he [hi:] on
head [hed] hlava **–ache** ['hedeik] bolení hlavy **–ing** [-iŋ] záhlaví, nadpis **~-light** ['-lait] čelní světlo, reflektor auta **–line** ['-lain] titulek v novinách **–long** ['-loŋ] střemhlav **~-master** [,-'ma:stə], **~-mistress** [,-'mistris] ředitel(ka) školy **–phones** ['-fəunz] sluchátka **–quarters** [,-'kwo:təz] voj. hlavní stan, ústředí **–stand** [-stend] stoj na hlavě **–strong** ['-stroŋ] svéhlavý **–way** ['-wei] postup vpřed, pokrok zvl. za stížených podmínek
heal [hi:l] hojit, léčit (se)
health [helθ] zdraví **–y** [helθ] zdravý mající dobré zdraví; i přen.
heap [hi:p] hromada
hear* [hiə] (PT a PP *heard* [hə:d]) slyšet; (vy)za|slechnout **–d** [hə:d] PT a PP od *hear** **–ing** [-riŋ] sluch; výslech **–say** ['-sei] co se povídá, klepy
hearse [hə:s] pohřební vůz
heart [ha:t] srdce **by** ~ zpaměti **~ attack** ['-ə'tæk] infarkt **~-beat** ['-bi:t] tep srdeční **–broken** ['-bi:t] zdrcený **–burn** ['-bə:n] pálení žáhy **–less** ['-lis] bez srdce, bezcitný, nelítostný **–y** ['-i] srdečný; hlučně veselý; o starých lidech kypící zdravím; o jídle, chuti vydatný, velký
hearth [ha:θ] krb i přen.
heat [hi:t] horko, vedro; žár i přen.; sport. rozběh, rozplavba # vytápět; rozehřát (se) **–ing** [-iŋ] topení
heath [hi:θ] vřesoviště; vřes
heathen ['hi:ðn] pohan # pohanský
heather ['heðə] vřes
heave* [hi:v] (PT a PP *hove* [həuv]) zvedat těžké předměty; vzdouvat se, dmout se
heaven ['hevn] nebe, nebesa
heavy ['hevi] těžký; hustý mlha
Hebrew ['hi:bru:] Hebrejec # hebrej-

ský # hebrejština
hectare ['hekteə] hektar
hectic ['hektik] horečný, rušný
hectolitre ['hektəu,li:tə] hektolitr
hedge [hedž] živý plot **–hog** ['-hog] ježek
heed [hi:d] (též *take* ~ *of*) dbát, dávat pozor na # pozornost, zřetel **–less** ['-lis] nepozorný; nedbalý
heel [hi:l] pata; podpatek
height [hait] výška; výšina **–en** ['-n] zvýšit (se); zdůraznit
heir [eə] dědic **–ess** ['eəris] dědička
held [helt] PT a PP od *hold**
helicopter ['helikoptə] vrtulník
helium ['hi:liəm] hélium
hell [hel] peklo
heller ['helə] haléř
hello = *hallo*
helm [helm] kormidlo **–et** ['-it] přilba, helma **–sman*** ['-zmən] (PL v. *man**) kormidelník
help [help] pomoci; posloužit (*to* komu) # pomoc (*with the* ~ *of* pomocí koho) ~ **yourself** posložte si, vezměte si **–ful** užitečný **–ing** porce jídla **–less** ['-lis] bezmocný
hem [hem] lem, obruba # (*-mm-*) lemovat
hemisphere ['hemi,sfiə] polokoule
hemp [hemp] konopí
hen [hen] slepice; ptačí samička
henchman* ['henčmən] (PL v. *man**) polit. věrný stoupenec; nohsled
her [hə:; hə] ji, jí; její **–s** [hə:z] její **–self** [hə:'self] ona sama; zvratně se (*she blames* ~ viní sama sebe)
herb [hə:b] bylina
herd [hə:d] stádo
here [hiə] zde, tu; sem
heredit|ary [hi'reditəti] dědičný **–y** [-i] dědičnost
heretic [hi'retik] kacíř i přen. **–al** [-l] kacířský i přen.
heritage ['heritidž] dědictví
hermit ['hə:mit] poustevník
hero* ['hiərəu] (PL *–es*) hrdina **–ic** [hi'rəuik] hrdinný **–ine** ['herəuin] hrdinka **–ism** ['herəuizm] hrdinství
heron ['herən] volavka
herring ['heriŋ] PL sleď **salted** ~ slaneček
hesita|nt ['hezitənt] váhající, váhavý **–te** ['heziteit] váhat, rozpakovat se **–tion** [,hezi'teišn] váhání
hew [hju:] (PT *hewed* [-d]; PP *hewn* [-n]/*hewed*) sekat sekerou, mečem; kácet; tesat; seknout (*at* do); ~ **away** n. **off** useknout, utnout ~ **out** získat s námahou
hi [hai] = *hallo* ahoj
hibernate ['haibəneit] přezimovat
hiccough, **hiccup** ['hikap] škytavka # škytat
hid [hid] PT a PP od *hide** **–den** ['hidn] PP od *hide**
hide[1] [haid] zvířecí kůže, useň
hide*[2] [haid] (PT *hid* [hid]; PP *hidden* ['hidn]) skrýt (se); zakrývat; zatajit # úkryt ~**-and-seek** hra na schovávanou
hideous ['hidiəs] škaredý; ohavný
hiding ['haidiŋ] hovor. výprask
hierarchy ['haiəra:ki] hierarchie
high [hai] vysoký; silný vítr ~ **school** am. střední škola # vysoko; velmi, ve velké míře **–brow** ['-brau] intelektuál ~**-fidelity** ['-fi'deləti] s velmi věrnou reprodukcí ~**-jump** ['-džamp] skok vysoký **–land** ['-lənd] vysočina **–light** ['-lait] zlatý hřeb # vysunout do popředí, zdůraznit **–ly** ['haili] vysoce, velice **–ness** ['-nis] výsost titul **–way** ['-wei] hlavní silnice
hijack ['haidžæk] unést letadlo
hike [haik] pěší výlet, túra # pěstovat pěší turistiku
hilarious [hi'leəriəs] hlučně veselý, rozjařený
hill [hil] vrch, kopec **–side** [,-'said] úbočí, svah kopce **–y** kopcovitý
him [him] jemu, jej, ho **–self** [him'self] on sám; zvratné se
hind[1] [haind] laň
hind[2] [haind] zadní (nohy)
hinder ['hində] (za)bránit; překážet (*from* v); zdržovat (od)

hindrance ['hindrəns] překážka
hinge [hindž] pant, čep
hint [hint] pokyn, narážka; náznak # dát pokyn; narážet (*at* na)
hip [hip] kyčel, bok # šípek plod
hippopotam|us* [,hipə'potəm|əs] (PL *–uses* [-əsiz] *–i* [-ai]) hroch
hire ['haiə] najmout (si) # nájemné ~ (**out**) pronajmout ~**- purchase** splátkový obchod
his [hiz] jeho
hiss [his] syčet # sykot
histor|ian [hi'sto:riən] historik **–ic** [hi'storik] historický v minulosti významný **–ical** [hi'storikl] historický o minulosti **–y** ['histəri] dějiny
hit* [hit] (*-tt-*) (PT a PP ~) udeřit; zasáhnout též přen.; vystihnout; narazit # rána; úder, trefa, přen. úspěch
hitch [hič] připevnit smyčkou, hákem # nesnáz, zádrhel **–hike** ['hičhaik] cestovat autostopem **–hiker** ['-haikə] (auto)stopař **–hiking** ['-haikiŋ] (auto)stop
hive [haiv] úl
hives [haivz] PL kopřivka
hoard [ho:d] zásoba, poklad # hromadit, dělat si zásoby **–ing** plakátovací plocha; ohrada z prken
hoarse [ho:s] chraplavý; sípavý; ochraptělý
hoax [həuks] kanadský žertík
hobble ['hobl] kulhat, belhat se
hobby ['hobi] koníček, záliba
hockey ['hoki] pozemní hokej
hoe [həu] motyka # okopávat motykou
hog [hog] jateční vepř; hovor. nenažranec
hoist [hoist] zvednout pomocí kladky; vztyčit vlajku, napnout plachtu
hold* [həuld] (PT a PP *held* [helt]) držet **–er** držitel, majitel; držák **–ing** držba země, pozemek; obv. PL majetek
hole [həul] jáma, díra; brloh
holiday ['holədi] svátek, volno, dovolená; PL prázdniny
hollow ['holəu] dutý; neupřímný, falešný
holly ['holi] botanicky cesmína
holy ['həuli] svatý
home [həum] domov, příbytek; domovina (*at* ~ doma) # domácí # domů **–less** ['-lis] bez domova **–ly** domácky prostý, jednoduchý **–maker** ['-meikə] am. žena v domácnosti **–sick** ['-sik] teskníci po domově **–sickness** ['-siknəs] tesk po domově **–stead** ['-sted] statek **–work** ['-wə:k] domácí práce, úkol(y)
homicide ['homisaid] zabití člověka
homosexual [,homəu'sekšuəl] homosexuál # homosexuální
honest ['onist] čestný, poctivý **–y** poctivost
honey ['hani] med **–comb** [-kəum] plástev medu **–moon** [-mu:n] líbánky
honorary [onərəri] čestný neplacený; určený k poctě
honour am. **honor** ['onə] čest; pocta; PL vyznamenání # ctít, mít v úctě, vážit si **–able** ['onərəbl] ctihodný
hood [hud] kapuce; am. kapota
hoof* [hu:f] (PL *–s* n. *hooves*) kopyto
hook [huk] hák; háček # zaháknout (se); ulovit rybu
hooligan ['hu:ligən] chuligán
hoop [hu:p] obruč
hoot [hu:t] troubit, houkat **–er** houkačka, klakson; siréna
hoover ['hu:və] vysavač, lux # čistit vysavačem, luxovat
hooves [hu:vz] PL od *hoof**
hop[1] [hop] (*-pp-*) poskakovat, hopsat
hop[2] [hop] chmel
hope [həup] doufat (*in* v); mít naději (*for* v) **–ful** nadějný **–less** ['-lis] beznadějný
horizon [hə'raizn] obzor též přen. **–tal** [,hori'zontl] vodorovný
hormone ['ho:məun] hormon
horn [ho:n] roh; rohovina **French** ~ lesní roh **–y** rohovinový, rohovitý; mozolnatý
hornet ['ho:nit] sršeň
horoscope ['horəskəup] horoskop
horr|ible ['horəbl] hrozný, strašný

–**id** ['horid] odporný; hrůzný –**ify** ['horifai] poděsit –**or** ['horə] hrůza, strach, děs, horor
hors-d'oeuvre [o:'də:vrə] předkrm
horse [ho:s] kůň **on ~-back** ['ho:sbæk] koňmo –**hair** ['-heə] žíně # žíněný –**man*** ['ho:smən] (PL v. *man**) jezdec **~-shoe** ['-šu:] podkova
hose [həuz] hadice
hosiery ['həuziəri] stávkové zboží, pletené zboží
hospita|ble [ho'spitəbl] pohostinný –**l** ['hospitl] nemocnice –**lity** [,hospi'tæliti] pohostinnost
host[1] [həust] dav, množství
host[2] [həust] hostitel –**ess** ['-is] hostitelka
hostage ['hostidž] rukojmí
hostel ['hostl] ubytovna; studentská kolej
hostil|e ['hostail] nepřátelský –**ity** [ho'stiliti] nepřátelství
hot [hot] (-*tt*-) horký; ostře kořeněný **~-bed** ['-bed] pařeniště, přen. semeniště zla –**house*** ['-haus] (PL –*s* ['-hauziz]) skleník –**plate** ['-pleit] plotýnka na vařiči
hotel [həu'tel] hotel
hound [haund] lovecký pes, ohař
hour ['auə] hodina 60 minut –**ly** [-li] každou hodinu
hous|e* [haus] (PL –*es* [hauziz]) dům; sněmovna # [hauz] ubytovat (se); umístit **H~ of Commons** dolní sněmovna –**ing** [hauziŋ] bydlení (*the ≈ problem* bytová otázka) **≈ estate** sídliště –**eboat** ['-bəut] hausbót –**ehold** ['-həuld] domácnost –**ekeeper** ['-,ki:pə] placená hospodyně –**ewife*** ['-waif] hospodyňka
hove [həuv] PT a PP od *heave**
hovel ['hovl] chatrč, bouda
hover ['hovə] vznášet se (*over, about* nad) –**craft** [-kra:ft] SG i PL vznášedlo
how [hau] jak? (~ *are you?* jak se máte?) –**ever** [hau'evə] jakkoli, nicméně, leč, ale
howl [haul] výt; naříkat # vytí, skučení
hue [hju:] barva, odstín **~ and cry** [,hju:ən'krai] poplach, pokřik též přen.
hug [hag] (-*gg*-) obejmout sevřít rukama, předními tlapami # objetí
huge [hju:dž] ohromný
hull [hal] trup lodi
hum [ham] (-*mm*-) bzučet
human ['hju:mən] lidský # lidská bytost –**e** [hju:'mein] lidský, humánní –**ism** ['hju:mənizəm] humanismus –**ity** [hju:'mæniti] lidství; lidstvo
humble ['hambl] pokorný; nízký, ponížený # ponížit, pokořit
humdrum ['hamdram] jednotvárný, nudný, všední
humid ['hju:mid] vlhký –**ity** [hju:'midəti] vlhkost
humiliate [hju:'milieit] ponížit, pokořit
humour am. **humor** ['hju:mə] humor; nálada # vyhovět přáním, vrtochům **sense of ~** smysl pro humor –**ous** ['hju:mərəs] humorný; mající smysl pro humor
hump [hamp] hrb –**backed** ['-bækt] hrbatý
hunch [hanč] (na)hrbit se, sehnout se # dojem, podezření –**back** ['-bæk] hrb; hrbáč
hundred ['handrəd] sto
hung [haŋ] PT a PP od *hang**
hung|er ['haŋg|ə] hlad; silná touha (*for* po) # hladovět, lačnět –**ry** [-ri] hladový, lačný
hunt [hant] hon, lov, štvanice # lovit –**er** ['-ə] lovec –**sman*** ['-smən] (PL v. *man**) lovec zvl. lišek; psovod
hurdle ['hə:dl] překážka sport. i přen.
hurl [hə:l] mrštit, metat, hodit (*at* po)
hurray [hu'rei], **hurrah** [hu'ra:] hurá
hurricane ['harikən] vichřice, uragán
hurry ['hari] spěchat, pospíchat # spěch
hurt* [hə:t] (PT a PP ~) zranit; ublížit; bolet
husband ['hazbənd] manžel
hush [haš] utišit (se) # ticho, mlčení **~ up** utajit, ututlat
husk [hask] slupka, lusk –**y** ['-i] na-

křáplý hlas
Hussite ['hasait] husitský # husita
hustle ['hasl] nacpat, nastrkat; spěchat a razit si cestu
hut [hat] chatrč, bouda
hutch [hač] králíkárna
hybrid ['haibrid] hybridní # kříženec
hydrant ['haidrønt] hydrant
hydraulic [hai'drø:lik] hydraulický
hydro ['haidrøu] vodoléčba; vodoléčebný ústav
hydrogen ['haidridžøn] chem. vodík
hyena [hai'i:na] hyena
hygien|e ['haidži:n] hygiena **–ic** [hai'dži:nik] hygienický
hymn [him] chvalozpěv, hymnus, církevní píseň
hyphen ['haiføn] spojovací n. rozdělovací čárka
hypno|sis [hip'nøusis] hypnóza **–tize, –tise** ['hipnøtaiz] hypnotizovat
hypocri|sy [hi'pokrisi] pokrytectví **–te** ['hipøkrit] pokrytec **–tical** [,hipøu'kritikl] pokrytecký
hypothes|is* [hai'poθis|is] (PL *–es* [-i:z]) hypotéza
hysteri|a [hi'stiøriø] hysterie **–cal** [hi'sterikl] hysterický

I

I [ai] já
ic|e [ais] led; zmrzlina # opatřit polevou; vychladit **~-cream** [,-'kri:m] zmrzlina **~-cube** ['-kju:b] kostka ledu **–eberg** ['-bø:g] iedová kra **–ebox** ['-boks] am. lednička **~ hockey** ['ais,hoki] lední hokej **–icle** ['aisikl] rampouch **–ing** ['aisiŋ] poleva **~ lolly** [,-'loli] nanuk **~-rink** ['-riŋ] kluziště **–y** ['aisi] ledový, zledovatělý
idea [ai'diø] idea, myšlenka; ponětí; nápad, představa **–l** [ai'diøl] ideální # ideál **–lism** [-izøm] idealismus **–listic** [-'listik] idealistický **–lize** [-laiz] idealizovat
identi|cal [ai'denti|kl] totožný, identický **–fication** [-fi'keišn] identifikace, zjištění totožnosti **–fy** [-fai] zjistit, potvrdit totožnost **–ty** ['aidentøti] totožnost **≈ card** občanský průkaz, průkaz totožnosti
ideolog|y [,aidi'olødži] ideologie **–ical** [-kl] ideologický
idiocy ['idiøsi] med. idiotie; blbost, pitomost
idiom ['idiøm] idiom ustálené spojení slov
idiot ['idiøt] idiot, blbec **–ic** [,idi'otik] idiotský, pitomý
idiosyncrasy [,idiø'siŋkrøsi] svébytnost, osobitost, zvláštnost
idle ['aidl] zahálející, nečinný # zahálet; běžet na prázdno stroj **~ away** prozahálet **–ness** [-nis] zahálka; nečinnost; lenost **–r** [-ø] zahaleč
idol ['aidl] modla; idol
idyll ['idil] idyla **–ic** [i'dilik] idylický
i.e. [,ai'i:] = latinsky *id est* = *that is* to jest
if [if] jestli(že), -li; kdyby; zda(li)
ignit|e [ig'nait] vznítit se; zapálit; roznítit **–ion** [ig'nišn] vznícení, vznět
ignor|ance ['ignørøns] neznalost, nevědomost **–ant** ['ignørønt] nevědoucí, neznalý (*of* čeho) **–e** [ig'no:] nevšímat si, nedbat čeho, ignorovat
ill* [il] (COMP *worse* [wø:s]; SUP *worst* [wø:st]) nemocný; zlý, špatný # špatně; stěží **~-mannered** [,il'mænød] nevychovaný **–natured** mrzutý **–ness** ['ilnis] nemoc **~-treat** [,il'tri:t] špatně zacházet
illegal [i'li:gl] ilegální
illegible [i'ledžøbl] nečitelný
illegitimate [,ili'džitimit] nemanželský dítě
illicit [i'lisit] zakázaný, nezákonný
illitera|cy [i'litørøsi] negramotnost **–te** [i'litørit] negramotný
illogical [i'lodžikl] nelogický
illuminat|e [i'lju:mineit] osvětlit; objasnit **–ion** [i,lju:mi'neišn] osvětlení
illusion [i'lu:žn] klam, iluze
illustrat|e ['iløstreit] názorně objasnit; ilustrovat **–ion** [,ilø'streišn] ilustrace;

vysvětlení
image ['imidž] představa **–ry** [-əri] obrazy, sochy, řezby; ozdobný jazyk
imagin|ation [i,mædži'neišn] obrazotvornost, představivost **–ary** [i'mædžinəri] pomyslný, domnělý **–ative** [i'mædžinətiv] mající fantazii **–e** [i'mædžin] představit si; domnívat se
imbecile ['imbisi:l] med. imbecilní člověk; imbecil, blbec # med. imbecilní
imitat|e ['imiteit] napodobit, imitovat **–ion** [,imi'teišn] napodobování, imitace
immaculate [i'mækjulit] bezvadný, bezchybný; neposkvrněný (*I– Conception* neposkvrněné početí panny Marie)
immaterial [,imə'tiəriəl] nepodstatný
immature [,imə'čuə] nezralý
immediate [i'mi:djət] bezprostřední, okamžitý **–ly** [-li] ihned, okamžitě
immemorial [,imi'mə:riəl] prastarý **from time ~** od nepaměti
immense [i'mens] nesmírný, ohromný
immerse [i'mə:s] ponořit (*os.* se)
immigra|nt ['imigrənt] přistěhovalec **–te** ['imigreit] přistěhovat se **–tion** [,imi'greišn] přistěhovalectví
imminent ['iminənt] bezprostředně hrozící
immobile [i'məubail] nehybný, nepohyblivý
immoral [i'morəl] nemorální
immortal [i'mo:tl] nesmrtelný
immovable [i'mu:vəbl] nehybný; neochvějný; nemovitý
immun|e [i'mju:n] imunní **–ity** [-iti] imunita
impact ['impækt] náraz; přen. účinek, dopad
impartial [im'pa:šəl] nestranný
impassable [im'pa:səbl] neschůdný, nesjízdný
impatien|ce [im'peišn|s] netrpělivost **–t** [-t] netrpělivost
impeccable [im'pekəbl] bezvadný
imped|e [im'pi:d] zdržovat; překážet, bránit **–iment** [im'pedimənt] překážka
impel [im'pel] (*-ll-*) (do)nutit, dohnat (*to* k); popohnat, pobídnout
impending [im'pendiŋ] hrozící, nastávající
impenetrable [im'penitrəbl] nepoproniknutelný, neprostupný
imperative [im'perətiv] rozkazovací způsob # naléhavý; imperativní
imperfect [im'pə:fikt] nedokonalý; jaz. nedokonavý # jaz. nedokonavé sloveso; nedokonavý vid
imperial [im'piəriəl] císařský **–ism** [-izəm] imperialismus **–ist** imperialista **–istic** [-istik] imperialistický
imperson|al [im'pə:s|nl] neosobní **–ate** [-əneit] zosobnit, napodobit koho
impertinent [im'pə:tinənt] nemístný; neomalený
impetuous [im'petčuəs] prudký; neuvážený, zbrklý; impulzívní
implement ['implimənt] nástroj # ['impliment] provést, realizovat
implicat|e ['implikeit] prokázat čí účast (na) **–ion** [,impli'keišn] důsledek, vyplynutí
implore [im'plo:] úpěnlivě prosit
imply [im'play] implikovat, zahrnovat v sobě; znamenat, vyplývat
impolite [,impə'lait] nezdvořilý
import [im'po:t] dovážet # ['impo:t] dovoz **–er** [-ə] dovozce
importan|ce [im'po:tn|s] důležitost, význam **–t** [-t] důležitý, významný
importunate [im'po:tjunət] neodbytný, tvrdošíjný, dotěrný
impos|e [im'pəuz] uvalit, uložit (*a tax* daň); vnucovat co komu **–ing** [-iŋ] velkolepý **–ition** [,impə'zišn] uložení, uvalení cla; nepřiměřený požadavek
impossib|le [im'posəbl] nemožný **–ility** [im,posə'biləti] nemožnost
impostor [im'postə] podvodník
impoten|ce ['impətən|s] nemohoucnost; impotence **–t** [-t] nemohoucí; impotentní
impoverish [im'povəriš] zbídačit,

ožebračit
impracticable [im'præktikəbl] neuskutečnitelný, neproveditelný
impregnable [im'pregnəbl] nedobytný; nenapadnutelný
impress [im'pres] učinit silný dojem; vtlačit, vtisknout; vštípit **–ion** [im'prešn] dojem; otisk **–ive** [im'presiv] působivý
imprison [im'prizn] uvěznit **–ment** [-mənt] uvěznění
improbable [im'probəbl] nepravděpodobný
improper [im'propə] špatný, nepravý, nevhodný
improve [im'pru:v] zlepšit (se); zdokonalit **–ment** [-mənt] zlepšení, zdokonalení
improvis|e ['imprəvaiz] improvizovat **–ation** [,imprəvai'zeišn] improvizace
imprudent [im'pru:dənt] nerozvážný, neprozřetelný
impudent ['impjudənt] nestydatý, nestoudný
impuls|e ['impals] náhlý popud, podnět (*to* k); náraz, impuls **–ive** [-iv] impulsívní, vznětlivý
impunity [im'pju:nəti] beztrestnost
impur|e [im'pjuə] nečistý, špinavý, necudný **–ity** [-riti] nečistota
in [in] v(e), u, při, na; do
inability [,inə'biliti] neschopnost
inaccessible [,inæk'sesəbl] nepřístupný
inactiv|e [in'æktiv] nečinný **–ity** [,-əty] nečinnost
inaccurate [in'ækjurit] nepřesný
inadequate [in'ædikwit] nepřiměřený; nedostatečný; nevhodný
inadmissible [,inəd'misəbl] nepřípustný zvl. u soudu
inadvisable [,inəd'vaizəbl] nemoudrý, nerozumný jednání
inane [i'nein] hloupý, nesmyslný
inanimate [in'ænimit] neživý; neživotný
inappropriate [,inə'prəupriit] nevhodný
inarticulate [,ina:'tikjulit] nesouvislý; nesrozumitelný řeč; špatně se vyjadřující
inattentive [,inə'tentiv] nepozorný; lhostejný
inaudible [in'o:dəbl] neslyšný, neslyšitelný
inaugurat|e [i'no:gjureit] uvést v úřad; zahájit; slavnostně otevřít **–ion** [i,no:gju'reišn] uvedení v úřad; zahájení
inborn [,in'bo:n] vrozený
inbred [,in'bri:d] vrozený, zděděný
incalculable [in'kælkjuləbl] nevyčíslitelný; nevypočitatelný
incapab|ility [in,keipə'biliti] neschopnost **–le** [-bl] neschopný
incarnate [in'ka:nit] vtělený # ['inka:neit] vtělit (se)
incendiary [in'sendjəri] buřičský; zápalný
incense[1] [in'sens] rozzlobit, rozzuřit, popudit
incense[2] ['insens] kadidlo, vonná tyčinka
incentive [in'sentiv] podnět, motiv, stimul
incessant [in'sesnt] neustálý, ustavičný
incest ['insest] incest
inch [inč] palec, coul = 2,54 cm **every ~** úplně
incident ['insidənt] případ; incident **–al** [,insi'dentl] vedlejší, nepodstatný
incinerate [in'sinəreit] spalovat odpadky
incision [in'sižn] řez
incisive [in'saisiv] ostrý, přen. pronikavý
incite [in'sait] podněcovat, navádět (*to* k)
inclin|ation [,inkli'neišn] sklon k **–e** [in'klain] klonit (se); svažovat se; mít sklon k
includ|e [in'klu:d] zahrnovat, obsahovat **–ing** [-iŋ] včetně čeho
inclusive [in'klu:siv] zahrnující v sobě (*of* co)
incoherence [,inkəu'hiərənsi] nesou-

vislost; nesoudržnost
income ['inkəm] příjem **national ~** národní důchod
incomparable [in'kompərəbl] nesrovnatelný
incompatible [,inkəm'pætəbl] neslučitelný
incompeten|ce [in'kompitən|s] neschopnost; nezpůsobilost **–t** [-t] neschopný; nezpůsobilý; nekvalifikovaný; nepříslušný
incomplete [,inkəm'pli:t] neúplný
incomprehensible [in,kompri'hensəbl] nepochopitelný
inconceivable [,inkən'si:vəbl] nepředstavitelný
incongruous [in'koŋgruəs] nepoměrný, nepřiměřený; neladící barvy
inconsiderate [,inkən'sidərit] bezohledný; nerozvážný
inconsistent [,inkən'sistənt] nestálý v názorech, plný rozporů; neslučitelný (*with* s)
inconspicuous [,inkən'spikjuəs] nenápadný
inconvenien|ce [,inkən'vi:njən|s] nepohodlí, obtíž **–t** [-t] nepohodlný; nevhodný doba
incorporate [in'ko:pəreit] začlenit; obsahovat # připojený, přičleněný
incorrect [,inkə'rekt] nesprávný
incorrigible [in'koridžəbl] nepolepšitelný
increas|e [in'kri:s] růst velikost, ceny, vzrůstat # vzrůst, přibývání, přírůstek **–ingly** [-iŋli] (stále) víc a více
incred|ible [in'kredəbl] neuvěřitelný **–ulous** [in'kredjuləs] nedůvěřivý, nevěřící
increment ['inkrimənt] přírůstek
incriminate [in'krimineit] obvinit ze zločinu
incubator ['inkjubeitə] inkubátor
incumbent [in'kambənt] připadající jako povinnost (*on*, *upon* na); úřadující prezident
incur [in'kə:] (*-rr-*) vydat se v nebezpečí, vystavit se čemu
incurable [in'kjuərəbl] nevyléčitelný
indebted [in'detid] zadlužený (*to* komu), zavázán (*to* komu; *for* za co)
indecent [in'di:snt] neslušný
indecisive [,indi'saisiv] nerozhodný
indeed [in'di:d] vskutku, opravdu, ovšem, jistě
indefinite [in'definit] neurčitý, neomezený
indemni|fy [in'demni|fai] odškodnit; pojistit (*from* proti) **–ty** [-ti] pojištění; náhrada, odškodnění
independen|ce [,indi'pendən|s] nezávislost **–t** [-t] nezávislý
index ['indeks] rejstřík; katalog v knihovně; ukazatel; index **~ finger** ukazováček; **~*** (PL *indices* ['indisi:z]) mocnitel
indicat|e ['indikeit] označit; ukazovat; naznačit, nepřímo ukázat **–ion** [,indi'keišn] známka; znamení **–ive** [in'dikətiv] svědčící (*of* o); oznamovací věta **–or** [-ə] indikátor
indict [in'dait] práv. obvinit, obžalovat (*of* z) **–ment** [-mənt] obžaloba
indifferen|ce [in'difərən|s] lhostejnost, netečnost **–t** [-t] lhostejný; neutrální
indigenous [in'džinəs] domorodý
indigest|ion [,indi'džesčən] špatné trávení; zkažený žaludek **–ible** [,indi'džestəbl] nestravitelný i přen.
indign|ant [in'dignənt] rozhorlený (*at* na) **–ation** [,indig'neišn] rozhořčení **–ity** [in'digniti] potupa, urážka; nedůstojné zacházení
indirect [,indi'rekt] nepřímý
indiscreet [,indi'skri:t] indiskrétní
indiscriminate [,indi'skriminit] nerozlišující, bez rozmyslu; nekritický
indispensable [,indi'spensəbl] nepostradatelný, nezbytný
indisposed [,indi'spəuzd] lehce nemocen, indisponovaný
indisputable [,indi'spju:təbl] nesporný, neoddiskutovatelný
indistinct [,indi'stiŋkt] nezřetelný, nejasný, neurčitý

individual [,indi'vidžuəl] jednotlivý; individuální # jednotlivec **–istic** ['indi,vidžuəlistik] individualistický **–ity** ['indi,vidžu'æliti] individualita
indoctrinate [in'doktrineit] očkovat myšlenky komu
indolent ['indolənt] netečný
indoor ['indo:] vhodný pro doma; sport. halový **–s** [,in'do:z] uvnitř; pod střechou
induce [in'dju:s] přimět; způsobit **–ment** [-mənt] popud, podnět; eufemisticky úplatek
indulge [in'daldž] popustit uzdu přen., povolovat co komu; dopřát (si) co **–nce** [-əns] shovívavost; oddávání se (*in* čemu) **–nt** [-ənt] shovívavý (*of, towards* pro), mající pochopení pro
industr|ial [in'dastri|əl] průmyslový **–ialization** [-əlai'zeišn] industrializace **–ialize** [-elaiz] industrializovat **–ious** [-əs] přičinlivý, pracovitý **–y** ['indəstri] průmysl; píle, přičinlivost
inebriated [i'ni:brieitid] opilý kniž.
ineffective [,ini'fektiv] neúčinný; neschopný
inefficient [,ini'fišnt] neúčinný; nevýkonný, neefektivní
inept [i'nept] neschopný, nešikovný
inequality [,ini:'kwoliti] nepoměr, nestejnost, nerovnost postavení
inert [i'nə:t] nehybný, neschopný pohybu **–ia** [i'nə:šiə] netečnost, setrvačnost; ochablost, bezvládnost
inescapable [,ini'skeipəbl] nevyhnutelný, nutný
inevitable [in'evitəbl] nevyhnutelný
inexact [,inig'zækt] nepřesný
inexhaustible [,inig'zo:stəbl] nevyčerpatelný
inexpensive [,inik'spensiv] levný, laciný
inexperience [,inik'spiəriəns] nezkušenost **–d** nezkušený
inexplicable [,inik'splikəbl] nevysvětlitelný
inextricable [in'ekstrikəbl] neodlučitelný
infallible [in'fæləbl] neomylnýn
infamous ['infəməs] neblaze proslulý, vyhlášený; hanebný
infant ['infənt] malé dítě, kojenec
infantry ['infəntri] pěchota
infatuated [in'fætjueitid] zaslepený láskou
infect [in'fekt] nakazit, infikovat **–ion** [in'fekšn] nákaza, infekce **–ious** [in'fekšəs] nakažlivý, infekční
infer [in'fə:] (*-rr-*) (vy)od|vozovat (*from* z) **–ence** ['inferəns] odvozování, dedukce; závěr (z)
inferior [in'fiəriə] podřadný; podřízený
infernal [in'fə:nl] pekelný, ďábelský
infertile [in'fə:tail] neplodný
infest [in'fest] zamořit (*with insect* hmyzem)
infiltrate ['infiltreit] infiltrovat, prosáknout, proniknout
infinit|e ['infinit] nekonečný **–ive** [in'finitiv] jaz. infinitiv
infirm [in'fə:m] slabý **–ity** [-iti] slabost
inflame [in'fleim] med. zanítit se; rozrušit, rozzuřit
inflammation [,inflə'meišn] zánět, zápal
inflat|e [in'fleit] nafouknout, nahustit; vyhnat do výše ceny **–able** [in'fletəbl] nafukovací **–ion** [in'fleišn] nafouknutí; inflace **–or** [-ə] hustilka
inflexible [in'fleksəbl] neohebný; nezměnitelný
inflict [in'flikt] uložit, uvalit pokutu, trest (*on* na)
influen|ce ['influəns] vliv, účinek (*on* na) # ovlivňovat, mít vliv **–tial** [,influ'enšl] vlivný; významný (pro)
influenza [,influ'enzə] chřipka
inform [in'fo:m] zpravit, informovat; udat (*against* koho) **–al** [in'fo:ml] neformální **–ation** [,info:'meišn] zpráva, informace **–er** [-ə] udavač
infusion [in'fju:žn] odvar
ingenious [in'dži:njəs] vynalézavý; důmyslný
ingenu|ity [,indži'nju:iti] důmysl **–ous** [in'dženjuəs] bezelstný, prostý

ingrained [ˌinˈgreind] zakořeněný přen.
ingratitude [inˈgrætitju:d] nevděk
ingredient [inˈgri:diənt] přísada, složka směsi
inhabit [inˈhæbit] obývat co, bydlet kde **–ant** [-ənt] obyvatel
inhal|e [inˈheil] vdechovat **–ation** [ˌinhəˈleišn] vdechování, inhalace
inherent [inˈhiərənt] vlastní čemu
inherit [inˈherit] zdědit (*from* po) **–ance** [-əns] dědictví
inhibit [inˈhibit] (za)bránit, překážet (*from* v) **–ion** [ˌinhiˈbišn] překážka; omezování; zábrana
inhospitable [ˌinhoˈspitəbl] ne(po)hostinný
inhuman [inˈhju:mən] nelidský krutý
inimitable [iˈnimitəbl] nenapodobitelný, jedinečný
iniquity [iˈnikwəiti] špatnost, hanebnost, nepravost, hřích
initia|l [iˈnišl] počáteční # počáteční písmeno, iniciála # podepsat začátečními písmeny **–te** [iˈnišieit] zahájit; započít; uvést, zasvětit (*in* do) **–tive** [iˈnišiətiv] iniciativa
inject [inˈdžek|t] vstříknout, dát injekci **–ion** [-šn] injekce
injur|e [ˈindžə] zranit; poškodit **–y** [-ri] zranění, úraz; poškození; křivda, příkoří, ublížení
injustice [inˈdžastis] nespravedlnost, bezpráví, křivda
ink [iŋk] inkoust
inlaid [ˌinˈleid] PT a PP od *inlay**
inland [ˈinlənd] vnitrozemí # vnitrozemský # do vnitrozemí, ve vnitrozemí
inlay* [ˌinˈlei] (PT a PP v. *lay**) vykládat (*with* čím) # vykládaná práce, intarzie; zubní inlej
inlet [ˈinlet] zátoka, úžina; přítok, přívod; vložka na zvětšení šatů
inmate [ˈinmeit] chovanec v ústavu; pacient v nemocnici; vězeň
inn [in] hospoda, zájezdní hostinec
innate [ˌiˈneit] vrozený, přirozený
inner [ˈinə] vnitřní; skrytý
innocen|ce [ˈinəs|əns] nevinnost **–t** [-nt] nevinný (*of* čím)
innocuous [iˈnokjuəs] neškodný
innovation [ˌinəuˈvejšn] inovace; novota, novinka, zlepšení
innumerable [iˈnju:mərəbl] nesčíselný, nespočetný
inoculat|e [iˈnokjuleit] očkovat **–ion** [iˌnokjuˈleišn] očkování
inorganic [ˌinə:ˈgænik] anorganický; umělý
inquest [ˈinkwest] soudní vyšetřování (*coroner's* ~ soudní ohledání mrtvoly)
inquir|e [inˈkwaiə] zeptat se; informovat se, dotázat se; vyšetřit, prozkoumat **–y** [-ri] dotaz, otázka, informace; vyšetřování, šetření
inquisitive [inˈkwizitiv] zvědavý
insan|e [inˈsein] šílený, duševně chorý; ztřeštěný, nesmyslný **–ity** [inˈsæniti] šílenství
insatiable [inˈseišəbl] nenasytný
inscribe [inˈskraib] napsat, vyrýt (*on* na, *in* v)
inscription [inˈskripšn] nápis
inscrutable [inˈskru:təbl] nevyzpytatelný, záhadný, neproniknutelný
insect [ˈinsekt] hmyz
insecure [ˌinsiˈkjuə] nejistý
insensi|ble [inˈsens|əbl] v bezvědomí; neuvědomující si; necitlivý, nevnímavý **–tive** [-itiv] necitlivý (*to* k); necitelný, lhostejný
inseparable [inˈsepərəbl] nerozlučný, nedílný
insert [inˈsə:t] vložit (*into* do)
inshore [ˌinˈšo:] pobřežní
inside [ˌinˈsaid] vnitřek; vnitřní strana # (u)do|vnitř # vnitřní, důvěrný
insidious [inˈsidiəs] zákeřný, záludný, rafinovaný
insight [ˈinsait] hluboký pohled, ponoření do problému, porozumění
insignificant [ˌinsigˈnifikəns] bezvýznamný
insincer|e [ˌinsinˈsiə] neupřímný **–ity** [-rəti] neupřímnost
insinuate [inˈsinjueit] nepřímo naznačit
insipid [inˈsipid] bez chuti, nijaký,

bezvýrazný, mdlý
insist [in'sist] trvat (*on* na); naléhat **–ence** [-əns] trvání (*on* na), neústupné vyžadování; naléhání
insolent ['insələnt] nestoudný, drzý
insoluble [in'soljubl] neřešitelný; nerozluštitelný
insomnia [in'somniə] nespavost
inspect [in'spek|t] prohlédnout, prozkoumat; provést inspekci, prohlídku, (z)kontrolovat **–ion** [-šn] prohlídka, prozkoumání, ohledání, kontrola, inspekce **–or** [-tə] inspektor
inspir|ation [,inspə'reišn] inspirace **–e** [in'spaiə] inspirovat; naplnit (*with* čím); vzbudit, vyvolat co
install [in'sto:l] instalovat, zařídit; slavnostně dosadit
instal(l)ment [in'sto:lmənt] splátka; pokračování příběhu
instan|ce ['instən|s] případ, situace **for ~** například **in the first ~** nejprve, v první řadě **–t** [-t] okamžitý; instantní, rozpustný # okamžik
instead [in'sted] místo čeho (~ *of going* místo, aby šel)
instil [in'stil] (*-ll-*) vštípit myšlenky, city (*into* komu)
instinct ['instiŋkt] pud, instinkt **–ive** [in'stiŋktiv] pudový, instinktivní
institut|e ['insti|tju:t] ústav, institut # zavést, zahájit; ustavit, založit **–ion** [,-'tju:šn] zavedení, zahájení, ustavení, založení; zařízení, nadace, společnost, spolek; instituce; zvyklost
instruct [in'strak|t] vyučovat; informovat, poučit; dát pokyny, instruovat **–ion** [-šn] vyučování; pokyn, příkaz, instrukce **–ions** [-šnz] návod k použití, instrukce **–ive** [-tiv] poučný, instruktivní **–or** [-tə] instruktor, učitel
instrument ['instrumənt] nástroj
insubordinate [,insə'bo:dnət] neposlušný, vzpurný
insufferable [in'safərəbl] nesnesitelný
insufficient [,insə'fišnt] nedostatečný
insular ['insjulə] ostrovní
insulat|e ['insjuleit] izolovat **–ion** [,insju'leišn] izolace
insulin ['insjulin] inzulín
insult [in'salt] urazit # ['insalt] urážka
insuperable o překážkách nepřekonatelný
insur|ance [in'šuərəns] pojištění, pojistka (~ *policy* pojistka) **–e** [in'šuə] pojistit (se) (*against* proti)
insurgent [in'sə:džənt] povstalec, vzbouřenec # povstalecký, vzbouřenecký
insurrection [,insə'rekšn] povstání, vzpoura
intact [in'tækt] nedotčený, neporušený
intake ['inteik] příjem
integral ['intigrəl] nedílný, neodlučitelný; celý, tvořící celek, souhrnný; integrovaný, sjednocený
integrity [in'tegriti] bezúhonost, mravní neporušenost, zásadovost; poctivost, čestnost; celistvost, úplnost
intellect ['intəlekt] rozum, intelekt, schopnost myšlení; přen. mozek o člověku **–ual** [,intə'lektjuəl] rozumový, intelektuální; duševní
intellig|ence [in'telidž|əns] inteligence, důvtip, nápad; zpráva (*of* o), zpravodajství **I~ Service** zpravodajská, výzvědná služba **–ent** [-ənt] inteligentní, bystrý **–entsia** [-əntsiə] inteligence jako vrstva **–ible** [-əbl] pochopitelný
intend [in'tend] zamýšlet, mít úmysl
intens|e [in'tens] intenzívní, silný, prudký, hluboký **–ify** [-ifay] zesílit, zintenzívnit **–ity** [-iti] síla, intenzita **–ive** [-iv] intenzivní
intent [in'ten|t] záměr, úmysl # soustředěný, zaujatý, zabraný (do), odhodlaný **–ion** [-šn] záměr, plán **–al** [-təl] záměrný, úmyslný
interact [,intər'ækt] vzájemně na sebe působit, ovlivňovat se
interce|de [,intə|si:d] zakročit, intervenovat, přimluvit se (*with* u, *for*, *on behalf of* za koho) **–ssion** [-'sešn] in-

tervenování, přímluva
intercept [,intə'sept] zadržet v cestě; (pře)rušit vysílání
interchange ['intəčeindž] vzájemně vyměnit, zaměnit; vyměnit (si) # vzájemná výměna, mimoúrovňová křižovatka
intercom ['intəkom] palubní telefon; podnikový rozhlas ap.
intercourse ['intəko:s] styk; pohlavní styk
interest ['intrist] zájem; podíl, účast; úrok(y) # zajímat koho; vzbudit zájem (*in* o) (*be –ed in* zajímat se o) **–ing** zajímavý, poutavý
interface [,intə'feis] poč. rozhraní, interfejs
interfere [,intə'fiə] zasahovat (*in* do); plést se (*with* do) **–nce** [-rəns] zasahování; interference, rušení
interior [in'tiəriə] vnitřní # vnitřek; interiér **Minister of the I~** ministr vnitra
interjection ['intə'dzekšn] jaz. citoslovce
interlude ['intəlu:d] přestávka
intermediary [,intə'mi:diəri] prostředník
intermediate [,intə'mi:diət] (pro)střední; středně pokročilý
interminable [in'tə:minəbl] nekonečný, bez konce
intermission [,intə'mišn] přerušení, přestávka
internal [in'tə:nl] vnitřní; domácí
international [,intə'næšənl] mezinárodní
interpret [in'tə:prit] vyložit (si); tlumočit **–ation** [in,tə:pri'teišn] výklad; tlumočení **–er** [-ə] tlumočník
interrelated [in'terəuleitid] navzájem spojený, ve vzájemném vztahu
interrogat|e [in'terəugei|t] vyslýchat **–ion** [-šn] vyslýchání, výslech **–ive** [,intə'rogətiv] tázavý; jaz. tázací
interrupt [,intə'rap|t] přerušit **–ion** [-šn] přerušení
intersect [,intə'sekt] protínat (se), přetínat (se), křižovat (se) i přen. –ion [,intə'sekšn] průsečík; křižovatka
interstate [,intə'steit] mezistátní zvl. am., mezi státy federace
interval ['intəvl] přestávka, pauza
interven|e [,intə'|vi:n] přihodit se, stát se; zasáhnout, zakročit **–tion** [-venšn] zásah, zákrok; intervence
interview ['intəvju:] přijímací pohovor; rozhovor, interview
intestin|e [in'testin] střevo **–al** [,intes'taini] střevní
intima|cy ['intiməsi] důvěrnost, intimnost **–te** ['intimit] důvěrný, intimní
intimidate [in'timideit] zastrašit, strachem dohnat (*into st.* k čemu)
into ['intu] do zvl. dovnitř; časově do; účel na; změna v, na
intolera|ble [in'tolər|əbl] nesnesitelný **–nce** [-əns] nesnášenlivost **–nt** [-ənt] nesnášenlivý
intoxicat|e [in'toksikeit] opít, opojit **–ion** [in,toksi'keišn] opilost, opojení
intransitive [in,tra:nsitiv] jaz. nepřechodný
intravenous [,intrə'vi:nəs] intravenózní, nitrožilní
intricate ['intrikit] spletitý, složitý
intrigue [in'tri:g] kout pikle, intrikovat # intrika, pleticha
introduc|e [,intrə'dju:s] představit (*to* komu); uvést **–tion** [,intrə'dakšn] představení osoby; úvod
introvert ['intrəuvə:t] introvert # introvertní
intru|de [in'tru:|d] vetřít (se), vnutit (se), obtěžovat, rušit **–sion** [-žn] proniknutí, vniknutí, obtěžování, rušení **–sive** [-siv] dotěrný
intuition [,intju:'išn] intuice; podvědomé tušení
inundate ['inandeit] zaplavit i přen.
invade [in'veid] vpadnout (do), napadnout; (po)na|rušit, poškodit (*rights* práva) **–r** [-ə] útočník, vetřelec, nájezdník
invalid [in'vælid] neplatný # ['invəlid] invalida **–ity** [-iti] neplatnost; invalidita

invaluable [in'væljuəbl] neocenitelný
invariable [in'veəriəbl] stálý
invasion [in'veižn] vpád, invaze
invent [in'ven|t] vynalézt; vymyslet si **–ion** [-šn] vynález; vynalézavost; výmysl **–ive** [-tiv] vynalézavý **–or** [-tə] vynálezce
inventory ['invəntri] inventář, soupis, katalog
invert [in'və:t] obrátit, převrátit
invertebrate [in'və:tibreit] bezobratlý
invest [in'vest] investovat **–ment** [-mənt] investice
investigat|e [in'vəstigeit] vyšetřovat; zkoumat, prověřovat **–ion** [in,vesti'geišn] vyšetřování; výzkum, zkoumání
inveterate [in'vetərit] zakořeněný; zatvrzelý, nenapravitelný
invidious [in'vidiəs] nespravedlivý, vzbuzující nevoli, dělající zlou krev
invigorating [in'vigəreitiŋ] povzbuzující, oživující
invincible [in'vinsəbl] nepřemožitelný
inviolable [in'vaiələbl] neporušitelný, nedotknutelný
invisible [in'vizəbl] neviditelný
invitation [,invi'teišn] pozvání
invite [in'vait] pozvat; vyzvat; vyvolat
invoice ['invois] účet, faktura
involuntary [in'voləntəri] nedobrovolný
involve [in'volv] zahrnovat, týkat se koho, čeho; vyžadovat, mít za následek; zaplést (*in* do)
inward ['inwəd] vnitřní **–s** [-z] dovnitř
iodine ['aiədi:n] jód
irate [ai'reit] rozzlobený, zlostný
iris ['aiəris] kosatec; oční duhovka
iron ['aiən] železo; žehlička # žehlit **–s** [-z] PL želízka, pouta **–ing** [-iŋ] žehlení; prádlo k žehlení **–ing-board** [-iŋbo:d] žehlící prkno **–monger's** ['aiən,maŋgəs] železářství **–works** [-wə:ks] (PL stejný, sloveso v PL i SG) železárna
iron|ic [ai'ronik] ironický **–y** ['aiərəni] ironie
irradiat|e [i'reidiei|t] ozářit i přen. **–ion** [-šn] záření, ozařování
irrational [i'ræšənl] iracionální
irreconcilable [i'rekənsailəbl] nesmiřitelný; neslučitelný
irregular [i'regju'lə] nepravidelný **–ity** [i,regju'læriti] nepravidelnost
irrelevant [i'relivənt] bezvýznamný, nezávažný, vedlejší
irreplaceable [,iri'pleisəbl] nenahraditelný
irreproachable [,iri'prəučəbl] bezúhonný; dokonalý
irresolute [i'rezəlu:t] váhavý, nerozhodný
irresistible [,iri'zistəbl] neodolatelný
irrespective [,iri'spektiv] bez ohledu (*of* na)
irresponsible [,iri'sponsəbl] nezodpovědný
irrevocable [i'revəkəbl] neodvolatelný, nezrušitelný
irrigat|e ['irigeit] zavodňovat, zavlažovat **–ion** [,iri'geišn] zavodňování, zavlažování
irrita|ble ['irit|əbl] vznětlivý, popudlivý **–te** [-eit] (po)dráždit, popudit, rozzlobit **–tion** [,iri'teišn] dráždění, podráždění, podrážděnost
Islam ['izla:m] islám
island ['ailənd] ostrov
isle [ail] ostrov v názvech a v poezii
isolat|e ['aisəleit] izolovat, odloučit, oddělit **–ion** [,aisə'leišn] izolace, odloučení
issue ['išu:] východ, výstup; vytékání, výtok; vydávání, emise; vydání, publikace, číslo časopisu; otázka, problém; předmět hovoru # vycházet, vytékat; vydat; dát do oběhu
it [it] to, ono **–s** [-s] jeho, její **~'s** [its] = *it is, it has* **–self** [-'self] se, sebe, si, sobě; zdůrazňovací sám, sama, samo
itch [ič] svědění, svrbění i přen.; zálusk, chuť (*for* na) # svrbět, svědit; dělat si laskominy, mít chuť, nesmírně toužit (*for* na, po) **–y** [-i] svědivý
item ['aitəm] položka; jednotlivý bod, kus

itinerary [ai'tinərəri] cestovní plán
ivory ['aivəri] slonovina
ivy ['aivi] břečťan, plazivá rostlina

J

jab [džæb] (*-bb-*) bodnout, šťouchnout, rýpnout # bodnutí, šťouchnutí, rýpnutí; hovor. injekce
jack [džæk] zdvihák, hever **~-knife** ['-naif] velký kapesní zavírací nůž
jackal ['džæko:l] šakal
jackdaw ['džækdo:] kavka
jacket ['džækit] sako, kabát
jackpot ['džækpot] bank v pokeru; stále zvyšovaný vklad až do výhry
Jacob [džeikəb] Jakub
jag [džæg] zub pily; slang. opice, špička opilost; hovor. záchvat soustředěné činnosti, silného citu **–ged** ['džægid] zubatý, roztřepený, rozeklaný
jaguar ['džægjuə] jaguár
jail [džeil] vězení # uvěznit
jam [džæm] (*-mm-*) džem, zavařenina, marmeláda # dopravní zácpa # napěchovat, natlačit (se); zaseknout (se), vzpříčit (se), uváznout; ucpat (se)
James [džeimz] Jakub
Jane [džein] Jana
janitor ['džænitə] správce domu, domovník
January ['džænjuəri] leden
jar[1] [džæ:] (*-rr-*) nepříjemně působit, rvát uši; střetnout se, neladit, být v rozporu, nejít dohromady
jar[2] [džæ:] láhev, sklenice; hliněná nádoba
jargon ['dža:gən] hantýrka, žargon
jasmine ['džæsmin] jasmín
jaundice ['džo:ndis] žloutenka
javelin ['džævlin] oštěp
jaw [džo:] čelist
jay [džei] sojka
jazz [džæz] džez # hrát džez
jealous ['dželəs] žárlivý (*of* na) **–y** [-si] žárlivost
Jean [dži:n] Jana
jeans [dži:nz] PL džínsy
jeep [dži:p] džíp
jeer [džiə] posmívat se, urážet; vysmívat se, zesměšňovat
jelly ['dželi] rosol, želé **–fish** [-fiš] medúza
jeopardize ['džepədaiz] ohrozit
jerk [džə:k] škubnout, trhnout sebou # trhnutí, škubnutí
jersey ['džə:zi] pletený kabátek, svetr
jet [džet] proud tekutiny, plynu; tryska; tryskové letadlo (~ *engine* tryskový motor)
jettison ['džetisn] hodit přes palubu, odhodit, zbavit se přítěže
jetty ['džeti] molo, přístavní hráz
Jew [džu:] Žid **–ess** ['džu:is] Židovka **–ish** ['džu:iš] židovský
jewel ['džu:əl] drahokam, šperk, klenot, skvost **–ler** [-ə] klenotník **–lery** [-ri] drahokamy, klenoty, šperky
jigsaw puzzle ['džigso:pazl] skládačka z rozstříhaných částí
jilt [džilt] dát košem, pustit k vodě, náhle přerušit styky
jingle ['džiŋgl] cinkání, cinkot; reklamní rýmovačka # cinkat, zvonit
Joan [džeun] Jana, Johanka **~ of Arc** Jana z Arku
job [džob] práce; zaměstnání, místo; věc, záležitost **–centre** ['-sentə] zprostředkovatelna práce **–less** ['-lis] bez práce, nezaměstnaný
jockey ['džoki] žokej
jocular ['džokjulə] žertovný; veselý, šprýmovný
jog [džog] šťouchnout, drcnout, strkat, postrkovat; volně klusat, běhat pro zdraví
John [džon] Jan
join [džoin] spojit; připojit se (ke komu), jít (s kým); přidat se, zúčastnit se; vstoupit, stát se členem; řeky vlévat se do sebe **~ in** připojit se, přidat se, také se zúčastnit **–er** [-ə] truhlář
joint [džoint] spoj, spojení; kloub; kýta, pečeně, kus masa # spojený,

společný ~- **stock company** ['-stok] akciová společnost
joist [džoist] trám, stropní nosník
joke [džəuk] vtip, žert # žertovat
jolly ['džoli] veselý, rozjařený # hodně, moc
jolt [džəult] otřásat (se), drkotat (se) při jízdě # drcnutí, náraz
Joseph ['džeuzif] Josef
jostle ['džosl] strkat se, tlačit se, tahat se
jot [džot] troška, zrnko přen., většinou negativně ~ **down** poznamenat si stručně a chvatně
journal ['džə:nl] deník, noviny, časopis **–ism** ['džə:nəlizəm] novinářství, žurnalistika **–ist** ['džə:nəlist] novinář
journey ['džə:ni] cesta
joy [džoi] radost **–ful**, **–ous** ['-əs] radostný, přinášející radost; plný radosti
jubilee ['džu:bili:] výročí, jubileum
judge [džadž] soudce; znalec # rozsoudit; soudit, posuzovat (*by*, *from* podle) **–ment** ['-mənt] rozsudek; mínění, názor
judici|al [džu:'diš|l] soudní; justiční **–ous** [-əs] soudný, rozvážný, rozumný
judo ['džu:dəu] džudo
jug [džag] džbán
juggernaut ['džagəno:t] tirák auto; ničivá síla, běs, přízrak
juggle ['džagl] žonglovat
juic|e [džu:s] šťáva **–y** ['-i] šťavnatý
jukebox ['džu:kboks] hrací automat, hrací skříň na mince
July [džu'lai] červenec
jumble ['džambl] zpřeházet, pomíchat # zmatek, nepořádek
jumbo (jet) ['džambəu] proudové velkoletadlo
jump [džamp] (pře)(vy)skočit i přen. # skok i přen. **–er** [-ə] skokan; svetr
junction ['džaŋkšn] spojení; křižovatka, železniční uzel
June [džu:n] červen
jungle ['džaŋgl] džungle
junior ['džu:njə] mladší; podřízený # junior u jmen
junk [džaŋk] haraburdí, veteš, krámy; nesmysl(y), hloupost(i), brak
juridical [,džuə'ridikl] soudní, právní, právnický
jury ['džuəri] porota
just [džast] právě, přesně; právě, zrovna před okamžikem; jenom; jen tak tak, s bídou, s námahou; prostě, zkrátka, vlastně # spravedlivý; oprávněný ~ **about** skoro, přibližně, asi **–ify** ['džastifai] ospravedlnit; oprávnit **–ice** ['džastis] spravedlnost; oprávněnost; právo, soud; soudce **–ification** [,džastifi'keišn] ospravedlnění, omluva; oprávněnost **–ly** [-li] spravedlivě; oprávněně
jut [džat] (*-tt-*) (~ **out**) vyčnívat
juvenile ['džu:vinail] mladý člověk, mladistvý # dospívající, mladistvý; týkající se mládeže; dětinský
juxtapose ['džakstəpəuz] postavit vedle sebe zvl. pro srovnání

K

kangaroo [,kæŋgə'ru:] klokan
kaolin ['keiəlin] kaolín
kayak ['kaiæk] kajak
keen [ki:n] nadšený, horlivý, (dy)chtivý, posedlý; velký, silný
keep* [ki:p] (PT a PP *kept* [kept]) dodržovat, zachovávat; (do)držet slovo, slib; zdržovat; uchovat, udržet v určitém stavu; potraviny vydržet, nezkazit se; chovat, držet si zvíře; starat se (o); vést podnik; ponechat si ~ **back** zadržet; držet se stranou, opodál ~ **on** pokračovat, dál něco dělat ~ **out** zůstat venku, nevstupovat; nevpouštět dovnitř ~ **up** udržovat, zachovávat; pokračovat, udržet se; držet krok, stačit komu **–er** ['-ə] dozorce, opatrovník; ve složeninách držitel, majitel, provozovatel
kennel ['kenl] psí bouda
kept [kept] PT a PP od *keep**
kerb [kə:b] obruba chodníku

kernel ['kə:nl] jádro v pecce, ořechu i přen.
kerosene ['kerəsi:n] petrolej k svícení n. topení
ketchup ['kečəp] kečup
kettle ['ketl] konvice na vaření vody
key [ki:] klíč i přen.; klávesa, klapka **–board** ['ki:bo:d] klávesnice **–hole** ['ki:həul] klíčová dírka **–note** ['ki:nəut] základní tón, nota; základní myšlenka
khaki ['ka:ki] khaki; látka barvy khaki
kick [kik] kopnout; (pro)od|kopnout, # kopnutí, kopanec; požitek ~ **off** vykopnout zahájit zápas v kopané
kid [kid] děcko; kůzle: kozinka kůže # (*-dd-*) dělat si legraci, vodit za nos
kidnap ['kidnæp] (*-pp-*) unést dítě, osobu
kidney ['kidni] ledvina
kill [kil] zabít; zničit **–er** [-ə] zabiják, vrah **–ing** zabíjení, vraždění; fantastický úspěch
kiln [kiln] vypalovací, sušící pec
kilo ['ki:ləu] kilo- **–byte** ['kiləbait] kilobyte **–gram(me)** ['kiləugræm] kilogram **–metre** ['kiləu,mi:tə] kilometr **–watt** ['kiləuwot] kilowatt
kilt [kilt] skotská sukně
kin [kin] příbuzenstvo
kind [kaind] druh; třída, typ, značka # laskavý, milý **–ly** [-li] laskavě **–ness** [-nis] laskavost **~-hearted** [,kaind'ha:tid] dobrosrdečný, laskavý
kindergarten ['kində,ga:tən] mateřská škola
kindle ['kindl] zapálit (se), vznítit (se); podnítit, rozdmychat
king [kiŋ] král **–dom** ['kiŋdəm] království; říše, oblast **–fisher** ['-,fišə] ledňáček
kiosk ['ki:osk] kiosk, stánek
kipper ['kipə] uzený sleď, uzenáč
kiss [kis] polibek # políbit, líbat (se)
kit [kit] nářadí, výstroj; stavebnice, souprava dílů
kitchen ['kičin] kuchyně ~ **sink** kuchyňská výlevka, dřez
kite [kait] papírový drak
kitten ['kitən] kotě
kitty ['kiti] při hře bank; společná pokladna, fond
knack [næk] zručnost, dovednost; trik, fortel, fígl; cvik, praxe
knapsack ['næpsæk] batoh
knead [ni:d] hníst, válet těsto, hlínu; masírovat
knee [ni:] koleno **–cap** ['-kæp] čéška, kolenní jablko
kne|el* [ni:l] (PT a PP *knelt* [nelt]) klečet **–lt** [nelt] PT a PP od *kneel**
knew [nju:] PT od *know**
knickers ['nikəz] ženské spodní kalhotky
knife [nai|f] (PL *knives* [-vz]) nůž # bodnout nožem
knight [nait] rytíř; šachový kůň
knit* [nit] (*-tt-*) (PT a PP ~) plést jehlicemi; stmelit, skloubit **–ting-machine** ['-iŋmə,ši:n] pletací stroj **–ting-needle** ['-iŋ,ni:dl] pletací drát, jehlice **–wear** ['-weə] pletené zboží
knives [naivz] PL od *knife**
knob [nob] knoflík vypínače, zásuvky; klika, knoflík na dveřích
knock [nok] rána; zaklepání # klepat, bušit, tlouci (*at the door* na dveře); udeřit se, uhodit se; (v)na|razit; kritizovat; překvapit, vyrazit dech ~ **down** srazit k zemi, strhnout budovu ~ **off** zlevnit (o); praštit (s čím) zvl. s prací; čmajznout, stopit ~ **out** box knokautovat, poslat k zemi; přen. odrovnat, vyřídit
knot [not] uzel, klička; suk # (*-tt-*) zavázat na uzel; zasukovat (se), zauzlit (se)
know* [nəu] (PT *knew* [nju:]; PP *–n* [nəun]) vědět; znát **–ledge** ['nolidž] jen SG znalost(i), vědomost(i), vědění **–ledgeable** ['nolidžəbl] informovaný, poučený (*about* o) **–n** [nəun] PP od *know** **well*-≈** [welnəun] známý
knuckle ['nakl] kloub na prstu
Koran [ko'ra:n] korán

L

lab [læb] = *laboratory*
label ['leibl] štítek, visačka, nálepka, etiketa i přen. # (*-ll-*) opatřit štítkem, visačkou, nálepkou, etiketou
laboratory ['læbərətəri] laboratoř
laborious [lə'bo:riəs] pracný, namáhavý; styl těžkopádný
labour ['leibə] práce; pracující, dělnictvo # pracovat, namáhat se, dřít, lopotit se **the L~ Party** dělnická strana v Británii **–er** ['leibərə] nekvalifikovaný dělník
labyrinth ['læbərinθ] labyrint
lace [leis] krajka; tkanice do bot # (za)šněrovat
lack [læk] nedostatek # nemít, postrádat, mít nedostatek
laconic [lə'konik] lakonický
lacquer ['lækə] lak # lakovat
lad [læd] mladík, hoch; chlápek, chlapík
ladder ['lædə] žebřík; puštěné oko na punčoše
laden ['leidn] obtížený, naložený
ladle ['leidl] sběračka
lady ['leidi] dáma, paní **L~ lady** šlechtický titul **–bird** ['-bə:d] slunéčko sedmitečné
lag[1] [læg] (*-gg-*) **~ behind** loudat se, vléci se, zaostávat
lag[2] [læg] (*-gg-*) izolovat tepelně
lager ['la:gə] ležák, světlé pivo
lagoon [lə'gu:n] laguna
laid [leid] PT a PP od *lay**
lain [lein] PP od *lie**
lair [leə] doupě, brloh, pelech i přen.
lake [leik] jezero
lamb [læm] jehně; jehněčí maso **~ chop** jehněčí kotleta **~'s-wool** ['-zwul] jehněčí, beránčí vlna
lame [leim] chromý, kulhavý; nepřesvědčivý argument
lament [lə'ment] bědovat, naříkat (*for, over* pro)
lamp [læmp] lampa **–post** ['-pəust] stojan pouliční svítilny **–shade** ['-šeid] stínidlo, stínítko lampy
LAN [læn] = *local area network* lokální počítačová síť
lance [la:ns] oštěp, kopí; bodec na ryby
land [lænd] země; půda; pevnina; pozemek # přistát; získat **–ing** přistání **–lady** ['læn,leidi] domácí paní, bytná **–lord** ['lænlo:d] pan domácí, bytný **–mark** orientační bod; mezník přen. **–owner** ['-,əunə] vlastník půdy, statkář **–scape** ['lænskeip] krajina **–slide** ['lændslaid] sesouvání půdy; lavina
lane [lein] ulička; pruh vozovky; trasa, trať, kurs; závodní dráha
language ['længwidž] jazyk, řeč
langui|d ['læŋgwid] mdlý, malátný, apatický, chabý **–sh** ['læŋgwiš] umdlévat, malátnět, ochabovat, slábnout; trápit se, strádat, umírat touhou
lantern ['læntən] lucerna
lap[1] [læp] klín osoby
lap[2] [læp] (*-pp-*) zabalit, zavinout, obklopit # kolo, okruh
lap[3] [læp] (*-pp-*) **~ up** voda šplouchat, pleskat
lapel [lə'pel] klopa
lapse [læps] chyba, zaváhání; poklesek # upadnout (*into* do)
larch [la:č] modřín
lard [la:d] vepřové sádlo
larder ['la:də] spižírna
large [la:dž] velký; rozsáhlý **at ~** ze široka; na svobodě; všeobecně, celkově **–ly** [-li] z velké části; do velké míry, převážně **~-scale** [-skeil] ve velkém měřítku
lark[1] [la:k] skřivan
lark[2] [la:k] žert
larva* ['la:və] (PL také *larvae* ['la:vi:]) larva
larynx ['læriŋks] hrtan
laser [leizə] laser
lash[1] [læš] bič; šlehnutí, rána bičem; zmrskání trest # bičovat, šlehat, mrskat
lash[2] [læš] připoutat
lass [læs] děvče, mladá žena
last[1] [la:st] trvat; (vy)stačit
last[2] [la:st] poslední; minulý **at ~** konečně, nakonec **~ but one** před-po-

slední **–ing** trvalý, stálý **–ly** [-li] nakonec, na závěr **~time** [-tajm] naposledy
latch [læč] petlice, západka **–key** [-ki:] klíč od domu, bytu
late [leit] pozdní; opožděný; bývalý; zesnulý (*of* ~ nedávno) # pozdě **–comer** [-kamə] opozdilec **–ly** [-li] v poslední době, nedávno **the –st** [-ist] poslední, nejnovější
later [leitə] pozdější, novější # později
lateral ['lætərəl] postranní, boční
lath [la:θ] lať
lathe [leið] soustruh
lather ['læðə] mýdlová pěna # namydlit; pěnit
Latin ['lætin] latina # latinský
latitude ['lætitju:d] zeměpisná šířka
latrine [lə'tri:n] latrína
latter ['lætə] **the** ~ druhý ze dvou; posledně zmíněný **–ly** [-li] nedávno
lattice ['lætis] mříž
laugh [la:f] smát se (*at* komu, čemu) (~ *off* odbýt smíchem co) # smích **–able** ['-əbl] směšný **–ter** ['la:ftə] smích
launch[1] [lo:nč] velký motorový člun
launch[2] [lo:nč] vyslat, vypustit do prostoru; spustit; zahájit; uvést na trh
launder prát a žehlit
launderette [,lo:ndəret] automatická prádelna
laundry ['lo:ndri] prádelna; špinavé n. vyprané prádlo
laurel ['larəl] vavřín; PL vavřínový věnec
lava ['la:və] láva
lavatory ['lævətəri] toaleta, záchod
lavender ['lævəndə] levandule
lavish ['læviš] štědrý, nešetřící # nešetřit, štědře vydávat, zahrnovat
law [lo:] zákon; právo; pravidla **–court** [-kə:t] soud budova, místnost **–ful** zákonný, zákonitý **–less** ['-lis] nemající zákony; zločinný, bezuzdní **–lessness** ['-lisnis] protizákonnost, zločinnost
lawn [lo:n] trávník **~-mower** ['-,məuə] sekačka na trávu
lawyer ['lo:jə] právník, advokát
lax [læks] nedbalý, nepečlivý, laxní **–ative** ['læksətiv] med. projímadlo
lay[1] [lei] PT od *lie**
lay[2] [lei] laický
lay*[3] [lei] (PT a PP *laid* [leid]) klást, položit; umístit **~ aside** odložit; zanechat čeho; dát stranou, odložit jako úspory n. k pozdějšímu použití
layer ['leiə] vrstva
layman* ['leimən] (PL v. *man**) laik, neodborník
laze [leiz] lenošit, nic nedělat, odpočívat
laziness ['leizinis] lenost
lazy ['leizi] líný **~-bones** [-,bəunz] lenoch
lead[1] [li:d] (PT a PP *led* [led]) vést, řídit; vést, přivést (k čemu); být v čele # vedení, první pozice; náskok; klíč k problému; el. šňůra, kabel; řemínek, řetízek na psa; div. hlavní role **~ away** odvést, svést (*from* odkud); svést z pravé cesty **~ on** svést, zlákat **~ up** předcházet (*to* čemu) **–er** ['li:də] vůdce; úvodník v novinách **–ership** ['li:dəšip] vůdcovství, vedení, vedoucí postavení **–ing** ['-li:diŋ] vedoucí; čelný, přední, nejdůležitější
lead[2] [led] olovo; olůvko **–en** tíživý, deprimující; šedý jako olovo; zastarale olověný
leaf* [li:f] (PL *leaves*) list **–let** ['-lit] leták **–y** listnatý
league [li:g] liga, svaz
leak [li:k] díra, štěrbina; únik, unikání # propouštět, netěsnit; pronikat, prosakovat **–age** [-idž] prosakování, propouštění; únik informací; množství vytekléto materiálu **–y** ['-i] děravý
lean[1] [li:n] hubený i přen.; libový maso
lean*[2] [li:n] (PT a PP *–t* [lent]) naklonit (se); opřít (se) (*against, on* o); naklánět se, ohýbat se (*over* nad, přes); spoléhat se (*upon* na); mít sklon, směřovat, přiklánět se (*toward* k)

leant [lent] PT a PP od *lean**
leap* [li:p] (PT a PP *–t* [lept]) skočit, vyskočit, přeskočit **~ year** ['-,jə:] přestupný rok **–t** [lept] PT a PP od *leap**
learn* [lə:n] (PT a PP *–t* [-t]) (na)učit se (*from* od); dozvědět se **–ed** ['-id] učený **–er** [-ə] žák, student; začátečník **–ing** vědomosti; znalosti; vzdělanost **–t** [-t] PT a PP od *learn**
lease [li:s] pronajmout # (pro)nájem
least [li:st] SUP od *little** nejmenší # nejméně **at ~** alespoň **not in the ~** ani přinejmen-ším
leather ['leðə] kůže
leave[1] [li:v] dovolení
leave*[2] [li:v] (PT a PP *left* [left]) opustit; odejít, odjet (*a place* odkud); nechat **~ out** vynechat
leaves [li:vz] PL od *leaf**
Lebanon ['lebənən] Libanon
lecherous ['lečərəs] chlípný, smilný
lecture ['lekčə] přednáška (*on* o) # přednášet (*on* o) **–r** ['lekčərə] přednášející zvl. na vysoké škole
led [led] PT a PP od *lead**
ledge [ledž] římsa, lišta, výstupek, výčnělek; lavice, pobřežní terasa
ledger ['ledžə] účetní kniha
leech [li:č] pijavice
leek [li:k] pórek
leeway ['li:wei] svoboda jednání, volnost; rezerva, prostor
left[1] [left] PT a PP od *leave** **–overs** ['-'ouvəz] PL zbytky zvl. jídla **~ luggage office** úschovna zavazadel
left[2] [left] levý # (na)v|levo; doleva # levá strana, levice **~-handed** [,left'hændid] levoruký levák **–ist** ['-ist] levičák # levičácký **~ wing** levice
left-overs [leftəuvəs] PL zbytky zvl. jídla
leg [leg] noha; úsek cesty
legacy ['legəsi] odkaz, dědictví
legal ['li:g|l] zákonný, právní **–ize** [-əlaiz] legalizovat **–ly** [-əli] legálně, zákonně
legend ['ledžənd] legenda **–ary** [-əri] legendární
legible ['ledžəbl] čitelný
legion ['li:džən] legie; zástup, dav, množství lidí
legislat|ion [,ledžis|'leišn] zákonodárství **–ive** ['-leitiv] zákonodárný **–ure** ['-leičə] zákonodárný sbor, orgán
legitimate [li'džitimit] legitimní, zákonný; rozumný, logický
leguminous [le'gju:minəs] luskový, luskovitý; luštěninový
leisure ['ležə] volný čas, volno (*be at ~* mít volno, mít čas) **–ly** [-li] klidně, beze spěchu # klidný, pomalý, neuspěchaný
lemon ['lemən] citrón **–ade** [,lemə'neid] limonáda
lend* [lend] (PT a PP *lent* [lent]) půjčit
length [leŋθ] délka **at ~** konečně, nakonec; obšírně, podrobně **–en** ['-ən] prodloužit (se) **–wise** ['-waiz] n. **–ways** [-weiz] podélný, podélně umístěný # podélně, podél
lenien|ce ['li:njəns] shovívavost, mírnost **–t** ['li:njənt] shovívavý, mírný
lens [lenz] čočka; objektiv
lent [lent] PT a PP od *lend**
Lent [lent] půst před velikonocemi
lentil ['lentil] čočka luštěnina
leprosy ['leprəsi] malomocenství
lesbian ['lezbiən] lesbický # lesbička
less [les] COMP od *little** menší # méně **~ and ~** stále menší # stále méně
lessen ['lesn] zmenšit (se), snížit (se)
lesser [lesə] menší méně důležitý, méně významný
lesson ['lesn] lekce, úkol; vyučovací hodina; lekce, ponaučení **–s** [-z] PL vyučování, škola
let* [let] (*-tt-*) (PT a PP ~) nechat, dovolit **~ down** spustit, stáhnout, sklopit; popustit, prodloužit **~ go** pustit; uvolnit **~ in** vpustit dovnitř **~ off** vystřelit; nechat uniknout **~ on** prozradit **~ out** pustit na svobodu, propustit; popustit šaty, látku
lethal ['li:θl] smrtelný, smrtonosný, vražedný
letter ['letə] dopis; písmeno **~-box**

[-boks] schránka na dopisy
lettuce ['letis] hlávkový salát
leukaemia [lu:'kimiə] leukémie
level ['levl] rovný, plochý; na stejné úrovni # úroveň; hladina; rovina # (s)vy|rovnat (se); srovnat se zemí, demolovat **~- crossing** [,-'krosiŋ] nadúrovňová křižovatka
lever ['li:və] páka
levy ['levi] uložit, vymáhat poplatek, daň (*on* na kom); zabavit v rámci exekuce (*on* co) # uložení, vybírání poplatků, daní; odvod peněz, daň
lewd [lu:d] oplzlý, obscénní, sprostý
liabilit|y [,laiə'bilit|i] zodpovědnost, závazek; nevýhoda, přítěž **–ies** [-iz] PL finanční závazky, dluhy
liable ['laiəbl] zodpovědný (*for* za); podléhající, vystavený (*to* čemu); náchylný (*to* k)
liaison [li'eizən] spojení, spolupráce
liar ['laiə] lhář(ka)
libel ['laibl] hanopis, písemná urážka, zneuctění # (*-ll-*) uveřejnit pomluvu, veřejně urazit
liberal ['libərəl] liberální; velkomyslný, velkorysý
liberat|e ['libəreit] osvobodit (*from* od) **–ion** [,libə'reišn] osvobození
liberty ['libəti] svoboda, volnost; svolení, povolení
librar|ian [lai'breəriən] knihovník **–y** ['laibrəri] knihovna
lice [lais] PL od *louse**
licen|ce ['laisəns] povolení, licence **driving ~** řidičský průkaz **–se** [-] udělit povolení **–sed** [-t] mající právo prodávat alkoholické nápoje
licentious [lai'senšəs] bezuzdný, nevázaný
lichen ['laikən] lišejník
lick [lik] lízat, olizovat # lízání, líznutí
lid [lid] víčko, poklička
lie[1] [lai] lež # (přib. tvar *lying*) lhát
lie*[2] [lai] (PT *lay* [lei]; PP *lain* [lein]) (přib. tvar *lying*) ležet; nacházet se, prostírat se
lieu [lju:] **in ~ of** místo čeho
lieutenant [le|f,tenənt; am. lu:-] brit. voj. nadporučík; námořní poručík
life* [laif] (PL *lives* [laivz]) život **~ assurance** ['-,əšuərəns] životní pojištění **~ belt** ['-belt] záchranný pás **–boat** ['-bəut] záchranný člun **–guard** ['-ga:d] plavčík **~ jacket** ['-,džækit] plovací vesta **–less** ['-lis] neživý, mrtvý **–like** ['-laik] jako živý, realistický **–long** ['-loŋ] celoživotní **~- size** [,-'saiz] životní velikost **–time** ['-taim] život; životnost, existence
lift [lift] zvednout (se) # (po)zvednutí; výtah; svezení (*give* sb. a ~* svézt koho)
light[1] [lait] světlo; osvětlení, světlo (*the ~ is on* je rozsvíceno; *come* to ~* vyjít na světlo); oheň zápalky; okénko, světlík # světlý # **~*** (PT a PP *lit* [lit]) osvětlit; rozsvítit, zapálit (se) **~ up** rozzářit (se); osvětlit; zjasnit **–house** ['-haus] maják **–ing** osvětlení
light[2] [lait] lehký **–en** ['laitn] ulehčit, odlehčit
lighter [laitə] zapalovač
lightning ['laitniŋ] blesk **~ conductor** [-kən,daktə] n. **~ rod** [-rod] hromosvod
lignite ['lignait] lignit
like[1] [laik] podobný # jako (*what is he ~?* jak vypadá?; *be** n. *look ~* být n. vypadat jako) **–lihood** ['-lihud] pravděpodobnost **–ly** [-li] pravděpodobný # pravděpodobně (*he is not ≈ to come* pravděpodobně nepřijde) **–ness** ['-linis] podoba, podobnost **–wise** ['-waiz] podobně
like[2] [laik] mít rád; líbit se **I would ~**, **I'd ~** rád bych, chtěl bych **–able** ['-əbl] sympatický
liking ['laikiŋ] záliba (*for* v), sympatie (k)
lilac ['lailək] šeřík
lily ['lili] lilie **~ of the valley** konvalinka
limb [lim] úd; hlavní větev stromu
lime[1] [laim] lípa

lime[2] [laim] vápno **–stone** ['-stəun] vápenec
limelight ['laimlait] střed veřejného zájmu, střed pozornosti
limit ['limit] hranice, mez # omezit, ohraničit **–ation** [-eišn] omezení, ohraničení; omezenost schopností, nedostatek **–ed company** [-id] společnost s ručením omezeným
limousine ['liməzi:n] limuzína
limp[1] [limp] kulhat i přen. # kulhání, kulhavost
limp[2] [limp] měkký
line [lain] čára, přímka; telefonní linka; šňůra, provaz; hranice; řada; řádek; dopravní trať, linka # (na)linkovat, lemovat, vroubit; podšít **~ up** seřadit (se); **hold the ~** zůstat na telefonu **in ~** ve shodě
linen ['linin] lněná tkanina; plátno; původně lněné prádlo ložní, stolní
liner ['lainə] zaoceánská loď
linger ['liŋgə] otálet, váhat, zdržovat se; setrvávat, trvat, pokračovat
lingerie ['lænžəri:] ženské spodní prádlo
linguist ['liŋgwist] polyglot; lingvista, jazykovědec **–ic** [-ik] lingvistický, jazykovědný **–ics** [liŋ'gwistiks] lingvistika, jazykověda
lining ['lainiŋ] podšívka
link [liŋk] článek řetězu; spojení, pojítko # spojit (se); připojit
lino(leum) [li'nəuljəm, lainəu] linoleum
lion ['laiən] lev
lip [lip] ret; okraj nádoby **–stick** rtěnka
liquefy ['likwifai] zkapalnit; kapalnět
liqueur [li'kjuə] likér
liquid ['likwid] tekutý, kapalný # tekutina, kapalina **–ate** [-eit] zaplatit dluh; zrušit zadlužený podnik; zlikvidovat zvl. zavraždit **–izer** [-aizə] mixér
liquor ['likə] lihovina
liquorice ['likəris] lékořice
lisp [lisp] šišlat
list [list] seznam # sestavit seznam, zapsat do seznamu
listen ['lisn] poslouchat, naslouchat (*to* čemu, komu), věnovat pozornost **–er** ['lisnə] posluchač
listless ['listlis] netečný
lit [lit] PT a PP od *light**
litera|cy ['litər|əsi] gramotnost **–l** [-əl] doslovný **–ry** [-əri] literární **–ture** ['litričə] literatura
litre ['li:tə] litr
litter ['litə] smetí, odpadky; vrh zvířat **~-bin** [-bin] nádoba na odpadky
little* ['litl] (COMP *less*; SUP *least*) malý # málo **a ~** trochu
live[1] [laiv] živý; nabitý; přímý přenos **–ly** ['laivli] živý, plný života
live[2] [liv] žít, prožít; bydlit (*with* u)
livelihood ['laivlihud] živobytí
liver ['livə] játra
lives [laivz] PL od *life**
livestock ['laivstok] dobytek
livid ['livid] barvy olova, černomodrý; zsinalý vzteky, rozzuřený
living ['liviŋ] živobytí; život, způsob života # žijící, živý
lizard ['lizəd] ještěrka
load [ləud] náklad, břímě; zatížení # naložit; zatížit
loaf*[1] [ləu|f] (PL *loaves* [ləuvz]) bochník
loaf[2] [ləu|f] potloukat se, flákat se
loan [ləun] půjčka # půjčit
loathe [ləuð] hnusit si
lobby ['lobi] vestibul, hala, foyer; polit. kuloár(y) # ovlivňovat poslance, politika
lobe [ləub] lalok, boltec
lobster ['lobstə] mořský rak, humr
local ['ləukl] místní # místní občan; místní hostinec
locat|e [ləu'kei|t] lokalizovat, určit místo čeho; umístit, situovat **–ion** [-šn] místo, umístění, poloha
loch [lok] skotsky jezero
lock[1] [lok] kadeř, chumáč
lock[2] [lok] zámek, uzávěr; zdymadlo # zamknout, zavřít **–er** ['lokə] skříňka na zámek **~-out** ['-aut] výluka zaměstnanců, vysazení z práce **–smith** zámečník
locket ['lokit] medailon

locust ['ləukəst] kobylka, saranče
lodg|e [lodž] domek pro vrátného, hlídače, zahradníka ap.; vrátnice # uložit, ubytovat; být v podnájmu **–er** [-ə] podnájemník **–ing** nocleh **–ings** [-iŋz] PL podnájem
loft [loft] půda; podkroví; seník **–y** ['-i] vznešený, ušlechtilý
log [log] kláda, špalek, poleno; deník **~-book** ['-buk] lodní deník
logic ['lodžik] logika **–al** [-l] logický
loiter ['loitə] loudat se, lelkovat, okounět
lollipop ['lolipop] lízátko
London ['landən] Londýn # londýnský **–er** [-ə] Londýňan
lone [ləun] osamělý, samotářský; jediný **–liness** [-inis] osamělost, osamocenost **–ly** ['-li] osamělý **–r** [-ə] samotář
long[1] [loŋ] dlouhý # dlouho **all day ~** (po) celý den **as ~ as** pokud **~-distance** ['-distəns] dálkový, meziměstský **~ jump** skok do dálky **~-playing record** dlouhohrající deska **~-sighted** [,-'saitid] dalekozraký **~-standing** ['-stændiŋ] dlouhotrvající, dlouholetý, trvalý **~-term** ['-tə:m] dlouhodobý
long[2] [loŋ] toužit (*for* po) **–ing** ['-iŋ] touha
longitude ['londžitju:d] zeměpisná délka
loo [lu:] ona místnost, záchod
look [luk] dívat se (*at* na); vypadat # pohled, vzhled **~ after** starat se, pečovat (o) **~ back** ohlédnout se i přen. **~ down** dívat se svrchu, shlí-žet **~ for** hledat **~ into** prozkoumat **~ forward to** těšit se na **~ over** prohlédnout **~-out** ['-aut] pozorova-telna; vyhlídka do budoucna **~ out** vy-hlížet; dávat pozor (*for* na) **~ up** vzhlédnout, vyhledat
loom[1] [lu:m] tkalcovský stav
loom[2] [lu:m] vynořit se jako přízrak; hrozit
loop [lu:p] smyčka **–hole** ['-həul] průhled, střílna; přen. zadní vrátka
loose [lu:s] uvolněný, volný **–n** ['lu:sn] uvolnit (se)
loot [lu:t] kořist, lup # plenit, drancovat
lopsided [,lop'saidid] nahnutý, na-kloněný, pokřivený
lord [lo:d] pán **L~** lord šlechtický titul
lorry ['lori] nákladní auto
lose* [lu:z] (PT a PP *lost* [lost]) ztratit, pozbýt; prohrát; propást, zmeškat **~ one's way** zabloudit
loss [los] ztráta; prohra **at a ~** v rozpacích
lost [lost] PT a PP od *lose** # ztracený; prohraný
lot [lot] los(ování); osud; položka při dražbě; místo, parcela, pozemek; skupina, hromada osob, věcí určitého druhu **the ~** to všechno, ti všichni **a ~ (of)** hodně, spousta čeho **draw* –s** [-s] losovat **–tery** ['-æri] loterie i přen.
lotion ['ləušn] pleťová voda
loud [laud] hlasitý; křiklavý, nápadný # hlasitě **–speaker** [,-'spi:kə] reproduktor
lounge [laundž] lenošit, postávat, polehávat # hala na letišti, v hotelu; obývací pokoj
lous|e* [laus] (PL *lice* [lais]) veš **–y** ['lauzi] zavšivený; mizerný, bídný
lout [laut] klacek, hulvát, nevychovanec
lov|e [lav] láska # milovat, mít rád **be* in ~ with** být zamilován do **fall* in ~ with** zamilovat se do **make* ~** milovat se **~-affair** ['lavə,feə] milostný vztah **–eable** ['lavəbl] rozto-milý, k pomilování **–ely** ['lavli] rozkošný, roztomilý, půvabný, krásný; báječný, úžasný **–er** [-ə] milenec, milenka; milovník **–ing** milující, láskyplný, zamilovaný
low[1] [ləu] bučet # bučení
low[2] [ləu] nízký; hluboký; sklíčený (*feel** ~ cítit se slabý; sklíčený, deprimovaný); sprostý # nízko **–land** ['ləulənd] nížina
lower ['ləuə] snížit (se) **~ os.** ponížit

se
loyal ['loiəl] věrný, oddaný **–ty** [-ti] věrnost, oddanost
lozenge ['lozindž] kosočtverec; zdravotní bonbón, pastilka
LP [,el'pi:] = *long-playing record*
Ltd. ['limitid] = *limited* (*company*)
lubrica|nt ['lu:brik|ənt] mazadlo **–te** [-eit] (pro)mazat
lucid ['lu:sid] jasný, přehledný
luck [lak] náhoda **bad** ~ smůla **good** ~ štěstí **–ily** ['lakili] naštěstí **–y** ['laki] šťastný **be*** **–y** mít štěstí
lucrative ['lu:krətiv] výnosný
ludicrous ['lu:dikrəs] směšný
lug [lag] vléci, táhnout
luggage ['lagidž] zavazadlo, zavazadla
lukewarm [,lu:k'wo:m] vlažný i přen.
lull [lal] utišit, ukonejšit také podvodem; hluk, bouřka ztichnout # období ticha n. klidu, přestávka v boji, konverzaci, bouřce **–aby** ['laləbai] ukolébavka
lumbago [lam'beigəu] bederní ústřel, houser
lumber-jacket ['lambə] zprav. kostkovaný teplý kabát zapínaný ke krku
luminous ['lu:minəs] jasný, svítivý, světélkující, zářivý; jasný, lehce srozumitelný
lump [lamp] kus, hrouda, žmolek, kostka cukru; boule **~ sugar** kostkový cukr
luna|cy ['lu:nəsi] šílenství **–tic** ['lu:nətik] šílenec, blázen # šílený, bláznivý; poblázněný, ztřeštěný
lunch [lanč] lehký oběd # obědvat **–time** [-taim] čas oběda
lung [laŋ] jedna plíce
lure [ljuə] vnadidlo, návnada, vábení, kouzlo # vábit, lákat
lurid ['ljuərid] planoucí, zářivý barva; senzační; hrozivý, strašný
lurk [lə:k] číhat
luscious ['lašəs] sladký a šťavnatý i přen.; přitažlivý, atraktivní, svůdný
lush [laš] o rostlinách bujný; luxusní; am. slang. ožrala
lust [last] touha, chtivost; sexuální žádostivost, chtíč
lustre ['lastə] lesk, třpyt
lute [lu:t] loutna
luxur|ious [lag'žuəriəs] luxusní, přepychový **–y** ['lakšəri] luxus
lynx [liŋks] rys zvíře
lyric ['lirik] lyrický; písňový, zpěvný, zpívaný **–al** [-l] lyrický; nadšený zvl. při chvále **–s** [-s] PL text, slova písně
lyrics ['liriks] text písně

M

M.A. = *Master of Arts* vysokoškolský titul
mac [mæk] = *mackintosh*
macaroni [,mækə'rəuni] makaróny
mace[1] [meis] muškátový květ
mace[2] [meis] palcát; žezlo
machine [mə'ši:n] stroj **~-gun** [-gan] kulomet **–ry** [-əri] stroje; soustrojí, mašinerie, aparát
mackerel ['mækrəl] makrela
mackintosh ['mækintoš] nepromokavý plášť, plášť do deště
mad [mæd] šílený; zblázněný, poblázněný # blázen (*about*, *on* do) **–ly** [-li] šíleně, bláznivě **–man*** ['-mən] (PL v. *man**) blázen **–ness** ['-nis] šílenství
madam* ['mædəm] (PL *ladies* [leidi:s]) dáma, paní
madden ['mædn] dohnat k šílenství, k zuřivosti
made [meid] PT a PP od *make**
~-to-measure šitý dělaný na míru
magazine [,mægə'zi:n] časopis; zásobník střelné zbraně; skladiště střeliva, zásob
maggot ['mægət] larva, červ
magic ['mædžik] magie; kouzlo # magický; skvělý, báječný **–al** [-l] magický, kouzelný **–ian** [mə'džišn] kouzelník, čaroděj
magistrate ['mædžistrit] smírčí soudce
magnesium [mæg'ni:ziəm] hořčík
magnet ['mægnit] magnet **–ic**

[mæg'netik] magnetický; přitažlivý **–ism** [-izəm] magnetismus
magnificent [mæg'nifisnt] velkolepý, nádherný
magnify ['mægnifai] zvětšovat (*–ing glass* [-iŋ] lupa); zveličovat
magnitude ['mægnitju:d] velikost, rozsah; význam, závažnost
magpie ['mægpai] straka
mahogany [mə'hogəni] mahagon
maid [meid] služebná
maiden ['meidn] děvče, neprovdaná mladá žena; panna # panenský, dívčí; první uskutečněný poprvé
mail [meil] pošta # poslat poštou **–box** ['-boks] veřejná poštovní schránka; schránka na dopisy na dveřích **~ order** objednávka a dodávka zboží poštou
maim [meim] zmrzačit, zohavit
main [mein] hlavní (*road* silnice) # PL hlavní vedení, přívod, potrubí vody, elektřiny, plynu **–land** ['-lənd] pevnina **–ly** [-li] hlavně, především, převážně **–frame** [-'freim] velký elektronický počítač
maint|ain [mein'tein] udržovat; podporovat **–enance** ['meintənəns] udržování, údržba; podpora
maize [meiz] kukuřice
majest|ic [mə'džestik] majestátní **–y** ['mædžəsti] majestát (*His M~* Jeho Veličenstvo)
major ['meidžə] větší, převážný, důležitější, významnější; velký, závažný; hlavní; hud. durový # major **–ity** [mə'džoriti] většina
make* [meik] (PT a PP *made* [meid]) (u)dělat **~ for** zamířit kam **~ out** pomoci si, poradit si; pochopit, porozumět; rozeznat, rozpoznat **~ up** (vy)tvořit, sestavit, vymyslet; nalíčit (se), namalovat (se) **~-believe** ['-bi,li:v] předstírání, hra **–r** tvůrce, výrobce; stvořitel **–shift** ['-šift] výpomoc z noze nouzový prostředek **~-up** sestavení, složení, skladba; charakter, povaha; líčidla; líčení, líčení obličeje
malaria [mə'leəriə] malárie
male [meil] mužský, samčí # muž, samec
malevolent [mə'levələnt] zlomyslný, zlý, škodolibý
malfunction [,mæl'faŋkšn] selhání, špatná funkce
malic|e ['mælis] zášť, zloba, nepřátelství **–ious** [mə'lišəs] zlomyslný; škodolibý, jízlivý
malign [mə'lain] pomlouvat, očerňovat, osočovat # škodlivý **–ant** [mə'lignənt] zhoubný
malinger [mə'liŋgə] simulovat nemoc
mallet ['mælit] dřevěná palička, páka
malnourished [,mæl'narišt] podvyživený
malnutrition [,mælnju:'trišn] podvýživa
malt [mo:lt] slad
maltreat [,mæl'tri:t] špatně zacházet, týrat
mammal ['mæməl] savec
mammoth ['mæməθ] mamut # mamutí, obrovský
man* [mæn] (PL *men* [men]) člověk, osoba; muž **–kind** [-'kaind] lidstvo **–slaughter** ['mæn,slo:tə] zabití ne vražda **–ly** ['mænii] mužný; mužský **~-made** ['-meid] umělý **–hood** ['mænhud] mužství; mužnost; muži, mužské obyvatelstvo **–power** ['mæn,pauə] pracovní síla
manag|e ['mænidž] řídit, vést; zvládnout, dokázat co **–ement** [-mənt] řízení, vedení, správa **–er** [-ə] ředitel **–ing director** generální ředitel
mandarin ['mændərin] mandarín; mandarínka ovoce
mandat|e ['mændeit] nařízení; mandát **–ory** [-əri] nařízený, povinný
mane [mein] hříva
manger ['meindžə] žlab, koryto
mango ['mæŋgəu] mango ovoce
manhandle ['mæn,hændl] hrubě zacházet (s), brutálně se chovat (k)
mania ['meiniə] med. mánie, zuřivost,

zběsilost; vášeň, mánie
manicure ['mæjni,kjuə] manikúra
manifest ['mænifest] očividný, zřejmý # jasně ukázat, prokázat, dát najevo, projevit **–ation** [-eišn] projev čeho; zjevení ducha
manifesto [,mæni'festəu] manifest, prohlášení
manifold ['mænifəuld] rozmanitý, mnohotvárný
manipulate [mə'nipjuleit] zacházet, manipulovat
manner ['mænə] způsob; chování, způsoby **–s** [-z] PL společenské způsoby, chování **–ism** [-rizəm] manýra v umění
manoeuvre [mə:nu:və] manévr, obratný postup # manévrovat; obratně řídit, vést
manor ['mænə] panství, velkostatek; panské sídlo
mansion ['mænšn] velký obytný dům, panské sídlo
mantelpiece ['mæntlpi:s] krbová římsa
manual ['mænjuəl] ruční # příručka, manuál
manufacture [,mænju'fækčə] výroba # vyrábět **–r** [-rə] výrobce
manure [mə'njuə] hnůj
manuscript ['mænjuskript] rukopis
many* ['meni] (COMP *more* [mo:], SUP *most* [məust]) mnoho, mnozí **how** ~ kolik
map [mæp] mapa, plán
maple ['meipl] javor
mar [ma:] (*-rr-*) (z)kazit, (pře)kazit, (z)mařit
Marathon n. **marathon** ['mærəθn] maratón i přen. # maratónský i přen.
marble ['ma:bl] mramor; kulička na hraní
March[1] [ma:č] březen
march[2] [ma:č] kráčet, pochodovat # pochod
mare [meə] klisna, kobyla
margarine [,ma:džə'ri:n] margarín
margin ['ma:džiŋ] okraj, mezera
marine [mə'ri:n] mořský; námořní # příslušník námořní pěchoty
marionette [,mæriə'net] loutka, marioneta
marital ['mæritl] manželský
maritime ['mæritaim] námořní; přímořský
marjoram ['ma:džərəm] majoránka
mark[1] [ma:k] marka peněžní
mark[2] [ma:k] známka; značka; stopa, skvrna # označit; poznamenat (si); zanechat stopy, skvrny ap.; (o)známkovat **–ed** [-t] výrazný, zřetelný, nápadný
market ['ma:kit] trh
marksman* ['ma:ksmən] (PL v. *man**) střelec
marmalade ['ma:məleid] pomerančová marmeláda
maroon[1] [mə'ru:n] třaskavá signální raketa
maroon[2] [mə'ru:n] vysadit na pustý břeh
marriage ['mæridž] manželství; sňatek
married ['mærid] ženatý, vdaná **get*** ~ oženit se, vdát se
marrow ['mærəu] morek, dřeň; dýně, tykev, turek
marry ['mæri] oženit (se s kým), vdát (se za koho)
marsh [ma:š] mokřina, bažina, močál **–y** ['-i] bažinatý, močálovitý; bahenní
marshal ['ma:šl] maršál; am. federálním soudcem jmenovaný šerif; am. velitel policie; am. velitel požárního sboru # seřadit, uspořádat voj. jednotku, skupinu lidí, myšlenky; slavnostně uvést (*into* kam)
martial ['ma:šl] vojenský, válečný ~ **law** stanné právo
martyr ['ma:tə] mučedník # (*-rr-*) (u)mučit
marvel ['ma:vl] div, zázrak # (*-ll-*) divit se, žasnout (*at* nad) **–lous** ['ma:vələs] podivuhodný, úžasný, nádherný; zázračný
Marxis|m ['ma:ksizəm] marxismus **–t** ['ma:ksist] marxistický
marzipan [,ma:zi'pæn] marcipán
mascara [mæ'ska:rə] maskara, řase-

nka
masculine ['ms:skjulin] mužský; jaz. mužského rodu # jaz. mužský rod
mash [mæš] kaše (*–ed potatoes* [-t] bramborová kaše); směsice, míchanina, všehochuť
mask [ma:sk] maska # maskovat (se)
mason ['meisn] kameník, zedník stavějící z kamene **M~** svobodný zednář **–ry** [-ri] zdivo
masquerade [,mæskə'reid] maškarní ples; maškaráda i přen.
mass [mæs] mše # hmota; masa, spousta; hmotnost # nahromadit (se); voj. soustředit **~ media** masové sdělovací prostředky **~ production** hromadná výroba
massacre ['mæsəkə] masakr, vraždění
massage ['mæsa:ž] masáž # masírovat
massive ['mæsiv] masivní, velký a těžký
mast [ma:st] stožár, stěžeň
master ['ma:stə] pán; mistr řemesla, umění; učitel # ovládnout porobit si; zvládnout, osvojit si **–ful** [-ful] suverénní, energický, rozkazovačný **~-key** ['ma:stəki:] univerzální klíč **–ly** [-li] mistrovský **–piece** [-pi:s] mistrovské dílo, mistrovský kus **–y** brilance, mistrovské ovládání (*of* čeho); ovládnutí, převaha (*over* nad)
mat [mæt] rohož(ka); podložka pod nádobí, pod talíř
match[1] [mæč] zápalka
match[2] [mæč] srovnatelný protějšek něco, co se hodí k něčemu jinému do páru; zápas, utkání # vyrovnat se komu, čemu; porovnat, změřit; odpovídat, hodit se, jít (k čemu)
mate [meit] kamarád, kolega; druh, družka, partner, partnerka, jeden z páru; námořní důstojník # pářit se
material [mə'tiəriəl] materiální, hmotný; tělesný, osobní # hmota, látka, materiál; látka na šaty **–ism** [-izəm] materialismus **–ist** materialista **–istic** [mə'tiəriə'listik] materialistický
matern|al [mə'tə:n|l] mateřský **–ity** [-iti] mateřství **≈ hospital** n. **home** porodnice
math [mæ:θ] = *mathematics*
mathematic|s [,mæθə'mætik|s] matematika **–al** [-l] matematický
matinée ['mætinei] odpolední představení
matrimon|y ['mætriməni] manželský stav, manželský svazek **–ial** [,mætri'məunjəl] manželský týkající se manželství
matron ['meitrən] vrchní sestra; hospodářka ve škole; matróna
matter ['mætə] záležitost, otázka; podstata, základ; námět, téma # mít závažnost, mít význam (*it doesn't ~* na tom nezáleží, to nevadí) **what's the ~** co se děje? **as a ~ of fact** vlastně, ve skutečnosti
mattress ['mætris] žíněnka, matrace
matur|e [mə'tjuə] zralý, dospělý # uzrát, dospět **–ity** [mə'tjuəriti] zralost, dospělost
maxim|um* ['mæksim|əm] (PL *–a* [-ə]) maximum # maximální
May [mei] máj, květen **~ Day** 1.máj
may* [mei] (PT *might* [mait]) v. kap. Gramatika; moci, smět # vyjadřuje možnost nebo pravděpodobnost možná, snad, asi (*it ~ be* true* snad je to pravda; *he may* come* možná, že přijde) **–be** ['meibi:] možná, snad
mayday ['meidei] SOS signál o pomoc na plavidlech a letadlech
mayonnaise [,meiə'neiz] majonéza
mayor [meə] starosta
maze [meiz] bludiště
me [mi:] mne, mě, mně, mnou
meadow ['medəu] louka
meagre ['mi:gə] hubený, nuzný
meal [mi:l] jídlo jedno z denních jídel
mean[1] [mi:n] mat. průměr, střední hodnota; střed mezi dvěma krajnostmi, střední cesta
mean[2] [mi:n] lakomý, skoupý; drzý,

sprostý, ošklivý (*to* na, k); podlý, ničemný, nízký
mean*[3] [mi:n] (PT a PP *–t* [ment]) znamenat, mít význam; zamýšlet; mínit, mít na mysli (*I ~ it!* Myslím to vážně!) **–s*** [-z] (PL ~) prostředky; finanční prostředky, majetek **by all ≈** rozhodně, zajisté, určitě **by no ≈** v žádném případě
meaning ['mi:niŋ] význam, smysl **–ful** [-ful] mající význam, smysl; významný **–less** [-lis] nesmyslný
meant [ment] PT a PP od *mean**
meantime [,mi:n'taim], **meanwhile** [,mi:n'wail] (**in the ~**) mezitím, zatím
measles ['mi:zlz] spalničky, osypka
measure ['mežə] míra; měřidlo, měřítko; opatření # měřit; brát míru **–ment** [-mənt] měření; soustava měr **–s** [-z] PL rozměry, velikost
meat [mi:t] maso
mechan|ic [mi'kænik] mechanik –ic**al** [-l] mechanický **–ics** mechanika **–ism** ['mekənizəm] mechanismus
medal ['medl] medaile
meddle ['medl] plést se, zasahovat (*in* do); hrabat se (*with* v)
media ['mediə] **the ~** masové sdělovací prostředky
mediat|e ['mi:dieit] zprostředkovat; vyjednat, sjednat; smířit, urovnat **–ion** [,mi:di'eišn] zprostředkování, prostřednictví **–or** [-ə] prostředník, zprostředkovatel
medical ['medikl] lékařský
medicine ['medsin] lékařství, medicína; lék
medieval [,medi'i:vl] středověký
mediocre [,mi:di'əukə] prostřední, průměrný, obyčejný
meditate ['mediteit] přemýšlet, rozjímat
Mediterranean [,meditə'reinjən] středozemní **the ~ Sea** Středozemní moře
medi|um ['mi:diəm] střední, průměrný # ~* (PL *–a* [-a]) prostředek # ~* (PL *–us* [-əz]) střed, střední cesta, kompromis; médium, přenašeč
medley ['medli] směs, směsice melodií, ras
meek [mi:k] mírný, poddajný
meet* [mi:t] (PT a PP *met* [met]) potkat; sejít se (s); setkat se, seznámit se; uhradit, zaplatit (*a debt* dluh) **–ing** setkání; schůze, shromáždění; jednání
mega [megə] mega- **–byte** [-bait] megabyte **–ton** [-tan] megatuna
melanchol|ic [,melən'kolik] melancholický **–y** ['melənkəli] melancholie
mellow ['meləu] ovoce zralý, vyzrálý; zvuk, barva lahodný, jemný, něžný; věk, charakter zralý, vyrovnaný
melod|y ['melədi] melodie **–ious** [mi'ləudjəs] melodický
melon ['melən] meloun
melt [melt] tát; rozpustit (se); rozplynout se, (z)mizet **–ing point** bod tání
member ['membə] člen **–ship** [-šip] členství
membrane ['membrein] blána, membrána
memo ['meməu] poznámka, záznam; zápis z jednání
memorable ['memərəbl] pamětihodný
memorial [mi'mo:riəl] památník, pomník; památka (*of* čeho), vzpomínka
memor|y ['meməri] paměť **in ~ of** na paměť, k uctění památky **–ize** ['memərajz] naučit se zpaměti
men [men] PL od *man**
menace ['menəs] hrozit, vyhrožovat
mend [mend] spravit, opravit; zahojit se, zotavit se # oprava, správka
menial ['mi:njəl] podřadný, nekvalifikovaný, špinavý
meningitis [,menin'džaitis] zánět mozkových blan
menopause ['menəupo:z] přechod, menopauza
menstruation [,menstru'eišn] menstruace
mental ['mentl] duševní
mention ['menšn] zmínka # zmínit

(se)
menu ['menju:] menu; jídelní lístek
merchandise ['mə:čəndaiz] zboží
merchant ['mə:čənt] obchodník **~ship** [-šip] obchodní loď
merc|y ['mə:si] milosrdenství, soucit, slitování; úleva **–iful** milosrdný **–iless** [-lis] nemilosrdný
mercury ['mə:kjuri] rtuť
mere [miə] pouhý **–ly** [-li] jenom, pouze
merge [mə:dž] ponořit (se), splynout
meridian [mə'ridiən] poledník; zenit, kulminační bod i přen.
meringue [mə'ræŋ] kuch. sníh z bílků
merit ['merit] zásluha; výhoda # zasloužit si
mermaid ['mə:meid] mořská panna
merry ['meri] veselý **~-go-round** [-'gəu,raund] kolotoč
mesh [meš] síť; síťoví, pletivo; oko sítě
mesmerize ['mezməraiz] hypnotizovat, fascinovat přen.
mess [mes] nepořádek **–y** ['-i] nepořádný; neurovnaný, zaneřáděný; zmatený, chaotický; špinavý, nepříjemný práce ap.
message ['mesidž] zpráva, vzkaz; poslání, poselství
messenger ['mesiŋdžə] posel
met [met] PT a PP od *meet**
metal ['metl] kov **–lic** [mi'tælik] kovový **–lurgical** [-lədžikl] metalurgický, hutnický **–lurgy** [me'telədži] hutnictví
metaphor ['metəfə] metafora
meteor ['mi:tiə] meteor
meteorolog|y [,mi:tjə'rolədž] meteorologie **–ical** [,mi:tjərə'lodžikl] meteorologický
meter ['mi:tə] měřidlo, počitadlo
method ['meθəd] metoda, způsob **–ical** [mi'θodikl] metodický
methylated spirit ['meθileitid] metylalkohol
metr|e ['mi:tə] metr **–ic** ['metrik] metrický
metropolis [mi'tropəlis] metropole
miaow [mi:'au] mňoukání # mňoukat
mice [mais] PL od *mouse**
microbe ['maikrəub] mikrob
micro ['maikrə] mikro- **–chip** [-čip] mikročip **–cosm** [-kozəm] mikrokosmos **–computer** [-kəmpju:tə] mikropočítač **–film** [-film] mikrofilm **–phone** [-fəun] mikrofon **–scope** [-skəup] mikroskop **–processor** [-prəusesə] mikroprocesor **–wave** [-weiw] mikrovlnná trouba
mid [mid] (pro)střední; uprostřed čeho **–day** ['-dei] poledne **–night** ['-nait] půlnoc **–summer** ['-,samə] letní slunovrat, dny kolem letního slunovratu **–way** [,-'wei] uprostřed cesty, v polovině **–week** [,-'wi:k] střed týdne **–winter** [,-'wintə] zimní slunovrat, dny kolem zimního slunovratu
mid|dle ['midl] prostřední # střed, prostředek, polovina **the M~ Ages** středověk **in the ~ of** uprostřed čeho **~-aged** [,-'eidžd] středního vě-ku **~class** [,-'kla:s] střední třída **–dleman*** [-mæn] (PL v. *man**) prostředník; překupník **~ name** druhé křestní jméno **in the –st of** [midst] uprostřed, mezi
midge [midž] pakomár, muška
midget ['midžit] skrček, zakrslík, trpaslík
midwife* ['midwaif] (PL v. *wife**) porodní asistentka
might[1] [mait] moc, síla **–y** ['-i] mocný, silný
might[2] [mait] PT od *may**
migraine ['mi:grein] migréna
migrate [mai'greit] stěhovat se
mike [maik] mikrofon
mild [maild] mírný; jemný **–ly** mírně, jemně
mildew ['mildju:] plíseň
mile [mail] míle = 1609 m **–age** ['mailidž] počet ujetých mil; náhrada cestovného podle počtu ujetých mil **–stone** ['-stəun] milník i přen.
milit|ant ['milit|ənt] bojovný **–arism** [-ərizəm] militarismus **–arist** [-ərist] militaristický # militarista **–ary** [-əri]

vojenský (≈ *service* vojenská služba; *the* ≈ ozbrojené síly, vojsko, armáda) **–ia** [mi'lišə] milice
milk [milk] mléko # dojit **~-shake** ['-šeik] mléčný koktejl **–man*** ['-mən] (PL v. *man**) mlékař **–y** ['-i] mléčný z mléka n. připomínající mléko; mléčně zakalený; **Milky Way** ['milki] Mléčná dráha
mill [mil] mlýn(ek) **–er** ['milə] mlynář **–stone** ['-stəun] mlýnský kámen
millennium [mi'leniəm] tisíciletí
millet ['milit] proso
milli ['mili] mili- **–metre** [-,mi:tə] milimetr
milliner ['milinə] výrobce dámských klobouků, modistka **–y** [-ri] kloboučnické zboží pro ženy
milliard ['milja:d] brit. miliarda
million ['miljən] milión **–aire** [,miljə'neə] milionář
mime [maim] pantomima # hrát pantomimu
mimic ['mimik] imitátor, parodista # imitovaný, předstíraný, hraný # napodobit, imitovat
mince [mins] (roz)sekat, (roz)krájet na drobno, pomlít; afektovaně jít, cupitat **–meat** ['minsmi:t] sladká směs používaná jako náplň do pečiva; mleté maso
mind [maind] mysl, myšlení, inteligence, rozum; duch, vědomí; hlava, mozek osoba; paměť # starat se, dávat pozor, hlídat; mít námitky; dát pozor, hledět si, všímat si čeho, dbát (na) **bear* in ~** mít na mysli, paměti; pamatovat (na) **make* up one's ~** rozhodnout se **change one's ~** rozmyslet se, změnit názor **never ~** nevadí **would you ~** nebude vám vadit **–ful** dbalý, pamětlivý (*of* čeho)
mine[1] [main] můj
mine[2] [main] důl; mina # dobývat, těžit **–r** [-ə] horník
mineral ['minərəl] nerost **~ water** minerální voda, minerálka
mingle ['mingl] (s)mísit (se)
miniature ['minjəčə] miniatura
minibus ['minibas] mikrobus
minim|um* ['minim|əm] (PL *–a* [-ə]) minimum # minimální
mining ['mainiŋ] dobývání, těžba # hornický; důlní
minister ['ministə] ministr; duchovní, kněz; vyslanec **–ial** [,mini'stiəriəl] ministerský
ministry ['ministry] ministerstvo **the ~** duchovenstvo
mink [miŋk] norek
minor ['mainə] menší, méně důležitý, méně významný, druhořadý; mladší; hud. mollový # nezletilec
minority [mai'noriti] menšina; nezletilost
mint[1] [mint] mincovna; velká částka, jmění, majlant # razit mince
mint[2] [mint] máta
minus ['mainəs] méně, minus # záporné znaménko
minute[1] [mai'nju:t] drobný, nepatrný; přesný, podrobný
minute[2] ['minit] minuta; okamžik **–s** [-s] PL zápis, protokol
mirac|le ['mirəkl] zázrak **–ulous** [mi'rækjuləs] zázračný
mirage ['mira:ž] fata morgana, přelud
mirror ['mirə] zrcadlo # zrcadlit se, odrážet se
mirth [mə:θ] veselí, veselost
misadventure [,misəd'venčə] nehoda, nešťastná náhoda; justiční vražda
misbehave [,misbi'heiv] špatně se chovat; neslušně se chovat, tropit výtržnosti
miscalculate [,mis'kælkjuleit] špatně spočítat, přepočítat se
miscarr|iage [,mis'kær|idž] samovolný potrat **–y** [-i] potratit; o plánech nezdařit se, neuspět; o zboží, poštovních zásilkách nebýt doručen, ztratit se
miscellaneous [,misi'leinjəs] rozmanitý, různý, různorodý
mischie|f ['misčif] škoda, spoušť; neplecha, darebnost, rošťáctví **–vous** ['misčivəs] uličnický; škodlivý, zlý, hanebný
misconception [,miskən'sepšn] špa-

tný názor, mylná představa
misconduct [,mis'kondakt] nesprávné chování; cizoložství; nesprávné profesionálnípočínání
misconstrue [,miskən'stru:] špatně si vyložit, nepochopit
misdemeanour [,misdi'mi:nə] přečin, poklesek, přehmat
miser [maizə] lakomec **–able** ['mizərəbl] bídný, ubohý, nešťastný, zbědovaný, mizerný **–y** ['mizəri] bída, utrpení, trápení
misfire [,mis'faiə] střelná zbraň selhat; motor vynechávat
misfortune [mis'fo:ču:n] neštěstí, smůla
misgivings [mis'giviŋz] obavy, pochybnosti
misguided [,mis'gaidid] zavádějící; chybný
mishap ['mishæp] nehoda
misinform [,misin'fo:m] nesprávně informovat
misinterpret [,misin'tə:prit] nesprávně interpretovat, mylně vykládat; špatně rozumět čemu
misjudge [,mis'džadž] nesprávně posuzovat, mylně hodnotit; špatně odhadnout, zmýlit se v úsudku
mislaid [,mis'leid] PT a PP od *mislay**
mislay* [,mis'lei] (PT a PP v. *lay**) založit někam
mislead* [,mis'li:d] (PT a PP v. *lead**) oklamat, uvést v omyl; svést na nesprávnou cestu i přen.
misled [,mis'led] PT a PP od *mislead**
mismanage [,mis'mænidž] špatně vést, řídit, zařídit
misplace [,mis'pleis] dát na nesprávné místo, založit; věnovat např. důvěru nehodnému
misprint ['misprint] tisková chyba
miss [mis] zmeškat; minout; postrádat, pociťovat stesk, (po)chybovat, vynechat, chybět **–ing** chybějící, nepřítomný, pohřešovaný
Miss [mis] titul u jména slečna
misshapen [,mis'šeipən] znetvořený, deformovaný
missile ['misail] střela; raketa
mission ['mišn] mise, poselství; poslání, úkol misie **–ary** ['mišnəri] misionář
misspend* [,mis'spend] (PT a PP v. *spend**) promarnit
misspent [,mis'spent] PT a PP od *misspend**
mist [mist] mlha **–y** ['-i] mlhavý, zamlžený
mistake [mi'steik] chyba; omyl # **~*** (PT *mistook* [mi'stuk], PP *mistaken* [mi'steikən]) nesprávně pochopit, špatně porozumět; omylem pokládat (*to* za), splést si koho, co **by ~** omylem **–n** [-ən] mylný, chybný, nesprávný **be* –n** mýlit se
mistletoe ['misltəu] jmelí
mistress ['mistris] milenka; paní; učitelka
mistrust [,mis'trast] nedůvěra # nedůvěřovat
misunderstand* [,misandə'stænd] neporozumět, nepochopit **–ing** nepochopení, neporozumění; nedorozumění
misuse [,mis'ju:z] zneužít; nesprávně (po)užít
mittens ['mitnz] PL palčáky
mix [miks] (s)míchat (se); stýkat se (*with* s) **~ up** promíchat; zmást; zaplést, zatáhnout (*in* do) **–ed** [-t] míchaný; smíšený **–er** [-ə] mixér; střihač ve filmu, televizi, rozhlase; **good, bad –er** společenský, nespolečenský člověk **–ture** ['miksčə] (s)míchání; směs(ice)
moan [məun] sténání # sténat, kvílet, naříkat
moat [məut] hradní příkop
mob [mob] neklidný dav, luza, chátra; lidové masy
mobile ['məubail] pohyblivý
mobiliz|e [,məubilai'z] mobilizovat **–ation** ['-eišn] mobilizace
mock [mok] posmívat se, tropit si žerty (*at* z) # nepravý, falešný **–ery**

['-əri] výsměch, posměch
mode [məud] způsob; móda
model ['modl] model; vzor; model, modelka # (-*ll*-) (vy)modelovat, vytvořit; dělat model(ku), stát modelem
modem ['məudəm] poč. modem zařízení pro modulaci a demodulaci signálu
moderate ['modərit] mírný, umírněný # ['modəreit] (z)mírnit (se)
modern ['modən] moderní **–ize** [-naiz] modernizovat **–ization** [,-nai'zeišn] modernizace
modest ['modist] skromný; umírněný, zdrženlivý **–y** skromnost; umírněnost, zdrženlivost
modicum ['modikəm] malé množství, maličko, troška
modif|y ['modifai] upravit, pozměnit **–ication** [,modifi'keišn] úprava, pozměnění
module ['modju:l] modul
moist [moist] vlhký **–en** ['moisn] navlhčit, navlhnout, zvlhnout **–ure** ['moisčə] vlhkost **–urizer** ['moisčəraizə] hydratační krém
molar ['məulə] stolička zub
mole[1] [məul] mateřské znaménko
mole[2] [məul] krtek
molecul|ar [məu'lekjulə] chem. molekulární **–e** ['molikju:l] molekula
molest [məu'lest] obtěžovat
mollusc ['moləsk] měkkýš
molten ['məultən] roztavený, tekutý; rozžhavený
moment ['məumənt] okamžik, moment; vhodný okamžik, vhodná chvíle **at the** ~ teď, právě **–ary** [-əri] krátký, letmý
monarch ['monək] samovládce; monarcha, vládce **–y** ['-i] monarchie
monastery ['monəstəri] klášter
Monday ['mandi] pondělí
monetary ['manitəri] peněžní, měnový
money ['mani] peníze **~-order** [-,o:də] peněžní poukázka
mongrel ['maŋgrəl] pes smíšené rasy, voříšek; zvíře n. rostlina míšenec, kříženec, bastard, hybrid
monitor ['monitə] monitor # monitorovat; odposlouchávat
monk [maŋk] mnich
monkey ['maŋki] opice **~-nut** [-nat] burský oříšek **~-wrench** [-renš] francouzský klíč
mono|logue ['monəlog] samomluva, monolog **–poly** [mə'nopəli] monopol **–tonous** [mə'notnəs] jednotvárný, monotónní **–tony** [mə'notni] jednotvárnost, monotónnost
monsoon [,mon'su:n] monzun
monst|er ['monstə] zrůda; netvor, nestvůra, příšera **–rous** ['monstrəs] mostrózní, gigantický, obrovitý; obludný, nestvůrný, příšerný, ohavný
month [manθ] kalendářní měsíc **–ly** měsíčník # měsíční # měsíčně
monument ['monjumənt] památník, pomník, stavitelská památka **–al** [,monju'mentl] památný; monumentální, mohutný
moo [mu:] bučení # bučet
mood [mu:d] nálada **to be* in the ~ for** být naladěn na, mít náladu na **–y** ['-i] náladový
moon [mu:n] měsíc **–light** ['-lait] měsíční světlo **–shine** [-šain] měsíční svit
moor [muə] vřesoviště
mop [mop] hadrový smeták # (*-pp-*) (vy)(u)se|třít
mope [məup] být sklíčený, apatický, trpět depresí
moped ['məuped] moped
moral ['morəl] mravní, morální; mravný # mravní naučení **–s** [-z] PL mravy, morálka **–e** [mo'ra:l] morálka, uvědomění **–ity** [mə'ræliti] morálka souhrn hlavních zásad; morálnost, mravnost; mravní zásady
morass [mə'ræs] močál, bažina, bahno i přen.
Moravia [mə'reivjə] Morava **–n** [-n] moravský
morbid ['mo:bid] chorobný; morbidní
more [mo:] COMP od *many*, much**

víc(e); ještě ~ **or less** víceméně, přibližně **once** ~ ještě jednou **two** ~ ještě dva **–over** [mo:'rəuvə] navíc, kromě toho
morning ['mo:niŋ] ráno, jitro, dopoledne
moron ['mo:ron] debil, imbecil; pitomec, trouba
morose [mə'rəus] zasmušilý, nevrlý, nespolečenský, nerudný
Morse code [mo:s] Morseova abeceda, morseovka
morsel ['mo:sl] sousto
mortal ['mo:tl] smrtelný # smrtelník **–ity** [mo:'tæliti] smrtelnost; úmrtnost
mortar ['mo:tə] malta; minomet
mortgage ['mo:gidž] hypotéka # zatížit hypotéku, vypůjčit si na hypotéku, zastavit
mortuary ['mo:čuəri] márnice
mosaic [məu'zeiik] mozaika
Moslem ['mozləm] = *Muslim*
mosque [mosk] mešita
mosquito [məs'ki:təu] komár
moss [mos] mech
most [məust] SUP od *many**, *much** největší # nejvíce **the** ~ přídavné jméno 3. stupeň přídavného jména # většina **at** ~ nanejvýše **–ly** [-li] většinou, hlavně, nejvíce
moth [moθ] mol
mother ['maðə] matka ~ **tongue** mateřština **–hood** [-hud] mateřství ~**-in-law** ['maðərinlo:] tchyně **–ly** mateřský mateřsky laskavý ~**-to-be** [-rtube:] nastávající matka
motion ['məušn] pohyb; návrh na shromáždění, schůzi **–less** [-lis] nehybný
motivated ['məutiveitid] motivovaný
motiv|e ['məutiv] pohnutka, motiv **–ate** [-eit] dát popud, podnítit; motivovat koho
motor ['məutə] motor **–bike** [-baik] motocykl **–boat** [-bəut] motorový člun **–car** [-ka:] automobil **–cycle** ['-,saikl] motocykl **–ist** [-rist] motorista, řidič motorového vozidla **–less** [-lis] bezmotorový **–way** [-wei] dálnice
mould[1] [məuld] forma, tvar # dát tvar, (z)formovat
mould[2] [məuld] zemina, prsť, humus
mould[3] [məuld] plíseň, plesnivina **–er** ['-ə] trouchnivět, práchnivět, rozpadávat se
mound [maund] hromada, kupa; kopec, vyvýšenina, pahorek
mount [maunt] hora zvl. v názvech # stoupat, vystoupit; vsednout, vysadit na koně
mountain ['mauntin] hora; hromada čeho **–eer** [,maunti'niə] horal; horolezec **–ous** [-əs] hornatý **–side** [-said] horské úbočí, svah
mourn [mo:n] truchlit (*for* pro) **–ing** smutek; smuteční šaty
mouse* [maus] (PL *mice* [mais]) myš(ka)
mousse [mu:s] šlehaná pěna kuch.
moustache [mə'sta:š] knír, knírek
mouth [mauθ] ústa; ústí řeky **–ful** ['-ful] sousto ~**-organ** ['-,o:gən] foukací harmonika
movable ['mu:vəbl] pohyblivý
mov|e [mu:v] pohyb, hnutí; stěhování # hýbat (se), pohybovat (se); stěhovat (se) ~ **house** přestěhovat se ~ **about** pohybovat se, chodit sem a tam, obcházet ~ **away** odejít, odstěhovat se ~ **in** nastěhovat se ~ **out** vystěhovat se **–ement** [-mənt] pohyb; činnost, aktivita **–ing** pohyblivý; dojemný, dojímavý
movie ['mu:vi] am. film **the** ~**-s** [-z] kino
mow* [məu] (*PT –ed*; PP *–ed* n. *–n* [-n]) žnout, kosit, sekat trávu **–er** [-ə] sekáč, žnec; sekačka, žací stroj **–n** [-n] PP od *mow**
M.P. [,em'pi:] = *Member of Parliament* člen britského parlamentu
Mr., Mrs. ['mistə, 'misiz] = *Mister*, *Mistress* pán, paní
Ms. [miz, məz] = *miss* n. *mistress* paní n. slečna
much* [mač] (COMP *more* [mo:], SUP

most [məust]) mnoho, hodně; velmi moc (*very* ~ velmi) **as ~ as** stejně jako
muck [mak] hnůj; špína, neřád, svinstvo
mucus ['mju:kəs] sliz; sopel
mud [mad] bláto **–guard** ['-ga:d] blatník **–dy** ['madi] blátivý, zablácený; kalný, zakalený
muddle ['madl] zmatek # splést, poplést něco, někoho
muffin ['mafin] vdoleček teplý, obv. máslem pomazaný koláček
muffle ['mafl] (u)tlumit; dobře zabalit, zachumlat
mug [mag] džbánek, hrneček
muggy ['magi] počasí, den vlhký a teplý, dusný
mulberry ['malbəri] moruše
mule [mju:l] mul, mezek
multipl|e ['maltipl] hromadný, několikanásobný # násobek **–ication** [,maltipli'keišn] násobení **–y** [-ai] násobit
multitude ['maltitju:d] velké množství, spousta koho, čeho; zástup, dav, masy
mumble ['mambl] (za)mumlat
mummy ['mami] máma; mumie
mumps [mamps] příušnice
mundane [,man'dein] obyčejný, nezajímavý
municipal [mju:'nisipl] městský, obecní
mural ['mjuərəl] nástěnná malba
murder ['mə:də] vražda # zavraždit **–er** [-rə] vrah **–ous** [-rəs] vražedný
murmur ['mə:mə] bzukot, bublání, šum; mumlání, šepot # bzučet, šumět, bublat; mumlat, šeptat; reptat
muscle ['masl] sval
muscular ['maskjulə] sval|ový(natý)
museum [mju:'ziəm] muzeum
mushroom ['mašrum] houba, zvl. žampión
music ['mju:zik] hudba; noty **–al** [-l] hudební **~-hall** [-ho:l] kabaret, varieté **–ian** [mju:'zišn] hudebník
musk-rat ['maskræt] ondatra
Muslim ['muslim] muslim # muslimský
mussel ['masl] jedlá škeble
must* [mast] v. kap. Gramatika; muset
mustard ['mastəd] hořčice
mute [mju:t] němý
mutiny ['mju:tini] vzpoura, vzbouření # vzbouřit se
mutter ['matə] mumlat; reptat (*about, at* na, proti)
mutton ['matn] skopové maso
mutual ['mju:čuəl] vzájemný
muzzle ['mazl] čenich; náhubek; ústí střelné zbraně
my [mai] můj **–self** [-'self] se, sebe, si, sobě; já, mne, mně, mě; sám zdůrazňovací já sám, osobně
myster|ious [mi'stiəriəs] tajemný, záhadný **–y** ['mistəri] záhada, tajemství
mysti|fy ['mistifai] mystifikovat, zmást **–que** [mi'sti:k] záhada
myth [miθ] mýtus, báje

N

nab [næb] sebrat zatknout
nacre ['neikə] perleť
nag [næg] (*-gg-*) otravovat, rý(pa)t (*at* do)
nail [neil] hřebík; nehet # přibít; chytit, nachytat **~ down** přibít **–brush** ['-braš] kartáček na nehty **~-file** ['-fail] pilníček na nehty **~ polish** ['-poliš] lak na nehty **~-scissors** ['-,sizəs] nůžky na nehty **~ varnish** ['-,va:niš] lak na nehty
naive [na:'i:v] naivní
naked ['neikid] nahý; holý
name [neim] jméno # pojmenovat (*after, for* po) jmenovat, uvést jménem **–ly** [-li] totiž
nanny ['næni] chůva
nap [næp] zdřímnutí # (*-pp-*) zdřímnout si **catch* sb. –ping** [-iŋ] nachytat koho nepřipraveného, nedávajícího pozor
nape [neip] týl, šíje

napkin ['næpkin] ubrousek
nappy ['næpi] plena
narco|sis [na:'kəusis] narkóza **–tic** [na:'kotik] narkotikum # narkotický **–tize** [na:'kəutais] narkotizovat
narrat|ion [nə'reišn] vyprávění; vypravování **–ive** ['nærətiv] příběh, vyprávění # vyprávěcí, vyprávěčský
narrow ['nærəu] úzký; omezený **have* a ~ escape** uniknout o vlásek # zúžit (se) **~-minded** [,-'maindid] úzkoprsý; omezený
nasty ['na:sti] šeredný, ošklivý; protivný
nation ['neišn] národ; národnost; lid, stát **–al** ['næšənl] národní, státní # státní příslušník **–alism** ['næšnəlizəm] vlastenectví; nacionalismus **–ality** [,næšə'næliti] národnost; národ **–alize** ['næšnəlaiz] znárodnit **–alization** [,næšnəlai'zeišn] znárodnění **~-wide** [-waid] celonárodní
native ['neitiv] domorodec; rodák # rodný; rodilý; vrozený; domorodý **a ~ of England** rozený původem Angličan **~ language** rodný jazyk **~ speaker** rodilý mluvčí
NATO ['neitəu] = *North Atlantic Treaty Organization* NATO
natural ['næčrəl] přirozený; přírodní **–ize** [-aiz] udělit občanství; zdomácnět
nature ['neičə] příroda (*by* ~ od přírody)
naughty ['no:ti] nezbedný; neslušný, sprostý, pikantní
nautical ['no:tikl] námořní, mořský; plavební
nausea ['no:siə] zvedání žaludku; mdlo; zhnusení
naval ['neivl] námořn|í(ický)
nave [neiv] hlavní chrámová loď
navel ['neivl] pupek
naviga|ble ['nævig|əbl] splavný; schopný plavby **–te** [-eit] vést, řídit, navigovat; plavit se, plout **–tor** [-eitə] navigátor; plavec, mořeplavec **–tion** [,-'eišn] navigace; plavba, let, cesta
navvy ['nævi] pomocný dělník nekvalifikovaný stavební
navy ['neivi] válečné loďstvo; námořní síly státu (~ *blue* námořnická modř tmavá)
Nazi ['na:tsi] nacista # nacistický **–sm** [-zəm] nacismus
near [niə] blízký vzdálenost, čas # u; blízko **–ly** [-li] sousední, vedlejší **–by** ['-bai] nedaleko, blízko **–ly** [-li] skoro, téměř **–ness** [-nis] blízkost (*to* k) **~-sighted** [,niə'saitid] krátkozraký
neat [ni:t] úpravný, úhledný, uspořádaný; vkusný, pohledný
necess|ary ['nesəsəri] nutný **–ity** [ni'sesəti] nutnost **–ities** [ni'sesətiz] PL životní nutnosti, nezbytné potřeby
neck [nek] krk **–erchief** ['-əči:f] šátek kolem krku **–lace** ['-lis] náhrdelník **–line** ['-lain] výstřih **–tie** ['-tai] vázanka
née [nei] rozená před dívčím jménem ženy
need* [ni:d] PT v. kap. Gramatika; potřebovat; muset # potřeba; nutnost, nouze **–less** ['-lis] zbytečný **–less to say** pochopitelně, samo sebou **–y** ['-i] nuzný, potřebný
needle ['ni:dl] jehla; jehlice # popichovat, dráždit **–work** [-wə:k] šití; vyšívání
negative ['negətiv] zápor; negativ # záporný, negativní
neglect [ni'glekt] zanedb(áv)at # zanedb(áv)ání; zanedbanost
neglig|ence ['neglidž|əns] nedbalost; zanedbanost **–ent** [-əns] nedbalý, ledabylý (*in, of* v) **–ible** [-əbl] zanedbatelný
negotiat|e [ni,gəušieit] jednat, (vy)pro|jednávat; zdolat, překonat **–ion** [ni,gəuši'eišn] jednání, vyjednávání
Negro ['ni:grəu] černoch; černošský
neighbour ['neibə] soused **–hood** [-hud] sousedství; sousedé **–ing** ['neibəriŋ] sousední
neither ['naiðə] žádný z obou, ani

jeden ~ **do I** já také ne ~... **nor** ani... ani
neon ['ni:on] neón # neónový
nephew ['nevju:] synovec
nerv|e [nə:v] nerv; odvaha; drzost **–ous** ['-əs] nervový; nervózní; bojácný
nest [nest] hnízdo
net [net] síť # čistý, netto # (*-tt-*) lovit sítí; zahalit; získat, vynést čistý zisk **–work** ['-wə:k] síť systém
nettle ['netl] kopřiva
neuro|sis* [nju'rəus|is] (PL *–ses* [-i:z]) neuróza **–tic** [,njuə'rotik] neurotický; nervózní # neurotik
neuter ['nju:tə] jaz. středního rodu; bezpohlavní # (vy)kastrovat
neutral ['nju:trəl] neutrální # neutrál **–ity** [nju:'træliti] neutralita, nestrannost
never ['nevə] nikdy (~ *again*, ~ *more* už nikdy, víckrát už ne) ~ **mind** nevadí
nevertheless [,nevəðəles] přesto, nicméně
new [nju:] nový **–comer** ['-,kamə] nově příchozí **–ly** [-li] nedávno; nově **–ly-weds** PL novomanželé ~**moon** novoluní **New Year** nový rok několik prvních dnů, n. týdnů nového roku **~'s Day** Nový rok **~'s Eve** Silvestr
news [nju:z] SG zpráv|a(y), novink|a(y) (*a piece of* ~ zpráva jedna) **~-agent** ['-,eidžənt] prodavač novin **–paper** ['nju:s,peipə] noviny **–print** ['-print] novinový papír **–reel** ['-ri:l] filmové zpravodajství, filmový týdeník, aktuality **-vendor** [-'vendo:] kamelot
newt [nju:t] mlok
next [nekst] příští; další; nejbližší; sousední # příště; dál, dále ~ **to** vedle, u ~ **door** sousedství # v sousedství **~-door** sousední ~ **to nothing** skoro nic ~ **time** příště (až)
nib [nib] kovový hrot pera
nibble ['nibl] oštipovat, okusovat, uždibovat
nice [nais] hezký, milý; chutný
nickel ['nikl] nikl; am. péticent, niklák
nickname ['nikneim] přezdívka # přezdívat komu
nicotine ['nikəti:n] nikotin
niece [ni:s] neteř
night [nait] noc; večer **at** ~, **by** ~ v noci **first** ~ premiéra **last** ~ včera večer **–club** ['-klab] bar, noční podnik **-dress** ['-dres] noční košile **-gown** ['-gaun] noční košile **–ie** n. **–y** [-i] hovor. noční košile **–ingale** ['-ingeil] slavík **–ly** ['-li] noční; v noci; každou noc **–mare** ['-meə] noční můra, děs, hrůza i přen. **~-time** ['-taim] noc, noční čas
nil [nil] sport. nula
nimble ['nimbl] mrštný; bystrý, pohotový
nine [nain] devět **–een** [,nain'ti:n] devatenáct **–ty** ['nainti] devadesát
nipple ['nipl] prsní bradavka; dudlíky
nitrogen ['naitridžən] dusík
no [nəu] ne, nikoliv # žádný ~ **one** nikdo
nobility [nəu'biləti] šlechta
noble ['nəubl] urozený; aristokratický; ušlechtilý # šlechtic
nobody ['nəubədi] nikdo
nod [nod] (*-dd-*) přikývnout souhlasně, na pozdrav # (při)kývnutí
nois|e [noiz] hluk, rámus **–eless** ['-lis] bezhlučný; tichounký **–y** ['-i] hlučný
nomin|al ['nomi|nl] jen podle jména; nominální, jmenovitý **–ate** [-neit] navrhnout za kandidáta; nominovat, jmenovat **–ation** [,-'neišn] nominace; jmenování **–ee** [,-'ni:] kandidát
non [non] ne- negace zvl. podstatných a přídavných jmen (~-*alcoholic* nealkoholický) **~-aligned** nezúčastněný, neutrální
nondescript ['nondiskript] nepopsatelný, nevyhraněný, těžko zařaditelný
none [nan] žádný # nikdo
non-fiction [,non'fikšn] literatura faktu, populárně naučná kniha na rozdíl od beletrie
nonsense ['nonsəns] nesmysl
noodle ['nu:dl] nudle

noon [nu:n] poledne (*at* ~ v poledne)
noose [nu:s] smyčka, oprátka
nor [no:] ani; ale také ne **neither...** ~ ani... ani
norm [no:m] norma, standard
normal ['no:m|l] normální, obyčejný **–ize** [-laiz] normalizovat (se) **–ly** [-əli] normálně, obyčejně
north [no:θ] sever # severní # na sever **–ern** ['no:ðn] severní **–wards** ['no:θwədz] na sever
nose [nəuz] nos; čenich; čich; příď **–dive** ['-daiv] let střemhlav letadla
nostalgia [no'stældžə] nostalgie
nostril ['nostril] nozdra, chřípí, nosní dírka
not [not] ne, nikoliv # ne- ~ **at all** vůbec ne; poděkování není zač, rádo se stalo ~ **yet** ještě ne
notable ['nəutəbl] význačný, pozoruhodný
notary ['nəutəri] notář
notch [noč] vrub, zářez; stupínek dokonalosti; v žebříčku úspěšnosti
note [nəut] poznámka; sdělení, krátký dopis; lístek; (diplomatická) nóta; tón; bankovka # poznamenat (si); všimnout si; pozorovat **–book** ['-buk] zápisník **–d** [-id] proslulý, vyhlášený **–paper** ['-,peipə] dopisní papír
nothing ['naθiŋ] nic **for** ~ zadarmo; nadarmo # zbytečný
notice ['nəutis] oznámení; předběžné upozornění; výpověď; recenze # všimnout si **take*** ~ **of** všimnout si **–able** [-əbl] pozoruhodný; nápadný, znatelný ~ **board** nástěnka
notif|y ['nəutifai] oznámit, sdělit (*of* co), informovat (*of* o čem) **–ication** [,nəutifi'keišn] oznámení, uvědomění o smrti, narození, případech infekce a pod. (*of* o)
notion ['nəušn] pojem; představa; ponětí, potucha
notorious [nəu'to:riəs] dobře známý; nechvalně známý, neblaze proslulý
nought [no:t] nula
noun [naun] podstatné jméno
nourish ['nariš] živit **–ing** [-iŋ] výživný **–ment** [-mənt] výživa, potrava
novel[1] ['novl] nový, nebývalý **–ty** [-ti] novinka; novost
novel[2] ['novl] román **–ist** ['novəlist] romanopisec
November [nəu'vembə] listopad
novice ['novis] nováček, začátečník
now [nau] nyní; teď; hned teď ~ **and then** občas **by** ~ teď už, zatím už, touto dobou **up to** ~ do(po)sud **right** ~ okamžitě, ihned **just** ~ hned, hned teď **–adays** [-ədeiz] v nynější době, dnes
nowhere ['nəuweə] nikde; nikam
nuclear ['nju:kliə] jaderný
nucle|us* ['nju:kli|əs] (PL *–i* [-ai]) jádro
nude [nju:d] nahý # akt **in the** ~ nahý
nudge [nadž] šťouchnout
nuisance ['nju:sns] obtěžování, nepřístojnost kdo, co je na obtíž, pro zlost, osoba otrava, protiva
numb [nam] ztuhlý, ztrnulý
number ['nambə] číslo; číslice; počet, množství # (o)číslovat; (na)počítat (*among* mezi, k) **a** ~ **of** řada, několik
numer|al ['nju:mə|rəl] číslovka; číslice **–ous** [-rəs] početný; četný
nun [nan] jeptiška
nurse [nə:s] zdravotní sestra, ošetřovatelka; chůva # ošetřovat; kojit; vychovati, pečlivě pěstovat, (vy)piplat **–ry** ['-ri] dětský pokoj; školka
nut [nat] ořech; matice, matka; PL cvok též do čeho, blázen **–cracker** ['-,krækə] (PL *–s* ['-,krækəz]) louskáček **–shell** ['-šel] ořechová skořápka **–meg** ['-meg] muškátový ořech
nutritious [nju:'trišəs] výživný
nylon ['nailən] nylon **–s** [-z] PL nylonky nylonové punčochy
nymph [nimf] nymfa

O

oak [əuk] dub
oar [o:] veslo **–sman*** ['-zmən] (PL v.

*man**) veslař
oas|is* [əu'eis|is] (PL *–es* [-i:z]) oáza
oath [əu|θ] (PL *–s* [-ðz]) přísaha; zaklení, kletba
oat|s [əuts] PL oves **–meal** ['əutmi:l] hrubě mletá ovesná mouka; ovesné vločky
obedien|ce [ə'bi:djən|s] poslušnost **–t** [-t] poslušný
obes|e [əu'bi:s] otylý, obézní **–ity** [-əti] otylost, obezita
obey [ə'bei] poslouchat, uposlechnout
obituary [əu'bičuəri] nekrolog
object ['obdžikt] předmět, věc; objekt; cíl, záměr, účel; jaz. předmět # - [əb'džekt] mít námitky, protestovat (*to* proti) **–ion** [əb'džəkšn] protest; námitka, nesouhlas **–ionable** [əb'džekšnəbl] problematický, budící námitky; nežádoucí, nepříjemný, nechutný **–ive** [ob'džektiv] objektivní nestranný
oblig|ation [,obli'geišn] závazek; povinnost zvl. nepříjemná **–atory** [ə'bligətəri] závazný; povinný **–e** [ə'blaidž] (za)vázat; (při)(do)nutit; prokázat laskavost **be* –ed** [ə'blaidžd] být zavázán **–ing** [ə'blaidžiŋ] ochotný, úslužný
oblique [ə'bli:k] šikmý; nepřímý kompliment, ap.
obliterate [ə'blitəreit] vymazat, (za)vy|hladit
oblivio|n [ə'bliviən] zapomětlivost; zapomenutí; zapomnění **–us** [ə'bliviəs] zapomínající (*of* na); nehledící, nedbající (*of, to* čeho)
oblong ['obloŋ] obdélný # obdélník
obnoxious [ən'nokšəs] nepříjemný, odporný; urážlivý
oboe ['əubəu] hoboj
obscene [əb'si:n] obscénní, oplzlý, neslušný, sprostý
obscure [əb'skjuə] tmavý, temný; nejasný, nezřetelný # zahalit, zastínit, zatemnit
observ|ant [əb'zə:vnt] všímavý; zachovávající, dodržující, plnící **–ation** [,obzə:'veišn] pozorování; sledování; poznámka **–atory** [əb'zə:vətri] hvězdárna, observatoř **–e** [əb'zə:v] pozorovat; sledovat; poznamenat; zachovávat, dodržovat **–er** [əb'zə:və] pozorovatel
obsess [əb'ses] posednout, zachvátit čím **–ion** [əb'sešn] **–ion** [əb'sešn] posedlost (*with, about* kým, čím) **–ive** [-iv] utkvělý; posedlý
obsolete ['obsəli:t] zastaralý
obstacle ['obstəkl] překážka
obstinate ['obstənət] tvrdošíjný
obstruct [əb'strak|t] ucpat, zatarasit; brzdit, stát v cestě; překážet, bránit čemu **–ion** [-šn] překážení, bránění, brzda
obtain [əb'tein] získat, obdržet
obtrusive [əb'tru:siv] vtírající se; nápadný, dotěrný
obverse ['obvə:s] líc; avers mince; protiklad čeho
obvious ['obviəs] zřejmý, zřetelný; jasný
occasion [ə'keižn] příležitost **–al** [-ənl] příležitostný **–ally** [-nəli] příležitostně, občas
occupant ['okjupənt] držitel; uživatel; bydlící, obyvatel; okupant
occupation [,okju'peišn] držení; obsazení, zabrání; okupace; zaměstnání
occupy ['okjupai] obsadit; zabrat; okupovat **~ os.** zabývat se, zaměstnávat se (*with* čím)
occur [ə'kə:] (*-rr-*) přihodit se, stát se; vyskytovat se; napadnout, přijít na mysl (*to* komu) **–rence** [ə'karəns] výskyt; událost, příhoda
ocean ['əušn] oceán
o'clock [ə'klok] po udání hodiny (*it is 5 ~* je 5 hodin)
October [ok'təubə] říjen
octopus ['oktəpəs] chobotnice
ocul|ar ['kjul|ə] oční; vizuální **–ist** [-ist] oční lékař
odd [od] zvláštní, podivný; výstřední; lichý; zbylý, zbývající **–ity** ['oditi]

zvláštnost, podivnost vlastnost i podivná věc, osoba, událost **–ment** ['-mənt] PL zbytky, odpad
odds [odz] PL naděje, pravděpodobnost; výhoda, převaha, přesila **~ and ends** maličkosti, drobnosti
odour, am. **odor** ['əudə] zápach; vůně
of [ov; əv] od, z; vyjadřuje místní určení, čas, vzdálenost, materiál, charakteristiku
off [of] pryč (*be ~* nemít službu); pryč (z, od, mimo); vypnutý, zavřený světlo, kohoutek; zkažený potraviny **day ~** den volna, volný den
offal ['ofl] drůbky, droby
offence [ə'fens] urážka; přestupek **take* ~** urazit se (*at sb.* na koho)
offend [ə'fend] urazit; provinit se (*against* proti) **–er** provinilec, viník
offensive [ə'fensiv] urážlivý; nepříjemný, odporný; útočný # útok, úder, ofenzíva
offer ['ofə] nabídnout; poskytnout # nabídka
offhand [,of'hænd] rovnou, spatra, bez přípravy # ledabylý, nedbalý, neformální
offic|e ['ofis] kancelář, úřadovna; úřad, funkce; pobočka **–er** ['ofisə] důstojník; funkcionář, hodnostář; úředník **–ial** [ə'fišl] úřední, oficiální # státní n. vládní úředník
off-line ['of,lain] poč. bez spojení s počítačem
off-licence ['of,laisns] brit. obchod s prodejem lihovin
off-peak ['of,pi:k]] mimo špičku, mimo sezónu a tedy i levnější
off-season ['of,si:zən] mrtvá sezóna
offset ['ofset] (*-tt-*) vyrovnat, vyvážit
offshore ['ofšo:] pobřežní; nacházející se v pobřežních vodách
offside [,of'said] v postavení mimo hru
often ['ofn] často
oil [oil] olej; ropa, nafta # (na)mazat, naolejovat **–field** ['-fi:ld] naftové pole, ložisko **–skin** ['-skin] nepromokavé plátno; oděv z nepromokavého plátna
ointment ['oinmənt] mast na pleť
old* [əuld] (COMP *elder*, SUP *eldest*) starý **~ age** stáří **grow* ~** stárnout **how ~ are you?** kolik je ti let? **the ~** staří lidé **~-fashioned** [,-'fæšnd] staromódní
olive ['oliv] oliva **~ oil** [,-'oil] olivový olej
Olympiad [əu'limpiəd] moderní olympiáda; čtyřleté období mezi olympiádami
Olympic [əu'limpik] olympijský **the ~ Games** moderní olympijské hry
omelette ['omlit] omeleta
ominous ['ominəs] zlověstný, neblahý; hrozivý
omit [ə'mit] (*-tt-*) vynechat, opominout
on [on] místo na čem, kde (*~ the wall* na stěně; *~ the table* na stole; *to be* ~ holiday* být na dovolené); pomocí na (*to stand* ~ one food* stát na jedné noze; *~ the phone* telefonem); směrem na, do (*~ the left* vlevo; doleva); čas v, během (*~ Friday* v pátek; *~ July 31st* 31. července); téma o (*a book ~ physics* kniha o fyzice); způsob, prostředek (*~ train* vlakem; *~ foot* pěšky) **~ the radio**, **television** v rádiu, v televizi # oblékání **have* a coat ~** mít na sobě kabát **put* a coat ~** obléci si kabát pokračování činnosti, průběh **read* ~** číst dál # v chodu, zapnutý, fungující světlo, vařič, televize **~-line** ['-lain] poč. ve spojení s počítačem
once [wans] jednou; kdysi # jak, jakmile, až **~ and for all** jednou provždy **at ~** okamžitě **~ more** ještě jednou **~ upon a time** za onoho času začátek pohádky **all at ~** náhle, najednou
oncoming ['on,kamiŋ] blížící se; nadcházející, chystaný
one [wan] jeden; týž, stejný; sám # jedním směrem, jednu cestu **the ~** právě ten, jediný # obecně člověk, jeden; zástupný výraz za již uvedený počitatelný výraz ten, nějaký (*the blue ~* ten modrý) **~ day** jednoho dne **which ~?** který? **~ another** navzájem **–self** [-'self] sám,

sebe, se **~-sided** [,-'saidid] jednostranný **~-way** ['-wei] jednosměrný
onion ['anjən] cibule
onlooker ['on,lukə] divák
only ['əunli] # jen, jenom # pouze, až, teprve # jenže, jenomže # ale musíš (*you may* go, ~ come back early* můžeš jít, ale musíš se brzy vrátit) **the ~** jediný, jediný možný **not ~... but also** nejen... ale i
onset [onset] začátek, počátek
onto ['ontu:] (též *on to*) směrem k
onward ['onwəd] kupředu, dopředu; dále # směřující kupředu
ooze [u:z] pomalu téci, pomalu vytékat; prosakovat; vyzařovat
opaque [əu'peik] neprůhledný
open ['əupen] otevřený; nechráněný; veřejný # otevřít (se); začít, zahájit **in the ~ air** pod širým nebem, v přírodě **–cast** [-ka:st] povrchový o dole **–ly** [-li] otevřeně, veřejně **~-minded** [,əupn'maindid] nepředpojatý, otevřený čemu
opening ['əupniŋ] otvor; otevření; začátek, úvod; volné místo, pracovní příležitost, vhodná příležitost
opener ['əupnə] otvír|ač(ák)
opera ['opərə] opera **~ house** [-haus] opera budova
operat|e ['opəreit] běžet, pracovat, fungovat; působit, účinkovat, obsluhovat, řídit, operovat (*on* koho) **–ion** [,opə'reišn] působení, činnost, provoz; obsluha, řízení; operace **–ive** [opərətiv] činný # působivý, účinný **–or** [-ə] odborný dělník, odborník, specialista, operátor; telefonist|a(ka); operatér lékař
operetta [,opə'retə] opereta
opinion [ə'pinjən] mínění, názor (*in my ~* podle mého mínění, názoru)
opponent [ə'pəunənt] odpůrce, protivník
opportunity [,opə'tju:niti] příležitost (*take* an ~* chopit se příležitosti)
oppos|e [ə'pəuz] postavit se proti, odporovat čemu (*be –d to* být, stavět se proti) **–ing** [-iŋ] protější, opačný **–ite** ['opəzit] protější, opačný # naproti; proti **–ition** [,opə'zišn] odpor, opozice
oppress [ə'pres] utiskovat, utlačovat; trápit **–ion** [ə'prešn] útlak, útisk **–ive** [-iv] tvrdý, nespravedlivý, tyranský; skličující, depresivní
opt [opt] vybrat si, zvolit si **~ out** rozhodnout se k neúčasti **~ for st.** rozhodnout se (pro)
optic ['optik] zrakový, oční **–al** [-l] zrakový, oční; optický **–ian** [op'tišn] optik **–s** [-s] optika
optim|ism ['optimi|zəm] optimismus **–ist** [-st] optimista **–istic** [,opti'mistik] optimistický **–um** ['optiməm] optimální
option ['opšn] volba, možnost volby **–al** ['opšənl] nepovinný, volitelný
or [o:] nebo **either... ~** buď... anebo
oral ['o:rəl] ústní # ústní zkouška
orange ['orindž] pomeranč # oranžový
orator ['orətə] vynikající řečník
orbit ['o:bit] oběžná dráha; oblast n. sféra vlivu # obíhat po oběžné dráze
orchard ['o:čəd] ovocný sad
orchestra ['o:kistrə] orchestr **–l** [o:'kəstrəl] orchestrální
orchid ['o:kid] orchidej
ordeal [o:'di:l] tvrdá zkouška; zlý zážitek, utrpení
order ['o:də] pořádek uspořádání; klid, řád; příkaz, rozkaz; objednávka; kněžský stav; řád vyznamenání # přikázat, nařídit; objednat; uspořádat, setřídit, zařídit (si) **out of ~** mimo provoz **in ~ that** aby **-ly** uklizený, uspořádaný, ukázněný # vojenský sluha
ordinal ['o:dinl] o číslovkách řadový
ordinary ['o:dnri] obyčejný
ore [o:] ruda
organ ['o:gən] ústrojí, orgán; varhany **–ic** [o:'gænik] organický **–ism** [-izəm] organismus **–ist** [-ist] varhaník
organiz|e ['o:gənaiz] organizovat,

pořádat **–ation** [,o:gənai'zeišn] organizace; organizování **–er** [-ə] organizátor
orgasm ['o:gæzəm] orgasmus
orgy ['o:dži] orgie
orient ['o:riənt] **the O~** Orient, východ **–al** [,o:ri'entl] východní, orientální
orientat|e ['o:rien|teit] orientovat (se) **–ion** [,-'teišn] orientace
origin ['oridžin] původ; zdroj, počátek **–al** [o'ridžənl] původní, nejstarší; originální # originál **–ally** [o'ridžənəli] originálně; původně **–ate** [ə'ridžineit] vzniknout (*from, in, with* z); vymyslet, vytvořit, dát vznik-nout čemu
ornament ['o:nəmənt] ozdoba, okrasa; dekorace; ornament **–al** [,o:nə'mentl] ozdobný, okrasný, dekorativní, ornamentální
ornate [o:'neit] ozdobený, zdobný; sloh vyumělkovaný, květnatý
orphan ['o:fn] sirotek **–age** ['o:fənidž] sirotčinec
orthodox ['o:θədoks] ortodoxní, pravo|věrný(slavný)
orthopaedic, am. **orthopedic** [,o:θəu'pi:dik] ortopedický
oscillate ['osileit] (roz)kmitat; přen. kolísat mezi protikladnými city, názory a pod.; oscilovat
ostensible [o'stensəbl] předstíraný, zdánlivý, údajný
ostentatious [,osten'teišəs] okázalý, úmyslně nápadný, ostentativní
ostracize ['ostrəsaiz] vyobcovat, vyloučit ze společnosti, ignorovat
ostrich ['ostrič] pštros
other ['aðə] jiný **the ~** ten druhý **–s** [-z] PL jiní **the –s** PL ti ostatní **each ~** navzájem **every ~ day** obden **the ~ day** onehdy, nedávno **on the ~ hand** na druhé straně **–wise** ['aðəwaiz] jinak, z jiného hlediska, po jiné stránce
otter ['otə] vydra
ought [o:t] v. kap. Gramatika (*I ~ to do it* měl bych to udělat)
ounce [auns] unce váhová jednotka
our ['auə] náš, svůj **–s** [-z] náš samostatně **–selves** [,auə'selvz] (my) sami; se, sami sebe
oust [aust] vystrnadit
out [aut] venku; ven; pryč; zhasnutý, vypnutý **he is ~** není doma **~ of** z, ze; mimo, bez **~-and-~** [,autnd'aut] skrz naskrz **~-of-date** [,autəvdeit] zastaralý, staromódní; prošlý s vypršenou platností **~-of-the-way** [,autəvθə'wei] vzdálený, odlehlý
outback ['autbæk] austr. pusté vnitrozemí
outbreak ['autbreik] vypuknutí, vzplanutí, výbuch
outbuilding ['autbildiŋ] přístavek, hospodářské stavení
outburst ['autbə:st] výbuch; vzplanutí
outcast ['autka:st] vyvrženec, psanec
outcome ['autkam] výsledek, závěr
outcry ['autkrai] veřejné volání, protest
outdated ['autdeitid] zastaralý
outdid [,aut'did] PT od *outdo**
outdo* [,aut'du:] (PT a PP v. *do**) překonat, předčit **–ne** [,aut'dan] PP od *outdo**
outdoor ['autdo:] venku # venkovní **–s** [,aut'do:z] venku, v přírodě
outer ['autə] vnější; krajní
outfit ['autfit] výstroj, vybavení; vhodný oblek, šaty; parta, skupina **–ter** [-ə] obchodník šatstvem; dodavatel výstroje, vybavení
outflow ['autfləu] odtékání; přen. únik
outgoings ['aut,gəuiŋz] výdaje, náklady
outgrew [,aut'gru:] PT od *outgrow**
outgrow* [,aut'grəu] (PT a PP v. *grow**) přerůst; vyrůst ze šatů **–n** [,aut'grəun] PP od *outgrow**
outing ['autiŋ] výlet; vycházka
outlay ['autlei] výdaj, investice
outlet ['autlet] otvor, výtok, odtok, výpust; přen. ventil napětí; prodejna, filiálka
outline ['autlain] obrys; náčrt, nárys, nástin; přehled, osnova
outlive [,aut'liv] přežít koho, co

outlook ['autluk] vyhlídka, výhled, rozhled; názor, náhled
outlying ['aut,laiŋ] odlehlý, vzdálený
outmoded [,aut'məudid] zastaralý
outnumber [,aut'nambə] převýšit počtem, mít početní převahu
out-patient ['aut,pəišnt] ambulantní pacient
outpost ['autpəust] předsunutá hlídka
output ['autput] objem výroby, celková produkce
outrage ['autreidž] násilí, násilnost; těžká urážka, potupa; pobouření, rozhořčení # hrubě urazit, pobouřit, rozhořčit **–ous** [aut'reidžəs] hrubý, násilnický, urážlivý, bezmezný; fantastický, neskutečný
outright ['autrait] přímo; rovnou; otevřeně; najednou; okamžitě, ihned, na místě
outset ['autset] začátek, počátek
outside [,aut'said] vnější strana, venek, (ze)vnějšek # vnější, zevnější, vedlejší zájmy; externí; okrajový # vně, venku, ven # vně, mimo; před, za, u, vedle **–r** [-ə] outsider kdo stojí stranou, na okraji; závodník n. kůň, o kterém se nepředpokládá, že vyhraje; člověk stojící mimo, nezasvěcenec
outsize ['autsaiz] nadměrné velikosti, velký
outskirts ['autskə:ts] PL kraj, okraj města, periférie
outspoken [,autspəukən] otevřený, upřímný, přímočarý
outstanding [,aut'stændiŋ] vynikající; nedokončený, nedodělaný, nezaplacený dluh
outstay [,aut'stei] **to ~ one's welcome** zůstat déle než je hostiteli milé
outvote [,aut'vəut] přehlasovat
outward ['autwəd] vnější, směřující n. obrácený ven; navenek viditelný **–ly** navenek **–s** směrem ven
outweigh [,aut'wei] převážit, předčit
outwit [,aut'wit] (*-tt-*) přelstít koho, vyzrát na koho
oval ['əuvl] ovál # oválný
ovary ['əuvəri] vaječník; semeník
ovation [əu'veišn] ovace
oven ['avn] pec, trouba
over ['əuvə] dokončený, skončený; nadbytečný, nadměrný # pokrytí celku po, na, v; poloha nad; pohyb přes; okolnosti nad, při, u; přes, více než **all ~** na, v, po celém, všude **~ there** tam, tamhle
overall [,əuvəro:l] celkový, souhrnný # pracovní plášť **–s**[-z] PL pracovní kombinéza, montérky
overawe [,əuvər'o:] zastrašit
overboard ['əuvəbo:d] přes palubu
overburden [,əuvə'bə:dn] přetížit i přen.
overcame [,əuvə'keim] PT od *overcome**
overcast ['əuvəka:st] zatažený, zamračený
overcharge [,əuvə'ča:dž] žádat, účtovat příliš vysokou cenu, předražit; přetížit, přeplnit
overcoat ['əuvəkəut] svrchník
overcome* [,əuvə'kam] (PT a PP v. *come**) překonat, přemoci; vyhrát
overcrowded [,əuvə'kraudid] přecpaný, přelidněný
overdid [,əuvə'did] PT od *overdo**
overdo* [,əuvə'du:] (PT a PP v. *do**) [,əuvə'du:] (PT a PP v. *do**) přehnat; převařit, příliš uvařit **–ne** [,əuvə'dan] PP od *overdo**
overdose ['əuvədəus] předávkování # předávkovat
overdraft ['əuvədra:ft] dlužní zůstatek při přebrání konta
overdraw* [,əuvə'dro:] (PT a PP v. *draw**) přečerpat úspory, konto, překročit úvěr
overdue [,əuvə'dju:] zpožděný, už dávno splatný
overestimate [,əuvər'estimət] přecenit
overfill ['əuvəfil] přeplnit
overflew ['əuvəflu:] PT od *overflow**
overflow* ['əuvəfləu] (PT a PP v. *flow**) přetékat; překypovat (*with* čím) **–n** ['əuvəfləun] PP od *overflow**

overgrown [,əuvə'grəun] přerostlý; zarostlý
overhaul [,əuvə'ho:l] důkladně prohlédnout a opravit # generální oprava
overhead [,əuvə'hed] horní, vrchní, nadzemní, visutý # nahoře, nad hlavou
overheads ['əuvəheds] PL režijní náklady
overhear* [,əuvə'hiə] (PT a PP v. *hear**) zaslechnout, náhodou vyslechnout
overjoyed [,əuvə'džoid] rozradostněný, mající velkou radost, přešťastný
overland ['əuvəlænd] pozemní # po souši
overlap ['əuvəlæp] (*-pp-*) přesahovat, přečnívat; překrývat se
overleaf [,əuvə'li:f] na druhé straně dopisu, knihy ap.
overload ['əuvələud] přetížit
overlook [,əuvə'luk] přehlédnout nevidět; mít vyhlídku (na), okno vést kam
overnight [,əuvə'nait] noční # přes noc **stay ~** zůstat přes noc
overpower [,əuvə'pauə] přemoci, zdolat
overran [,əuvə'ræn] PT od *overrun**
overrate ['əuvəreit] přecenit
overrule [,əuvə'ru:l] vyšší autorita změnit, zvrátit, zrušit
overrun* [,əuvə'ran] (*-nn-*) (PT a PP v. *run**) zabrat, obsadit; zaplavit, zamořit; překročit mez
oversaw [,əuvə'so:] PT od *oversee**
oversea(s) [,əuvə'si:(z)] zámořský, zahraniční, cizí # za mořem, v zámoří, v cizině; za moře, do ciziny
oversee* [,əuvə'si:] (PT a PP v. *see**) dohlížet **–n** [,əuvə'si:n] PP od *oversee**
–r ['əuvə,siə] dozorce
overshadow [,əuvə'šædəu] zastínit
overshoot [,əuvə'šu:t] přeletět, přejet minout
oversight ['əuvəsait] přehlédnutí
oversleep* [,əuvə'sli:p] (PT a PP v. *sleep**) zaspat
overslept [,əuvə'slept] PT a PP od *oversleep**
overspill [,əvə'spil] přebytek městské populace
overtake* [,əuvə'teik] (PT a PP v. *take**) předhonit, předběhnout, předjet; (za)stihnout, překvapit **–n** [,əuvə'teikn] PP od *overtake**
overtook [,əuve'tuk] PT od *overtake**
overthrew [,əuvə'θru:] PT od *overthrow**
overthrow* [,əuvə'θrəu] (PT a PP v. *throw**) svrhnout vládu ap. **–en** [,əuvə'θrəun] PP od *overthrow**
overtime ['əuvətaim] přesčas
overtook [,əuvətu:k] PT od *overtake**
overture ['əuvə,čuə] hud. předehra
overturn ['əuvətə:n] převrhnout, převrátit
overweight ['əuvəweit] příliš těžký; otylý, tlustý # nadváha
overwhelm [,əuvə'welm] zaplavit, zavalit, ohromit (*with* čím) i přen. **–ing** ohromný, zdrcující, naprostý
overwork [,əuvə'wə:k] přepracovat se # přepracování
overwrought [,əuvə'ro:t] přepracovaný, přetažený; nervózní, vzrušený
ow|e [əu] dlužit; vděčit (*to* čemu); být zavázán komu **–ing to** [əuiŋ] vzhledem k, následkem, pro, kvůli
owl [aul] sova, sýček, výr
own [əun] vlastnit # vlastní **on my ~** sám samotný, sám bez pomoci **–er** [-ə] vlastník, majitel **–ership** ['əunəšip] vlastnictví
ox* [oks] (PL *–en*) vůl **–en** [-ən] PL skot, hovězí dobytek
oxygen ['oksidžən] kyslík
oyster ['oistə] ústřice
ozone ['əuzəun] ozón

P

pa [pa:] taťka, tatínek
pace [peis] krok; chůze; rychlost, tempo # kráčet; chodit, procházet se, přecházet **–maker** ['-,meikə] kdo udává krok n. tempo; sport. vodič; med.

kardiostimulátor
pacif|ic [pə'sifik] mírumilovný **The P~ (Ocean)** Tichý oceán **–ist** [pə'sifist] pacifista **–y** ['pæsifai] uklidnit, utišit; usmířit
pack [pæk] balí|k(ček); ranec, uzel; vak, torna; smečka # (za)balit **–age** ['pækidž] balík **–age tour** organizovaný zájezd, dovolená **–et** ['-it] balíček
pact [pækt] smlouva, pakt
pad [pæd] podložka; vycpávka; psací blok # (*-dd-*) vycpat **–ding** [-iŋ] vycpávka i přen.
paddl|e ['pædl] pádlo # pádlovat; brouzdat se **–ing pool** brouzdaliště
paddock ['pædək] výběh u hřebčince
paddy ['pædi] vztek, zlost # nevyloupaná n. ještě rostoucí rýže; (též *~-field*) rýžové pole
padlock ['pædlok] visací zámek
pagan ['peigən] pohan; neznaboh
page[1] [peidž] hotelový sluha, pikolík
page[2] [peidž] strana, stránka
paid [peid] PT a PP od *pay**
pail [peil] vědro, kbelík
pain [pein] bolest; nepříjemnost, obrana **–ful** ['-ful] bolavý, bolestivý, bolestný; úmorný, obtížný **~-killer** ['-kilə] lék proti bolesti **–less** ['peinlis] bezbolestný **–staking** ['peinz,teikiŋ] snaživý, pilný
paint [peint] barva; nátěr; líčidlo # natírat; malovat kreslit; malovat se, líčit se **–brush** ['-braš] malířský n. natěračský štětec **–er** ['-ə] malíř; natěrač **–ing** malba, obraz
pair [peə] pár, dvojice **a ~ of scissors** nůžky
pal [pæl] kamarád, kolega
palace ['pælis] palác
palate ['pælət] patro mezi ústní a nosovou dutinou; přen. chuť smysl rozlišit různé chutě
pale [peil] bledý; barva světlý **grow* ~** zblednout
palette ['pælət] paleta malířská
pallid ['pælid] bledý, sinalý
palm [pa:m] dlaň # palma
palpable ['pælpəbl] hmatatelný
palpitation [,pælpi'teišn] tlukot, bušení srdce
paltry ['po:ltri] ubohoučký, nicotný; špatný, ubohý, mizerný
pamper ['pæmpə] hýčkat, rozmazlovat
pamphlet ['pæmflit] brožura často politická
pan [pæn] pánev, pekáč, rendlík, kastrol s držadlem **–cake** ['-keik] palačinka, tenká omeleta, lívanec
panache [pə'næš] verva, švih
pandemonium [,pændi'məunjəm] peklo, vřava, zmatek
pane [pein] okenní tabule
panel ['pænl] výplň; plát, tabule, deska, panel; přístrojová, palubní deska
pang [pæŋ] bodavá bolest; přen. soužení
panic ['pænik] panika # (*-ck-*) panikařit
panoram|a [,pænə'ra:mə] panoráma; přen. celkový přehled **–ic** [-'ræmik] panoramatický
pansy ['pænzi] maceška
pant [pænt] hekat, supět; těžce dýchat
panther ['pænθə] levhard, pardál, panter
panties ['pæntiz] PL dámské spodní kalhotky
pantomime ['pæntəmaim] britská dětská vánoční hra; pantomima
pantry ['pæntri] spižírna
pants [pænts] PL dámské kalhotky; pánské trenýrky n. spodky; dlouhé kalhoty
paper ['peipə] papír; noviny; tapety; přednáška, referát; písemná zkouška # (vy)tapetovat **~-clip** kancelářská sponka **–back** [-bæk] kniha v měkké papírové vazbě **–work** [-wə:k] kancelářská práce; administrativa
paprika ['pæprikə] paprika
par [pa:] obch. pari(ta)
parachut|e ['pærəšu:t] padák # seskočit padákem; shodit padákem **–ist** [-ist] parašutista

parade [pə'reid] průvod; přehlídka # stavět na odiv, ukazovat (se), předvádět (se); pochodovat při přehlídce
paradise ['pærədais] ráj
paradox ['pærədoks] paradox **–ical** [,pærə'doksikl] paradoxní
paraffin ['pærəfin] parafín
paragraph ['pærəgra:f] odstavec
parallel ['pærəlel] rovnoběžný, paralelní; podobný, analogický # rovnoběžka, paralela, podobnost
paralys|e ['pærəlaiz] ochrnout; ochromit **–is** [pə'rælisis] ochrnutí, paralýza; ochromení
paramount ['pærəmaunt] prvořadý, nejdůležitější, rozhodující
paraphernalia [,pærəfə'neiliə] osobní majetek, příslušenství; výzbroj, výstroj
parasol ['pærəsol] slunečník
parasit|e ['pærəsait] cizopasník; příživník, parazit **–ic** [,pærə'sitik] cizopasný, příživnický, parazitní
paratrooper ['pærətru:pə] výsadkář, parašutista
parcel ['pa:sl] balík, balíček (~ *post* balíková pošta) # (-*ll*-) rozdělit, rozkouskovat
pardon ['pa:dn] odpuštění; milost # prominout, odpustit, omluvit **I beg your** ~ (am. **P~ me**)? prosím? nerozuměl jsem
pare [peə] ořezat, ostříhat; oloupat ~ **down** značně omezit
parent ['peərənt] rodič **–age** [-idž] rodinný **původ –s** [-s] PL rodiče
Paris ['pæris] Paříž **–ian** [pə'rizjən] pařížský # Pařížan
parish ['pæriš] farnost
park [pa:k] park, sad # (za)parkovat **–ing** parkování, parkoviště **no** ≈ zákaz parkování ≈ **meter** parkovací hodiny
parliament ['pa:ləmənt] parlament **–ary** [,pa:lə'mentəri] parlamentní
parlour ['pa:lə] obývací n. přijímací pokoj, salón
parochial [pə'rəukjəl] farní přen. omezený
parody ['pærədi] parodie
parquet ['pa:kei] parkety
parrot ['pærət] papoušek
parsley ['pa:sli] petržel
parsnip ['pa:snip] pastinák
parson ['pa:sn] farář, vikář **–age** [-idž] fara, vikariát
part [pa:t] část; součástka; část, díl knihy, seriálu; div., film. role; hud. part # rozejít se; rozevřít se; (od)dělit, rozdělit **–ing** (roz)loučení, rozchod; pěšinka ve vlasech **–ly** ['-li] částečně, zčásti **~-time** ['-taim] v částečném pracovním úvazku, se zkrácenou pracovní dobou
partial ['pa:šl] částečný; nakloněný (*towards* komu, čemu) **be*** ~ **to** mít velice rád co
particip|ant [pa:'tisipənt] účastník **–ate** [pa:'tisipeit] (z)účastnit se (*in* čeho) **–ation** [pa:,tisi'peišn] účast (*in* na)
participle ['pa:tisipl] jaz. příčestí
particle ['pa:tikl] částečka; kousíček
particular [pə'tikjulə] jednotlivý; zvláštní, specifický, konkrétní, individuální; příliš pečlivý, puntičkářský (*about* v, na) **in** ~ zvláště, zejména **–ly** [-li] zvláště, zejména
partisan [,pa:ti'zæn] fanatický stoupenec; partyzán
partition [pa:'tišn] rozdělení; přepážka, příčka
partner ['pa:tnə] společník; partner v manželství **–ship** [-šip] společenství; spolupráce
partridge ['pa:tridž] koroptev
party ['pa:ti] večírek; společnost, skupina lidí; polit. strana ~ **line** telefonní sériová účastnická linka
pass [pa:s] jít, jet okolo, minouti, podat u stolu; udělat zkoušku; trávit čas; schválit zákon # průkaz, propustka; průsmyk, soutěska v horách ~ **away** skonat, zemřít ~ **by** jít kolem; přejít, opomíjet, ignorovat ~ **out** omdlít **–able** ['pa:səbl] schůdný, sjízdný

–er-by [ˌpa:səˈbai] kolemjdoucí **–ing** nestálý, přelétavý, pomíjivý; povrchní, zběžný
passage [ˈpæsidž] průchod, průjezd; jízdenka, lístek; pasáž v textu
passenger [ˈpæsindžə] cestující, pasažér
passion [ˈpæšn] vášeň; hněv, vášnivá zlost **–ate** [ˈpæšənit] vášnivý
passiv|e [ˈpæsiv] trpný, netečný, pasivní; jaz trpný, pasivní **–ity** [-iti] pasivita
passport [ˈpa:spo:t] cestovní pas
password [ˈpa:swə:d] heslo stráží
past [pa:st] minulý, uplynulý, bývalý # minulost # mimo, kolem, okolo; časová mez přes, po; prostorová mez za; minutí mimo, kolem, okolo, u, podle, vedle
pasta [ˈpæstə] těstoviny
paste [peist] těsto; pasta
pastel [pæˈstel] pastel křída, obraz, barva # pastelový
pasteurized [ˈpa:sčəraizd] pasterizovaný
pastime [ˈpa:staim] zábava
pastry [ˈpeistri] těsto na pečivo; sladké pečivo, cukrářské zboží
pasture [ˈpa:sčə] pastvina, pastvisko
pasty [ˈpeisti] maso n. ovoce zapečené v těstě
pat [pæt] (*-tt-*) pohladit, popleskat, poplácat
patch [pæč] záplata; náplast; skvrna; kousek půdy, záhon # záplatovat **~ up** sesmolit, neodborně n. nouzově opravit; urovnat **–y** [ˈ-i] slátaný, zalátaný; nestejný, různorodý
paté [ˈpætei] paštika
patent [ˈpeitənt] jasný, zřejmý; patentovaný # patent # patentovat **~ leather** lakovaná kůže
patern|al [pəˈtə:n|l] otcovský **–ity** [-əti] otcovství
path [pa:θ] cest(ičk)a, pěšina; dráha i přen.
path|etic [pəˈθetik] dojemný; smutný, žalostný **–os** [ˈpeiθos] jen SG dojemnost; smutek, žal
patien|ce [ˈpeišn|s] trpělivost **–t** [-t] trpělivý (*with* s) # pacient
patriot [ˈpeitriət] vlastenec **–ic** [-ik] vlastenecký **–ism** [-izəm] vlastenectví
patrol [pəˈtrəul] hlídka # (*-ll-*) hlídkovat
patron [ˈpeitrən] ochránce, patron; pravidelný zákazník **–age** [-idž] patronát, záštita; patronát právo udílet funkci; obchodní klientela, příliv zákazníků **–ize** [ˈpætrənaiz] chránit; podporovat, jednat (s kým) blahosklonně, povýšeně; být stálým zákazníkem kde
patter [ˈpætə] drmolení, breptání # ťukat, pleskat déšť
pattern [ˈpætən] vzor(ek); model, šablona
paunch [po:nč] velké břicho, pupek, panděro
pause [po:z] přestávka; pauza # ustat, udělat přestávku
pave [peiv] dláždit **–ment** [ˈ-mənt] dlažba; chodník
pavilion [pəˈviljən] pavilón; altán
paw [po:] tlapa, pracka
pawn[1] [po:n] pěšák v šachu
pawn[2] [po:n] zástava věc i zastavení (*at, in* ~ v zástavě, zastavený) # zastavit, dát do zástavy **–broker** [ˈ-ˌbrəukə] zástavárník
pay [pei] plat, mzda # ~* (PT a PP *paid* [peid]) (za)platit (*for* co, zač) **~ attention to** věnovat pozornost čemu, dávat pozor (na co) **~ in** vložit, poukázat peníze **~ off** vyplatit se být úspěšný **~ up** splatit **~ packet** výplatní sáček **–able** [ˈ-əbl] splatný **–day** [ˈ-dei] den výplaty **–ment** [ˈ-mənt] platba, (za)placení; placená částka; odměna **–roll** [ˈ-rəul] výplatní listina
pc = *per cent* procento
PC = *personal computer* osobní počítač
pea [pi:] hrách, hrášek
peace [pi:s] mír; pokoj, klid **–able** [ˈ-əbl] mírumilovný, mírový, tichý **–ful** [ˈ-ful] mírový; tichý, klidný

peach [pi:č] broskev
peacock ['pi:kok] páv
peak [pi:k] vrchol hory; špička, hrot; štítek čepice; přen. vrchol
peal [pi:l] vyzvánění, zvonění; výbuch, salva smíchu
peanut ['pi:nat] burský oříšek
pear [peə] hruška
pearl [pə:l] perla
peasant ['peznt] rolník, sedlák
peat [pi:t] rašelina
pebble ['pebl] oblázek, kamínek
peck [pek] klovat; zobat; rýpat se v jídle; zběžně, letmo políbit # klovnutí; zobnutí; letmý polibek **–ish** ['pekiš] hovor. hladový, mající na něco chuť
peculiar [pi'kju:ljə] vlastní (*to* komu, čemu), příznačný, charakteristický; podivný, zvláštní; výstřední **–ity** [pi,kju:li'æriti] zvláštnost, podivnost, výstřednost; charakteristická zvláštnost
pedagog|y [,pedə'godži] pedagogika **–ic(al)** [-k(l)] pedagogický **–ue** ['pedəgog] pedagog
pedal ['pedl] pedál(y) # šlapat pedály; jet na kole
pedantic [pi'dæntik] pedantický; nezáživný, suchý, akademický
pedestal ['pedistl] pata sloupu; podstavec
pedestrian [pi'destriən] chodec # pěší; přízemní, bez fantazie
pedigree ['pedigri:] rodokmen
pedlar ['pedlə] podomní obchodník, pouliční prodavač
pee [pi:] hovor. čurat
peek [pi:k] kouknout, mrknout; (po)na|kukovat
peel [pi:l] slupka, kůra # (o)loupat (se); sloupnout
peep[1] [pi:p] pípání, pípnutí # pípat
peep[2] [pi:p] kradmý pohled; krátký pohled, nakouknutí # pokukovat (*at* po); vykukovat
peevish ['pi:viš] mrzutý, podrážděný
peg [peg] kolík i na prádlo; jednotlivý věšák
pelvis ['pelv|is] (PL *pelvises* [-isiz] n. *pelves* [-i:z]) med. pánev
pen[1] [pen] ohrada
pen[2] [pen] pero **~-friend** přítel při dopisování
penal ['pi:nl] trestní **–ty** ['penlti] trest; pokuta
pence [pens] PL od *penny**
pencil ['pensl] tužka
pendant ['pendənt] přívěsek na krk
pending ['pendiŋ] nerozhodnutý, nevyřešený dosud projednávaný; hrozící, časově blízký
pendulum ['pendjuləm] kyvadlo
penetrat|e ['penitreit] proniknout, vniknout **–ing** pronikavý, bystrý
penguin ['peŋgwin] tučňák
penicillin [,peni'silin] penicilín
peninsula [pi'nisjulə] poloostrov
penis ['pi:nis] pyj, penis
penitent ['penitənt] kajícný **–iary** [,peni'tenšəri] věznice, trestnice
penknife ['pennaif] kapesní nůž
penniless ['penilis] bez prostředků; chudý, na mizině; švorc
penny* ['peni] (PL *–ies* n. *pence*) penny anglická měnová jednotka, setina libry
pension ['penšn] důchod, penze **–er** [-ə] důchodce, penzista
pensive ['pensiv] zamyšlený, vážný
people ['pi:pl] lidé; národ **the ~** občané; lid, masy
pepper ['pepə] pepř, paprika **–mint** [-mint] máta peprná; mentol
per [pə:] rozdělení na, podle, v, za; prostředek, cesta po, skrze, na, podle (~ *day, person* na den, osobu; ~ *annum* ročně) **~ cent** [pə'sent] procento (*10 ~ cent* 10 procent)
perceive [pə'si:v] chápat, uvědomit si; vnímat, vidět, všimnout si
percentage [pə'sentidž] procento; část, díl
percept|ion [pə'sepšn] vnímání; vnímavost; dojem, pojem, představa **–ive** [pə'septiv] vnímavý, bystrý; vjemový
perch [pə:č] bidýlko; zvýšené místo # sedět na bidýlku
percolator ['pə:kəleitə] kávovar

percussion [pə'kašn] náraz dvou pevných těles, úder; **the ~** (sloveso v PL) skupina bicích nástrojů, bicí
perennial [pə'renjəl] stálý, trvalý # trvalka rostlina
perfect ['pə:fikt] dokonalý; ideální, naprostý; přesný # [pə'fekt] zdokonalit, zlepšit
perform [pə'fo:m] vykonat, splnit; předvádět, hrát úlohu, skladbu; pracovat, fungovat, běžet **–ance** [-əns] provedení; (s)plnění; výkon; představení, hra **–er** účinkující, umělec herec, hud. interpret
perfume ['pə:fju:m] vůně; voňavka, parfém
perhaps [pə'hæps, præps] snad
peril ['peril] velké nebezpečí
period ['piəriəd] období, doba; vyučovací hodina; tečka za větou; menstruace, měsíčky **–ic(al)** [,piəri'odik(l)] periodický; pravidelný, opakující se v pravidelných intervalech **–ical** časopis # časopisecký
peripheral [pə'rifərəl] okrajový; periferní
perish ['periš] zahynout; zaniknout **–able** [-əbl] podléhající zkáze, rychle se kazící potraviny
perjury ['pə:džəri] křivá přísaha, vědomá lež
perk [pə:k] pravidelná odměna vedle platu nejen peněžní **~ up** vzchopit se, oživnout; dát dohromady
perm [pə:m] (= *permanent wave*) trvalá ondulace; udělat trvalou
permanent ['pə:mənənt] stálý, trvalý
permi|t [pə'mi|t] (*-tt-*) povolit, dovolit; připustit (*of* co) # povolení; propustka; povolenka, lístek, průkaz **–ssion** [-šn] povolení, svolení, souhlas
pernicious [pə:'nišəs] zhoubný; škodlivý, destruktivní
perpendicular [,pə:pən'dikjulə] kolmý # kolmice
perpetual [pə'pečuəl] věčný; neustálý
perplex [pə'pleks] zmást, uvést do rozpaků
persecut|e ['pə:sikju:t] pronásledovat, perzekvovat **–ion** [,pə:si'kju:šn] pronásledování, perzekuce
persever|ance [,pə:si'viərəns] vytrvalost **–e** [,pə:si'viə] vytrvat (*at, in, with* v)
Persian ['pə:šən] perský # Peršan; perština; (= *Persian cat*) perská kočka **~ Gulf** Perský záliv
persist [pə'sist] setrvat, vytrvat (v), trvat (*in* na) **–ent** [-ənt] vytrvalý, neodbytný
person ['pə:sn] osoba **in ~** osobně **–al** [-l] osobní **–ality** [,pə:sə'næliti] osobnost **–ify** [pə'sonifai] ztělesňovat, zosobňovat, personifikovat **–nel** [,pə:sə'nl] zaměstnanci, personál
perspective [pə'spektiv] perspektiva i prostorové zobrazení; výhled, hledisko
perspir|e [pə'spaiə] potit se **–ation** [,pə:spə'reišn] pocení; pot
persuade [pə'sweid] přemluvit, přesvědčit (*into, out of* aby; *of* o)
pert [pə:t] drzý, troufalý
pertain [pə'tein] týkat se (*to* koho, čeho); patřit, příslušet (*to* k čemu), hodit se (k)
pertinent ['pə:tinənt] týkající se (*to* čeho), vztahující se (k); vhodný
perva|de [pə'vei|d] proniknout, prostoupit čím **–sive** [-siv] pronikavý, vše zahrnující
perverse [pə'və:s] zatvrzelý, svéhlavý; úchylný
pervert ['pə:və:t] zvrhlík, perverzní člověk # svést ke zlému, zkazit; obrátit smysl, překroutit
pessimis|m ['pesimi|zəm] pesimismus **–t** [-st] pesimista **–tic** [,pesi'mistik] pesimistický
pest [pest] otrava člověk; škůdce
pet [pet] miláček, mazlíček; ochočené domácí zvíře # hýčkat, laskat, mazlit se (s)
petal ['petl] okvětní lístek
petition [pi'tišn] petice, písemná žádost; návrh, stížnost, žaloba soudu
petrify ['petrifai] ztuhnout, strnout,

zkoprnět; zkamenět
petrol ['petrəl] benzín **~ station** benzínová stanice
petroleum [pi'trəuljəm] ropa, nafta
petticoat ['petikəut] spodnička
petty ['pezi] drobný, nepatrný, bezvýznamný
petulant ['petjulənt] netrpělivý, nedůtklivý, netýkavý
pew [pju:] kostelní lavice
pewter ['pju:tə] slitina cínu a olova; **~ (ware)** cínové nádoby
phantom ['fæntəm] fantóm, duch, přelud, přízrak
pharmac|y ['fa:məsi] lékárna; farmacie **–ist** [-st] farmaceut, lékárník
phase [feiz] fáze; stadium, etapa, vývojový stupeň # provádět postupně
pheasant ['feznt] bažant
phenomen|on* [fi'nomin|ən] (PL *–a* [-ə]) úkaz, jev; fenomén neobyčejný zjev
philharmonic [,fila:'monik] filharmonický; symfonický
philolog|ical [,filə'lodžikl] filologický, jazykovědný **–ist** [fi'lolədžist] filolog; lingvista **–y** [fi'lolədži] filologie; jazykověda, lingvistika
philosoph|er [fi'losəfə] filozof **–ic(al)** [,filə'sofik(l)] filozofický; vyrovnaný **–y** [fi'losəfi] filozofie
phlegm [flem] hlen **–atic** [fleg'mætik] flegmatický
phobia ['fəubjə] fobie, chorobná bázeň, úzkost, obava
phone [fəun] telefon # telefonovat
phonetic [fəu'netik] fonetický **–s** [-s] fonetika
phosphor|us ['fosfər|əs] fosfor **–ous** [-əs] fosforový; fosforovitý
photo ['fəutəu] (též *–graph*) fotografie # fotografovat **–copy** [-,kopi] fotokopie # udělat fotokopii **–grapher** [fə'tografə] fotograf **–graphic** [,fəutə'græfik] fotografický **–graphy** [fə'tografi] fotografie obor, fotografování, fotografické umění
phrase [freiz] úsloví; fráze, slovní obrat; výraz
physic|al ['fizik|l] fyzický, hmotný; tělesný; fyzikální **–ian** [fi'zišn] lékař **–ist** ['fizisist] fyzik **–s** [-s] fyzika
physiolog|y [,fizi'olədž|i] fyziologie **–ical** [-kl] fyziologický **–ist** [-ist] fyziolog
physiotherapy [,fiziəu'θerəpi] fyzikální léčba, fyzioterapie
physique [fi'zi:k] postava; tělesný stav, konstituce
pian|o ['pjænəu] piano, klavír **–ist** ['piənist] klavírista, pianista
pick[1] [pik] (též *–axe* ['-æks]) krumpáč
pick[2] [pik] vybrat (si); trhat, sbírat květiny, ovoce ap.; sebrat, sundat **~ out** vybrat; vidět, rozeznat, poznat **~ up** (vy)zvednout; naučit se, pochytit; sebrat se; zlepšit se obchody **–pocket** ['-,pokit] kapsář, kapesní zloděj
picket ['pikit] kůl, tyčka, laťka v plotě; stávková hlídka
pickle ['pikl] (též PL *–s* [-z]) nakládaná zelenina # naložit do octového nálevu, nasolit
picnic ['piknik] piknik
pictorial [pik'to:riəl] obraz(k)ový; ilustrovaný # obrázkový časopis
picture ['pikčə] obraz; (vy)zobrazení; portrét, fotografie **the –s** [-z] PL kino **~ book** [-buk] obrázková kniha **~ postcard** ['-,pəustka:d] pohlednice
picturesque [,pikčə'resk] malebný; pitoreskní
pie [pai] pečivo plněné ovocem n. masem
piece [pi:s] kus, kousek; (sou)část, díl, dílo, práce **~-work** ['-wə:k] úkolová práce
pier [piə] molo
pierc|e [piəs] propíchnout, probodnout; proniknout čím **–ing** ostrý, pronikavý
pig [pig] prase, vepř **–gy** ['pigi] prasátko # chamtivý **–gybank** ['-bæŋk] prasátko pokladnička **–headed** [,-'hedid] tvrdohlavý **–skin** ['-skin] vepřovice **–sty** ['pigstai] prasečí chlívek; přen. svinčík **–tail** ['-teil] cop, copánek

pigeon ['pidžin] holub
pike[1] [paik] štika
pike[2] [paik] kopí
pilchard ['pilčəd] sardinka
pile [pail] hromada, kupa # ~ (**up**) naskládat, složit na hromadu; nahromadit, nakupit
pilfer ['pilfə] krást v drobném
pilgrim ['pilgrim] poutník **–age** [-idž] pouť, putování
pill [pil] pilulka, tableta **the** ~ antikoncepční pilulka
pillar ['pilə] sloup, pilíř **~-box** [-boks] brit. veřejná poštovní schránka
pillion ['piljən] tandem sedadlo
pillow ['piləu] poduška, polštář **~-case** [-keis] povlak na polštář
pilot ['pailət] lodivod, pilot; prototyp
pimp [pimp] pasák holek
pimple ['pimpl] pupínek, uher
pin [pin] špendlík # (*-nn-*) (při)se|špendlit **–cushion** ['pin,kušn] jehelníček **–point** ['-point] hrot, špička zvl. špendlíku # upřesnit, stanovit; přesně umístit, zaměřit
pincers ['pinsəz] PL kleště; klepeta
pinch [pinč] štípat; přiskřípnout; tlačit boty; štípnout ukrást # štípnutí, špet-ka **at a** ~ při nejhorším, kdyby bylo nejhůř
pine [pain] borovice, sosna **–apple** ['-,æpl] ananas
ping-pong ['piŋpoŋ] ping-pong stolní tenis
pink [piŋk] karafiát # růžový
pinnacle ['pinəkl] ozdobná věžička na střeše; vrchol(ek)
pint [paint] míra pinta
pioneer [,paiə'niə] průkopník, pionýr
pious ['paiəs] (po)z|božný
pip [pip] jádro, pecička v ovoci
pipe [paip] trubice; roura; dýmka; píšťala # vést potrubím; hrát na píšťalu, na dudy **–s** PL dudy **~-line** ['paiplain] potrubí, naftovod, plynovod
pirate ['paiərit] pirát
piss [pis] vulg. chcát i přen., pochcat
pistol ['pistl] pistole, revolver
piston ['pistən] píst
pit [pit] jáma, díra; propast; důl, šachta; dolík, jamka, prohlubeň; div. propadliště pro orchestr **the** ~ parter, přízemí v divadle
pitch[1] [pič] smůla
pitch[2] [pič] sport. hřiště; hod, hození; hud. výška; stupeň intenzity; obvyklé místo, stanoviště; kymácení lodi # zřídit, postavit, rozbít tábor; hud. nasadit, naladit; hodit, mrštit; prudce, tvrdě dopadnout, sletět, kymácet se loď, letadlo **–er** džbán **–fork** ['pičfo:k] vidle
pitfall ['pitfo:l] chyták, past
pith [piθ] dřeň, dužina; přen. jádro **–y** ['piθi] hutný, obsažný; dřeňovitý, dužinatý
pittance ['pitəns] žebrácký výdělek, almužna
piti|ful ['piti|ful] ubohý, bídný, budící soucit; mizerný špatný **–less** [-lis] nelítostný, nemilosrdný
pity ['piti] lítost (*for* nad), soucit (s); škoda (*it's a* ~ to je škoda) # litovat
pivot ['pivət] čep, osa, otočný bod
placard ['plæka:d] plakát, poutač, transparent
placate [plə'keit] usmířit, uklidnit
place [pleis] místo # umístit, postavit, položit **out of** ~ nevhodný, nemístný, nepřihodný **take*** ~ konat se
placid ['plæsid] klidný, nerušený; mírný, tichý člověk
plague [pleig] mor; epidemie; ničivé množství, záplava # soužit
plaice [pleis] platýz
plaid [plæd] skotský pléd, přehoz, pokrývka
plain [plein] jasný, srozumitelný; jednoduchý; nevzorovaný # planina, rovina **in ~ clothes** v civilu **–tiff** žalobce, navrhovatel
plait [plæt] pletenec, cop # plést, splétat
plan [plæn] plán úmysl, záměr; plán výkres # (*-nn-*) (na)plánovat
plane[1] [plein] platan

plane[2] [plein] hoblík
plane[3] [plein] rovina, plocha # letadlo
planet ['plænit] planeta, oběžnice
plank [plæŋk] prkno, deska
plant [pla:nt] rostlina; závod, továrna; strojní zařízení # zasadit; (pod)na|strčit **–ation** [plæn'teišn] plantáž; háj, lesík, lesní kultura
plaque [pla:k] plaketa, destička
plaster ['pla:stə] omítka; (též ~ *of Paris*) sádra; náplast # omítnout; dát náplast; polepit
plastic ['plæstik] plastický; tvárný, poddajný; z umělé hmoty, igelitový # umělá hmota
plate [pleit] talíř; deska **~ glass** [,-'gla:s] zrcadlové sklo
plateau ['plætəu] náhorní plošina
platform ['plætfo:m] nástupiště; pódium, tribuna, plošina; platforma, báze
platinum ['plætinəm] platina
platitude ['plætitju:d] fráze; všednost
platoon [plə'tu:n] voj. rota
plausible ['plo:zəbl] přijatelný, možný; věrohodný
play [plei] hra; představení # hrát (si) **~ down** snižovat význam **~ up** zlobit, trápit **–boy** ['-boi] světák, playboy **–er** [-ə] hráč; herec **–ful** ['-ful] hravý **–goer** ['-,gəuə] pravidelný návštěvník divadla **–ground** ['-graund] hřiště **–group** ['-gru:p] dětský kroužek druh jeslí **–ing cards** ['-iŋka:dz] hrací karty **–ing-field** ['-iŋfi:ld] sport. hřiště **–wright** ['pleirait] dramatik
plea [pli:] úpěnlivá prosba, obhajoba u soudu
plead [pli:d] úpěnlivě prosit, žádat; vymlouvat, omlouvat se, hájit se; obhajovat u soudu (*for* koho)
pleasant ['pleznt] příjemný
pleas|e [pli:z] (po)těšit, udělat radost, uspokojit, vyhovět, chtít; zdvořile žádat prosím **–ing** příjemný
pleasure ['pležə] potěšení, radost; požitek **with ~** s radostí
pleat [pli:t] záhyby, skládání # skládat do záhybů, plisovat
pledge [pledž] zástava věc daná jako záruka; záruka; důkaz lásky, pouto přátelství; slavnostní slib # slavnostně slíbit, zavázat se; dát do zástavy
plent|y ['plenti] spousta, hojnost (~ *of* spousta, hodně čeho) **–iful** [-ful] bohatý, hojný, početný
pliable ['plaiəbl] ohebný, pružný, poddajný; svolný, přístupný, měkký člověk
pliers ['plaiəz] PL kleště
plimsolls ['plimsəlz] PL brit. tenisky
plonk [ploŋk] laciné n. špatné víno
plot [plot] osnova, zápletka děje; spiknutí; parcela, malý pozemek # (*-tt-*) zmapovat; zakreslit do mapy; vyznačit; spiknout se, osnovat spiknutí
plough [plau] pluh # orat
ploy ['ploi] podvod, trik
pluck [plak] odvaha, kuráž # (o)trhat, sbírat, (o)česat ovoce, květiny; (o)škubat ptáka; (za)tahat; brnkat na hud. nástroj **~ up courage** dodat si kuráže, sebrat odvahu **–y** ['plaki] kurážný, odvážný
plug [plag] zátka; el. zástrčka # (*-gg-*) ucpat, el. zapojit, strčit do zásuvky
plum [plam] švestka, slíva
plumb [plam] olovnice # přesně; úplně, dočista # zkoumat, sondovat, měřit hloubku; spravit, zapojit jako instalatér **–er** [-ə] instalatér **–ing** vodovodní a plynové vedení, instalace
plume [plu:m] velké, ozdobné péro, chochol
plummet ['plamit] olovnice; rybářské olůvko
plump[1] [plamp] spadnout, žuchnout; hodit, praštit; s důvěrou hlasovat (*for* pro)
plump[2] [plamp] kyprý, buclatý
plunder ['plandə] loupit, drancovat # kořist, lup; plen(ění)
plunge [plandž] rychle ponořit, pohroužit; vrhnout; kůň prudce se zhoupnout; loď nořit se, potápět se # potopení, ponoření; pád
plural ['pluərəl] jaz. množné číslo, plu-

rál

plus [plas] znaménko plus # plus, a

plush [plaš] plyš # plyšový; luxusní, přepychový

ply [plai] ohánět se čím, dobře zacházet (s čím); pravidelně jezdit tam a zpět **–wood** ['-wud] překližka

p.m. [,pi:'em] = *post meridiem* [pəust mə'ridiəm] odpoledne v určení času

P.M. [,pi:'em] = *Prime minister* ministerský předseda

pneumatic [nju:'mætik] vzduchový, vzdušný; pneumatický

pneumonia [nju:'məunjə] zápal plic

poach[1] [pəuč] vařit pod bodem varu

poach[2] [pəuč] pytlačit; přen. krást **–er** [-ə] pytlák

pocket ['pokit] kapsa # dát, schovat do kapsy; shrábnout do vlastní kapsy **be* out of ~** být bez peněz; prodělat, ztratit **~-book** [-buk] zápisník **~-knife*** [-naif] kapesní nůž **~-money** [-,mani] kapesné

pod [pod] lusk

podgy ['podži] zavalitý, podsaditý

poem ['pəuim] báseň

poet ['pəuit] básník **–ic** [pəu'etik] poetický **–ry** ['pəuitri] poezie

poignant ['poinjənt] bolestný, hluboce dojímavý

point [point] geometrický bod; tečka; špička, hrot; bod ve vývoji; při hodnocení; moment, okamžik; ústřední bod, hlavní smysl; smysl, význam, účel # ukázat, poukázat (*at, to* na) **~ of view** hledisko, stanovisko **~-blank** [,-'blæŋk] rovnou, přímo **–ed** [-id] špičatý, ostrý; kousavý poznámka

poise [poiz] držení těla, hlavy; duševní rovnováha

poison ['poizn] jed # otrávit **–ous** [-əs] jedovatý

poke [pəuk] šťouchnout, rýpnout; prorazit, propíchnout otvor; (pro)hrabat (se) oheň; v jídle **–r** ['pəukə] pohrabáč; poker

polar ['pəulə] polární

pole[1] [pəul] tyč; kůl; sloup; hůlka **~-vault** ['-vo:lt] sport. skok o tyči

pole[2] [pəul] pól, točna

polecat ['pəulkæt] tchoř

polemic [pə'lemik] polemika; polemizující stať, projev # (**–al**) polemický

police [pə'li:s] policie # chránit, dohlížet (na) **~ car** policejní auto **–man*** [-mən] (PL v. *man**) policista, strážník **~ station** policejní stanice, strážnice, komisařství **–woman*** [-wimən] (PL v. *woman**) policistka

policy[1] ['pəlisi] politika

policy[2] ['polisi] pojistka, pojistná smlouva

polio ['pəuliəu] obrna

polish ['poliš] (na)(vy)leštit # lesk; leštidlo, krém **~ off** rychle dodělat, dotáhnout; spořádat, zbaštit

polite [pə'lait] zdvořilý

politic|al [pə'litikl] vládní, státní; politický **–ian** [,poli'tišn] politik **–s** ['politiks] politika; politické přesvědčení, názory

polka ['polkə] polka **~ dots** velké puntíky vzor na textilu

poll [pəul] volby, hlasování; sčítání hlasů; počet hlasů ve volbách; průzkum veřejného mínění **–ing day** den voleb, volby

pollen ['polin] pyl

pollut|e [pə'lu:t] znečistit **–ion** [pə'lu:šn] znečišťování; znečištění

polytechnic [,poli'teknik] polytechnika

polythene ['poliθi:n] polyetylén plast. hmota

pomegranate ['pomi,grænit] granátové jablko

pomp [pomp] nádhera, okázalost **–ous** ['-əs] sebevědomý, důležitý, nafoukaný

pond [pond] vodní nádrž, rybník; zahradní jezírko

ponder ['pondə] uvažovat, přemítat, přemýšlet (*over* o) **–ous** ['pondərəs] těžkopádný sloh; nemotorný, neohrabaný

pony ['pəuni] pony, poník

poodle ['pu:dl] pudl pes
pool [pu:l] louže, kaluž; tůň, tůňka **swimming-~** bazén
poor [puə] chudý, nuzný; špatný; mizerný, slabý; ubohý, nešťastný # chudák **the ~** chudí, chudina
pop[1] [pop] rána, prásknutí, třesknutí, třesk # (-*pp*-) bouchnout **–corn** ['-ko:n] pražená kukuřice
pop[2] [pop] populární hudba
pop[3] [pop] tati, taťka
pope [pəup] papež
poplar ['poplə] topol
poppy ['popi] mák
populace ['popjələs] obyvatelstvo
popular ['popjulə] populární, oblíbený; lidový **–ity** [,popju'læriti] obliba, popularita
porcelain ['po:səlin] porcelán
porch [po:č] krytý vchod, přístřešek před vchodem; am. veranda
porcupine ['po:kjupain] dikobraz
pore [po:] pór kožní, na listech
pork [po:k] vepřové maso
pornography [po:nogrəfi] pornografie
porridge ['poridž] ovesná kaše
port [po:t] přístav
portable ['po:təbl] přenosný
porter ['po:tə] vrátný # nosič
porthole ['po:thəul] okénko v boku lodi, letadla
portion ['po:šn] část, díl, podíl; porce jídla
portly ['po:tli] tělnatý, statný
portra|it ['po:trit] podobizna, portrét, literární portrét **–y** [po:'trei] namalovat, nakreslit, zachytit, vylíčit, vykreslit slovy
pose [pəuz] postoj; pozice, póza # postavit, posadit do určitého postoje; sedět modelem, pózovat; tvořit, představovat problém, klást, (po)před|ložit (*a question* otázku); stavět se **~ as** vydávat se (za), tvářit se, chovat se (jako)
posh [poš] luxusní; bohatý
position [pə'zišn] poloha; postavení; místo, zaměstnání
positive ['pozətiv] kladný, pozitivní; určitý, přesný, jasný; přesvědčivý, naprostý, nezvratný **be*** ~ (*that* že, *about* o) být naprosto přesvědčen
possess [pə'ze|s] mít, vlastnit **–ion** [-šn] vlastnictví čeho; majetek **–ive** [pə'zesiv] vlastnický, majetkový; chtivý, lačný; panovačný, sobecký; jaz. přivlastňovací
possibility [,posə'biliti] možnost
possibl|e ['posəbl] možný **as soon as ~** co nejdříve **–y** [-i] možná, snad
post[1] [pəust] tyč, sloup, kůl
post[2] [pəust] pošta # poslat, odeslat poštou, dát na poštu **–age** ['-idž] poštovné **–al order** ['-l,o:də] poštovní poukázka **–box** ['-boks] veřejná poštovní schránka **–card** ['pəustka:d] korespondenční lístek; pohlednice **–code** ['-kəud] PSČ **–e restante** [,-'resta:nt] poste restante **–man*** ['-mən] (PL v. *man**) listonoš **–mark** [-ma:k] poštovní razítko **~ office** ['-,ofis] poštovní úřad, pošta
post[3] [pəust] stanoviště, přikázané místo; místo, zaměstnání
poster ['pəustə] plakát
posterior [po'stiəriə] pozdější (*to* než), následující (po); zadní # zadek, zadnice
postgraduate [,pəust'grædjuit] postgraduální; student postgraduálního studia
post-mortem [,pəust'mo:tem] posmrtný
postpone [,pəust'pəun] odložit časově
posture ['posčə] držení těla; postoj přístup k čemu
post-war [,pəust'wo:] poválečný
pot [pot] hrnec; čajová n. kávová konvice; zavařovací sklenice, plechovka; květináč; slang. marihuana **~-hole** ['-həul] výmol
potassium [pə'tæsiəm] draslík
potato [pə'teitəu] brambor
potent ['pəutənt] silný
potential [pəu'tenšl] možný, potenciální

potter[1] ['potə] hrnčíř **–y** [-ri] hrnčířské zboží, keramika; hrnčířství, hrnčířina
potter[2] ['potə] vrtat se (v), patlat se (s) **~ about**, around potulovat se, procházet, okounět
potty ['poti] bláznivý, pitomý # dětský nočníček
pouch [pauč] vak, váček, pytlík
poultry ['pəultri] drůbež
pounce [pauns] vrhnout se (na), prudce udeřit (na), skočit (na)
pound[1] [paund] libra jednotka váhy, jednotka měny
pound[2] [paund] roztlouci, rozdrtit (se)
pour [po:] (na)lít; téci, proudit; lít déšť **–ing rain** [-riŋ] liják
poverty ['povəti] chudoba, bída
powder ['paudə] prach; prášek # poprášit; napudrovat (se)
power ['pauə] moc; síla; schopnosti; fyzikálně energie; mat. mocnina **~ cut** výpadek elektrického proudu **–ful** [-ful] mocný, vlivný, silný; výkonný; působivý **–less** [-lis] bezmocný **~-station** [-,steišn] elektrárna **~-point** [-point] zástrčka, kontakt pro zapojení do el. proudu
practicable ['præktikəbl] proveditelný, možný, použitelný
practical ['præktikl] praktický **–ly** ['præktikəli] prakticky; téměř
practi|ce ['præktis] praxe; trénink; obvyklý postup, zvyk **be* in ~** být ve formě **be* out of ~** vyjít ze cviku, z formy **–se** ['præktis] cvičit, trénovat; žít, jednat, chovat se (jak); vykonávat, provozovat
practitioner [præk'tišnə] praktik, odborník; praktický lékař
Prague [pra:g] Praha # pražský
prairie ['preəri] am. prérie, step
praise [preiz] chválit, vychvalovat; velebit # chvála, pochvala; velebení **–worthy** ['preiz,wə:ði] chvályhodný
pram [præm] dětský kočárek
prank [præŋk] žert, šprým, nezbedný kousek, lumpárna, darebáctví
prattle ['prætl] žvatlat; žvanit
prawn [pro:n] garnát
pray [prei] modlit se (*to* k; *for* za); snažně prosit **–er** ['preiə] modlitba; modlitby, modlení
preach [pri:č] kázat; dělat kázání komu; veřejně prosazovat, propagovat **–er** [-ə] kazatel
precaution [pri'ko:šn] předběžný zákrok, opatření **as a ~** pro jistotu
precede [,pri'si:d] předcházet čemu; uvést co, předeslat čemu **–nt** ['pri:sidənt] předchozí případ, precedens
precinct ['pri:siŋkt] ohraničené místo; centrum, oblast ve městě, vyhrazená pro určitý účel, např. s vyloučenou dopravou
precious ['prešəs] drahocenný
precipice ['presipis] sráz, spád, prudký svah
precipitat|e [pri'sipiteit] srazit, shodit; urychlit, rychle přivodit **–ion** [pri,sipi'teišn] sražení, svržení; ukvapení, unáhlení; srážky dešťové
precis|e [pri'sais] přesný **–ely** [-li] právě, přesně **–ion** [pri'sižn] přesnost
preclude [pri'klu:d] zabránit čemu, zamezit co
precocious [pri'kəušəs] předčasně vyspělý dítě
precondition [,pri:kən'dišn] předpoklad, podmínka
predecessor ['pri:disesə] předchůdce
predetermine [,pri:di'tə:min] předurčit; předem určit, rozhodnout, vyřešit
predicament [pri'dikəmənt] nepříjemná, krizová, kritická situace, dilema, tíseň, nesnáze
predicate ['predikeit] jaz. přísudek
predict [pri'dikt] předpovědět
predomin|ant [pri'domin|ənt] převládající **–antly** [-əntli] převážně, většinou, hlavně, zejména **–ate** [-eit] převládat (*over* nad), mít převahu n. přesilu
prefab ['pri:fæb] panelák
prefabricat|e [pri:'fæbrikeit] hovor. předem vyrobit; vyrábět dílce domů

–**ion** [ˈpri:ˌfæbrikeišn] výroba hotových dílců domů
preface [ˈprefis] předmluva v knize
prefect [ˈpri:fekt] prefekt; žák, který je dozorce v některých brit. školách
prefer [priˈfə:] (*-rr-*) dávat přednost (*to* před), mít raději (než) –**ence** [ˈprefərəns] přednost; to, čemu kdo dává přednost
prefix [ˈpri:fiks] předpona
pregnan|cy [ˈpregnən|si] těhotenství –**t** [-t] těhotný
prehistoric [ˌpri:hiˈstorik] pravěký, prehistorický
prejudice [ˈpredžudis] předsudek; zaujatost (*against* proti; *in favour of* pro)
preliminary [priˈliminəri] předběžný
prelude [ˈprelju:d] předehra, úvod, začátek (*to* čeho); hud. preludium
premature [ˈpreməˌtjuə] předčasný
premier [ˈpremjə] první, vedoucí # ministerský předseda
premise [ˈpremis] předpoklad –**s** [-iz] PL budova, celý pozemek s budovami
premium [ˈpri:mjəm] zvláštní odměna, plat, prémie; pojistné
premonition [ˌpreməˈnišn] neblahé tušení, předtucha
preoccupied [ˌpri:ˈokjupaid] ustaraný; roztržitý, duchem nepřítomný
prepaid [ˌpri:ˈpeid] předplacený
prepar|e [priˈpeə] připravit (se) (*for* k, na) –**ation** [ˌprepəˈreišn] příprava (*for* na, k, pro); přípravek, preparát –**atory** [priˈpærətəri] přípravný
preposition [ˌprepəˈzišn] jaz. předložka
preposterous [priˈpostərəs] nesmyslný, absurdní
prerequisite [ˌpri:ˈrekwizit] předpoklad, podmínka (*for, to* čeho)
prerogative [priˈrogətiv] výsadní právo
prescribe [priˈskraib] předepsat lék; předepsat, stanovit, nařídit
prescription [priˈskripšn] lékařský předpis, recept
presen|t[1] [ˈpreznt] přítomný; současný, dnešní **at ~** nyní –**tly** [-li] za chvilku, zanedlouho –**ce** [-s] přítomnost **~ of mind** duchapřítomnost
present[2] [ˈpreznt] dar; dar(ování)
present[3] [priˈzent] představit; slavnostně předat; předvést, ukázat; před-ložit –**ation** [ˌprezənˈteišn] před-vedení, předložení; promítání, uvedení; způsob uvedení, balení, reklama
preserv|ative [priˈzə:vətiv] konzervační prostředek, přísada –**ation** [ˌprezəˈveišn] zachování, udržení –**e** [priˈzə:v] uchovat (si), udržet (si), zachovat; (za)(u)chránit; konzervovat; hájit zvěř, vyhradit (si) pro vlastní lov # zavařenina; obora, revír, hájemství i přen.
presid|e [priˈzaid] předsedat (*over* čemu) –**ent** [ˈprezidənt] předseda; prezident –**ential** [ˌpreziˈdenšl] prezidentský; předsednický
press [pres] stisk(nutí), zmáčknutí, (ná)tlak; lis; tiskařský stroj, tiskárna; tisk, novináři # stisknout, stlačit (se); (při)tlačit; vtisknout do ruky; lisovat; naléhat –**ing** naléhavý
pressure [ˈprešə] (ná)tlak
prestig|e [preˈsti:ž] věhlas, prestiž –**ious** [preˈstidžəs] renomovaný, prestižní
presum|ably [priˈzju:məbli] podle všeho, pravděpodobně –**e** [priˈzju:m] předpokládat; dovolit si, troufnout si, odvážit se –**ption** [priˈzampšn] předpoklad, domněnka; práv. presumpce; troufalost, domýšlivost
presumptuous [priˈzampčuəs] troufalý, drzý
preten|d [priˈten|d] předstírat; dělat si neprávem nárok (*to* na) –**ce** [-s] záminka, předstírání; nárok (*under the ~ of helping* pod záminkou pomoci) –**der** [-də] uchazeč (*to* o), žadatel, nápadník trůnu, pretendent –**sion** [-šn] neoprávněný nárok; záměr –**tious** [priˈtenšəs] neskromný, domýšlivý,

sebevědomý; okázalý, honosný
pretext ['pri:tekst] záminka
pretty ['priti] pěkný, hezký **#** dost, hezky, pořádně; poměrně, téměř
preva|il [pri'veil] převládat, převažovat (*in* v); zvítězit (*over* nad), porazit, přemoci (*against* koho) **–lent** ['prevələnt] převládající; obvyklý, běžný, rozšířený
prevent [,pri'vent] zabránit (*st.* čemu; *sb. from doing st.* komu v čem) **–ion** [pri'venšn] ochrana (*of* před), zamezení čemu; prevence **–ive** [pri'ventiv] preventivní
preview ['pri:vju:] předpremiéra
previous ['pri:vjəs] předešlý, předchozí **–ly** [-li] předtím, dříve
pre-war [,pri:'wo:] předválečný
prey [prei] kořist **~ on** lovit, chytat co, živit se čím; vysávat, odírat, okrádat
price [prais] cena zboží **~-list** ['-list] ceník **–less** ['-lis] neocenitelný
prick [prik] (pro)píchnout, (pro)bodnout **#** píchnutí, bodnutí **–le** ['prikl] trn, osten **#** píchat, svědit, svrbět **–ly** ['-li] ostnatý, trnitý; svědivý, svrbivý
pride [praid] pýcha, hrdost (*in* nač) **~ os. on st.** chlubit se, pyšnit se čím
priest [pri:st] kněz
prig [prig] domýšlivec, ješita, snob; afektovaný pedant, samolibý puntičkář
prim [prim] škrobený, upjatý
primar|ily ['praimərəli] v první řadě, hlavně, zejména **–y** ['praiməri] základní; prvotní **≈ school** základní škola
prime [praim] první, prvotní, základní, hlavní, nejdůležitější; prvotřídní, nejlepší **#** vrchol, rozkvět **~ minister** ministerský předseda
primer ['praimə] základní učebnice, učebnice pro začátečníky **#** základní nátěrová barva
primeval [prai'mi:vl] prastarý, prehistorický
primitive ['primitiv] primitivní; (pra)původní, prvotní, prvobytný
primrose ['primrəuz] prvosenka, petrklíč
Primus ['praiməs] (též ~ *stove*) primus petrolejový vařič
prince [prins] princ, kníže **–ss** [prin'ses] princezna, kněžna
principal ['prinsəpl] hlavní; základní, nejdůležitější, první **#** šéf, mistr, vedoucí, ředitel
principle ['prinsəpl] základ, podstata; zásada **in ~** v zásadě, v podstatě, zásadně, ze zásady
print [print] tisk, písmo; otisk, stopa; grafický list; fotografie, pozitiv **#** (po)(vy)tisknout; otisknout se, vtisknout se i přen.; psát tiskacím písmem **–er** [-ə] tiskař; poč. tiskárna
prior ['praiə] přednostní; předchozí, dřívější **–ity** [prai'oriti] prvenství; priorita; přednostní právo
prism ['prizəm] hranol
prison ['prizn] vězení **–er** ['priznə] vězeň; zajatec
priva|cy ['privəsi] soukromí **–te** ['praivit] soukromý (~ *eye* soukromý detektiv; *in* ~ soukromě; důvěrně, neveřejně)
privet ['privit] ptačí zob keř
privilege ['privilidž] výsada, privilegium
prize [praiz] cena; v soutěži výhra **#** cenit si čeho
probab|ility [,probə'biliti] pravděpodobnost **–le** ['probəbl] pravděpodobný **–ly** ['probəbli] pravděpodobně
probation [prə'beišn] zkouška, zkušební doba; podmínečné propuštění
probe [prəub] sonda
problem ['probləm] problém
procedure [prə'si:džə] postup, způsob práce; procedura, protokol
proceed [prə'si:d] pokračovat; přejít, postoupit, přikročit (k čemu); soudně zakročit (*against* proti) **–ings** PL soudní řízení **–s** výtěžek, výnos
process ['prəuses] postup; proces
procession [prə'sešn] průvod, proce-

sí

procla|im [prə'kleim] (pro)(vy)hlásit, provolat **–mation** [,proklə'meišn] provolání, prohlášení

procure [prə'kjuə] obstarat, opatřit, pořídit

prod [prod] píchnout, rýpnout, dorážet; přen. povzbuzovat, pohánět

prodigal ['prodigl] marnotratný, rozhazovačný

prodigy ['prodidži] div, zázrak, génius; zázračný člověk, zázračné dítě

produce ['prodju:s] zemědělský výrobek, produkt # [prə'dju:s] vyrábět, produkovat; zemědělsky rodit, plodit; vyvolat, vzbudit; předložit (k) nahlédnutí, vytáhnout a ukázat **–r** [prə'dju:sə] výrobce; pěstitel; tvůrce; film. producent; režisér zvl. v amatérském divadle

product ['prodəkt] výrobek, produkt; celková výroba; výsledek, následek; mat. součin **–ion** [prə'dakšn] výroba, produkce; výtvor, výrobek, práce; inscenace **≈ line** výrobní pás, linka **–ive** [prə'daktiv] výrobní; úrodný; výnosný, produktivní **–ivity** [,prodak'tiviti] produktivita

profession [prə'feš|n] povolání, profese **–al** [-ənl] profesionální, vysoce odborný # profesionál; duševně pracující lékař n. právník

professor [prə'fesə] profesor nejvyšší titul vysokoškolského učitele; profesor vysokoškolský n. středoškolský učitel

proficien|cy [prə'fišn|si] odbornost, znalost **–t** [-t] dovedný, zběhlý, zdatný

profile ['prəufail] profil, obrys; medailón, portrét

profit ['profit] zisk; prospěch # získat, těžit (*by, from* z) **–able** [-əbl] prospěšný, užitečný; výnosný

profound [prə'faund] hluboký; opravdový, skutečný

profusion [prə'fju:žn] hojnost, nadbytek (*of* čeho)

program ['prəugræm] poč. program # (*-mm-*) programovat **–mer** [-ə] programátor

programme am. **programm** ['prəugræm] program pořad; program, plán, záměr, cíl

progress ['prəugres] pokrok, vývoj; postup; cesta, pohyb vpřed # [prəu'gres] postupovat, vyvíjet se, dělat pokroky, jít kupředu **–ive** [prəu'gresiv] postupující, pokračující; vzestupný, zlepšující se; pokrokový

prohibit [prə'hibit] zakázat co; zabránit, zamezit (*sb. from doing st.* komu v čem) **–ion** [,prəhi'bišn] zákaz (*against* čeho); prohibice

project ['prodžekt] projekt, návrh # -[prə'džekt] projektovat, navrhnout, vyčnívat, přečnívat; promítat

projection [prə'džekšn] plán, nákres; průmět; promítání; zhmotnělá představa; výběžek, výstupek

proletar|ian [,prəuli'teəriən] proletářský # proletář **–iat**[,prəuli'teəriət] proletariát, dělnictvo

prolific [prəu'lifik] bohatě plodící o rostlinách; plodný o umělci

prolong [prəu'loŋ] prodloužit **–ation** [,prəuloŋ'geišn] prodloužení

promenade [,promi'na:d] promenáda, korzo

prominen|ce ['prominən|s] důležitost, význačné postavení, popředí; výběžek, výstupek **–t** [-t] vystupující, vyčnívající, nápadný; přední, vedoucí, význačný

promis|e ['promis] slib; příslib, naděje # slíbit **–ing** slibný, nadějný

promot|e [prə'məu|t] povýšit (*to* na); podporovat, prosazovat **–er** [-tə] podporovatel, pořadatel **–ion** [-šn] povýšení; podpora; propagace, reklama

prompt [prompt] okamžitý; pohotový # pobídnout; div. napovídat # pobídka, výzva; nápověď **–er** divadelní nápověda **–ly** [-li] okamžitě **–ness** [-nis] pohotovost, rychlost

prone [prəun] náchylný, mající sklon (*to* k); ležící čelem k zemi, na břiše

pronoun ['prəunaun] jaz. zájmeno
pronounce [prə'nauns] vyslovovat; vyjádřit se, vyslovit se; prohlásit (*sb. to be* o kom, že); oznámit, vyhlásit, vynést **–d** [-t] výrazný, zřetelný **–ment** [-mənt] oficiální prohlášení
pronunciation [prə,nansi'eišn] výslovnost
proof [pru:f] důkaz; procento alkoholu v nápoji # chráněný, opatřený, vyzbrojený (*against* proti); odolný, obrněný (*against* proti)
prop [prop] podpěra, vzpěra; přen. opora; PL (= *properties*) rekvizity
propag|anda [,propə'gændə] propagace, propaganda **–ate** ['propəgeit] rozmnožovat rostliny, zvířata; šířit poznání, víru, názory
propel [prə'pel] (*-ll-*) pohánět, hnát kupředu **–ler** [-ə] vrtule, lodní šroub
proper ['propə] vhodný; (po)řádný; opravdový **–ly** [-li] pořádně; v pravém smyslu
property ['propəti] vlastnictví, majetek; nemovitost; PL (= *props*) rekvizity
prophe|cy ['profi|si] proroctví **–sy** [-sai] prorokovat **–t** [-t] prorok
proportion [prə'po:šn] poměr; poměrná část, poměrný díl, podíl **–al** [prə'po:šənl] úměrný, přiměřený (*to* čemu); proporcionální **–ate** [-ət] přiměřený, úměrný (*to* čemu)
propos|al [prə'pəuzl] návrh, nabídka (*for* na); nabídka k sňatku **–e** [prə'pəuz] navrhnout; udělat nabídku k sňatku (*to* komu) **–ition** [,propə'zišn] návrh, nabídka; tvrzení, výpověď; záležitost
propriet|ary [prə'praiət|əri] vlastnický; patentovaný, zákonem chráněný **–ies** [-iz] PL pravidla slušného chování **–or** [-ə] vlastník, majitel **–y** [-i] vhodnost, příhodnost; zdvořilost, slušné chování
propulsion [prə'palšn] pohon
prose [prəuz] próza
prosecut|e ['prosikju:t] žalovat, soudně stíhat (*for* za); pokračovat **–ion** [,prosi'kju:šn] žaloba, soudní stíhání; pokračování (*of* čeho) **–or** [-ə] žalobce, prokurátor
prospect ['prospekt] vyhlídka, šance (*of* na); výhled # [prə'spekt] pátrat (*for* po) **–ive** [prə'spektiv] očekávaný; možný **–us** [prə'spektəs] leták, prospekt
prosper ['prospə] prospívat, dobře se dařit; prosperovat **–ity** [pro'speriti] zdar, úspěch; prosperita **–ous** [-rəs]prospívající, prosperující
prostitut|e ['prostitju:t] prostitutka **–ion** [,prosti'tju:šn] prostituce
prostrate ['prostreit] přemožený, zničený, sklesly, vysílený; ležící tváří k zemi
protect [prə'tekt] chránit (*against, from* před) **–ion** [prə'tekšn] ochrana **–ive** [-iv] ochranný **–or** [-ə] ochránce; chránič **–orate** [-ərət] protektorát
protein ['prəuti:n] protein, bílkovina
protest ['prəutest] protest, námitka, odpor # [prə'test] protestovat (*against* proti)
Protestant ['protistənt] protestant # protestantský
protract [prə'trækt] protáhnout, natahovat časově **–ed** [prə'træktid] zdlouhavý, rozvleklý
protrude [prə'tru:d] vyčnívat, vystupovat; vysunout, vystrčit úzkým otvorem; vypláznout jazyk; vypoulit oči
proud [praud] pyšný, hrdý (*of* na)
prove* [pru:v] (am. PP *proven* [-n]) dokázat; ukázat se, projevit se být jaký
proverb ['provə:b] přísloví
provid|e [prə'vaid] opařit, poskytnout, zajistit (*with* čím, co); dodávat, zásobovat (*with* co, čím) **–ed** [-id] n. **–ing (that)** [-iŋ] za předpokladu n. pod podmínkou, že
provinc|e ['provins] provincie správní jednotka; venkov, kraj všechny části země kromě hlavního města **–ial** [prə'vinšl] provinciální; venkovský, krajinný; maloměst-

ský, zaostalý
provision [prə'vižn] opatření (*for, against* pro, proti); obstarání, dodávka **–al** [-ənl] (pro)zatímní, dočasný **–s** [-nz] PL potrava, potraviny
proviso [prə'vaizəu] podmínka, výhrada
provocat|eur [,provə'keitə] provokatér **–ion** [,provə'keišn] dráždění, provokace **–ive** [prə'vokətiv] dráždivý, provokativní
provoke [prə'vəuk] dráždit, (vy)provokovat (*into doing st.* k čemu); vzbudit, vyvolat
prowl [praul] plížit se, krást se zvíře, zloděj; potulovat se
proximity [prok'simiti] těsná blízkost (*of* čeho)
proxy ['proksi] plná moc, zplnomocnění; zástupce, zmocněnec **by ~** v zastoupení
pruden|ce ['pru:dn|s] opatrnost, prozíravost, rozvážnost **–t** [-t] opatrný, rozvážný
prudish ['pru:diš] přehnaně stydlivý, puritánský
prune[1] [pru:n] sušená švestka
prune[2] [pru:n] prořezávat, klestit stromy
pseudo- ['psju:dəu] lživý, nepravý, falešný, pseudo-
pseudonym ['psju:dənim] pseudonym
psychiatr|ist [sai'kaiətrist] psychiatr **–ic** [,saiki'ætrik] psychiatrický **–y** [sai'kaiətri] psychiatrie
psychic ['saikik] parapsychologický; spiritistický; psychický, duševní # spiritistické medium
psycholog|y [sai'kolədži] psychologie **–ical** [,saikə'lodžikl] duševní; psychologický **–ist** [-st] psycholog
pub [pab] hovor. hospoda, výčep
puberty ['pju:bəti] pohlavní dospívání, puberta
pubic ['pju:bik] stydký, rostoucí na genitáliích
public ['pablik] veřejný (*in ~* veřejně; *~ holiday* veřejný svátek) **~ house** [,-'haus] hostinec **the ~** publikum, veřejnost **–ation** [,pabli'keišn] vydání, zveřejnění **–ity** [pab'lisiti] pozornost, zájem veřejnosti; reklama **–ize** ['pablisaiz] dát publicitu čemu; propagovat
publish ['pabliš] uveřejnit, vydat, vydávat tiskem **–er** [-ə] vydavatel, nakladatel
puck [pak] hokejový puk
pudding ['pudiŋ] pudink, nákyp; jelito, jitrnice, klobása
puddle ['padl] louže, kaluž
puff [paf] závan, náraz větru; odfukování, bafání; tah při kouření # vydechnout, vyfouknout; těžce oddechovat **~ out** sfouknout, zhasnout **~ pastry** křehké těsto
pull [pul] zatáhnutí, přitažlivost; vliv # táhnout, vléct; napnout, natáhnout **~ apart** roztrhat **~ down** strhnout, zbořit **~ in** vjet, přijet; jet, jít, odejít na bok, stranou **~ off** dokázat, udělat, získat **~ out** vyjet, odjet vlak, auto vytáhnout; odejít, stáh-nout **~ up** ['-ap] zastavit, zarazit (se)
pulley ['puli] kladka
pullover ['pul,əuvə] svetr přes hlavu
pulp [palp] dužina, dřeň ovoce; drť, kaše na výrobu papíru
pulpit ['pulpit] kazatelna
pulsate [pal'seit] bít, tepat
pulse[1] [pals] (PL **–s** [-iz]) luštěnina
pulse[2] [pals] puls, tep; rytmus, puls hudby
pump [pamp] pumpa # pumpovat
pumpkin ['pampkin] dýně, tykev
pun [pan] slovní hříčka # (*-nn-*) dělat slovní hříčky
pun|ch[1] [panč] průbojník; děrovač **–cture** ['paŋkčə] (pro)píchnutí zvl. pneumatiky # propíchnout
punch[2] [panč] punč
punctual ['paŋkčuəl] přesný, dochvilný **–ity** [,pankču'æləti] přesnost, dochvilnost
punctuation [,paŋkču'eišn] inter-pun-

kce
pungent ['pandžənt] ostrý, pronikavý vůně, chuť; kousavý, sžíravý poznámka
punish ['paniš] (po)trestat **–ment** [-mənt] trest, potrestání
punt [pant] pramice poháněná odpichováním bidlem
pupil ['pju:pl] žák(yně)
puppet ['papit] loutka
puppy ['papi] štěně
purchase ['pə:čəs] koupě, nákup # koupit
pure [pjuə] čistý, ryzí
purée ['pjuərei] pyré, kaše, protlak
purge [pə:dž] očistit (*of, from* od); očistit se; med. projímat, pročistit # čistka
purify ['pjuərifai] čistit; rafinovat
puritan ['pjuəritən] puritán
purity ['pjuəriti] čistota
purple ['pə:pl] nachový
purpose ['pə:pəs] účel; smysl, cíl; záměr **on ~** úmyslně, záměrně **–ful** [-ful] rozhodný, cílevědomý
purr [pə:] kočka příst; stroj hučet, vrčet
purse [pə:s] peněženka; am. kabelka
purser ['pə:sə] lodní hospodář, pokladník
pursu|e [pə'sju:] (proná)sledovat; pokračovat **–it** [pə'sju:t] soustavná činnost; snaha o získání čeho, věno-vání se čemu, provozování čeho, honba (za čím); pronásledování, stíhání
purulent ['pjuərulənt] hnisavý
pus [pas] hnis
push [puš] strčení, náraz; úder, nápor, útok; průbojnost, podnikavost # strkat, tlačit (se); naléhat na koho **~ on** pokračovat, hnout se z místa **~ through** dovést až do konce, prosadit **~ up** vytlačit nahoru, zvýšit, zvednout ceny **–chair** ['-čeə] dětský sportovní kočárek
pussy ['pusi] (též *~-cat*) kočička, číča
put* [put] (*-tt-*) (PT a PP ~) položit, dát; říci; vyjádřit **~ by** dávat stranou, šetřit **~ down** letadlo přistát; napsat, zapsat; potlačit, zmařit **~ forward** dát, posunout kupředu; předložit, navrhnout; urychlit, uspíšit **~ off** odložit, odsunout; odradit **~ on** obléknout si; vzít si; rozsvítit, zapnout; uvést, zařadit do programu; přibrat na váze **~ out** zhasnout, vypnout; vystrčit ven, vyhodit; vypláznout jazyk; uveřejnit, rozšířit **~ up** zvednout, vztyčit; zvýšit; ubyto-vat; předložit
putrid ['pju:trid] shnilý, zkažený, rozkládající se
putty ['pati] tmel, kyt
puzzl|e ['pazl] hádanka, záhada; hlavolam # uvést do rozpaků, zmást; lámat si hlavu (*over* nad čím) **–ing** [-iŋ] záhadný, nejasný
pyjamas [pə'dža:məz] PL pyžam|o(a)
pylon ['pailən] ocelový stožár el. vedení
pyramid ['pirəmid] pyramida; jehlan

quack [kwæk] kvákání kachny; mastičkář, felčar pokoutní lékař
quadrangle ['kwodræŋgl] čtyřúhelník
quadruple ['kwodrupl] čtyřnásobný; čtyřčvrteční (*time* takt) # čtyřnásobek **–t** [-d] čtyřče
quail [kweil] křepelka
quaint [kweint] přitažlivý, poutavý, protože zvláštní, starobylý, kuriózní, malebný
quake [kweik] chvět se, třást se
Quaker kvaker člen náboženské pacifisti-cké společnosti
qualif|ication [,kwoli|fi'keišn] způsobilost, kvalifikace; výhrada **–y** ['-fai] oprávnit; kvalifikovat se; blíže určit, vymezit
quality ['kwoliti] kvalita; vlastnost
qualm [kwo:m] pochybnost, nejistota; hryzání n. výčitky svědomí
quantity ['kwontiti] kvantita; počet
quarantine ['kworənti:n] karanténa
quarrel ['kworəl] spor, hádka # (*-ll-*) (po)hádat se (*with* s; *about, over* o)
quarry[1] ['kwori] kořist, úlovek zvíře

quarry[2] ['kwori] lom
quart [kwo:t] míra kvart
quarter ['kwo:tə] čtvrtina; čtvrthodina; čtvrtletí; městská čtvrť
quartet [kwo:'tet] kvartet; kvarteto
quash [kwoš] zrušit, anulovat, prohlásit za neplatné; potlačit vzpouru
quay [ki:] přístavní hráz
queasy ['kwi:zi] žaludek podrážděný, choulostivý; věc zvedající žaludek
queen [kwi:n] královna; dáma v šachu
queer [kwiə] (po)divný, zvláštní; cítící se nesvůj, divně, špatně
quench [kwenč] (u)hasit oheň, žízeň
querulous ['kweruləs] naříkavý, plačtivý, žalostný
query ['kwiəri] otázka, dotaz # ptát se, zeptat se
question ['kwesčən] otázka; věc, záležitost # ptát se, položit otázku; vyslýchat **–able** [-əbl] pochybný, sporný **~-mark** [-ma:k] otazník **–naire** [,kwesčə'neə] dotazník
queue [kju:] fronta # stát ve frontě
quibble ['kwibl] chytat za slovo, hašteřit se malicherně
quick [kwik] rychlý; živý, čilý; bystrý **–en** ['-ən] zrychlit (se); oživit; ožít **~-witted** [,-'witid] bystrý, pohotový, inteligentní
quiet ['kwaiət] tichý # ticho; klid **–en** ['-n] utišit (se)
quilt [kwilt] prošívaná přikrývka, deka
quintal ['kwintl] metrický cent
quip [kwip] vtipná, zejména ironická poznámka, satirický šleh
quit [kwit] (*-tt-*) opustit, odejít (z)
quite [kwait] poměrně, dost; úplně, naprosto; dokonale, fakticky **~!** ovšem!, zcela správně!
quiver ['kwivə] chvět se; rozechvět; rozkmitat
quiz [kwiz] kvíz # (*-zz-*) vyslýchat
quota ['kwəutə] díl, příděl, kvóta
quot|e [kwəut] citovat **–ation** [kwəu'teišn] citát; citace

R

rabbit ['ræbit] králík
rabble ['ræbl] chátra, lůza
rabies ['reibi:z] vzteklina
rac|e[1] [reis] běh, závod # běžet o závod, soutěžit v rychlosti; hnát se, letět **~-course** ['-ko:s] dostihová dráha **~-horse** ['-ho:s] závodní, dostihový kůň **–ing** závodění **–ing-driver** ['-iŋdraivə] závodník **~track** závodní dráha
race[2] [reis] rasa
raci|al ['reišl] rasový **–sm** ['reisizəm] rasismus **–st** ['reisist] rasista
rack [ræk] stojan, police, přihrádka, mřížka, nosič zavazadel
racket[1] ['rækit] sport. raketa, pálka
racket[2] ['rækit] hluk, rámus
racy ['reisi] svérázný, jadrný; peprný, pikantní i přen.
radar ['reida:] radar, radiolokátor
radia|nt ['reidjənt] zářící **–te** [-ieit] zářit, vyzařovat **–tion** [,-i'eišn] záření **–tor** [-ieitə] radiátor, otopné těleso; chladič automobilu
radical ['rædikl] zásadní, radikální # radikál
radio ['reidiəu] rádio, rozhlas **–active** [,reidiəu'æktiv] radioaktivní **–activity** [,reidiəuæk'tivəti] radioaktivita
radish ['rædiš] ředkvička
radi|us* [reidi|əs] (PL *–i* [-ai]) paprsek; poloměr
raffle ['ræfl] tombola
raft [ra:ft] prám, vor
rag [ræg] hadr, cár **–time** ['-taim] druh jazzu populární v USA na začátku 20. stol. **–ged** ['rægid] otrhaný, rozedraný
rage [reidž] hněv, vztek, zuřivost # vztekat se (*against*, *at* na)
raid [reid] nájezd, útok; razie
rail [reil] zábradlí; věšák, držák; kolej(nice) **–ing(s)** [-iŋ(z)] zábradlí, mřížoví **–road** ['-rəud] am., **–way** ['-wei] brit. železnice **–wayman***

['-weimən] (PL v. *man**) železničář **–way station** ['-wei,steišn] železniční nádraží
rain [rein] déšť # pršet **–bow** ['reinbəu] duha **–coat** ['-kəut] plášť do deště **–fall** ['-fo:l] vodní srážky **–y** ['reini] deštivý
raise [reiz] (po)zvednout, zvýšit # (na)shromáždit (*money* peníze) # vychovat
raisin ['reizn] hrozinka
rake [reik] hrábě; pohrabáč # (u)hrabat
rally ['ræli] znovu se shromáždit, soustředit; zotavit se # shromáždění; sjezd, sraz; automobilový závod
ram [ræm] beran # (*-mm-*) narazit (*against, into* do)
ramble ['ræmbl] toulat se # toulka, procházka
ramp [ræmp] nakloněná plošina, rampa; schůdky k letadlu
rampage [ræm'peidž] vztekat se, řádit, lítat
ramshackle ['ræm,šækl] zchátralý, na spadnutí dům
ran [ræn] PT od *run**
rancid ['rænsid] žluklý
rancour ['ræŋkə] zahořklost; zloba, zášť
random ['rændəm] náhodný **at ~** namátkově, nazdařbůh
rang [ræŋ] PT od *ring**
range [reindž] řada, pásmo; paleta, výběr; rozsah, dosah # (se)řadit (se); sahat, prostírat se; pohybovat se, být v rozmezí (*from... to* od... do); zasahovat, týkat se čeho
rank[1] [ræŋk] společenské postavení, vrstva; řada; voj. hodnost # (se)řadit (se); řadit se (*among* mezi), hodnotit
rank[2] [ræŋk] páchnoucí, smradlavý, zkažený
ransack ['rænsæk] prohledat; vyplenit
ransom ['rænsəm] výkupné # vykoupit ze zajetí, z otroctví
rap [ræp] (*-pp-*) (za)klepat, (za)ťukat (*on* na)
rape [reip] znásilnit # znásilnění
rapid ['ræpid] rychlý; prudký **–s** [-z] PL peřeje
rapture ['ræpčə] vytržení, zanícení
rare [reə] vzácný, výjimečný **–ly** [-li] zřídka
rarity ['reəriti] vzácnost
rascal ['ra:skl] lump, rošťák
rash[1] [ræš] vyrážka
rash[2] [ræš] ukvapený, nepředložený
raspberry ['ra:zbəri] malina
rat [ræt] krysa
rate [reit] poměr, podíl; sazba, cena # (o)cenit, hodnotit; považovat, pokládat za **at the ~ of** rychlostí **exchange ~** směnný kurs
rather ['ra:ðə] spíše, raději; poněkud, dost
ratif|y ['ræti|fai] schválit, podepsat, ratifikovat **–ication** [,-fi'keišn] schválení, podepsání, ratifikace
ratio ['reišiəu] poměr
ration ['ræš|n] dávka, příděl # vydávat na příděl **–al** [-ənəl] rozumný; racionální **–alize** [-nəlaiz] odůvodňovat své skutky, city, vymýšlet si důvody; racionalizovat **–alization** [,-nəlai'zeišn] odůvodňování, vykrucování; racionalizace
rattle ['rætl] chrastit, rachotit; polekat # chrastění; rachot; chřestítko **~-snake** [-sneik] chřestýš
raucous ['ro:kəs] chraptivý, drsný
ravage ['rævidž] zpustošit **–s** [-iz] PL ničivý účinek (*of* čeho)
rave [reiv] vztekat se (*at, about, against* na, kvůli); blouznit, mluvit z cesty; nadšeně mluvit, básnit (*about* o)
raven ['reivn] havran
ravenous ['rævənəs] vyhladovělý
ravine [rə'vi:n] strž, průrva, rokle
ravish ['ræviš] uchvátit, unést **–ing** úchvatný
raw [ro:] syrový, nezpracovaný; nezkušený **~ material** surovina
ray [rei] paprsek
rayon ['reion] umělé hedvábí

raze [reiz] srovnat se zemí
razor ['reizə] břitva; holicí strojek
~-blade [-bleid] žiletka
reach [ri:č] sahat (*for* po); (za)stihnout koho kde; prostírat se; dosáhnout čeho, dorazit kam # dosah; rozpětí **within ~** na dosah **out of ~** mimo dosah
react [ri'æk|t] reagovat **-ion** [-šn] reakce **-or** [-tə] reaktor
read* [ri:d] (PT a PP ~ [red]) číst (se); předčítat; studovat (*a subject* předmět na vysoké škole) **-able** ['-əbl] čtivý; čitelný **to have* a -ing knowledge of** znát pasivně (*a language* jazyk) **-er** ['ri:də] čtenář; vysokoškolský učitel; čítanka
readi|ly ['redili] ochotně; bez váhání; snadno **-ness** [-nis] připravenost; ochota; lehkost, hbitost
readjust [,ri:ə'džast] **os. to** znovu se přizpůsobit čemu
ready ['redi] hotový; připraven(ý)
real [riəl] skutečný, reálný; pravý, opravdový **~ estate** nemovitost **-ism** ['riəlizəm] realismus **-ist** ['-ist] realista **-istic** [,riə'listik] realistický **-ity** [ri'æləti] skutečnost, realita **-ization** [,riəlai'zeišn] uskutečnění, realizace; zpeněžení **-ize** uvědomit si; uskutečnit, realizovat; zpeněžit **-ly** ['riəli] opravdu, skutečně
reap [ri:p] žnout; sklízet
reappear [,ri:ə'piə] opět se objevit
rear[1] [riə] pěstovat; vychovávat
rear[2] [riə] zadní část # zadní
rearrange [,ri:ə'reindž] přerovnat; změnit plán ap.
reason ['ri:zn] důvod, příčina (*for st., to do st.* čeho, pro co); rozum; smysl # myslit, přemýšlet **-able** [-əbl] rozumný; přiměřený
reassure [,ri:ə'šo:] uklidnit, znovu ujistit (*about* o čem)
rebate ['ri:beit] sleva, rabat
rebel [ri'bel] (*-ll-*) vzbouřit se (*against* proti) # ['rebl] vzbouřenec, rebel **-lion** [ri'beljən] povstání, vzpoura **-lious** [ri'beljəs] odbojný, vzpurný
rebind* [,ri:|'baind] (PT a PP v. *bind**) znovu svázat, převázat zvl. knihu
rebound [ri'baund] odrazit se i přen.; PT a PP od *rebind**
rebuff [ri'baf] odmítnutí, odbytí, odmrštění
rebuild* [,ri:'bild] (PT a PP v. *build**) znovu postavit, znovu vytvořit, obnovit
rebuke [ri'bju:k] pokárat # pokárání (*for* za)
rebut [ri'bat] kniž. vyvrátit, dokázat nesprávnost
recall [ri'ko:l] odvolat, zavolat zpět; připomenout si, vzpomenout si
recant [ri'kænt] veřejně odvolat názor, tvrzení
recap [ri:kæp] = *recapitulate* [,ri:kə'pičuleit] (z)opakovat, shrnout
receipt [ri'si:t] příjem; účet, stvrzenka
receive [ri'si:v] dostat, obdržet; přijmout **-r** [-ə] příjemce; radio přijímač; sluchátko
recent ['ri:snt] nedávný, nový, poslední **-ly** [-li] nedávno
reception [ri'sep|šn] přijetí; příjem; recepce v hotelu; oficiální přijetí s pohoštěním **-ist** [-šənist] recepční
recess [ri'se|s] přerušení, přestávka; výklenek **-ion** [-šn] odstoupení, ustoupení; odchod; am. krize, úpadek, klesání
recharge [,ri:'ča:dž] znovu nabít baterii
recipe ['resəpi] recept; návod
recipient [ri'sipiənt] příjemce
recit|al [ri'saitl] recitál vystoupení **-ation** [,resi'teišn] přednášení, recitace; recitované dílo **-e** [ri'sait] přednášet, recitovat; vyjmenovat, vypočítat **-er** přednašeč, recitátor
reckless ['reklis] bezstarostný, lehkomyslný
reckon ['rekən] považovat (*among, as* za); myslit (si); odhadovat **-ing** odhad
reclaim [ri'kleim] znovu nabýt, získat;

sbírat odpadový materiál; zastarale napravit koho
recline [ri'klain] lehnout si, opřít se
recluse [ri'klu:s] člověk žijící stranou, samotář, poustevník
recogni|tion [,rekəg'nišn] (po)u|znání **–ze** ['rekəgnaiz] (po)u|znat
recollect [,rekə'lekt] upamatovat se, vzpomenout si **–ion** [,rekə'lekšn] paměť; vzpomínání **≈s** [,rekə'lekšnz] PL vzpomínky
recommend [,rekə'mend] doporučit (*as, for* pro, na, jako) **–ation** [,rekəmen'deišn] doporučení
recompense ['rekəmpens] odměnit; odškodnit, (vy)nahradit # odměna; odškodné
reconcil|e ['rekənsail] (u)smířit (se) (*with* s); urovnat spor **–iation** [,rekənsili'eišn] (u)smíření; srovnání, sladění názorů ap.
reconsider [,ri:kən'sidə] znovu uvážit, rozmyslet
reconstruct [,ri:kən'strak|t] znovu postavit, rekonstruovat **–ion** [-šn] obnova, rekonstrukce
record ['reko:d] záznam, zápis; nahrávka; gramofonová deska; sport. rekord # [ri'ko:d] zapsat, zaznamenat (si); nahrát **–ing** záznam, nahrávka **~-player** ['reko:d,pleiə] gramofon **–s** [-z] PL spisy, archív
re-count [,ri:'kaunt] přepočítat, znovu spočítat hlasy # [ri'kaunt] nové sčítání, přepočítávání hlasů
recoup [ri'ku:p] **os.** (vy)nahradit si, odškodnit se, získat zpět
recover [ri'kavə] znovu nabýt, získat; zotavit se, uzdravit se **–y** [-ri] znovunabytí; zotavení
recreation [,rekri'eišn] zábava, odpočinek
recruit [ri'kru:t] branec, odvedenec, nový člen # získávat nové členy, zaměstnance ap.; verbovat, doplňovat, najmout **–ment** [-mənt] odvádění; získávání, nábor
rectang|le ['rek,tæŋgl] obdélník, pravoúhlý čtyřúhelník **–ular** [rek'tæŋgjulə] pravoúhlý; obdélníkový
rectify ['rektifai] napravit, dát do pořádku
rector ['rektər] rektor; farář, hlava farnosti
rectum* ['rektəm] (PL *recta* ['rektə]) konečník
recur [ri'kə:] (*-rr-*) vracet se, opakovat se
recycle [,ri:'saikl] znovu zpracovat starý papír, sklo ap.
red [red] červený, rudý; ryšavý **Red Cross** Červený kříž **to be* in the ~** mít dluh v bance
redden ['redn] červenat se
redeem [ri'di:m] vykoupit; splatit; splnit slib **~ os.** vynahradit
redhead ['redhed] rusovláska, zrzek
redo [,ri:'du:] udělat znovu
reduc|e [ri'dju:s] zmenšit, snížit, redukovat **–tion** [ri'dakšn] snížení, zmenšení, redukce; sleva **at a –ed price** [-t] za sníženou cenu
redundant [ri'dandənt] nadbytečný; nepotřebný **to be* made ~** zůstat bez práce
reed [ri:d] rákos, rákosí
reef [ri:f] útes, skalnatý břeh
reek [ri:k] zápach # páchnout
reel [ri:l] cívka # motat se, vrávorat
refer [ri'fə:] (*-rr-*) odkazovat, odvolávat se (*to* na); zmiňovat se (o); vztahovat se (k) **–ee** [,refə'ri:] rozhodčí, soudce **–ence** ['refərəns] odkaz; narážka, zmínka; doporučení, posudek **≈ book** příručka **≈ library** příruční knihovna
refill [,ri:'fil] znovu naplnit # ['ri:fil] náhradní náplň
refine [ri'fain] čistit, rafinovat; (vy)tříbit, (vy)pilovat **–d** [-d] kultivovaný, uhlazený; čistěný, rafinovaný **–ry** [-əri] rafinerie, čistírna
reflect [ri'flek|t] odrážet; přemýšlet, uvažovat (*on, upon* o) **–ion** [-šn] odraz; přemítání, úvahy, vzpomínky
reflex ['ri:fleks] reflex

reform [ri'fo:m] napravit, reformovat # reforma
refractory [ri'fræktəri] vzdorný, vzpurný; nezabírající léčebně; žáruvzdorný, ohnivzdorný
refrain[1] [ri'frein] refrén
refrain[2] [ri'frein] zdržet se (*from* čeho)
refresh [ri'freš] občerstvit, osvěžit **–er course** [-ə] opakovací, doplňkový kurs **–ments** [-mənts] PL občerstvení
refrigerator [ri'fridžəreitə] lednička
refuel [,ri:'fjuəl] doplnit zásobu pohonných hmot, natankovat
refuge ['refju:dž] útočiště **–e** [,refju'dži:] utečenec, uprchlík
refund [ri:'fand] splatit; proplatit
refusal [ri'fju:zl] odmítnutí
refuse[1] [ri'fju:z] odmítnout
refuse[2] ['refju:s] odpad(ky)
regain [ri'gein] znovu získat, znovu nabýt; znovu dosáhnout čeho
regal ['ri:gl] královský i přen. **–ia** [ri'geiliə] PL znaky královské moci; insignie
regard [ri'ga:d] dívat se, hledět, pohlížet **–less** [-lis] bezohledný (*of* na)
regime [rei'ži:m] režim
regiment ['redžimənt] pluk, regiment
region ['ri:džən] oblast, kraj **–al** [-l] oblastní, krajový
regist|er ['redžistə] seznam, rejstřík # zapsat (se), přihlásit (se), (za)registrovat (se) **–ered letter** [-dletə] doporučený dopis **–ered trade mark** [,-d'treidma:k] ochranná známka **–ration** [,redži'streišn] zápis, registrace ≈ **number** dopravní státní poznávací značka
regret [ri'gret] lítost, politování # (*-tt-*) litovat **–table** [-əbl] politováníhodný
regular ['regjulə] pravidelný; obvyklý, řádný **–ity** [,regju'lærity] pravidelnost **–ly** [-li] pravidelně
regulat|e ['regjuleit] řídit; nastavit **–ions** [,regju'leišnz] PL nařízení, předpisy
rehabilitat|e [,ri:ə'bili|teit] podrobit rehabilitaci po nemoci, propuštění z vězení; rehabilitovat **–ion** [-teišn] rehabilitace
rehears|al [ri'hə:sl] nácvik, divadelní zkouška **dress** ~ generální zkouška **–e** [ri'hə:s] nacvičovat, zkoušet
reign [rein] vládnout, panovat (*over* nad) i přen. # vláda (*in, during the* ~ *of* za vlády)
reimburse [,ri:im'bə:s] (na)u|hradit; splatit, vrátit peníze
rein [rein] uzda, otěž
reindeer* ['rein,diə] (PL –) sob
reinforce [,ri:in'fo:s] (po)ze|sílit; zpevnit
reinstate [,ri:'insteit] znovu dosadit (*in, as* do funkce)
reiterate [ri:'itəreit] opakovat činnost
reject [ri'džek|t] (od)za|mítnout **–ion** [-šn] zamítnutí
rejoice [ri'džois] těšit se (*at, over* z)
rejoin [ri'džoin] odvětit; [,ri:'džoin] znovu spojit
relapse [ri'læps] znovu upadnout (*into* do, v nemoc) zapomenutí ap. # opakování; opětovné zhoršení
relat|e [ri'lei|t] vyprávět, popisovat; uvádět ve vztah (*to* s); vztahovat se (*to* k), týkat se čeho **–ed** [-tid] vztahující se (*to* k); příbuzný (*to* s) **–ion** [-šn] vztah, poměr; příbuzenství **–ionship** [-šnšip] vztah **–ive** ['relətiv] poměrný, relativní # příbuzný **–ively** ['relətivli] relativně, poměrně **–ivity** [,relə'tiviti] relativnost; relativita
relax [ri'læks] uvolnit (se); odpočívat **–ation** [,ri:læk'seišn] uvolnění; odpočinek, zábava **–ed** [-t] uvolněný, klidný
relay [,ri:'lei] střídání, čerstvá směna, čerstvé spřežení; štafeta; relé # ~* [ri:'lei] (PT a PP v. *lay**) předávat zprávu, štafetu; přenášet vysílat
release [ri'li:s] propustit, uvolnit; zveřejnit, uvést do kin, do distribuce, na trh # propuštění, uvolnění; uvedení na veřejnost **press** ~ tisková zpráva

relent [ri'lent] obměkčit se **–less** [-lis] nepovolný, neúprosný
relevant ['reləvənt] týkající se (*to* čeho), vztahující se (k), příslušný, náležitý; podstatný, důležitý
relia|ble [ri'laiəbl] spolehlivý **–bility** [ri,laiə'biliti] spolehlivost **–nce** [ri'laiəns] spoléhání, důvěra (*on* v)
relic ['relik] památka; pozůstatek **–s** [-s] PL tělesné pozůstatky
relief [ri'li:f] úleva, odlehčení; podpora, pomoc # reliéf
relieve [ri'li:v] (u)od|lehčit; pomoci, přispět; vystřídat; zprostit, zbavit (*of* čeho)
religio|n [ri'lidžən] víra; náboženství **–us** [ri'lidžəs] náboženský; zbožný, věřící
relinquish [ri'liŋkwiš] vzdát se, nechat čeho, opustit co
relish ['reliš] **with ~** s potěšením dělat něco a vychutnávat to
reluctan|ce [ri'laktən|s] nechuť, neochota, zdráhání **–t** [-t] neochotný, zdráhavý, váhavý
rely [ri'lai] spoléhat (se) (*on, upon* na)
remain [ri'mein] zůstat, zbýt **–der** [-də] zbytek **–s** [-z] PL zbytky, trosky; tělesné pozůstatky
remand [ri'ma:nd] dočasně propustit **to ~ in custody** držet ve vyšetřovací vazbě
remark [ri'ma:k] poznamenat, zmínit se (*upon, on* o); všimnout si # poznámka, připomínka, postřeh **–able** [-əbl] pozoruhodný; nápadný (*for* čím)
remarry [,ri':mæri] znovu se oženit, vdát; znovu si vzít koho
remedy ['remidi] léčebný prostředek (*for* proti) # napravit
rememb|er [ri'membə] (za)pamatovat (si), vzpomenout si **–rance** [ri'membrəns] vzpomínka, paměť
remind [ri'maind] připomenout (*about, of, to do st.* komu co) **–er** [-ə] připomínka
reminisce [,remi'nis] vzpomínat na minulé časy, psát paměti **–nce** [,remi'nisns] vzpomínka **–nt** [-nt] připomínající(*of* co); vzpomínající (*of* na); vzpomínkový
remit [ri'mit] (*-tt-*) odpustit, prominout; polevit, ochabnout; poslat, poukázat peníze **–tance** [-əns] poslání, poukázání peněz
remnant ['remnənt] zbytek
remorse [ri'mo:s] výčitky svědomí (*for* z)
remote [ri'məut] vzdálený, odlehlý **~ control** řízení na dálku
remov|e [ri'mu:v] odstranit, odklidit; přemístit **–al** [-l] odstranění, přemístění, stěhování **–er** stěhovák; ve složeninách odstraňovač přípravek
renaissance [rə'neisəns] **the R~** renesance; obroda, obnovení
rename [,ri:'neim] přejmenovat
render ['rendə] vrátit, odplácet; předložit účet; učinit jakým; (zvl. v trpném rodě) přednést, zahrát, namalovat; přeložit vyjádřit v jiném jazyce
renew [ri'nju:] obnovit, znovu začít; zaměnit za nové **–al** [-əl] obnovení; prodloužení
renounce [ri'nauns] vzdát se čeho; vypovědět smlouvu
renovat|e ['renəuveit] obnovit; renovovat **–ion** [,renəu'veišn] obnovení; oprava, modernizace
renowned [ri'naund] proslulý, věhlasný
rent [rent] nájemné; najmout (si); pronajmout
reorganiz|e [,ri:'ogənaiz] reorganizovat **–ation** [-eišn] reorganizace
repair [ri'peə] (o)na|pravit # oprava **–er** opravář
repaid [,ri:'peid] PT a PP od *repay**
repay* [,ri:'pei] (PT a PP v. *pay**) splatit, vrátit peníze; odškodnit, odměnit (*for* za)
repeal [ri'pel] (*-ll-*) odvolat, zrušit; prohlásit za neplatný **–lent** [-ənt] odpudivý, odpuzující # odpuzující prostředek, repelent

repeat [ri'pi:t] opakovat **–edly** [-idli] opakovaně
repent [ri'pent] litovat (*of* čeho) **–ance** [-əns] lítost, pokání
repercussions [,ri:pə'kašnz] PL dopad, následky
repertoire ['repətwa:] repertoár
repetition [,repi'tišn] opakování
replace [ri'pleis] dát zpět; nahradit (*with* kým, čím) **–ment** [-mənt] náhrada
replenish [ri'pleniš] znovu naplnit, doplnit
reply [ri'plai] odpovědět (*to* na) # odpověď
report [ri'po:t] podat zprávu; oznámit; ohlásit např. krádež; (o)hlásit se, dostavit se # zpráva, referát; posudek, vysvědčení; dobrá n. špatná pověst **–er** [-ə] zpravodaj, reportér
repose [ri'pəuz] ležet, spočívat; opřít (*on* o) # odpočinek, spánek; pokoj, klid
represent [,repri'zent] představovat, znázorňovat; popisovat; zastupovat **–ation** [,reprizen'teišn] zastoupení; znázornění, ztělesnění **≈s** [-s] PL protest **–ative** [-ətiv] reprezentativní; představující, zastupující (*of* koho, co) # představitel; zástupce
repress [ri'pres] potlačit **–ion** [ri'prešn] potlačení, represe; přemáhání, překonání
reprieve [ri'pri:v] odložit výkon trestu; dát milost; poskytnout oddech # milost; odklad
reprimand ['reprima:nd] ostře pokárat, udělit důtku zvl. oficiálně # pokárání, důtka
reprint [,ri:'print] vydat v novém zvl. nezměněném vydání, přetisknout; o knize znovu vyjít # nové zvl. nezměněné vydání, přetisk; znovu vydaná kniha
reprisal [ri'praizl] odveta **–s** [-z] PL represálie
reproach [ri'prəuč] vyčítat, vytýkat (*for* pro) # výčitka, výtka; hanba **–ful** [-ful] vyčítavý
reproduc|e [,ri:prə'dju:s] reprodukovat **–tion** [,ri:prə'dakšn] reprodukce; rozmnožování
reproof [ri'pru:f] výtka, pokárání
reptile ['reptail] plaz
republic [ri'pablik] republika **–an** [-ən] republikový; republikánský # republikán
repudiate [ri'pju:dieit] kniž. zavrhnout, odřeknout se; neuznat, odmítnout
repuls|e [ri'pal|s] odrazit, zahnat; odmítnout # odražení, zahnání; odmítnutí **–ion** [-šn] odpor, nechuť **–ive** [-siv] odpuzující, odporný
reputation [,repju'teišn] pověst, reputace
repute [ri'pju:t] pověst, dobré jméno, reputace
request [ri'kwest] žádost (*for* o) # žádat, požadovat (*from, of* od)
require [ri'kwaiə] (vy)po|žadovat (*of* od), potřebovat **–ment** [-mənt] požadavek
requisit|e ['rekwizit] požadovaný, potřebný, nezbytný # požadavek, potřeba, nezbytná věc **–ion** [,rekwi'zišn] vymáhání, zabrání z úřední moci # vymáhat, zabrat
rerun ['riran] (PT *reran* ['riræn], PP *rerun*) znovu uvést film, znovu vysílat pořad; opakovat závod # repríza
rescue ['reskju:] zachránit (*from* před) # záchrana **–r** zachránce
research [ri'sə:č] výzkum (*into, on* čeho) # zkoumat **–er** [-ə] výzkumník, badatel
resembl|e [ri'zembl] podobat se **–ance** [-əns] podobnost, podoba (*to, between* s)
resent [ri'zent] zazlívat, nést nelibě **–ment** [-mənt] zášť, odpor, zlost (*against, toward* k, na); rozmrzelost
reservation [,rezə'veišn] rezervace; výhrada; indiánská rezervace
reserv|e [ri'zə:v] ponechat (si), rezervovat (si), šetřit (si) # rezerva, záloha; přírodní rezervace; výhrada **–ed** [-d] zdrženlivý, odměřený člověk; zamluvený, rezervovaný **–ist** [-ist] zá-

ložník
reservoir ['rezəvwa:] vodní nádrž, přehrada
reshape [,ri:šeip] přetvořit
reside [ri'zaid] sídlit, bydlit
residen|ce ['rezidən|s] sídlo; bydliště; pobyt **~ permit** povolení k pobytu **–t** [-t] bydlící, sídlící, místní # místní občan, obyvatel; hotelový host **–tial** [,rezi'denšl] obytný
residue ['rezidju:] (po)zůstatek, zbytek
resign [ri'zain] vzdát se čeho, odstoupit, rezignovat (*from* od) **~ os. to** smířit se (s) **–ation** [,rezig'neišn] odstoupení; odevzdanost, rezignace
resilient [ri'ziliənt] pružný, elastický materiál; nezdolný, nezlomný člověk
resin ['rezin] pryskyřice
resist [ri'zist] odporovat, (u)bránit se; odolávat, vzdorovat **–ance** [-əns] odpor, odolnost
resol|ute ['rezəlu:t] odhodlaný, rozhodný **–ution** [,rezə'lu:šn] rozhodnost; rozhodnutí, předsevzetí; usnesení; (vy)řešení **–ve** [ri'zolv] rozhodnout (se); (vy)řešit
resort [ri'zo:t] uchýlit se (*to* k nepopulární činnosti); sáhnout po # jediná možnost, pomoc, východisko # vyhledávané místo turistika, rekreace **as a last ~**, in the last ~ z nutnosti, jako poslední možnost
resound [ri'zaund] (za)znít, zvučet, ozývat se
resource [ri'so:s] zásoba, záloha **–s** [-iz] PL zdroje, prostředky **–ful** [-ful] vynalézavý
respect [ri'spekt] vážnost, úcta (*for* k); ohled, zřetel (*with ~ to* n. *in ~ of* vzhledem k) # vážit si; dbát čeho, mít ohled (na); zachovávat, respektovat **–ful** [-ful] uctivý, zdvořilý **–ive** [-iv] příslušný, vlastní **–able** [-əbl] úctyhodný, vážený; obstojný **–ively** [-ivli] samostatně, jednotlivě; v uvedeném pořadí
respirat|ion [,respə'reišn] dýchání **–or** ['respəreitə] dýchací přístroj; dýchací maska
respite ['respait] kniž. oddech, přestávka
respon|d [ri'spon|d] odpovídat; reagovat (*to* na) **–se** [-s] odpověď; reakce, ohlas
responsib|le odpovědný (*for* za) **–ility** [ri,sponsə'biliti] odpovědnost
responsive [ri'sponsiv] citlivý, vnímavý
rest [rest] odpočívat; opřít (se) i přen.; spočinout pohledem (*on* na) # odpočinek, oddech; podpěra, podstavec, podložka; zbytek
restaurant ['restəro:ŋ] restaurace
restless ['restləs] neklidný, netrpělivý **–ness** [-nis] neklid, netrpělivost
restor|ation [,restə'reišn] (na)vrácení; obnovení, rekonstrukce; uzdravení; znovunastolení **–e** [ri'sto:] (na)vrátit; rekonstruovat; uzdravit se
restrain [ri'strein] bránit se, zdržovat (*from* od); krotit, držet pod kontrolou; omezit
restrict [ri'strik|t] omezit **–ion** [-šn] omezení
result [ri'zalt] výsledek, následek # vyplývat (*from* z); být následkem čeho; mít za následek (*in* co)
resume [ri'zju:m] znovu začít; pokračovat; vrátit se (k)
résumé ['rezju:mei] shrnutí, rekapitulace, resumé
resurgence [ri'sə:džəns] obnova, oživení
resuscitate [ri'sasiteit] křísit, přivést k životu n. k vědomí
retail [ri:'teil] prodávat v malém # - ['ri:teil] maloobchod **–er** [ri:'teilə] maloobchodník
retain [ri'tein] podržet (si), uchovat (si), ponechat (si) **–er** [-ə] záloha právnímu zástupci
retaliat|e [ri'tælieit] odplatit stejným **–ion** [ri,tæli'eišn] odplata, odveta
retard [ri'ta:d] zpomalit, zpozdit; brzdit vývoj

reticent ['retisənt] nesdílný, zamlklý
retinue ['retinju:] suita, družina
retir|e [ri'taiə] odejít do ústraní, do výslužby, do důchodu **–ed** [-d] v důchodu **–ement** [-mənt] důchod, odchod do důchodu **–ing** uzavřený, samotářský
retort [ri'to:t] odseknout, ostře odpovědět # odseknutí, ostrá odpověď
retrace [ri'treis] sledovat, (vy)stopovat; zrekonstruovat, zrekapitulovat
retract [ri'trækt] kniž. vzít zpět, odvolat napsané, vyřčené; vrátit se do původní polohy součástka
retrain ['ri:trein] přeškolit (*in* na)
retreat [ri'tri:t] vojsko ustoupit, odtáhnout; stáhnout se do bezpečí, soukromí # ústup, stáhnutí se; ústraní, útulek; nábožensky duchovní cvičení
retrieve [ri'tri:v] získat zpět, znovu najít; napravit, odčinit
retroactive [,retrəu'æktiv] práv. působící se zpětnou platností **–ly** se zpětnou platností
retrograde ['retrəugreid] zpětný; zpátečnický, zaostalý
retrospective [,retrəu'spektiv] retrospektivní, vzpomínkový
return [ri'tə:n] vrátit (se); oplatit # návrat(nost); vrácení **~ ticket** brit. zpáteční lístek **answer by ~ of post** odpovědět obratem pošty **many happy –s (of the day)!** [-z] všechno nejlepší k narozeninám!
reunite [,ri:ju:'nait] znovu (se) spojit, sjednotit
reveal [ri'vi:l] odhalit, ukázat; prozradit, vyjevit
revel ['revl] (*-ll-*) bavit se, veselit se, hlučně se bavit; hýřit
revenge [ri'vendž] (po)mstít koho, co # pomsta; odplata **~ os.** (po)mstít se **–ful** mstivý, pomstychtivý
revenue ['revənju:] příjem, důchod zvl. státní
revere [ri'viə] ctít **–nce** ['revərəns] úcta **–nd** ['revərənd] ctihodný pán kněz
reverie ['revəri] snění
revers|e [ri'və:s] obrácený, opačný # opak; rub, zadní, opačná strana # obrátit, (pře)vrátit; dát n. nařídit zpět **~ the charges** telefonovat na účet volaného **–al** [-l] zvrat; převrácení změna v opačné
revert [ri'və:t] vrátit (se) do původního stavu, k
review [ri'vju:] přezkoumání; zpráva, přehled; posudek, recenze; časopis revue; přehlídka # přezkoumat; shrnout, probrat; posoudit, recenzovat; konat přehlídku
revis|e [ri'vaiz] (z)opakovat naučené; opravit, přepracovat; (z)kontrolovat, zrevidovat **–ion** [ri'vižn] opakování; (o)ú|prava; revize, korektura **–ionism** [ri'vižənizəm] revizionismus **–ionist** revizionista # revizionistický
revitalise [,ri:'vaitəlaiz] znovu oživit
reviv|al [ri'vaiv|l] obnova, oživení; nové uvedení hry, nové vydání knihy **–e** [-] oživit, obnovit; znovu uvést hru
revoke [ri'vəuk] kniž. zrušit, odvolat
revolt [ri'vəult] (vz)bouřit se, vzepřít se (*against* proti) # vzpoura, vzbouření **–ing** odpudivý (*smell* pach)
revolution [,revə'lu:šn] revoluce; otáčení, obrátka **–ary** [-əri] revoluční # revolucionář
revolve [ri'volv] otáčet se (*around, round, on* kolem)
revolver [ri'volvə] revolver
revue [ri'vju:] revue představení
reward [ri'wo:d] odměnit (se) # odměna
rewrit|e* [,ri:'rait] (PT a PP v. *write**) přepsat **–ten** [,ri:'ritn] PP od *rewrite**
rewrote [,ri:'rəut] PT od *rewrite**
rheumat|ic [ru:'mætik] revmatický **–ism** ['ru:mətizəm] revmatismus
Rhine [rain] **the ~** Rýn
rhinoceros [rai'nosərəs] nosorožec
rhubarb ['ru:ba:b] reveň, rebarbora
rhyme [raim] rým (též *–s*) verše; říkadlo, rýmovačka # rýmovat (se)
rhythm ['riðəm] rytmus **–ic(al)** ['riðmik(l)] rytmický

rib [rib] žebro # (*-bb-*) dobírat si (*sb. about, for st.* koho kvůli čemu)
ribbon ['ribən] stuha, stužka; páska do psacího stroje; cár
rice [rais] rýže
rich [rič] bohatý, oplývající (*in* čím); okázalý, drahocenný, vzácný; tučný **the ~** boháči **–es** [-iz] PL bohatství
rid* [rid] (*-dd-*) (PT a PP ~) **get* ~ of** zbavit se čeho
ridden [ridn] PP od *ride**
riddle[1] ['ridl] hádanka
riddle[2] ['ridl] síto, řešeto
ride [raid] jízda, projížďka # ~* (PT *rode* [rəud]; PP *ridden* [ridn]) jezdit **–r** ['-ə] jezdec
ridge [ridž] hřeben táhlá vyvýšenina; horská vyvýšenina, hřbet
ridicul|e ['ridikju:l] (po)vý|směch # posmívat se, zesměšňovat **–ous** [ri'dikjuləs] směšný
riding ['raidiŋ] jezdectví
rifle ['raifl] ručnice, puška
rift [rift] trhlina, puklina
rigging ['rigiŋ] lanoví a oplachtování lodi
right [rait] správný; pravý # vpravo, doprava; přesně; rovně; správně **all ~** dobře, dobrá **to be* ~** mít pravdu **on the ~** vpravo **–ful** ['-ful] zákonitý, právoplatný **–ly** [-li] správně; spravedlivě
rigid ['ridžid] pevný; strnulý; zkostnatělý
rigorous ['rigərəs] přísný, přesný; tvrdý, zlý
rim [rim] okraj, obruba
rind [raind] kůra, slupka; kůže např. na šunce
ring[1] [riŋ] prsten; kroužek; kruh; letokruh **wedding ~** snubní prsten # zakroužkovat označit; obklíčit, obklopit v kruhu; kroužkovat ptáky
ring[2] [riŋ] zvonění, zvonek; zavolání telefonem # ~* (PT *rang* [ræŋ]; PP *rung* [raŋ]) zvonit, znít; telefonovat (*~ the bell* zazvonit u dveří) **~ up** zatelefonovat
rink [riŋk] (**ice-~**, **skating-~**) kluziště
rinse [rins] opláchnout; (vy)máchat prádlo **~ out** vypláchnout
riot ['raiət] výtržnost, nepokoj; demonstrace
rip [rip] (*-pp-*) rozpárat (se), (roz)trhnout
ripe [raip] zralý **–n** ['raipən] zrát
ripple ['ripl] vlnka; vlnění, čeření # vlnit se, čeřit se
rise [raiz] stoupání; zvýšení; vzestup # ~* (PT *rose* [rəuz]; PP *risen* [rizn]) vstát; zvýšit se, zvednout se; vycházet slunce, měsíc **–n** [rizn] PP od *rise**
risk [risk] nebezpečí, riziko **at one's own ~** na vlastní nebezpečí **run* the ~** riskovat, nést nebezpečí # riskovat **–y** ['riski] riskantní
ritual ['ričuəl] rituál # rituální
rival ['raivl] sok(yně), soupeř(ka) # (*-ll-*) vyrovnat se čemu
river ['rivə] řeka **down (up) the ~** po (proti) proudu **~-bed** [-bed] řečiště **–bank** [-bæŋk] **–side** [-said] břeh řeky
road [rəud] silnice, cesta **~-side** ['-said] okraj cesty, silnice **~ sign** ['-sain] dopravní značka **–way** ['rəudwei] vozovka
roam [rəum] potulovat se, chodit bez cíle
roar [ro:] řvaní, řev, rachot
roast [rəust] péci; pražit (se); opékat (se) kávu, oříšky # pečeně # pečený
rob [rob] (*-bb-*) oloupit, okrást (*of* o) **–ber** [-ər] lupič **–bery** [-əri] loupež
robot ['rəubot] robot
robust [rəu'bast] silný, statný, robustní
rock[1] [rok] skála; kámen, balvan **–ery** ['-əri] zahradní skalka **–y** ['-i] skalnatý **~-climbing** horolezectví
rock[2] [rok] houpat (*–ing-chair* ['-iŋčeə] houpací křeslo), (o)třást (se)
rocket ['rokit] raketa
rococo [rəu'kəukəu] rokoko # rokokový
rode [rəud] PT od *ride**
rod [rod] prut; hůl, tyč

rodent ['rəudənt] hlodavec
roe* [rəu] (PL –s n. *roe*) srnec; srna; srnčí (též ~ *deer*) **–buck** ['-bak] srnec
rogu|e [rəug] darebák, ničema, gauner **–ish** ['-iš] darebácký; rošťácký
role [rəul] herecká úloha, role; funkce
roll [rəul] válec, svitek # koulet (se), valit (se) **–er** [-ə] váleček; válec **–er skates** ['-əskeits] PL kolečkové brusle
rolling [rəuliŋ] kymácivý, kolébavý ~ **hills** zvlněná krajina
Roman ['rəumən] římský; římskokatolický # říman; římský katolík ~ **Catholic** římskokatolický # římský katolík
romance [rəu'mæns] hud., lit. romance; milostný vztah, poměr, román
Romance [rəu'mæns] o jazycích románský
Romanesque [,rəumə'nesk] architektonicky románský
romantic [rəu'mæntik] romantický **–ism** romantika, romantičnost; (také *Romanticism*) romantismus
Rome [rəum] řím **Church of** ~ římská církev
romp [romp] skotačení # dovádět, skotačit
roof [ru:f] střecha # zastřešit
rook[1] [ruk] šach. věž
rook[2] [ruk] havran
room [ru:m] místnost, pokoj; místo, prostor **–y** ['ru:mi] prostorný
roost [ru:st] hřad **–er** [-ə] zvl. am. kohout
root[1] [ru:t] ~ **for** fandit
root[2] [ru:t] kořen; původ; mat. odmocnina # zakořenit ~ **out** vykořenit, vyhladit ~ **up** vytrhat, vykopat i s kořeny
rope [rəup] provaz, lano
rose[1] [rəuz] PT od *rise**
rose[2] [rəuz] růže # růžová barva
rosy ['rəuzi] růžový
rot [rot] (*-tt-*) hnít, tlít # hniloba; slang. nesmysl
rotary ['rəutəri] otáčivý, rotační
rotat|e [rəu'tei|t] otáčet (se) **–ion** [-šn] otáčení, rotace
rotten ['rotn] shnilý, zetlelý; zkažený; mizerný
rouge [ru:ž] růž, rtěnka
rough [raf] drsný, hrubý; neotesaný, neurvalý; přibližný **in (the)** ~ zhruba **–cast** ['-ka:st] hrubá omítka **–ly** [-li] hrubě; zhruba, přibližně
round [raund] kulatý, oblý; celý, plný; zaokrouhlený částka # kolem, okolo; po řadě **all** ~ dokola, ze všech stran **all the year** ~ po celý rok ~ **the corner** za rohem # zakulatit zaoblit; obejít **–about** ['-əbaut] křižovatka s kruhovým objezdem
rouse [rauz] vyburcovat, vzbudit (*from, out of st.* z čeho) ~ **os.** přimět se (*to do st.* k čemu); vzrušit
route [ru:t] trasa
routine [ru:'ti:n] rutina, běžná praxe # rutinní, běžný, obvyklý
roving [rəuviŋ] toulání, potulování, bloudění
row[1] [rəu] řada
row[2] [rəu] veslovat **–ing-boat** ['-iŋbəut] loďka, pramice
row[3] [rau] řev, hluk; hádka
royal ['roiəl] královský # člen královské rodiny
rub [rab] (*-bb-*) třít (se); drbat; dřít (se), odřít **–ber** ['rabə] guma i na mazání
rubbish ['rabiš] smetí, odpadky; nesmysl
ruby ['ru:bi] rubín
rucksack ['ruksæk] batoh
rudder ['radə] kormidlo
rude [ru:d] hrubý, neurvalý, sprostý; primitivní, jednoduchý
rudiment ['ru:dimənt] v PL základy, základní zásady; základ, počátek **–ary** [,ru:di'mentəri] základní, elementární; začáteční, zárodečný, nevyvinutý
ruffle ['rafl] (roz)cuchat, (roz)čeřit; rozčílit, vyvést z míry
rug [rag] předložka koberec; houně, pokrývka
rugged ['ragid] nerovný, kostrbatý; silný, robustní; masivní; trvanlivý, solidní

ruin ['ruin] zkáza, zánik, zničení; troska, zřícenina
rule [ru:l] pravidlo; předpis, řád; vláda # vládnout (*over* komu, čemu) **–r** [-ə] vladař; pravítko, měřítko
rum [ram] rum
rumble ['rambl] rachotit, dunět; žaludek kručet
rummage ['ramidž] prohledat, (pro)šťourat
rumour ['ru:mə] zvěsti, řeči, šeptanda
rump [ramp] zadek, kýta zvěře
run* [ran] (*-nn-*) (PT *ran* [ræn]; PP ~) běžet, utíkat; rychle jet; vést určitým směrem; o vodě téct # běh; cesta, jízda, plavba; série
rung [raŋ] PP od *ring**
runner ['ranə] běžec; výhonek; pašerák
running ['raniŋ] běžící; tekoucí, proudící # běh; chod; práce, činnost, provoz
runway ['ranwei] rozjezdová dráha pro letadlo
rupture ['rapčə] natržení, přetržení, prasknutí; med. kýla
rural ['ruərəl] venkovský, selský
rush [raš] spěchat, hrnout se, řítit se # spěch, chvat; nával, příval, nápor **~-hour** ['-,auə] dopravní špička
rusk [rask] suchar; křupavé pečivo
Russia ['rašə] Rusko
rust [rast] rez # rezivět
rustic ['rastik] venkovský, selský, prostý; neotesaný, drsný, obhroublý
rustle ['rasl] šustit, šumět; pohybovat se se šustotem **~ up** rychle sehnat, připravit
rusty ['rasti] rezavý, zrezavělý; zastaralý, zaprášený, zašlý
rut[1] [rat] vyjetá kolej
rut[2] [rat] říje
ruthless ['ru:θlis] nelítostný; bezcitný
rye [rai] žito

S

sabotage['sæbəta:ž] sabotáž # sabotovat
sabre ['seibə] šavle
sachet ['sæšei] sáček, pytlík
sack [sæk] pytel **give*** (**get***) the ~ dát (dostat) výpověď
sacred ['seikrid] posvátný, svatý; církevní
sacrific|e ['sækrifais] obětovat # oběť **–ial** [,sækri'fikl] obětní
sad [sæd] (*-dd-*) smutný
saddle ['sædl] sedlo; hřbet maso # osedlat
sad|ism ['seidi|zəm] sadismus **–ist** sadista **–istic** [-stik] sadistický
sadness [sædnis] sklíčenost; smutek
safari [sə'fa:ri] výprava, výlet za divokými zvířaty zvl. v Africe
safe [seif] bezpečný (*from* před); spolehlivý # bezpečnostní schránka, sejf **–guard** ['-ga:d] úschova, ochrana; záruka, zabezpečení # zajistit, ochránit **~ keeping** [,-'ki:piŋ] úschova, ochrana **–ty** ['seifti] bezpečí, bezpečnost **≈-belt** ['-tibelt] bezpečnostní pás **≈-pin** ['-tipin] zavírací špendlík
saffron ['sæfrən] šafrán
sag [sæg] (*-gg-*) prohýbat se tíhou, klesat
sage[1] [seidž] moudrý # mudrc
sage[2] [seidž] šalvěj
said [sed] PT a PP od *say**
sail [seil] plachta; plavba # plavit se; vyplout; plachtit **–ing** navigace; mořeplavba; plachtění **–ing boat** plachetnice **–or** [-ə] námořník **–plane** ['-plein] kluzák
saint [seint; sənt] svatý # [seint] světec
sake [seik] **for the ~ of** kvůli komu, čemu, pro koho, co, v zájmu koho, čeho
salad ['sæləd] salát
salami [sə'la:mi] pikantní salám
salary ['sæləri] stálý plat
sale [seil] prodej (*for* n. *on* ~ na prodej) **–s** [-z] PL odbyt; výprodej **–sman*** ['-zmən], **–swoman*** (PL v. *man**, *woman**) ['-wimin] prodavač,

prodavačka
saliva [sə'laivə] slina, sliny
sallow ['sæləu] nažloutlý pokožka; bledý, sinalý
salmon ['sæmən] losos
salon ['sælo:ŋ] salón kosmetický, krásy
saloon [sə'lu:n] společenská místnost, sál, hala, salónek; žel. salonní vůz
salt [so:lt] sůl # slaný # osolit, nasolit ~- **cellar** ['so:lt,selə] slánka **–less** [-lis] neslaný **–y** ['so:lti] slaný
salute [sə'lu:t] (za)salutovat, (po)zdravit # vojenský pozdrav
salvage ['sælvidž] záchrana; zachráněný majetek věci # zachránit loď, náklad, zboží
salvation [sæl'veišn] záchrana, spása ~ **Army** Armáda spásy
salver ['sælvə] tác, podnos
same [seim] **the** ~ týž, tentýž # stejný **all** n. **just the** ~ přes to přeze všechno, nicméně **at the** ~ **time** zároveň, současně
sample ['sa:mpl] vzorek, ukázka # (vy)zkoušet (si), ochutnat
sanatorium* [,sænə'to:|riəm] (PL také *sanatoria* [-riə]) sanatorium
sanct|ion ['sæŋkšn] schválení; sankce # potvrdit, schválit **–uary** ['sæŋkčuəri] svatyně; azyl, útočiště
sand [sænd] písek **–s** [-s] PL písčina; pláž **–paper** ['-,peipə] smirkový papír ~- **pit** ['-,pit] pískoviště **–stone** ['-stəun] pískovec **–y** ['-i] písečný, pískový
sandal ['sændl] sandál
sandwich ['sændwidž] sendvič dva plátky chleba s vloženým sýrem, masem ap. ~ **course** teoretický kurs střídaný s praktickým zaměstnáním
sane [sein] normální, duševně zdravý
sang [sæŋ] PT od *sing**
sank [sæŋk] PT od *sink**
sanitary ['sænitəri] zdravotnický; hygienický
sanity ['sænəti] duševní zdraví
Santa Claus ['sæntəklo:z] Ježíšek, Mikuláš
sap [sæp] míza, šťáva # (*-pp-*) vysát; zeslabit; podkopat zdraví, ničit důvěru
sapphire ['sæfaiə] safír
sarcas|m ['sa:kæzəm] sarkasmus **–tic** [sa:'kæstik] sarkastický
sardine [sa:'di:n] sardinka
sardonic [sa:'donik] cynický
sash [sæš] šerpa
sat [sæt] PT a PP od *sit**
Satan ['seitən] ďábel, Satan **satanic** [sə'tænik] satanský, ďábelský, zlý
satchel ['sæčəl] školní brašna
satellite ['sætəlait] satelit; umělá družice
satin ['sætin] satén, atlas
satir|e ['sætaiə] satira **–ic** [sə'tirik] **–ical** [sə'tirikl] satirický **–ist** ['sætərist] satirik
satisf|action [,sætis|'fækšn] uspokojení; zadostiučinění **–actory** [-'fæktəri] uspokojivý **–y** ['-fai] uspokojit, vyhovět
saturate ['sæčəreit] nasáknout (*with* čím)
Saturday ['sætədei] sobota
sauce [so:s] omáčka, šťáva; poleva **–pan** ['-pən] hluboká pánev s pokličkou **–r** ['-ə] talířek pod hrníček
saucy ['so:si] drzý, nestydatý
sauerkraut ['sauəkraut] kyselé zelí
sauna ['so:nə] sauna
saunter ['so:ntə] loudat se, courat se
sausage ['sosidž] klobása
savage ['sævidž] divoký; krutý, surový # divoch
save [seiv] zachránit (*from* před); (na)(u)šetřit (si) **–r** spořitel; zachránce
saving ['seiviŋ] úspora **–s** [-z] PL peněžní úspory **–s bank** spořitelna
saviour ['seivjə] zachránce, spasitel **the Saviour** n. **Our Saviour** Spasitel, Kristus
savour ['seivə] chutnat, vychutnávat
saw[1] [so:] PT od *see** **–n** [-n] PP od *saw**
saw[2] [so:] pila # ~* (PT *–ed*; PT *–n* [so:n]) řezat pilou # **–dust** ['-dast] piliny

saxophone ['sæksəfəun] saxofon
say* [sei] (PT a PP *said* [sed]) říci **that is to** ~ to jest, totiž, a to **–ing** ['-iŋ] rčení, přísloví **it goes without** ≈ to se rozumí samo sebou
scab [skæb] strup; stávkokaz
scaffold ['skæfəuld] lešení; popraviště **–ing** lešení
scald [sko:ld] opařit (se); ohřívat pod bod varu zvl. mléko # opařenina
scale[1] [skeil] šupina # zbavit šupin
scale[2] [skeil] miska vah **–s** [-z] PL váhy
scale[3] [skeil] stupnice, měřítko; míra # (vy)lézt, (vy)šplhat (se); přizpůsobit podle potřeby
scalp [skælp] pokožka hlavy, skalp # skalpovat
scamp [skæmp] rošťák, uličník
scan [skæn] (*-nn-*) prozkoumat; zběžně prohlédnout, proletět
scandal ['skænd|l] ostuda, skandál; pomluva **–ous** [-ələs] ostudný, skandální
Scandinavia [,skændi'neivjə] Skandinávie **–n** [,skændi'neivjən] skandinávský # Skandinávec
scant [skænt] malý, nedostatečný **–y** ['-i] skrovný, sporý, pramalý
scapegoat [skeipgəut] obětní beránek
scar [ska:] jizva
scarc|e [skeəs] vzácný, řídký **–ely** [-li] sotva, stěží **–ity** [skeəsiti] nedostatek, nouze
scare [skeə] postrašit (se), (vy)po|lekat (se), mít strach # hrůza; leknutí; panika **–d** [-d] postrašený, vylekaný, mající strach **–crow** ['-krəu] strašák
scarf* [ska:f] (PL *–s* n. *scarves* [ska:vz]) šátek, šála
scarlet ['ska:lət] jasně červený ~ **fever** spála
scathing [skeiðiŋ] ostrý, sžíravý, zničující
scatter ['skætə] rozptýlit (se), rozházet, roztrousit (se)
scavenger ['skævindžə] ten, kdo vybírá odpadky z košů
scene [si:n] scéna, výjev; dějiště; dekorace, kulisy; krajina **–ry** ['si:nəri] dekorace, výprava, scenérie; krajina
scent [sent] vůně; voňavka; pach; stopa vnímavá čichem # čichat, větřit; navonět (*with* čím)
sceptic ['skeptik] skeptik **–al** [-l] skeptický
sceptre ['septə] žezlo
schedule ['šedju:l] plán, program; seznam, soupis **on** ~ přesně podle časového plánu **behind** ~ pozdě, se zpožděním
schematic [ski:'mætik] schematický
scheme [ski:m] plán, projekt; diagram, schéma; intrika, úskok # spekulovat, osnovat
schism ['sizəm] náboženský rozkol, schizma
scholar ['skolə] učenec, vzdělanec; stipendista **–ship** [-šip] stipendium; učenost, vzdělanost
school [sku:l] škola **–boy** ['-boi] školák ~**-days** ['-deiz] školní léta **–fellow** [-,feləu] spolužák také bývalý **–girl** ['-gə:l] školačka **–master** ['sku:l,mastə], **–mate** [-meit] = *schoolfellow* **–mistress** [-mistris] učitel, učitelka
sciatica [sai'ætikə] med. ischias
scien|ce ['saiəns] věda, nauka ~ **fiction** [-fikšən] vědeckofantastická literatura **–tific** [,saiən'tifik] vědecký, naučný **–tist** ['saiəntist] vědec
scintillating ['sintileitiŋ] skvělý, brilantní
scissors ['sizəz] PL nůžky
sclerosis [sklə'rəusis] kornatění, skleróza
scoff [skof] **at** posmívat se čemu, ušklíbat se nad
scold [skəuld] nadávat komu, hubovat koho
scoop [sku:p] lopatka, velká lžíce # nabrat; vyhloubit
scoot [sku:t] uhánět **–er** [-ə] koloběžka; skútr

scope [skəup] příležitost, možnost; rozsah, pole
scorch [sko:č] sežehnout; spálit
score [sko:] skóre, sport. stav; výsledek; počet bodů; vrub, zářez, rýha; partitura jen SG # bodovat získat body i udělovat body; mít úspěch; poškrábat, udělat rýhu
scorn [sko:n] pohrdat # posměch, pohrdání **–ful** opovržlivý, pohrdavý
scoundrel ['skaundrəl] lotr, darebák
scour ['skauə] (vy)drhnout; odplavit
scourge [skə:dž] bič na trestání lidí; přen. bič, pohroma
scout [skaut] zvěd; skaut
scramble ['skræmbl] drápat se, škrábat se kam; rvát se (*for* oč); pomíchat, přeházet **–d eggs** [-d] míchaná vejce
scrap [skræp] kousek, útržek **–s** [-s] PL zbytky jídla; odpad # hádka, rvačka # (*-pp-*) vyřadit do odpadu, vyhodit
scrape [skreip] (o)(se)škrábat očistit; odřít, poškrábat **–r** škrabka
scratch [skræč] poškrabat, podrápat, drbat se # škrabání; škrábnutí; startovní čára
scrawl [skro:l] (na)čmárat, (na)škrábat; škrábanice, čmáranice
scream [skri:m] vykřiknout; ječet, vřískat # výkřik; (za)ječení, zavřísknutí
screen [skri:n] zástěna, plenta; promítací plátno; obrazovka # zaclonit, zastínit; chránit, krýt; prověřit **–play** ['-plei] filmový scénář
screw [skru:] šroub; závit # (za)(při)šroubovat **–driver** ['skru:,draivə] šroubovák
scribble ['skribl] psát nečitelně, škrábat # nečitelný rukopis, čmáranice
script [skript] rukopis; text divadelní hry; scénář; písmo typ **–ure** ['skripčə] (též PL *the –s*) bible, Písmo
scrub[1] [skrab] zákrsek strom
scrub[2] [skrab] (*-bb-*) drhnout; zrušit z plánu
scruple ['skru:pl] pochybnost, zábrana
scrupulous ['skru:pjuləs] úzkostlivý, puntičkářský
scrutiny ['skru:tini] podrobné zkoumání, prohlídka
sculpt|or ['skalp|tə] sochař **–ure** [-čə] sochařství; socha
scum [skam] nečistá pěna, povlak, kal; o člověku špína, špinavec
scurf [skə:f] lupy
scuttle[1] ['skatl] uhlák, kbelík na uhlí
scuttle[2] ['skatl] cupitat
scythe [saið] kosa # kosit
sea [si:] moře **–food** ['-fu:d] mořské ryby, měkkýši a korýši jako potrava **–gull** ['-gal] racek **~-level** ['-levl] úroveň mořské hladiny mezi přílivem a odlivem **–man*** [-mən] (PL v. *man**) námořník **–plane** ['-plein] hydroplán **–port** ['-po:t] mořský přístav **–sick** ['-sik] postižený mořskou nemocí **~-shore, –side** ['-šo:, '-said] mořské pobřeží **–water** ['-,wo:tə] mořská voda **–weed** ['-wi:d] mořská řasa
seal[1] [si:l] tuleň
seal[2] [si:l] pečeť # (za)pečetit
seam [si:m] šev; spára; žíla v hornině
search [sə:č] hledat (*for* co), prohledat *through* # hledání; pátrání (*for, of* po) (*be in ~ of* pátrat po) **–light** ['-lait] reflektor, světlomet
season ['si:zn] roční doba; sezóna # ochutit, okořenit **–al** [-l] sezónní **~-ticket** [-,tikit] lístek, předplatní vstupenka, permanentka
seat [si:t] sedadlo; místo k sezení; sídlo # posadit, umístit
sece|de [si'si:d] odtrhnout se, odloučit se od státu, organizace **–ssion** [si'sešn] odtrhnutí se, odloučení se
seclu|de [si'klu:d] izolovat (se) **–sion** [si'klu:žn] izolování; odloučení; ústraní, samota
second ['sekənd] druhý # vteřina # podporovat **–ary** [-əri] druhotný, podružný **≈ school** střední škola **~-hand** [-hænd] (≈ *bookshop* antikvariát) obnošený, použitý **~-rate** [,-'reit] druhořadý

secret ['si:krət] tajný; skrytý # tajemství **–ary** ['sekrətri] tajemník, sekretář(ka) **S≈ of State** (**for**) brit. ministr čeho; am. ministerský předseda a ministr zahraničí USA
sect [sekt] sekta
section ['sekšn] úsek, část, oddíl; oddělení, sekce
sector ['sektə] kruhová výseč; úsek, odvětví, sektor
secular ['sekjulə] světský
secur|e [si'kjuə] bezpečný, jistý (*against, from* před); bezstarostný, klidný; pevný, solidní # zabezpečit (*from, against* před, proti) **–ity** [-riti] bezpečí, jistota; bezpečnostní opatření; bezpečnost; záruka
sedative ['sedətiv] sedativum # sedativní
sediment ['sedimənt] usazenina také naplavená
seduce [si'dju:s] svádět
see* [si:] (PT *saw* [so:]; PP *–n* [-n]) vidět **~ sb. to** doprovodit koho kam **~ to it that** zařídit, postarat se, aby **~ you soon!** brzy na shledanou
seed [si:d] semeno, zrno; nasazený hráč v tenisu # osévat; vysemenit (se); nasadit hráče **–y** ['-i] sešlý, ošumělý
seek* [si:k] (PT a PP *sought* [so:t]) hledat, shánět se (*after, for* po); usilovat (o); žádat (*st. from sb.* koho o co)
seem [si:m] zdát se **–ingly** [-iŋli] zdánlivě
seen [si:n] PP od *see**
seep [si:p] prosakovat (*through, into, out* zkrz, do, z)
seiz|e [si:z] chytit, uchopit; chopit se (*upon* čeho), použít čeho; zmocnit se; zabavit **–ure** ['si:žə] chycení, uchopení; uchvácení, zmocnění se; zabavení; záchvat nemoci
seldom ['seldəm] zřídka, málokdy
select [si'lek|t] vybrat, zvolit **–ion** [-šn] volba, výběr **–ive** [-tiv] výběrový
self* [self] (PL *selves* [selvz]) sám, sama, samo; vlastní já **~-confidence** [,-'konfidəns] sebedůvěra **~-conscious** [,-'konfšəs] zaražený, nesvůj, v rozpacích **~-contained** [,-kən'teind] uzavřený, samostatný; nesdílný **~-defence** [,-di'fens] sebeobrana **~-governing** [,-'gavəniŋ] samosprávný **~-possessed** [,-pə'zest] vyrovnaný, klidný; duchapřítomný **–ish** ['selfiš] sobecký **–ishness** ['selfišnis] sobectví **~-preservation** ['self,prezə'veišn] sebezáchova **~-satisfied** [,self'sætis'faid] samolibý **~-service** [,self'sə:vis] samoobsluha
sell* [sel] (PT a PP *sold* [səuld]) prodávat, prodat; jít na odbyt (*~ off, out* vyprodat) **–er** ['-ə] prodavač, obchodník
semi- ['semi] přípona polo- **–circle** [-,sə:kl] polokruh **–colon** [-'kəulən] středník **–conductor** [-kən'daktə] polovodič **~-detached** [-di'tæčt] **house** dvojdomek **–final** [-'fainl] semifinále
seminar ['semi|na:] seminář vysokoškolský; školení **–y** [-nəri] kněžský seminář
semolina [,semə'li:nə] krupice **~ pudding** krupicová kaše
senat|e ['sen|it] senát **–or** [-ətə] senátor
send* [send] (PT a PP *sent* [sent]) poslat **–er** ['-ə] odesílatel
senile ['si:nail] senilní
senior ['si:niə] starší (*to* než); nadřízený # **S~** starší, senior za jménem **~ citizen** starý člověk, důchodce
sensation [sen'seišn] (po)cit; rozruch, senzace
sens|e [sens] smysl schopnost a orgán vnímání, smysl (*of* pro); zdravý rozum; vědomí (*of* čeho) **make* ~** dávat smysl # cítit; tušit **–eless** ['-lis] v bezvědomí **–ibility** [,-i'biləti] citlivost; v PL jemnocit, útlocit **–ible** ['sensəbl] citelný; rozumný **–itive** ['sensitiv] citlivý (*to* na); vnímavý
sensual ['sensjuəl] smyslový; smyslný

sent [sent] PT a PP od *send**
sentence ['sentəns] věta; rozsudek # odsoudit (*to* k)
sentiment ['sentimənt] přecitlivělost, sentimentalita **–s** [-s] PL stanovisko, pocit, názor **–al** [,senti'mentl] přecitlivělý, sentimentální
sentry ['sentri] stráž, hlídka
separat|e ['sepəreit] oddělený, samostatný; různý # ['sepəreit] oddělit (se), odloučit (se) **–ion** [,sepə'reišn] oddělení, odloučení
September [sep'tembə] září
septic ['septik] med. septický, zhnisaný
sequel ['si:kwəl] následek; pokračování; dodatek
sequence ['si:kwəns] posloupnost, sled; jaz. souslednosti; film. sled záběrů, sekvence
serene [si'ri:n] jasný; klidný
serf [sə:f] nevolník, otrok **–dom** [-dəm] nevolnictví, otroctví
sergeant ['sa:džənt] seržant, rotmistr
serial ['siəriəl] řadový; mnohonásobný; několikadílný # seriál
series* ['siəri:z] (též PL) řada, série
serious ['siəriəs] vážný **–ly** [-li] vážně **–ness** [-nis] vážnost
sermon ['sə:mən] kázání
serum ['siərəm] (PL také *sera* ['siərə]) sérum; očkovací látka
servant ['sə:vənt] sluha, služka
serve [sə:v] sloužit; obsluhovat u stolu, v obchodě; odpykávat trest
service ['sə:vis] (boho)služba; obsluha; servis; podání ve sportu # služební
serviette [,sə:vi'et] ubrousek
servile ['sə:vail] podlézavý, servilní; služebnický
session ['sešn] schůze, zasedání; pololetí, semestr
set [set] sada, souprava # ~* (*-tt-*) (PT a PP ~) umístit, uspořádat; nastavit; určit; stanovit # umístěný; předem stanovený; stálý, trvalý **~ off** [,-'of] vyrazit na cestu **~ up** postavit, založit
settee [se'ti:] pohovka
setting ['setiŋ] nastavení, seřízení; úprava; prostředí
settle ['setl] usadit (se); osídlit; vyřešit, urovnat; uklidnit; zaplatit, vyrovnat **–ment** [-mənt] osídlení; osada; uspořádání, urovnání **–r** [-ə] osadník
seven [sevn] sedm **–teen** [,sevn'ti:n] sedmnáct **–ty** ['sevnti] sedmdesát
sever ['sevə] oddělit, odtrhnout, roztrhnout; ukončit, přerušit vztahy
several ['sevrəl] několik, pár # různý
sever|e [si'viə] přísný; silný, prudký; náročný, obtížný; strohý **–ely** [-li] přísně; vážně, těžce **–ity** [si'veriti] přísnost; síla, prudkost; strohost
sew* [səu] (PT *–ed*; PP *–n* [-n]) šít **–n** [-n] PP od *sew**
sewage ['sju:idž] splašky, odpadní vody
sewer ['sjuə] stoka, kanál **–age** [-ridž] kanalizace
sewing ['səuiŋ] šití **~-machine** [-mə,ši:n] šicí stroj
sewn [səun] PP od *sew**
sex [seks] pohlaví, sex; pohlavní styk **–ual** ['sekšuəl] pohlavní, sexuální
shabby ['šæbi] ošumělý, otrhaný; nepoctivý, podlý, ničemný
shackles ['šæklz] PL pouta, okovy
shade [šeid] stín; stínování obrázku; odstín; stínítko # (za)stínit; vystínovat obrázek
shadow ['šædəu] vržený stín # zastínit; sledovat
shady ['šeidi] stinný; podezřelý
shaft [ša:ft] oštěp, kopí, šíp; rukojeť, topůrko; oj; větrací, důlní šachta
shak|e* [šeik] (PT *shook* [šuk]; PP *–en* ['šeikən]) (o)třást (se) (*~ hands* (*with*) potřást si rukou) **–en** ['šeikən] PP od *shake** # třes, chvění, (po)třesení, otřes **–y** ['-i] roztřesený; nejistý
shall* [šəl] pomocné sloveso pro vyjádření budoucího času, v. kap. Gramatika; modální sloveso pro 1. osobu mám, jsem povinen (*I ~ not leave this room* nesmím opustit tento pokoj; *~ I do that for you?* Mám to udělat pro tebe?), pro 2. a 3.

osobu vyjadřuje rozkaz nebo zákaz (*It must* be done and therefore it ~ be done* Musí se to udělat, tudíž se to udělá)
shallow ['šæləu] mělký; povrchní **-s** [-z] PL mělčina
sham [šæm] falešný, předstíraný; padělaný # předstírání, podvod # předstírat
shambles ['šæmblz] zmatek, binec, bordel
shame [šeim] hanba, ostuda # zahanbit **-ful** ['-ful] hanebný **-less** ['-lis] nestoudný
shampoo [šæm'pu:] šampon
shan't [ša:nt] hovor. = *shall not*
shape [šeip] tvar; stav (*She is in good ~* Je ve formě) **-less** ['-lis] beztvárný **-ly** ['-li] pěkných tvarů, pěkně rostlý
shard [ša:d] (= *sherd*) střep
share [šeə] díl, podíl; akcie # dělit se (o co); mít účast, podílet se **-holder** ['šeə,həuldə] brit. akcionář
shark [ša:k] žralok
sharp [ša:p] ostrý, špičatý i přen.; rázný, energický; bystrý **-en** ['-ən] (na)brousit; zahrotit
shatter ['šætə] rozbít (se), roztříštit (se); zničit; otřást zdravím, nervy
shav|e [šeiv] (o)holit (se); ořezat, ohoblovat, okrájet tenkou vrstvu # holení **-ing-brush** ['-iŋbraš] štětka na holení **-ing-cream** ['-iŋkri:m] krém na holení
shawl [šo:l] šátek, šál
sheaf [ši:f] (PL *sheaves* [ši:vz]) snop; svazek papíru
shear* [šiə] (PP *shorn* [šo:n]) stříhat ovce **-s** [-z] PL velké nůžky
sheath [ši:θ] pochva; prezervativ
shed*[1] [šed] (*-dd-*) (PT a PP ~) ztrácet, shazovat listí, parohy
shed[2] [šed] bouda, kůlna
sheep* [ši:p] (PL ~) ovce **-ish** ['-iš] nesmělý, ostýchavý, bojácný
sheer [šiə] naprostý; jemný, tenký, průsvitný; příkrý
sheet [ši:t] prostěradlo; plocha, arch papíru, tabule skla
shelf* [šel|f] (PL *shelves* [-vz]) police
shell [šel] skořápka, lastura, mušle, ulita; nábojnice; granát kostra domu # loupat, louskat; ostřelovat **-fish** ['-fiš] jedlí korýši a měkkýši
shelter ['šeltə] přístřeší; úkryt (*from* před) útočiště # chránit, krýt
shepherd ['šepəd] pastýř
shield [ši:ld] štít # zaštítit, ochránit (*against, from* před)
shift [šift] přesunout (se) # změna, posun; směna **-less** ['-lis] líný; neschopný **-y** ['-i] nespolehlivý, vyhýbavý
shimmer ['šimə] třpytit se, lesknout se
shin [šin] holeň
shine [šain] (PT a PP *shone* [šon]) # světlo, lesk, třpyt # ~* svítit, zářit; třpytit se
shiny ['šaini] lesklý, jasný, zářivý
ship [šip] loď # (*-pp-*) dopravovat, posílat lodí **-ment** ['-mənt] zásilka; naložení na loď **-wreck** ['šiprek] ztroskotání lodi; vrak # ztroskotat **-yard** ['šipja:d] loděnice
shirk [šə:k] ulejvat se **-er** ulejvák
shirt [šə:t] košile
shiver ['šivə] třást se, chvět se
shoal[1] [šəul] stádo, hejno ryb
shoal[2] [šəul] mělčina, písčina
shock [šok] rána, náraz; leknutí, šok # šokovat, polekat **~-absorber** [,-əb'so:bə] tlumič nárazů **-ing** odporný, hrozný
shod [šod] PT a PP od *shoe**
shoddy ['šodi] podřadný, nekvalitní; sešlý, ošumělý
shoe [šu:] střevíc; bota; podkova # ~* (PT a PP *shod* [šod]) okovat **~-lace** ['-leis] tkanička do bot **-maker** ['-,meikə] obuvník
shook [šuk] PT od *shake**
shone [šon] PT a PP od *shine**
shoot* [šu:t] (PT a PP *shot* [šot]) střílet (*at* na) točit, filmovat, fotografovat **-ing** střílení, střelba; honitba

shop [šop] obchod; dílna # (*-pp-*) nakupovat **~ - assistant** ['-ə,sistənt] prodavač **–ping centre** ['-iŋsentə] nákupní středisko **–keeper** ['šop,ki:pə] majitel obchodu **~ - lifting** ['-,liftiŋ] drobná krádež v obchodě **~ - window** [,šop'windəu] výklad, výloha **–ping** [-iŋ] nakupování, nákup
shore [šoə] břeh, pobřeží
shorn [šo:n] PP od *shear**
short [šo:t] krátký; malý **~ circuit** el. zkrat, spojení nakrátko **~ cut** zkratka, nadjížďka **~ story** povídka, novela **~ wave** tech. krátká vlna **be* ~ of** nemít čeho dost **–age** ['-idž] nedostatek; manko **–coming** [,šə:t'kamiŋ] nedostatek, chyba **–en** ['-n] zkrátit (se) **–hand** ['-hænd] těsnopis **–ly** [-li] zakrátko, brzy; zkrátka **–s** [-s] PL krátké kalhoty **~ - sighted** [,-'saitid] krátkozraký **~ - tempered** [,-'tempəd] výbušný, lehce vznětlivý
shot [šot] výstřel, rána; pokus; zásah; náboj, kulka; střelec; fot., film. záběr, dávka, injekce # PT a PP od *shoot** **–gun** ['-gan] brokovnice
should [šud] modální sloveso pro vyjádření morální povinnosti (*Crimes ~ be punished* Zločiny se mají potrestat); vyjadřuje podmiňovací způsob zvl. v krajní eventualitě (*Suppose he ~ fail?* Co kdyby náhodou neměl úspěch?); vyjadřuje zdvořilé přání n. žádost (*I ~ suggest* Dovoluji si připomenout)
shoulder ['šəuldə] rameno # vzít na ramena; strkat (se)
shout [šaut] pokřikovat; křičet (*at* na) # (po)(vý)křik
shove [šav] strkat (se), strčit
shovel ['šavl] lopata
show* [šəu] (PP *–n* [šoun]) ukazovat; vystavovat; film. promítat **~ in** uvést dovnitř hosta **~ off** chlubit se **~ out** vyprovodit hosta ke dveřím # podívaná; představení; výstava **–n** [šoun] PP od *show**
shower ['šəuə] liják, přeháňka; sprcha # lít, silně pršet
shrank [šræŋk] PT od *shrink**
shred [šred] cár, hadr; ústřižek, úlomek; trocha
shrewd [šru:d] chytrý, bystrý
shriek [šri:k] ječet, křičet, vřískat
shrill [šril] pronikavý, ostrý zvuk
shrimp [šrimp] garnát mořský krab
shrine [šrain] schránka s ostatky; hrob(ka) světce; svatyně
shrink* [šriŋk] (PT *shrank* [šræŋk]; PP *shrunk* [šraŋk]) scvrknout se, srazit se; ustoupit, stáhnout se (*from* před)
shrivel ['šrivl] (*-ll-*) scvrknout se, svraštit se, zkroutit se
shrub [šrab] keř, křoví
shrug [šrag] (*-gg-*) (po)krčit rameny
shrunk [šraŋk] PP od *shrink**
shudder ['šadə] (za)chvět se strachem, hrůzou, chladem, blahem # (za)chvění
shuffle ['šafl] šourat se, vléci se; šoupat nohama; míchat karty
shun [šan] (*-nn-*) vyhýbat se čemu
shut* [šat] (*-tt-*) (PT a PP ~) zavřít **~ down** zavřít, ukončit činnost **~ up** být zticha, zavřít hubu **–ter** ['šatə] okenice; fot. uzávěrka
shuttle ['šatl] tkalcovský člunek; kyvadlová doprava; raketoplán
shy [šai] plachý, ostýchavý
sick [sik] nemocný; cítící se špatně, na zvracení **be* ~** zvracet **be* ~ of** být přejeden, přesycen, mít dost **~ leave** ['sikli:v] zdravotní dovolená; nemocenská **–en** ['-ən] mít náběh (*for* na chorobu), znechutit, otrávit **–ly** ['-li] stonavý, nezdravý **–ness** ['-nis] choroba; pocit na zvracení
sickle ['sikl] srp
side [said] strana, bok; stránka, hledisko **~ by ~** bok po boku **~ effect** vedlejší účinek **–board** ['-bo:d] kredenc **–light** ['-lait] parkovací světla u auta **–line** ['-lain] vedlejší zaměstnání **–long** ['-loŋ] kosý, ze strany **–walk** ['-wo:k] am. chodník
siege [si:dž] obléhání; obklíčení
sieve [siv] síto; řešeto

sigh [sai] vzdychat; toužit (*for* po) # (po)vzdech
sight [sait] zrak; dohled; podívaná **in ~** na dohled **at first ~** na první pohled **~-seeing** ['-,si:iŋ] prohlídka pamětihodností
sign [sain] znamení; znak, značka; štít vývěsní # podepsat **~ on** (dát se) najmout k práci (*~ up* do armády) **-post** ['-pəust] ukazatel směru
signal ['signl] znamení, signál # znamenitý # (*-ll-*) dát znamení, signalizovat
signature ['signəčə] podpis **~ tune** rozhlasová znělka
signif|icance [sig'nifikən|s] význam **-icant** [-t] významný **-y** ['signifai] znamenat; mít význam; projevit, dát najevo
silen|ce ['sailən|s] mlčení; ticho # mlčet; umlčet, utišit **-t** [-t] mlčící; tichý
silhouette [,silu:'et] silueta
silk [silk] hedvábí # hedvábný
silly ['sili] hloupý
silt [silt] naplavenina
silver ['silvə] stříbro; stříbrné peníze n. nádobí # stříbrný
similar ['similə] podobný **-ly** [-li] podobně **-ity** [,simi'læriti] podobnost
simmer ['simə] slabě vřít; (po)vařit na mírném ohni
simpl|e ['simpl] jednoduchý; prostý; přirozený **-icity** [sim'plisiti] jednoduchost; prostota **-ify** ['simplifai] zjednodušit
simulate ['simjuleit] předstírat nějaký cit, zájem; vyzkoušet, imitovat pro studijní účely; přizpůsobit se barvou, vzhledem k čemu
simultaneous [,siməl'teinjəs] současně probíhající, simultánní (*with* s)
sin [sin] hřích # (*-nn-*) hřešit (*against* proti)
since [sins] od té doby # od té doby, co; poněvadž # od čas
sincer|e [sin'|siə] upřímný **-ity** [-seriti] upřímnost
sinew ['sinju:] šlacha; v PL svaly; zdroj síly, energie
sing* [siŋ] (PT *sang* [sæŋ]; PP *sung* [saŋ]) zpívat **-er** ['siŋə] zpěvák
singl|e ['siŋgl] jeden, jediný; jednotlivý; svobodný neženatý, nevdaná; samostatný **~-handed** [,-'hændid] samostatný bez pomoci **~-minded** [,-'maindid] cílevědomý **-y** [-i] jednotlivě, po jednom
singular ['siŋgjulə] jaz. singulárový; vynikající, význačný # jednotné číslo, singulár **-ly** [-li] velmi, mimořádně
sinister ['sinistə] neblahý, zlověstný
sink* [siŋk] (PT *sank* [sæŋk]; PP *sunk* [saŋk]) klesat, klesnout; potopit (se); snižovat (se), padat **~ into** proniknout, vsát, vpít se # výlevka, dřez
sip [sip] (*-pp-*) srkat, usrkávat # srkání, usrknutí
siphon ['saifn] ohnutá násoska; sifónová láhev
sir* [sə:] pane zdvořilé oslovení (*Sir* před vlastním jménem nižší šlechtický titul) **Dear Sir**, **Sirs** Vážený pane, Vážení pánové zdvořilé oslovení v dopise
siren ['saiərən] mořská panna; signální siréna
sirloin ['sə:loin] svíčková
sister ['sistə] sestra **~-in-law** ['sistərinlo:] (PL *-s-in-law* ['sistəzinlo:]) švagrová
sit* [sit] (*-tt-*) (PT a PP *sat* [sæt]) sedět; zasedat **~ down** sednout si **~ up** být vzhůru dlouho do noci
site [sait] místo, poloha, dějiště # položit, umístit
sitting ['sitiŋ] zasedání **~-room** [-rum] obývací pokoj
situat|e ['sitjueit] umístit **be* -ed** [-id] být v jaké situaci **-ion** [,sitju'eišn] místo; situace; umístění
six [siks] šest **196teen** [,siks'ti:n] šestnáct **-ty** ['siksti] šedesát
siz|e [saiz] velikost; rozměr, míra **~ up** odhadnout, utvořit si názor (na) **-(e)able** ['saizəbl] poměrně velký, slušný, stojící (za co)
sizzle ['sizl] syčet, prskat při smažení, i

přen.
skat|e [skeit] bruslit # brusle **ice** ~ brusle na led **roller** ~ kolečkové brusle **–er** [-ə] bruslař(ka) **–ing-rink** ['-iŋriŋk] kluziště
skein [skein] přadeno
skeleton ['skelitn] kostra ~ **key** univerzální klíč
sketch [skeč] náčrt, skica; literární črta; div. skeč # načrtnout, nastínit **–y** ['-i] skicovitý; nepropracovaný
skewer [skjuə] pilovací jehla, špejle
ski [ski:] lyžovat # SG nebo PL lyže **–ing** [-iŋ] lyžování **–er** ['ski:ə] lyžař ~**-lift** ['-lift] lyžařský vlek
skid [skid] smyk # (*-dd-*) dostat smyk
skilful ['skilful] obratný, zručný
skill [skil] obratnost, zručnost, dovednost **–ed** [-d] obratný, zručný, dovedný; kvalifikovaný
skim [skim] (*-mm-*) sbírat z mléka smetanu, odstřeďovat mléko; zběžně prohlédnout, prolétnout **–med milk** [-d] odstředěné mléko
skin [skin] kůže, pleť, slupka # (*-nn-*) stahovat kůži, loupat **–ny** ['-i] hubený, vyzáblý
skip [skip] (*-pp-*) skákat, poskakovat; přeskakovat # (po)skok **–ping-rope** ['-iŋrəup] švihadlo
skirmish ['skə:miš] přestřelka
skirt [skə:t] sukně
skittle ['skitl] kuželka **–s** [-z] PL kuželky hra
skull [skal] lebka
skunk [skaŋk] skunk; přen. mizera, smraďoch
sky [skai] obloha, nebe **–lark** ['-la:k] skřivan **–light** ['-lait] vikýř, světlík **–line** ['-lain] kontura, silueta proti obloze **–scraper** ['skai,skreipə] mrakodrap
slab [slæb] deska; tabulka
slack [slæk] ochablý; povolený, volný; nedbalý **–en** ['-ən] povolit; zpomalit, zvolnit
slag [slæg] struska; škvára
slalom ['sla:ləm] slalom **giant** ~ obří slalom
slam [slæm] (*-mm-*) bouchnout, prásknout dveřmi
slander ['sla:ndə] pomluva, pomlouvat **–ous** [-rəs] pomlouvačný
slang [slæŋ] slang, hantýrka
slant [sla:nt] naklánět se, být šikmo; zkreslit, přibarvit zprávu # svah, sklon; zaujatý názor **–ed** [-id] zaujatý
slap [slæp] (*-pp-*) plesknout, plácnout; fackovat # plácnutí, plesknutí
slash [slæš] (roz)seknout; prudce snížit, srazit
slate [sleit] břidlice # pokrývat břidlicí; ostře kritizovat
slaughter ['slo:tə] porážka dobytka; masakr, krveprolití # porážet dobytek; masakrovat, zabíjet **–house** [-haus] jatky
Slav [sla:v] Slovan **–ic** ['-ik] slovanský **–onic** [slə'vonik] slovanský
slav|e [sleiv] otrok # otročit, dřít (se) **–ish** ['-iš] hanl. otrocký nesamostatný, neoriginální **–ery** ['-əri] otroctví
sledge [sledž] sáně
sleek [sli:k] uhlazený, urovnaný; úlisný
sleep* [sli:p] (PT a PP *slept* [slept]) spát # spánek **go* to** ~ usnout **–er** spáč; lůžkový vůz; brit. pražec **–ing-bag** ['-iŋbæg] spací pytel **–ing-car** ['-iŋka:] lůžkový vůz **–less** ['-lis] bezesný **–lessness** ['-linis] nespavost **–y** ['-i] ospalý
sleet [sli:t] plískanice, déšť se sněhem
sleeve [sli:v] rukáv; obal na gramofonovou desku
sleigh [slei] koňské sáně
slender ['slendə] štíhlý, útlý
slept [slept] PT a PP od *sleep**
slice [slais] plátek o jídle
slick [slik] hladký, bez problémů # ropná skvrna
slid [slid] PT a PP od *slide**
slide* [slaid] (PT a PP *slid* [slid]) klouzat (se), sklouznout, proklouznout # klouzání, sklouznutí; klouzačka; diapozitiv
slight [slait] nepatrný, drobný; nezá-

važný
slim [slim] štíhlý; nepatrný, mizivý
slim|e [slaim] řídké bahno, bláto **–y** ['slaimi] mazlavý; hovor. úlisný
sling [sliŋ] závěsná páska, závěs; popruh; prak # ~* (PT a PP *slung* [slaŋ]) mrštit; přehodit přes
slip [slip] (*-pp-*) (u)s|klouznout; tiše proklouznout; zasunout, vsunout # (u)s|klouznutí; přeřeknutí; malá chyba; ústřižek, proužek **–pery** ['-əri] kluzký i přen. nespolehlivý
slipper ['slipə] trepka, pantofel
slit* [slit] (*-tt-*) (PT a PP ~) rozříznout, rozpárat # štěrbina, rozparek
slobber ['slobə] slintat
slogan ['sləugən] heslo reklamní, stranické
slope [sləup] sklon; svah # sklánět (se), svažovat se
sloppy ['slopi] nedbalý, nepořádný, lajdácký
slot [slot] štěrbina, úzké místo, mezera **~-machine** ['-mə,ši:n] automat do kterého se házejí mince
sloven ['slavn] lajdák, lempl **–ly** ['slavnli] neupravený, nedbalý, lajdácký vzhled
slow [sləu] pomalý (*the clock is ~* hodiny jdou pozadu) # pomalu **~ down** zpomalit **in ~ motion** [,sləu'məušn] zpomaleně
sludge [sladž] bláto, bahno
slug [slag] slimák **–gish** ['-iš] loudavý, lenivý
sluice [slu:s] stavidlo
slum [slam] brloh, obydlí chudých
slump [slamp] klesnout, zhroutit se; prudce klesnout v ceně
slung [slaŋ] PT a PP od *sling**
slur [slə:] vyslovovat nezřetelně; hanobit, pomlouvat # hanba, ostuda, hanobení
slush [slaš] rozbředlý sníh, břečka
sly [slai] mazaný, prohnaný
smack[1] [smæk] chutnat (*of* po) # příchuť, pachuť
smack[2] [smæk] udeřit, plácnout # mlasknutí; plácnutí
small [smo:l] malý **~ change** ['-šeindž] drobné peníze **~ hours** ['-auəz] časné ranní hodiny **~-talk** ['-to:k] běžná společenská konverzace **–pox** ['-poks] neštovice
smart [sma:t] hezký, elegantní; bystrý, chytrý; prudký, ostrý # cítit ostrou bolest, bolet
smash [smæš] rozbít (se), roztříštit (se); (na)(pro)v|razit (*into* do); sport. smečovat # třesk rozbijeného, rozbití; smeč
smattering ['smætəriŋ] povrchní znalost
smear [smiə] umazat, ušpinit; pošpinit, zostudit # mastná skvrna
smell* [smel] (PT a PP *smelt* [smelt]) čichat; vonět, páchnout (*of* čím) # čich; zápach, pach, vůně
smelt [smelt] tavit rudu; PT a PP od *smell**
smile [smail] usmívat se (*at* na) # úsměv
smith [smiθ] kovář **–y** ['-i] kovárna
smock [smok] pracovní zástěra, halena
smog [smog] smog
smok|e [sməuk] kouř, dým # kouřit; udit **–ed** [-t] uzený **–er** [-ə] kuřák; kuřácký vůz **–ing** kouření (*no ~* kouření zakázáno) **–y** ['-i] zakouřený; kouřový
smooth [smu:ð] hladký, rovný; bez obtíží, bez překážek; jemný, příjemný člověk # uhladit, urovnat
smother ['smaðə] (u)dusit (se); (u)hasit oheň
smoulder ['sməuldə] doutnat i přen.
smudge [smadž] šmouha, skvrna # pošpinit, zamazat
smug [smag] samolibý, domýšlivý
smuggle ['smagl] pašovat (*into, out of across, through* někam) **–r** [-ə] podloudník, pašerák
smutty [smati] začerněný od sazí; oplzlý, obscénní, sprostý
snack [snæk] lehké jídlo, přesnídávka **~-bar** [-ba:] bufet, automat, snack-bar

snag [snæg] neočekávaná překážka, háček, zádrhel
snail [sneil] hlemýžď
snake [sneik] had
snap [snæp] (*-pp-*) chňapnutí; fot. snímek # rychlý, bleskový # chňapnout, rafnout zlomit (se), přelomit; udělat snímek, vyfotografovat **–py** ['-i] hbitý, energický, živý **–shot** ['-šot] momentka, snímek
snare [sneə] oko past, léčka # chytit do oka i přen.
snarl [sna:l] vrčet pes; bručet, vztekat se člověk (*at* na)
snatch ['snæč] popadnout, chytnout # rychlé chytnutí, popadnutí, vytrhnutí **–es** [-iz] PL útržky, úryvky
sneak [sni:k] plížit se, krást (se); žalovat **–ers** ['-əz] am. tenisky
sneer [sniə] šklebit se, pošklebovat se (*at* čemu) # úšklebek, posměšek
sneeze [sni:z] kýchat # kýchnutí
sniff [snif] funět, čichat, čmuchat, čenichat; popotahovat nosem; vdechovat nosem
snob [snob] snob **–bery** [-əri] snobství **–bish** ['-iš] snobský
snooze [snu:z] zdřímnout si # zdřímnutí
snor|e [sno:] chrápat **–ing** [-riŋ] chrápání
snout [snaut] čenich, rypák; čumák, frňák člověka; nos, zoban
snow [snəu] sníh # sněžit **–ball** ['-bo:l] sněhová koule **~-bound** ['-baund] zapadaný; odříznutý sněhem **~-drift** ['-drift] sněhová závěj **–drop** ['-drop] sněženka **–fall** ['-fo:l] sněžení; sněhové srážky –flake ['-fleik] sněhová vločka **~-man*** ['-mən] (PL v. *man**) sněhulák **~-plough** ['-plau] sněhový pluh **–storm** ['-sto:m] sněhová bouře
snub [snab] (*-bb-*) ignorovat, opomíjet chovat se chladně, nezdvořile
snug [snag] útulný, pohodlný, krytý, chráněný před nepohodou
so [səu] tak, a tak, takto, tedy **not ~ as** ani **and ~ on** a tak dále **~ far** až dosud, až potud **~ far as** pokud **~ many**, **~ much** tolik **~ long as** pokud
soak [səuk] nasáknout, vsáknout (se); namočit prádlo
soap [səup] mýdlo # mydlit **~ powder** mýdlový prášek **–y** [-i] mýdlový, mýdlovitý
soar [so:] vyletět cena, hodnota, vznést se; tyčit se do výšky; vznášet se
sob [sob] (*-bb-*) vzlykat, štkát # vzlykání
sober ['səubə] střízlivý i přen.
so-called [,səu'ko:ld] takzvaný
soccer ['sokə] fotbal
soci|able ['səuš|əbl] družný, společenský **–al** [-l] společenský; sociální **–alism** [-əlizəm] socialismus **–alist** [-əlist] socialistický # socialista
society [sə'saiəti] společnost
sociology [,səusi'olədži] sociologie
sock [sok] ponožka
socket ['sokit] el. zásuvka; dutina, otvor, jamka
soda ['səudə] soda; sodovka; am. limonáda
sodium ['səudiəm] sodík
sofa ['səufə] pohovka, lenoška s opěradly
soft [soft] měkký, hebký, mírný; měkký, povolný **~ drink** nealkoholický nápoj **–en** ['sofn] změkčit, změknout; obměkčit **–ly** [-li] měkce, jemně, mírně
soil[1] [soil] půda, zem
soil[2] [soil] umazat, ušpinit (se) **–ed** [-d] špinavý
solace ['soləs] útěcha # utěšit, ulevit
solar ['səulə] sluneční
sold [səuld] PT a PP od *sell**
solder ['soldə] pájka # pájet, letovat
soldier ['səuldžə] voják
sole[1] [səul] jediný; výhradní
sole[2] [səul] chodidlo; podešev, podrážka # podrazit boty
solemn ['soləm] vážný neveselý; vážný, závažný; slavnostní
solicit [sə'lisit] žádat, prosit (*of* koho; *for* oč); obtěžovat, nabízet se o prostitut-

kách **–or** [-ə] právní zástupce
solid ['solid] pevný; masívní; celistvý; důkladný; spolehlivý # pevné těleso, pevná látka
solidarity [,soli'dæriti] solidarita, soudržnost
solidity [sə'lidəti] pevnost; masívnost; solidnost
solit|ary ['solit|əri] osamělý; samotářský **–ude** [-ju:d] osamělost, samota
solo ['səuləu] sólo; let bez instruktora; druh karetní hry **–ist** [-ist] sólista
soluble ['soljubl] rozpustný; řešitelný, rozluštitelný
solution [sə'lu:šn] řešení; roztok
solve [solv] (vy)(roz)řešit
solvent ['solvənt] solventní, schopný platby
sombre ['sombə] temný, pochmurný
some [sam; səm] nějaký, některý; trochu, několik (~ *20 minutes* asi 20 minut; *to ~ extent* do jisté míry) **–body**, **–one** ['-bədi, '-wan] někdo, kdosi **–how** ['-hau] nějak, jaksi **–thing** ['-θiŋ] něco, cosi **–time** ['-taim] kdysi, někdy **–times** ['-taimz] někdy, občas **–what** ['-wot] poněkud **–where** ['-weə] kdesi, někde, někam
somersault ['saməso:lt] kotrmelec, přemet
son [san] syn **~-in-law** ['saninlo:] (PL *–s-in-law* ['sanzinlo:]) zeť
sonata [sə'na:tə] sonáta
song [soŋ] píseň
sonic ['sonik] zvukový
sonnet ['sonit] sonet, znělka
sonorous ['sonərəs] zvučný; jazyk, styl bohatý
soon [su:n] brzo (*as ~ as*; *no –er than* jakmile)
soot [sut] saze
soothe [su:ð] uklidnit, utišit, konejšit; zmírnit bolest
sophisticated [sə'fistikeitid] zkušený; znalý světa; složitý, komplikovaný
sorcerer ['so:sərə] čaroděj
sore [so:] bolavý i přen.; citlivý; rozladěný, uražený # bolavé místo, bolák
sorrow ['sorəu] žal, lítost, smutek (*for* nad, z) # rmoutit se, truchlit **–ful** [-ful] smutný, žalostný
sorry ['sori] zarmoucený; litující (*for, about* čeho) **I am ~** je mi líto
sort [so:t] druh, typ; jakost # (roz)třídit, uspořádat
soufflé ['su:flei] nákyp
sought [so:t] PT a PP od *seek**
soul [səul] duše
sound[1] [saund] zdravý; náležitý, řádný, spolehlivý, pořádný, rozumný **–ly** [-li] důkladně, tvrdě (*sleep* spát)
sound[2] [saund] zvuk; tón; ráz, odstín # (za)znít, ozvat se **–proof** ['-pru:f] zvukotěsný **–track** ['-træk] filmová hudba
soup [su:p] polévka **~-plate** ['su:ppleit] hluboký talíř
sour ['sauə] kyselý; rozmrzelý, zatrpklý, kyselý
source [so:s] zdroj, pramen
south [sauθ] jih # jižní, na jih **–ern** ['saðən] jižní **–ward(s)** ['sauθwəd(z)] jižním směrem
souvenir [,su:və'niə] suvenýr, vzpomínka
sovereign ['savrin] panovník, vladař # suverénní stát; nejvyšší, hlavní orgán moci v zemi
Soviet ['səuviət] sovětský
sow*[1] [səu] (PP *sown* [soun]) (o)sít, rozsévat i přen.
sow[2] [sau] svině, prasnice
sown [soun] PP od *sow**
soya ['soiə] sója
spa [spa:] lázně
space [speis] prostor, místo; pauza; mezera; vesmír **–craft** (PL stejný) **–ship** ['-šip] kosmická loď **–man*** ['-mən] (PL v. *man**) kosmonaut **–suit** ['-su:t] kosmický skafandr
spacious ['speišəs] prostorný
spade [speid] rýč
span [spæn] PT od *spin**; # rozpětí, tětiva oblouku; oblouk mostu; přen. rozsah; krátké údobí # (*-nn-*) přemostit; kle-

nout se nad; přen. pokrývat, sahat, trvat; obejmout rukou
spank [spæŋk] naplácat na zadek
spanner ['spænə] matkový klíč **adjustable** ~ francouzský klíč
spar|e [speə] ušetřit; vyšetřit; našetřit; postrádat # náhradní; navíc, volný, zbývající # náhradní díl **–ing** [-riŋ] šetrný, střídmý (*with, of, in* s)
spark [spa:k] jiskra # jiskřit **–le** ['-l] jiskřit, třpytit se; perlit, šumět víno **–ling** ['-liŋ] šumivý
sparrow ['spærəu] vrabec
sparse [spa:s] řídký
spasm ['spæzəm] křeč **–odic** ['spæzəm] křečovitý; nárazový
spat [spæt] PT a PP od *spit**
spawn [spo:n] ryby tříť se; klást jikry # jikry; podhoubí
speak* [spi:k] (PT *spoke* [spəuk]; PP *spoken* [spəukən]) mluvit (*to, with* s); řečnit, mít projev **–er** ['-ə] mluvčí; řečník
spear [spiə] oštěp zbraň
special ['spešl] speciální, zvláštní **–ist** [-əlist] odborník; odborný lékař **–ity** [,-i'æləti] něčí zvláštní zájem; specialita charakteristický výrobek, činnost **–ization** [,-əlai'zeišn] specializace **–ize** [-əlaiz] specializovat se **–ly** [-əli] zvlášť
species* ['spi:ši:z] (PL ~) zvl. zoologický druh
specific [spi'sifik] specifický, přesný, určitý
specify ['spesifai] přesně vymezit, specifikovat
specimen ['spesimin] ukázka, vzorek
speck [spek] malá skvrna, flíček, smítko
spectacle ['spektəkl] podívaná **–s** [-z] PL brýle
spectacular [spek'tækjulə] velkolepý, okázalý; nápadný, senzační
spectator [spek'teitə] divák
spectrum ['spektrəm] (PL *spectra* [-rə]) spektrum světelné, zvukové; celá škála, paleta
speculat|e ['spekjuleit] přemýšlet; spekulovat **–ion** [,spekju'leišn] přemýšlení; spekulace **–or** obchodní spekulant
sped [sped] PT a PP od *speed**
speech [spi:č] řeč; promluva, projev **–less** ['-lis] oněmělý
speed [spi:d] rychlost (*at full* ~ plnou rychlostí) # ~* (PT a PP *sped* [sped]) uhánět, jet rychle ~ **up** ['-,ap] zrychlit ~ **limit** ['-,limit] omezení rychlosti **–boat** ['-,bəut] rychlý člun **–ometer** [spi'domitə] rychloměr **–way** ['-wei] motocyklová dráha **–y** [-i] rychlý; brzký
spell* [spel] (PT a PP *spelt* [spelt]) hláskovat; správně psát **–ing** hláskování; pravopis
spelt [spelt] PT a PP od *spell**
spend* [spend] (PT a PP *spent* [spent]) (s)trávit čas; vydat peníze, utratit; vyčerpat (se)
spent [spent] PT a PP od *spend**
sperm [spə:m] sperma
spew [spju:] zvracet
sphere [sfiə] koule; sféra, oblast, působiště
spic|e [spais] koření # okořenit (*with* čím) **–y** [-i] kořeněný, pikantní
spider ['spaidə] pavouk
spike [spaik] bodec, jehla, hrot # nabodnout, propíchnout
spill* [spil] (PT a PP *spilt* [spilt]) rozlít, vylít (se)
spilt [spilt] PT a PP od *spill**
spin* [spin] (*-nn-*) (PT *span* [spæn] n. *spun* [span]; PP *spun* [span]) (roz)točit (se), příst # (roz)točení, kroužení; předení ~**-dry** [,-'drai] ždímat prádlo ve ždímačce, pračce
spinach ['spinidž] špenát
spin|e [spain] páteř; trn, osten **–al** [-l] páteřní
spinster ['spinstə] neprovdaná žena, stará panna
spiral ['spaiərəl] spirálový, točitý # spirála
spire ['spaiə] štíhlá špičatá věž, špička

věže
spirit ['spirit] duch; přízrak; lihovina, alkohol; nálada (*in high –s* v dobré náladě) **–ed** [-tid] odvážný; bystrý, živý, čilý **–ual** [-čuəl] duchovní; náboženský, církevní; duševní
spit*[1] [spit] (*-tt-*) (PT a PP *spat* [spæt]) plivat (*at, on* na); prskat; poprchávat, mrholit # slina
spit[2] [spit] rožeň, bodec; kosa, ostroh
spite [spait] zlost, zloba; zášť **in ~ of** přes to, navzdory # zlobit, dělat schválnosti **–ful** zlomyslný, nevraživý
splash [splæš] šplouchat, (po)stříkat, cákat (*on* na) šplouchnutí; stříkanec, skvrna
spleen [spli:n] anatomicky slezina; zasmušilost, deprese
splend|id ['splendid] skvělý, velkolepý **–our** ['splendə] lesk, nádhera, skvělost **–ours** PL krásy, pamětihodnosti čeho
splinter ['splintə] tříska, štěpina # roztříštit (se), (roz)štípat (se) na třísky
split* [split] (*-tt-*) (PT a PP ~) štípat, štěpit; rozdělit # prasklina, štěrbina, trhlina; rozkol
spoil* [spoil] (PT a PP *–t* [-t]) (z)kazit (se); rozmazlit
spoke [spəuk] PT od *speak** **–n** [-ən] PP od *speak** # paprsek kola
spokesman* ['spəuksmən] (PL v. *man**) mluvčí
sponge [spandž] mycí houba # mýt (se) houbou **~-cake** ['-keik] piškot
sponsor ['sponsə] kmotr; ručitel; ochránce, patron, sponzor # ručit za, podporovat, financovat **–ship** [-šip] záštita, patronát; finanční podpora
spontaneous [spon'teiniəs] samovolný, spontánní
spool [spu:l] cívka, špulka
spoon [spu:n] lžíce **–ful** ['-ful] plná lžíce čeho
sporadic [spə'rædik] řídce se vyskytující, sporadický
sport [spo:t] sport # skotačit, dovádět; okázale nosit **–s car** ['-ska:] sportovní auto **–sman*** ['-smən] (PL v. *man**) sportovec **–swoman*** ['-swumən] (PL v. *woman**) sportovkyně **–y** [-i] sportovní
spot [spot] skvrna; uher, vřídek, neštovička; bod, místo **–less** úzkostlivě čistý; bez poskvrny **–light** ['-lait] bezúhonný, kužel, světlo reflektoru **–ty** ['-i] skvrnitý obličej **–ted** [-id] tečkovaný, strakatý
spout [spaut] výtoková trubka, hubice konve, chrlič okapu; tryskající proud # vytrysknout; chrlit proudem; hovor. vykládat, přednášet, recitovat
sprain [sprein] podvrtnout si # podvrtnutí, výron
sprang [spræŋ] PT od *spring**
sprawl [spro:l] roztahovat se, rozvalovat se pohodlně
spray [sprei] rozprašovat (se), stříkat; sprayovat # sprška; postřik; spray; rozprašovač
spread* [spred] (PT a PP ~) roztáhnout; (roz)prostřít; (na)mazat (*with* čím); rozšířit (se) # rozpětí; rozšíření; pomazánka
spree [spri:] dovádění, řádění, flám, pitka
sprig [sprig] větvička
spring* [spriŋ] (PT *sprang* [spræŋ] n. *sprung* [spraŋ]; PP *sprung* [spraŋ]) skok; pramen vody; pero, pružina # jaro **–time** ['-taim] jarní doba, jaro **–y** ['spriŋi] pružný, elastický
sprinkle ['spriŋkl] pokropit, postříkat, posypat (*with* čím)
sprint [sprint] sprintovat také o plavání, jízdě na kole # sprint
sprite [sprait] skřítek, víla, duch
sprout [spraut] rašit, pučet # výhonek (*Brussels –s* PL růžičková kapusta)
spruce [spru:s] smrk
sprung [spraŋ] PP od *spring**
spun [span] PP od *spin**
spur [spə:] ostruha; podnět, vzpruha # pobídnout ostruhami; povzbudit,

pobídnout
spurious ['spjuəriəs] padělaný, podvržený; nepravý, nesprávný
spurt [spə:t] vyšlehnout, vytrysknout; vychrlit; zabrat naplno prudce zvýšit rychlost, úsilí # vyšlehnutí, vytrysknutí; finiš, spurt i přen., rozmach
spy [spai] vyzvědač, špeh # vyzvídat, špehovat
squad [skwod] komando; družstvo, mužstvo **–ron** ['skwodrən] eskadra
squal|id ['skwolid] špinavý, zaneřáděný, zchátralý, sešlý; sprostý, hrubý, nechutný **–or** ['skwolə] špína, bída, zanedbanost; nechutnost; sprostota
squall [skwo:l] bouře, náraz větru **–y** s nárazy větru, deště
squander ['skwondə] plýtvat čím, utrácet
square [skweə] čtvercový; pravoúhlý # čtverec; náměstí; druhá mocnina # upravit do čtverce; srovnat do pravého úhlu; umocnit **~ metre** metr čtvereční
squash [skwoš] rozmačkat (se); (na)mačkat (se), nacpat (se) # tlačenice; nápoj z vymačkané šťávy; squash sport. hra
squat [skwot] (*-tt-*) sedět na bobku; usadit se bez právního nároku **–er** [-ə] kdo se bezprávně nastěhuje do prázdného domu
squeak [skwi:k] kvičet, pištět; vrzat, skřípat
squeal [skwi:l] ječet, vřískat; skřípat, vrzat
squeamish ['skwi:miš] choulostivý; netýkavý, háklivý
squeeze [skwi:z] vymačkat (*out of, from* z); stisknout, zmáčknout # (vy)mačkání; zmáčknutí, stisk
squint [skwint] šilhat # šilhání
squirrel ['skwirəl] veverka
St. = *street* [stri:t] ulice # = *Saint* [sənt; sint; snt; sn] svatý
stab [stæb] (*-bb-*) bodnout # bodnutí; bodavá bolest
stabil|ity [stə'biləti] stabilita **–ization** [,steibəlai'zeišn] stabilizace **–ize** ['steibəlaiz] stabilizovat
stable[1] ['steibl] stálý, trvalý, stabilní, vyrovnaný
stable[2] ['steibl] stáj
stack [stæk] stoh, kupa, hromada # nahromadit, navršit
stadium ['steidiəm] stadión
staff [sta:f] hůl, tyč, klacek; personál, zaměstnanci
stag [stæg] jelen
stage [steidž] jeviště; fáze, etapa, stádium; úsek; dějiště, scéna # uvést na jeviště, inscenovat **~-manager** [,steidž'mænidžə] divadelní režisér
stagger ['stægə] vrávorat, potácet se; ohromit, zdrtit; uspořádat střídavě; rozvrhnout tak, aby se nekrylo
stagnation [stæg'neišn] ustrnutí, stagnace
staid [steid] usedlý, seriózní
stain [stein] skvrna # potřísnit, pošpinit, obarvit **–less** ['-lis] bez poskvrny, čistý
stair [steə] schod **–s** [-z] PL schody, schodiště (též *–case, –way*)
stake [steik] kůl; hranice k upálení; sázka (*at ~* v sázce)
stale [steil] vyčichlý, zvětralý, tvrdý, okoralý; starý, otřepaný
stalk [sto:k] lodyha, stonek
stall [sto:l] stánek tržní
stamina ['stæminə] výdrž, životní síla
stammer ['stæmə] koktat # koktání, koktavost
stamp [stæmp] dupat; (o)razítkovat; frankovat; označit (*as* za) # dupnutí; razítko; kolek, známka
stance [stæns] postoj; stanovisko
stand [stænd] stojan; stánek; stanoviště # ~* (PT a PP *stood* [stud]) stát; postavit **~-in** ['-in] náhradník, záskok **–ing** ['-iŋ] stojící; stálý, trvalý # reputace, postavení **–point** ['-point] hledisko, stanovisko **–still** ['-stil] zastavení, klid nečinnost
standard ['stændəd] měřítko, norma, požadavky, úroveň, standard; pra-

por, standarta ~ **of living** životní úroveň # standardní, směrodatný
stank [stæŋk] PT od *stink**
staple ['steipl] sešívací svorka; skoba # sešít sešívačkou; připevnit skobou **–r** ['steiplə] sešívačka
star [sta:] hvězda
starch [sta:č] škrob # škrobit
stare [steə] upřeně se dívat, hledět, zírat # upřený pohled
starling ['sta:liŋ] špaček
start [sta:t] vydat se na cestu, vyrazit; začít; zahájit; uvést v chod; začít dělat (*on* co), pustit se do # trhnutí; začátek; start; škubnutí
startle ['sta:tl] překvapit, polekat
starv|ation [sta:|'veišn] (vy)hladovění **–e** [-v] (vy)hladovět; dychtit, prahnout (*for* po čem)
state [steit] stav; stát # oznámit, vyjádřit; uvést, udat **–ly** ['-li] vznešený, důstojný **–ment** [-mənt] prohlášení; rozhodnutí, stanovení; zpráva, výkaz **–sman*** [-smən] (PL v. *man**) státník
static ['stætik] klidný, neměnný; statický # statická elektřina **–s** [-s] PL statika fyzikální obor
station ['steišn] stanoviště, stanice; nádraží # umístit
stationary ['steišnəri] nehybný
stationer ['steišnə] prodavač v papírnictví **–'s** [-z] papírnictví **–y** [-ri] papírnické zboží
statistic [stə'tistik] **–al** [-l] statistický **–s** [-s] PL statistika
statue ['stæču:] socha **–ette** [,stætju'et] soška, plastika
stature ['stæčə] tělesná výška; přen. úroveň, význam, kalibr
status ['steitəs] společenské postavení
statute ['stæču:t] zákon **–s** [-s] PL stanovy, statut
staunch [sto:nš] věrný, oddaný
stay [stei] pobyt # zůstat, pobýt
steadfast ['stedfa:st] pevný, vytrvalý; věrný, spolehlivý
steady ['stedi] pevný, stabilní, stálý, stejnoměrný, vyrovnaný, spolehlivý
steak [steik] řízek masa
steal* [sti:l] (PT *stole* [stəul]; PP *stolen* [stəulən]) krást (se)
steam [sti:m] pára ~**-engine** ['-,endžin] parní lokomotiva **–er** [-ə] parník **–roller** ['-,rəulə] parní válec **–ship** ['-šip] paroloď
steel [sti:l] ocel **–works** (PL stejný, sloveso v PL i SG) ocelárna
steep [sti:p] příkrý, strmý
steeple ['sti:pl] kostelní věž se špičkou
steer [stiə] kormidlovat, řídit i přen. **–ing-wheel** [-riŋ] volant; kormidlo **–sman*** [-zmən] (PL v. *man**) kormidelník
stem[1] [stem] stonek, kmen; stopka, nožka sklenky
stem[2] [stem] (*-mm-*) zastavit proud vody, krvácení
stench [stenč] zápach, smrad
stencil ['stensl] šablona
stenography [stə'nogrəfi] těsnopis
step [step] (*-pp-*) udělat krok; chodit, kráčet ~ **down** sejít; odejít, rezignovat ~ **up** přijít (*to* k); zlepšit se, udělat pokrok # krok; stupeň; schod **–ladder** ['-,lædə] štafle **–child*** ['-čaild], **–brother** ['-,braðə], **–father** ['-,faðə], **–mother** ['-,maðə] nevlastní dítě, bratr, otec, matka
steppe [step] step rovina
stereo|phonic [,steriəu'fonik] stereofonní **–type** ['stiəriətaip] stereotyp **–typed** ['stiəriətaipt] stereotypní
steril|e ['sterail] neúrodný; neplodný **–ize** ['sterilaiz] sterilizovat
stern[1] [stə:n] lodní záď
stern[2] [stə:n] přísný, tvrdý
stew [stju:] dušené maso n. zelenina # dusit (se) kuch.; přen. pařit se, potit se
steward [stju:əd] správce; stevard **–ess** [-is] letuška, stevardka
stick* [stik] (PT a PP *stuck* [stak]) (při)lepit, (na)lepit; (za)strčit, vrazit (*into, in, to* do); lpět (*by* na); uváznout, zarazit se, zůstat na místě i přen.

~ **out** vystrčit; trčet **–ing-plaster** [-iŋplæstə] náplast # hůl; tyč, tyčka
sticky ['stiki] lepkavý; vlhký, dusný o počasí
stiff [stif] tuhý, ztuhlý; tvrdý, nepoddajný; hustý, strnulý; obtížný, namáhavý; odměřený; upjatý; silný, ostrý alkohol **–en** ['stifn] (z)tuhnout, (z)tvrdnout; posílit, vzpružit
stifle ['staifl] (u)dusit (se); potlačit
still [stil] tichý, klidný; nehybný # stále, ještě, dosud # utišit (se), uklidnit (se) **~-life** [,-'laif] zátiší obraz
stilt [stilt] **–s** [-s] PL chůdy **–ed** [-id] strojený, přepjatý, afektovaný
stimul|ate ['stimju|leit] povzbudit, podnítit; posilnit, oživit vzrušující **–ation** [,-'leišn] povzbuzení, podnět; vzpružující účinek **–us*** [-ləs] (PL *–i* [-lai]) stimul i přen.
sting* [stiŋ] (PT a PP *stung* [staŋ]) bodnout, píchnout, štípnout; dát žihadlo # žihadlo; bodnutí, píchnutí
stingy ['stindži] skoupý, lakomý
stink* [stiŋk] (PT *stank* [stæŋk] n. *stunk* [staŋk]; PP *stank* [staŋk]) páchnout, smrdět (*of* čím) i přen. # zápach, smrad
stipulate ['stipjuleit] vyhradit si smluvně, sjednat
stir [stə:] (*-rr-*) hýbat (se), (za)míchat čím; pohnout (se); vyprovokovat, vyburcovat, podráždit ~ **up** vyburcovat, pobouřit, roznítit # míchání; rozruch, neklid
stirrup ['stirəp] třmen
stitch [stič] (se)šít, přišít, našít # steh; oko při pletení, bodnutí, píchání bolest
stock [stok] sklad (*in* ~ na skladě); zásoba; dobytek; kapitál firmy; akcie # vést na skladě; zásobovat zbožím **to take*** ~ udělat si přehled, odhadnout, zvážit **–broker** ['stok,brəukə] burzovní makléř ~ **exchange** burza **–holder** ['-,həuldə] am. akcio-nář
stocking ['stokiŋ] punčocha
stock-taking ['stok,teikiŋ] inventura
stoker [stəukə] topič zvl. na lodi; přikládací zařízení
stole [stəul] PT od *steal** **–n** [-ən] PP od *steal**
stolid ['stolid] tupý, netečný
stomach ['stamək] žaludek; břicho; chuť k jídlu # strávit; snést, strpět v negativních větách
stone [stəun] kámen; brit. váha 14 liber; pecka, tvrdé jádro # kamenný # kamenovat; odpeckovat, vypeckovat ovoce
stood [stud] PT a PP od *stand**
stool [stu:l] stolička, sedátko; med. stolice
stoop [stu:p] sehnout (se), sklonit (se); snížit se, pokořit (se)
stop [stop] (*-pp-*) zastavit; přestat # zastavení, zastávka **~-gap** ['stopgæp] dočasná výpomoc, náhrada **–page** ['-pidž] zastavení, zablokování **–per** ['stopə] zátka, uzávěr
storage ['sto:ridž] uskladnění; skladiště; skladné
store [sto:] zásoba; skladiště; brit. obchodní dům **in** ~ na skladě; připravený, přichystaný (*for* pro) # zásobit (*with* čím) ~ **up** (na)hromadit, dělat si zásobu **–house** ['-haus] skladiště **–keeper** ['-,ki:pə] am. obchodník
storey ['sto:ri] podlaží, patro
stork [sto:k] čáp
storm [sto:m] bouře i přen. (*of* čeho) **–y** ['-i] bouřlivý, prudký
story ['sto:ri] povídka; příběh, vypravování **~-teller** [-,telə] vypravěč, povídkář
stout [staut] solidní, pevně stavěný, pořádný; člověk silný, statný, robustní **–ness** [-nis] pevnost, tvrdost; tloušťka, obtloustlost; ráznost, energičnost
stove [stəuv] kamna; sporák
stow [stəu] uložit, naskládat, naložit **–away** ['stəuəwei] černý pasažér
straight [streit] rovný, přímý; uklizený, spořádaný; upřímný, otevřený, poctivý # rovnou, přímo; rovně; slušně, spořádaně ~ **away** ['-əwei],

~ **off** ihned; rovnou, přímo **–en** ['-n] narovnat (se) **–forward** [,-'fo:wəd] přímý, otevřený, čestný; jasný, zřetelný; jednoduchý, nekomplikovaný
strain [strein] napnout, natáhnout; namáhat se, snažit se; přepínat, přetěžovat; cedit, filtrovat # napnutí, napětí; námaha, vypětí **–er** [-ə] cedník
strait [streit] PL úžina, průliv; tíseň
strand[1] [strænd] břeh, pobřeží
strand[2] [strænd] pramen vlasů; vlákno niti
strange [streindž] cizí; podivný, zvláštní **–r** [-ə] cizinec; cizí člověk; člověk, který se nevyzná kde, (v čem), není seznámen (*to* s čím)
strangle ['strængl] uškrtit, zardousit
strap [stræp] řemen, pás; ramínko prádla # (*-pp-*) upevnit řemenem
strateg|ic [strə'ti:džik] strategický **–y** ['strætidži] strategie
straw [stro:] sláma; stéblo slámy; slámka, brčko **man* of ~** strašák, hastroš **~ hat** slaměnný klobouk
strawberry ['stro:bəri] jahoda
stray [strei] (za)toulat se # zaběhlý; bezdomovec; zaběhlé zvíře # zbloudilý
streak ['stri:k] pruh, proužek; rys charakteru **–y** [-i] pruhovaný
stream [stri:m] potok; proud, tok # proudit, téci **–lined** ['-laind] aerodynamický, proudnicový
street [stri:t] ulice **~-wise** ['-wais] znalý poměrů a života lidí v městských ulicích **the man* in the ~** obyčejný člověk **–car** ['-ka:] am. tramvaj
strength [streŋθ] síla **–en** ['-n] zesílit; posílit, zpevnit
strenuous ['strenjuəs] snaživý, aktivní, energický; usilovný, namáhavý
stress [stres] stres, napětí; tlak; důraz; přízvuk # zdůraznit, vyzdvihnout; dát přízvuk (na)
stretch [streč] natáhnout, roztáhnout, vytáhnout (se); protáhnout (se); prostírat se; mít vysoké požadavky (na) # natažení, roztažení; pružnost; plocha, pás, doba **–er** [-ə] nosítka pro raněné
strew* [stru:] (PT *strewed*, PP *strewed* n. *strewn*) rozházet, rozsypat (se)
strict [strikt] přísný; přesný
stride* [straid] (PT *strode* [stroud]; PP *stridden* ['stridn]) kráčet, dělat velké kroky # dlouhý krok
strident ['straidnt] pronikavý, ostrý
strife [straif] svár, spor
strik|e* [straik] (PT a PP *struck* [strak]) udeřit, uhodit; vrazit, narazit; narazit (na co), najít náhle; bít hodiny; (za)útočit; náhle nastat, objevit se; stávkovat (*for* zač) # stávka (*be on ~* stávkovat) # úder, úhoz; bití, odbíjení hodin; zvl. letecký útok, úder **~-breaker** ['-,breikə] stávkokaz **–er** ['-ə] stáv-kující **–ing** nápadný, zvláštní; jasný, význačný; překvapující, nápadně krásný
string [striŋ] provázek; šňůra; struna **–s** [-z] PL smyčcové nástroje
stringent ['strindžənt] ostrý, přísný, strohý
strip [strip] (*-pp-*) stáhnout, svléci (se); rozebrat, rozložit # proužek, pruh **tear sb. off a ~, tear a ~ off sb.** setřít koho, vynadat komu **–per** [-ə] striptérka **–tease** ['stripti:z] striptýz
stripe [straip] pruh, proužek **–d** [-t] pruhovaný, proužkovaný
strive* [straiv] (PT *strove* [strəuv]; PP *striven* ['strivn]) snažit se ze všech sil; zápasit, bojovat (*against*, *with* s, proti) **–n** PP od *strive**
strode [stroud] PT od *stride**
stroke [strəuk] úder, rána # (po)hladit
stroll [strəul] procházet se pomalu # procházka
strong [stroŋ] silný
strove [strəuv] PT od *strive**
struck [strak] PT a PP od *strike**
structure ['strakčə] složení, struktura; konstrukce, stavba
struggle ['stragl] bojovat, zápasit (*against*, *with* proti, s); usilovat #

zápas, boj; úsilí
stub [stab] zbytek tužky, cigarety, svíčky a pod., pahýl ocasu; kontrolní ústřižek
stubble ['stabl] strniště
stubborn ['stabən] tvrdohlavý, neústupný
stuck [stak] PT a PP od *stick**
student ['stju:dnt] student
studio ['stju:diəu] ateliér; studio; garsoniéra
studious ['stju:diəs] pilný, přičinlivý
study ['stadi] studium, předmět studia; studovna, pracovna; studie, náčrt # studovat; (pro)studovat mapu ap.
stuff [staf] látka, materiál; věc, věci, záležitost, kus, kousek, to, něco blíže neurčená věc, i abstraktní # cpát, nacpat, nadít (*with* čím) **–ing** nádivka; vycpávka **–y** [-i] zatuchlý, dusný; omezený, staromódní; mrzutý
stumbl|e ['stambl] zakopnout, klopýtnout; udělat chybu (*over* při) **–ing-block** [-iŋblok] kámen úrazu, překážka
stump [stamp] pařez, pahýl
stun [stan] (*-nn-*) omráčit i přen.
stung [staŋ] PT a PP od *sting**
stunk [staŋk] PP od *stink**
stupefy ['stju:pifai] otupit; ohromit
stupid ['stju:pid] hloupý **–ity** [stju:'piditi] hloupost
sturdy ['stə:di] silný, statný; pevný, důkladný; houževnatý
sturgeon ['stə:džən] jeseter
stutter ['statə] koktat, zajíkat se
sty [stai] prasečí chlívek, kotec
styl|e [stail] sloh, styl; způsob; druh, typ; móda **–ish** ['-iš] stylový, moderní, elegantní **–istic** [-istik] stylistický **–istics** stylistika
suave [swa:v] příjemný, milý, lahodný; zdvořilý, společensky uhlazený
subconscious [,sab'konšəs] podvědomý **–ness** [-nis] podvědomí
subdue [səb'dju:] podmanit, podrobit
subject ['sabdžikt] předmět, věc, subjekt; poddaný **~-matter** námět, téma, obsah # [səb'džekt] podrobit; vystavit (*to* čemu) **be* ~ to** být závislý (na čem), podmíněný čím, podřízený komu, čemu **–ive** [sab'džektiv] subjektivní
sublet [,sab'let] pronajmout, dát do pronájmu
submachine-gun [,sabmə'ši:ngan] samopal, automat
submarine [,sabmə'ri:n] ponorka # podmořský
submerge [səb'mə:dž] ponořit (se)
submission [səb'mišn] pokora; podrobení se
submit [səb'mit] (*-tt-*) podrobit (se), podřídit (se) (*to* komu, čemu); předložit
subordinate [sə'bo:dineit] podřízený, vedlejší, podružný
subscribe [səb'skraib] podepsat (se) (*to* co, pod co); předplatit si (*to* co), přispět (*to* na co); plně souhlasit (*to* s)
subscription [səb'skripšn] příspěvek; předplatné
subsequent ['sabsikwənt] následující, následný, další
subsid|e [səb'said] klesnout, ustoupit; přestat, uklidnit se **–ize** ['sabsidaiz] podporovat, subvencovat **–y** ['sabsidi] podpora, subvence
subsidiary [səb'sidiəri] pomocný, podpůrný
substance ['sabstəns] hmota, látka, substance; podstata, základ
substantial [səb'stænšl] podstatný, značný; bytelný, důkladný; zámožný; důležitý, závažný
substitute ['sabstitju:t] zástupce, náhradník # nahradit
subtitle ['sab,taitl] podtitulek; titulek ve filmu
subtle ['satl] jemný, křehký, choulostivý; bystrý, citlivý, pronikavý; lstivý **–ty** [-ti] jemnost; křehkost; bystrost, pronikavost, ostrost; lstivost
subtract [səb'træk|t] odčítat (*from* od) **–ion** [-šn] odčítání
subtropic|al [,sab'tropik|l] subtropic-

ký **–s** [-s] subtropy
suburb ['sabə:b] předměstí **–an** [sə'bə:bən] předměstský
subver|sive [səb'və:|siv] podvratný, rozvratný **–t** [-t] rozvrátit, zničit; podrývat, mít zhoubný vliv na
subway ['sabwei] brit. podchod; am. podzemní dráha
succeed [sək'si:d] **in, to do st.** mít úspěch, být úspěšný (v), podařit se, dokázat co; nastoupit (po), být nástupcem koho
success [sək'ses] úspěch, zdar **–ful** [-ful] zdárný, úspěšný **–ive** [-iv] jdoucí po sobě, následný **–or** [-ə] nástupce, následník
succession [sək'sešn] pořadí, posloupnost; následnictví
succinct [sək'siŋkt] krátký, stručný
succulent ['sakjulənt] šťavnatý
succumb [sə'kam] podlehnout (*to st.* čemu)
such [sač] takový **~ as** takový jako **as ~** jako takový
suck [sak] sát; cucat, lízat; pít z prsu **–er** [-ə] odnož, šlahoun; přísavka; důvěřivý člověk, zelenáč
sudden ['sadn] náhlý, nenadálý **all of a ~** náhle **–ly** [-li] náhle
sue [su:] domáhat se soudně, žalovat (*for* pro)
suet ['suit] lůj
suffer ['safə] trpět; utrpět **–ing** [-riŋ] trápení, utrpení
suffic|e [sə'fais] (po)stačit (*for* komu, pro co) **–iency** [sə'fišnsi] dostatek (*of* čeho) **–ient** [sə'fišnt] dostatečný, postačující
suffix ['safiks] přípona
suffocate ['safəkeit] (u)dusit (se)
suffrage ['safridž] volební právo
sugar ['šugə] cukr **~-beet** [-bi:t] cukrová řepa **~-cane** [-kein] cukrová třtina **–y** [-ri] cukrový, sladký
suggest [sə'džest] navrhnout, naznačit, svědčit (o) **–ion** [sə'džesčən] návrh; podnět; náznak, nápověď **–ive** připomínající co, budící dojem čeho; dvojsmyslný, svůdný
suicide ['suisaid] sebevražda **to commit ~** spáchat sebevraždu
suit [su:t] oblek; souprava; soudní proces; barva karty # hodit se, vyhovovat; slušet **–able** ['-əbl] vhodný, přiměřený **–case** ['-keis] kufr
suite [swi:t] souprava nábytku; apartmá v hotelu; hud. suita; doprovod, družina
sulk [salk] být rozmrzelý, mít špatnou náladu **–y** [-i] rozmrzelý, nabru-čený
sullen ['salən] mrzutý, podrážděný; pochmurný, zachmuřený
sulphur ['salfə] síra
sultan ['saltən] sultán **–a** [sal'ta:nə] sultánka sultánova žena, druh rozinky
sultry ['saltri] parný, dusný počasí
sum [sam] součet; peněžitá částka # (*-mm-*) shrnout **~ up** shrnout
summar|ize ['saməraiz] shrnout; udělat stručný obsah **–y** ['saməri] souhrn, přehled, shrnutí # shrnující
summer ['samə] léto **~-house** [-haus] altán, pavilón
summit ['samit] vrchol; vyvrcholení; setkání na nejvyšší úrovni
summon ['samən] předvolat, svolat; obeslat
sumptuous ['sampčuəs] nákladný, přepychový
sun [san] slunce **–bathe** ['-beið] opalovat se **–beam** ['-bi:m] sluneční paprsek **–burn** ['-bə:n] spálení sluncem **–dial** ['-daiəl] sluneční hodiny **–flower** ['san,flauə] slunečnice **–light** ['-lait] sluneční světlo **–ny** ['sani] slunný, slunečný **–rise** ['-raiz] východ slunce **–set** ['-set] západ slunce **–shade** ['-šeid] slunečník **–shine** ['-šain] slunce, tj. sluneční světlo **–spot** ['-spot] skvrna na slunci **~-stroke** ['-strəuk] úžeh, úpal **~-tan** ['-tæn] opálení sluncem
Sunday ['sandei] neděle
sundry ['sandri] různý, rozmanitý, všelijaký
sung [saŋ] PP od *sing**
sunk [saŋk] PP od *sink**

super ['su:pə] báječný, fantastický, senzační
superannuation ['su:pə,rænju'eišn] penze, důchod
superb [su:'pə:b] nádherný, skvostný
supercilious [,su:pə'siliəs] povýšený, pohrdlivý
superficial [,su:pə'fišl] povrchní **–ity** ['sju:pə,fiši'æliti] povrchnost
superfluous [su:'pə:fluəs] přebytečný; zbytečný, postradatelný
superhuman [,su:pə'hju:mən] nadlidský
superior [su:'piəriə] vyšší; lepší; výše postavený # nadřízený **–ity** [sju:,piəri'oriti] nadřazenost, nadřízenost
superlative [su'pə:lətiv] vynikající # jaz. superlativ
supermarket ['su:pə,ma:kit] obchodní dům se samoobsluhou
supernatural [,sju:pə'næčərəl] nadpřirozený
superpower [,sju:pə'pauə] světová velmoc
supersonic [,su:pə'sonik] nadzvukový
superstit|ion [,su:pə'sti|šn] pověra **–ious** [-šəs] pověrčivý
supervis|e ['su:pəvaiz] dozírat, dohlížet **–ion** [,sju:pə'vižn] dohled, dozor; kontrola, inspekce **–or** dozorce; kontrolor
supper ['sapə] večeře
supple ['sapl] pružný, ohebný i přen.
supplement ['saplimənt] doplněk, dodatek, příloha # ['sapliment] doplnit **–ary** [,sapli'mentəri] doplňkový, dodatkový; přídavný
suppl|y [sə'plai] **with** obstarat, opatřit; dodávat, zásobovat # zásobování; zásoba **–ier** dodavatel
support [sə'po:t] podepřít; podporovat; živit, podporovat # opora; podpora; podpěra **–er** stoupenec, zastánce; fanoušek
suppos|e [sə'pəuz] předpokládat; domnívat se **–ing** za předpokladu; jestli **–ition** [,sapə'zišn] domněnka; předpoklad
suppress [sə'pres] potlačit; zamlčet, zatajit; odstranit **–ion** [sə'prešn] potlačení; zamlčení; zákaz, odstranění
suprem|e [su'pri:m] vrchní, nejvyšší **S~ Court** Nejvyšší soud **–acy** [su'preməsi] svrchovanost, nadvláda (*over* nad)
surcharge [sə:'ča:dž] přirážka (*on* k) # zvýšit poplatek
sure [šuə] jistý (*be* ~ of* být si jist čím; *he is ~ to come* jistě přijde) **make* ~ of** ujistit se; zajistit, aby **–ly** ['šuəli] jistě, určitě
surf [sə:f] příboj # jezdit na surfu **–board** ['sə:fbo:d] prkno na (wind)surfing
surface ['sə:fis] povrch
surg|eon ['sə:džən] chirurg **–ery** ['sə:džəri] chirurgie; ordinace; ordinační hodiny **–ical** ['sə:džikl] chirurgický
surname ['sə:neim] příjmení
surpass [sə:'pa:s] překonat, předčit
surplus ['sə:pləs] přebytek, nadbytek
surprise [sə'praiz] překvapit # překvapení, úžas
surrender [sə'rendə] vzdát se (*to* komu), kapitulovat; vydat, odevzdat (*st. to sb.* co komu)
surround [sə'raund] obklopit, obklíčit **–ing** [-ŋ] okolní **–ings** [-ŋz] PL okolí
survey ['sə:vei] prohlédnout, prozkoumat; zhodnotit, udělat souhrn, podat ucelený obraz # [sə'vei] prohlídka, obhlídka; hodnocení, souhrn, přehled **–or** dozorce, inspektor; expert, úřední odhadce; zeměměřič
surviv|e [sə'vaiv] přežít, zůstat na živu **–al** [-l] přežití; pozůstatek minulosti
suspect [sə'spekt] podezírat (*of* z); domnívat se; obávat se; pochybovat (o) # ['saspekt] podezřelý
suspend [sə'spend] (po)za|věsit; vznášet se, viset; zastavit, přerušit; odložit **–ers** [-əz] PL brit. podvazky, am. šle

suspens|e [sə'spen|s] napětí **–ion** [-šn] zastavení, přerušení, odklad; zproštění úřadu; tech. závěs
suspicio|n [sə'spiš|n] podezření **–us** [-əs] podezřelý; podezíravý, nedůvěřivý
sustain [sə'stein] (u)nést, podpírat; živit; udržovat, zachovat v chodu; utrpět porážku, ztrátu; práv. rozhodnout ve prospěch koho
sustenance ['sastinəns] výživnost, živiny, výživa
swallow[1] ['swoləu] vlaštovka
swallow[2] ['swoləu] polykat # polknutí
swam [swæm] PT od *swim**
swamp [swomp] bažina, močál # zaplavit **–y** [-i] bažinatý
swan [swon] labuť
swap [swop] (*-pp-*) vyměnit (si) (*for* za), prohodit (si) # výměna
swarm [swo:m] hejno, roj; dav, zástup # rojit se; hemžit se; být plný (*with* čeho)
swarthy ['swo:ði] snědý, tmavé pleti
swastika ['swostikə] svastika, hákový kříž
sway [swei] (roz)kývat (se), houpat (se); ovlivnit # kolébání, houpání, (roz)houpání; vláda, moc; převaha
swear* [sweə] (PT *swore* [swo:]; PP *sworn* [swo:n]) nadávat (*at* komu), přísahat; klít **~-word** ['-wə:d] nadávka, zaklení
sweat [swet] pot # potit se
sweater [swetə] sportovní svetr
sweep* [swi:p] (PT a PP *swept* [swept]) (za)mést; čistit; odstranit, snést; převalit se, přehnat se, hnát se **~ away** zanést, odnést
sweet [swi:t] sladký; lahodný, příjemný; roztomilý # sladkost; PL cukroví, bonbóny **–en** ['-n] osladit; zpříjemnit **–heart** ['-ha:t] miláček
swell* [swel] (PP *swollen* ['swoulən]) dmout se; otékat; zvětšovat se # skvělý **–ing** otok
swelter ['sweltə] umdlévat horkem; péci se, pařit se v horku **–ing** [-riŋ] parný; rozpálený
swept [swept] PT a PP od *sweep**
swerve [swə:v] prudce uhnout, změnit směr
swift [swift] rychlý, hbitý
swim* [swim] (*-mm-*) (PT *swam* [swæm]; PP *swum* [swam]) plavat; přen. točit se, motat se **–mer** ['swimə] plavec **–ming cap** [-iŋkæp] koupací čepice **–ming costume** ['-iŋkostju:m], **–suit** ['swimsu:t] plavky **–ming-pool** ['-iŋpu:l] bazén
swindle ['swindl] podvést, ošidit (*out of* o) # podvod **–r** podvodník
swine* [swain] (PL ~) vepř, svině; lotr, svině
swing* [swiŋ] (PT a PP *swung* [swaŋ]) houpat (se), kývat se # kývání, houpání; houpačka
swirl [swə:l] rychle kroužit # víření, vír # vířit
switch [swič]; vypínač, přepínač; náhlá změna, přechod, výhybka, prut, proutek; šleh, rána # přejít, převést (*to* na); přepnout (~ *off* vypnout; ~ *on* zapnout); švihat, práskat **–board** ['-boəd] telefonní přepojovač, centrála; rozvodná deska
swivel ['swivl] (br. *-ll-*) (o)točit (se)
swollen ['swəulən] PP od *swell**
swoon [swu:n] omdlít # mdloba
swoop [swu:p] policejní přepad, razie
sword [so:d] meč **–fish** ['so:dfiš] mečoun
swore [swo:] PT od *swear**
sworn [swo:n] PP od *swear**
swot (up) [swot] (*-tt-*) brit. šprtat ke zkoušce (*on, for* k)
swum [swam] PP od *swim**
swung [swaŋ] PT a PP od *swing**
syllable ['siləbl] slabika
syllabus ['siləbəs] výtah, přehled, osnova, program
symbol ['simbl] symbol, znak **–ic** [sim'bolik] symbolický **–ize** ['simbəlaiz] znázorňovat, symbolizovat
symmetr|y ['simətri] souměrnost, sy-

metrie **–ic(al)** [-k(l)] souměrný, symetrický
sympath|etic [,simpə'θetik] soucitný, účastný, sympatický, příjemný **–ize** ['simpəθaiz] soucítit, mít pochopení (*with* pro) projevit soustrast (*with* komu) **–y** ['simpəθi] soucit, účast, pochopení
symphon|ic [sim'fonik] symfonický **–y** ['simfəni] symfonie
symposium [sim'pəuzjəm] (PL *symposia* [-jə]) odborná porada; literární sborník
symptom ['simptəm] příznak, symptom
synagogue ['sinəgog] synagoga
syntax ['sintæks] jaz. syntax, skladba
synthe|sis ['sinθəsis] sloučení, syntéza **–tic** [-tik] syntetický
syphilis ['sifilis] syfilis
syringe ['sirindž] malá ruční stříkačka # (po)stříkat
syrup ['sirəp] sirup
system ['sistim] soustava, systém **–atic** [,sistə'mætik] soustavný, systematický

T

tab [tæb] poutko; štítek, tabulka; cenovka **keep* –s on** [-z] dávat pozor na, sledovat
table ['teibl] stůl; deska; tabulka **lay*** n. **set* the ~** prostřít (na) stůl **~-cloth** [-kloθ] ubrus **–spoon** [-spu:n] sběračka, servírovací lžíce **~-tennis** [-,tenis] stolní tenis **–ware** [-weə] stolní náčiní
tablet ['tæblət] tabulka, des(tič)ka; tabletka, pilulka
tacit ['tæsit] nevyslovený, srozuměný, implicitní **–urn** [-ə:n] mlčenlivý, nemluvný
tack [tæk] napínáček; steh
tacky ['tæki] lepkavý nezaschlý
tackle ['tækl] výzbroj; výstroj; nářadí # pustit se (do čeho), chopit se čeho
tact [tækt] společenský takt **–ful** ['-ful] taktní
tact|ical ['tæktik|l] taktický **–ics** [-s] PL taktika **–less** ['tæktlis] netaktní
tag [tæg] etiketa, štítek
tail [teil] ocas **~-coat** [,-'kəut] frak
tailor ['teilə] krejčí # šít šaty **~-made** [-meid] šitý na míru
tainted [teintid] zkažený, nakažený
take* [teik] (PT *took* [tuk]; PP *taken* ['teikən]) vzít (s sebou); brát, dostávat; užívat lék; vyžadovat; trvat o čase **~ part in** (z)účastnit se čeho **~ place** konat se **~ after** být podobný **~ back** vrátit, vzít zpět **~ down** sundat, strhnout; zapsat **~ in** brát na byt, ubytovat; napálit, nachytat; vnímat; zahrnout, obsáhnout **~ off** ['-of] (od)startovat, vzlétnout; svléknout **~ out** vyjmout, vytáhnout **~ up** ['-ap] zvednout; zabírat, přibrat prostor, čas; začít něco dělat
taken ['teikən] PP od *take**
tale [teil] vyprávění, příběh; povídka
talent ['tælənt] nadání, talent
talk [to:k] hovořit, mluvit, povídat (si) # (roz)hovor; řeči **~ back** odmlouvat **~ sb. into, out of doing st.** přemluvit (koho k čemu), rozmluvit komu co, umluvit **–ative** ['to:kətiv] hovorný, povídavý
tall [to:l] vysoký **~ story** báchorka
tally ['tæli] seznam, záznam, zápis počitatelného; štítek, visačka, jmenovka # příběh, množství shodovat se, souhlasit (*with* s)
tame [teim] krotký; všední
tan [tæn] opálení sluncem # (*-nn-*) opálit se na slunci
tangerine [,tændžə'ri:n] mandarínka
tangle ['tæŋgl] zaplést (se), zamotat (se) # motanice, změť
tank [tæŋk] tank; nádrž, cisterna # (na)tankovat, naplnit nádrž
tanker [tænkə] cisternová loď, tanker
tantamount ['tæntəmaunt] stejný, rovnající se (*to* čemu)
tantrum ['tæntrəm] špatná nálada,

záchvat vzteku
tap[1] [tæp] vodní, plynový kohoutek # (vy)(na)pustit z nádrže # odposlouchávat telefon
tap[2] [tæp] (-pp-) (za)ťukání, zaklepání # (za)ťukat, (za)klepat
tape [teip] stuha, tkanice, páska; magnetofonová kazeta, pásek **~- recorder** ['-ri,ko:də] magnetofon **~- measure** ['-,mežə] měřicí pásmo, metr
taper ['teipə] zúžení # zužovat (se)
tapestry ['tæpistri] čaloun; goblén
tar [ta:] dehet, asfalt
target ['ta:git] terč, přen. cíl
tariff ['tærif] ceník; celní tarif; sazba
tarmac ['ta:mæk] dehtový makadam; silnice z dehtového makadamu
tarnish ['ta:niš] ztratit lesk, zakalit se
tarpaulin [ta:'po:lin] nepromokavá dehtová plachta
tart [ta:t] ovocný koláč
tartan ['ta:tən] tartan pestře tkaná kostkovaná látka
tartar ['ta:tə] zubní kámen; vinný kámen
task [ta:sk] úloha, úkol
tast|e [teist] (o)chutnat; chutnat (*of* po čem); poznat, zažít # chuť; záliba; vkus **–eful** ['-ful] vkusný **–eless** ['-lis] bez chuti; nevkusný **–y** ['-i] chutný
tattoo [tə'tu:] tetování # tetovat
taught [to:t] PT a PP od *teach**
taunt [to:nt] dobírat si, posmívat se (*with* koho, komu) # posměch, sarkastická narážka
taut [to:t] natažený, napjatý
tax [tæks] daň # zdanit; přepínat **–payer** ['-,peiə] daňový poplatník **–able** [-əbl] zdanitelný **–ation** [tæk'seišn] daně; zdanění
taxi ['tæksi] taxi **~- cab** [-kæb] taxík **~ rank**, **~ stand** stanoviště taxi
tea [ti:] čaj; svačina **~- cloth**, **~- towel** ['-kloθ, '-tauəl] utěrka **–cup** ['-kap] šálek na čaj **–pot** ['-pot] čajová konvice **~- room** ['-rum] čajovna **~- set** ['-set] čajová souprava
–spoon ['-spu:n] čajová n. kávová lžička
teach* [ti:č] (PT a PP *taught* [to:t]) učit, vyučovat **–er** ['ti:čə] učitel(ka) **–ing** učení, výuka
team [ti:m] družstvo, mužstvo; tým; spřežení **~- work** ['-wə:k] kolektivní práce
tear*[1] [teə] (PT *tore* [to:]; PP *torn* [to:n]) (roz)trhat (se) # trhlina, díra
tear[2] [tiə] slza **–ful** ['tiəful] uslzený, uplakaný
tease [ti:z] škádlit; dráždit # šprýmař
teaspoonful ['ti:spu:n,ful] plná čajová lžička čeho
techn|ical ['teknikl] technický, odborný **–ique** [tek'ni:k] technika, způsob práce **–ologist** [tek'nolədžist] technolog **–ology** [tek'nolədži] technologie **–ician** [tek'nišn] technik, tech. odborník
tedious ['ti:diəs] nudný; únavný
teem [ti:m] oplývat (*with* čím); silně pršet, lít
teen|ager ['ti:n,eidžə] chlapec n. děvče od 13 do 19 let **–s** [-z] PL věk mezi 13 a 18 rokem **she is in her ≈** není jí ještě dvacet
teeth [ti:θ] PL od *tooth**
teetotal [ti:'təutl] abstinentní **–ler** [-lə] abstinent
telecommunication ['telikə,mju:ni'keišn] telekomunikace; v PL spoje
telegram ['teligræm] telegram
telegraph ['teligra:f] telegraf # telegrafovat
telephone ['telifəun] telefon # telefonovat (*~ box* telefonní budka; *~ call* tel. hovor; *~ directory* tel. seznam)
teleprinter ['teli,printə] dálnopis
telescope ['teliskəup] dalekohled
televis|e ['telivaiz] vysílat televizí **–ion** ['teli,vižn] televize **≈ set** televizor
telex ['teleks] dálnopis, telex přístroj, systém i zpráva # dálnopisovat
tell* [tel] (PT a PP *told* [təuld]) říci, povědět komu (*sb.* (*of, about*) *st.* komu o);

rozpoznat, uhodnout, rozeznat (*from* od) ~ **off** okřiknout, vyhubovat
telly ['teli] hovor. televize
temper ['tempə] tlumit; kalit ocel # povaha; nálada (*good*, bad** ~ dobrá, špatná nálada); temperament; zlost **keep* one's** ~ mírnit se **lose* one's** ~ ztratit trpělivost, neovládnout se
–ament ['tempərəment] povaha
–ate ['tempərət] mírný, zdrženlivý
–ature ['tempritčə] teplota
tempest ['tempist] divoká bouře, vichřice
temple[1] ['templ] chrám
temple[2] ['templ] spánek část hlavy
tempor|al ['tempərəl] světský, pozemský; jaz. časový **–ary** ['tempərəri] dočasný, přechodný
tempt [tempt] pokoušet, svádět
–ation [temp'teišn] pokušení; svádění, lákání; lákadlo **–ing** ['-iŋ] svůdný, lákavý
ten [ten] deset
tenacious [tə'neišəs] houževnatý, vytrvalý
tenan|t ['tenən|t] nájemník, nájemce
–cy [-si] (pro)nájem
tend[1] [tend] mít sklon, tendenci (*to do st.* k) **–ency** ['tendənsi] sklon, tendence
tend[2] [tend] starat se, pečovat (o)
tender[1] ['tendə] nabídka # nabízet
tender[2] ['tendə] jemný, něžný, citlivý; měkký maso
tenement ['tenəmənt] pronajímaný pokoj nebo byt
tennis ['tenis] tenis **~-ball** [-bo:l] tenisový míček **~ court** [-ko:t] tenisové hřiště
tense[1] [tens] jaz. čas
tense[2] [tens] napjatý; strnulý
tension ['tenšn] napětí
tent [tent] stan
tenure ['te,njuə] držení, držba; zastávání, výkon úřadu
tepid ['tepid] vlažný
term [tə:m] doba, údobí, lhůta; termín; semestr # odborný výraz, termín **–s** [-z] PL okolnosti, podmínky, poměry
termin|al ['tə:min|l] konečný; smrtelný # el. svorka; terminál; konečná stanice **–ate** [-eit] ukončit (se)
–ation [,tə:mi'neišn] konec, ukončení **–ology** [,tə:mi'nolədži] terminologie, názvosloví **–us*** [-əs] (PL *–i* [-ai] n. *–uses* [-əsiz]) konečná stanice
terrace ['terəs] terasa **~(d) house** řadový dům
terrain [te'rein] voj. terén
terrible ['terəbl] strašný, hrozný
terrif|ic [tə'rifik] hrozný, úděsný # báječný, fantastický **–y** ['terifai] poděsit, vystrašit
territor|y ['teritəri] území **–ial** [,terə'to:riəl] územní
terror ['terə] hrůza, strach; útisk, teror **–ize** [-raiz] zastrašovat, terorizovat **–ist** [-rist] terorista
terry ['teri] froté tkanina
terse [tə:s] někdy hanl. stručný, jadrný
test [test] zkouška, test # (vy)zkoušet **~-tube** ['-tju:b] zkumavka **driving-~** řidičské zkoušky
testament ['testəmənt] závěť; doklad, svědectví **the Old, New T~** Starý, Nový zákon
testicle ['testikl] varle
testify ['testifai] (do)svědčit
testimon|y ['testiməni] svědectví (*to* čeho); výpověď **–ial** [,testi'məunjəl] osvědčení, doporučení, posudek; zvláštní uznání, odměna, děkovný list
Teutonic [tju:'tonik] germánský také o jazycích a typicky německých vlastnostech
text [tekst] text **–book** ['-buk] učebnice
textile ['tekstail] **–s** [-z] PL textilní zboží
texture ['teksčə] povaha, charakter látky ap. na pohmat
Thames [temz] **The ~** Temže řeka
than [ðæn, ðən, ðn] než
thank [θæŋk] (po)děkovat (*for* za)
–ful ['θæŋkful] vděčný **–s** [-s] PL dík, poděkování **Thanksgiving Day** ['θæŋks,giviŋ] Den díkůvzdání poslední

čtvrtek v listopadu

that* [ðæt] (PL *those*) ten, ta, to; tamten, onen # [ðæt] který, jenž # hovor. tak (~ *far* tak daleko; ~ *much* tolik) # [ðæt, ðət] že; kde; kdy **~ way** tím způsobem, tak

thatched [θæčt] doškový

thaw [θo:] (roz)tát # tání

the před samohláskou [ði:] před souhláskou [ðə] člen určitý; ten, ta, to

theatr|e ['θiətə] divadlo **~-goer** [-,gəuə] divadelní návštěvník **–ical** [θi'ætrikl] divadelní; strojený **–icals** PL divadelní představení zvl. ochotnické

theft [θeft] krádež

theme [θi:m] téma, námět

then [ðen] pak, potom; tenkrát, tehdy # tehdejší **since ~** od té doby **till ~** až do té doby

theology [θi'olədži] teologie

theor|y ['θiəri] teorie **–etical** [θiə'retikl] teoretický

there [ðeə] tam (~ *you are* tady máte) **–abouts** ['ðeərəbauts] tam poblíž, tam někde; tak asi **–by** [,ðeə'bai] tím, tak **–fore** ['ðeəfo:] proto (tedy)

thermometer [θə'momitə] teploměr

Thermos ['θə:məs] termoska

these [ði:z] PL od *this**

thesis* ['θi:sis] (PL *theses* ['θi:si:s]) tvrzení, teze; diplomová práce, disertační práce

thick [θik] tlustý; hustý; tupý **–en** ['-ən] zhoustnout **–ness** [-nis] tloušťka; vrstva

thief* [θi:f] (PL *thieves* [-vz]) zloděj(ka)

thigh [θai] stehno

thimble ['θimbl] náprstek

thin [θin] (*-nn-*) tenký; hubený; řídký # (roz)ředit

thing [θiŋ] věc

think* [θiŋk] (PT a PP *thought* [θo:t]) myslet (*of* na); přemýšlet (*about, over* o) **~ over** promyslet **~ up** vymyslet

third [θə:d] třetí # třetina; motor. trojka; hud. tercie # za třetí **~ party** jiná osoba vedle dvou hlavních v určitém vztahu k nim **-rate** [,θə:d'reit] podřadný

thirst [θə:st] žízeň; touha # žíznit; toužit, prahnout (*for* po) **–y** ['-i] žíznivý

thirt|een [,θə:'ti:n] třináct **–y** ['θə:ti] třicet

this* [ðis] (PL *these* [ði:z]) tento, tato, toto

thistle ['θisl] bodlák

thorn [θo:n] trn, osten

thorough ['θarə] důkladný, naprostý, úplný **–bred** [-bred] o zvířatech, zvl. koních čistokrevný **–fare** [-feə] hlavní tepna silnice

those [ðəuz] PL od *that**

though [ðəu] ač, ačkoli

thought [θo:t] myšlenka, myšlení; názor # PT a PP od *think** **–ful** ['-ful] přemýšlivý; pozorný, ohleduplný **–less** ['-lis] bezmyšlenkovitý; bezohledný

thousand ['θauznd] tisíc

thrash [θræš] mlátit, bít, tlouci člověka, zvíře; porazit v soutěži, zápase; (= *thresh*) mlátit obilí **~ about** n. **around** házet sebou **~ st. out** upřímně, otevřeně prodebatovat, projít

thread [θred] nit, vlákno; závit **–bare** [-beə] ošuntělý; otřepaný

threat [θret] hrozba **–en** ['θretn] hrozit, zastrašovat (*with* čím)

three [θri:] tři

thresh [θreš] mlátit obilí

threshold ['θrešhəuld] práh

threw [θru:] PT od *throw**

thrift [θrift] šetrnost **–y** ['-i] šetrný

thrill [θril] rozechvět, vzrušit # silné pohnutí, vzrušení **–er** ['θrilə] napínavá četba, hra, film

thrive* [θraiv] (PT *throve* [θrouv]) vzkvétat, mít úspěch, prosperovat

throat [θrəut] hrdlo, krk, jícen (*have* a sore ~* mít bolení v krku)

throb [θrob] (*-bb-*) bít, tlouci, tepat # bušení, tlukot; tep; vzrušení

throne [θrəun] trůn

throng [θroŋ] zástup, dav; spousta #

tlačit se, cpát se, hrnout se; dav zaplnit
throttle ['θrotl] škrticí klapka # (u)škrtit
through [θru:] skrz; přes; prostřednictvím # přímý vlak, lístek **put* sb. ~ to sb.** spojit koho s kým telef. **–out** [θru:'aut] úplně, všude; celou dobu
throve [θrouv] PT od *thrive**
throw* [θrəu] (PT *threw* [θru:]; PP *thrown* [θroun]) házet, hodit ~ *away* (vy)za|hodit # hod, vrh
thrown [θroun] PP od *throw**
thrush [θraš] drozd
thrust* [θrast] (PT a PP ~) vrazit; bodnout (*at* do) # vražení; bodnutí; úder; tlak stav; tah letecký
thud [θad] temný úder, žuchnutí
thug [θag] rváč, chuligán
thumb [θam] palec ruky
thunder ['θandə] hrom; hřmění # hřmít, dunět **–clap** [-klæp] zahřmění; náhlá špatná zpráva n. událost **–storm** [-sto:m] bouřka
Thursday ['θə:zdei] čtvrtek
thus [ðas] takto, tak; tedy
thwart [θwo:t] zkřížit plány, překazit
thyme [taim] tymián
thyroid ['θairoid] štítná žláza
tick[1] [tik] tikat; odškrtnout označit # tikot; odškrtnutí fajfka
tick[2] [tik] klíště
tick[3] [tik] úvěr
ticket ['tikit] lístek, vstupenka; jízdenka **~ collector** výběrčí lístků v Británii ve vlaku n. u východu z nádraží **~ office** pokladna na nádraží, v kině, v divadle
tickl|e ['tikl] lechtat; dráždit, vzrušovat **–ish** [-iš] lechtivý; choulostivý
tide [taid] příliv a odliv (*high* ~ příliv; *low* ~ odliv); proud; tendence, směr
tidy ['taidi] uklizený, upravený # uklidit, upravit
tie [tai] (*tying*) vázat,svázat; zavázat # stužka, šňůra, řemen; vázanka, kravata
tier [tiə] řada; vrstva; div. pořadí
tiger ['taigə] tygr
tight [tait] těsný; napnutý; pevný; hovor. ožralý **–en** ['-n] napnout; utáhnout
tile [tail] dlaždice; kachlík; taška na střeše
till[1] [til] (až) do # dokud ne; až
till[2] [til] obdělávat půdu **–age** [-idž] obdělávat půdu; obdělávaná půda
till[3] [til] zásuvka na peníze v pokladně
tilt [tilt] naklonit (se)
timber ['timbə] stavební dříví, stromy, les na stavební dříví
time [taim] čas, doba (~ *bomb* časovaná puma) **in ~** včas **–table** ['-,teibl] rozvrh hodin, jízdní řád
timid ['timid] bázlivý, plachý
tin [tin] cín, plechovka, konzerva **~ foil** [,-'foil] staniol **–ned** [-d] v konzervě, konzervovaný **~-opener** ['tin,əupnə] otvírač konzerv
tinge [tindž] zabarvit # zabarvení, nádech
tingle ['tiŋgl] rána, mráz štípat, pálit # štípání, pálení **~ with st.** hořet, chvět se nějakým citem
tinkle ['tiŋkl] cinkat, zvonit # cinkot
tint [tint] barevný odstín; přeliv na vlasy # zbarvit
tiny ['tainy] drobný, maličký
tip[1] [tip] špička; hrot; skládka
tip[2] [tip] (*-pp-*) převrátit, vyklopit
tip[3] [tip] spropitné; tip, rada # (*-pp-*) dát spropitné
tipsy ['tipsi] podnapilý
tiptoe ['tiptəu] **on ~** na špičkách; po špičkách
tiptop [,tip'top] prvotřídní, skvělý
tir|e ['taiə] unavit (se) # am. pneumatika **–ed** [-d] unavený **–ing** [-riŋ] únavný **–eless** [-lis] neúnavný **–esome** ['taiəsəm] únavný; obtížný, namáhavý
tissue ['tišu:] tkáň; papírový kapesník; **~ paper** hedvábný papír
tit [tit] sýkora
title ['taitl] titul; název
to [to:, tu, tə] místní do, k, na # nahrazuje český 3.pád (~ *you* tobě) # časové do; signalizuje infinitiv
toad [təud] ropucha **–stool** ['-stu:l] jedovatá houba, muchomůrka **–y** [-i] špl-

houn, pochlebník # pochlebovat (*to* komu)
toast [təust] topinka; přípitek # opékat; připíjet (*sb., st.* komu, nač)
tobacco [tə'bækəu] tabák **–nist's** [tə'bækənists] trafika
toboggan [tə'bogən] sáňky
today [tə'dei] dnes # dnešek
toddler ['todlə] batole
toe [təu] prst na noze; špička boty, punčochy, ap. **~-nail** ['-neil] nehet na prstu u nohy
toffee ['tofi] karamela
together [tə'geðə] dohromady, společně; současně
toil [toil] dřina
toilet ['toilət] záchod, klozet; toaleta úprava zevnějšku **~-paper, ~-roll** [-,peipə] toaletní papír
token ['təukən] znamení, symbol; žeton; poukázka, kupón
told [təuld] PT a PP od *tell**
tolera|ble ['tolərəbl] snesitelný; přen. slušný, přijatelný **–nce** [-ns] snášenlivost, tolerance; tech. dovolená odchylka, tolerance **–nt** [-nt] snášenlivý, tolerantní **–te** ['toləreit] snášet, tolerovat
toll[1] [təul] vyzvánět; zvonit hranu # vyzvánění **~-free** ['-fri:] am. telefon placený volaným u organizací
toll[2] [təul] poplatek, mýtné; oběti, ztráty při neštěstí
tomato [tə'ma:təu] rajče
tomb [tu:m] hrob; hrobka
tom(-cat) ['tom(kæt)] kocour
tomorrow [tə'morəu] zítra # zítřek
ton [tan] tuna
tone [təun] tón **~ down** ztlumit zvuk, barvu **~ in** barevně sladit **~ up** posílit (se), svaly ap. zesílit **~-deaf** ['-def] bez hudebního sluchu
tongs [toŋz] PL kleště
tongue [taŋ] jazyk; řeč **~-tied** ['-taid] nemluvný, zaražený
tonight [tə'nait] dnes večer
tonn|e [tan] metrická tuna, 1000 kg **–age** [-idž] tonáž; nosnost; celková tonáž obchodního loďstva; tonážní poplatky
tonsil ['tonsil] med. krční mandle **–litis** [,tonsi'laitis] zánět mandlí
too [tu:] příliš; také; velice
took [tuk] PT od *take**
tool [tu:l] nástroj, nářadí
tooth* [tu:θ] (PL *teeth* [ti:θ]) zub **–ache** ['-eik] bolení zubů **–brush** ['-braš] kartáček na zuby **–paste** ['-peist] zubní pasta **–pick** ['-pik] zubní párátko
top [top] vrchol(ek); uzávěr, víčko; nejvyšší část; vrchol přen., povrch, horní část **–most** ['-məust] nejvyšší # (*-pp-*) dát vrchol n. špičku čemu; zakončit; dosáhnout vrcholu; být na špičce, v čele; překonat, předčit; završit; překonat, předčit
topic ['topik] téma, námět, předmět hovoru **–al** [-l] aktuální
topple ['topl] převrhnout (se), svalit (se), skácet (se)
torch [to:č] baterka; pochodeň
tore [to:] PT od *tear**
torment ['to:mənt] trápení, muka # [to:'ment] mučit, trápit; zlobit, škádlit
torn [to:n] PP od *tear**
torpedo [to:'pi:dəu] (PL *–es* [-s]) torpédo # torpédovat i přen.
torrent ['torənt] bystřina; proud, příval
tortoise ['to:təs] želva **–shell** ['to:təšel] želvovina
torture ['to:čə] mučení # mučit
toss [tos] hodit; mrštit; zmítat (se)
tot [tot] malé dítě, prcek; sklenička, panák, prcek alkoholu
total ['təutl] celkový, úhrnný # souhrn, celek # (-ll-) shrnout; sečíst; celkem činit, dělat **–itarian** [,təutæli'teəriən] totalitní **–itarianism** [-itərism] totalitarismus
touch [tač] dotknout se; dojmout # dotyk; hmat; styk (*be in ~ with sb.* být ve styku s kým) **~ on, ~ upon** stručně se zmínit **–ing** dojemný **–y** ['-i] nedůtklivý; přecitlivělý; choulostivý, ožehavý
tough [taf] pevný; tvrdý, odolný; nebezpečný; obtížný; tvrdý maso; přísný

tour [tuə] cesta, cestování; návštěva, prohlídka # cestovat, jezdit **–ism** [-rizm] turistika **–ist** ['tuərist] turista ≈ **office** cestovní kancelář
tournament ['to:nəmənt] turnaj
tow [təu] vléci # vlečení, vlek
toward(s) [tu'wo:d(z)] (směrem) k; vůči, k; pro, na
towel ['tauəl] ručník, utěrka
tower ['tauə] věž
town [taun] město ~ **council** městská rada ~ **hall** radnice
toy [toi] hračka # pohrávat si (*with* s) **–shop** ['-šop] hračkářství
trace [treis] stopa # (vy)stopovat, (vy)sledovat; najít, objevit
track [træk] stopa; vyjetá kolej; brázda; cesta, stezka, pěšina; trať; kolej # sledovat; stopovat
tract[1] [trækt] oblast, pruh země
tract[2] [trækt] pojednání, traktát
tractor ['træktə] traktor
trade [treid] obchod; řemeslo # obchodovat (*with* s kým; *in* s čím) **~-mark** ['-ma:k] ochranná známka **~-union** [,-'ju:njən] odbory **–sman*** ['-zmən] (PL v. *man**) obchodník
tradition [trə'dišn] tradice **–al** [trə'dišnl] tradiční
traffic ['træfik] doprava; provoz ~ **jam** [-džæm] dopravní zácpa **~-lights** [-laits] semafory
trag|edy ['trædžədi] tragédie **–ic** [trædžidik] tragický
trail [treil] vléci (se); vláčet; stopovat; plazit se rostliny # stezka; stopa **–er** [-ə] přívěsný vůz
train [trein] vlak; vlečka; sled událostí # vychovat, vyškolit (se); naučit (se); trénovat **–er** [-ə] cvičitel, trenér; sportovní obuv zvl. pro běh **–ing** [-iŋ] výcvik; trénink
trait [trei] rys, vlastnost
traitor ['treitə] zrádce
tram [træm] tramvaj **–lines** ['-lainz] tramvajové koleje
tramp [træmp] dupat; toulat se, vandrovat # toulka; tulák, vandrák
tranquil ['træŋkwil] klidný **–lity** [træŋkwiliti] klid, pokoj **–lizer** [-aizə] uklidňující prostředek, sedativum
transaction [træn'zækšn] obchod, transakce
transcend [træn'send] přestoupit, překročit; přesahovat
transcription [træn'skripšn] přepis; transkripce, přepis výslovnosti
transfer [træns'fə:] (*-rr-*) převést, přemístit přesednout, přestoupit na jiný dopravní prostředek # ['træsfə:] přemístění, převod; přestup **–able** [-rəbl] přenosný
transform [træns'fo:m] přetvořit, proměnit (se) **–ation** [,trænsfə'meišn] přetvoření, proměna
transfusion [træns'fju:žn] transfúze
transistor [træn'zistə] tranzistor ~ **radio** tranzistorový přijímač
transit ['trænzit] přeprava; přechod; průchod, průjezd, tranzit **–ion** [træn'zišn] přechod **–ive** ['træ:nsətiv] jaz. přechodný
translat|e [træns'|leit] přeložit (*from, into* z, do) **–ion** [-leišn] překlad **–or** [-'leitə] překladatel
translucent [trænz'lu:snt] průsvitný
transmi|ssion [trænz'|mišn] vysílání; přenos **–t** [-mit] (*-tt-*) vysílat; přenášet **–tter** [-mitə] vysílač; přenašeč
transparent [træns'pærənt] průhledný
transpire [træn'spaiə] vyjít najevo, prozradit se; hovor. stát se; o rostlinách transpirovat, vypařovat
transplant [træns'pla:nt] přesadit rostlinu; transplantovat tkáň, orgán; přestěhovat člověka n. zvíře do nových podmínek; přen. přesazovat se v nových podmínkách # med. transplantace
transport ['trænspo:t] dopravit # doprava
transverse ['trænzvə:s] příčný
trap [træp] past; dvoukolý vozík # (*-pp-*) uvěznit, uzavřít; zachycovat; chytit do pasti **–door** [,træp'do:] padací dveře, poklop

trappings [træpiŋz] PL ozdoby, okrasa
trash [træš] brak; odpadky
travel ['trævl] (-*ll*-) (pro)cestovat # cestování, cesta ~ **agency** cestovní kancelář **–ler** [-ə] cestovatel; cestující
trawl [tro:l] vlečná síť **–er** ['tro:lə] vlečná loď ~ **for st.** vyhledávat něco
tray [trei] podnos, tác
treacher|ous ['trečər|əs] zrádný **–y** [-i] zrada
treacle ['tri:kl] melasa
tread* [tred] (PT *trod* [trod]; PP *trodden* [trodn]) šlapat, kráčet; našlapovat # krok zvuk; způsob chůze
treason ['tri:zn] velezrada, vlastizrada
treasur|e ['trežə] poklad # cenit si, vážit si čeho; chovat jako poklad **–er** [-rə] pokladník **–y** [-ri] finanční správa, pokladn|a(ice)
treat [tri:t] jednat, zacházet (s); považovat (*as* za), brát jako; pojednávat, být (o); ošetřovat # pochoutka; placení za pohoštění; potěšení **–ment** [-mənt] zacházení; zpracování; léčba **–y** ['-i] smlouva
treble ['trebl] trojnásobný # ztrojnásobit (se)
tree [tri:] strom
trek [trek] dlouhá, namáhavá cesta zvl. pěšky
trellis ['trelis] mřížka, kostra pro popínavé rostliny
tremble ['trembl] třást se, chvět se
tremendous [trə'mendəs] velký, obrovský; skvělý, senzační
tremor ['tremə] chvění, třesení; záchvěv hlasu; záchvěv strachu; otřes půdy
trench [trenč] příkop, zákop
trend [trend] směr vývoje, trend
trespass ['trespəs] neoprávněně vstoupit (*on* kam); zneužívat (*on* čeho); provinit se (*against* proti) **–er** provinilec, pachatel
trial ['traiəl] zkouška; soudní proces, přelíčení; utrpení, trápení, svízel
triang|le ['traiæŋgl] trojúhelník **–ular** [trai'æŋgjulə] trojúhelníkový
tribe [traib] kmen; rod
tribunal [trai'bju:nl] soudní dvůr; tribunál, soud přen.
tributary ['tribjutəri] přítok
tribute ['tribju:t] hold, uctění, počest; daň, poplatek jinému státu, zvl. pro odvrácení války
trick [trik] lest, úskok; podfuk; finta, fígl jak co udělat # podvést, napálit **–y** ['-i] obtížný; choulostivý, ožehavý
trickle ['trikl] řinout se, stékat tenkým praménkem; pomalu, postupně přicházet n. odcházet, trousit se
tricycle ['traisikl] tříkolka
trifle ['traifl] maličkost, hloupost; brit. druh ovocného poháru # zahrávat si (*with* s), brát na lehkou váhu
trigger ['trigə] spoušť zbraně # ~ **off** spustit
trillion ['triljən] trilión
trim [trim] (-*mm*-) upravený, spořádaný; elegantní # (-*mm*-) upravit; ozdobit; (za)při|střihnout, zkrátit
trinket ['triŋkit] laciný šperk, tretka
trip [trip] (-*pp*-) klopýtnout, zakopnout; cupitat # výlet, cesta; klopýtnutí, zakopnutí
tripe [traip] droby, dršťky; slang. nesmysl, hloupost
tripl|e ['tripl] trojitý; trojnásobný (**in**) **–icate** ['triplikit] ve třech vyhotoveních
trite [trait] otřepaný, všední
triumph ['traiəmf] triumf, velký úspěch; vítězství # triumfovat; zvítězit (*over* nad)
trivial ['triviəl] triviální, nepodstatný, malicherný
trod [trod] PT od *tread**
trodden [trodn] PP od *tread**
trolley ['troli] vozík
troop [tru:p] tlupa, houf # shromažďovat se, srocovat se; chodit v houfu **–s** [-s] PL vojsko
trophy ['trəufi] trofej; válečná, lovecká kořist
tropic ['tropik] obratník **the –s** [-s] PL tropy **–al** [-l] tropický

trot [trot] (-*tt*-) klusat # klus
trouble ['trabl] obtěžovat (se), trápit; znepokojovat # potíž, nesnáz, problém; nepříjemnosti; potíž (*get* into* ~ mít nepříjemnosti; *be* in* ~ mít problémy) **–some** [-səm] obtížný; nepříjemný, otravný; neposlušný dítě
trough [trof] žlab, koryto
trousers ['trauzəz] PL kalhoty
trout* [traut] (PL ~) pstruh
trowel ['trauəl] zednická lžíce; zahradnická lopatka
truant ['tru:ənt] záškolák; flink, ulejvák **play** ~ chodit za školu
truce [tru:s] příměří také období
truck [trak] žel. nákladní vůz; nákladní auto, kamión
trudge [tradž] vléci se, táhnout se, s námahou jít
true [tru:] pravdivý; pravý, opravdový; přesný; věrný **come*** ~ vyplnit se **it is** ~ je to pravda
truffle ['trafl] lanýž houba
truly ['tru:li] pravdivě; skutečně, opravdu; věrně (*yours* ~ v dopise s veškerou úctou)
trump [tramp] trumf i přen.
trumpet ['trampit] trubka, trumpeta
truncheon ['trančən] obušek
trunk [traŋk] kmen stromu; trup člověka; velký, lodní kufr; chobot ~ **call** meziměstský telefonní hovor ~**-road** ['-rəud] hlavní silnice
trust [trast] důvěra; obch. trust # důvěřovat **–ee** [,tras'ti:] člen správní rady **–ful** [-ful] důvěřivý **–worthy** ['-,wəθi] důvěryhodný, spolehlivý
truth [tru:θ] pravda **–ful** ['-ful] pravdivý; pravdomluvný
try [trai] zkusit; pokusit se; ochutnat; snažit se # pokus, zkouška (~ *on* zkusit šaty) ~ **out** vyzkoušet
T-shirt ['ti:šə:t] tričko
tub [tab] škopek, vědro, necky, vana
tube [tju:b] roura, trubka, trubice, hadice; tuba; brit. podzemní dráha
tuberculosis [tju,bə:kju'ləusis] tuberkulóza
tuck [tak] zdrhnout, nabrat do záhybu; zastrčit, zasunout ~ **away** odložit stranou; hodit do sebe, zbaštit, zblajznout
Tuesday ['tju:zdei] úterý
tuft [taft] chomáč, chuchvalec; trs
tug [tag] (-*gg*-) táhnouti, vléci # vlečná loď # silně táhnout **–boat** [-bəut] vlečná loď ~ **of war** sport. přetahování lanem
tuition [tju'išən] vyučování, výuka ~ **fee** školné
tulip ['tju:lip] tulipán
tumble ['tambl] (s)valit se, skácet se; zmítat se, válet se; zválet, rozházet, rozcuchat ~**-down** [-daun] rozpadat se, být na spadnutí ~**-dryer** [-draiə] bubnová sušička na prádlo **–r** ['tamblə] sklenice bez nožky
tummy ['tami] hovor. žaludek, břicho
tumour ['tju:mə] nádor, tumor
tuna ['tju:nə] tuňák
tune [tju:n] nápěv, melodie; shoda # naladit; vyladit, seřídit **out of** ~ rozladěný ~ **in** vyladit rádio
tunic ['tju:nik] tunika; sako, blůza uniformy
tunnel ['tanl] tunel
turbine ['tə:bin; –ain] turbína
turbojet [,tə:bəu'džet] proudový motor; tryskové letadlo
turbulent ['tə:bjulənt] rozbouřený i přen., bouřlivý; nespoutaný
tureen [tju'ri:n] mísa na polévku
turf [tə:f] (PL *–s* n. *turves* [-vz]) drn; trávník **the** ~ dostihy
turkey ['tə:ki] krocan, krůta
turmoil ['tə:moil] vřava, zmatek
turn [tə:n] otočení, zatočení; zatáčka, záhyb; číslo v programu; řada, pořadí při střídání; změna, obrat # otočit (se); zatočit, odbočit; změnit (se) **it's your** ~ jsi na řadě ~ **back** vrátit (se), obrátit zpět ~ **down** od-mítnout; zamítnout; stáhnout, ztlumit **–er** soustružník ~ **off** vypnout, zhasnout, zavřít ~ **on** zapnout, rozsvítit ~ **out** zhasnout, vyjmout; dopad-nout, skončit ~

out to be ukázat se být čím ~ **up** objevit se, přijet, při-jít **–ing** ['tə:niŋ] zatáčka **–ing-point** ['tə:niŋpoint] kritický bod, rozhodující okamžik **–over** ['-,əuvə] obch. obrat; pohyb zaměstnanců; plněná taštička, šáteček
turnip ['tə:nip] kedluben; tuřín
turpentine ['tə:pəntain] terpentýn
turtle ['tə:tl] mořská želva
tusk [task] kel sloní, kančí
tutor ['tju:tə] soukromý učitel; brit. tutor studijní vedoucí na univerzitě **–ial** [tju'to:riəl] učitelský # brit. výuka vedená vyučujícím
TV [,ti:'vi:] = *television* (*set*)
tweezers ['twi:zəz] PL pinzeta
twelve [twelv] dvanáct
twenty ['twenti] dvacet
twice [twais] dvakrát ~ **as** dvakrát tak, dvojnásob
twig [twig] větvička, proutek
twilight ['twailait] soumrak; úsvit; šero
twin [twin] dvojče **–s** [-z] dvojčata
twinkle ['twiŋkl] blikat, mihotat se, jiskřit; mrkat
twirl [twə:l] točit (se); vířit
twist [twist] stočit, otočit, natočit; zkroutit (se); točit se, kroutit, vinout se cesta; překroutit význam # ovinutí, navinutí; zkroucení; zákrut, zatáčka; zvrat, obrat
two [tu:] dvě ~**- seater** [,tu:'si:tə] dvousedadlový # dvousedadlový vůz, dvousedadlové letadlo
tycoon [tai'ku:n] magnát
type [taip] typ, druh; odlitek písmena; typ písma v tisku # psát na psacím stroji **–writer** ['taip,raitə] psací stroj
typhoid ['taifoid](také ~ *fever*) tyfus břišní # tyfový, tyfózní
typical ['tipikl] typický
typist ['taipist] písař(ka) na psacím stroji
tyranny ['tirəni] tyranie, samovláda; hrůzovláda, despocie, diktatura, tyranie
tyrant ['taiərənt] tyran, samovládce; despota, utlačovatel, diktátor, tyran
tyre ['taiə] brit. pneumatika

U

udder ['adə] vemeno
ugly ['agli] ošklivý
ulcer ['alsə] vřed
ultimate ['altimət] konečný; hlavní (*authority* moc); prapůvodní; nejzazší **the ~ in** poslední slovo, vrchol v čem
ultra|sound ['altrə|saund] ultrazvuk **–violet** [,-'vaiələt] ultrafialový
umbrella [am'brelə] deštník
umpire ['ampaiə] rozhodčí, soudce zvl. sport.
unable: [an'eibl] **be* ~ to do st.** nemoci něco udělat pro nezpůsobilost, neschopnost, slabost, bezmocnost
unaccountable [,anə'kauntəbl] nevysvětlitelný, záhadný
unanimous [ju:'næniməs] jednomyslný, jednohlasný
unarmed [,an'a:md] neozbrojený
unassuming [,anə'sju:miŋ] nenáročný, skromný
unattached [,anə'tæčt] neorganizovaný; svobodný neženatý, volný, samostatný
unavoidable [,anə'voidəbl] nevyhnutelný
unaware [,anə'weə] neuvědomující si (*of* co), nejsoucí si vědom (*of* čeho) **–s** náhle, neočekávaně; mimoděk, nevědomky
unbalanced [,an'bælənst] duševně nevyrovnaný
unbearable [an'beərəbl] neúnosný, nesnesitelný
unbelievable [,anbi'li:vəbl] neuvěřitelný
unbiased [,an'baiəst] nezaujatý, nestranný
unbreakable [,an'breikəbl] nerozbitný
unbutton [,an'batn] rozepnout knoflík, oděv
uncalled-for [,an'ko:ldfo:] nevhodný,

nežádoucí, nemístný
uncanny [an'kæni] podivný, zvláštní, tajuplný, záhadný
uncertain [an'sə:tn] nejistý; neurčitý, nejasný **–ty** [-ti] nejistota; neurčitost
uncle ['aŋkl] strýc
unclear [,an'kliə] nejasný; zmatený
uncomfortable [an'kamfətəbl] nepohodlný
uncommon [an'komən] neobvyklý, nezvyklý, vzácný
uncompromising [an'komprəmaiziŋ] nekompromisní
unconditional [,ankən'dišənl] bezpodmínečný
unconfirmed [,ankən'fə:md] o zprávách nepotvrzený
unconsci|entious [,ankonši'enšes] nesvědomitý **–ous** [an'konšəs] nevědomý, neúmyslný; jsoucí v bezvědomí
uncontrollable [,ankən'trəuləbl] neovladatelný
unconvincing [,ankən'vinsiŋ] nepřesvědčivý
uncork [,an'ko:k] odzátkovat
uncouth [an'ku:θ] hrubý, neotesaný, neomalený člověk
uncover [an'kavə] odkrýt, obnažit
uncultivated [,an'kaltiveitid] necivilizovaný, primitivní; nešlechtěný o rostlinách; nevzdělaný; neobdělaný o půdě
undecided [,andi'saidid] nerozhodnutý, otevřený; nejistý, nerozhodnu-tý, váhavý (*about*)
undeniable [,andi'naiəbl] nepopíratelný
under ['andə] pod; v, podle; méně než **–carriage** [-,kæridž] podvozek letadla **–clothes** [-kləuðz], PL **–clothing** [,-'kləuðiŋ] spodní prádlo **–done** [,-'dan] nedovařený, nedopečený **–estimate** [,-'estimət] podceňovat **–fed** [,-'fed] podvyživený, málo nakrmený **–go*** [,-'gəu] (PT a PP v. *go**) zažít, podstoupit, zkusit, prodělat, podrobit se čemu **–graduate** [,-'grædžuət] vysokoškolský student, vysokoškolák **–ground** [-graund] podzemní, podzemní dráha # podzemí # [,-'graund] pod zem(í) **–growth** ['-grəuθ] podrost **–lay** [-leid] podklad, podložení **–line** ['-lain] podtrhnout, podškrtnout **–neath** [,-'ni:θ] vespod; dospod **–mine** [,-main] podkopat i přen.; voda podebrat, podemlít **–nourished** [,-'narišt] podvyživený **–nourishment** [,-'narištmənt] podvýživa **–paid** [,-peid] málo placený **–pants** ['-pænts] pánské trenýrky **–pass** ['-pa:s] podjezd, podchod **–privileged** [,-'privilidžd] neplnoprávný, neoprávněný; sociálně ukřivděný **–rate** [,-'reit] podcenit **–shirt** ['-šə:t] nátělník am. **–skirt** ['-skə:t] spodnička
understand* [,andə'stænd] (PT a PP v. *stand**) rozumět, porozumět; chápat; domnívat se, mít za to, soudit **–able** [-əbl] pochopitelný; srozumitelný **–ing** porozumění, pochopení; rozum; znalost, vědomost (*of* čeho); dohoda, domluva
undertak|e* [,andə'teik] (PT a PP v. *take**) ujmout se čeho, vzít na sebe co, převzít co **–er** [-ə] majitel pohřebního ústavu **–ing** podnikání; slib, záruka
underwater [,andə'wo:tə]] pod vodou # podvodní
underwear ['andəweə] spodní prádlo
underworld ['andəwə:ld] podsvětí
undesirable [,andi'zaiərəbl] nežádoucí
undies ['andiz] PL hovor. dámské spodní prádlo
undignified [an'dignifaid] nedůstojný, neslavný
undisciplined [an'disiplind] neukázněný
undo [,an'du:] uvolnit, rozvázat, otevřít se; odčinit; zničit
undoubtedly [an'dautidli] nepochybně
undress [,an'dres] svléci (se)
undue [,an'dju:] nevhodný, nepřiměřený, nepatřičný, přehnaný
undulating ['andjuleitiŋ] zvlněný, vlnitý

unearned [ˌan'ə:nd] bezpracný; nezasloužený
unearth [ˌan'ə:θ] vyhrabat, vykopat, vytáhnout ze země
unearthly [an'ə:θli] nadpřirozený; strašný, úděsný, tajemný, záhadný
uneas|y [an'i:|zi] neklidný, nepokojný; tíživý, nepříjemný; trapný **–e** [-z] n. **–iness** [-zinis] neklid, znepokojení; nepříjemný pocit; rozpaky, trapnost
uneatable [ˌan'i:təbl] nepoživatelný, nejedlý
uneconomical ['anˌi:kə'nomikl] nehospodárný, nešetrný
uneducated [ˌan'edjukeitid] nevzdělaný
unemploy|ed [ˌanim'ploid] nezaměstnaný **–ment** [ˌanim'ploimənt] nezaměstnanost
unequal [ˌan'i:kwəl] nestejný; nerovný; nestačící (*to* na)
unerring [ˌan'ə:riŋ] neomylný
UNESCO [ju:'neskəu] (= *United Nations Educational, Scientific, and Cultural Organization*) Unesco (Organizace Spojených národů pro výchovu, vědu a osvětu)
uneven [ˌan'i:vn] nerovný; nepravidelný; mat. lichý
uneventful [ˌani'ventful] jednotvárný bez zvláštních událostí
unexpected [ˌanik'spektid] nečekaný, nepředvídaný
unfailing [an'feiliŋ] nevyčerpatelný, nevysychající, spolehlivý
unfair [ˌan'feə] nepoctivý, nečestný, nespravedlivý
unfaithful [ˌan'feiθful] o manželech nevěrný
unfamiliar [ˌanfə'miljə] neznámý nový; neznalý (*with* čeho)
unfasten [ˌan'fa:sn] rozepnout, odvázat, otevřít
unfavourable [ˌan'feivərəbl] nepříznivý
unfinished [ˌan'finišt] nedokončený; nehotový, nedotažený
unfit [ˌan'fit] nevhodný; neschopný, nezpůsobilý
unfold [ˌan'fəuld] rozvinout, rozložit
unforeseen [ˌanfo:'si:iŋ] nepředvídaný
unforgettable [ˌanfə'getəbl] nezapomenutelný
unforgivable [ˌanfə'givəbl] neodpustitelný, neprominutelný
unfortunate [an'fo:čnət] nešťastný, neblahý **–ly** [-li] naneštěstí, bohužel
unfounded [ˌan'faundid] neopodstatněný
unfriendly [ˌan'frendli] nepřátelský (*to, towards sb.* ke komu)
ungainly [an'geinli] nemotorný
ungrateful [an'greitful] nevděčný **–ness** [-nis] nevděčnost
unhapp|y [an'hæpi] nešťastný **–iness** [-nis] neštěstí
unhealthy [an'helθi] nezdravý
unheard-of [ˌan'hə:dov] neslýchaný
unification [ˌju:nifi'keišn] sjednocení
uniform ['ju:nifo:m] stálý; jednotný # uniforma
unify ['ju:nifai] sjednotit (se)
unimaginative [ˌani'mædžinətiv] nenápaditý, bez fantazie
unimportant [ˌanim'po:tənt] nedůležitý
uninhabited [ˌanin'hæbitid] neobydlený
unintelligible [ˌanin'telidžəbl] nesrozumitelný
union ['ju:njən] spojení, sjednocení; unie, svaz, sdružení **trade ~** odborová organizace **–ist** odborář
unique [ju:'ni:k] jedinečný
unit ['ju:nit] jednotka; díl, dílec; tech. zařízení, stroj; přístroj jako celek
unit|e [ju:'nait] spojit (se), sjednotit (se) **–ed** [-id] sjednocený, spojený **–y** ['ju:nəti] jednota; jednotnost; shoda
univers|e ['ju:nivə:s] vesmír, kosmos **–al** [ˌju:ni'və:sl] všeobecný; všeobecně platný; světový, mezinárodní
university [ˌju:ni'və:səti] univerzita

unjust [,an'džast] nespravedlivý **–ified** [-ifaiəd] neoprávněný
unknown [,an'nəun] neznámý
unlearn [,an'lə:n] odnaučit se čemu
unleash [an'li:š] uvolnit; pustit z řetězu, rozpoutat
unless [ən'les] když ne..., jestli ne..., pokud ne...
unlike [,an'laik] nepodobný, rozdílný # na rozdíl od **–ly** [-li] nepravděpodobný
unlimited [an'limitid] neomezený
unlisted [,an'listid] neuvedený v seznamu
unload [,an'ləud] složit, vyložit náklad
unlock [,an'lok] odemknout
unlucky [an'laki] nešťastný; mající smůlu
unmarried [,an'mærid] neprovdaná, neženatý
unmistakable [,anmi'steikəbl] nezaměnitelný
unnatural [an'næčrəl] nepřirozený
unnecessary [an'nesəsəri] nikoliv nutný, zbytečný
unofficial [,anə'fišl] neoficiální
unpack [,an'pæk] (vy)(roz)balit
unpardonable [an'pa:dnəbl] neodpustitelný
unpick [,an'pik] (roz)párat
unpleasant [an'pleznt] nepříjemný
unplug [,an'plag] el. vytáhnout ze zástrčky
unpractical [,an'præktikl] nepraktický
unprecedented [an'presidəntid] nebývalý, neslýchaný, nevídaný, bezpříkladný
unprejudiced [,an'predžudist] nepředpojatý
unprincipled [an'prinsəpld] bezzásadový
unproductive [,anprə'daktiv] neproduktivní
unprofitable [,an'profitəbl] nevýnosný
unprovided for [,anprə'vaidid] nezaopatřený
unpunished [,an'paništ] nepotrestaný
unqualified [,an'kwolifaid] nekvalifikovaný, neodborný, nekompetentní
unreal [,an'riəl] neskutečný, nereálný
unreasonable [an'ri:znəbl] nerozumný, nesmyslný, absurdní, nevhodný
unreliable [,anri'laiəbl] nespolehlivý; nejistý
unrest [,an'rest] nepokoj, neklid
unrestrained [,anri'streind] nespoutaný; bezuzdný
unripe [,an'raip] ovoce nezralý
unroll [,an'rəul] rozvinout, rozbalit
unruly [an'ru:li] neukázněný, divoký
unsafe [,an'seif] nebezpečný, ne právě bezpečný
unsalable [,an'seiləbl] neprodejný
unsalted [,an'so:ltid] neslaný
unsatisfactory ['an,sætis'fæktəri] neuspokojivý
unscrew [,an'skru:] odšroubovat (se)
unsettle [,an'setl] vyvést z klidu, pořádku, míry; rozrušit **–d** [,an'setld] nestálý, neurovnaný, proměnlivý
unsightly [an'saitli] nehezký, ošklivý
unskilled [,an'skild] nekvalifikovaný
unspeakable [an'spi:kəbl] zvl. hanl. nepopsatelný, nevýslovný
unstable [,an'steibl] nepevný, pohyblivý, nestabilní; rozkolísaný, nestálý, proměnlivý
unsteady [,an'stedi] nejistý, nestálý, kolísavý; nestojící pevně, nejistý, vratký
unstick [,an'stik] (PT a PP *unstuck* [,an'stak]) odlepit (se), uvolnit (se)
unsuccessful [,ansək'sesful] neúspěšný
unsuitable [,an'su:təbl] nevhodný; nevyhovující
unteach [,an'ti:č] (PT a PP *untaught* [,an'to:t]) odnaučit
untidy [an'taidi] neuklizený, neupravený, nedbalý; nepořádný, ledabylý, lajdácký
untie [,an'tai] rozvázat; odvázat
until [ən'til] až do
untiring [an'taiəriŋ] neúnavný

untrue [,an'tru:] nepravdivý; nevěrný (*to* komu, čemu)
unusual [an'ju:žl] neobvyklý
unveil [,an'veil] slavnostně odhalit; poprvé veřejně oznámit
unwelcome [an'welkəm] nevítaný, nemilý
unwholesome [,an'həulsəm] nezdravý, zdraví škodlivý
unwieldy [an'wi:ldi] těžko manipulovatelný, nepoddajný
unwilling [,an'wiliŋ] neochotný; bezděčný, nedobrovolný
unwind [,an'waind] odmotat
unwise [,an'waiz] nemoudrý, nerozumný, pošetilý, hloupý
unwrap [,an'ræp] rozbalit
unyielding [an'ji:ldiŋ] pevný, neústupný
up [ap] nahoru, vzhůru; nahoře **be* ~** být vzhůru **be* ~ to** stačit na **it's ~ to you** to záleží na vás
upbringing ['ap,briŋiŋ] výchova
update ['apdeit] aktualizovat
upheaval [ap'hi:vl] hnutí, pozdvižení, převrat
uphill [,ap'hil] stoupající; obtížný, namáhavý
uphold [ap'həuld] podporovat, zastávat se
upholster|y [ap'həulstəri] čalounictví; čalounický materiál **–ed** čalouněný
upkeep ['apki:p] údržba
upon [ə'pon] = *on*
upper ['apə] horní, vrchní; vyšší
upright ['aprait] svislý, kolmý; přímý, rovný, vztyčený; čestný, poctivý, bezúhonný
uprising ['ap,raiziŋ] povstání
uproar ['apro:] vřava, povyk; zmatek, rozruch
uproot [ap'ru:t] vytrhnout, vyrvat s kořeny; vykořenit, vyrvat z domácího prostředí
upset [ap'set] (*-tt-*) převrhnout, převrátit; zvrátit, zmařit, zrušit; způsobit nevolnost **#** rozrušení, rozdělení; mající žaludeční obtíže
upshot ['apšot] konečný výsledek; konec, závěr
upside-down [,apsaid'daun] vzhůru nohama, naruby
upstairs [,ap'steəz] nahoře, nahoru po schodech
upstart ['apsta:t] povýšenec; zbohatlík; kariérista
upstream [,ap'stri:m] proti proudu
uptake: ['apteik] **quick/slow on the ~** rychle/pomalu chápající
uptight ['aptait] nervózní, napnutý; vystrašený, vyděšený (*about* z); naštvaný
up-to-date [,aptə'deit] moderní, nejnovější; aktuální
upward ['apwəd] stoupající, vzestupný, směřující nahoru **#** (též *–s*) nahoru, vzhůru; nahoře
uranium [ju'reiniəm] uran
urban ['ə:bən] městský
urge [ə:dž] naléhat (*on* na); pobízet **#** potřeba, touha, nutkání **–nt** ['ə:džənt] naléhavý, nutný
urin|ate ['juərineit] **–ary** ['juərinəri] močový **–e** ['juərin] moč
urn [ə:n] urna
us [as, əs] nás; nám; námi
usage ['ju:zidž] způsob zacházení; užívání; jazyková zvyklost
use [ju:z] v. kap. Gramatika (po)užívat; spotřebovat; využívat **#** [ju:s] (po)užívání; použití (*in ~* používaný), upotřebení, uplatnění; cena, smysl **be* –d to** [ju:st] být zvyklý (na) **–d to** vyjadřuje děj, který neměl pokračování v minulosti nebo se po určitou dobu v minulosti opakoval **–ful** ['ju:sful] užitečný **–less** ['ju:slis] neužitečný, neužitelný, zbytečný
usher ['ašə] uvaděč(ka) **–ette** [,ašə'ret] uváděčka
usual ['ju:žuəl] obvyklý (*as ~* jako obyčejně) **–ly** ['ju:žuəli] obvykle, obyčejně
utensil [ju:'tensl] nástroj, potřeba pro domácnost
utili|ty [ju:'tiliti] užitečnost, prospěšnost **–ze** ['ju:tilaiz] zužitkovat, využít

utter[1] ['atə] úplný, naprostý; čirý, holý **–ly** [-li] úplně, naprosto
utter[2] ['atə] vyjádřit, vyslovit; vydat ze sebe

V

vacan|cy ['veik|ənsi] volný pokoj v hotelu; volné místo, pracovní příležitost **–t** [-ənt] volný neobsazený
vacat|e [və'keit] uvolnit, opustit; vyklidit **–ion** [və'keišn] prázdniny
vaccinate ['væksineit] očkovat (*against* proti)
vacuum* ['vækjuəm] (PL *–s* [-z] n. *vacua* ['vækjuə]) vakuum # luxovat, vysávat **~ cleaner** [-,kli:nə] vysavač **~ flask** termoska
vagina [və'džainə] anatomicky pochva, vagína
vague [veig] nejasný, neurčitý; nepřesný; mlhavý
vain [vein] marný, bezvýsledný; marnivý, ješitný **in ~** marně, nadarmo; zbytečný, marný
valiant ['væljənt] statečný, udatný
valid ['vælid] platný **–ity** [və'liditi] platnost
valley ['væli] údolí
valuable ['væljuəbl] cenný, hodnotný **–s** [-z] PL cennosti
value ['vælju:] hodnota; cena; význam, důležitost, cena # ohodnotit stanovit cenu; hodnotit, cenit si, vážit si **–less** ['væljulis] bezcenný
valve [vælv] záklopka, ventil; anatomicky chlopeň
van [væn] uzavřené dodávkové auto; žel. nákladní vagón
vanguard ['vænga:d] voj. předvoj i přen.; avantgarda
vanilla [və'nilə] vanilka
vanish ['væniš] náhle zmizet, ztratit se
vanity ['væniti] marnost; ješitnost
vapour ['veipə] pára; výpar
vari|able ['veəri|əbl] proměnlivý, nestálý **–ety** [və'raiəti] rozmanitost, různost; výběr, sortiment; varieté **–ous** [-əs] různý, rozmanitý
varicose ['værikəus] **~ veins** křečové žíly
varnish ['va:niš] lak # lakovat
vary ['veəri] měnit (se); lišit se (*from* od; *in* v)
vase [va:z] váza
vast [va:st] rozlehlý, rozsáhlý; obrovský, nesmírný
vat [væt] káď; vana; nádrž
vault[1] [vo:lt] přeskočit za pomoci rukou (*over* přes)
vault[2] [vo:lt] klenba; sklep, hrobka; trezor, sejf
V.C.R. [,vi:si:'a:] = *video cassette recorder* videomagnetofon
veal [vi:l] telecí maso
vegetable ['vedžətəbl] obv. PL zelenina # zeleninový
vegeta|rian [,vedži'teəriən] vegetarián **–tion** [,vedži'teišn] vegetace
vehicle ['vi:ikl] dopravní prostředek, vozidlo
veil [veil] závoj # zakrýt, zahalit jako závojem
vein [vein] žíla, žilka
velvet ['velvit] samet
vending machine ['vendiŋməši:n] prodejní automat
veneer [və'niə] dýha; obklad zdi; pozlátko, vnější nátěr
venereal [vi'niəriəl] pohlavní, venerický
vengeance ['vendžəns] pomsta
Venice ['venis] Benátky # benátský
venison ['venizn] zvěřina
venom ['venəm] hadí, hmyzí jed i přen.
vent [vent] otvor, průduch # dát průchod citu, náladě, vylít si zlost (*on* na)
ventilat|e ['venti|leit] větrat, ventilovat **–ion** [,-'leišn] větrání, ventilace **–or** [-leitə] ventilátor
venture ['venčə] riziko, riskantní čin, podnik # riskovat; odvážit se, troufnout si
verandah [və'rædə] veranda
verb [və:b] sloveso

verbal ['və:bl] slovní; ústní; doslovný; slovesný
verbose [və:'bəus] mnohomluvný
verdict ['və:dikt] práv. rozsudek; mínění, názor
verge [və:dž] okraj, pokraj # směřovat (*on* k); hraničit (s)
verify ['verifai] ověřit (si), potvrdit (si)
vermin ['və:min] obv. SG i PL škodlivá havěť, verbež; drobný obtížný hmyz
vermouth ['və:məθ] vermut
versatile ['və:sətail] (vše)mnoho|stranný
verse [və:s] verš; poezie, verše
version ['və:šn] verze, znění; verze, provedení
vertebra ['və:tibr|ə] (PL *vertebrae* [-i:]) obratel
vertical ['və:tikl] svislý, vertikální
vertigo ['və:tigəu] závrať
very ['veri] velmi, velice, moc (*at the ~ beginning, end* na samém začátku, konci; *the ~ next* hned příští) **~ much** velmi, velice, moc; velmi mnoho; mnohokrát
vessel ['vesl] nádoba; plavidlo, loď; céva
vest [vest] nátělník; vesta
vestibule ['vestibju:l] vestibul, vstupní hala
vestige ['vestidž] stopa, známka, pozůstatek
vestry ['vestri] sakristie
vet [vet] = *veterinary surgeon*
veteran ['vetərən] vysloužilec, veterán
veterinary ['vetərinəri] veterinářský, veterinární **~ surgeon** zvěrolékař
via ['vaiə] cestující přes; prostřednictvím, přes
viaduct ['vaiədakt] viadukt
vibrate [vai'breit] chvět se, třást se; kmitat, vibrovat
vicar ['vikə] vikář; farář
vice[1] [vais] neřest, nectnost, zlozvyk
vice[2] [vais] svěrák
vice [,vais] místo-, vice- **~-chairman*** [-'čeəmən] (PL v. *man**) místopředseda **~-president** [-'prezidənt] viceprezident
vice versa [,vaisi'və:sə] (a) naopak, (a) obráceně
vicinity [vi'siniti] blízkost; okolí (*of* čeho)
vicious ['višəs] zlomyslný; zlý, nebezpečný; nemravný, hříšný
victim ['viktim] oběť
victory ['viktəri] vítězství
video ['vidiəu] video; videokazeta; videomagnetofon **~ (cassette) recorder** [,-(kə'set)riko:də] videomagnetofon **–tape** [-teip] videokazeta
view [vju:] pohled (*of* na); výhled; názor # pozorně si prohlédnout; prozkoumat; posuzovat, dívat se (na) **–er** [-ə] televizní divák **–finder** ['-,faində] fot. hledáček **–point** ['-point] hledisko
vigilan|ce ['vidžilən|s] bdělost, ostražitost **–t** [-t] bdělý, ostražitý
vigo|ur ['vigə] síla, energie, svěžest, vitalita, elán **–rous** [-rəs] silný, mocný; živý, vitální; důrazný, rázný
vile [vail] odporný, hnusný; sprostý, vulgární; špinavý, nízký, nemravný
villa ['vilə] vila
village ['vilidž] vesnice
villain ['vilən] ničema, padouch, darebák, lump; zločinec, kriminálník
vindicate ['vindikeit] ospravedlnit, obhájit; potvrdit správnost
vindictive [vin'diktiv] mstivý
vine [vain] vinná réva; popínavá, plazivá rostlina **–yard** ['vinjəd] vinice, vinohrad
vinegar ['vinigə] ocet
vintage ['vintidž] vinobraní; ročník vína # špičkový víno; klasický (*comedy* groteska) **~ car** veterán vyrobený v období 1919-1930
viola [vi'əulə] viola
violate ['vaiəleit] (po)na|rušit zákon ap.; znesvětit
violen|ce ['vaiəl|əns] násilí **–t** [-ənt] prudký; násiln|ý(ický)
violet ['vaiəlit] fialka # fialový

violin [,vaiə'lin] housle **–ist** [,vaiə'linist] houslista
violoncello [,vaiələn'čeləu] (PL *–s* [-z]) violoncelo
VIP ['vi:ai'pi:] = *very important person* prominent, důležitý člověk
viper ['vaipə] zmije
virgin ['və:džin] panna; panic # panenský; nedotčený
virile ['virail] mužský; mužný; plodný, potentní
virtually ['və:čuəli] ve skutečnosti, vlastně, prakticky
virtu|e ['və:tju:] ctnost; přednost, dobrá vlastnost **by ~ of** na základě, pro, kvůli **–ous** ['və:čuəs] ctnostný; mravný, bezúhonný, řádný
virus ['vaiərəs] vir, virus
visa ['vi:zə] vízum
vis|ibility [,vizi'biliti] viditelnost **–ible** ['vizəbl] viditelný **–ual** ['vižuəl] zrakový **–ualize** ['vižuəlaiz] představit si
vision ['vižn] zrak; představivost, předvídavost; vize, představa
visit ['vizit] navštívit # návštěva (*to* u, v) **–or** [-ə] návštěvník
vital ['vai|tl] životní; životně důležitý; živý, temperamentní **–ity** [-'tæliti] životní síla, vitalita
vitamin [br. 'vi|təmin; am. 'vai-] vitamín
vivid ['vivid] živý, čilý; živý, svěží, sugestivní; barva jasný, svěží
vocabulary [vəu'kæbjuləri] slovní zásoba
vocal ['vəukl] hlasový; hlasitý
vocation [vəu'kei|šn] poslání, povolanost; smysl, sklon, nadání; profese, povolání **–al** [-šənl] odborný týkající se profese
vogue [vəug] móda; obliba, popularita
voice [vois] hlas
void [void] prázdný, pustý; neobsazený # nic, prázdnota
volatile ['volətail] těkavý, prchavý snadno se vypařující; přelétavý, rozmarný, nestálý
volcan|o [vol'keinəu] sopka **–ic** [vol'kænik] sopečný, vulkanický
volley ['voli] salva; sport. volej úder do míče za letu **~-ball** [-bo:l] odbíjená, volejbal
volume ['voljum] svazek, díl; množství, objem; hlasitost
voluntary ['voləntəri] dobrovolný
volunteer [,volən'tiə] dobrovolník # přihlásit se dobrovolně, dobrovolně se nabídnout přihlásit n. udělat
vomit ['vomit] zvracet
vote [vəut] hlasování; volební hlas; volební právo # hlasovat, volit **–r** [-ə] volič
vouch [vauč] zaručit se (*for* za) **–er** ['-ə] stvrzenka; poukaz, kupón, lístek
vow [vau] slavnostní slib, přísaha # slavnostně slíbit, přísahat
vowel ['vauəl] samohláska
voyage ['voiidž] dlouhá cesta, plavba
vulgar ['valgə] hrubý, vulgární; nevzdělaný, nekultivovaný **–ity** [val'gærəti] hrubost, sprostota; neomalenost, neotesanost **–ize** [-raiz] vulgarizovat; učinit sprostším
vulnerable ['valnərəbl] zranitelný
vulture ['valčə] sup

W

wad [wod] chomáč; ucpávka # (*-dd-*) (u)vy|cpat
wade [weid] brodit se
wafer ['weifə] oplatka např. ke zmrzlině; hostie
waffle[1] ['wofl] žvanit, kecat
waffle[2] ['wofl] oplatka, vafle
wag [wæg] (*-gg-*) vrtět (se); hrozit prstem (*at* komu)
wage [weidž] vést válku # obv. PL mzda **~-earner** ['-,ə:nə] osoba pracující za mzdu
wag(g)on ['wægən] těžký nákladní vůz tažený koňmi n. voly; žel. otevřený nákladní vagón
wail [weil] bědovat, naříkat (*about, over* nad) # bědování, nářek
waist [weist] pás část těla; opasek **–coat** ['weiskəut] vesta

wait [weit] čekat (*for* na) **–er** [-ə] číšník **–ing-room** ['-iŋrum] čekárna **~ on** obsluhovat **–ress** ['weitris] číšnice
waive [weiv] zříci se čeho, netrvat (na)
wake* [weik] (**up**) (PT *woke* [wəuk]; PP *woken* [wəukən]) vzbudit (se), probudit (se) # bdění u mrtvého **–n** probudit (se)
walk [wo:k] jít pěšky; procházet se # chůze; procházka **–er** [-ə] chodec
wall [wo:l] stěna, zeď
wallet ['wolit] náprsní taška
wallow ['woləu] válet se, provalovat se ve vodě, v blátě; libovat si (*in* v)
wallpaper ['wo:l,peipə] tapeta
walnut ['wo:lnat] vlašský ořech
walrus ['wo:lrəs] mrož
waltz [wo:lts] valčík
wan [won] bledý, vyčerpaný, unavený
wander ['wondə] putovat, toulat se, bloumat; loudat se
wane [wein] ubývat o měsíci; slábnout, upadat, mizet
want [wont] chtít, přát si; žádat; potřebovat
wanton ['wontən] svévolný, bezohledný; nevázaný, divoký, bujný; rozpustilý, dovádivý
war [wo:] válka **–fare** ['wo:feə] válčení, válka **–monger** ['wo:,maŋgə] válečný štváč **–rior** ['woriə] válečník, bojovník **–ship** ['-šip] válečná loď **–time** ['-taim] válečná doba
ward [wo:d] nemocniční pokoj; volební okres; svěřenec, poručenec **–en** ['-n] dozorce, správce **–robe** ['wo:drəub] šatník, skříň
ware [weə] zvl. ve složeninách výrobky **–house** ['weəhaus] skladiště
wariness ['weərinis] obezřelost, ostražitost
warm [wo:m] teplý, přen. vřelý **–th** [wo:mθ] teplo; vřelost
warn [wo:n] varovat; upozornit **–ing** varování
warp [wo:p] zkroutit (se), pokřivit (se) i přen.
warrant ['worənt] oprávnění; příkaz, rozkaz, zatykač **–y** [-i] záruka na zboží
wart [wo:t] bradavice
wary ['weəri] opatrný, ostražitý
was [wəz; woz] PT od *be**
wash [woš] prát; mýt (se) **~ away** smýt i přen.; odplavit, odnést proudem **~ off** vymýt, smýt, mytím odstranit **~ up** mýt nádobí **~-basin** ['woš,beisn] umyvadlo **–ing** ['-iŋ] praní; prádlo k praní n. již vyprané **~-machine** ['wošiŋmə,ši:n] pračka
wasp [wosp] vosa
waste [weist] plýtvat, mrhat; zmeškat, propást # pustý, divoký, ležící ladem; neužitečný, odpadní, odpadový # plýtvání, mrhání; odpad; pustina **–ful** ['-ful] nehospodárný, marnotratný **-paper basket** [,-'peipə,ba:skit] koš na papír, na odpadky
watch [woč] hodinky; hlídka, stráž # sledovat, dívat se; hlídat (*over*); dávat pozor (*sb., st.* na) **–ful** ['-ful] bdělý, ostražitý **–fulness** ['-fulnis] bdělost, ostražitost **–maker** ['-meikə] hodinář **–man*** ['-mən] (PL v. *man**) noční hlídač **–word** ['-wə:d] heslo, vůdčí zásada
water ['wo:tə] voda # kropit, zalévat; slzet, slinit **~-closet** [-,klazit] toaleta, záchod **~-colour** [-,kalə] vodová barva; akvarel **–fall** [-fo:l] vodopád **~-level** [-,levl] vodní hladina **~-lily** [-,lili] leknín **–proof** [-pru:f] nepromokavý # nepromokavý plášť **–sprite** ['-sprait] vodník **–tight** ['-tait] vodotěsný **–way** [-wei] vodní cesta, vodní trasa **–y** [-ri] vodnatý; vodový
wave [weiv] vlna # vlnit (se); mávat **–length** ['weivleŋkθ] tech. vlnová délka **–r** zakolísat selhat; kolísat, váhat; světlo mihotat se
wavy ['weivi] vlnitý, zvlněný
wax [wæks] vosk # (na)voskovat
way [wei] cesta; způsob **–ward** ['weiwəd] svéhlavý, umíněný, nezvládnutelný

we [wi:] my
weak [wi:k] slabý **–en** ['-ən] oslabit (se), (ze)slábnout **–ling** ['-liŋ] slaboch **–ness** [-nis] slabost
wealth [welθ] bohatství **–y** ['-i] bohatý
wean [wi:n] odstranit od prsu; odvyknout (*sb. from* koho čemu)
weapon ['wepən] zbraň
wear* [weə] (PT *wore* [wo:]; PP *worn* [wo:n]) nosit, mít na sobě; opotřebovat, obnosit # nošení oděvu; opotřebování
weary ['wiəri] unavený (*of* čím); znuděný, otrávený (*of* čím)
weasel ['wi:zl] lasička
weather ['weðə] počasí
weave* [wi:v] (PT *wove* [wouv]; PP *woven* [wouvən]) tkát; plést; osnovat, kout; sestavit, vytvořit **–r** ['-ə] tkadlec
web [web] pavučina; plovací blána
wedding [wediŋ] svatba
wedge [wedž] klín # zaklínovat, upevnit klínem
Wednesday ['wenzdei] středa
wee [wi:] malinký # hovor. čůrat
weed [wi:d] plevel # plít
week [wi:k] týden **–day** ['wi:kdei] všední den **–end** [,wi:k'end] konec týdne, víkend **–ly** ['-li] týdenní # týdeník
weep* [wi:p] (PT a PP *wept* [wept]) plakat (*for, over* proč, nad čím)
weigh [wei] (z)vážit i přen.; mít váhu, vliv **–t** [weit] váha; závaží; tíže, břemeno i přen. **–tless** ['weitlis] beztížný stav **–ty** ['weiti] těžký; závažný
weir [wiə] hráz, jez
weird [wiəd] tajuplný; podivný, zvláštní, výstřední
welcome ['welkəm] vítaný # přivítání # (při)vítat # vítejte, vítáme vás, buďte vítáni **you are ~** nemáte zač odpověď na děkování
weld [weld] svářet, svařovat kovy **–er** svářeč
welfare ['welfeə] blaho, prospěch; péče
well* [wel] (COMP *better* ['betə]; SUP *best* [best]) dobře, dobrá, tedy # **to be*** **~** být zdráv, dařit se komu dobře **as ~ as** stejně jako **as ~** také **~ done!** [,-'dan] výborně! **~-being** [,wel'bi:iŋ] pohoda, pocit zdraví; blahobyt **~-known** [,-'nəun] známý **~-read** [,-'red] sečtělý
wellington ['weliŋtən] gumák, holínka
went [went] PT od *go**
wept [wept] PT a PP od *weep**
were [wə; wə:] PT od *be**
west [west] západ # západní # západně, na západ **–ern** ['westən] západní # kniha n. film z Divokého západu **–ward** západní směřující na západ # (také *–wards*) směrem na západ
wet [wet] mokrý; deštivý
whale [weil] velryba
wharf* [wo:f] (PL *–s* n. *wharves* [-vz]) přístavní hráz, molo, dok
what [wot] jaký?; co; to, co # cože? jak to? # jaký, jak, to je ale... **–ever** ['-evə] cokoli, všechno # jakýkoli, každý # vůbec nic **–soever** [,wotsəu'evə] vůbec nic
wheat [wi:t] pšenice
wheel [wi:l] kolo; volant, kormidlo # otáčet (se), kroužit; tlačit, postrkovat, vést kolo **–barrow** ['wi:l,bærəu] kolečko, trakař
when [wen] kdy # když, až **–ever** [wen'ewə] kdykoli; vždycky, když
where [weə] kde; kam **–abouts** ['weərəbauts] kde # místo pobytu **–as** [weər'æz] kdežto, zatímco **–ver** [weər'evə] kdekoli; kamkoli; všude kde, všude kam
whether ['weðə] zda, jestli
which [wič] který?; který, jenž, což **–ever** [wič'evə] kterýkoli
while [wail] chvíle (*for a ~* chvíli; *in a ~* za chvíli) # zatímco, když; zatímco, kdežto, naproti tomu
whim [wim] rozmar, vrtoch
whimper ['wimpə] kňučet, fňukat
whimsical ['wimzikl] vrtošivý, náladový; podivný, zvláštní

whine [wain] kňučet, kňourat, vrnět, naříkat
whip [wip] (-*pp*-) bič # bičovat, mrskat; šlehat kuch.; mrsknout sebou, hodit sebou # bič
whirl [wə:l] vířit # vír **–wind** ['-wind] vzdušný vír, cyklón, vichr, smršť i přen.
whiskers ['wiskəz] kotlety, licousy
whisky ['wiski] whisky
whisper ['wispə] šeptat (si) # šepot
whistle ['wisl] hvízdat, pískat # hvízdnutí, písknutí; píšťala
white [wait] bílý # bělost, bílá barva; bílek **–n** ['waitn] bílit, bělit; zbělet; bělat se **–wash** ['-woš] vápno k bílení # (na)(o)bílit; očistit
whittle ['witl] řezat, ořezávat
who [hu:] kdo; který, jenž **–ever** [hu:'evə] kdokoli; ten, kdo
whole [həul] celý # celek (*on, the* ~ vcelku, celkem) **~-hearted** [,həul'ha:tid] nadšený, horlivý **–sale** ['-seil] obchod ve velkém **–some** ['həulsəm] zdravý zdraví prospěšný; zdravý zdravě vypadající
wholly ['həuli] zcela, úplně
whom [hu:m] tvary pro 2., 3., 4., 6. a 7. p. zájmena *who*
whooping cough ['hu:piŋkof] černý kašel
whose [hu:z] čí; jehož, jejíž, jejichž
why [wai] proč # jakže!, proboha!, cože?, no ne!, no přece, no vždyť
wicked ['wikid] zlý, špatný; zkažený, hříšný, zpustlý, nestydatý; mizerný, nepříjemný, šibalský, šelmovský
wicker ['wikə] proutí, proutěná pletenina # proutěný
wide [waid] široký; rozsáhlý # široce, zeširoka, dokořán **~ open** otevřený dokořán **–spread** ['waidspred] rozšířený, všeobecný
widow ['widəu] vdova **–er** ['widəuə] vdovec
width [widθ] šířka
wield [wi:ld] vládnout, zacházet čím; ovládat
wife* [waif] (PL *wives* [waivz]) manželka
wig [wig] paruka
wild [waild] divoký; bouřlivý, prudký **–erness** ['wildənis] divočina, pustina
wilful ['wilful] záměrný, úmyslný; svéhlavý, neústupný
will [wil] vůle; závěť **~-power** ['-,pauə] síla vůle # **~*** pomocné sloveso pro tvorbu budoucího času, v. kap. Gramatika; přát si; odkázat závětí
willing ['wiliŋ] ochotný **–ness** [-nəs] ochota
willow ['wiləu] vrba
wily ['waili] prohnaný, lstivý
win* [win] (-*nn*-) (PT a PP *won* [wan]) vyhrát; získat **–ner** ['winə] vítěz, výherce
wince [wins] škubnout sebou, trhnout sebou, ucuknout při strachu nebo bolesti
wind*[1] [waind] (PT a PP *wound* [waund]) točit (se), klikatit (se); navinout, namotat, stočit, smotat
wind[2] [wind] vítr **–mill** ['windmil] větrný mlýn **–pipe** ['windpaip] průdušnice **–screen** ['-skri:n] čelní sklo vozidla **–y** ['windi] větrný; vystavený větru
window ['windəu] okno **~-pane** [-pein] okenní tabule
wine [wain] víno **~-glass** ['-gla:s] sklenka na víno
wing [wiŋ] křídlo
wink [wiŋk] mrkat; blikat # mrknutí, zamrkání
winter ['wintə] zima # přezimovat
wipe [waip] utřít, otřít, očistit **–er** utěrka; stěrač **~ out** vytřít; zničit
wire ['waiə] drát; telegram # instalovat elektrické vedení, zavést elektřinu **–less** ['waiəlis] bezdrátový; rádiový
wisdom ['wizdəm] moudrost; rozum, zdravý úsudek
wise [waiz] moudrý; rozumný
wish [wiš] přát si (*for* co); žádat # přání, tužba **–ful thinking** ['-ful,θiŋkiŋ] sny, zbožné přání
wit [wit] vtip, důvtip; vtipný, duchaplný

člověk **–s** [-s] PL rozum, intelekt **–ty** ['witi] vtipný
witch [wič] čarodějnice
with [wið, wiθ] s, se
withdraw* [wiθ'dro:] (PT a PP v. *draw**) stáhnout (se), odvolat; vyzvednout peníze; vzít zpět **–al** [-əl] odvolání; stažení, ústup **–n** [wiθ'dro:n] PP od *withdraw**
withdrew [wiθ'dru:] PT od *withdraw**
wither ['wiðə] (z)vadnout, (u)schnout
withheld [wiθ'held] PT a PP od *withhold**
withhold* [wiθ'həuld] (PT a PP v. *hold**) odepřít, odmítnout; zatajit (*from* před, komu)
within [wið'in] v, uvnitř; v dosahu, v okruhu; během, do, za; v rozmezí (~ *a few days* v několika dnech; ~ *reach* na dosah)
without [wið'aut] bez
withstand* [wiθ'stænd] (PT a PP v. *stand**) odolat
withstood [wiθ'stud] PT a PP od *withstand**
witness ['witnəs] svědek (*eye~* očitý svědek); svědectví (*to* čeho) # být svědkem; (do)svědčit (*to* co)
wives [waivz] PL od *wife**
wizard ['wizəd] čaroděj
wobble ['wobl] viklat (se), kymácet (se), chvět se, třást se
woe [wəu] bolest, žal, hoře
woke [wəuk] PT od *wake** **–n** [-ən] PP od *wake**
wolf* [wulf] (PL *wolves* [wulvz]) vlk
woman* ['wumən] (PL *women* ['wimin]) žena **–ly** [-li] ženský hodný ženy
women ['wimin] PL od *woman**
won [wan] PT a PP od *win**
wonder ['wandə] údiv, podiv; div, zázrak ((*it is*) *no~* není divu) # divit se, žasnout, být překvapen; být zvědav zda (*I~ whether* zdvořilá žádost rád bych věděl); přemýšlet, uvažovat **–ful** ['wandəful] podivuhodný; báječný, skvělý
won't [wəunt] = *will* not*
wood [wud] dřevo; les **–cut** ['-kat] dřevoryt **–en** ['-n] dřevěný; prkenný **–pecker** ['wud,pekə] datel
wool [wul] vlna **–(l)en** ['wulin] vlněný
word [wə:d] slovo **keep*** (**break**) ~ dostát (nedostát) slovu **–ing** formulace, znění **~ processor** ['-prosesə] poč. textový procesor
wore [wo:] PT od *wear**
work [wə:k] práce; zaměstnání; dílo # pracovat, dělat; fungovat, (za)působit **–er** [-ə] dělník; pracovník **–man*** ['wə:kmən] (PL v. *man**) dělník **–shop** ['wə:kšop] dílna i přen.; seminář, pracovní konference
world [wə:ld] svět (*all over the~* (po) na celém světě) **–ly** ['-li] světský, pozemský; světácký **~-wide** ['-waid] světový, celosvětový # po celém světě
worm [wə:m] červ; závit šroubu
worn [wo:n] PP od *wear** **~-out** [,-'aut] opotřebovaný, obnošený; vyčerpaný
worr|y ['wari] trápit (se), znepokojovat (se), dělat si starosti # trápení, soužení, starosti **–ied** [-d] ustaraný, plný úzkosti, znepokojený **–ying** [-iŋ] znepokojující, zneklidňující, nepříjemný
worse [wə:s] horší # hůře **–n** ['wə:sn] (z)horšit (se) # COMP od *bad** n. *evil** n. *ill**
worship ['wə:šip] uctívání; bohoslužba # (*-pp-*) uctívat, konat pobožnost
worst [wə:st] nejhorší # nejhůře (*at ~* v nejhorším případě) # SUP od *bad** n. *evil** n. *ill**
worth [wə:θ] cena, hodnota # cenný, mající určitou hodnotu; stojící za (*it's ~ reading* stojí to za přečtení) **–less** ['-lis] bezcenný **–while** [,-'wail] stojící to za to **–y** ['wə:ði] důstojný; hodný (*of* čeho), zasluhující co
would [wud] PT od *will** # pomocné sloveso pro tvorbu podm. způsobu, v. kap. Gramatika ~ **rather** raději by **~ you...?** zdvořilá žádost
wound[1] [waund] PT a PP od *wind**
wound[2] [wu:nd] rána, zranění # (z)ranit

wove [wouv] PT od *weave**
woven [wouvən] PP od *weave**
wrangle ['ræŋgl] prudká hádka, spor, potyčka (*about, over* oč) # hádat se, přít se
wrap [ræp] (*-pp-*) (za)balit # obal; přehoz, šála ap. **–per** ['ræpə] obal, obálka, přebal **–ping** [-iŋ] obal, obalová vrstva; balicí materiál
wreath [ri:θ] věnec
wreck [rek] troska, vrak; ztroskotání # zničit; ztroskotat
wrench [renč] vymknout si kloub # vymknutí; násilné (vy)trhnutí, (vy)škubnutí; přen. bolest z odloučení; am. klíč na matice **~ st. off** n. **~ sb., st. away** trh-nout, škubnout čím, kým; vytrhnout, vyškubnout
wrestl|e ['resl] zápasit (*with* s) sport. i přen. **–er** sport. zápasník **–ing** sport. zápasení
wretched ['rečid] ubohý, nešťastný; bídný, mizerný
wriggle ['rigl] vrtět (se); (vy)kroutit se, vyklouznout
wring* [riŋ] (PT a PP *wrung* [raŋ]) (za)kroutit, mačkat, ždímat **–er** ždímačka
wrinkle ['riŋkl] vráska # svraštit (se), pokrčit, pomačkat
wrist [rist] zápěstí **~-watch** ['ristwoč] náramkové hodinky
writ|e* [rait] (PT *wrote* [rəut]; PP *–ten* ['ritn]) psát, napsat **–er** ['-ə] písař; spisovatel **–ing-paper** ['raitiŋ,peipə] dopisní papír
written ['ritn] PP od *write**
wrong [roŋ] špatný, nesprávný # chybně, nesprávně **be*** ~ mýlit se **go*** ~ chybit
wrote [rəut] PP od *write**
wrought [ro:t] **~ iron** [,ro:t'aiən] tepané železo
wrung [raŋ] PT a PP od *wring**
wry [rai] obličej křivý, zkřivený; úsměv kyselý; sarkastický, ironický

X

Xmas ['krisməs] = *Christmas*
X-ray [,eks'rei] rentgenový paprsek; rentgenový snímek
xylophone ['zailəfəun] xylofon

yacht [jot] jachta
yard[1] [ja:d] yard délková míra
yard[2] [ja:d] dvůr
yarn [ja:n] příze; historka, vymyšlený, přehnaný příběh
yawn [jo:n] zívat # zívání
year [jiə] rok **–ly** [jiəli] (každo)roční # (každo)ročně
yearn [jə:n] toužit (*for* po) # touha
yeast [ji:st] kvasnice, droždí
yell [jel] ječet, vřískat, řvát # ječení, jekot, vřískot, řev
yellow ['jeləu] žlutý
yes [jes] ano
yesterday ['jestədei] včera
yet [jet] ještě; v otázce již, už; přece (jen) # přesto, avšak, nicméně **as ~** do(po)sud **not ~** ještě ne
yew [ju:] tis
yield [ji:ld] výtěžek, úroda, sklizeň, výnos # dávat, nést, rodit; vynášet, dávat zisk
yoghurt ['jogət] jogurt
yoke [jəuk] chomout; volské spřežení; nosný popruh, vahadlo
yolk [jəuk] žloutek
you [ju:,ju] ty; vy
young [jaŋ] mladý **the ~** mládež **–ster** ['jaŋstə] mladík
your [jo:,jə] tvůj; váš; svůj
yours [jo:z] tvůj; váš
yourself* [jo:'self] (PL *yourselves* [-z]) (vy, ty) sám, osobně; zdůrazňovací zájmeno po *you*
youth [ju:θ] mládí; mladík; mládež **–ful** ['-ful] mladistvý, mladický

yuppie ['japi] mladý ctižádostivý člověk, zvl. úředník, obchodník
zany ['zeini] směšný; výstřední; podivný, zvláštní

Z

zeal [zi:l] horlivost; nadšení, zanícení, zápal **–ous** ['zeləs] horlivý; nadšený, zapálený
zebra ['zi:brə] zebra **~ crossing** pruhované značený přechod pro chodce
zero* ['ziərəu] (PL *–s* n. *–es*) nula
zest [zest] chuť, radost, potěšení (*of* z); příchuť
zigzag ['zigzæg] klikatá čára **#** klikatý **#** (*-gg-*) klikatit se
zinc [ziŋk] zinek
zip [zip] zip, zdrhovadlo; hvízdnutí, svist **#** (*-pp-*) zavřít na zip; svištět **~-fastener**, **–per** ['zip,fa:snə, 'zipə] zip, zdrhovadlo
zodiac ['zəudiæk] zvěrokruh
zone [zəun] pásmo, zóna
zoo [zu:] = *zoological gardens* zoo, zoologická zahrada
zoolog|y [zəu'olədži] zoologie **–ical** [,zəuə'lodžikl] zoologický **–ist** [zəu'olədžist] zoolog
zoom [zu:m] bzučet, hučet, svištět auto

ČESKO-ANGLICKÁ ČÁST

A

a 1 and; a též as well as; a přece and yet **a to** that is to say* 2 mat. and, plus 3 **od a do zet** from A to Z, from start to finish 4 **atd.** and so on, and so forth
abeced|a alphabet **podle –y** in alphabetical n. ABC order
abecední alphabetical
absence absence (*absence v práci* absence from work)
absolutní absolute
absolvent(ka) střední školy school-leaver; vysoké školy graduate
absolvování graduation
absolvovat: ~ školu finish one's studies at a school **~ vysokou školu** graduate from a university
absorbovat absorb
abstinent teetotaller
absurdní absurd
abstraktní abstract
aby ve větě účelové 1 (in order) to + inf. 2 so (that) 3 **~ ne** so as not to # ve větě podmětné nebo předmětné 1 to + inf. 2 prostý inf. (*přinutil jsem ho ~ to udělal* I made* him do* it) 3 for + předmět + to + inf. (*je nutné, ~ začal ihned* it is necessary for him to start at once)
ačkoli though, although
adaptace adaptation
adaptovat adapt
adekvátní adequate
administrativa 1 administration 2 úřední bureaucracy 3 vyřizování paperwork
administrativní administrative
adoptovat adopt (*jako dceru* as a daughter)
adres|a address **na –u** to the address (*stálá ~* permanent address)
adresát addressee
adresovat address
advokát 1 právní poradce solicitor, lawyer 2 soudní obhájce advocate barrister, am. attorney
aerodynamický streamlined
aerolinie airlines PL
aféra incident; skandální scandal **milostná ~** love affair
afektovanost affectation
afektovaný affected, stilted
agent agent; obchodní cestující commercial traveller
agentura agency
agilní agile
agita|ce(ční) campaign; propaganda; předvolební canvassing
agitovat agitate; ve volbách canvass
agonie agony
agrese aggression
agresívní aggressive
agronom agricultural expert
ahoj 1 při setkání hallo, hi 2 při rozchodu see* you
akademický academic **~ titul** degree
akademie academy **Československá ~ věd** the Czechoslovak Academy of Sciences
akademik academician
akce 1 event, enterprise, activity 2 kampaň campaign, drive
akcie stock, vydané v určité výši share
akcionář stockholder, shareholder
akciov|ý stock **~ kapitál** joint stock **–á společnost** stock company
akční výbor action-group committee
aklimatizovat acclimatize **~ se** get* acclimatized
akord úkolová práce piece-work
akordeon accordion
akreditiv letter of credit
akt 1 čin, též div. jednání act 2 obraz, socha nude
aktiv meeting, gathering
aktivita activity
aktivní active
aktovka[1] briefcase
aktovka[2] hra one-act play
aktualita report on, current events, topical news
aktuální topical, current, up-to-date

akumulace 1 accumulation 2 obch. profit-making
akumulátor storage battery, accumulator
akustický acoustic
akustika věda acoustics SG; sálu acoustic PL
akvarel water-colour
album album
ale 1 but ~ **ano** oh yes ~ **přece** but still 2 neodporovací, hovor., užívá se na konci věty though
alej alley, avenue
alergie allergy
alespoň at least; pro každý případ at any rate
alimenty ženě alimony; dětem maintenance
alkohol 1 alcohol 2 nápoje spirits, strong drinks PL
alkoholický alcoholic
alkoholismus alcoholism; drinking
alobal foil
alpský Alpine
Alpy the Alps PL
alternativ|a(ní) alternative
amatér amateur (*sportovec* ~ amateur sportsman*)
amatérský 1 amateur 2 neumělý amateurish
ambulance 1 vůz ambulance 2 oddělení léčebného zařízení out-patients' department
ambulační ambulance out-patient
amnestie amnesty
amplion loudspeaker
amputovat amputate
analfabet illiterate (person)
analfabetismus illiteracy
analogický analogous (to n. with)
analytický analytic
analýza analysis*
analyzovat analyse
ananas pineapple
anarchie anarchy
anatomie anatomy
anděl angel
anekdota 1 vtip joke 2 historka anecdote, tale, story
angažmá engagement
angažovat engage ~ **se** commit os. (to), be* involved (in)
angína tonsillitis, odb. angina
anglick|ý English **–y** in English (*mluvit –y* speak* English)
angličtina English
anglikánský Anglican
angloamerický Anglo-American
Anglosas, **anglosaský** Anglo-Saxon
angrešt gooseberry
ani 1 not even 2 ~ - ~ neither - nor ~ **trochu** not a bit ~ **jednou** not once
anketa public inquiry, survey
ano yes; správné exactly, quite, precisely **ale** ~ oh yes
anonymní anonymous
anorganický inorganic
anténa aerial
antický antique, classical, ancient
antifašist|a(ický) anti-Fascist
antika antiquity, classical times
antikoncepce contraception
antikoncepční prostředek contraceptive (*pilulka* the pill)
antikvariát second hand bookshop
antikvární second hand
aparát 1 přístroj apparatus* 2 zařízení device 3 fot. camera
apatický apathetic, languid
apatie apathy (*vůči* towards)
aperitiv aperitif
aplikace application
aprobace učitelská teaching qualification
ar are
arabsk|ý 1 Arabian 2 Arab (*kůň* horse) 3 Arabic (*jazyk* language; *–é číslice* Arabic numerals)
arbitráž arbitration
arcibiskup archbishop
aréna arena
argument argument
arch sheet (*papíru* of paper)
archeolog archaeologist
archeologický archaeological

archeologie archaeology
architekt architect
architektonický architectural
architektura architecture
archív archives PL
aristokracie aristocracy
aristokrat aristocrat
aristokratický aristocratic
aritmetika arithmetic
arktický arctic
armáda army; troops; forces PL
arogance arrogance
arogantní arrogant
artista artiste
arzén arsenic
asfalt(ový) asphalt
asi **1** přibližně about, some, something like, ... or so **2** snad perhaps, vazba s may* (*asi je nemocný* he may* be* ill*)
asimilovat assimilate
asistent assistant; vysokoškolský (assistant) lecturer, reader
asistentka assistant **porodní ~** midwife
asistovat assist (*komu při čem* sb. in st.)
asociální antisocial
aspekt aspect
aspirant(ka) postgraduate
aspoň at least
astma asthma
astronaut astronaut
astronom astronomer
astronomický astronomical
astronomie astronomy
ať **1** let* předmět + inf. (*ať vejde* let* him come* in) **2** přání may* + podmět + inf. **3** v ustáleném spojení **ať žije ... !** Long live ... !
atd. etc.; and so on
ateismus atheism
ateista atheist
ateistický atheistic
ateliér studio
atentát **1** attempt (*na koho* on sb.'s life*; *spáchat ~ na koho* make* an attempt on sb.'s life*) **2** vražda assassination
atlantický, atlantský Atlantic **Atlantský oceán** the Atlantic (Ocean)
atlas **1** mapy atlas **2** látka satin
atlet athlete
atletický athletic
atletika athletics SG
atletka (woman*) athlete
atmosféra atmosphere
atom atom
atomov|ý atomic (*–á energie* atomic energy; *–á puma* atom(ic) bomb, A-bomb) **~ reaktor** atomic pile
atp. etc., and so on
atrakce attraction
atraktivní attractive
audience audience
aukce auction
aut out
autentický authentic
aut|o (motor) car (*jet –em* go* by car) **nákladní ~** lorry
autobus bus, dálkový coach (*jet –em* go* by bus; *zmeškat ~* miss the bus) **stanice –u** bus stop **–ové nádraží** coach station
autogram autograph
autokar coach
autokempink caravan site
autoklub Automobile Association (AA)
automat **1** stroj automatic machine **2** restaurace snack-bar; se samoobsluhou cafeteria **3** na mince slot-machine **4** samopal sub-machine-gun
automatický automatic
automatizace automation
automatizovat automate
automobil (motor)car, am. automobile
automobilista motorist
automobilový (motor)car, automobile
autonomie autonomy
autonomní autonomous
autoopravna garage, car repair service
autor spisovatel author, writer
autorita authority

autoritativní authoritative
autorka authoress, woman* writer
autorsk|ý: ~ honorář author's fee(s) **–é právo** copyright
autostop hitch-hiking **jet –em** hitch-hike, lift a thumb
autoškola driving school
avšak but; however
azbest asbestos
azyl asylum
až ADV **1** místní as far* as **2** časově as late as, not until **3** míry as much* as, as many as # CONJ **1** potom, až when **~ když** only when **2** dokud ne till, until

B

bába (old) hag **porodní ~** midwife **slepá ~** blind man's buff
babička 1 čí grandmother, hovor. granny, grandma **2** stará žena old* woman*
bačkory (a pair of) slippers
bádání exploration
bádat do* research work, explore
badatel(ka) researcher
bagr excavator
bahnitý 1 blátivý muddy **2** močálovitý swampy
bahno 1 bahnisko morass, bog, swamp **2** bláto mud **3** lepkavé, slizké slime, sludge
báječný wonderful, magnificent; marvellous, hovor. terrific
bajka 1 fable **2** smyšlenka invention
bakalář bachelor
baktérie bacterium; hovor. germ
balení 1 packing, wrapping **2** balíčkování packaging
balet ballet
baletka ballet-dancer
balicí papír brown paper, wrapping paper, packing paper
balíček packet
balík 1 parcel **2** pro prodej n. dopravu package **3** ranec bundle **4** lisovaný bale
balit 1 wrap (up), pack (up) **2** balíčkovat package
balkánský Balkan
balkón balcony **první ~** dress circle
balón balloon
balónov|ý balloon (*–á pneumatika* balloon tyre) **–é hedvábí** parachute, silk **~ plášť** mackintosh, mac(k)
baltský Baltic **Baltské moře** the Baltic Sea
balvan boulder
bambus bamboo
banán banana
banda gang
bank ve hře jackpot
banka bank
bankéř banker
bankovka (bank)note, am. bill
bankovní bank(ing) **~ účet** bank(ing) account **~ vklad** bank deposit
báňský mining (*~ průmysl* mining industry)
bar night-club
baret beret
barevn|ý 1 coloured **2** zabarvený dyed **3** v různých barvách in assorted colours **4** colour **5** stained (*–é okno* stained-glass window)
barikáda barricade
barok|ní(o) baroque
barometr barometer, (weather-)glass
barva 1 colour, am. color **2** barevný odstín hue **3** barvivo dye **4** nátěr paint **5** v kartách suit
barvit 1 colour **2** natřít paint **3** namáčením dye **4** pouštět barvu lose* colour
barvitý colourful
barvivo dye
barvoslepý colour-blind
bas bass
basa double-bass, contrabass
báseň poem
basista 1 zpěvák bass **2** hráč (double-)bass player
básnický poetic
básník poet
bát se 1 fear (*čeho* st.) **2** be* afraid (*čeho* of st.; *oč* for st.) **3** be* wor-

ried (*o koho* about sb.)
baterie battery **kulatá** ~ cylindrical battery
baterka (electric) torch, flash-lamp
batoh rucksack
batole toddler
bavit 1 rozptylovat amuse, divert 2 organizovaně entertain 3 budit zájem interest, attract
bavit se 1 enjoy os., amuse os., have* a good* time 2 konverzovat talk; chat
bavlna, **bavlněný** cotton
bazar bazaar, second-hand goods shop
bazén 1 nádrž reservoir 2 krytá plovárna swimming-baths PL, nekrytá plovárna swimming-pool
bázlivý timid, fearful
bažant pheasant
bažina swamp, bog, marsh, morass
bažinatý boggy, marshy
bdělost 1 watchfulness, wariness 2 přen. vigilance
bdělý 1 bdící waking, awake 2 ostražitý alert, vigilant, wary, watchful, wide awake
bdít 1 nejít spát be* awake, sit* up 2 být ostražitý be* on the alert, watch (*nad* over), keep* an eye (*nad* on)
bečet bleat
bedna case, (wooden) box, s víkem chest, na chléb, víno, uhlí bin, pro přepravu container
běh 1 run 2 závod race **hladký** ~ flat race **překážkový** ~ hurdle-race 3 školní term 4 průběh course
běhat run*
během during (*mé nepřítomnosti* my absence); within (*dvou let** two years); for n. in the course of (*staletí* centuries)
beletrie fiction
běloch white (man*) **běloši** the whites
běloška white woman*
Benátky Venice
benzín petrol, zvl. am. gas
benzínov|ý petrol, gas **–á pumpa** petrol station, filling station, am. gas station
beran ram
berl|a crutch (*chodit o –ích* walk on crutches)
beseda (informal) gathering, meeting talk; se zábavou party
beton concrete
bez without ~ **peněz** penniless **prodlení** without delay ~ **prostředků** destitute **–e slova** without (saying) a word 2 mat. less*, minus
bezbarvý colourless, přen. dull
bezbolestný painless
bezbranný defenceless
bezcenný worthless, of no value, valueless
bezcitný callous, heartless, ruthless
bezdomovci the homeless
bezdrátový wireless
bezdůvodný groundless, unfounded, baseless
bezelstný 1 upřímný sincere 2 naivní artless
bezcharakterní unprincipled
bezmasý o jídle meatless
bezmocný 1 powerless 2 rezignovaný helpless
bezmotorov|ý motorless **–é letadlo** glider
bezmyšlenkovitý thoughtless
beznadějný hopeless
bezohledný 1 surový ruthless 2 nezdvořilý inconsiderate, thoughtless
bezostyšný blatant
bezpečí safety **být v** ~ be* in safety, be* safe
bezpečnost 1 safety 2 policie security **Veřejná** ~ Public Security (Force)
bezpečnostní safety ~ **opatření** safety measures PL (~ *pás* safety belt)
bezpečn|ý 1 mimo nebezpečí safe 2 zajištěný secure **–ě vědět** know* for a fact n. for sure
bezplatný free (of charge)
bezpodmínečný unconditional

bezpochyby no doubt
bezpracný unearned (~ *příjem* unearned income)
bezpráví 1 stav lawlessness 2 čin injustice, harm
bezprostřední 1 přímý direct 2 též okamžitý immediate 3 nestrojený impulsive, impetuous
bezpředmětný beside n. off the point
bezradný helpless, shiftless
bezstarostný carefree, reckless
beztížnost weightlessness
beztížný weightless
beztrestn|ý exempt from punishment, unpunished **–ě** with impunity
bezúhonný blameless, irreproachable
bezúročný bearing no interest
bezútěšný dreary, desolate
bezvadný faultless, flawless, perfect, immaculate
bezvědomí unconsciousness, faint **hluboké** ~ dead faint
bezvětrný calm
bezvýrazný blank, dull, insipid
bezvýsledný vain, futile, fruitless
bezvýznamný insignificant, unimportant
běžec runner
běž|et run* **~ naprázdno** idle **oč –í?** what is the matter?
běžící running **~ pás** conveyor (belt)
běžný usual, common **~ účet** current account **~ úkol** chore
béžový beige
bible the Bible
bibliografie bibliography
bicí nástroje the percussion instruments
bič whip; na trestání, i přen. scourge
bída 1 chudoba poverty 2 utrpení misery 3 starost distress
bídný 1 ubohý, nešťastný poor, miserable, wretched 2 hanebný contemptible 3 směšně malý paltry
bidýlko perch
biftek beefsteak
bilance balance **obchodní** ~ balance of trade
bílek white of an egg
bílit 1 natřít na bílo whiten, paint white 2 chemicky n. sluncem bleach 3 vápnem whitewash
bílkovina protein
bílý white
biograf cinema, the pictures PL
biologický biological
biologie biology
biřmovat confirm
biskup bishop
bít 1 tlouci beat*, strike* 2 o zvonu, hodinách chime, strike* 3 trestat bitím thrash **~ se** fight* (*s kým zač* sb. n. with sb. for st.)
bitevní battle (~ *loď* battle-ship)
bití výprask thrashing, hiding
bitva battle
bizarní bizarre
bižutérie artificial n. costume jewellery
blaho welfare
blahobyt 1 bohatství wealth, affluence 2 dostatek prosperity (*žít v –u* live in prosperity)
blahopřání good* n. best* wishes PL (*k* for); congratulation(s) (*k* on)
blahopř|át congratulate (*komu k* sb. on) **~ komu k narozeninám** wish sb. many happy returns of the day **–eji vám** Congratulations!
blahopřejný congratulatory
blahosklonný condescending
blána 1 membrane 2 povlak film 3 rozmnožovací stencil
blátivý muddy
blatník mudguard; am. fender
bláto mud **~ se sněhem** slush
bláz|en 1 šílenec madman*, lunatic 2 pošetilec fool **dělat si –ny** make* a fool of **být ~ do** be* crazy about
bláznivý 1 duševně chorý mad, insane 2 potřeštěný crazy
blbec idiot
blbost 1 tupost idiocy 2 nesmysl nonsense, rubbish, rot
blbý 1 slabomyslný imbecile, idiotic 2

hloupý stupid, silly **3** nezajímavý dull
blednout turn pale; o barvě fade
bled|ý **1** pale **2** chabý poor (*–ě modrý* pale blue)
blecha flea
blesk (a flash of) lightning, flash **rychlostí –u** with lightning speed
bleskov|ý snap **–é světlo** flashlight
blikat **1** očima blink **2** o světle wink, twinkle **3** o ohni flicker
blízko PREP near (*čeho* st.), close (*čeho* to st.) # ADV near, near by, close by
blízkost proximity, vicinity
blízký **1** přítel near, close; dům nearby **2** jen důvěrný intimate
blížící se časově forthcoming, místně oncoming
blížit se come* n. get* near; approach (*k čemu* st.); o čase draw* near
blok **1** block **2** na psaní writing pad
blokáda blockade
blokovat **1** block **2** blokádou blockade
blond blond(e), fair
blondýn blond (man*), fair-haired man*
blondýnka blonde, fair-haired woman* n. girl
bloudit **1** take* the wrong way, lose* one's way, sejít z cesty go* astray, bez cíle wander, ramble **2** mýlit se make* mistakes, go* wrong, err
blouznit **1** nadšeně rave (*o* about) **2** v nemoci be* delirious
blůza **1** blouse **2** stejnokroje tunic
blýsk|at se **1** lesknout se glitter, glisten **2** o blesku lighten **–á se** it is lightening **3** předvádět se show* off
bob **1** luštěnina bean **2** saně bob-sled, bob-sleigh
bobr beaver
bobtnat swell* (up)
bobule berry
boční side, odb. lateral
bod **1** point **~ mrazu** varu freezing (boiling) point (*vyhrát na –y* win* on points) **2** položka item **3** tečka dot **4** smlouvy article **opěrný ~** base **být na mrtvém –ě** be* in a deadlock
bodlák thistle
bodnout **1** jab, stab, prick, mečem, nožem thrust (*koho* at sb.) **2** štípnout sting*
bodový point
bohatnout grow* rich
bohatství wealth, fortune, riches PL
bohatý **1** rich též přen. **~ čím** rich in st. **2** zámožný wealthy **3** událostmi eventful **4** rozsáhlý, hojný abundant ample
bohémský bohemian
bohoslužba divine service
bohudík thank God, thank goodness
bohužel unfortunately, I am afraid, I am sorry (to say*)
bohyně goddess
bochník loaf*
boj **1** úsilí struggle **2** jednotlivce fight **3** bitva battle **4** kampaň campaign, war **5** sportovní contest
bojácný timid
bóje buoy
bojiště battlefield
bojkot(ovat) boycott
bojler boiler, electric heater
bojovat **1** fight* (*proti* against, with) **2** usilovat struggle (*o* for) **3** potírat combat (*proti čemu* st.)
bojovník **1** fighter **2** zastánce campaigner (*za* for)
bojovný fighting, válečnický war-like, militant
bok **1** na těle hip, side **2** strana side **~ po –u** side by side **3** pas waist
bolav|ý sore, bolestivý aching **–é místo** tender spot
bolest **1** pain, ache (*~ hlavy* headache; *~ břicha* stomach ache; *~ zubů* toothache) **2** hoře grief, sorrow **3** ostrá pangs PL **~ v krku** sore throat
bolestivý painful
bolet **1** hurt* (*to nebude ~* it won't hurt) **2** jen tělesně ache
bolševický, bolševik Bolshevik
boltec lobe
bomba bomb (*atomová ~* atom(ic) bomb)

bombardovací bombing
bonbón sweet drop, tvrdý boiled sweet, am. candy
bordel 1 brothel 2 nepořádek shambles SG
bonboniera box of chocolates
borovice pine(-tree)
borůvka bilberry
bořit strhnout pull down, zničit destroy
bořit se rozpadat se fall* into ruin, crumble, dilapidate
bos barefoot(ed)
bota boot, zvl. polobotka shoe
botanický botanical
botanika botany
bouda 1 cabin, hut 2 prodejní též stall 3 horská chalet 4 pro psa kennel 5 kůlna shed
bouchat bang **~ dveřmi** slam the door
boule bump; lump, bulge
bourat pull down, tear* down, demolish
bouře 1 storm, prudká tempest, sněhová snowstorm, blizzard, smíchu roar of laughter 2 nepokoj riot
bouřit se rebel
bouřlivý 1 též přen. stormy 2 moře rough 3 schůze turbulent 4 prudký violent
box 1 sport. boxing **utkání v –u** boxing-match 2 oddíl box
boxer boxer
boxovat box
brada 1 chin 2 vousy beard
bradavice wart
brak rubbish, junk trash
brambor potato*
bramborov|ý potato **–á kaše** mashed potatoes (*–ý salát* potato salad)
brána gate
branec conscript
bránit 1 chránit defend, protect (*před* from) 2 zabraňovat hinder, inhibit, prevent (*komu v čem* sb. from doing st.), impede **~ se** defend os. (*před* from)
branka 1 vrátka gate 2 sport. goal
brankář goalkeeper
brašna bag, školní satchel
brát take* (*~ do ruky* take* in(to) one's hand; *~ komu co* take* (away) st. from sb.) **~ na vědomí** take* into account (consideration) **~ jako samozřejmost** take* st. for granted; 1 jídlo help os. (*ještě kousek* to another piece) 2 koho marry sb.
bratr brother
bratranec cousin
bratrský brotherly, fraternal
bratrství brotherhood
brázda furrow
brigáda 1 voj. brigade 2 pracovní skupina working group 3 práce voluntary work; výpomoc temporary job
brigádník voluntary worker
briliant brilliant
brloh zvířat lair, hazardních hráčů den
brn|ět tingle **–í mě v uchu** my ear tingles **–í mě noha** I have pins and needles in my leg
brod ford
brodit se wade
brok (grain of) shot
bronz(ový) bronze
broskev peach
brouk beetle
brousit 1 ostřit sharpen 2 obrušovat grind*
broušené sklo cut* glass
brož brooch
brožovan|ý in paperback **–é vydání** paperback edition
brožura brochure, booklet
bručet growl; též reptat grumble (*na* at)
brunet dark-haired man*
brunet(k)a brunette
brusinka cranberry
bruslař(ka) skater
brusle skate, a pair of skates **kolečkové ~** roller-skates PL
bruslit skate
brutalita brutality
brutální brutal, beastly
brutto gross

brva eyelash
brýle glasses PL; spectacles PL; ochranné goggles PL
bryndáček bib
brzda brake **záchranná ~** communication cord
brzdit brake, apply a brake; přen. obstruct
brzo, **brzy** **1** zakrátko soon, before long; shortly, presently **2** časově early
břečťan ivy
břeh řeky bank; mořský n. větší vodní plochy shore; pobřeží coast
břemeno burden; náklad load
břevno beam
břidlice slate
břicho belly; odb. abdomen
břitva razor
bříza birch
buben drum
bubl|at(ina) bubble
buclatý plump, chubby
bůček side (*vepřový ~* side of pork)
bučet moo, low; mocně bellow
buď anebo either-or
budík alarm (clock)
budit **1** ze spánku wake* up; hosta call **2** přen. wake* up, rouse, stimulate (*zájem* interest); attract (*pozornost* attention); arouse (*podezření* suspicion) **~ se** wake* up
budka box (*telefonní ~* telephone-box)
budoucí future **v –ích letech** in years to come*
budoucnost future **v blízké –i** in the near future
budova building
budovat build* (up)
bufet **1** snack bar, refreshment room se samoobsluhou; cafeteria; záv., studentský canteen **2** kredenc sideboard
bůh God **proboha!** my goodness!
buchta cake
bujný **1** bohatý rank, lush **2** vyvinutý fully developed **3** neukázněný unruly
bujón stock **hovězí~** beef tea
buk beech
buldozer bulldozer
bunda jacket sportovní kabátek blazer lyžařská s kapucí anorak; zvl. teplá lumber jacket
buňka cell
burský oříšek peanut
burza exchange **~ cenných papírů** stock exchange
busola compass
bušit beat*, knock, batter
by v. *bych*
bydlet live (*u* with); trvale reside; dočasně stay (*v hotelu* at a hotel; *u příbuzných* with relatives)
bydliště abode, (place of) residence **trvalé místo pobytu** domicile
bych: byl ~ I would* be* **šel ~** I would* go* **mohl ~** I could*
býk bull
bylina herb
byrokracie bureaucracy; ironicky red tape
byrokrat bureaucrat
byrokratický bureaucratic
bysta bust
bystrý **1** inteligentní clever, bright **2** chytrý shrewd
bystřina torrent
byt flat; am. apartment; podnájem lodgings PL **být na –ě** live in digs PL
být be* **co je to?** what is it? **na stole je talíř** there is a plate on the table **co je ti?** what is the matter with you? **je mi dobře** I am well* **~ dobrým manželem** make* a good* husband **~ pro**, **proti** be* for, against
bytná landlady
bytost being, creature
bytov|ý housing; ubytovací accommodation (*prostor* space) **–é družstvo** housing association **–á krize** housing shortage
bývalý former
bzučet buzz

C

cákat splash

cár rag
cedit strain
cedník strainer
cedr cedar
cech guild
cejch brand
cela cell
celek 1 whole (*jako* ~ as a whole) 2 úhrn total
celer celery
celkem altogether **~ vzato** altogether, all in all, on the whole **~ činit** total
celkový 1 úhrnný total, entire 2 všeobecný general
cello cello
celní customs (~ *prohlášení* customs declaration; ~ *prohlídka* customs examination) **~ poplatek** duty
celnice customs PL
celodenní all-day, whole day's **~ zaměstnání** full-time job
celostátn|í national, nation-wide **–ě** on a nation-wide scale
celovečerní film full-length film
celulóza cellulose
celý 1 whole 2 v plném počtu complete, entire 3 u časových údajů all **~ den** all (the) day, all day long **po ~ rok** all (the) year 4 **na celém světě** all over the world
cement cement
cena 1 kupní, prodejní price, cost* 2 hodnota value 3 odměna v soutěži prize 4 vyznamenání award
ceník price-list
cenný valuable
cenovka tag
cent 1 metrický metric centner, quintal 2 setina dolaru cent
centrála 1 telefonní telephone exchange 2 v instituci, hotelu switchboard headquarters PL
centrum centre, am. center
cenz|or(urovat) censor
cenzura censorship
ceremonie ceremony
cesmína holly
cest|a 1 též přen. way (*přes –u* across the way) 2 pro dopravu road 3 vyšlapaná path 4 podniknutá journey výlet trip **~ kolem světa** journey round the world **vydat se na –u** go* on a journey **podninout cestu** make* a journey, take* a trip 5 okružní tour 6 plavba voyage
cestopis travel book
cestování travelling
cestovat travel **okružně** tour (*po světě* the world)
cestovatel traveller
cestovné travelling money
cestovní travel(ling) **~ kancelář** travel agency **~ pas** passport **–í výlohy** travelling expenses PL
cestující 1 traveller **obchodní ~** commercial traveller 2 pasažér passenger
céva vessel
cibule onion
ciferník dial
cigareta cigarette
cihla brick
cikán gipsy
cikánka gipsy woman*
cikánský gipsy
cíl 1 též snaha aim; přen. n. v soutěži goal (*dosáhnout –e* reach n. attain one's goal) 2 terč target 3 voj., ekonom. objective 4 **~ cesty** destination
cílevědomý purposeful; člověk single-minded
cín tin
cink|at(ot) jingle, tinkle
cíp top, edge; látky corner
církev(ní) church
cirkus circus
císař emperor
císařský imperial
cistern|a cistern, tank **–ová loď** tanker
cit 1 schopnost cítit feeling 2 intelekt., morální sentiment 3 pocit feeling, sensation 4 vzrušující emotion
citát quotation
cítit 1 mít pocit feel* (~ *s kým* feel* for

sb.) **2** čichem smell* **být ~** smell (*čím* of st.); silně páchnout reek
citlivost sensibility, sensitivity **~ na dotyk** tenderness
citlivý sensitive, jemný, bolestivý tender
citoslovce interjection
citovat quote
citový emotional, rozcitlivělý sentimental
citrón(ový) lemon
citrusový citrus
civilista civilian
civilizace civilization
civilní civilian **~ oblek** plain clothes PL
cívka reel, nití spool
cizí **1** neznámý strange **2** zahraniční, sem nepatřící foreign **3** nedá se s tím ztotožnit alien **taková myšlenka je mi ~** such an idea is alien to me **3** ne můj vlastní not my own, someone else's
cizin|a foreign country **do –y, v –ě** abroad **cestovat do –y** travel abroad **cestovat z –y** from abroad
cizinec **1** foreigner, úředně alien **2** cizí člověk stranger
cizinecký ruch tourism, foreign traffic
cizojazyčný in a foreign language
cizoložství adultery
cl|o procedura customs PL, duty (*na* on) **podléhající –u** liable to duty, dutiable **prostý –a** duty-free
clona screen; fot. diaphragm
clonit screen; stínem shade
co what, which (*~ ještě*; *~ jiného* what else; *a ~ ... ?* what about ... ?; *~ na tom?* what does* it matter?; *no a ~* so what?); kolik how much* **~ se týče** as for, as to, as regards **~ nejdříve** as soon as possible, as early as possible **~ho znám** since I have known him
cokoli(v) whatever **ať to stojí ~** at any cost*, at all costs
cop plait; pigtail
couvnout **1** step back; retreat **2** přen. back (*z čeho* out of st.) **3** podvolit se give* in; yield (*před nátlakem* to pressure)
což which
ctihodný honourable
ctít **1** respect, honour **2** uctívat worship
ctitel admirer
ctižádost ambition
ctižádostivý ambitious
ctnost virtue
cukr sugar (*kostkový ~* lump sugar; *krystalový ~* granulated sugar; *práškový ~* castor sugar)
cukrárna am. candy store; confectioner's
cukrovar sugar factory
cukrová řepa sugar-beet
cukrová třtina sugar-cane
cukrová vata candy-floss
cukroví sweets PL; confectionery
cukrovka **1** řepa white, beet **2** nemoc diabetes
cukřenka sugar bowl
cvičebnice textbook
cvičení **1** tělesné, též školní úloha exercise **2** výcvik training **3** opakování practice **~ dělá mistra** practice makes perfect **4** lekce lesson
cvičený trained, drilled
cvičit **1** koho train, drill, jako trenér coach **2** cvičením udržovat exercise (*~ své schopnosti* exercise one's faculties) **3** provádět tělesné cvičení do* gymnastics, do* physical jerks **4** opakovat practise (*na klavír* the piano)
cvičitel instructor, trainer; sport. týmu coach
cvik **1** exercise **2** praxe practice **vyjít ze –u** get* out of practice
cyklista cyclist
cyklistický cycling
cyklus cycle, round
cynický cynical
cypřiš cypress
cysta cyst

Č

čaj tea

čajov|ý tea **–á konvice** teapot **–á lžička** teaspoon **–á souprava** tea-service
čalouněný upholstered
čáp stork
čá|ra line **vítězství na celé –ře** a sweeping victory **udělat komu –ru přes rozpočet** queer sb's. pitch
čárk|a **1** stroke **2** interpunkčně comma **3** ležatá dash **tečky a –y** dots and dashes
čaroděj magician, enchanter, wizard
čarodějnice witch
čarovat conjure
čas **1** time **dát si na ~** take* one's time **jednou za ~** once in a while **mařit ~** waste time **během –u** in the course of time **2** slovesný tense
časně early
časopis magazine, periodical, odb. journal
časování conjugation
časovat conjugate
časový **1** týkající se času (... of) time, temporal **2** aktuální topical
část **1** part, portion, proportion, fraction **největší ~** the best* part **z největší –i** for the most part **z velké –i** largely **2** přidělená portion, share **3** skupina section **4 ~ oděvu** an article of clothing
částečně partly, in part
částečný partial (~ *úspěch* partial success)
částka sum
často often, frequently (*až příliš ~* too often; *velmi ~* very often, more often than not)
častý frequent; opětovný repeated
čedič basalt
čekárna waiting-room
ček|at **1** wait (*na* for) (*~ s obědem na* wait with dinner for) **2** očekávat expect (*–ám vás* I am expecting you)
čelist jaw; kost jaw-bone
čelní světlo headlight
čel|o **1** forehead **2** přední strana front **být v –e čeho** head st. (*v –e* at the head)
čenich nose, snout
čenichat sniff
čep pin; otočný pivot; ucpávající plug
čepec bonnet
čepelka blade
čepice cap
černobílý black-and-white
černoch black; hanl. Negro **černoši** black people
černoška black woman*
černošský black; Negro
čern|ý black **~ chléb** brown bread **~ kašel** whooping cough **~ pasažér** stowaway **~ trh** black market **–é na bílém** in black and white **trefit do –ého** hit the bull's eye
čerpací stanice petrol n. filling station, am. gas station
čerpadlo pump
čerpat **1** pump **2** draw* (*vodu ze studny* water from a well; *z úspor* on one's savings); informace gather
čerstv|ý **1** fresh **–á vejce** new-laid eggs **–ě natřeno** wet paint **2** informace latest
čert devil **k –u!** damn it!; to hell with ... ! **~ vezmi peníze!** damn the money!
červ worm
červenat se be* red; ve tváři blush
červený red
červivý worm-eaten
čeřit ruffle
česáč picker
česat **1** comb **2** plody pick **~ se** comb one's hair
česk|ý **1** Čechů se týkající Czech **2** z Čech Bohemian **–y** in Czech **mluvit ~** speak* Czech
česnek garlic
čest **1** honour (*mám tu ~* I have the honour to) **2** dobrá pověst credit, reputation (*dělat ~ komu* do* sb. credit) **všechna ~ komu** full marks to sb. (*za* for)
čestn|ý **1** honest, fair **2** jako projev uznání honourable **3** neplacený honourary

–**é slovo!** honestly
čeština Czech
četa 1 voj. platoon 2 pracovní skupina team **havarijní** ~ breakdown gang
četba reading
četný numerous
či or
čí whose
číhat 1 lurk 2 čekat na koho lie* in wait for sb. 3 špehovat koho spy (up) on sb.
čich 1 smell 2 přen. flair (*pro* for)
čích|at(nout) smell* (*k čemu* st.), sniff (at st.)
čilý 1 živý lively 2 agilní agile, active, busy
čím - tím the - the (čím víc má, tím víc chce the more he has, the more he wants)
čin 1 act, action deed 2 skvělý exploit; velký a úspěšný achievement **být dopaden při –u** be* caught red-handed
činitel factor **veřejný** ~ public servant
činnost 1 activity, activities PL 2 provoz operation (*v –i* in operation; *uvést v* ~ put* into operation)
činn|ý active (*v –é službě* on active service) ~ **rod** jaz. active voice
činohra 1 play 2 soubor drama company
činže rent
číslice figure, na určitém místě čísla digit, slovo, značka numeral
číslicový digital
číslo 1 number 2 jaz. **jednotné** ~ singular **množné** ~ plural 3 velikost size 4 časopisu issue, number; výtisk copy
číslovat number
číslovka numeral
číst read*
čisticí cleaning, cleansing ~ **prostředek** detergent
čistírna laundry; chem. dry-cleaner's
čistit 1 clean (up) 2 chemicky oděv dry-clean 3 průmyslově purify, refine
čistka purge
čistokrevný thoroughbred
čistopis fair copy
čistot|a 1 cleanness 2 čistotnost cleanliness 3 ryzost purity **péče o –u města** litter prevention
čistotný cleanly
čistý 1 clean 2 ryzí pure 3 průzračný clear 4 po srážce net (~ *výdělek* net earnings PL)
číše bowl
číšnice waitress
číšník waiter
čítanka reader, manual
čítárna reading-room
čitelný legible
článek 1 spojovací link 2 též stať article 3 elektrický cell
člen 1 member 2 jaz. article
členka member
člensk|ý member's **–á legitimace** membership card
členství membership
člověk 1 obecně man* 2 konkrétně person 3 lidská bytost human being 4 hovor. fellow 5 neurč. podmět one; you (~ *nikdy neví, co se může stát* you never know* what may* happen; ~ *by se z toho zbláznil* it is enough to drive you mad)
člun boat **motorový** ~ motorboat **záchranný** ~ lifeboat
člunek shuttle
čmárat scribble, scrawl
čmelák bumble-bee
čočk|a 1 sklo lens 2 luštěnina lentils PL **–ová polévka** lentil soup
čokolád|a(ový) chocolate
čpavek ammonia
črta sketch
čtenář(ka) reader
čtrnáct dní fortnight
čtrnáctidenní fortnightly, a fortnight's
čtvere|c(ční) square
čtvrt quarter ~ **hodiny** a quarter of an hour
čtvrť district, ward **obytná** ~ residential district
čtvrtina quarter
čtvrtletí quarter (of a year); three months

čtyřhra double
čtyřk|a four; tramvaj Number Four (*jet –ou* take* No.4 line)
čtyřmotorový four-engine(d)
čtyřnásob|ek(ní) quadruple
čtyřsedadlový vůz four-seater
čtyřtaktní motor four-stroke engine
čtyřúhelník quadrangle
čtyřválcový four-cylinder
čumák snout
čumět gape, stare (*na* at)

D

dabovat dub
dál(e) 1 further, farther (*trochu ~* a little* farther on) **~ vlevo** more to the left* 2 se slovesem on (*postupujte ~* pass on) **Vstupte!** come* in! **co ~?** what next? **a tak ~** and so on
daleko 1 a long way (*odtud* from here) 2 v otázce a záporu far* (away) 3 před komparativem far* (*~ lepší* far* better*)
dalekohled binoculars PL vytahovací n. hvězdářský telescope
dalekozraký long-sighted, far-sighted
dalek|ý distant, far*, a long way off; remote (*–á cesta* long way; *skok ~* long jump) **~ východ** the far* East
dál|ka distance (*v –ce* in the distance, far* away) **řízení na –ku** remote control
dálkov|ý long-distance **–é studium** extramural studies PL
dálnice motorway; am. express highway
dálnopis teleprinter, dokument telex
Dálný Východ the far* East
další 1 v řadě next, following 2 navíc further*, additional
dáma lady; v šachu queen
dámsk|ý lady's, ladies' (*–ý klobouk* lady's hat) **–é prádlo** hovor. undies PL
daň tax (*~ ze mzdy* wages tax; *~ z příjmu* income tax) **podléhající –i** taxable, liable to taxation **–ové přiznání** declaration of income
daný given (*za –ch podmínek* under the given conditions)
dar 1 též přen., nadání gift 2 dárek present; darování donation
dárce donor (*~ krve* blood donor)
darebák scoundrel, rascal, villain
dárek present (*vánoční ~* Christmas present)
darovat 1 make* a present (*co* of st.), present (*komu co* st. to sb., sb. with st.) 2 přispět, zvláště na dobročinné účely donate
dařit se 1 be* doing well*, get* on well* 2 o pokusech succeed 3 komu get* on, be* (*jak se ti daří?* how are you?, how are you getting on?; *daří se mi dobře* I'm fine)
dáseň gum
dá|t 1 komu give* (sb. n. to sb.) 2 někam put* 3 zpět return 4 úkol set* **já ti –m!** I'll teach* you!
datel woodpecker
data data
databáze database
datle date
dat|ovat(um) date
dav crowd; lůza mob
dávat 1 komu give* 2 kam put* 3 pořádat arrange, organize, give* **~ pozor na telefon** listen for the telephone **~ si pozor** be* careful; **~ si na čas** take* one's time **co dávají v kině?** what's on at the cinema?
dávk|a 1 léku a přen. dose 2 příděl ration 3 poplatek rate 4 u soc. zabezpečení benefit
dávno long ago (*už je to hodně ~* it's quite a long time ago now) **~ před** long before
dávný old*, ancient
dbát 1 pečovat take* care (*o* of); nebýt lhostejný care about st. 2 dávat pozor be* careful (*na* about)
dcera daughter
debata formální debate, discussion; spor argument

debatovat discuss (*o čem* st.); přít se argue (*o* about)
decentní decent
dědeček grandfather, hovor. grandpa, starý muž old* man*
dědic heir (*čeho* to st.)
dědictví inheritance, též přen. heritage; odkaz legacy
dědičnost heredity
dědičný hereditary
dědit inherit (*co po kom* st. from sb.)
dedukovat deduce
dedukce deduction
defekt defect **mít ~** break* down
definice definition
definitivní definitive, final
definovat define
deformovaný misshapen, pouze o částech těla deformed
degenerovat degenerate
degradovat demote
dehet tar
dehydrovaný dehydrated
dech breath (*bez –u* out of breath) **přečíst jedním –em** read* at one sitting
dechov|ý nástroj wind instrument **–á hudba** brass music
děj action; dějová osnova plot
dějepis history
dějinný **1** týkající se dějin historical **2** hist. významný historic
dějiny history
dějiště scene, stage
dějství act
deka blanket, prošívaná quilt
dekáda decade
děkan dean
děkanát dean's office
deklarace declaration
dekorace decoration; divadelní scene
dekorační decorative
děk|ovat thank (*komu za* sb. for) **–uji vám** thank you, thanks **–uji, nechci** no, thank you
děkovný dopis letter of thanks
dekret decree
dělat **1** make* (*~ čaj* make* tea; *~ dojem na* make* an impression on; *~ ze sebe hlupáka* make* a fool of os.) **2** do* (*co tu děláš?* what are you doing here?; *~ čest komu* do* sb. credit) **3** act (*~ tlumočníka* act as interpreter) **4** pracovat work (*na* at n. on)
déle longer
delegace delegation
delegát delegate
delegovat delegate
dělení division
delikátní delicate
delikátnost delicacy
delikt (criminal) offence
delikvent delinquent
dělit divide (*~ šest dvěma* divide six by two); **1** na části divide (*na* into) **2 ~ se** s kým share (*oč s kým* st. with sb.)
délka **1** length **2** zeměpisná longitude **3** hlásky quantity
dělnický working
dělník workman*, worker, working man*; zvl. nevyučený labourer; vyučený řemeslník skilled worker, craftsman*
dělo gun
dělostřelba artillery fire
dělostřelec|tvo(ký) artillery
demagogický demagogic
demagogie demagogy
dementní demented
demis|e resignation **podat –i** resign
demokracie democracy
demokratický democratic
demolice demolition
demolovat demolish, level
demonstrace demonstration
demonstrovat demonstrate
demontáž dismantling
demoralizace demoralization
demoralizovat demoralize
den day **bílý ~** daylight **celý ~** all day long **~ za dnem** day by day **dobrý ~** good* morning (afternoon) **všední ~** working day, weekday **den výplaty** pay-day **v těchto dnech**, **dnes** these days
deník noviny daily, journal; zápisník diary

denně daily, every day
denní daily, everyday
dentista dentist
depeše dispatch
deprese depression
deprimovaný depressed, dejected
depresívní depressive
deprimující gloomy
deprimovat depress
děravý full of holes **1** propustný leaky **2** zub hollow **3** propíchnutý punctured
děrovač punch
děrný štítek punch card
děs dread, horror, nightmare
desatero The Ten Commandments PL
desátník corporal
desetiboj decathlon
desetihaléř ten-heller piece
desetikoruna ten-crown note
desetiletí decade
desetina tenth
desetinný decimal
desítka **1** ten, decade **2** tramvaj Number Ten **3** sport. penalty kick
deska **1** zvl. dřevěná board plank **2** fot. plate **3** knihy cover **4** např. kamenná tablet (*pamětní~* memorial tablet), slab **5** gramofonová record, disk **dlouhohrající ~** LP **6** přístrojová, kon trolní panel
deskriptivní descriptive
desky file
despotický despotic
destilace distillation
destilovat distil
dešifrovat decipher
déšlť rain (*dalo se do –tě* it started raining **za hustého –tě** in heavy rain); spŕška shower (*~ ran, jisker* a rain of blows, sparks)
deštivý rainy, wet
deštník umbrella
detail detail
detektiv detective
detektivka detective story n. novel; napínavá thriller
dětinsklý childish (*–é důvody* childish arguments)
dětsklý child's, children's, baby's (*–á hra* child's play) **~ kočárek** pram **~ lékař** children's doctor **~ pokoj** nursery **–á postýlka** cot
dětství childhood
devalvace devaluation
děvče **1** girl **2** milá girl-friend **3** služebná maid
devlět nine **jít od –íti k pěti** go* from bad* to worse
devítka nine; tramvaj Number Nine
devizovlý –é předpisy foreign exchange regulations PL
devizy foreign currency, foreign money
dezert dessert
dezertovat desert
dezinfekce disinfection
diagnóza diagnosis*
diagonála diagonal
diagram diagram
dialekt dialect
dialektický dialectical
dialektika dialectics
dialog dialogue
diamant diamond
diapozitiv slide (*přednáška s –y* slide lecture)
diář diary
dietla diet (*mít –u* be* on a diet; *předepsat –u komu* put* sb. on a diet)
dietní diet, dietary (*~ strava* dietary food)
diety travelling expenses PL
dík a word of thanks **–y** thanks
dikobraz porcupine
diktát **1** příkaz dictate **2** diktování dictation
diktátor dictator
diktatura dictatorship
diktovat dictate
Díkůvzdání Thanksgiving Day
díl **1** podíl portion, share **2** součást part (*náhradní ~* spare part) **3** knihy volume **4** světadíl continent **rozdělit stejným –em** go* halves, go* fifty-fifty
dílčí otázka (úspěch) partial issue

(success)
dílec unit
dilema dilemma
dílna (work) shop, opravovna aut u cesty garage
dílo work **umělecké ~** work of art **to je vaše ~** that's your doing
dioptrie dioptre
diplom diploma **čestný ~** Diploma of Honour
diplomacie diplomacy
diplomat diplomat
diplomatický diplomatic
diplomová práce thesis*
díra 1 hole **2** z které teče leak **3** v pneumatice puncture
dirigent conductor
dirigovat conduct
dírka hole **nosní ~** nostril
disciplína 1 kázeň discipline **2** sport. event
disertace dissertation thesis
disk discus (*hod –em* the discus)
disketa disk, am. disc
diskotéka 1 record library **2** taneč. klub disco
diskrétní discreet; taktní tactful, considerate
diskriminace discrimination (*koho* against sb.) (*rasová ~* racial discrimination)
diskriminovat discriminate (*koho* against sb.)
diskuse discussion
diskusní: ~ námět a matter for discussion **~ příspěvek** a contribution (to the discussion)
diskutovat discuss (*o čem* st.)
diskvalifikace disqualification
diskvalifikovat disqualify
dispečer 1 ve výrobě production manager **2** v dopravě transport supervisor
disponovat 1 manipulovat dispose (*čím* of st.) **2** mít k dispozici have* at one's disposal
dispozic|e 1 schopnost disposition **2** pokyn instructions PL, measures PL **3** možnost použití disposal (*být, dát komu k –i* be* n. put* n. place at sb.'s disposal; *mít k –i* have* the disposal of st.)
distribuce distribution
dít se happen, occur **co se děje?** what is the matter?, what's up? **ať se děje cokoli** whatever may* happen, come* what may*
dítě 1 child **2** nemluvně infant **3** malé baby; hovor. kid **nevlastní ~** stepchild **zázračné ~** infant prodigy **dozor u –te** baby-sitter
div wonder (*není –u, že* no wonder that)
divadelní: ~ autor dramatist, playwright **~ hra** play **~ kritik** dramatic critic **~ kukátko** binocular **~ návštěvník** playgoer, theatregoer **~ plakát** playbill
divadl|o 1 theatre (*lístek do –a* theatre ticket) **loutkové ~** puppet show* **ochotnické ~** amateur theatricals PL n. dramatics PL **2** podívaná sight, spectacle
divák 1 spectator **2** neplatící, přihlížející onlooker **3** televizní (television) viewer
dívat se 1 look (*na* at); pozorně gaze (*na* st.) **2** view, watch (*na televizi* television) **3** regard (*na koho jako na* sb. as) **~ z okna** look out of the window
dívčí: ~ jméno maiden name **~ škola** girls' school
divit se wonder (*čemu* at st.); žasnout marvel (*čemu* at st.)
dívka girl
divn|ý strange, peculiar, odd; podivínský queer, weird
divoký 1 wild **2** necivilizovaný savage, barbarous **3** prudký fierce; neukázněný unruly
dlaň palm
dláto chisel
dlažba pavement
dlážděný paved
dlaždice tile; kamenná paving stone
dláždit pave
dloubnout nudge

dlouho long, a long time (*nebuď tam* ~ don't be* n. stay long; ~ *jsem tě neviděl* I haven't seen* you for ages)
dlouhodobý long-term
dlouhohrající deska LP, long-playing record
dlouh|ý long **na –ou dobu** for a long time **mít –ou chvíli** feel* bored **–é vlny** long waves
dluh debt (*dělat –y* run* into debt; *kupovat na* ~ hovor. buy* goods on tick)
dlužit owe (*komu co* sb. st.)
dlužní úpis bond
dlužník debtor
dnes today; v dnešní době nowadays; hovor. these days ~ **odpoledne** this afternoon ~ **týden** a week ago today, this day last week ~ **večer** tonight
dneš|ek today, this day, the present day **až do –ka** up to now, to this day **ode –ka za týden** today week
dnešní today's ~ **den** this day ~ **odpoledne** this afternoon ~ **angličtina** present-day English
dno bottom
do 1 to, into, in, up to (~ *divadla* to the theatre; ~ *Prahy* to Prague; ~ *místnosti* into the room; *počítat* ~ *sta* count up to a hundred) **2** o čase to, till, until, by, within (*musí to být hotové* ~ *konce týdne* it must* be* ready by the end of the week) **do toho vám nic není** it's not n. none of your business
dob|a 1 time (*na dlouhou –u* for a long time) **2** věk age (~ *kamenná* stone age) **3** období, trvání period, duration **4** roční season **5** pracovní working hours PL
doběhnout 1 dohonit overtake*, catch* up with sb. **2** napálit take* in, play a trick on, make* a fool of
dobírk|a: na –u cash on delivery **poslat co na –u** send* st. C.O.D.
dobírat si rib koho kvůli čemu sb. for n. about st.
dobrá all right
dobr|o the good* **připsat komu k –u částku** pass a sum to sb.'s credit
dobročinný charitable ~ **koncert** benefit concert
dobrodruh adventurer
dobrodružný adventurous
dobrodružství adventure
dobromyslný good-natured
dobrosrdečný good-natured, kind-hearted, generous, kind
dobrota goodness
dobrovoln|ý voluntary **–ě** of one's own accord
dobr|ý good* (~ *den* good* morning n. afternoon; *–ou noc* good* night) **–á** all right; good*; fine **být ~ v čem** be* good* at st. **to je –é** that will* do*
dobře well* (*není mi* ~ I don't feel* well*) **je ~ si vzít** it is a good* idea to take*
dobýt conquer, capture
dobytek cattle, (live)stock
dobytí conquest
docela 1 úplně quite, completely **2** poměrně rather, quite
docent senior lecturer; am. assistant professor
dočasný temporary
dočkat se wait (*nemohu se* ~ I just can't wait) ~ **čeho** dožít se live to see* st.
dodací lhůta time of delivery, delivery time
dodání delivery, consignment
dodat 1 doplnit add **2** doručit deliver, supply ~ **si odvahu** gather n. pluck up (one's) courage
dodatečný additional; doplňující supplementary
dodatek addition; doplněk supplement
dodávat supply, deliver ~ **odvahu** encourage
dodavatel supplier
dodávk|a 1 zboží delivery (of goods) **2** elektřiny supply of electricity **3** vůz delivery van
dodělat finish
dodnes up to now, till the present day, so far*

dodržovat 1 keep* 2 zachovat observe
dogmatický dogmatic
dohad speculation (*o* as to, about) guess, conjecture
dohled charge, supervision (*nad* of) **v –u** within sight
dohlédnout 1 vidět see* (*až* as far* as) 2 dbát see* (*aby* that); keep* an eye (*na* on)
dohlížet supervise (*nač* st.), watch (*nač* over st.)
dohnat 1 koho overtake*, catch* up with sb. 2 v čem se zaostává catch* up on st. 3 donutit drive* (*koho k čemu* sb. to st.) **~ k zoufalství** drive* to desperation **~ zpoždění** make* up for lost time
dohod|a agreement; arrangement
dohodnout se agree (*o* on); come* to an agreement
dohonit 1 chytit overtake* 2 zameškané catch* up on st.; make* up for st.
dohromady altogether, all in all **měli jsme (oba) ~ pět liber** we had five pounds between us
docházet 1 visit 2 do školy attend (school)
docházka attendance (*povinná školní* ~ compulsory school attendance)
dochvilný punctual
dojatý moved, touched
dojem impression (*z* of) **udělat ~ na koho** make* an impression on sb.; impress sb.
dojemný moving, touching, poignant; lítostně pathetic
dojet v. *dojít*
dojetí emotion
dojímat touch, move
dojit milk
dojít 1 kam go*, get*, reach (st.) 2 pro fetch (st.) 3 o zásobě **došel nám cukr** we are n. we have run out of sugar 4 k čemu happen, occur (*dojde-li k nejhoršímu* if the worst comes to the worst)
dojíždět 1 v. *docházet* 2 do zaměstnání v centru commute
dojmout move, touch, affect; udělat dojem impress
dok dock, wharf
dokázat 1 podat důkaz prove* 2 nezvratně demonstrate 3 umět achieve, accomplish 4 být schopen manage
doklad document **–y** osobní credentials PL
dokola round, all (a)round
dokonalý perfect
dokonce even
dokončit finish, complete
dokořán wide open
doktor doctor
doktorka woman* n. lady doctor
dokud as long as; zatímco while **~ ne** till, until
dokument document; práv. instrument, deed
dokumentace documentation
dokumentární documentary
dolar dollar, am. hovor. buck
dole 1 down 2 na nižší úrovni below 3 **~ na stránce** at the bottom of the page 4 **~ v budově** downstairs
doleva to the left*
dolík pit
dolní lower, bottom **~ sněmovna** House of Commons
dolovat mine (~ *rudu* mine a place for ore)
doložka clause
dolů down(wards); po schodech downstairs
doma at home **být zpět ~** be* back home **počínejte si jako ~** make* yourself at home n. comfortable
domácí ADJ 1 home (~ *trh* home market; ~ *úkol* homework) 2 domestic; ~ *záležitosti* domestic affairs) 3 tuzemský inland, home 4 doma vyrobený home-made 5 v místě narozený native 6 pro doma household 7 **~ pán, paní** landlord, landlady
domácnost household **potřeby pro ~** household utensils n. requirements PL **založit si ~** settle down **žena v –i**

housewife, am. homemaker
domáhat se claim; soudně něčeho od někoho sue sb. for st.
domek little* house, cottage
domluva 1 jednání negotiation **2** porada consultation **3** pokárání reproof
domluvit 1 sjednat arrange (*co* for st.) **2** pokárat talk to sb.
domluvit se 1 dohodnout se come* to an agreement n. arrangement; agree **2** cizím jazykem make* os. understood*
domnělý alleged
domněnka assumption, supposition
domnívat se suppose, believe, guess očekávat expect
domorod|ec(ý) native **–ci** aborigines PL, natives PL
domov home **stýská se mi po –ě** I feel* homesick
domovní house (~ *dveře* front door; ~ *řád* rules of the house PL)
domovn|ice(ík) caretaker, am. janitor
domovský home, native
domů home
domýšlivý conceited, arrogant
donedávna until, recently
donést 1 přinést bring* **2** až kam carry n. take* as far* as **3** jít pro fetch
donutit compel; make* (*koho k pláči* sb. cry)
dopadat fall* (*na* on)
dopadn|out 1 fall* down (*na* on) **2** přistihnout catch* (~ *při činu* catch* red-handed) **3** nějak turn out, come* off, come* out (*všechno dobře –e* everything will* turn out well*)
dopis letter (*–y čtenářů redakcí* letters to the editor); krátký note (*doporučený* ~ registered letter; *obchodní* ~ business letter
dopisní papír writing-paper, note-paper
dopisovat si be* in correspondence (with); have* (sb. as) a pen friend
dopisovatel correspondent
doplácet 1 rozdíl pay* the difference **2** nač be* the worse for st.; to be* the loser **jednou na to –íš** you'll be* sorry n. pay* for it one day
doplatek surcharge
doplněk 1 supplement **2** zákona amendment **doplňky** dámské módní accessories PL
doplnit complete
doplňkový supplementary
dopoledne morning; kdy? in the morning; u časových údajů a.m.
dopolední morning
doporučeně: poslat dopis ~ have* a letter registered
doporučení 1 recommendation **2** od bývalého zaměstnavatele a pod. reference
doporučený 1 recommended **2** dopis registered (letter)
doporuč|it 1 recommend **2** navrhovat suggest **3** radit advise (*–uje se vám, abyste ...* you will* be* well* advised to ...)
doposud up to now, up to the present time, by now, so far*
doprava to the right
doprava 1 transport **2** přemísťování transmission **3** provoz traffic **4** lodí shipment **5 letecká ~** air transport
dopravit transport, carry, convey; lodí ship, letecky fly*
dopravní: ~ prostředek means of transport **~ předpisy** traffic regulations n. rules **~ ruch** traffic **~ strážník** traffic policeman* **~ špička** rush hour **~ tepna** thoroughfare **~ zácpa** traffic jam **~ značka** road sign
dopravník conveyor (belt)
doprostřed in(to) the middle
doprov|ázet(odit) též hud. accompany **~ domů** see* sb. home **~ při odjezdu** see* sb. off
dopřát grant (*hodinu klidu* an hour of rest) **dopřát někomu tu radost z ...** give* sb. the pleasure of ... **nemohu si ~** I can't afford
dopředu forward, ahead **obsazený na dva měsíce ~** booked two months ahead n. in advance
dopustit se commit (*čeho* st.)
dorazit kam reach

dorozumění understanding
dorozumět se 1 come* to an understanding 2 s cizincem make* os. understood*
dort cake
doručení delivery
doruč|it deliver
doručovatel(ka): poštovní ~ postman*, postwoman*
dosah reach **na ~ ruky** within easy reach
dosáhnout reach (*čeho, nač* st. n. out for st.) **~ úspěchu** achieve success **~ svého cíle** achieve n. attain one's aim **~ vrcholu** culminate
dosažitelný accessible
doslov epilogue
doslovn|ý literal **~ překlad** literal translation **přeložit –ě** translate st. word for word
dospělost maturity
dospělý adult, grown-up
dospět 1 dojít come* (*k závěru* to the conclusion); arrive (*k rozhodnutí* at a decision); attain (*k blahobytu* prosperity) 2 dorůst grow* up, mature
dospívající adolescent, teenage
dost 1 dostatek enough (*~ peněz* enough money; *~ starý na to aby ...* old* enough to ...) 2 značně fairly (*dobrý* good*); rather (*špatný* bad*) **mám už toho ~** I am fed up with it n. sick of it **tak ~ !** enough (of it)!, that will* do!
dostání: je (není) k ~ it is (not) available, it can* (not) be* had
dostat get*, be* given, obtain **~ chřipku** develop flu(e) **~ smyk** skid **~ stipendium** be* granted a scholarship **~ se domů** get* home **takhle se nikam nedostaneme** this gets us nowhere
dostatečný sufficient,adequate
dostatek 1 hojnost plenty, abundance 2 postačující množství sufficient number n. quantity
dostát: ~ slovu keep* one's word **ne– slovu** break* one's word
dostavit se appear, turn up, show* up **ne–** absent os. n. stay away from **~ k odbavení na letišti** check in
dostavník coach
dostihnout reach; overtake*
dostihový kůň race-horse
dostihy horse-race, horse-racing
dostupný 1 accessible 2 k dispozici available
dosud up to now, till the present time, by now, so far*
dosvědčit 1 testify (*co* to st.) 2 potvrdit certify
doškový thatched
dotace grant
dotaz 1 inquiry (*o* about, after) (*~ na další informace* inquiry for further information); question 2 kompetentní osobě na rozřešení query
dotazník questionnaire
dotčený hurt
dotek touch
dotěrný intrusive, importunate
dotisk reprint
dotknout se 1 touch (*čeho* st.); narážkou allude (to), hint (at), touch (on) 2 urazit offend (*koho* sb.), hurt* (*čí city* sb.'s feelings)
doufat hope (*v to nejlepší* for the best*)
doupě i přen. den
doutník cigar
dovážet import
dovědět se (come* n. get* to) know*, learn*, hear*
dovednost art, craft
dovedný skilful
dovést 1 kam take*, lead*, bring*, see* (*domů* home) 2 umět be* able to, know* how to; vědět si rady manage
dovézt bring*; obch. import
dovnitř in, inside
dovolat se telef. get* sb. on the phone
dovolávat se claim
dovolen|á 1 zákonitá leave* (*mateřská ~* maternity leave*; *placená ~* leave* with pay*) 2 volno holiday (*být na –é* be* on holiday; *jet na –ou* go* on hol-

iday n. take* a holiday
dovolit 1 nezakazovat allow; výslovně dovolit permit 2 nechat let* 3 ~ si afford
dovoz import
dovozce importer
dovozní import (~ *clo* import duty; ~ *povolení* import licence)
dovtípit se take* a hint, guess
dozadu back(wards)
dozor supervision; řízení control; s kontrolou inspection **kdo má ~ ?** who is in charge?
dozorce supervisor, overseer; kontrolující inspector; vězeňský guard; v muzeu keeper
dozrát ripen; get* ripe
dožít se live to see* (*čeho* st.)
dožívat se reach the age (*šedesáti let* of sixty years)
doživotní lifelong
dráha 1 course 2 vyjetá track 3 oběžná orbit 4 železnice railway 5 životní career 6 jízdní roadway **podzemní** ~ underground, v Londýně tube **lyžařská** ~ skiing-run
draho dear **platit** ~ pay* heavily (*za* for)
drahocenný precious, costly
drahokam precious stone, gem, jewel
drahý 1 dear 2 jen o ceně expensive, costly
drak 1 dragon 2 papírový kite
drama drama
dramatický dramatic
dramatik dramatist, playwright
dramaturg literary manager
dráp claw
drápat se scramble
draslík potassium
drastický drastic
drát wire **–y** kola spokes PL **ostnatý** ~ barbed wire
drátěný wire
dravec beast of prey
dravý wild, ferocious
dražb|a auction (*prodat v –ě* sell* by auction)
dráždit 1 irritate, annoy, tease 2 vzrušovat excite, stir
drbat rub
drbat se scratch
drby gossip
drcnout jog
dres sports dress, sports clothes, training suit
drhnout scrub
drobit se crumble
drobné (small) change
drobnost trifle, detail
drobný tiny, minute, triviální petty
droby offal
droga drug
drogerie chemist's; am. drugstore
drozd thrush
droždí yeast
drsný coarse (*jazyk, řeč* language); rough (*povrch* surface); rugged (*obličej* face)
drtit crush
drůbež poultry
drůbežárna poultry farm
drůbky giblets PL, offal
druh 1 sort, kind, type, brand, breed, zboží article 2 přírodověda species 3 člověk partner, companion
druhořadý second-rate
druhotný secondary
druh|ý 1 second (*Alžběta II.* Elizabeth the Second) 2 ze dvou the other (*každý ~ den* every other day) **první ... ~** the former ... the latter 3 o umístění runner-up
za druhé second(ly), in the second place
družice satellite
družička bridesmaid
družina suite **školní** ~ after school centre
družstevní co-operative
družstvo 1 sport. team 2 výrobní co-operative; stavební building society
drzý insolent hovor. cheeky, saucy, zvl. o dívkách pert
držadlo handle
držení těla bearing, posture

držet keep*, hold* (*v ruce* hold* in one's hand) **~ spolu** stick* together **~ dietu, vánoce** observe a diet, Christmas **~ krok** keep* up (with) **~ palce** cross one's fingers **~ se** přen. cling* (*čeho* to) **~ se stranou** keep* back
dřeň pith
dřevařský průmysl timber industry
dřevěný wooden
dřevo wood **stavební ~** timber
dřevorubec woodcutter
dřevoryt woodcut
dřez kitchen sink
dřímat doze; hluboce drowse
dřina drudgery, toil
dřít 1 rub (*co o co* st. n. against st.) **2** namáhat se drudge, toil **3** ke zkoušce grind*, swot, cram (for an exam)
dříve before; formerly
dřívější former, previous
dříví wood **stavební ~** timber
dub oak
dubový oak, made* of oak
dudy (bag) pipes PL
duha rainbow
duhovka iris
duch 1 spirit, ghost **2** psychické schopnosti, vědomí spirit, mind
duchaplný intelligent, subtle, sophisticated
duchapřítomný showing presence of mind; quick-witted
duchem nepřítomý absent, preoccupied
důchod income; penze pension (*bezpracný ~* unearned income; *invalidní ~* invalidity pension; *starobní ~* retirement) **jít do –u** retire
důchod|ce(kyně) pensioner
duchovenský clerical
duchovenstvo clergy, the ministry
duchovní 1 spiritual **2** církevní clerical **3** kněz clergyman*, minister, kněží clergy PL
důkaz proof; materiál evidence
důkladný thorough
důl mine; uhelný coal-mine
důlek 1 v bradě dimple **2** oční socket
důležitost importance **mít ~** matter
důležitý important **životně ~** vital
důlní mining
dům house (*činžovní ~* apartment house, block of flats) **kulturní ~** arts centre
důmysl ingenuity
důmyslný ingenious
dunět rumble, roll
dupat stamp, tramp
duplikát duplicate
dur: A dur A major
důraz emphasis*, stress (*klást zvláštní ~ na* put* n. lay* special empha-sis on)
důrazný emphatic
dusík nitrogen
dusit 1 při vaření stew **2** bránit v dýchání smother, stifle; ucpáním choke **~ se** stifle, suffocate, choke
důsled|ek consequence (*v –u čeho* in consequence of st.; as a result of st.; *–kem toho* consequently)
důsledný consistent
dusný close; parný sultry; nevětraný stuffy; dusící stifling
důstojník officer
důstojný dignified; vážný solemn
duše soul
duševní mental **~ pracovník** intellectual (worker)
dutina cavity, hollow
důtka reprimand
dutý hollow
důvěr|a confidence, trust (*mít –u* have* confidence in)
důvěrný 1 tajný confidential **2** intimní intimate
důvěryhodný trustworthy, dokument, informace credible, authentic
důvěřivý trustful; příliš credulous
důvěřovat trust (*komu* sb.), have* confidence in sb.
důvod reason, grounds PL (*pádný ~* weighty reason; *z tohoto –u* for this reason; *z náboženských –ů* on religious grounds)

důvtip wit, ingenuity
důvtipný ingenious
dužina pulp
dv|a (*po –ou* two at a time; in two's)
dvakrát twice ~ **tolik** twice as much* n. many
dveř|e door (*domovní* ~ front door; *za –mi* outside the door) **jít otevřít** ~ answer the door
dvojbarevný two-coloured
dvojčata twins PL
dvojdílný two-piece
dvojdomek semi-detached house*
dvojhláska diphthong
dvojice couple, pair
dvojitý double
dvojjazyčný in two languages, bilingual
dvojka two; Number Two
dvojnásob|ek(ný) double
dvojstranný two-sided
dvojtečka colon
dvojznačný ambiguous, equivocal
dvojznačnost ambiguity
dvorana hall
dvoudobý two-stroke
dvouhra single
dvoukolejný double-railed
dvoulůžkový pokoj double room
dvoupatrový dům three-storey house
dvouřadový oblek double-breasted suit
dvousedadlový two-seated, two-seater
dvůr 1 courtyard; dvorek yard **2** panovnický court
dýha veneer
dýka dagger
dýchací breathing ~ **přístroj** respirator
dýchání breathing
dýchat breathe; o rostlinách transpire
dychtit starve (*po* for), crave (*po* for)
dychtivý eager, keen
dým smoke
dýmka pipe
dynamický dynamic
dynamo dynamo
dynastie dynasty
dýně pumpkin
džbán jug, pitcher
džem jam; pomerančový marmalade
džez(ový) jazz
džín|sy jeans PL **–ová bunda** denim jacket
džungle jungle

E

efekt effect
efektivní efficient
efektní spectacular, effective
ekolog ecologist
ekologický ecological
ekologie ecology
ekonom economist
ekonomický 1 hospodářský economic **2** hospodárný economical
ekonomie 1 hospodaření, hospodářství economy **2** věda economics
ekonomika economy
ekosystém ecosystem
ekvivalent equivalent
elán vigour
elastický elastic, resilient, springy
elegance elegance
elegantní elegant, chic, smart, stylish, fashionable
elektrárna power-station
elektrický 1 spotřebovávající elektřinu electric **2** týkající se elektřiny electrical ~ **spotřebič** electrical appliance
elektrikář electrician
elektromagnet electromagnet
elektroměr electrometer
elektromotor electric motor
elektronický electronic
elektrotechnik electrician
elektřina electricity
elementární elementary
elipsa ellipse
emancipace emancipation (*ženská* ~ emancipation of women)
embargo embargo

embryo embryo
emigrac|e odchod z vlasti emigration **žít v –i** live in exile
emigrant emigrant
emigrovat emigrate
emoce emotion
emocionální emotional
encyklopedie encyclop(a)edia
energetický power, energy
energetika energetics
energický energetic; vigorous
energie 1 energy, power 2 elán drive
epický epic
epidemický epidemic
epidemie epidemic, plague
epizoda episode
epocha epoch
éra era
erb coat of arms
erotický erotic
eroze erosion
eskadra squadron
eskalátor escalator
estetický aesthetic
estetika aesthetics
estráda (variety) show*
etapa stage
etický ethical
etika ethics (věda - SG; zásady - PL)
etiketa label, tag
etnický ethnic
evakuace evacuation
evakuovat evacuate
evangelium gospel
evidence record, register
evoluce evolution
evropský European
exaktní exact
exhibice exhibition
exil exile
existence existence
existenční minimum living n. minimum wages
existovat exist
existující existing
exkurze excursion
exotický exotic
expanze expansion
expanzívní expansive
expedice 1 výprava expedition 2 výpravna forwarding department 3 odeslání dispatch
expedovat dispatch
experiment experiment
experimentální experimental
expert expert
explodovat explode
exploze explosion, detonate
exponát exhibit
exponovat fot. expose
export(ní) export
expozimetr exposure meter
expres express (*dopis* letter; *vlak* train)
externí external, outside **~ pracovník** external worker **~ pomoc** outside help **~ studium** extramural studies PL
externista external worker n. student
extrakt extract
extrém extreme

F

fack|a slap on the face **dát –u komu** slap sb.'s face, slap sb. on the face
fagot bassoon
fakt fact
faktický actual, real
faktur|a(ovat) invoice
fakulta faculty (*právnická ~* the Faculty of Law)
fakultní faculty **~ nemocnice** teaching hospital
falešný 1 neupřímný false 2 nepravý false, artificial, faked 3 rozladěný out of tune
falšovat forge (*podpis* a signature); adulterate (*víno* wine); falsify (*účty* accounts)
familiární familiar (*k* with)
fanatický fanatic(al)
fanatik fanatic
fandit be* a fan, dig*, root for (*~ kopané* be* a football fan, dig* n. root for

football)
fanfára flourish
fanoušek fan
fantastický fantastic
fantazie fancy; živá imagination
fara parsonage
farář parson
fárat descend the shaft
farma farm
farmacie pharmacy
farmář farmer
farník parishioner
farnost parish
fasáda front
fascinovat fascinate
fašismus fascism
fašist|a(ický) Fascist
fata morgana mirage
faul foul
favorit favourite
fax fax(machine), kopie facsimile **poslat –em** fax
fáze phase
fazole bean
federace federation
federativní federal
fén hair-dryer n. hair-drier
fena bitch
fenomén phenomenon*, o lidech též prodigy
festival festival **filmový ~** film festival
feudalismus feudalism
feudální feudal
fialka violet
fialový violet, purple
fígl trick, knack
figura figure; div. postava character
figurka soška statuette; v šachu man*
fík fig
fiktivní fictional
filatelie stamp-collecting
filatelista stamp-collector
filé fillet
filharmonický philharmonic
filharmonie philharmonic orchestra
filiálka outlet
film film, the pictures, am. motion picture n. movie (*celovečerní ~* full-length film; *kreslený ~* animated cartoon; *širokoúhlý ~* wide-screen film)
filmař cameraman*
filmovat film (*hru* a play), shoot* (*scénu* a scene)
filmový film **~ herec** film actor
filolog philologist
filologický philological
filologie philology
filozof philosopher
filozofický philosophic
filozofie philosophy
filtr filter (*cigareta s filtrem* filter cigarette)
filtrovat filter, strain
finále finals PL
finance finance
financovat finance, sponsor
finanční financial
finta trick
firma firm, house
fix felt-pen, felt-tip, felt-tipped pen
flákat se loaf
flám binge, booze, spree
flanel flannel
flegmatický phlegmatic
flek patch
flétna flute
flirtovat flirt
flotila fleet
fluktuace fluctuation
fluór fluorine
fňukat whimper
fólie foil
folklór folklore
fond fund
fonetický phonetic
fonetika phonetics
fontána fountain
form|a form; tvar shape **být ve –ě** be* in good* form
formalita formality
formální formal
formát size
formulace formulation, wording
formulář form **vyplnit ~** fill in a form
formule formula
formulovat formulate, word

fosfor phosphorus
fosforový phosphorous
fotbal football, hovor. soccer
fotoamatér amateur photographer
fotoaparát camera
fotograf photographer
fotografický photographic
fotografie 1 obrázek photo(graph); zvl. amatérská snap, snapshot 2 fotografování photography
fotografování photography
fotografovat photograph; take* pictures, take* snaps
fotokopie photocopy
fouk|at(nout) blow*
foyer foyer
frak tailcoat; tails PL
francouzský klíč spanner; s nastavitelnou šířkou monkey-wrench
franko post-paid
frankovat stamp
fraška farce
fráze 1 slovní spojení phrase 2 otřepaná cliché, platitude
frekvence frequency
freska fresco
fréza milling cutter
front|a 1 front 2 nač queue, am. line **stát ve –ě** queue (up) (*na* for) **postavit se do –y** join a queue
froté: ~ látka terry **~ ručník** bath towel
funět pant, sniff
fungovat function, work
funkce function, office, post
funkcionář official, často pejor. functionary
fyzický physical
fyzik physicist
fyzika physics
fyzikální physical
fyziologický physiological
fyziologie physiology

G

galantérie fancy goods, haberdashery
galantní gallant
galérie gallery (*umělecká* ~ art gallery)
galon gallon
garáž(ovat) garage
garsoniéra bed-sitting-room, bed-sitter, flatlet
gauč couch; settee **rozkládací ~** extending sofa-bed
gejzír geyser
gen gene
generace generation
generál general
generalizovat generalize
generálka dress rehearsal
generální general (*~ stávka* general strike)
genetika genetics
geniální: ~ člověk (man* of) genius **~ myšlenka** brilliant idea **~ vynález** ingenious invention
genitálie genitals PL
génius genius
geolog geologist
geologický geologic(al)
geologie geology
geometrie geometry
gepard cheetah
germánský Germanic, Teutonic
gesto gesture
gigantický gigantic
glazura glaze, enamel
globální global
glóbus globe
goblén tapestry
gól goal
golfová hůl golf-club
golfové hřiště golf-course
gorila gorilla
gotický Gothic
gotika Gothic style, architecture
graf graph
grafický graphic **~ list** print
grafik graphic artist
grafika graphics PL
gram gram
gramatický grammatical

gramatika grammar
gramofon record-player
gramotnost literacy
granát **1** voj. shell; ruční grenade **2** minerál garnet
granátové jablko pomegranate
gratulovat congratulate (*komu k* sb. on)
gravitace gravitation
grilovat grill
grimasa grimace
groteskní grotesque
guma **1** rubber; na písmo india-rubber, am. eraser **2** **žvýkací ~** (chewing-)gum **prádlová ~** elastic
gumák wellington, welly
gumárenský průmysl rubber industry
gumový rubber
guvernér governor
gymnázium grammar school, college
gymnastika gymnastics
gynekolog(ický) gynaecologist

H

áček hook **v tom je ~** there's a catch n. snag in it
áčkovat crochet
ad snake
ádank|a riddle, puzzle (*dát komu –u* ask sb. a riddle)
ádat guess (*hádej, co si myslím* guess what I'm thinking)
ádat se quarrel; have* an argument
adice hose, tube
ádka quarrel, argument
adr rag **~ na prach** duster **~ na nádobí** dishcloth
áj grove
ájit **1** chránit protect, defend **2** obhajovat plead **3** preserve (*lovnou zvěř* game)
ajný gamekeeper
ájovna gamekeeper's lodge
ák hook
áklivý squeamish
hala hall, vestibule **hotelová ~** lounge
halenka blouse
haléř heller
haló hallo, hello
halový indoor
halucinace hallucination
hanb|a shame, disgrace (*to je ~* what a disgrace; *udělat –u komu* be* a disgrace to sb., bring* disgrace n. shame on sb.)
hanebný disgraceful, shameful, smutně známý infamous
hangár hangar
hanlivý derogatory
hantýrka jargon, slang
haraburdí junk
harfa harp
harmonický harmonious
harmonie harmony
harmonika tahací accordion, foukací mouth-organ, harmonica
harpuna harpoon
hasicí přístroj (fire) extinguisher
hasit extinguish, put* out (*oheň* a fire)
havárie porucha breakdown; dopravní accident, crash
havarijní: ~ pojištění general accident insurance **v –m stavu** dilapidated
havarovat crash
havíř miner
havran raven
hazardní hazardous, risky
házená handball
hbitý nimble, swift, agile
hebký soft
hebrejský Hebrew
hedvábí silk **umělé ~** rayon
hedvábný silk **~ papír** tissue-paper
hejno: ~ husí flock of geese **~ much** swarm of flies
hektar hectare
hektolitr hectolitre
helikoptéra helicopter
hélium helium
helma helmet

hemžit se crawl (*čím* with), swarm
herec actor **filmový** ~ film actor
herecký actor's
herečka actress
heřmánek camomile
heslo **1** reklamní, politické slogan **2** strážní password, watchword **3** ve slovníku entry
hever jack
hezk|ý **1** pretty (*–á dívka* pretty girl) **2** nice (*~ den* a nice day) **3** fine (*~ pohled* a fine view) **4** good-looking; handsome **~ pár ...** quite a few ... n. quite a couple of ...
hezky **1** nicely, prettily **je** ~ it's fine, it's a fine day **2** dosti pretty
hierarchie hierarchy
hihňat se giggle
historický v. *dějinný*
historie **1** history **2** příběh story
historik historian
hlad hunger; hladomor famine **mít ~** be* n. feel* hungry **mučit –em, umírat –y** starve **smrt –em** starvation
hladin|a **1** surface (*vyplout na –u* rise* to the surface) **2** level (*nad –ou moře* above sea-level)
hladit **1** stroke, caress **2** leštit polish
hladký smooth
hladomor famine
hladovění starvation
hladovět starve
hladový hungry, hovor. peckish
hlas **1** voice (*tichým, zvučným –em* in a soft, loud voice) **2** ve volbách vote
hlasatel(ka) announcer
hlásit report (*nehodu na policii* an accident to the police); uvést announce **~ se** **1** report to, register with (*na policii* the police) **2** claim (*o své zavazadlo* one's luggage) **3** ve škole raise one's hand
hlasit|ě(ý) loud
hlasitost volume
hlasivky vocal chords PL
hláska sound of speech
hlasovací lístek ballot(-paper)
hláskovat spell
hlasování vote, voting; tajné ballot
hlasovat vote
hlasový vocal
hlášení **1** report; v rozhlase announcement **2** k pobytu registration
hlav|a head (*~ rodiny, státu* head of the family, of the state) **má dobrou –u** he's got* brains
hlaveň barrel
hlavička **1** hřebíku, zápalky head **2** záhlaví heading, letterhead **3** v kopané header
hlávka head **~ zelí** head of cabbage **~ salátu** head of lettuce
hlavně mainly, chiefly
hlavní main, chief, principal (*~ věc* the main thing) **~ město** capital
hlavolam puzzle
hledáček viewfinder
hledání search
hledat look for; obrazně seek* **~ co v knize** look up st. in a book
hledět **1** look (*na* at st.) **2** dbát see* to st. (*aby* that) **~ si svého** mind one's own business
hledisk|o point of view (*z tohoto –a* from this point of view)
hlediště auditorium; sport. arena
hlemýžď snail
hlen phlegm
hlídač guard(ian), keeper; noční nightwatchman*
hlídat **1** watch, guard **2 ~ dítě** za odměnu baby-sitter
hlídka watch; stráž guard, sentry
hlídkovat patrol
hlína earth; jako materiál clay
hliněn|ý earthen **–é nádobí** earthenware
hliník aluminium
hlodat gnaw
hlíza bulb
hlodavec rodent
hloubat ponder (*o* over)
hloubka depth
hloupost stupidity, foolishness **–i!** nonsense!, rubbish!
hloup|ý stupid, dull; nesmyslný absurd; hovor. daft (*nebuď ~* don't be* silly)

hltat devour
hluboce deeply
hluboký deep (~ *dvě stopy* two feet deep)
hlučný noisy, loud
hluchoněmý deaf-and-dumb **~ člověk** deaf mute
hluchý deaf
hluk noise
hlupák fool
hmat touch
hmatat touch, feel*; tápat grope (*po* for n. after)
hmatatelný palpable
hmot|a matter **stavební –y** building materials PL **umělá ~** plastic
hmotnost mass
hmotn|ý material **–é zabezpečení** social security
hmyz insect(s)
hnací driving (~ *kolo* driving wheel; ~ *řemen* driving belt)
hnát drive* (*dobytek* cattle; *stroje* machinery)
hnát se rush (*domů* home; *na koho* at sb.)
hned at once, immediately, straight away **~ ráno** first thing in the morning
hnědouhelný revír lignite field
hněd|ý brown **kaštanově ~** chestnut **–é uhlí** soft coal, lignite
hněv anger
hněvat se be* angry, hovor. be* cross (*na koho* with sb.)
hniloba rot, decay
hnis pus, matter
hnisat fester
hnisavý purulent
hnít rot, decay
hnízdo nest
hnojit manure, dung; uměle fertilize
hnojivo fertilizer
hnout (se) move **ne- prstem** not lift a finger
hnůj manure, dung
hnus disgust; na zvracení nausea
hnusit si loathe
hnusný disgusting, revolting
hnutí 1 pohyb motion **2** movement
hobl|ík(ovat) plane
hoboj oboe
hodin|a 1 hour (*dvě a půl –y* two hours and a half*) **2 kolik je hodin?** what time is it?, what is the time? **je šest hodin** it is six o'clock **3** vyučovací lesson (*chodit na –y* take* lessons)
hodinář watchmaker
hodinářství watchmaker's
hodinky watch (*náramkové ~* wrist watch)
hodinov|ý: hrubá –á mzda gross hourly wages
hodiny clock (*píchací, nástěnné, věžní ~* time, wall, tower clock) **sluneční ~** sundial **~ jdou napřed** the clock is fast n. gains **~ jdou pozdě** the clock is slow n. loses
hodit throw* cast*, fling*, toss; upustit drop
hodit se 1 go* with (*k plášti* the overcoat), match (*ke koberci* the carpet); o lidech **hodí se k sobě** they match together **2** být vhodný fit in **3 ~ komu** suit sb. **4** přijít vhod come* in handy
hodně very (*silný* strong); much*, a lot of, lots of **~ čte** he reads* a great deal
hodnost 1 vojenská rank **2** akademická degree
hodnostář officer
hodnocení survey
hodnota value, worth
hodnotit evaluate, rate
hodnotný valuable; ... of worth
hodný 1 good* **2** čeho worthy of; zasluhující něco deserving st.
hod|ovat(y) feast
hoch boy; milý boy-friend
hojit se heal up
hojivý healing
hojnost abundance, profusion
hojný abundant, plentiful, ample
hokej ice-hockey **pozemní ~** field hockey
hokejista hockey-player

hokejka hockey-stick
hokejový hockey **~ zápas** ice-hockey match
holčička little* girl
hold tribute **vzdát~** pay* tribute (*čemu/komu* to)
holeň shin
holení shaving
holicí: ~ strojek safety razor **elektrický ~ strojek** electric razor **~ štětka** shaving-brush
holič barber
holičství barber's
holínk|y **1** jezdecké top-boots PL **2 –a** gumová wellington
holit se shave
holka girl
holohlavý bald
holub pigeon (*poštovní ~* homing pigeon)
holubice dove
holý bare **s –ma rukama** empty-handed
homosexuál homosexual
homosexuální homosexual, gay
hon **1** lov hunt **2** pronásledování chase
honba pursuit **v –bě za** in ~ of
honem quickly
honit **1** pronásledovat chase **2** lovit hunt
honitba shooting
honit se po světě dash round the world
honorář fee
honosný pretentious, showy
hora mountain **jet do hor** go* to the mountains
horečk|a fever **mít –u** have* a temperature
horečný feverish, hectic
horko: je ~ it's hot **je mi** ~ I am hot
horký hot
horlivý keen, whole-hearted nadšený ardent, obětavý dedicated
hormon hormone
hornatý mountainous
horní upper
hornic|ký(tví) mining
horník miner
hornina mineral
horolezec mountaineer
horolezectví mountaineering
horoskop horoscope
horsk|ý mountain **–é slunce** sun-lamp **–á záchranná služba** mountain rescue service
hořák burner
hořčice mustard
hořčík magnesium
hoře grief
hořejší upper, top
hořet **1** účelně burn*; plamenem blaze **nechce to** ~ it won't burn **2** ničivě be* on fire **hoří!** fire!
hořkost bitterness
hořký bitter
hořlavina combustible
hospoda pub
hospodárný economical
hospodář **1** zemědělec farmer **2** v podniku economic manager
hospodářský economic
hospodářství **1** economy **2** v zemědělství farm
hospodyně housekeeper
host guest
hostina feast **svatební ~** wedding banquet
hostinec ubytovací inn
hostit entertain, act as n. play host to **~ koho čím** treat sb. to st.
hostitel host **–ka** hostess
hotel hotel **bydlet v –u** trvale live in n. at a hotel; přechodně stay at n. in a hotel **ubytovat se v –u** put* up at a hotel
hotovost cash **platit v –i** pay* cash
hotov|ý ready, finished (*kdy to bude –é?* when will* it be* ready?) **–é peníze** cash, ready money **to je –á věc** that's a foregone conclusion
houb|a **1** mushroom **jít na –y** go* mushrooming **2** mycí sponge
houf troop
houkačka horn, zvuk hooter
houkat hoot
houpačka swing

houpat se rock, swing*, sway
housenka caterpillar
houska roll
housle violin (*hrát na ~* play the violin)
houslista violinist
houslový violin **~ koncert** violin concerto
houževnatý sturdy, tenacious
hovězí: ~ dobytek cattle **~ maso** beef **~ pečeně** roast beef **~ polévka** beef tea
hovor **1** talk, chat, conversation (*dát se do –u* start talking) **2** telefonický call
hovorový colloquial
hovořit speak*, talk (*s kým* to sb.); discuss (*o čem* st.)
hra **1** play (*poctivá, nepoctivá ~* fair, faul play; *nerozhodná ~* draw*) **2** podle pravidel game (*~ v karty* a game of cards)
hrabat **1** rake **2 ~ se** tápavě fumble
hrabě earl
hrábě rake
hrabivost greed
hrabství county
hrací automat juke-box
hrací karty playing-cards PL
hráč(ka) player **hazardní ~** gambler
hračka toy
hračkářství toyshop
hrad castle
hradba **1** též přen. barrier **2** zeď wall
hradit cover (*výdaje* the expenses)
hrách peas PL
hrana edge; roh corner
hranatý angular
hranice **1** frontier border (*~ poznání* the frontiers of knowledge) **jet za ~** go* abroad **2** mez boundary **3** hořící bonfire
hraničit border (*s čím* on st.)
hranol prism
hrášek green peas PL
hrát play (*na klavír* the piano), před publikem perform, hazardní hry gamble
hravý playful
hráz dam; přístavní wharf
hrazda horizontal bar
hrb hump, hunchback
hrbáč hunchback
hrbatý humpbacked
hrbit se hunch, ze strachu a pod. cringe
hrbol bump
hrbolatý bumpy
hrdina hero
hrdinka heroine
hrdinský heroic
hrdinství heroism
hrdlička turtle-dove
hrdlo **1** throat **2** láhve neck
hrdost pride
hrdý proud
hrnčíř potter **–ské zboží** earthenware
hrnčířství pottery
hrnec pot
hrnek little* pot, cup
hrnout se rush
hrob grave
hrobka crypt, vault
hroch hippopotamus
hrom thunder(clap)
hromada heap (*písku* of sand); urovnaná pile (*knih* of books)
hromadit (ac)cumulate amass; vršit heap up **~ se** accumulate
hromadn|ý: –á účast mass attendance **–á výroba** mass production
hromosvod lightning conductor
hrot point
hrouda clod, lump of earth
hrozba threat, menace
hrozen bunch **~ vína** bunch of grapes
hrozící imminent, (im)pending
hrozinka raisin
hrozně awfully, an awful lot
hrozit threaten (*komu, čím* sb. with st.); ohrožovat menace
hroznový grape
hrozný awful, terrible, hrůzný horrible
hrst handful
hrtan throat
hrubost rudeness
hrub|ý **1** drsný coarse **2** nevychovaný

rude **3** přibližný rough **4** brutto gross (*–á hodinová mzda* gross hourly wages)

PL

hruď chest, breast
hrudí: telecí ~ breast of veal
hrudník chest
hrušeň pear (tree)
hruška pear
hrůz|a horror, terror, dread (*z* of) **nahánět komu –u** horrify sb.
hřát warm, warm up (*mléko* milk); dávat teplo give* warmth **~ se** warm os. (*u ohně* by the fire) **~ se na slunci** bask in the sun
hřbet back **horský** ~ mountain ridge
hřbitov cemetery; při kostele churchyard
hřeben comb; horský hřbet ridge
hřebíček clove
hřebík nail
hřešit sin
hřebínek comb; kohoutí crest
hřib mushroom
hříbě foal, colt
hřídel shaft
hřích sin
hříšník sinner
hříšný sinful, vicious, wicked
hřiště playground **tenisové** ~ tennis court
hříva mane
hřmění thunder
hřmít thunder (*hřmí* it is thundering)
hřmot din, roar
hub|a zvířat muzzle **držet –u** shut* up
hubený lean, thin
hubit destroy; vymýtit exterminate
hubnout lose* weight
hubovat grumble (*na* at); scold (*koho proč* sb. for)
hučet o živlech roar; stroj, letadlo drone **vítr –í** the wind howls
hudba music
hudební music(al)
hudebník musician
hukot roar, howl ing
hůl stick (*chodit o holi* walk with a stick) **golfová** ~ golf-club
hůlka pole, cane
humanismus humanism
humanita humanity
humanitní academic
humánní humane
humor humour, am. humor (*smysl pro ~* sense of humour)
humoristický humorous **~ časopis** comic paper
humorný funny; humorous
humr lobster
humus mould
hurá hurray
husa goose
hustilka inflator
hustit inflate
hustota density (*obyvatelstva* of the population)
hustý koncentrovaný thick; nahromaděný dense **~ déšť** heavy rain
huť blast-furnace **železná** ~ iron works **sklářská** ~ glass works
hutnictví metallurgy
hutný compact, dense
hvězda star
hvězdárna observatory
hvězdář astronomer
hvězdářský astronomic(al)
hvězdářství astronomy
hvízdat whistle
hýbat (se) move, stir
hybridní hybrid
hýčkat pamper, zvířata pet
hydraulický hydraulic
hydrant hydrant
hydrocentrála hydroelectric plant
hyena hyena
hygiena hygiene
hygienický hygienic, sanitary
hymna anthem (*národní ~* national anthem)
hymnus hymn
hynout perish
hypnotizovat hypnoti|ze(se)
hypnóza hypnosis
hypotéka mortgage
hypotéza hypothesis*
hýřit revel
hysterický hysterical

hysterie hysteria

CH

chalupa cottage
chaos chaos
chaotický chaotic
chápání comprehension, grasp, capacity
chápat 1 understand*; pochopit grasp 2 nahlížet see* (*nechápu, co chcete říci* I don't see* your point) **chápu, rozumím** I see*
chápavost capacity, comprehension
charakter character
charakteristický characteristic
charta charter
chata cottage, hut, cabin, weekend house* přízemní bungalow; horská mountain
chatrč hovel
chemick|ý chemical **–á sloučenina** compound
chemie chemistry
chemik chemist
chichotat se giggle
chirurg surgeon
chirurgický surgical
chirurgie surgery
chlad cold, příjemný, mírný cool, nepříjemný chill
chládek the cool
chladicí zařízení cooling plant
chladič radiator
chladírna cold-storage room
chladit cool (off)
chladivý cool
chladnička refrigerator, hovor. fridge
chladno cold (*je ~* it is cold; *je mi ~* I am cold)
chladnokrevně in cold blood
chladnokrevný cold-blooded
chladnout cool down, get* cold
chladný cool, cold
chlap fellow, guy
chlapec boy; milý boy-friend
chlastat booze
chlazený cooled
chléb bread (*bochník chleba* a loaf* of bread) **opékaný ~** toast
chlebíček obložený sandwich
chlév pro krávy cowshed
chlípný lecherous
chlopeň valve
chlívek (pig)sty
chlór chlorine
chlouba boast
chlubit se pride os. (*čím* on st.); boast (*čím* of st.)
chlup hair
chlupatý hairy
chmel rostlina hop; plodina hops PL **trhat ~** pick hops
chobot trunk
chobotnice octopus
chod 1 course dish (*oběd o třech –ech* a three-course dinner) 2 fungování running (*uvést do –u* put* in working n. running order)
chodba corridor; spojovací passage
chodec walker; v městské dopravě pedestrian
chodidlo sole
chodit go*; walk (*~ po městě* kam, kde go* about the town) **~ s dívkou** date a girl, go* out with a girl **~ do školy** go* to school, attend school **~ nakupovat** go* shopping
chodník pavement; am. sidewalk
chochol plume
chocholka crest
chopit se seize; problému, složité práce tackle
choreografie choreography
choroba disease
chorobný morbid
choromyslný insane
choť muž husband, žena wife
choulostivý 1 citlivý delicate, sensitive 2 problém ticklish
chov breeding, raising
chování behaviour, conduct
chovat 1 rear, breed*, raise (*dobytek* cattle) 2 nurse (*dítě* a child) 3 cherish (*naději* hope)

chovat se behave (*dobře* well*; *špatně* badly) ~ **dobře** behave os.
chovatel breeder
chrám temple; křesťanský cathedral, church
chránič protector
chránit protect (*před nebezpečím* from danger; *před útokem* against attack)
chrápat snore
chraplavý hoarse
chrast|ění(it) rattle
chrastí brushwood
chrlit spout
chróm chromium
chromovaný chromium-plated
chromý lame (*na jednu nohu* in one leg)
chronický chronic
chronologický chronological
chroupavý crisp
chrt greyhound
chrup teeth PL; umělý denture
chrupavka gristle
chryzantéma chrysanthemum
chřest asparagus
chřestit clatter
chřestýš rattle-snake
chřipk|a influenza; hovor. flu (*dostat –u* get* n. catch* flu)
chtíč lust
chtít 1 want **2** zvl. o věcech v záporu will* (*dveře se nechtějí zavřít* the door won't shut)
chudák poor fellow ~ **John!** poor (old) John!
chudnout get* poor
chudoba poverty
chudobka daisy
chudokrevnost anaemia
chudokrevný anaemic
chud|ý poor (~ *na nerosty* poor in minerals) **–í** the poor
chuligán výtržník hooligan, lout, thug
chuť 1 taste (*bez –i* tasteless) **2** příchuť flavour **3** k jídlu appetite **4 mám ~ jít** I have* a good* mind to go*
chutnat taste (*dobře* good*; *kysele* sour; *česnekem* of garlic)
chutný nice; lahodný tasty, delicious
chůva nurse, nanny
chůze walk (*tři minuty* ~ three minutes' walk)
chvála praise ~ **bohu** thank God, thank Heaven
chválit praise, speak* highly (*koho* of sb.)
chvályhodný commendable, praiseworthy
chvást|ání(at se) brag
chvástavý blustering
chvat haste, rush
chvět se 1 vibrate **2** strachem tremble **3** zimou shiver
chvíl|e while **každou –i** často every now and again , zanedlouho any minute **na –i** for a while **na poslední –i** at the last moment **před –í** a short while ago, just now
chvilka short while
chvojí green brushwood
chyb|a 1 mistake (*udělat –u* make* a mistake) **2** z hlouposti nebo nedbalosti blunder **3** omyl error (*tisková* ~ printer's error, misprint) **4** fault (*je to tvoje chyba* it's your (own) fault)
chyb|ět 1 nebýt na místě be* missing (*v knize –ějí dva listy* two leaves are missing from the book) **2** be* absent (*ve škole* from school) **3** pociťovat nedostatek miss **4** být bez něčeho lack (*městu –í parky* the town lacks parks) **–í mu vytrvalost** he fails in perseverance
chybně wrong
chybný mistaken; závadný defective
chystat prepare, make* ready, plan ~ **se** get* ready (*na cestu* for a journey); be* about to (*něco říci* say* something)
chyták catch
chyt|at(it) 1 catch*, take* (~ *za ruku koho* take* sb. by the hand) **jít ~ ryby** go* fishing; vznítit se catch* fire
chytrý clever bright, intelligent, shrewd

I

i CONJ and, as well (*otec* ~ *matka* father and mother as well) **i ... i ...** both ... and ... **~ kdyby** even though, even if **~ když** although
idea idea
ideál ideal
idealismus idealism
idealistický idealistic
idealizovat idealize
ideální ideal
identický identical
identifikace identification
idiom idiom
idiot idiot, fool
idiotský idiotic
idol idol
idyla idyll
idylický idyllic
ideologie ideology
ideologický ideological
igelit plastic
ignorovat ignore
ihned at once, immediately
ilegální illegal
ilustrace illustration
ilustrovaný illustrated
ilustrovat illustrate
iluze illusion
imitace imitation, podvrh fake
imitovaný mimic
imitovat imitate, mimic
imperialismus imperialism
imperialist|a(ický) imperialist
imponující formidable
import import
impotence impotence
impotentní impotent
improvizace improvisation
improvizovat improvise
impuls impulse
impulzivní impulsive, impetuous
imunita immunity
imunní immune (*proti* from, against)
incident incident
Indián (American) Indian
indiánský Indian
indiskrétní indiscreet
indisponovaný indisposed
individualistický individualistic
individuální individual
industrializace industrialization
industrializovat industrialize
infarkt heart attack, heart failure
infekce infection
infekční infectious
infikovat infect
infinitiv infinitive
inflace inflation
informace information; jednotlivá a piece of information (*podat* ~ *o* give* information on n. about)
informační kancelář inquiry office
informovaný well*-informed, knowledgeable
informovat inform (*koho o* sb. of n. about), fill sb. in (*o* on) **~ se** ask for information; inquire (*na vlak* about a train); make* inquiries
iniciála initial
iniciativ|a initiative **z vlastní -y** on one's own initiative
iniciativní enterprising
injekce injection
inkasovat collect; cash in
inkoust ink **psát -em** write* in ink
inkubátor incubator
inovace innovation
inscenace staging; production
inspekce inspection, supervision
inspektor inspector
inspirace inspiration
inspirovat inspire **~ se** draw* inspiration (*čím* from st.), get* inspired (*čím* by st.)
instalace fittings PL, plumbing
instalatér plumber
instalovat install, fit (up)
instantní instant
instinkt instinct
instinktivní instinctive
instituce institution
institut institute

instrukce instruction, direction
instruktáž briefing
instruktor instructor, sport. coach
instruovat instruct, brief
intelekt intellect, wits PL
intelektuál(ní) intellectual
inteligence 1 intelligence, brains PL, abilities PL 2 vrstva intelligentsia
inteligent intellectual
inteligentní intelligent, bright
intenzita intensity
intenzívní intensive (*studium* study); intense (*vedro* heat) **~ kurs** crash course
internát hostel, residence hall **–ní škola** boarding-school
interiér interior
interní internal
interpunkce punctuation
intervence intervention
interview interview
intimní intimate
intrik|a(ovat) intrigue
introvert(ní) introvert
intuice intuition
invalid|a invalid **–é** the disabled
invalidní důchod invalidity pension
invaze invasion
inventář inventory
inventura stock-taking
invest|ice(ční) investment
investovat invest
inzerát advertisement (*dát si ~ do novin* put* an advertisement in the newspaper)
inzerovat advertise (*co* st.)
inzulín insulin
inženýr engineer (*důlní, stavební, strojní, zemědělský ~* mining, civil, mechanical, agricultural engineer)
inženýrství engineering
iracionální irrational
ironický ironic(al)
ironie irony
ischias sciatica
islám Islam
izolace 1 isolation 2 fyzikální insulation
izolační insulation
izolovat 1 isolate 2 fyzikální insulate

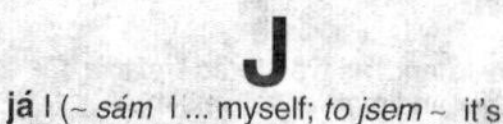

já I (*~ sám* I ... myself; *to jsem ~* it's me)
jablko apple
jabloň apple tree
jaderný nuclear (*~ pokus* nuclear test)
jádro 1 core 2 fyzikální nucleus 3 přen. core, (main) point, kernel
jahoda strawberry
jachta yacht
jak 1 how (*~ se máte?* how are you?; *~ tomu říkáte ?* what do* you call it?) 2 what –like (*~ to vypadá?* what does* it look like?) 3 the way (*nechutná mu, ~ ona vaří* he doesn't like the way she cooks) 4 as (*~ následuje* as follows) 5 **~ - tak i** both –and
jakmile as soon as; the moment (that)
jako 1 jakožto as (*jako ředitel je zaneprázdněn* as a director he is busy) 2 like (*musím to udělat ~ ty* I must* do* it like you) 3 **něco ~** something like ..., sort of ..., (some) kind of ...
jakoby as if, as though; am. like
jakost quality
jakostní first-quality, first-class
jaksi somehow
Jakub James
jak|ý 1 what, what sort n. kind of (*–ou velikost si přejete?* what size do* you want?; *~ je tohle strom?* what sort of tree is this?)
jakýkoli any
jakýsi: ~ p. Miller a (certain) Mr. Miller
jáma pit
Jan John
Jana Jean, Jane, Joan
jantar amber
jarní spring
ja|ro spring (*na –ře* in spring (time))

jas blaze
jasan ash
jásat cheer; rejoice (*nad* over n. at)
jasmín jasmine
jasnit se clear up
jasn|o 1 denní světlo daylight 2 jasné počasí bright weather **zčista –a** all of a sudden
jasný 1 též přen. clear 2 zářivý bright, shiny, vivid 3 samozřejmý evident, obvious
jatky slaughterhouse; přen. slaughter
játra liver
javor maple
jazyk 1 tongue (*mateřský* ~ mother tongue; *vypláznout* ~ put* out one's tongue) 2 jen řeč language (*rodný* ~ first language)
jazykověda linguistics
jazykovědec linguist
jazykovědný linguistic
jazykový language, of language(s)
ječet yell, scream (*smíchem* with laughter)
ječmen barley
jed poison; živočišný venom
jed|en 1 one **~ druhého** one another, each other **~ nebo druhý** ze dvou either 2 **ještě ~ šálek** another cup 3 **je to –no** it makes no difference 4 **–ny boty** one pair of boots
jedině only (~ *odborník* only an expert, an expert alone)
jedinec individual
jedinečný unique
jediný only **ani ~ ...** not a single ...
jedle fir
jedlý edible
jednak on the one hand on the other (hand); for one thing ..., (and) for another; partly partly
jednání 1 chování behaviour 2 vyjednávání negotiations PL, talks PL 3 postup proceeding 4 div. act
jednat 1 act 2 vyjednávat negotiate, též počínat si deal* (*s* with) 3 zacházet s někým treat sb.
jedničk|a (number) one (*jet –ou* take* No. 1 line)
jednobarevný plain(-coloured)
jednoduchost simplicity
jednoduchý simple
jednolitý compact
jednolůžkový pokoj single room
jednomyslný unanimous
jednopatrový two-storey
jednosměrný one-way
jednostranný one-sided
jednota unity
jednotka unit; jednička (number) one
jednotlivec individual
jednotlivý single, individual
jednotn|ý uniform **–á sazba** flat, rate
jednotvárnost monotony
jednotvárný monotonous, dull, bez událostí uneventful
jednou 1 once **~ provždy** once and for all **~ za čas** once in a while 2 jednoho dne one n. some day
jednoznačný definite
jedovatý poisonous
jehelníček pincushion
jehla needle
jehlan pyramid
jehlice ozdobná pin; pletací knitting-needle
jehličí pine-needles PL
jehličnatý coniferous
jehně(čí) lamb **jehněčí vlna** lamb's-wool
jelen stag; též laň deer
jelenice chamois-leather
jemně softly, mildly
jemný 1 fine, soft; křehký delicate 2 těžko postižitelný subtle 3 ušlechtilý gentle 4 kultivovaný refined
jen, jenom only, just **~ to toho** go* ahead
jenomže only
jenž who, which, that
jeptiška nun
jeřáb 1 pták i stroj crane 2 strom mountain ash
jeřábník crane driver n. operator
jeseter sturgeon
jeskyně cave

jesle crib, manger **dětské ~** creche, nursery **celotýdenní ~** residential nursery
jestli(že) if
jestřáb hawk
ješitnost vanity
ješitný conceited, vain
ještě **1** časově still **2 ~ lepší** still better* **dokonce ~ lepší** even better* **2** another; one n. some more **~ jeden šálek čaje** another cup of tea **3 ~ ne** not yet
ještěrka lizard
jet **1** go*, travel (*vlakem* by train; *letadlem* by air; *na hory* to the mountains) **2** použít prostředku take* (a bus, a train ...) **3** vsedě obkročmo ride* (*na koni* a horse; *na kole* a bicycle) **4** řídit drive*
jetel clover
jev phenomenon*
jeviště stage
jevit se appear (*jako* to be*)
jez weir
jezdec rider, horseman*; v šachu knight
jezdit v. *jet*
jezero lake
jezevec badger
ježek hedgehog
ježit se bristle
jícen gullet
jídelna dining-room
jídelní: ~ kout dining-recess **~ lístek** menu **~ příbor** knife, fork and spoon **~ vůz** dining-car
jídlo **1** potrava food **2** chod dish **3** denní pravidelné meal
jih south (*na –u* in the south; *jet n. jít na ~* go* south)
jihoamerický south-American
jihovýchod(ní) south-east(ern)
jihozápad(ní) south-west(ern)
jikry hard roe
jíl clay
jilm elm
jinak **1** otherwise, differently **2** v opačném případě or else, otherwise
jin|am(de) to some other place, somewhere else
jindy some other time; po druhé another time, at other times
jinovatka hoarfrost
jinudy (by) a different way
jiní others
jin|ý **1** other, another (*několik –ých příkladů* a few other examples; *přines mi ~ ručník* bring* me another towel) **2** different (*než* from)
Jiří George
jiřina dahlia
jiskra spark
jiskřit spark(le), twinkle
jíst eat*; stravovat se have* one's meals
jistě certainly, surely; přitakání certainly, sure, absolutely, precisely, am. (*nevím to ~* I don't know* for certain n. for sure; *on ~ přijde* he is sure to come*)
jistot|a certainty; bezpečnost security, safety **pro –u** as a precaution
jist|ý **1** sure, certain (*být si jist čím* be* sure of st.; *–á osoba* a certain person; *za –ých podmínek* on certain conditions)
jít **1** go* (*do školy* to school; *do práce* to work) **2** come* (*šel byste se mnou?* would* you like to come* with me?) **3** pěšky walk **4 to nepůjde** it won't work **5 ~ pro něco** fetch st.
jitrnice pudding
jitro morning
jízd|a **1** ride, drive, journey (*přerušit –u* break* one's journey) **2** jezdectvo cavalry
jízdenka ticket
jízdné fare
jízdní: ~ dráha roadway **~ řád** timetable, kniha railway guide
jízlivý malicious
jizva scar
již already; v kladné otázce yet; kdy as early as **~ ne** no more
jižní south, southern
jmelí mistletoe
jménem koho on behalf of
jmění property, fortune **získat velké**

~ acquire great wealth; práv. estate
jmeniny name-day
jmén|o name **rodné ~** first name, ženy-maiden name **–em koho** v zastoupení on behalf of sb.
jmenovat 1 call, name **2** ustanovit appoint (*koho ředitelem* sb. manager) **~ se** be* called
jmenovitý specified
jód iodine
jogurt yoghurt
Josef Joseph
jubile|jní(um) anniversary, jubilee
junior(ský) junior
jurisdikce jurisdiction

K

k, ke, ku 1 směrem k to, towards (*~ holiči* to the barber's) **2** o čase about, towards (*~ páté hodině* at about five o'clock) **3** účel for (*~ čemu je to?* what is it for?; *mít ~ obědu* have* for dinner)
kabaret music-hall **–ní představení** floorshow
kabát coat; sako jacket
kabel(ovat) cable
kabelka handbag
kabina cabin; výtahu cage; oddíl box; tlumočn., volební booth; na plovárně cubicle; kosmonauta capsule
kabinet cabinet
kácet fell, cut* down
kacíř heretic
káď vat
kadeř lock
kadeřavý curly, crisp
kadeřn|ík(ice) hairdresser, hair-stylist
kadidlo incense
kádinka beaker
kadeřnictví hairdresser's
kadeřník hairdresser
kachlík tile
kachna duck
kajak kayak
kajícný penitent
kajuta cabin
kakao cocoa
kaktus cactus
kal mud, slush; v toku silt
kalamita calamity
kalendář calendar; kapesní diary
kalhotky pants PL; hovor. panties PL
kalhoty trousers PL, am. pants PL; flanelové, zvl. pro sport flannels PL
kalibr calibre, gauge
kalich chalice, přen. cup
kalit temper
kalkulace calculation
kalkulovat calculate
kalný muddy
kalorický caloric
kalorie calorie
kaluž pool, puddle
kam where (*~ jinam* where else; *není si ~ sednout* there's nowhere to sit* down)
kamarád(ka) mate, friend; hovor. pal
kamarádství fellowship
kamelot news-vendor
kámen stone, rock (*stavební ~* building stone) **zubní ~** tartar
kameník mason
kamenina crockery
kamenný stone, ... of stone
kamera camera
kameraman* cameraman*
kamínek pebble **~ do zapalovače** flint
kamión truck
kamkoli anywhere; wherever
kamna stove
kampaň campaign, drive
kamufláž camouflage
kamzík chamois
kanadský žertík hoax
kanál 1 stoka sewer; odtok drain **2** dopravní, zavodňovací canal **3** průliv channel **Kanál La Manche** the English Channel
kanalizace sewerage
kanár(ek) canary
kancelář office **tisková ~** press

agency
kancelářský office
kancléř chancellor
kandidát(ka) candidate
kandidovat (be*) put* up as a candidate (*do parlamentu* for Parliamentary elections)
kanec boar
kanibal cannibal
kaňka blot
kánoe canoe
kanón cannon
kaňón canyon
kaolín kaolin
kapacita capacity
kapalina liquid, fluid
kapalný liquid
kapat drip
kapela band
kapesné pocket-money
kapesní pocket **~ nůž** penknife*, pocket-knife* **~ zloděj** pickpocket
kapesník handkerchief
kapitál capital, funds PL **akciový ~** stock
kapitalismus capitalism
kapitalist|a(ický) capitalist
kapitán captain
kapitola chapter
kapitulace capitulation, surrender
kapitulovat capitulate, surrender
kapka drop, drip
kaple chapel
kapota bonnet, am. hood
kapr carp
kapradí bracken
kapradina fern
kaps|a pocket (*náprsní ~* breast pocket)
kapsář pickpocket
kapsle capsule
kapuce hood
kapusta cabbage **růžičková ~** Brussels sprouts PL
kára cart, malá (hand) cart
karafa decanter, cruet
karafiát carnation, pink
karamel caramel
karamela toffee
karanténa quarantine
karát carat
karavana caravan
karbanátek hamburger
karburátor carburettor
kardinál cardinal
Karel Charles
karmínový crimson
kariéra career
kariérista (social) climber
karikatura caricature
karma geyser, gas water-heater
karneval carnival
karosérie body (of a car)
karotka carrot
kart|a card (*hrát v –y* play cards)
kartáč brush **~ na vlasy** hairbrush
kartáček na zuby toothbrush
kartáčovat brush (up)
kartón cardboard
kartotéka card-index, file
kasárny barracks PL
kasta caste
kastrol saucepan
kaše purée **bramborová ~** mashed potatoes PL **chodit kolem horké ~** beat* about the bush
kašel cough (*dostat ~* get* a cough)
kašlat 1 cough **2 ~ na** not care a bit; not give* a damn (for st. n. if ...)
kašmír cashmere
kašna fountain
kaštan chestnut
katalog catalogue
katar catarrh
katastrofa catastrophe, disaster
katastrofální disastrous
katedra 1 profesorská chair **2** VŠ zařízení department
katedrála cathedral
kategorie category
katol|ický(ík) Catholic
kaučuk caoutchouc
káva coffee
kavárna café
kaviár caviar(e)
kavka jackdaw

kávovar percolator
kávov|ý coffee **–á lžička** teaspoon **–ý mlýnek** coffee-mill, coffee grinder **–é zrno** coffee bean
kaz flaw **zubní ~** caries
kázání sermon
kázat preach
kazatel preacher
kazatelna pulpit
kázeň discipline
kazeta cassette, cartridge
kazit spoil* **~ se** decay, go* bad*
kazov|ý imperfect **–é zboží** imperfect goods PL
každodenní daily, everyday
každoroční annual
každ|ý ADJ **1** všichni, všechny every, samostatně n. z určitého počtu each **2** ze dvou either **~ z nás** each of us **v –ém případě** in any case **–ou chvíli** constantly **–ou hodinu** hourly **–ou noc** nightly
kbelík pail, bucket
kdákat cackle
kdekoli anywhere, wherever
kdepak 1 kde? where(ever) **2** nikoli not at all, by no means
kdesi somewhere
kdežto while, whereas
kdo who, which (*~ z vás* which of you; *~ ještě* who else)
kdokoli anyone, anybody
kdosi someone, somebody
kdy 1 when (*~ se vrátíš?* when will* you be* back?) **2** ever (*nejlepší film, jaký jsem ~ viděl* the best* film I've ever seen*)
kdyby if (*~ tak měl* if only he had, I wish he had; *co ~ měl* what if he had, suppose he had)
kdykoli (at) any time, (at) any moment; vždycky, když whenever, the moment
kdysi once
když 1 when **2** as (*viděl jsem ho, ~ vystupoval z autobusu* I saw* him as he was* getting off the bus) **3** potom after **4** jestliže if **vždycky ~** whenever
kecat waffle
kečup ketchup
keks biscuit, cracker
kel tusk
kedluben turnip-cabbage
kelímek pot
Kelt Celt, Kelt
keltský Celtic, Keltic
kemp camp, campsite, camping site
keramický ceramic
keramika ceramics PL, pottery
keř shrub, bush
kéž: ~ bych měl I wish I had
kiks blunder
kilo(gram) kilogram
kilometr kilometre
kilowatt kilowatt
kin|o cinema (*jít do –a* go* to the cinema, go* to see* a film, go* to the pictures)
kiosk stall, booth
klacek 1 stick, club **2** nevychovanec lout
klad merit
kláda log, beam
kladivo hammer
kladka pulley
kladn|ý positive **–á odpověď** affirmative answer
klakson hooter
klam deception, illusion
klamat deceive
klamný deceptive
klanět se bow (*před* to)
klapat clatter
klapka key
klarinet clarinet
klas ear (of corn)
klasický classic(al)
klasifikace classification
klasifikovat classify
klasik classic
klást lay*, put* **~ důraz** emphasize (*nač* st.) **~ otázky** ask questions
klášter cloister, mužský monastery, ženský convent
klaun clown
klauzule clause
klávesa key

klávesnice, klaviatura keyboard
klavír piano **hrát na** ~ play the piano
klavírista pianist
klec cage
klečet kneel*
klek(nout) si kneel* down
klempíř tinsmith
klenba vault
klenot jewel **–y** jewellery
klenotník jeweller
klenotnictví jeweller's
klenotník jeweller
klep tale, a piece of gossip (*dělat –y* tell* tales, gossip)
klepat **1** knock (*na dveře* at the door) **2** tap (*nohou o podlahu* one's foot* on the floor)
klepeto claw
klepna gossip
klepy gossip, hearsay
kles|at(nout) **1** fall*, sink*, go* down **2** prudce drop **3** upadat decline **4** sestupovat descend
kleště štípací pincers PL; uchopovací tongs PL; ohýbací pliers PL
kletba curse
klevet|it(y) gossip
klíč **1** key **~ od domu, bytu** latch-key **2** na matice spanner, am. wrench **francouzský** ~ adjustable spanner
klíčit bud
klička knot
klíční kost collar-bone
klíčov|ý key (~ *průmysl* key industry) **–á dírka** keyhole
klid **1** calm quiet **2** peace (~ *venkova* the peace of the countryside) **3** ease (*dopřát si –u* take* one's ease)
klidný quiet, relaxed, ovládající se calm
klient client
klíh glue
klika **1** (door) handle, kulatá knob **2** u stroje crank **3** politická clique
klikat|it se (–ý) zigzag
klima climate
klímat drowse
klimatický climatic
klimatizace air-conditioning
klín nástroj wedge # lap (*sedět komu na –ě* sit* on sb.'s lap n. on sb.'s knee)
klinika clinic
klisna mare
klíště tick
klít swear*, curse (*na* at)
klížit glue
klobása sausage
klobouk hat (*smeknout* ~ raise one's hat to)
klokan kangaroo
klokta|dlo(t) gargle
klon|it se incline (*–ím se k názoru* I am inclined to think* n. to the opinion)
klopa flap, lapel
klopit tilt, cast* down (~ *oči* cast* down one's eyes)
klopýt|at(nout) stumble (*o* over)
kloub joint; prstu knuckle
klouzačka slide
klouzat (se) slide*, glide; smykem skid
klov|at(nout) peck
klozet toilet, lavatory, (water-)closet
klub club (~ *čtenářů* book club)
klubko ball (of thread)
klubovna clubroom
klus(at) trot
kluziště (skating-)rink, (ice-)rink
kluzký slippery
kmen trunk; domorodců tribe
kmín caraway (seed)
kmitat oscillate, swing
kmitočet frequency
kmotr godfather
knedlík dumpling
kněz priest
kněžna princess
kněžský clerical
kniha book; k doplňování register
knihkupec bookseller
knihkupectví bookshop, bookseller's
knihovna **1** library **2** skříň bookcase
knihovn|ice(ík) librarian
knír moustache
kníže prince
knižní výraz bookish expression
knoflík button; k držení, otáčení knob

kňučet whimper, whine
koalice coalition
koberec carpet
kobliha doughnut
kobyla mare
kocour tom(-cat)
kocovina hangover
kočár carriage, coach
kočárek pram, am. baby carriage **sportovní ~** pushchair
kočí driver
kočka cat
kód code
kohout cock
kohoutek 1 pušky cock; spoušť trigger **2** potrubí tap
kojenec baby, suckling
kojit breast-feed*, nurse
kokain cocaine
koketovat flirt
kokos coconut
kokrhat crow
koktejl cocktail
koktkoníat stutter, stammer
kola coke
koláč cake; ovocný tart
kolébat rock, ull
kolébka cradle
kolečko 1 wheel **ozubené ~** cog-wheel **2** trakař (wheel) barrow **–vé brusle** roller skates
koleda carol
koleg|a(yně) colleague
kolej 1 železniční rail, line **2** vyjetá rut # studentská hostel, hall; vysoká škola college
kolek stamp
kolekce collection, set* assortment
kolektiv group, team
kolektivní collective **~ činnost** group activity **~ práce** teamwork
kolem 1 round, around (*země obíhá ~ slunce* the earth moves round the sun; *postávat ~* hang around) **2** o čase about, towards (*~ druhé hodiny* about n. towards two o'clock) **3** mimo past
kolemjdoucí passer-by
koleno knee; roury elbow
kolik: ~ dní how many days **~ času** how much* time **v ~ hodin** at what time **~ je mu let*** how old* is he
kolík peg (*~ na prádlo* (clothes) peg)
kolikát|ý: –ého je dnes? what is the date today?
kolikrát how many times
kolísat fluctuate; vary; váhat waver, hesitate
kolmice perpendicular
kolmý perpendicular, upright
kol|o 1 wheel **2** jízdní bicycle (*jezdit na –e* ride* a bicycle) **3** při závodech round, lap
koloběžka scooter
kolomaz grease
kolona column
kolonialismus colonialism
koloniální colonial
kolonie colony
kolonizace colonization
kolotoč merry-go-round, roundabout
kolovat circulate
komando squad
komár gnat, mosquito
kombajn harvester
kombinace combination
kombinát combine
kombiné slip
kombinéza overall; montérky overalls PL
kombinovat combine
komedie comedy
komentář poznámka comment (*o* upon); souvislý commentary
komentátor commentator
komentovat comment, make* comments (*co* (up) on st.)
komerční commercial
kometa comet
komfort comfort
komfortní comfortable, well*-equipped
komický comic(al), funny
komik comedian, entertainer
komín chimney **lodní ~** funnel
kominík (chimney-)sweep
komisař commissioner
komise commission; výbor committee

komora chamber **temná ~** darkroom
komorní hudba chamber music
kompaktní compact **~ disk** compact disc
kompas compass
kompatibilní compatible
kompenzace compensation
kompetenc|e: v –i soudu within the competence of the court
kompetentní competent
komplex complex
komplexní global
komplikace complication
komplikovaný complicated
komplikovat complicate
komponovat compose
kompost compost
kompot stewed fruit
kompozice composition
kompromi|s(tovat) compromise **–tovat se** compromise os.
komunální local, municipal **~ podniky** municipal undertakings PL **~ volby** local elections PL
komunikace communication
komuniké communiqué
komunismus communism
komunist|a(ka)(ický) communist
koňak brandy; francouzský cognac
konat 1 do*, make*, undertake* (~ *cestu* make* a journey; ~ *svou povinnost* do* one's duty; ~ *dobro* do* good*) **2 ~ se** take* place
koncem: ~ týdne at the weekend **~ roku** at the end of the year **~ devadesátých let*** in the late nineties
koncepce conception
koncept draft, rough copy
koncern concern
koncert 1 concert **jít na ~** go* to a concert **na –ě** at a concert **2** pro sólový nástroj concerto
koncertní concert
koncovka ending
končit end, close, be* over, come* to an end; o škole break* up
kondenzátor condenser
kondenzovan|ý condensed **–é mléko** condensed n. evaporated milk
kondolence condolence
kondom condom
kon|ec end, close, finish (*na –ci* at the end; *od začátku do –ce* from beginning to end) **~ konců** after all
konečně at last; nakonec finally, in the end
konečník rectum
konečn|ý final, eventual **–á stanice** terminus, budova terminal **–ý termín** deadline
konev can*, jug, zahradní watering-can
konfekce ready-made clothes PL; obchod clothes shop
konfekční ready-made
konference conference
konfiskace confiscation
konfiskovat confiscate, seize
konflikt conflict
konfrontace confrontation
konfrontovat confront
kongres congress
koníč|ek hobby (*věnovat se svému koníčku* pursue one's hobby)
konjunktura boom
konkrétní 1 concrete **2** určitý definite, particular (*mít ~ důvody* have* particular reasons)
konkurence competition
konkurenční competitive
konkurent competitor
konkurovat compete (*komu v* against n. with sb. in)
konkurs soutěž competition; na místo advertisement of post
konkursní competitive
konopí hemp
konspektovat abstract
konstatovat state
konstrukce construction
konstrukční construction **~ kancelář** design(ing) department
konstruktér designer
konstruktivní constructive
konstruovat construct, design
kontakt contact, touch

kontejner container
kontext context
kontinent continent
kontinentální continental
kontinuita continuity
konto account
kontraband contraband
kontrarevoluce counter-revolution
kontrast(ovat) contrast
kontrola control, check ~ **zbrojení** arms control
kontrolní control ~ **stanoviště** checkpoint ~ **útržek** counterfoil
kontrolor inspector, controller, supervisor
kontrolovat control, check; dohlížet supervise
konvalinka lily of the valley
konvence convention
konvenční conventional
konvertibilní convertible
konverzace conversation
konverzovat converse, talk
konvexní convex
konvice pot, na vaření vody kettle, čajová teapot, kávová coffeepot
konvoj convoy
konzerva tin, can*; ovocná preserves PL
konzervační prostředek preservative
konzervárenský průmysl canning n. processing industries PL
konzervativní conservative
konzervatoř conservatoire
konzervovat conserve; zvl. ovoce preserve; v plechu tin, can*
konzul consul
konzulární consular
konzulát consulate
konzultace consultation, tutorial
konzultovat radit se s kým consult (sb.); radit komu tutor (sb.)
kooperace co-operation
kooperativní co-operative
koordinovat co-ordinate
kop kick (*pokutový* ~ penalty)
kopanec kick
kopa heap, urovnaná pile; mnoho heaps PL, plenty PL (*čeho* of)
kopáč navvy
kopaná football, soccer
kopat **1** dig* **2** nohou kick
kopcovitý hilly
kopec hill
kopí lance, pike
kopie copy; duplicate, negativu print
kopírovací přístroj copier
kopírovat copy
kopnout kick, give* a kick
kopr dill
kopretina ox-eye daisy
kopřiva nettle
kopřivka hives PL
kopyto **1** hoof **2** obuvnické last
korál coral
korálek bead
korek cork
korektura **1** oprava correction **2** korigování proof-reading **3** obtah proof
korespondence correspondence
korespondenční correspondence ~ **lístek** postcard
korespondent(ka) correspondent
korigovat correct, proof read*
kormidelník steersman*, helmsman*
kormidlo helm, rudder, (steering-) wheel
kormidlovat steer
kornoutek cone
korodovat corrode
koroptev partridge
korun|a(ka) crown
korunovace coronation
korunovat crown
korupce corruption, bribery
korýš crustacean
koryto trough ~ **řeky** (river-)bed
korzet corset
korzo promenade
kořen root
kořeněný spicy; okořeněný seasoned
koření spice (s PL)
kořist lup loot, plunder, booty; ulovená prey; lovné zvíře quarry
kos blackbird
kosa scythe

kosatec iris
kosit cut*, mow **~ obilí** reap corn
kosmetický cosmetic
kosmetika cosmetics
kosmick|ý cosmic, space (*~ let** space-flight; *–á loď* spaceship)
kosmonaut spaceman*, astronaut
kosmopolitní cosmopolitan
kosočtverec lozenge, diamond
kost bone (*promrzlý na ~* frozen to the bone; *~ a kůže* a bag of bones)
kostel church
kostka **1** cube **2 dlažební ~** paving stone **3 ~ cukru** lump of sugar **hrací ~** die
kostkovaný chequered
kostnatý bony
kostrbatý rugged
kostra skeleton; stavby frame
kostým costume, suit
kosý sidelong
koš basket (*~ na papír* waste-paper-basket) **dát –em komu** jilt sb.
košík basket
košíková basket-ball
košile shirt **noční ~** nightdress, night-gown, hovor. nightie
koště broom
kotě kitten, puss(y)
kotel boiler, malý kettle
kotelna boiler room, furnace room
kotleta cutlet, chop
kotník na ruce knuckle; na noze ankle (*po –y v blátě* ankle-deep in mud)
kotouč disc; svitek roll **~ prachu** whirl of dust
kot|oul(rmelec) somersault
kotv|a anchor (*spustit, zvednout –u* drop, weigh anchor)
kotvit lie* at anchor
kouknout peek (*na* at)
koul|e **1** ball **2** mat. sphere **3** fyzikální globe **4** sport. shot **vrh –í** putting the shot
koupací bathing **~ čepice** bathing-cap
koupaliště swimming-pool
koupat **1** bath (*dítě* the baby) **2** bathe (*ránu* the wound) **~ se ve vaně** (have* n. take* a) bath **3** v řece a podobně bathe
koupě purchase **výhodná ~** bargain, a good* buy*
koupel bath
koupelna bathroom
koupit buy* (*komu* for sb.)
kouř smoke
kouření smoking (*~ zakázáno* no smoking)
kouř|it smoke
kousat bite*
kousavý přen. caustic, pointed, pungent
kousek piece, bit **~ papíru** a slip of paper
kousnout bite*, give* a bite
kout(ek) corner, conjurer n. conjuror
kouzelník magician; čaroděj sorcerer
kouzelný magic; okouzlující charming
kouzlit conjure
kouzlo magic; půvab charm
kov metal
kovárna smithy
kovář (black)smith
kovat forge, hammer
kovboj cowboy
kovový metal
koza goat
kozel billy goat
koželužný tanning
kožený leather
kožešin|a(ový) fur
kožešnictví furrier's
kožešník furrier
kožich fur coat
kožní skin
kra floe
krab crab, lobster
krabice box, case
kráčet walk, march, step
krádež theft; v samoobsluze shoplifting
krach bankruptcy
kraj okraj edge, margin (*na –i lesa* on the edge of a forest; *psát na ~* write* in the margin)
kraj **1** země country **2** krajina land-

scape **3** správní oblast region
krajan one's countryman*
krajanka one's countrywoman*
krájet cut*; maso carve **~ chleba** cut* n. slice bread
krajíc slice, round, piece (*chleba* of bread)
krajina landscape
krajk|a(y) lace
krajní 1 postranní side, outside **2** extrémní extreme, excessive
krajnost extreme
krákorat croak
král king
králík rabbit
králíkárna hutch
královna queen
královský royal
království kingdom
krám 1 shop **2** veteš trash, junk
kráska beauty
krásně beautifully
krásn|ý beautiful, lovely, wonderful **–é počasí** fine weather
krasobruslař(ka) figure skater
krasobruslení figure skating
krást steal*
krát times
krátce in short, shortly, briefly
kráter crater
krátit shorten **~ se** get* shorter
krátkodobý short-term
krátkozraký short-sighted
krátk|ý short; též stručný brief **–é spojení** short circuit
kraul crawl
kráva cow
kravata neck tie
kravín cowshed
krb fireplace
krčit (se) 1 choulit se cringe, shrink* **2** mačkat se crease **~ rameny** shrug one's shoulders
krční throat
kredenc sideboard
kredit credit
krédo creed
krejčí tailor
krejčová dressmaker
krejčovství tailor's
krém 1 cream; vaječný custard **2** na boty polish
kremace cremation
krematorium crematorium
kresba drawing; návrh design
kreslen|í drawing **–ý film** (animated) cartoon
kreslit draw*
kr|ev blood (*teče mi ~ z nosu* my nose is bleeding)
krevní blood (*~ skupina* blood group; *~ tlak* blood pressure)
kriket cricket
kriminální criminal
Kristus Christ
kritérium criterion
kritický critical **~ bod** turning-point
kritik critic
kriti|ka criticism (*podrobit –ce* subject to criticism)
kritizovat criticise
krize crisis*
krk neck **bolí mě v –u** I have* a sore throat
krmič feeder
krmit feed*
krmivo feed, fodder
krmný feeding
krocan turkey
kroj costume (*národní ~* national costume)
krok step (*na každém –u* at every step; *udělat ~* make* a step) **držet ~ s** keep* up with
krokodýl crocodile
krokus crocus
kromě 1 s výjimkou except (*každý den ~ neděle* every day except Sunday) **2** navíc besides **~ toho** besides (this), in addition
kronika chronicle; annals PL
kropit sprinkle (*~ květiny, ulice* water the flowers, streets)
krot|it(ký) tame
kroupy 1 groats PL **2** krupobití hail (*padají ~* it is hailing)

kroutit turn; násilím twist **~ se** wriggle
kroužek 1 ring 2 též skupina circle
krtek mole
kručet rumble
kruh circle; ring (*rodinný ~* family circle; *obchodní –y* business circles)
kruhový circular
krumpáč pick
krůpěj bead
krupi|ce semolina (*–čná kaše* semolina pudding)
krupobití hail
krůta turkey-hen
krutý cruel (*na* to), hard (*na* on)
kružítko compasses PL
kružnice circle
krvác|et bleed* (*teče mi krev z nosu* my nose is bleeding)
krvavý bloody
krvinka corpuscle
krychle cube
krychlový cubic
krypta crypt
krysa rat
krystal(ový) crystal
kryt cover; vršek top; úkryt shelter
krýt též přen. cover; chránit shield
křeč spasm, cramp
křeček hamster
křečovitý spasmodic
křečové žíly varicose veins PL
křehk|ý 1 vyžadující opatrné zacházení fragile 2 brittle (*–é sklo* brittle glass) 3 jak má být crisp
křemen flint
křen horse-radish
křepelka quail
křeslo (arm)chair; v divadle stall
křest baptism, christening
křesťan(ský) Christian
křesťanství Christianity
křestní: ~ jméno Christian n. first name **~ list** birth certificate
křičet shout (*na koho* at sb.); pronikavě scream
křída chalk
křídlo wing; klavír grand piano
křik cry; pronikavý scream, shriek
křiklav|ý flagrant **–á barva** loud colour
křísit bring* to
křišťál(ový) crystal
křivda injury, injustice
křivka curve
křivolaký devious
křiv|ý crooked **–á přísaha** perjury
kříž cross
křížek 1 cross 2 v sazce draw*
kříženec hybrid, mongrel
křižník cruiser
křižovat se cross (os.)
křižovatka crossroads, am. intersection; železniční junction
křížovka crossword
křížový výslech cross examination
křoví bush(es) PL, shrubs PL
křtít baptize, christen
křupavý crisp
který 1 tázací what, výběr which (*~ z vás?* which of you?) 2 vztažné who, which, that
kterýkoli any, whichever
kudrnatý curly(-headed), curly-haired
kudy which way
kufr 1 (suit)case; těžký, lodní trunk 2 v autě boot
kuchař cook
kuchařka 1 cook 2 kniha cookery book, cookbook
kuchařský cooking
kuchyně 1 kitchen 2 způsob vaření cooking 3 národní cuisine
kuchyňský kitchen
kukačka cuckoo
kukačkové hodiny cuckoo clock
kukátko divadelní opera-glasses PL; ve dveřích peep-hole
kukuřice maize hlavně am. corn
kůl post; špičatý stake; tyč pole
kulatý round
kulečník billiards PL
kulhat hobble, limp
kulhavý lame
kulička marble
kuličkové pero ball-point pen
kulis|y wings PL; hovor. props PL **za**

–**ami** behind the scene(s)
kulka bullet
kulminovat culminate
kůlna shed
kuloáry lobby
kulomet machine-gun
kult cult
kultivovaný refined, cultured
kultura culture
kulturistika body-building
kulturní cultural
kůň horse (*na koni* on horseback) **2** v šachu knight
kupa heap, urovnaná pile **~ sena** haystack
kupé compartment
kupec 1 kupující buyer, purchaser, shopper **2** obchodník shopkeeper **3** historický merchant
kupní: ~ cena purchase price **~ síla** purchasing power **~ smlouva** buying contract, sales agreement
kupodivu surprisingly, curiously enough
kupole dome
kupón coupon, finanční voucher
kupovat buy*
kupředu forward, ahead
kupující buyer, shopper
kúra cure
kůra crust; stromu bark, rind; ovoce skin, peel
kuriozita curiosity
kuriózní quaint
kůrka crust
kurs školení course, classes PL **~ valut** rate of exchange
kuřácký vůz smoker
kuřák smoker **oddělení pro –y** smoking section
kuře chicken
kuří oko corn
kus piece, bit; beztvarý lump **zastavit se na ~ řeči** drop in for a chat
kutálet se roll
kutil handyman*
kůzle kid
kůž|e 1 pokožka skin **2** nevydělaná hide; vydělaná leather **nejsem ve své –i** I feel* uneasy
kužel cone
kuželky skittles SG
kvádr block
kvákat quack
kvalifikace qualifications PL
kvalifikovaný qualified
kvalita quality
kvalitní first-quality, first-rate
kvantita quantity
kvapný hasty, hurried
kvartál quarter (of a year)
kvartet(o) quartet
kvas(it) ferment
kvasnice yeast
kvést bloom, strom blossom; vzkvétat flourish
květ flower; stromu blossom
květák cauliflower
květina flower
květináč flowerpot
květinářství florist's
květinový záhon flower-bed
květnatý ornate
kvičet squeak
kviz quiz
kvóta quota
kvůli because of, on account of, v zájmu koho for the sake of (*~ mně* for my sake)
kybernetický cybernetic
kybernetika cybernetics
kýč trash
kyčel hip
kých|at(nout) sneeze
kýla rupture
kymácet se sway
kynout 1 gestem motion, give* a sign **2** o těstě rise*
kypřit loosen
kypět boil
kyprý plump
kyselina acid
kyselé zelí sauerkraut
kyselost acidity
kyselý 1 sour **2 ~ obličej, úsměv** wry face, smile

kyslík oxygen
kyslíková maska oxygen mask
kyt putty
kýta joint
kytara guitar
kytice bunch of flowers
kyvadlo pendulum
kyvadlová doprava shuttle
kývat se swing*
kývnout nod

L

laboratoř laboratory, hovor. lab
labuť swan
labužník gourmet
labyrint labyrinth
laciný cheap
ladit 1 tune **2** hodit se k čemu match st.
laguna lagoon
láhev bottle
lahodný delicious
lahůdka delicacy
lahůdkářství delicatessen (shop)
lahůdkový delicate
laický lay*
laik layman*
lajdácký sloppy, slovenly
lajdák sloven
lak 1 paint **2 ~ na nehty** (nail) varnish **3 japonský ~** Japanese lacquer
lákadlo draw*, temptation
lákání temptation
lákat attract, lure
lákavý attractive tempting
lakomec miser
lakomý stingy, mean*
lakota greed
lakovaný painted, varnished, lacquered
lakovat paint (*dveře* a door); varnish (*nehty* one's nails)
lakýrník painter
lalok lobe
lámat (se) break*
lampa lamp (*stolní ~*; *stojací ~* standing lamp)
lampión Chinese lantern
laň hind
lano rope; kovové cable
lanovka cable railway, pozemní funicular
lanýž truffle
lapat po dechu gasp for breath
larva larva
lasička weasel
lásk|a love (*k* of, for) **z -y k** for the love of
laskání caress
laskat caress, cuddle, pet
laskavost kindness, goodness; služba favour (*prokázat komu službu, laskavost* do* sb. a favour)
laskavý kind, good* **buďte tak ~ a počkejte tady** would* you mind waiting here
láskyplný loving
lastura shell
latina Latin
latinka Roman* characters PL
latinský Latin
látk|a 1 material, stuff **2** textil cloth, fabric **3** téma subject matter
laťka lath, sport. bar
latrína latrine
láva lava
lavice bench; školní form
lavička bench
lavina avalanche
lávka foot-bridge
lázeň bath
lázně 1 krytá plovárna public baths PL **2** léčivé spa
lebka skull
léčba treatment
léčebna medical institution
léčebný medical, health
léčení cure
léčit treat, cure **~ se** cure os., undergo* a treatment
léčitelství alternative medicine
léčivý healing
léčka trap, pitfall
led ice
ledabylý careless, casual, sloppy

ledacos anything, whatever
ledaže unless
lednička refrigerator, hovor. fridge
lední hokej ice hockey
ledoborec ice-breaker
ledovec v horách glacier; v moři iceberg
ledov|ý ice, icy **–á kra** iceberg (*–é pole* ice-field; *–ý vítr* icy wind)
ledvina kidney
ledvinky kidneys PL
legalizovat legalize
legálně legally
legální legal
legenda legend
legendární legendary
legie legion
legitimace card (*občanská ~* identity card, am. ID card; *členská ~* membership card)
legitimní legitimate
legitimovat se prove* one's identity
legrac|e fun (*to je ~* what fun; *dělat si –i* make* fun (*z* of); *dělat si –i* kid)
legrační funny
lehátko deck-chair, ve vlaku couchette **–vý vagón** couchette-car
lehkoatletický athletic
lehkomyslnost thoughtlessness, frivolity
lehkomyslný bezstarostný careless, frivolous; riskující reckless; ležérní easygoing
lehký **1** light(-weight) **2** snadný easy **3** nepatrný slight
lehnout si lie* down
lechtat tickle
lék medicine, drug; též metoda a přen. remedy (*proti* for)
lékárna chemist's, am. drugstore
lékárnictví pharmacy
lékárnička medicine chest
lékárník chemist, pharmacist; am. druggist
lékař doctor, physician **praktický ~** general practitioner **zubní ~** dentist
lékařsk|ý medical **–á prohlídka** checkup **~ předpis** prescription
lékařství medicine
lekat frighten, scare
lekce lesson
leknín water-lily
leknout se be* n. get* n. become* frightened n. scared
lékořice liquorice
lektor(ka) lecturer
lelkovat loiter
lem hem, border
lemovat hem, border (with leather)
len flax
lenivý sluggish
lenoch lazy-bones
lenost laziness
lenošit be* lazy; idle
lepenka cardboard
lepenková krabice carton
lepící páska adhesive tape n. sticky tape
lepidlo glue, adhesive, gum
lepit stick*
lepkavý sticky
leptavý caustic
lepší better*
lepšit se get* better*, improve
les wood; nepěstěný forest
lesbi|cký(čka) lesbian
lesk shine, gloss, lustre; leštěním polish; skvělost splendour, glamour
lesklý shiny, glossy
lesknout se shine*; třpytit se glisten, glitter
lesní forest **~ hospodářství** forestry **~ roh** French horn
lesnický forestry
lesník forester
lest trick
lešení scaffolding
leštit polish
let flight
letadlo (aero)plane; velké dopravní airliner
leták leaflet, pamphlet
letec airman*, pilot
leteck|ý air (*–ou poštou* by air mail), aerial
letectví aviation
letectvo air force
letenka plane ticket
letět fly*

letiště airport
letitý aged
letmý momentary
letní summer **~ čas** summer time, daylight saving time, am. fast time
lét|o 1 summer **2 devadesátá –a** the nineties PL **babí ~** an Indian summer
letokruh ring
letopoč|et era **před naším –tem** B.C. (before Christ)
letos this year
letošní this year's
letovat solder
letovisko summer resort
letuška stewardess, (air-)hostess
leukémie leukaemia
lev lion
levák left-handed
levandule lavender
levhart panther
levice 1 left* hand **2** polit. the left*
levicový left-wing, leftist
levný cheap; úsporný economical
lev|ý left* **–á strana** the left*
lézt creep*; plazit se crawl; vzhůru climb
lež lie*
ležet 1 lie* **2 musit ~ pro nemoc** be* down (*s chřipkou* with flu)
ležící ladem waste
lhář liar
lhát tell* lies, lie*
lhostejnost indifference
lhostejn|ý indifferent **to je mi –é** I don't care
lhůta term, time; konečná deadline **dodací ~** time of delivery, delivery time
li if
líbánky honeymoon
líbat kiss
liberální liberal
líbit se 1 like (*líbí se ti to?* do* you like it?, does* it appeal to you?) **2** mít potěšení enjoy
líbivý pleasing
libovolný any
libový lean
libra pound
líc face, front; mince obverse
licence licence
líčidlo make-up, paint
líčit 1 popisovat describe, depict **2 ~ (se)** tvář make* up
lid(é) people
lidnatý densely populated
lidoop ape
lidov|ý people('s), folk (*–á demokracie* people's democracy; *–á píseň* folk-song) **–é umění** folk art
lidožrout cannibal
lidskost humanity
lidský human*; humánní humane
lidstvo mankind, humanity
liga league
líh spirit
líhnout se hatch
lihovar distillery
lihoviny spirits PL
lihový alcoholic
lichotit flatter (*komu* sb.)
lichotivý flattering
lichotka flattery
lichý odd
liják downpour
likér liqueur
lilek aubergine
liknavý sluggish
likvidace liquidation, clearance; platby settlement
likvidovat liquidate; uhradit settle
lilie lily
líme|c(ček) collar
limonáda lemonade
limuzína limousine
lingvista linguist
lingvistický linguistic
lingvistika linguistics
linie line
linka line **autobusová ~** bus route
linoleum linoleum
líný lazy
lípa lime(-tree)
lipový lime
lis press
líska hazel
lískový ořech hazelnut

lisovat press
list leaf* ~ **papíru** sheet of paper
lístek 1 ticket 2 kousek papíru slip 3 **korespondenční** ~ postcard 4 **jídelní** ~ menu
listina document
listnatý leafy
listonoš postman*
listonoška postwoman*
listovat browse (*v* through)
lišejník lichen
lišit se differ (*od* from)
liška fox
lišta ledge
lít se pour (down) **lije jako z konve** it's pouring with rain
literární literary
literatura literature ~ **faktu** non-fiction
litina cast iron
litinový cast-iron
líto: je mi ~ I am sorry (*koho* for sb.)
lítost regret; soucit pity (for)
litovat 1 be* n. feel* sorry (*koho* for sb.) 2 regret (*něco* st.) **ne– námahy, peněz** spare no pains, expense
litr(ový) litre
lívanec pancake
lízat lick
lízátko lollipop
lněný linen
lnout adhere, cling* (*k* to)
loajální loyal
loď boat, ship (*válečná* ~ warship; *kosmická* ~ spacecraft SG i PL, spaceship)
loděnice shipyard
lodičky boty pumps PL
lodivod pilot
loďka boat
lodní naval, ship's (~ *doprava* water transport; ~ *náklad* ship's cargo)
lodník sailor, seaman*
loďstvo fleet; válečné navy
lodyha stalk
logický logical
lokalizovat locate
loket elbow
lokomotiva engine
lom quarry
lomoz din
loni last year
loňský last year's
lopata shovel
lopatka 1 stroje blade 2 kost shoulder-blade 3 na smetí dustpan
los lot; výherní lottery-ticket
los zvíře elk
losování lot
losos salmon
losovat draw* n. cast* lots (*o* for)
loterie lottery
loučení parting, saying goodbye, farewell
loučit se part (with), say* goodbye (to), take* leave* (of)
loudat se lag behind
loudavý sluggish
louka meadow
loupat peel, pare strip
loupež robbery
loupežný robbery, burglary
loupit plunder
louskáček nutcracker
louskat crack
loutka dětská doll; divadelní a přen. puppet, marionette
loutkový puppet
loutna lute
louže puddle, pool
lov hunt, hunting; pronásledování chase
lovec hunter
lovecký hunting ~ **pes** hound
lovit hunt
lovná zvěř quarry
lóže box*
ložisko 1 rudy deposit 2 stroje bearing
ložní prádlo bedclothes PL
ložnice bedroom hromadná **obytná** ~ bed-sitting-room, bed-sit(ter) dormitory
lpět adhere, cling* (*na* to)
lstivý sly, cunning, tricky
lucerna lantern
luční meadow
lůj suet

luk bow
lukostřelba archery
lump villain, rascal, crook
lumpárna prank
luňák hawk
lupa magnifying glass
lupič robber; noční, domovní burglar
lupínek chip
lupy dandruff, scurf
lusk pod
lustr light; s více žárovkami chandelier
luštěniny pulse SG i PL, leguminous plants PL
luštit solve
luxovat hoover, vacuum
luxus luxury
luxusní luxurious, hovor. plush
lůza mob, rabble
lůžko bed; na lodi, ve vlaku berth
lůžkový vůz sleeping car, hovor. sleeper
lýko bast
lyrický lyric(al)
lyrika lyric poetry
lysý bald
lýtko calf*
lyžař(ka) skier
lyž|ařský(ování) skiing
lyž|e(ovat) ski
lze it is possible
lžíce spoon na uhlí, mouku, cukr nebo servírování zmrzliny scoop **~ polévky** a spoonful of soup
lžička teaspoon **~ léku** a teaspoonful of medicine
lživý false

M

macecha stepmother
maceška pansy
mačkat tisknout press; zmuchlat crease; vymačkat squeeze
magický magic(al)
magie magic
magnát tycoon
magnet magnet
magnetický magnetic
magnetismus magnetism
magnetofon(ový) tape-recorder
mahagon mahogany
máchat rinse (*prádlo* the clothes)
máj(ový) May
maják lighthouse
majestát majesty
majestátní majestic
majet|ek **1** property **2** possession (*mít v –ku* have* in one's possession) **3** osobní belongings PL **4** peníze fortune
majetkový property
majitel(ka) owner proprietor
majlant mint
majonéza mayonnaise
major major
majoránka marjoram
mák poppy
makarony macaroni
makléř broker
makrela mackerel
malárie malaria
malátný languid
malba painting
malebný picturesque, quaint
málem nearly, almost
maličkost trifle, mere detail
maličký tiny, diminutive
malicherný trivial
malina raspberry
malíř **1** painter **2 ~ pokojů** decorator
malířský: ~ ateliér studio **~ stojan** easel **~ štětec** paintbrush
malířství painting
málo **1** nepočit. little* **2** počit. few **3** a little* (*~ rozumím* I understand* only a little*)
maloměstský provincial
málomluvný taciturn
malomocenství leprosy
maloobchod retail (business), retail trade
maloobchodní retail
maloobchodník retailer
malování decoration
malovat **1** paint (*obraz* a picture) **2**

decorate (*byt* the flat) **3 ~ se** make* (os.) up
malovýroba small-scale production
malta mortar
malý 1 small **2** citově zabarveno little* **3** na výšku, délku short
maminka mum(my)
mamut(í) mammoth
mandarinka tangerine
mandát mandate
mandle 1 almond **2** v krku tonsils PL
manekýn(ka) model
manévrovat manoeuvre
manévry manoeuvres PL
mango mango
mánie mania, craze
manifest manifesto
manifestace rally, protest march, protest meeting, demonstration
manifestovat rally, demonstrate
manikúra manicure
manipulovat handle (*s čím* st.)
manko deficit, shortage
manšestr cord(uroy)
manšestráky corduroys PL
manšestrov|ý corduroy **–é kalhoty** corduroys PL, cords PL
manuál manual
manuální manual
manžel husband
manželé husband and wife, a married couple
manželka wife
manželský matrimonial; opak nemanž. legitimate **~ stav, svazek** matrimony
manželství marriage
manžeta cuff
manžetový knoflík cuff-link
mapa map
maratón the Marathon (race)
marcipán marzipan
margarín margarine
maringotka caravan
marmeláda jam; pomerančová, citrónová marmalade
marně in vain
márnice mortuary
marnivý vain
marnost vanity
marnotratný wasteful, prodigal
marný vain, useless
maršál marshal
marxismus Marxism
marxist|a(ický) Marxist
mařit 1 mar, thwart **2** waste (*čas* time)
masa mass
masakr massacre, slaughter
mas|áž(írovat) massage
máselnice churn
masírovat massage, knead
masit|ý 1 fleshy **2** týká se masa jako jídla meat(y) (*–á strava* meat diet)
masívní massive, solid
maska mask (*plynová ~* gas mask)
maskovat 1 zastírat camouflage **2** líčit make* up
másl|o butter **jako po –e** very smoothly
maso 1 živé flesh **2** k jídlu meat
masopust carnival
masov|ý meat (*–á konzerva* tinned meat) **–á polévka** broth
masov|ý mass (*–é hnutí* mass movement) **–é sdělovací prostředky** mass media PL i SG
mast 1 ointment **2** mazivo grease
mastit grease
mastnota grease
mastný 1 zamaštěný greasy **2** fat
masy the people
maškarní: ~ kostým fancy dress **~ ples** masquerade, fancy-dress n. masked ball
mašle bow
máta mint **~ peprná** peppermint
matematický mathematical
matematika mathematics
materiál material; hovor. stuff
materialismus materialism
materialist|a(ický) materialist
materiální material
mateřídouška thyme
mateřsk|ý maternal, motherly (*–á dovolená* maternity leave*; *~ jazyk* mother tongue) **–á škola** kindergar-

ten, nursery school **–é znaménko** mole
mateřství motherhood
mateřština mother tongue
mat|ice(ka) nut
matka mother
matný dull, dim
matoucí confusing
matrace mattress (*nafukovací~* inflatable mattress, airbed)
maturit|a leaving examination (*dělat –u* take* n. sit* for one's leaving examination)
maturitní leaving-examination
máv|at(nout) wave, swing* (*~ na rozloučenou* wave goodbye)
maxim|ální(um) maximum
mazadlo grease, lubricant
mazaný astute, cunning, sly
mazat **1** spread* (*máslo na chléb* butter on bread) **2** oil, lubricate (*stroj* a machine)
mazlit se caress, cuddle, domácí zvířata n. eroticky pet
mdloba swoon, faint
mdlý **1** světlo faint **2** jídlo insipid, dull
meč sword
mečet bleat
mečoun swordfish
med honey
měď copper
medaile medal
medailón locket, profile
měděný copper
medicína medicine
medúza jellyfish
medvěd bear
mech moss
mechanický mechanical
mechanik mechanic
mechanika mechanics
mechanismus mechanism; zařízení mechanical device
měchýř bladder
měkký soft, o mase, zelenině tender
mejdan binge
měkkýš mollusc
melancholi|cký(e) melancholy
melasa treacle
mělčina shoal, shallows PL
mělký shallow
melodický melodious
melodie melody, tune
meloun melon
membrána diaphragm
měna currency
méně less*
méněcenný inferior
měnit **1** change (*na* to) **2** alter (*situaci* matters) **3** proměnit convert, turn (*vodu v led* water into ice)
měnit se **1** change **2** alter **3** turn
měnový currency, monetary
menstruace menstruation
menší **1** smaller **2** lesser (*důležitost* importance; *zlo* evil)
menšina minority
mentol peppermint
menu menu
menza students cafeteria
meruňk|a(ový) apricot
měření measurement
měřící measuring **~ pásmo** tape-measure
měřit measure **~ teplotu komu** take* sb.'s temperature
měřítk|o scale, standard (*ve velkém –u* on a large scale)
měsíc **1** těleso moon **2** kalendářní month (*jednou za ~* once in a month)
měsíční **1 ~ světlo** moonlight, moonshine **~ povrch** moon's surface **2** monthly (*~ příjem* monthly income)
měsíčník monthly, (periodical)
mést sweep*
město town; velké, důležité city **hlavní ~** capital
městsk|ý town, city, urban, municipal **–á čtvrť** district **–á rada** town council
mešita mosque
metafora metaphor
metalurgický metallurgical
metalurgie metallurgy
meteor meteor
meteorologický meteorological

metoda method
metodický methodical
metr metre
metro underground, tube, am. subway
metropole metropolis
mez 1 boundary 2 krajní limit
mezek mule
mezera gap; časová interval; prázdné místo blank
mezi 1 dvěma between 2 více než dvěma among
meziměstský telefonní hovor long-distance n. trunk call
mezinárodní international
mezistátní 1 international 2 ve federaci interstate
mezitím in the meantime, meanwhile
mezník landmark; přen. turning-point
mhouřit oči shut* one's eyes, blink
míč ball
migréna migraine
míh|at(nout) se flash, twinkle
mícha spinal cord
míchačka mixer
míchan|ý mixed **–á vejce** scrambled eggs PL
míchat 1 stir (*čaj* one's tea) 2 mix (*mouku s vodou* flour and water) 3 shuffle (*karty* cards) **~ se** meddle (*do* in)
míjet 1 čas pass 2 pass (*koho* sb.; *kolem koho* by sb.)
mikrob microbe, germ
mikrobus minibus
mikročip microchip
mikrofilm microfilm
mikrofon microphone, hovor. mike
mikropočítač microcomputer
mikroprocesor microprocessor
mikroskop microscope
mikrovlnná trouba microwave
miláček darling
míle mile
milenec lover
milenka lover, mistress
miliarda a thousand million, am. billion
milimetr millimetre
milión million
milionář millionaire
militarismus militarism
militarist|ický(a) militarist
milník milestone
milodar charity
milosrdenství mercy
milosrdný merciful
milost 1 grace 2 přízeň favour (*prokázat komu ~* do* sb. a favour) 3 **udělit komu ~** grant sb. pardon **bez –i** ruthlessly, without mercy
milostný love
milovaný beloved
milovat love **~ se** make* love
milovník lover
milující loving, affectionate, fond
mil|ý ADJ 1 drahý dear 2 příjemný nice, sweet, pleasant # N boy-friend **–á** girl-friend
mimo PREP 1 vyjadřující minutí past 2 překračující hranice něčeho beyond 3 mimo cíl off # ADV 1 kolem past 2 vně outside
mimoděk unaware
mimochodem by the way; incidentally
mimořádný extraordinary
mimoúrovňová křižovatka interchange
mina mine
mince coin
mincovna mint
mínění opinion, judgement (*podle mého ~* in my opinion) **mít dobré ~ o** think* highly of
minerálka mineral water
minerální mineral
miniatura miniature
minim|ální(um) minimum
ministerský ministerial **~ předseda** prime minister, premier
ministerstvo ministry, am. department **~ vnitra** Home Office **~ zahraničí** Foreign Office, am. the State Department
ministr(yně) minister
mínit mean*
minout 1 zmeškat miss 2 přejít kolem pass (*koho* sb.) **~ se** s kým pass

(each other)
minule last time
minulost the past
minulý last, previous
mínus minus
minuta minute (*je za pět minut šest* it is five (minutes) to six)
mír peace
mír|a 1 measure, scale (*šitý na –u* made* to measure; *vzít komu –u* take* sb.'s measurements); PL 2 velikost, číslo size 3 měřidlo gauge
mírnit moderate, temper **~ se** keep* one's temper
mírně mildly, softly
mírný mild **~ svah** gentle slope
mírov|ý peace (*–á smlouva* peace treaty)
mírumilovný peaceful
mířit aim (*na* at)
mísa dish, bowl
misionář missionary
mísit se mingle
miska dish
místenka seat-reservation ticket
místní local
místnost room
míst|o 1 prostor room 2 konkrétní place spot (*na –ě* on the spot), ohraničené precinct 3 jen zaměstnání post, job 4 stavební site # PREP **~ toho** instead of it
místopředseda deputy chairman*
mistr 1 master, boss, principal 2 dílenský foreman* 3 sport. champion
mistrovsk|ý masterly **–é dílo** masterpiece
mistrovství 1 mastery 2 sport. championship
mistryně 1 master 2 sport. champion
mít 1 have*, possess 2 **~ za následek** result in **~ raději** prefer **už toho mám dost** I am fed up with it n. sick of it **měl bys jít** you should go* **~ hrozně nerad** hate **~ na sobě** have* on wear* **~ za to** assume, believe, understand*
mít se: ~ dobře enjoy os., have* a good* time; be* well* off **jak se máte?** how are you? **mám se dobře** I'm fine, I'm well*
mixér mixer; liquidizer
mizera skunk
mizerný miserable, wretched
mizet disappear, vanish
mládě young
mládenec young man*, lad, youth
mládež youth, young people, the young
mládežnický youth
mládí youth
mladík young man*, youth, youngster
mladistvý ADJ youthful # N juvenile
mladší younger, junior
mladý young
mlaskat click
mlátit beat*; obilí thresh
mlčenlivý nemluvný taciturn; diskrétní discreet
mlčet be* silent, say* nothing
mlčící silent
mlčky silently, without a word
mléčn|ý 1 milk (*~ bar* milk bar) **~ koktejl** milk shake 2 dairy (*–é výrobky* dairy produce) 3 milky (*M-á dráha* the Milky Way)
mlékárna dairy
mlékař milkman*
mléko milk
mletí grinding, milling
mlha fog; lehká mist
mlhavý misty, foggy
mlít grind*, mill
mlok newt
mluvčí zástupce spokesman*; mluvící speaker
mluvit speak*, talk (*chci s tebou ~* I want to speak* n. talk to you)
mluvnice grammar
mluvnický grammatical
mlýn mill (*větrný ~* windmill)
mlynář miller
mlýnek na kávu coffee grinder, coffee-mill
mlýnský kámen millstone
mnich monk
mnohem much*, far*, a lot, many (~

více knih many more books)
mnoho 1 nepočitatelné much* 2 počitatelné many 3 hovor. a lot of, lots of, plenty of 3 nepočitatelné a great n. a good* deal of
mnohokrát many times ~ **děkuji** thank you very much*
mnohonásobný manifold, multiple
mnohostranný many-sided; o činnosti versatile
mnohoznačný též přen. ambiguous
mňoukat miaow
mnout rub ~ **si ruce** rub one's hands
množení breeding
množit se increase n. grow* in number, multiply v. *rozmnožovat se*
množné číslo plural
množství 1 quantity, number, amount 2 spousta plenty, host, multitude, volume
mobilizace mobilization
mobilizovat mobilize n. –ise, call up
moc 1 power 2 pravomoc authority. násilí force (*dostat se k –i* come* to power)
moc very, much* (~ *dobře* very well*; ~ *zpívat neumí* she isn't much* of a singer)
moci be* able to, can*, may* (*mohu* I can*; *nemohu* I cannot; *mohu si to nechat?* may* I keep* it?)
mocnina 1 power 2 **druhá** ~ square **třetí** ~ cube
mocnost power
mocný powerful
moč urine
močál marsh, bog
močit urinate, make* n. pass water
močový urinary
mód|a fashion, style (*být v –ě* be* in fashion, in vogue)
model model; vzor pattern, design
modelka model
modelovat model
moderní modern, up-to-date
modernizace modernization
modernizovat modernize
modlit se pray
modlitba prayer
módní fashionable, smart, stylish (~ *přehlídka* fashion show*)
modrý blue
modřín larch
modřina bruise
mohutný powerful, mighty; objemný bulky
moknout get* wet
mokr|o(ý) wet
mokřina marsh
mol moth
molekula molecule
molekulární molecular
moll: a moll A minor
molo pier jetty
moment moment, časový bod point
momentka snapshot
monarcha monarch
monarchie monarchy
monitor(ovat) monitor
monolog monologue
monopol monopoly
monotónní monotonous
monotónnost monotony
montáž assembly; mounting
montážní: ~ hala assembly hall ~ **linka** assembly line
montér fitter
montérky overalls PL, boiler suit
montovat fit, assemble, mount
monumentální monumental
monzun monsoon
moped moped
mor plague
morálka 1 mravnost morality 2 mravy morals PL
morální moral
Morava Moravia
moravský Moravian
morbidní morbid
morče guinea-pig
morek marrow
morseovka Morse code
moruše mulberry
moř|e sea (*na –i* at sea; *plout po –i* sail on the sea; *u* ~ at the seaside; *za –em* overseas)

mořeplavec navigator
mořsk|ý sea, marine (*–é lázně* sea resort) **–á nemoc** seasickness **mít –ou nemoc** be* seasick **–á panna** mermaid, siren **–ý rak** lobster **–á ryba** salt-water fish **–é pobřeží** coast, seaside, seashore
mosaz brass
mosazný brazen
most bridge
mošt cider
motat wind*, na cívku reel in, roll (up)
motiv motive
motocykl motorcycle, motorbike
motocyklist|a(ka) motorcyclist
motocyklov|ý motorcycle **–á dráha** speedway
motor motor, engine
motorista motorist
motorová nafta diesel fuel, diesel oil
motorový člun motor boat, launch
motyka hoe
motýl butterfly
motýlek bow(-tie) # sport. butterfly
moučník sweet
moudrost wisdom
moudrý wise
moucha fly
mouka flour
movitý movable
mozaika mosaic
moz|ek(ový) brain
mozol horny skin, callus
možná perhaps, maybe (*~ že máš pravdu* you may* be* right)
možno: je ~ it is possible
možnost possibility, chance **dát ~ komu** enable sb. st. **–i** facilities PL
možný possible
mračit se 1 obloha be* cloudy **2** v obličeji frown
mrak cloud
mrakodrap skyscraper
mramor(ový) marble
mravenec ant
mraveniště anthill
mravní moral
mravnost morals PL; morality
mravný moral
mravy morals PL; zvyky customs PL
mráz frost
mrazivý chilly, frosty, bleak
mraznička freezer
mražený frozen
mrhat waste
mrhol|ení(it) drizzle
mrkev carrot
mrknout blink, wink (*na* at)
mrož walrus
mrsknout lash, whip
mrštný nimble
mrtvola corpse, (dead) body
mrtv|ý dead **být na –ém bodě** be* in a deadlock
mrzák cripple
mrz|et: –í mě, že I am very n. awfully sorry (that)
mrzký despicable
mrzn|out freeze* **–e** it is freezing
mrzutost annoyance
mrzutý 1 o věci annoying, awkward **2** rozmrzelý sullen, peevish, edgy
mříž lattice; bars PL (*být za –emi* be* behind bars)
mřížka rack, trellis
msta revenge, vengeance
mstít se revenge os., take* revenge (*komu zač* on sb. for st.)
mstivý revengeful
mše mass
mučit 1 též při výslechu torture **2** torment
mudrc sage
můj 1 my (*kabát* coat) **2** mine **ten kabát je ~** the coat is mine
muka torment, agony
mul mule
mumie mummy
mumlat murmur, mutter
munice ammunition
muslim(ský) Muslim
mus|et must*, have* got* to, be* obliged to (*musím* I must*; *nemusím* I need* not, I don't have to; *musil jsem* I had to; *nemusil jsem* I didn't have to)
můstek na loď gangway; kapitánský

bridge; lyžařský ski-jump
muška midge
mušle shell
muzeum museum
muzikál musical
muž man*; male (*jako jeden ~* to a man*; *~ činu* a man* of action)
mužnost manhood
mužný virile, manly
mužský male, masculine
mužstvo posádka crew, družstvo team
my we; ourselves (*u nás doma* at our place)
mycí washing
myčka nádobí dishwasher
mydlit, **mýdlo** soap
mýdlov|ý soap **–á pěna** lather
mýlit se be* mistaken, be* wrong
mylný wrong
mys cape
mysl mind (*mít na –i* have* in mind)
mysl|et think* (*na* of, about) mean* (*–ím to dobře* I mean* well*; *–ím to vážně* I mean* it; *–ím, že ano* I think* so; *–ím, že ne* I don't think* so)
myslivec huntsman*
myš mouse
myšlení mind, thought*
myšlenka thought*, idea
mýt wash (*~ nádobí* wash up) **~ si** ruce, hlavu wash one's hands, hair **~ se** wash, have* a wash
mýtné toll
mýtus myth
mzda wage (s PL)
mzdový wage
mž|ení(ít) drizzle
mžourat blink

N

na **1** on (*~ stole, stůl* on the table) **2** to (*jít ~ koncert* go* to a concert) **3** at (*být ~ nádraží* be* at the station) **4** in (*být ~ slunci* lie* in the sun; *~ obloze* in the sky; *~ ulici* in the street) **5** for (*jít ~ procházku* go* for a walk; *~ týden* for a week)
nabarvit paint, dye
nabídka **1** offer **~ a poptávka** supply and demand **2** sňatku proposal
nabídnout **1** offer **2** sňatek propose
nabít **1** load (*pušku* a gun; *aparát* a camera) **2** charge (*akumulátor* a battery) **3** komu beat sb.
nabízet offer
nabodnout stick* (*na co* on st.); stab
náboj **1** patrona cartridge, am. shell **2** el. charge
nábojnice cartridge, shell
nábor recruitment; reklama advertising campaign
naboso barefoot
nábožensk|ý religious, spiritual **–é přesvědčení** confession
náboženství religion
nabrat **1** take* **2** natrhat, nahromadit, sebrat, látku; rychlost gather
nabrousit sharpen
nábřeží quay; řeky ve městě embankment
nabýt acquire, gain **~ vědomí** come* round n. come* to
nábytek furniture
nacionalismus nationalism
nacionální national
nacismus Nazism
nacist|a(ický) Nazi
nacpat cram, stuff; též **~ se** crowd, squash
nacvičovat v divadle rehearse
nácvik drill, training, practice, divadelní rehearsal
náčelník chief **~ stanice** station master
načerpat draw*
načichnout catch* the smell (*čím* of st.)
načínat start; téma broach; činnost initiate
náčiní implement (s PL) tools PL
načisto completely **přepsat ~** make* a fair copy (*co* of st.)
načít start; téma broach
náčrt(ek) sketch, design, draft; obrys outline

načrtnout sketch, draft; v obrysech outline
nad 1 above (~ *obzorem* above the horizon) **2** over (~ *prací* over one's work)
nadace foundation
nadále still **~ dělat** continue to do*; keep* doing (*co* st.)
nadání talent, gift
nadaný talented, gifted
nadarmo in vain
nadávat swear, abuse, někomu scold
nadávka swear-word, bad* name
nadbytečný superfluous, redundant
nadbytek surplus, převyšující poptávku glut
naděje hope (of, of –ing)
nadějný hopeful, encouraging; talent promising
nadepsat inscribe
nádhera splendour
nádherný wonderful, magnificent, splendid, gorgeous; hovor. fab(ulous)
nadchnout inspire
nadiktovat dictate
nadít stuff
nádivka stuffing, filling
nadjezd overhead crossing, flyover
nadjížďka short cut*
nadlidský superhuman*
nadlouho for a long time
nadměrn|ý excessive **–á velikost** outsize
nadmořský above sea level
nádoba vessel **~ na odpadky** litterbin
nádobí jídelní dishes PL, pots PL, tableware; crockery
nadobro for good*
nádor tumour
nadpis inscription
nadprůměrný above the average
nadpřirozený supernatural
ňadra bosom, breasts PL
nádraží (railway) station **nákladové ~** goods station
nádrž basin; cisterna tank
nadřazenost superiority
nadřízenost superiority
nadřízený superior, senior
nadsázka exaggeration
nadšení enthusiasm
nadšený enthusiastic; devoted
nadúrovňová křižovatka level-crossing
nadutost arrogance
nadutý arrogant, haughty
nadváha overweight, zavazadla excess baggage
nadvláda rule; domin(at)ion
nádvoří court(yard)
nadzvukový supersonic
nafoukaný conceited, haughty
nafouknout se inflate, blow* up
naft|a(ový) oil, petroleum **–ové pole** oil field **–ový motor** diesel engine
nafukovací matrace air-bed
nahlas aloud, loudly **mluvit ~** speak* up
náhle suddenly, all of a sudden
náhlý sudden, abrupt
nahnout se tilt, tip
náhod|a chance (*šťastná ~* lucky chance; *nešťastná ~* accident, misadventure); shoda okolností coincidence* **–ou** by chance, by accident **–ou jsem ho potkal** I happened to meet* him
náhodně by chance, by accident
náhodný casual, accidental
naho|ru up; upwards; po schodech upstairs (~ *a dolů* up and down) **–ře** above, up v patře upstairs
náhrada compensation
nahradit 1 odškodnit compensate (komu co sb. for st.); make* up (*co* for st.) **2** vyměnit replace (*koho kým* sb. by sb.)
náhradní spare (~ *díl* spare part)
náhradník substitute
nahrát record
nahrávka recording
náhražka substitute
náhrdelník necklace
náhrobek tomb
náhrobní nápis epitaph
nahromadit heap, pile (up), accumulate **~ se** heap n. pile up, accumulate

náhubek muzzle
nahustit pneumatiku pump up, inflate a tyre
nahý naked
nahýbat se: ~ z okna lean* out of the window
nacházet se be*, be* situated
nachladit se catch* a cold
nachlazení cold, chill
nachlazený: být ~ have* a cold
nachový purple
náchylný liable, prone
naivní naive, artless
najednou 1 suddenly, all of a sudden **2** současně at the same time
nájem hire; podle smlouvy lease
nájemce tenant
nájemné rent
nájemník tenant
najet run* (*nač* against st.)
najevo: dát ~ show*, make* it clear (*komu, že* to sb. that) **vyjít ~** come* to light
nájezd raid
najímat hire
najíst se have* st. to eat, have* a meal
najít find*
najmout hire
nákaza infection
nakažený tainted
nakazit infect **~ se** catch* contract (*nemocí čím* st.)
nakažlivý infectious, contagious, epidemic, catching
náklad 1 břemeno load, freight; lodní cargo **2** výdaje expense, cost* **3** počet výtisků circulation (*novin* of a newspaper), impression (*knihy* of a book)
nakládačka jídlo gherkin
nakládaná zelenina pickle
nakladatel publisher
nakladatelství publishing house
nákladní: ~ auto lorry, truck **~ letadlo, loď** freighter **~ vagón** van **~ vlak** goods train
nákladný expensive, costly
nakloněn|ý inclined (*být nakloněn čemu* be* inclined to; *–á rovina* inclined plane)
naklonit (se) lean* (*~ se z okna* lean* out of window); slant, slope
náklonnost inclination, affection
nakonec in the end, finally, eventually
nakouknout peek, peep
nakoupit buy*
nákres drawing, design
nakřivo awry
nákup purchase; v drobném shopping (*jít na ~* go* shopping)
nákupní buying, purchasing **~ horečka** shopping binge **~ středisko** shopping centre
nakupovat shop **jít ~** go* shopping
nákyp pudding, soufflé
nálad|a mood, temper (*být v dobré, špatné –ě* be* in a good*, bad* temper; *nemít –u na* not be* in the mood for; *mít smutnou –u* have* the blues)
naladit tune
náladový moody, capricious
nalákat zvířata na potravu bait
naléhat insist (*na čem* (up) on st.)
naléhavý pressing, urgent
nalepit stick* (on)
nálepka label
nálet air raid
nálevka funnel
nalevo (to the) left*, on the left*
nález find(ing)
nálezce finder
naleziště rudy deposit **~ nafty** oil field
nalézt find*; objevit discover
náležet belong
náležitý appropriate; řádný proper
nalíčit make* up
nalít pour (out)
nalodit se embark
naložen|ý: –é okurky pickled cucumbers PL **–é ovoce** preserved fruit
naložit 1 load **2** konzervovat preserve; do octa pickle **3** s kým treat sb.
námaha effort, pains PL
namáhat strain (*oči* one's eyes) **~ se** take* pains, exert os.

namáhavý difficult, hard, straining, tiring
namalovat 1 paint 2 ~ **se** make* up
namátkou at random
namazat 1 stroj grease, lubricate, oil 2 ~ **chléb máslem** spread* (a slice of bread) with butter, spread* butter on (a slice of) bread
náměstek deputy (~ *ředitele* deputy manager)
náměstí square, place; kruhové circus
námět suggestion, tip, téma subject
námitka objection
namítnout object (*proti* to)
namluvit přesvědčit persuade (*komu co* sb. of st.)
namočit soak ~ **ruku do vody** dip one's hand into the water
námořní marine, nautical, maritime, vojenský naval ~ **síly** navy
námořnický naval, sailor('s)
námořník sailor
namotat wind
namožený kotník sprained ankle
namydlit soap (~ *se* soap os. down)
namyšlený conceited, presumptuous, hovor. bigheaded
nanejvýš at most
nanést, nános deposit
naneštěstí unfortunately
nanuk ice lolly
naobědvat se have* one's lunch n. dinner
naolejovat oil
naopak 1 on the contrary 2 obráceně **a** ~ and the other way round, and vice versa
nápad idea
nápaditý brainy, cunning
napadnout 1 zaútočit attack 2 **to mě nenapadlo** I didn't think* of it; it didn't occur to me
nápadný striking, conspicuous
napětí tension; vypětí strain
nápěv tune, chant
napínáček drawing-pin, tack
napínat vzrušovat thrill
napínavý thrilling
nápis inscription; firma sign
napít se have* a drink
napjatý tense; natažený tight
naplácat spank (*komu* sb.)
náplast (sticking-)plaster
naplavenina silt
naplavit deposit
náplň filling; náhradní refill; pera cartridge
naplnit fill
naplno: jít n. **hrát** ~ go* (at) full blast
naplňovat fill
napnout 1 pull, strain, stretch 2 vzrušit thrill
napnutý tight, taut, nervózní, hovor. uptight
napodobenina imitation
napodobit imitate
nápodobně (the) same to you
napodobovat imitate
nápoj drink
napojit 1 give* drink to 2 elektřinou charge 3 spojit join, attach
napolovic half*
napomenout admonish
nápor rush, push
naposled finally, last(ly), for the last time
nápověda prompter
napovídat prompt
náprava improvement, amendment
napravit put* right, make* right (*co* st.); repair, mend; odčinit make* amends
napravo (to the) right, kde on the right
naprázdno: běžet ~ idle
naprosto absolutely, thoroughly, entirely, utterly **–ý** entire, thorough, utter, většina, vítězství overwhelming
naproti opposite ~ **tomu** on the other hand **jít ~ komu** (go* to) meet* sb. (*čemu* st.)
náprsní taška wallet, pocket-book
náprstek thimble
napřed 1 vpředu ahead 2 nejdříve first of all
napříč across
například for example, for instance
napsat write*

napůl half* **dělit se ~** go* halves (*s kým o* with sb. in)
napumpovat pump up, inflate
napustit vanu run* a bath
náramek bracelet
náramkové hodinky wrist-watch
náraz blow; zasažení hit; vzduchové vlny blast
narazit **1** hit; bump (*oč* against st.) **2 ~ na odpor** meet* with resistance
nárazník bumper
nárazový vítr, déšť squally
naráž|et allude (*na* to), touch (*na* on); drive* (*na* at) **nač –íte?** what are you driving at?
narážka allusion
narcis daffodil
narkoman drug addict
narkotický narcotic
narkotikum narcotic, dope
narkóza anaesthesia
náročný **1** exacting, demanding **2** vybíravý not easy to please
národ nation, people
narodit se be* born
národní national (~ *důchod* national income)
národnost nationality
národnostní national
národopis ethnography
národopisný ethnographic
nárok claim (*na* to) **činit si –y** claim (*na něco* st.)
narovnat (se) straighten
narození birth
narozeniny birthday
narozený born
naruby wrong side out, inside out; přen. the wrong way round
náruč(í) arms PL; čeho armful
narukovat join the army
narůst grow*, increase
narušit dislocate, obrazně violate, invade
nárys design, draft, outline
nářadí tools PL, kit
nářečí dialect
nářek lament
nařezat **1** zbít thrash **2** krájet cut*, slice
nařídit **1** poručit order **2** put* (*hodiny* the clock right) **~ budík na sedm hodin** set* the alarm for seven
naříkat complain (*na* of); bědovat lament
nařízení order; regulation
nasadit put*, apply, fix, set* **~ si** put* on (*klobouk* one's hat)
nasednout do vlaku get* into a train
násep bank
naschvál on purpose, deliberately
násilí violence
násilnický outrageous
násilník bully
násilnost outrage
násilný violent
naskočit jump (*do* into)
náskok start; advantage
naskytnout se occur, arise*
následek consequence **mít za ~** result in
následkem: ~ čeho owing to, due to, in consequence of **~ toho** consequently
následník subsequent, successive
následovat follow; succeed (*po kom* sb.)
následovník descendant
následující following
nasnídat se have* breakfast
násobek multiple
násobení multiplication
násobilka multiplication table
násobit multiply
nast|at start, set* in **–ává noc** night is falling
nastávající impending **~ matka** mother-to-be
nastavit set* up
nastěhovat se move in
nástěnka notice-board
nástěnn|ý wall **–á malba** mural
nástin outline
nastínit sketch
nastoupit **1** (*do* řady) line up **2** na pracovní n. studentské místo take* up (a post,

service, work), enter (a school, the university, the army) **3** po kom succeed sb. **4 ~ do vlaku** get* into a train
nástraha snare, trap
nástroj implement; specifický instrument; rukodělný tool
nástup 1 k povinnostem entrance into st., taking up (a post, service, work) **2** voj., sport. lining-up
nástupce successor
nástupiště platform
nastuzení chill, cold
nastydlý having a cold
nastydnout catch* (a) cold
nasvačit se have* one's afternoon tea; dopoledne have* a mid-morning snack
nasvědčovat point, indicate (*na* at n. to), show*
nasypat put*, pour, sprinkle
nasytit feed* **~ se** eat* one's fill
náš our; ours
naštěstí fortunately, luckily
natáhnout 1 prodloužit pull, strain **~ kohoutek** cock stretch **2** hold* out (*ruku* one's hand) **3** wind* up (*hodiny* a clock)
nátělník vest, undershirt
nátěr paint
natěrač painter
natírat paint
natlačit se crowd, jam
nátlak pressure
natočit 1 ~ vodu do vany run* the bath **2** film shoot*
natolik to such an extent (*že* that)
natřít paint
naturáli|e: v –ích in kind
naturalistický naturalistic
natvrdo vařené vejce hard-boiled egg
naučný instructive
nauka science
náušnice earring
nával lidí rush
navázat 1 styky enter into n. establish into relations **2** pokračovat take* up, follow up
navenek outwardly
navést induce, incite
návěští signal
navíc ještě in addition (to st.)
navigace navigation
navinout wind* up
navléci (si) put* on, slip on
navlhčit wet
návnada bait, lure
návod k použití directions for use PL
navonět perfume, scent
návrat return
návrh proposal; nadhození suggestion; tech. design **~ zákona** bill
návrhář designer
navrhnout propose; nadhodit suggest, put* forward; výrobek design
návrší hill, rise
návštěva visit (*kam* to st.); call (*u koho* on sb.)
návštěvní hodiny visiting hours PL
návštěvn|ice(ík) visitor, caller **~ divadla** theatre-goer
navštěvovat 1 visit, pravidelně frequent **2** attend (*školu* school)
navštívenka visiting card, am. calling card
navštívit call (*koho* on sb.); visit; formálně pay* a call n. visit; krátce drop in
návyk habit, custom
navyknout accustom **~ si** get* used, get* accustomed (*na* to), get* into the habit of
navzájem one another, each other; mutually
navzdory despite, in spite of
navždy for ever, forever
nazdar v. *ahoj*
název name, title
nazmar: přijít ~ go* to wasted, be* waste
naznačit indicate; nepřímo imply, signify, narážku hint
náznak suggestion, implication
názor opinion, view (*na* of); náhled outlook (*podle mého –u* in my opinion)
názorné pomůcky visual aids PL

nazpaměť by heart
nazvat name, call
názvosloví terminology
nazývat call ~ **se** be* called
naživu alive (*zůstat* ~ remain alive)
nažloutlý sallow
ne 1 nikoli no 2 not (~ *že bych* ... not that I)
nealkoholický 1 non-alcoholic 2 ~ **nápoj** soft drink
nebe heaven; obloha sky **pod širým –m** in the open (air)
nebeský heavenly
nebezpečí danger **na vlastní** ~ at one's own risk
neblahý unfortunate, sinister
neblaze proslulý notorious, infamous
nebezpečný dangerous
nebo or; v opačném případě or else, otherwise **buď-nebo** either-or
nebojácný fearless
neboli or
nebydlící homeless
nebývalý unprecedented
necelý incomplete **za –ch dvacet let*** in less* than twenty years
necitelný insensitive, callous
necitlivý insensitive, numb
necky tub
něco 1 something ~ **takového** something like that 2 anything (*máte ~ pro mne?* have you got* anything for me?) **o ~ lepší** somewhat better*, a little* better*
nečekaný unexpected, abrupt
nečestný dishonest, unfair
něčí somebody's
nečinnost inactivity; lenost idleness
nečinný idle
nečisto: napsat na ~ make* a rough copy of
nečistota dirt, filth
nečitelný illegible ~ **rukopis** scribble
nedaleko not far* (*od* from), nearby
nedávn|o not long ago, lately, recently, the other day až do –a until recently
nedávný recent
nedbalost negligence
nedbalý slack, lax, negligent
nedbat disregard, ignore
neděl|e Sunday (*v –i* on Sunday)
nedílný inseparable, integral
nediskrétní indiscreet, tactless
nedobrovolný involuntary, unwilling
nedobytný impregnable
nedočkavý impatient
nedokonalý imperfect, defective, faulty
nedokonavý imperfect
nedokončený unfinished, incomplete
nedopalek stub, butt, stump
nedopatření(m) by mistake
nedorozumění misunderstanding
nedostatečný insufficient
nedostatek 1 naprostý lack; absence; částečný shortage 2 vada defect, shortcoming
nedostupný inaccessible
nedotčený intact, virgin
nedotknutelný inviolable; jako výsada immune
nedovařený underdone
nedovolený illicit
nedůsledný inconsistent
nedůstojný undignified
nedůtklivý touchy, petulant
nedůvěra distrust, mistrust, disbelief
nedůvěřivý distrustful, incredulous
neefektivní inefficient
neformální informal
negativ(ní) negative
negramotnost illiteracy
negramotný illiterate
něha tenderness
nehet nail, na ruce finger-nail, na noze toe-nail
nehledě apart from, irrespective of, regardless of
nehlučný noiseless
nehoda accident
nehospodárný uneconomical, wasteful
nehostinný inhospitable

nehybný immobile, motionless
nechápavý dense
nech|at **1** let*, leave* (~ *koho být* leave* n. let* sb. alone) **~ kouření** give* up smoking **–te toho** come* off it, hovor. chuck it
nechráněný open
nechuť dislike (*k* of); aversion (*k* to)
nechutný o jídle insipid; disgusting, offensive
nějak somehow, in some way
nějaký some; any
nejasný **1** rozmazaný dim **2** unclear, vague, obscure
nejbližší next
nejdříve first (of all), in the first place **co ~** as soon as possible
nejdůležitější central, chief, principal, prime
nejen not only **~ - ale též** not only –but also
nejistota uncertainty
nejistý **1** neurčitý uncertain **2** nepevný insecure (*led* ice)
nejméně at least
nejnovější the latest, fresh, current
nejprve first of all, in the first place
nejvýše at most
nejvyšší supreme **~ soud** Supreme Court
někam somewhere, anywhere; to some place
někde somewhere, anywhere; at n. in some place
někdo somebody, someone; anybody, anyone
někdy **1** občas sometimes **2** jednou some time, one day (*teď* ~ one of these days; ~ *jindy* some other time)
neklid **1** unrest **2** nervozita restlessness, anxiety, uneasiness
neklidný restless, uneasy
několik a few, some, several
několikanásobný multiple
několikrát several times
nekompromisní uncompromising
nekonečný endless
nekrolog obituary
některý some
někudy some way
nekuřák non-smoker
nekvalifikovaný unqualified, unskilled
nekvalitní low-quality, poor-quality; hovor. bad* quality, shoddy
nelidský inhuman*
nelítostný heartless, merciless; bezohledný ruthless
nelogický illogical
nelze it is not possible
nemačkavý crease-resistant
nemajetný poor, needy
nemanželský illegitimate
neměnný unchangeable, constant
nemilosrdný merciless, ruthless
nemilý unpleasant
nemístný out-of-place; impertinent
nem|ít jako nedostatek lack **~ čeho dost** be* short of **~ nic společného s** have* nothing in common with **–ám ponětí** no idea **–áte zač** you're welcome n. not at all
nemluvně baby
nemluvný taciturn, tight-lipped
nemoc illness, sickness; vážná choroba disease **mořská ~** seasickness
nemocenské sickness benefit **~ pojištění** health insurance
nemocnice hospital (*odvézt do* ~ take* to hospital)
nemocn|ý ADJ sick; ill* (*jsem* ~ I am ill*) # N patient
nemoderní old-fashioned
nemorální immoral
nemotorný clumsy, awkward
nemovitost real estate
nemožnost impossibility
nemožný neproveditelný impossible; nerozumný absurd
nemravný indecent, vicious, vile, obscene
němý dumb
nemyslitelný unthinkable
nenadálý sudden, unexpected
nenahraditelný irreplaceable
nenápadný inconspicuous

nenapodobitelný inimitable
nenapravitelný člověk confirmed, inveterate; člověk, vada incorrigible; škoda, ztráta irrepealable
nenáročný modest
nenasytný insatiable, greedy
nenávidět hate
nenávist hatred
nenucený informal, relaxed
neobdělaný uncultivated
neoblomný firm, immovable
neobratný awkward, clumsy
neobvyklý unusual
neobyčejný unusual; mimořádný extraordinary
neobydlený uninhabited
neočekávaný unexpected
neodborník layman*, amateur
neodborný lay*, incompetent
neodbytný importunate, persistent
neoddělitelný inseparable
neodkladně without delay
neodkladný urgent, pressing
neodolatelný irresistible
neodpovědný irresponsible
neodpustitelný unpardonable
neodůvodněný baseless, unfounded
neodvolatelný irrevocable
neodvratný inevitable
neoficiální unofficial
neohebný inflexible, stiff, rigid
neohrabaný clumsy, awkward
neohrožený intrepid, dauntless
neochota reluctance
neochotný unwilling, reluctant, disobliging
neomalený blunt, impertinent
neomezený unlimited; boundless
neomluvitelný unforgivable, unpardonable
neomylný infallible, unerring
neón(ový) neon
neopatrný careless
neopodstatněný unjustified
neoprávněný unauthorized
neosobní impersonal
neovladatelný uncontrollable
neovládnout se lose* one's temper
neozbrojený unarmed
nepatrný slight, tiny, insignificant
neplatný invalid
neplavec non-swimmer
neplnoprávný underprivileged
neplodný infertile; též přen. sterile, barren
nepoctivý dishonest; proti pravidlům unfair
nepodařený unsuccessful, miscarried
nepoddajný unyielding
nepohodlný uncomfortable, inconvenient
nepohyblivý immobile
nepochopení lack of understanding
nepochopitelný incomprehensible; tajemný mysterious, obscure
nepochybně doubtless
nepokoj unrest, riot, commotion
nepokojný restless, uneasy
nepolepšitelný incorrigible
nepoměr disparity, disproportion
–ný disproportionate
nepopíratelný undeniable
neporušený intact
nepořádek disorder, hovor. mess
nepořádný disorderly
neposlouchat disobey
neposlušný disobedient
nepostradatelný indispensable
nepotřebný unnecessary
nepovinný voluntary
nepozorný inattentive; nedbalý careless
nepozorovaně without being noticed
nepoživatelný uneatable, unfit to eat
nepraktický unpractical
nepravděpodobný improbable, unlikely
nepravdivý untrue, false
neprávem unjustly, wrongfully
nepravidelný irregular
nepravý improper, mock, pseudo-, spurious
neprodleně without delay
neprodyšný airtight

nepromokavý waterproof **~ plášť** mack(intosh)
nepropustný watertight
neproveditelný impracticable
neprozřetelný imprudent, unwise
neprůhledný opaque
nepřátelský **1** zlovolný unfriendly **2** válečný hostile
nepřátelství enmity, hostility
nepředpojatý open-minded
nepředstavitelný inconceivable
nepředvídaný unforeseen, unexpected
nepřehledný confused
nepřekonatelný o překážce insurmountable, insuperable
nepřemožitelný invincible
nepřesný inaccurate, inexact
nepřesvědčivý unconvincing
nepřetržitě constantly
nepřetržitý constant, continuous
nepříčetný insane
nepříjemnost inconvenience, nuisance
nepříjemný unpleasant, annoying, disagreeable
nepřiměřený inadequate
nepřímý indirect
nepřípustný inadmissible, nemyslitelný unthinkable
nepřirozený unnatural
nepřístupný inaccessible; o člověku stand-offish
nepřítel enemy
nepřítomnost absence (*ve škole* from school)
nepřítomný absent, missing
nepříznivý unfavourable
nerad něco dělat not to like to do* st.; not to be* fond of doing st., dislike doing st., hate doing st.
nereálný unreal
nerez stainless steel
nerost(**ný**) mineral
nerovnoměrný unequal, unbalanced, uneven, disproportionate
nerovnost inequality
nerovný uneven, rugged
nerozbitný unbreakable, break-resistant
nerozhodn|ý **1** člověk irresolute; indecisive **2 ~ výsledek zápasu** draw*
nerozlučný inseparable
nerozumný unreasonable, unwise, silly, foolish
nerozvážný thoughtless, imprudent, ill-advised
nerušený placid
nerv nerve (*jít komu na –y* get* on sb.'s nerves)
nervový nervous
nervózní nervous (*kvůli* about); restless, worried
neřest vice
nesčetný countless
neshoda disagreement
neschopnost **1** nezpůsobilost inability **2** incapability, incompetence
neschopný unable (*čeho* to do* st.), incapable (*čeho* of doing st.)
neschůdný, **nesjízdný** impassable
neskromný pretentious
neskutečný unreal
neslaný unsalted, saltless
neslučitelný incompatible, inconsistent
neslušný impolite; hanebný indecent
neslýchaný unheard-of, unprecedented
nesmělý shy, timid
nesmírně extremely
nesmírný immense, enormous, vast
nesmiřitelný irreconcilable
nesmrtelný immortal
nesmysl nonsense, hovor. rubbish
nesmyslný absurd, senseless; nemající smysl meaningless
nesnadný difficult, hard
nesnášenlivost intolerance
nesnášenlivý intolerant
nesnáz difficulty, trouble
nesnesitelný unbearable, insufferable
nesouhlas disagreement (*s* with); disapproval (*s* of)
nesouhlasit disagree (*s* with), dis-

approve (*s* of)
nesoulad clash
nespavost sleeplessness, insomnia
nespokojenost dissatisfaction
nespokojený dissatisfied
nespolehlivý unreliable
nesporný indisputable
nespravedlivý unjust, unfair
nespravedlnost injustice
nesprávný wrong, incorrect, mistaken
nesrovnatelný incomparable
nesrozumitelný unintelligible, nezřetelný indistinct
nést 1 carry **2** jméno, nápis a pod. bear* **3** ~ **vejce** lay* eggs
nestálý unstable, unsteady; proměnlivý changeable
nestejný unequal
nestoudný shameless, insolent
nestranný impartial, unbiased
nestravitelný indigestible
nestvůra monster
nestydatý impudent, shameless
nesvůj self-conscious
nešetrný 1 marnotratný uneconomical **2** bezohledný inconsiderate
nešikovný awkward, clumsy
neškodný harmless
nešťastný 1 unhappy, miserable **2** smolař unlucky
neštěstí 1 unhappiness, misfortune **2** smůla bad* luck **3** nehoda accident
neštovice smallpox
netaktní tactless
netečný blank, listless, passive
neteř niece
netopýr bat
netrpělivost impatience
netrpělivý impatient
netto net
netvor monster
netýkavý petulant
neúcta disrespect, disregard
neuctivý (*k* for) disrespectful
neúčast absence (*na* from)
neúčelný useless
neúčinný ineffective
neukázněný undisciplined
neuklizený untidy
neúměrný disproportionate
neúmyslný unconscious
neúnavný untiring
neúnosný unbearable
neúplný incomplete
neuposlechnout defy
neupravený messy, untidy
neúprosný relentless
neupřímnost insincerity
neupřímný insincere
neurčitý indefinite; nejasný vague; jaz. ~ **člen** indefinite article
neúroda poor crop
neúrodný barren, infertile
neurotický neurotic
neurovnaný unsettled
neuskutečnitelný impracticable
neúspěch failure, flop
neúspěšný unsuccessful
neuspět fail
neuspokojivý unsatisfactory
neuspořádaný disorganized
neustále constantly
neustálý constant, perpetual
neústupný stubborn, wilful
neútočení non-aggression (*smlouva o* ~ non-aggression pact)
neutralita neutrality
neutrální neutral
neuvážený impetuous
neuvěřitelný incredible, unbelievable
neužitečný useless
nevadí never mind
nevděčný ungrateful
nevděk ingratitude, ungratefulness
nevědomky unawares, unconsciously
nevěrný disloyal, false o manželech unfaithful
nevěřící incredulous
nevěsta bride
nevhod at the wrong time n. at an inconvenient time
nevhodný inconvenient, inappropriate

nevídaný unprecedented
neviditelný invisible
nevina innocence
nevinný innocent
nevítaný unwelcome
nevkus bad* taste
nevkusný tasteless
nevlastní otec stepfather
nevměšování non-intervention
nevolno: je mi ~ 1 I feel* uncomfortable n. ill* at ease **2** od žaludku I feel* sick
nevolnost discomfort, uneasiness
nevraživý spiteful
nevrlý morose, grumpy
nevšední uncommon, remarkable, extraordinary
nevšímavý indifferent (*k* to)
nevyčerpatelný inexhaustible
nevyhnutelný inevitable, unavoidable
nevýhoda disadvantage, drawback
nevýhodný disadvantageous
nevyhovující unsuitable
nevychovanec lout
nevychovaný ill-mannered, naughty
nevýkonný inefficient
nevyléčitelný incurable
nevyplněný blank
nevyrovnaný unbalanced
nevysvětlitelný inexplicable
nevyzpytatelný inscrutable
nevzdělaný uneducated, ignorant
nezadržitelný irresistible
nezájem lack of interest (*o* in)
nezákonný illegal
nezaměstnanost unemployment
nezaměstnaný unemployed, out of work, jobless
nezaopatřený unprovided for
nezapomenutelný unforgettable
nezaručený 1 nezajištěný not guaranteed **2** nepotvrzený unconfirmed
nezaujatý unprejudiced, unbiased, open-minded
nezávazn|ý not binding **-á odpověď** non-committal answer
nezávažný irrelevant
nezávislost independence
nezávislý independent (*na* of)
nezáživný dull, stuffy
nezbedný naughty
nezbytný necessary, essential, indispensable
nezdaněný tax-free
nezdar failure **setkat se s –em** fail
nezdravý 1 nemocný unhealthy **2** zdraví škodlivý unwholesome
nezdvořilost disrespect
nezdvořilý impolite, disrespectful
nezištný disinterested
nezkušený inexperienced
nezletilý minor, underage
nezodpovědný irresponsible
nezpracovaný raw
nezpůsobilost disability
nezpůsobilý incompetent, unfit
neznalost ignorance
neznámý unknown, unfamiliar; cizí strange **~ člověk** stranger
nezralý unripe, přen. immature
nezvěstný missing
nezvyklý uncommon, curious
než 1 than **2 dříve ~** before
nežádoucí undesirable, objectionable
něžný tender
nic nothing; not anything (*~ takového* nothing like that) **to ~** it doesn't matter
ničení destruction
ničema scoundrel, rascal
ničí no one's
ničit destroy, ruin
ničivý destructive, devastating
nijak in no way **není to ~ lehké** it is by no means easy
nikam nowhere, not anywhere
nikde nowhere, not anywhere
nikdo nobody, no one **~ z vás** none of you
nikdy never (*už ~* never more, never again)
nikl nickel
nikotin nicotine
nit thread

nízko low
nízký též přen. low
níže tlaková depression
nížina lowlands PL
nóbl posh
noc night (*přes ~* overnight; *v –i* at night, in the night, by night; *ve dne v –i* day and night; *celou ~* all night (long))
nocleh lodging, bed
noclehárna hostel, dormitory
noční night **~ košile** night-dress, nightie **~ můra** nightmare **~ podnik** night-club **~ stolek** bed table
noha 1 celá, též u nábytku leg **2** od kotníku dolů foot*
nohavice trouser, leg
nominace nomination
nominální nominal
nominovat nominate
nora den
norek mink
norma norm
normalizovat normalize
normálně normally
normální normal; standard
nos nose
nosič 1 porter **2** přimontovaný carrier
nosit 1 carry **2** šaty, vlasy wear*
nositel(ka) bearer; držitel holder **~ ceny** prize-winner
nosítka stretcher
nosník girder
nosnost maximum load, carrying capacity
nosorožec rhinoceros
nostalgie nostalgia (*po* for)
nota, nóta note
notář notary (public)
notářství notary's office
notes notebook, diary
notorický habitual
noty hudebniny music
nouze 1 chudoba poverty, misery, distress **2** nedostatek want, need* (*o peníze* of money)
nouzový: ~ stůl makeshift table **~ východ** emergency exit
nováček 1 novice, newcomer (*v* to)- **2** voják recruit
nově newly
novela (long) short story, short novel
novinář(ka) journalist
novinářský newspaper
novinka novelty
novinový newspaper **~ papír** newsprint
noviny (news)paper
novomanželé newly married couple, hovor. newly-weds PL
novoroční New Year's
novorozeně new-born baby
novota novelty, innovation
nový 1 new (*~ film* new film) **2** čerstvý fresh **3** nejnovější latest **Nový zákon** New Testament **Nový rok** New Year's Day
nozdra nostril
nucen|ý forced n. compelled **–é práce** hard labour **~ smích** strained laugh
nuda boredom
nudit se be* bored, feel* bored
nudle noodle
nudný boring, dull; bez události uneventful
nukleární nuclear
nula zero, nought (*nad, pod nulou* above, below zero); sport. nil (*prohrát 3:0* lose three nil); při čtení číslic oh
nutit force, make* (*koho k čemu* sb. do* st.), compel
nutkání urge
nutnost necessity (*v případě –i* in case of necessity; *z –i* out of n. from necessity)
nutný necessary, essential
nůž knife*
nůžky scissors PL
nýbrž but
nylon(ový) nylon
nylonky nylons PL
nynější present, present-day
nyní now, v současnosti at present, these days

O

o 1 about, of **2 starší ~ dva roky** two years older **3 ~ čtvrté hodině** at four o'clock **~ vánocích** at Christmas **4 chodit o berlích** walk on crutches **5** against (*narazit hlavou ~ dveře* hit one's head against the door)
oáza oasis*
oba both (*vy ~* you both, both of you)
obal cover, packing
obálka envelope
obav|a concern, anxiety (*o* about), fear (*před* of) **–y** misgivings PL
občan(ka) citizen
občansk|ý civil, civic **–á válka** civil war **OF** Civic Forum **~ průkaz** identity card, am. ID card
občanství citizenship **státní ~** nationality
občas occasionally, from time to time; now and again, every now and then
občerstvení refreshments PL
občerstvit refresh (*~ se* refresh os.)
obdělávat cultivate, farm, till
obdélník oblong, rectangle **–ový** rectangular
obdélný oblong
obden ever, other day
obdiv admiration (*k* of, for)
obdivovat se admire (*čemu* st.)
obdivuhodný admirable
obdoba analogy (*s* with), parallel (*s* to)
období period **funkční ~** term of office **roční ~** season
obdržet obtain, get*
obec community
obecenstvo audience, the public
obecný common
oběd lunch; hlavní jídlo dne dinner (*mít k –u* have* for dinner)
obědvat have* (one's) lunch, dinner
oběh circulation; po obvodu circuit
obehnat enclose
oběhnout run* round, go* round
obejít 1 go* round **2** evade (*otázku* a question) **3 ~ se** do* (*bez* without)
obejmout embrace, put* one's arms round; srdečně hug
obeplout sail round
oběsit hang (*~ se* hang os.)
oběť 1 od koho sacrifice **2** čeho victim **3** neštěstí casualty
obětavý devoted
obětní beránek scapegoat
obětovat sacrifice
obezřetný cautious
oběžník circular
oběžná dráha orbit
obhájce defender; zastánce advocate; u soudu barrister
obhajoba defence
obhajovat defend, advocate; plead (*koho* for sb.)
obchod 1 business, commerce, trade **~ ve velkém** wholesale **~ v drobném** retail **2** prodejna shop
obchodní commercial, business **~ dům** department store **~ známka** trademark
obchodnice businesswoman*
obchodník businessman*; majitel obchodu shopkeeper
obchodovat do* business; deal*, trade (*čím* in st.)
obchůzka beat (*na* on)
obíh|at 1 být v oběhu circulate **2** v. *oběhnout*
obilí corn, grain
obilnice granary
obilniny cereals PL
obinadlo bandage
objasnit make* clear, clear up, clarify
objednat order
objednávk|a order (*na* for) (*vyrobený na –u* made* to order)
objekt object
objektiv objective, object glass, object lens
objektivita detachment
objektivní objective

objem volume; kapacita capacity
objemný bulky
objet go* round
objetí embrace, hug
objev discovery
objevit discover; zjistit find* out **~ se** appear, dostavit se show* up, turn up; vzniknout arise*, come* into existence
objímka socket
objíždět v. *objet*
objížďka diversion, bypass, hlavně am. detour
obklad compress; dekorativní veneer
obklíčení siege
obklíčit encircle
obklopit surround, sevřít enclose
obkreslit copy
oblačn|o cloudy weather (*je ~* it is cloudy) **–ý** cloudy
oblak cloud
oblast **1** region, area **2** přen. sphere, field
oblastní regional
oblázek pebble
obléci put* on; někoho dress **~ se** dress, put* on one's clothes
oblečení clothes PL
obléhat besiege
oblek suit (*vycházkový ~* lounge-suit)
oblékání dressing
obléknout si put* on
obletět fly* round; mimo fly* by n. past
obleva thaw
oblib|a liking (*pro* for), favour, módní vogue **být (nebýt) v –ě u** be* in (out of) favour with
oblíbenec favourite
oblíbený popular (*u* with)
oblíbit si take* a fancy n. liking (*co* to st.)
obličej face
obligace bond
oblo|ha sky (*na –ze* in the sky)
oblouk bow; tech. arch; mat. arc
obložený chléb open sandwich
obludný monstrous
obměna modification
oblý round
obnos amount, sum
obnášet amount (*co* to st.)
obnošený worn-out, shabby
obnova renewal, restoration; renovace renovation
obnovit renew, restore; opět začít resume **~ styky** resume contacts PL
obočí (eye)brows PL **svraštit ~** knit one's brows
obohatit enrich
obojek (dog-)collar
obojí both
obojživelník amphibian
obor branch, line, sphere, field
obora preserve
oboustranný mutual
obout (se, si) put* on (one's shoes)
obr giant
obráběcí stroj machine tool
obráceně the other way round **a ~** and vice versa **obrácení** conversion
obrácený turned over, turned-up; vzhůru nohama upside down
obrana defence
obránce defender; v kopané back
obranný defensive
obrat turn; zvrat reversal; obch. turnover **–em** by return
obratel vertebra*
obrátit turn **~ se** **1** turn round **2** se žádostí apply (*na* to), turn (*na* to)
obrátka turn; otočení revolution
obratnost facility, skill, craft
obratný clever, skilful, skilled, deft
obr|az(ázek) picture
obrazárna picture gallery
obrázkov|ý pictorial **–á kniha** picture book **~ seriál** v časopise comic strip
obrazný symbolic, figurative
obrazotvornost imagination
obrazovka screen
obrazový pictorial
obrna polio
obroda renaissance, revival
obrněný armoured
obroubit border, rim
obrousit smooth down
obrovský gigantic, vast, huge, enor-

mous
obrození revival
obruba 1 border, edge 2 látky hem
obruč hoop; kola tyre
obrys outline
obřad ceremony
obsadit 1 occupy 2 reserve 3 fill (*volné místo* a vacancy) 4 **telefonní linka je obsazena** the line is engaged
obsah 1 contents PL 2 téma subject, povídky plot
obsáhlý broad, comprehensive
obsáhnout 1 rukou span 2 zahrnout comprise, include, involve
obsahovat contain, comprise
obsazení occupation, herecké cast
obsažný comprehensive
obscénní obscene, lewd, smutty
observatoř observatory
obsloužit serve, attend to, wait on
obsluha service, attendance
obsluhovat 1 koho serve, attend to 2 operate (*stroj* a machine)
obstarat (si) get*, provide, obtain
obstojný respectable
obšírný full, detailed
obtěž|ovat trouble, annoy, bother (*promiňte, že –uji* excuse my troubling you)
obtíž difficulty; nesnáz trouble
obtížný difficult
obušek truncheon
obuv footwear
obuvník shoemaker
obvaz bandage, dressing
obvázat 1 tie (up) 2 ránu dress, bandage
obveselit cheer up, amuse, entertain
obvinění accusation (*z* of), právní charge (*z* with)
obvinit accuse (*koho z* sb. of)
obvod 1 kruhu circumference 2 městský district, ward 3 elektrický circuit
obvykle usually (*jako ~* as usual)
obvyklý usual
obyčej custom
obyčejně usually
obyčejný ordinary
obydlený inhabited
obydlí dwelling
obytn|ý residential **–á čtvrť** residential district **–á ložnice** bed-sitting room **~ vůz** caravan
obývací pokoj living-room, sitting-room
obývat inhabit
obyvatel inhabitant
obyvatelstvo inhabitants PL, population
obzor horizon
obžaloba accusation, charge
obžalovaný the accused, defendant
obžalovat accuse (*z* of), právně indict (*z* for)
obživ|a living (*vydělávat si na –u* earn n. make* one's living)
ocas tail
oceán ocean
ocel steel
ocelárna steelworks SG i PL
ocelový steel
ocenění 1 appreciation, acknowledg(e)ment 2 odhad estimate
ocenit 1 appreciate 2 odhadnout cenu access, evaluate; estimate (a price)
ocet vinegar
octnout se find* os.
očarovat charm
očekávání expectation
očekáv|at 1 čekat na (a)wait 2 expect (*-ám, že přijdeš* I expect you to come*; *to se dalo ~* that was* to be* expected)
očernit defame
očíslovat number
očitý svědek eye-witness
očividný obvious, evident
očkování inoculation
očkovat inoculate, vaccinate
oční eye, ocular **~ lékař** oculist **~ víčko** eyelid
od 1 from, of (*~ tebe* from you; *je to ~ tebe hezké* it's nice of you) 2 since až do přítomné doby 3 by (*román ~ Christiové* a novel by Christie) **od-**

do from-to n. till, místně from-to
odbarvit vlasy bleach
odběr 1 subscription (*časopisu* to a periodical) 2 spotřeba consumption
odběratel consumer
odbíjená volley-ball
odbírat subscribe (*časopis* to a periodical)
odbočit 1 turn; od směru deflect 2 digress (*od tématu* from the subject)
odbočka digression
odboj resistance
odbor 1 department 2 v odborářství (trade n. trades) union; am. labour union
odborář trade-unionist
odborník specialist (*na* in), expert (*na* in, at, on), authority (*na* on)
odborný expert, vocational **~ lékař** specialist **~ výraz** term
odborov|ý trade-union **–á organizace** trade union
odbory trade unions PL
odbýt 1 scamp (*práci* work) 2 koho rebuff, v řeči cut* short (*koho* sb.) 3 pass (*si zkoušku* an exam)
odbyt sales PL
odbytiště market
odcestovat v. *odjet*
odcizit 1 steal* (*peníze* money) 2 estrange (*si přítele* one's friend); alienate (*koho přátelům* sb. from his friends)
odčerpat draw* on, odváděním drain
odčinit undo*
odčítání subtraction
odčítat subtract, deduct
oddálit take* away, remove (*od* from); časově put* off
oddanost devotion, loyalty (*k* to)
oddaný devoted, loyal
oddech rest, respite, repose
odděleně apart
oddělení 1 odloučení separation 2 oddíl department, section 3 ve vagónu compartment
oddělený separate
oddělit separate, detach **~ se** come* away (*od* from), vystoupit z organizace secede
oddíl division, section, department; vagónu compartment
odebrat take* away
odečíst deduct
odedávna for a very long time; since long ago; from time immemorial
odehnat drive* away
odehrávat se take* place
odej|et(ít) odkud go* away (from); leave*, quit (st.)
odemknout unlock
odepnout knoflík unbutton; uvolnit unfasten
odepřít deny
odepsat 1 dopis answer (a letter), reply (to a letter) 2 write* off (*ztrátu* a loss)
oděrka scratch
odesílatel sender
odeslat send* away, dispatch
oděv clothes PL, clothing, dress
oděvní průmysl clothing industry
odevšad from all sides
odevzdat 1 give* over, hand over 2 **~ se** give* up, yield (*komu* to sb.)
odezva response
odfukovat puff
odhad estimate
odhadnout 1 judge, estimate 2 ocenit appraise, estimate
odhalení utajovaného detection, disclosure
odhalit 1 disclose, detect, uncover, reveal (*tajemství* a secret) 2 pomník unveil 3 vystavením expose
odhlásit 1 zrušit cancel 2 **~ se** sign out
odhodit throw* away
odhodlaný resolute
odhodlat se (take*) a resolve, make* up one's mind, decide
odhrnout draw* aside
odchod departure **~ do důchodu** retirement
odchýlit se deviate, depart, digress, diverge

odchylka departure, deviation; od průměru divergence
odívání clothing
odjakživa ever
odjet leave*, depart
odjezd departure
odjinud from elsewhere
odkašlat si clear one's throat
odkaz 1 dědictví legacy, heritage **2** nač reference (to)
odkázat 1 komu bequeath, leave* (to) **2** na refer (to)
odklad delay; voj. deferment
odklidit remove, take* away
odklonit divert, deflect
odkrýt uncover, disclose
odkud where ... from
odkvést fade (away)
odlakovač nail-varnish remover
odlehlý remote, out-of-the-way, outlying
odlepit unstick* (~ *se* get* unstuck)
odlet departure
odletět fly* away, depart by plane
odlišit distinguish (*jeden od druhého* one from the other)
odlišný different, distinct (*od* from), unlike
odlišovat se differ (*od* from)
odl|ít(itek) cast*
odliv ebb, low tide; přen. outflow
odlomit (se) break* off
odloučení separation
odložit 1 put* n. lay* aside **2** postpone, put* off (*na zítřek* till tomorrow) **~ si** take* off
odměna reward; honorář fee
odměnit reward
odměřený reserved, stiff
odmítavý negative
odmítnout refuse; zamítnout reject, decline
odmítnutí refusal, rejection, hrubé rebuff, repulse
odmlčet se stop talking, pause
odmlouvat talk back
odmocnina root (*druhá ~ ze 100* the square root of 100)
odmocnit find* the root of
odmontovat dismount
odmotat unwind*
odmrazit defrost
odmykat unlock
odnaučit: ~ koho čemu teach* sb. not to do* **~ se** unlearn*
odněkud from somewhere
odolat resist (*čemu* st.)
odolnost resistance (*vůči* to)
odolný tough, sturdy
odpad 1 waste **2** odtok drain, sink
odpadky garbage, refuse, rubbish, rozházené papírky, láhve litter
odpadový waste
odpadnout fall* off, drop off
odpárat unpick **~ se** come* off
odplata retaliation
odplatit pay* back
odplout sail off
odpočinek rest, relaxation, repose
odpočinout si have* a rest, relax
odpojit detach
odpoledne afternoon; kdy? in the afternoon; p.m.
odpor 1 odporování resistance, opposition **postavit se na ~** resist (*čemu* st.) **2** nechuť k aversion (to, for), disgust (for) **cítit ~ k čemu** resent st.
odporný abominable, disgusting, repulsive, revolting
odporovat 1 klást odpor resist (*komu v čem* sb. in st.) **2** v názoru contradict (*komu* sb.; *~ si* contradict os.)
odposlouchávat bug, monitor
odpověď answer, reply (*na* to)
odpovědět answer (*na* st.), reply (*na* to)
odpovědnost responsibility (*za* for)
odpovědný responsible
odpovídat 1 v. *odpovědět* **2** correspond (*čemu* to)
odpudivý revolting, repellent
odpůrce adversary, opponent
odpustit forgive*
odpuštění forgiveness, pardon
odpuzující repulsive, repellent
odradit discourage, dissuade (*od*

from)
odraz **1** odskok bound **2** odlesk reflection
odrazit **1** ránu knock off n. strike* off; míč return, send* back; voj. drive* back, beat* off; od břehu put* off; odskočit bounce (off) **2** vytvořit obraz reflect (*~ se* be* reflected)
odrůda variety
odřenina scratch
odřený scratched, kůže grazed; o látce threadbare
odřezat cut* off
odříci call off, cancel **~ se** čeho renounce
odřít rub **~ si** scrape, graze (*koleno* one's knee)
odříznout cut* off
odsoudit condemn; veřejně denounce; vynést rozsudek sentence
odsouzení conviction, přen. condemnation
odsouzený convicted person, convict
odstartovat start (off)
odstavec paragraph, section
odstěhovat se move out
odstín shade, hue
odstoupení resignation
odstoupit **1** z cesty step aside **2** vzdát se step down, resign, retire
odstranění removal, disposal
odstranit remove, dispose of st., eliminate, nábytek, zařízení dismantle
odstrašující deterrent
odstrčit push off n. aside, push back
odstup času lapse of time; v chování aloofness, stand-offishness
odstupné compensation
odsun transfer
odsunout **1** shift aside, transfer **2** na jiné bydliště displace **3** postpone, put* off (*o týden* for a week) **4** vojska withdraw*
odškodné damages PL, indemnity
odškodnit indemnify
odšroubovat unscrew, screw off
odštípnout chip (off)
odtáhnout **1** pull away **2** odejít draw* off
odtamtud from there
odtéci flow* away
odtékat drain
odtok outflow; odtoková cesta outlet, drain
odtrhnout tear* off **~ se** break* away (*od* from), come* off, od organizace secede
odtud from here **dvě míle ~** two miles away
odůvodnit motivate
odvah\|a courage (*dodat si –y* pluck up courage)
odvar infusion
odvázat untie, undo*
odvážit se dare*; riskovat risk, venture
odvážný courageous, brave
odvděčit se return (*komu za* sb.'s st.)
odvedenec conscript, recruit
odvést **1** take* away, lead* away **2** odvrátit ze směru divert **3** na vojnu conscript, enlist, recruit
odvetný zápas return match
odvětví branch, line
odvézt take* away, carry away
odvléci drag off, carry away
odvod conscription
odvodn\|ění(it) drain
odvolání **1** zrušení repeal **2** ke komu appeal (*k* to) **3** diplomata recall
odvolat **1** call off, cancel **2** tvrzení take* back, recant **3** vyslance recall
odvolat se **1** odkazem refer (*na* to) **2** appeal, remove (*ke komu proti* to sb. against)
odvoz transport, collection
odvrátit turn, divert, deflect, zrak, nebezpečí avert **~ pozornost** distract (*od* from) **~ se** turn away
odvyknout si break* away from a habit
odzátkovat uncork
odzbrojení disarmament
odzbrojit disarm
odznak badge
ofenzíva offensive

oficiální official
ofina fringe
ohánět se brandish, swing* (*čím* st.); přen. show* off (st.)
ohavný abominable, hideous
ohebnost flexibility
ohebný flexible
oheň fire (*rozdělat* ~ make* fire; *uhasit* ~ put* out the fire)
ohlas response
ohlá|sit announce **být –šen** have* an appointment (*u* with)
ohled regard, respect, consideration (*k* for) (*bez –u na* irrespective of, regardless of; *bez –u na to, zda* no matter whether; *brát* ~ *nač* respect st., take* st. into consideration)
ohledně as to, as regards, concerning (*čeho* st.)
ohlédnout se look back, look round
ohleduplnost delicacy, courtesy
ohleduplný considerate, delicate, thoughtful
ohluchnout turn deaf
ohlušit deafen
ohlušující deafening
ohmatat feel*, finger, tápavě fumble
ohnisko focus
ohniskový focal
ohniště fireplace
ohnivý fiery
ohnivzdorný fireproof
ohňostroj fireworks PL
ohnout (se) bend*; skloněním bow, stoop
ohnutý bent; zkřivený crooked
ohodnotit evaluate
ohrada fence; též prostor enclosure
ohradit enclose, fence **~ se** protest (*proti* against)
ohraničit limit, restrict, restrain
ohromení amazement, astonishment
ohromit amaze, astonish, stagger, astound
ohromný huge, immense
ohrozit **1** endanger, jeopardize **2** být ohrožen threaten (*čím* with)
ohryzek **1** core **2** v krku Adam's apple
ohřát warm up, heat up
ohřívač vody geyser
ohyb bend
ochablý slack, lax
ochabnout flag, languish
ochladit (se) cool (down)
ochlazení cooling
ochočit tame
ochota readiness, willingness
ochotně readily
ochotník amateur
ochotnický amateur (*ochotnické divadlo* amateur dramatics SG)
ochotný willing, obliging
ochrana protection
ochránce protector
ochrann|ý protective **~ pás** safety-belt **–é brýle** goggles PL
ochraptělý hoarse
ochrnout become* paralysed
ochromit paralyse, jen přen. cramp
ochutit season
ochutnat taste
ojedinělý isolated, sporadic
ojetý vůz second-hand car
okamžik moment, minute (*v tom –u* at that moment; *v posledním –u* at the last moment; *za* ~ in a moment; *počkejte* ~ wait a moment n. minute, just a moment n. minute)
okamžitě immediately, at once
okamžitý immediate
okap gutter
okázalost pomp
okázalý ostentatious, spectacular
okenice shutter
okenní tabule (window-)pane
oklamat v. *klamat*
oklik|a jet n. **jít –ou** take* a roundabout route **říci –ou** say* in a roundabout way
okno window **stahovací ~** sash window
oko **1** eye; bulva eye-ball **2** sítě mesh; na zvěř snare; na punčoše ladder
okolí environs PL; sousedství neighbourhood; prostředí surroundings PL, vicinity, precincts PL

okolní neighbouring, surrounding
okolnost circumstance (*za těchto –í* under n. in the circumstances)
okolo (a)round, about
okopat hoe
okopírovat copy
okouzlit charm, fascinate
okouzlující charming
okovat koně shoe
okovy chains PL, shackles PL
okrádat rob, podvádět cheat
okraj margin, edge **~ města** outskirts (of a town) PL
okrasa ornament, decoration
okrasný decorative
okrást rob (*koho oč* sb. of)
okr|es(esní)(sek) district
okruh **1** circle **2** circuit, radius (*v –u 10 mil* within a radius of 10 miles) **3** scope (*činnosti* of activity) **4** sport. round
okružní circular **~ jízda** tour **~ plavba** cruise
okupa|ce(ční) occupation
okupant occupant
okupovat occupy
okurka cucumber **kyselá ~** pickled gherkin
olej oil
olejomalba oil-painting
olejovka sardine
olejový oil
oliva olive
olizovat lick
oloupit rob (*o* of)
olověný lead; i přen. leaden
olovnice plumb, plummet
olovo lead
oltář altar
olympiáda Olympiad
olympijsk|ý Olympic (*–é hry* the Olympic Games PL)
omáčka gravy; šťáva z masa sauce
omámit **1** drogou drug **2** charm, entice
omastek grease
omastit grease, máslem butter; add fat (*co* to st.)
omdlít faint
omeleta omelet(te)
omezení restriction, constraint, limitation, výdajů, výroby a pod. cut*
omezený limited, přen. narrow-minded, dim
omezit limit, restrict, reduce, cut*; confine (*své poznámky na* one's remarks to) **~ se** confine os. (*na* to)
omít|ka(nout) plaster
omluva apology
omluvit excuse **~ se** apologize
omráčit i přen. stun, stagger
omrze|t –lo ho co he is n. has grown tired n. sick n. weary of st.
omrzlina frost-bite, chilblain
omrzlý frost-bitten
omrznout get* chilblains
omyl mistake, error; hloupý, z nepozornosti blunder (*–em* by mistake)
on he **~ sám** himself
ona she **~ sama** herself
ondatra musk-rat
ondulace perm
onehdy the other day
oněmět become* dumb
onemocnět fall* n. be* taken n. become ill*
opačný contrary, opposite
opad|nout(at) **1** fall* **2** rostlina lose* its leaves **3** klesnout fall*, drop
opak contrary, opposite
opakování repetition; soustavné revision
opakovat **1** repeat, say* again **2** učivo revise
opálený sunburnt, tanned
opálit se get* tanned
opalovat se sunbathe, bask (in the sun)
opar **1** mist, haze **2** vyrážka rash, eruption
opařenina scald
opařit (se) scald
opasek belt, waist
Opatrně! With care!
opatrnost caution, care
opatrný careful

opatrovat take* care of, tend (to), look after
opatření **1** measure, arrangement **2** zákona provision **3** předběžné precaution
opatřit (si) get*, provide, secure
opatství abbey
opéci roast, toast ~ **na rožni** grill
opera opera
operace operation
operační sál operating-theatre, hlavně am. operating-room
opěradlo back; pro paže arm
oper|atér(átor) operator
operet|a(ní) operetta, musical comedy
operní opera
opěrný bod base
operovat operate (*koho* on sb.)
opět again
opevnění fortification
opice monkey; lidoop ape
opičit se ape (*po kom* a sb.)
opíjet se booze
opilost intoxication
opilství drunkenness, intoxication
opilý drunk, intoxicated **být** ~ be* drunk n. intoxicated
opírat (se) lean* (*o* against)
opis copy
opisovat **1** copy **2** ve škole crib
opít make* drunk, intoxicate ~ **se** get* drunk
opláchnout rinse ~ **se** have* a wash
oplatit repay*, pay* back
oplatka waffle
oplátk|a return (*–ou za* in return for)
oplodnit fertilize
oplývající rich, abundant (*čím* in st.)
oplývat be* rich, abound (*čím* in st.)
oplzlý lewd
opojení intoxication
opomíjet pass st. by, ignore, snub
opona curtain
oponent opponent
oponovat komu object (to sb.), contradict (sb.)
opora support
opotřebovat se wear* (out)
opouštět leave*
opovrhovat despise (*kým* sb.)
opovržení contempt
opovrženíhodný contemptible, despicable
opovržlivý contemptuous
opozdilec latecomer
opozdit se be* late
opozi|ce(ční) opposition
opožděný late
opožďovat se **1** be* late **hodiny se –ují** the clock is losing **2** zaostávat fall* behind, lag behind
opratě reins PL
oprava **1** chyby correction **2** správka repair
opravář repairer
opravářská dílna repair shop
opravdový real, true, genuine
opravdu indeed
opravit **1** chybu correct **2** spravit repair, mend
oprávněně justly
oprávnění authority; concession, warrant
oprávněnost justification
oprávněný authorized
oprávnit entitle, authorize, legitimate (*k* to); qualify (*k* for)
opřít lean* (*o* against) ~ **se** lean* (*o* against)
opsat **1** copy **2** ve škole crib **3** vyjádřit jinak express in other words
optický optical (~ *klam* optical illusion)
optik optician
optika optics
optimální optimum
optimismus optimism
optimist|a(ický) optimist
opustit abandon, desert
opuštěný desolate, abandoned; bez prostředků destitute
oranžový orange
orat plough
orba tillage
ordinace surgery, consulting room

ordinační hodiny surgery hours PL
ordinovat hold* one's surgery
orel eagle
orgán organ
organický organic
organismus organism
organizace organization (*Organizace spojených národů* the United Nations Organization)
organizátor organizer
organizova|t organize **–ný zájezd** package tour
orgasmus orgasm
orgie orgy
orchestr orchestra **–ální** orchestral
orchidej orchid
orient the Orient
orientac|e orientation **ztratit –i** lose* one's bearings
orientální oriental
orientovat se orientate os. (*na* on); zjistit pozici take* one's bearings
originál(ní) original
orloj astronomical clock
ornament ornament
orný arable
ortodoxní orthodox
ortopedický orthop(a)edic
ořech nut **vlašský** ~ walnut
ořezat **1** odříznout cut* off **2** ztenčit whittle **3** sharpen (*tužku* a pencil)
ořezávátko pencil-sharpener
oříšek: lískový ~ hazel nut **burský** ~ peanut **tvrdý** ~ a hard nut (to crack)
osa **1** axis* **2** kola axle
osada settlement, community
osádka crew
osadník settler
osamělý lonely
osamostatnit se gain independence, become* independent
osazenstvo staff, personnel
osázet plant
osedlat saddle
osekat hew* off
osel donkey, též přen. ass
osévat seed
osevní sowing
osídlení settlement
osídlit settle
osiřet lose* one's parents PL
oslabit weaken
osladit sweeten
oslava celebration
oslavit celebrate
oslavovat někoho glorify
oslepit blind, daze, dazzle
oslepnout become* blind
oslnit dazzle
oslovení **1** form of address **2** v dopise greeting
oslovit address
OSN U.N.O. (the United Nations Organization)
osnova **1** notová staff **2** přednášky syllabus **3** školní curriculum **4** tkalcovská warp
osoba person
osobitý individual
osobně personally (*být ~ přítomen* be* present in person)
osobní personal
osobnost personality
ospalý sleepy
ospravedlnění justification
ospravedlnit justify **~ se** clear os.
ostatně after all
ostatní the other(s), the rest
osten prickle, spine, thorn
ostnatý drát barbed wire
ostražitý wary, watchful
ostrouhat **1** grate **2** oškrábat scrape (off)
ostrov island
ostruha spur
ostružina blackberry
ostrý sharp **~ čich** acute sense of smell
ostřelovat shell
ostří edge
ostříhat cut* (*dát se ~* have* one's hair cut*, have* a haircut)
ostud|a shame, discredit, disgrace **dělat –u** be* a disgrace (*komu* to sb.)
ostudný disgraceful

ostýchavý shy
osud fate, lot
osud|ný(ový) fatal
osvědčení certificate
osvědčit certify
osvědčit se acquit os. well*, prove* os.
osvětlení lighting (*veřejné* ~ street lighting)
osvětlit light* (up)
osvěžit refresh
osvobodit 1 propustit (set*) free, release **2** z nesvobody liberate **3** rozsudkem acquit ~ **se** free os. (*od* from)
osvobozen|í 1 liberation **2** ~ **od daní** exemption from taxes **–ý od cla** duty-free
osvojit si 1 jazyk, zvyk acquire, pick up **2** dítě adopt
ošetření treatment
ošetřit treat (*komu zranění* sb. for an injury); attend (*koho* sb. n. on sb.)
ošetřovatel male nurse
ošetřovatelka nurse
ošetřovna dispensary
ošidit cheat, defraud (*o* of), swindle (*o* out of)
ošklivý ugly; přen. nasty
oškrábat scrape (off), scratch (off)
oštěp spear javelin (*hod –em* throwing the javelin)
ošumělý shabby
ošuntělý threadbare
otáčení rotation, revolution
otáčet (se) turn (round), revolve
otázk|a 1 question (*položit –u komu* ask sb. a question) **2** sporná issue, problem
otazník question mark
otcovský paternal
otcovství paternity, fatherhood
otec father
otéci swell*
otěhotnět get* pregnant, conceive
oteklý swollen
otep bundle
oteplit se warm up
otevřeně openly, outright
otevřený open; upřímný frank, outspoken, straightforward
otevřít (se) open ~ **láhev** uncork a bottle
otěž rein
otírat wipe
otisk print (*–y prstů* fingerprints PL)
otisknout print
otlouci knock, batter
otlučený battered
otočit (se) turn (round)
otok swelling
otop 1 topení heating **2** palivo fuel
otrava 1 poisoning ~ **krve** blood poisoning **2** nuda bore **3** člověk bore, wet blanket; nepříjemnost nuisance
otrávit 1 poison **2** nudit bore
otrávit se 1 úmyslně take* poison **2** náhodou get* poisoned **3** nudit se get* bored
otravný jedem poisonous # nudný boring
otravovat nag, nudit bore
otrhaný ragged
otrocký 1 slavish **2** služebný servile
otroctví slavery
otrokářství slavery; slave-trade
otřás|at(t) (se) jolt
otřepaný 1 prodřený threadbare, frayed **2** banální trite, hackneyed (*vtip* joke)
otřes 1 shock **2** med. concussion
otřesný shocking
otřít wipe off
otupělý dull; otrlý callous
otupit blunt
otužilý hardy
otužovat harden (~ *se* become* hardened)
otvírací doba opening hours PL
otvírač: ~ konzerv tin-opener ~ **na láhve** bottle-opener
otvor opening; díra hole; štěrbina slot
otylost obesity
otylý obese
ovace ovation
ovál(ný) oval
ovce sheep*

ovčí vlna sheep's wool
ovdovět be* left* a widow(er)
ověřit verify; překontrolovat check
oves oats PL
ovesn|ý: oat **–á kaše** porridge **–á mouka, –é vločky** oatmeal
ovládání control **~ na dálku** remote control
ovládat **1** control **2 dobře ~ jazyk** have* a good* command of a language
ovládnout **1** řízení, vedení get* n. gain control (*co* over n. of st.) **2** znalosti master **~ se** contain os.; keep* one's temper
ovlivnit influence
ovoce fruit
ovocnářský fruit-growing
ovocn|ý fruit **–á zahrada** orchard
ovšem of course
ovzduší atmosphere
ozařování irradiation
ozbrojen|ý armed (*–é síly* armed forces PL)
ozbrojit arm
ozdoba decoration, ornament
ozdobit decorate, garnish, trim
ozdobný decorative, ornamental
označit mark, indicate; nálepkou label; vyznačit, naznačit designate; describe (*koho za* sb. as)
oznámení announcement; vyhláška notice
oznámit announce (*komu co* st. to sb.), inform (sb. of st.)
oznamovací tón dialling tone
ozón ozone
ozubené kolo cog-wheel
ozvat se **1** znít (re)sound **2** být slyšet make* os. heard **3** protest (*proti* against)
ozvěna echo
ožehavý delicate, touchy
oženit marry (*s* to) **~ se** marry (*s kým* sb.); get* married
oživení resurgence, revival
oživit revive, přen. animate, brighten
ožralý tight

P

pacient patient
pacifist|a(pacifististický) pacifist
pád **1** fall* **2** jaz. case
padák parachute
pad|at fall* **~ únavou** drop with fatigue **–á sníh** it is snowing **–á omítka** the plaster comes off
padělání forgery
padělat fake, bogus, counterfeit, sham
padělatel forger
padělaný forged
padělek forgery
pádlo(vat) paddle
padnout **1** slušet fit **2 ~ kolem krku** throw* one's arms round sb.'s neck
pádný weighty; convincing (*důkaz* argument)
padouch villain
pahorek hill
pahýl stump
pachatel offender, trespasser
páchnoucí rank
páchnout reek, smell, stink* (*čím* of st.)
pachuť smack
páj|et(ka) solder
pak **1** then **2 kde- to asi je?** I wonder where it is
páka lever
pakt pact
palác palace
palačinka pancake
palanda bunk
palba fire
palcát mace
palčáky mittens PL
palčivý burning; naléhavý pressing
palec **1** na ruce thumb; na noze big toe **2** míra inch
paleta palette
palice hammer
paličatý stubborn
pálit **1** burn* **2** v keram. peci bake **3** (*ko-*

řalku distil) **4** střílet fire
palivo fuel
pálivý fiery
pálka bat
palma palm
palub|a deck **na –ě lodi** on board a ship **–ní deska** panel **–ní lístek** boarding card
památk|a **1** memory (*na* of) **2** upomínka souvenir (*nechte si to na –u* keep* it as a souvenir) **3** historická, literární monument
památník monument, memorial
památný memorable
pamatovat si (se) remember (*nač* st.)
paměť memory (*selhala mi ~* my memory failed me)
pamětní memorial (*deska* tablet)
pampeliška dandelion
pan: ~ Parker Mr. Parker **–e** Sir
pán **1** muž man*, gentleman* **2** majitel master **3** feudální (feudal) lord
panák tot
pancéřový armoured
panel panel **–ový dům** prefab(ricated) house
panenka **1** hračka doll **2** v oku pupil
panenský virgin
pánev **1** frying-pan **2** zeměpis. basin **3** med. pelvis
paní **1** žena woman*, lady **2** jen v oslovení bez jména madam **3** též v oslovení **~ Parkerová** Mrs. Parker **4** manželka wife* **~ domu** the lady of the house
panika(řit) panic
panna **1** virgin **stará ~** spinster, old* maid **2** loutka doll
panoráma panorama
panovačný possessive, authoritative
panovat **1** v zemi rule (*kde* a country), reign (over a country) **2** převládat, existovat prevail
panský lord's, lords'
pánský (gentle)men's
panství majetek manor
pant hinge
panter panther
pantofel slipper
pantomima (panto)mime
papež pope
papír paper **cenné –y** stock, securities PL **dopisní ~** notepaper
papírenský průmysl paper industry
papírna paper-mill
papírnické zboží stationery
papírnictví stationer's
papírování paperwork
papírový paper
papoušek parrot
paprika paprika
paprs|ek ray **sluneční ~** sunbeam (*ultrafialové –ky* ultraviolet rays PL)
pár **1** pair; couple **2** několik hovor. a couple of, a few, several
pára steam (*plnou parou vpřed* full steam ahead)
paradoxní paradoxical
parafín paraffin
paragraf paragraph
paralel|a(ní) parallel
paralýza paralyse
parašutist|a(ický) parachutist; voj. paratrooper
párat unpick **~ se** dally (*s* over)
párátko toothpick
parazit parasite
parazitní parasitic
parcela site, plot
pardon (I) beg your pardon; sorry
párek uzenka frankfurter
parfém perfume
park park
parket dance floor
parketa parquet
parkety parquet
parkovací hodiny parking-meter
parkování parking (*Parkování zakázáno* No parking)
parkovat park
parkoviště parking, parking-lot, car-park
parlament parliament
parlamentní parliamentary
parní steam **~ válec** steamroller
parník steamship, steamer

parný sultry
parodie parody (*na* of)
parohy antlers PL
paroloď steamship
parta 1 pracovní team, gang; veselá company
partitura score
parte death notice
partie 1 část part, section 2 ve hře game 3 na vdávání match
partner partner
partyzán(ský) partisan, guerilla
paruka wig
pařez stump
pářit se mate
pas 1 waist **svlečený do –u** stripped to the waist 2 cestovní passport
pás 1 strip 2 zvl. kožený belt (*bezpečnostní* ~ seat-belt) 3 opasek girdle
pasáž passage
pasažér passenger
pásek 1 opasek belt 2 magnetofonový tape
paseka clearing
pasivita passivity
pasívní passive
páska tape, ribbon, band (*lepící* ~ adhesive n. sticky tape; ~ *do psacího stroje* typewriter ribbon)
pásmo zone
past trap
pást (se) graze
pasta paste (*zubní* ~ toothpaste)
pastel(ový) pastel
pastilka lozenge
pastv|a(ina) pasture
pastýř shepherd
pašerák smuggler
pašovat smuggle
paštika paté, pasty, pie
pat|a 1 heel 2 úpatí foot* (*být komu v –ách* be* at sb.'s heels)
pátek Friday (*Velký* ~ good* Friday)
patent patent
patentka press button
páteř backbone
pátrání investigation
pátrat 1 search (*kde po čem* st. for st.) 2 provádět pátrání investigate
patrně apparently
patrný apparent
pat|ro 1 podlaží storey; floor (*dům o jednom –ře* a two-storey(ed) house; *v prvním –ře* on the first floor) 2 v ústech palate
patron 1 patron, sponsor 2 světec patron saint
patrona cartridge
patronát patronage
patrový autobus double-decker
patřit 1 belong (*komu* to sb.) 2 řadit se rank (*mezi* among) 3 **k vašim povinnostem bude** ~ your duties will* include **to nepatří k věci** that is off the point
paušál lump sum
pauza pause, stop, break, interval
páv peacock
pavilón pavilion
pavlač gallery
pavouk spider
pavučina cobweb
pazourek flint
paže arm
pažitka chive(s PL)
pec oven; při výrobě furnace (*vysoká* ~ blast-furnace)
péci 1 z mouky bake 2 maso roast
pecka stone
péče care (*o* of); attendance (*lékařská* ~ medical care)
pečeně roast (*hovězí* ~ roast beef)
pečený roast, baked
pečeť seal
pečivo pastry
pečlivý careful
pečovat o take* care of; (at)tend, look after
pedagog pedagogue
pedagogi|cký(ka) pedagogy
pedál pedal
pedikér chiropodist
pedikúra chiropody
pěchota infantry
pekáč pan
pekárna bakery

pekař baker
pekařství baker's
peklo hell
pěkně nicely, fine (*je* ~ the weather is fine, the day is fine)
pěkný nice, fine, pretty
pěna foam; mýdlová lather
peněženka purse
peněžní financial
penicilín penicillin
penis penis
pěnit foam; o mýdle lather
peníz coin
peníze money **hotové** ~ cash
pěnkava chaffinch
penze 1 důchod retirement, pension **2** odpočinek retirement **3** v hotelu board
penzión boarding-house
penzista pensioner
pepř(it) pepper
periférie outskirts PL
periodický periodic(al)
perla pearl
perleť mother-of-pearl, nacre
permanentka season-ticket
perník gingerbread
pero 1 ptačí feather **2** na psaní pen; špička nib (*plnicí* ~ fountain-pen; *kuličkové* ~ ball-point (pen)) **3** pružina spring
pérovat be* springy
persk|ý Persian **–á kočka** Persian (cat) **–ý záliv** Persian Gulf
personál personnel, staff
perspektiv|a(ní) 1 prostor. perspective **2** možný, bud. prospective
perverzní perverse
perzekuce persecution
perzekuovat persecute
peřeje rapids PL
peří feathers PL
peřina duvet
pes dog; lovecký a přen. hound
pesimismus pessimism
pesimista pessimist
pesimistický pessimistic, gloomy
pěst fist (*zatínat –i* clench one's fists) **na vlastní** ~ on one's own
pěstitel grower, producer, raiser
pěstovat 1 rostliny grow*, cultivate; zvířata breed*, rear **2** sport go* in for
pestrý barevně gay; i přen. colourful
pěšák infantry man*
pěší: ~ **túra** hiking tour ~ **výlet** hike; pro chodce pedestrian
pěšinka 1 (foot)path, track **2** ve vlasech parting
pěšky on foot* (*jít* ~ go* on foot*, walk)
petice petition
pětiletka Five-Year Plan
petlice latch
petrklíč primrose
petrolej paraffin oil; am. kerosene, coal oil
petržel parsley
pěvecký sbor choir
pevně firm(ly), tight, fast (*držet se* ~ hold* tight; ~ *přesvědčen* firmly n. quite)
pevnina mainland, continent
pevninský continental
pevnost 1 stavba fortress **2** odolnost firmness, stability, solidity
pevný 1 firm **2** netekutý solid **3** stálý stable, steady **4** určený fixed
pianista pianist
piano piano
piha freckle
pihovatý freckled
píchání stitch
píchat prickle
píchnout 1 prick, sting* **2** ~ **na hodinách příchod/odchod** clock in/out
piják 1 drinker; drunkard **2** papír blotting-paper, blotter
pikantní též přen. spicy
piknik picnic
pila saw*
píle diligence
piliny sawdust
pilíř pillar; mostu pier
pilně hard
pilníček nail-file
pilník file
pilný industrious, diligent, hard-working

pilot(ovat) pilot
pilulka pill, tablet
ping-pong(ový) ping-pong
pinzeta tweezers PL
pionýr(ka) pioneer
píp|ání(at) peep
pirát pirate
písař(ka) typist
pisatel(ka) writer
písčina shoal
písčitý sandy
písek sand **hrubý ~** gravel
písemka paper **~ z francouzštiny** French paper
písemně in writing
písemn|ý written*, in writing **–á práce** essay **–á zkouška** paper
píseň song
pískat whistle
pískovec sandstone
pískoviště sand-pit
pískový sand(y)
písmeno letter (*malé ~* small letter; *velké ~* capital letter)
písmo **1** systém script **2** writing; rukopis hand(writing)
Písmo Scripture, the Scriptures PL; tiskařské type
píst piston
pistole pistol, gun
piškot sponge-cake
píšťala whistle; varhan pipe
pištět squeak
pít drink*
pití drinking; nápoj drink
pitná voda drinking water
pitomec clot, moron
pitomý silly
pitva studijní dissection; úřední autopsy
pivo beer
pivovar brewery
placený paid*
placka pancake
plácnout slap, smack
pláč weeping, crying
plachetnice sailing-boat n. –ship
plachta canvas; lodní sail
plachtit vzduchem glide, sail
plachtovina canvas
plachý shy, self-conscious
plakat cry, weep*
plakát poster, bill, placard
plamen flame
plán **1** plan, schedule (*~ do budoucna* plan for the future) **2** města map
planeta planet
planina plain
plánov|ací(ání) planning
plánovan|ý planned **–é rodičovství** family planning
plánovat plan, arrange
plantáž plantation
planý **1** neplodný barren **2** marný vain, idle, futile **3** false (*poplach* alarm) **4** nepěstěný wild
plástev medu honeycomb
plastický plastic
plastik plastics PL
plastika sculpture
plašit scare, frighten (*~ se* get* frightened)
plášť **1** coat (*~ do deště* raincoat, mac(kintosh)) **2** pneumatiky tyre **3** hodinek case
pláštěnka cape, cloak
plat pay*; příjem income, salary, mzda wages PL
platba payment
plátce payer
platební payment (*~ podmínky* terms of payment PL)
plátek slice
plátěný linen
platforma platform
platina platinum
platit **1** pay* (*za* for) (*~ účet* pay* a bill) **2** mít platnost be* valid **3** týkat se koho apply to
plátno linen; knihařské cloth; malířské canvas; filmové screen
platnost validity, force (*být v –i* be* in force; *vejít v ~* come* into force; *uvést v ~* put* into force)
platný valid
platýz plaice
plavání swimming

plavat swim*
plavba navigation, cesta voyage
plavčík life-guard
plavební navigation, shipping
plavec swimmer
plavecký swimming
plavit float **~ se** sail
plavky dámské bathing n. swimming costume; pánské bathing n. swimming trunks PL
plavkyně swimmer
plavovláska blonde
plav(ovlas)ý fair
plaz reptile
plazit se crawl
pláž beach
plážový beach
plech 1 sheet metal; metallic plate n. sheet 2 na pečení pan
plechový tin
plechovka tin can*
plemeno breed
plena napkin, nappy, am. diaper
plenit plunder, loot
plenta screen
plénum general assembly
ples ball; domácí dance, party (*pořádat* ~ give* a ball; *maškarní* ~ fancy dress ball n. masked ball)
plesknout slap, flap
plesnivý mouldy
plést 1 svetr knit 2 koho puzzle **~ si** mistake* (*koho s kým* sb. for sb.)
plést se 1 při počítání make* mistakes 2 do čeho meddle in, butt in
pleš: mít ~ be* bald
pleť complexion
pletací stroj knitting-machine
pleten|ý 1 svetr knitted **–é zboží** knitwear 2 nábytek wicker (*nábytek* furniture)
pletivo mesh; drátěné wire netting
pleťová voda lotion
plevel weed
plíce lungs PL
plicní lung
plisovat pleat
plíseň mould
plískanice sleet
plít weed
pliv|at(nout) spit*
plížit se creep*; kradmo prowl; sneak určení směru in away, out (of) back, past
plná moc proxy
plnicí pero fountain-pen
plnit 1 láhev fill 2 plán fulfil 3 provádět carry out, accomplish, discharge
plnoletý of age
plný 1 full; naplněný čím filled with **~ lidí** crowded, packed 2 korpulentní plump
plod fruit
plodina produce **hlavní ~** staple
plodit bear, breed, produce
plodný fertile, virile; úrodný, i přen. prolific (*na* in n. of); výkonný productive
plocha area; táhnoucí se stretch; o látce, vodě sheet
plochý flat
plomba 1 zubní filling 2 pečeť seal
plombovat fill (*zub* a tooth), am. stop
plošina 1 přírodní plateau, platform 2 autobusu deck
plošná výměra area
plot 1 fence 2 **živý ~** hedge
plotna 1 plát plate 2 kamna stove
plout float, sail
ploutev fin; ne u ryb flipper
plovací vesta life-jacket
plovák float
plovárna bazén v přírodě swimming-pool; krytý bazén swimming-bath
plst(ěný) felt
pluh plough
pluk regiment
plukovník colonel
plurál plural
plus plus
plyn gas
plynárna gasworks PL i SG
plynně fluently
plynov|ý: ~ hořák gas cooker **–á maska** gas mask **~ pedál** accelerator
plynulost fluency
plynulý fluent, continuous
plyš(ový) plush

plýtvat waste (*čím* st.)
pneumatický pneumatic
pneumatika tyre
po 1 časové after 2 místní about, over (~ *celém světě* all over the world; ~ *cestě* on the way; ~ *ruce* at hand) 3 o ceně (~ *dvou librách* at two pounds a piece; two pounds each) 4 along (~ *ulicí* along the street)
pobídnout invite, ask; podnítit incite; prompt; popohnat urge, hovor. prod
pobláznĕný crazy, mad, lunatic
pobočka branch (office)
pobouření anger, indignation (*nad* at)
pobouřit anger; fill with indignation; mravně disgust
pobožný pious
pobřeží coast, shore, strand
pobřežní inshore, offshore **~ hlídka** coastguard
pob|yt(ýt) stay
pocení perspiration
pocit feeling
pocta honour, compliment
poctivost honesty, integrity
pocukrovat (sprinkle with) sugar
počasí weather
počáteční initial, original, zahajovací opening
počát|ek beginning (*na -ku* at the beginning)
počest honour (*na ~ koho* in honour of sb.)
počet number
početí conception
početní arithmetical
početný numerous
počít conceive
počítač computer
počítadlo meter
počítat 1 do* arithmetics, count, reckon; calculate 2 mezi number (among) 3 spoléhat se na count on, reckon on 4 počítat s, brát v úvahu take* into account, take* account of
počkání: na ~ while you wait
počkat v. *čekat*
počkej nech mě popřemýšlet let* me see*
pod 1 under (*stolem* under the table) 2 below (~ *obzorem* bellow the horizon)
podání sport. v kopané pass; v tenise service
podař|it se: -ilo se mi něco I succeeded, n. I was* successful in doing st.
podat give*, hand, pass **~ ruku komu** shake* hands with sb., jako pomoc lend sb. a hand; myšlenky put* across n. over **~ zprávu** report (*o* on)
podcenit underestimate, underrate
poddajný supple, pliable
podebrat se fester
podej zavazadel luggage office
poděkování thanks PL
poděkovat v. *děkovat*
podél along
podéln|ě(ý) lengthways, lengthwise
podepřít prop up, support
podepsat sign **~ se** sign one's name
poděsit horrify, terrify
poděšen sole
podezírat suspect (*z něčeho* of st.)
podezíravý suspicious
podezřelý suspicious **~ člověk** suspect (*z* of)
podezření suspicion (*z* of)
podezřívat suspect (*z* of)
podfuk trick
podchod subway
podíl share; účast part; příděl portion
podílet se share (*s kým na čem* st. with sb.)
podít se: kam se poděl? what has become of him?
pódium platform
podívan|á spectacle **stojí to za -ou** it is worth seeing
podívat se 1 look, have* a look (*na* at) 2 **~ do Londýna** make* a trip to London
podivín freak, crank, oddity **-ský** freakish
podivnost peculiarity

podivný strange, peculiar, odd, weird, quaint
podivuhodný admirable, wonderful
podjezd underpass
podklad basis*
podkopat sap, přen. undermine
podkova (horse)shoe
podkrov|í(ní) místnost attic, loft
podlaha floor
podlahová krytina flooring
podlaží storey
podle **1** podél along (*řeky* the river) **2** according to, in accordance with (*tvého přání* your wish) **3 malováno ~ Hogartha** painted after Hogarth **4 ~ všeho** presumably
podléhat **1** be* liable, be* subject (*čemu* to st.); jako podřízený be* subordinate (*komu* to sb.)
podlehnout give* in, yield (*čemu* to)
podléz|t creep* under **–at komu** toady to sb.; cringe to n. before sb.
podloubí arcade
podlouhlý oblong
podložit **1** underlay*; vycpávkou pad **2** důkazy found
podložka psací (writing-)pad
podlý mean*, shabby
podmanit subdue
podmáslí buttermilk
podmínečné propuštění probation
podmíněný conditional
podmínk|a condition; term **za žádných podmínek** on no conditions, under no circumstances **pod –ou, že** on condition that
podmořský submarine
podnájem lodgings PL; hovor. digs PL
podnájemník lodger
podnapilý tipsy
podnebí climate
podněcovat incite
podnět impulse, incentive, stimulation; návrh suggestion **dát podnět** initiate, cause, prompt
podnětný stimulating, incentive, suggestive
podnik company, firm, enterprise; obchod business
podnikání enterprise
podnikatel businessman*, entrepreneur
podnikavost enterprise
podnikavý enterprising
podniknout undertake* **~ cestu** make* a journey
podnítit stimulate, challenge
podnos tray
podoba **1** vzhled form, shape **2** podobnost resemblance
podobat se resemble, look like (*komu* sb.)
podobizna portrait
podobně in a similar way, similarly likewise **a ~** and the like
podobnost similarity, resemblance, likeness
podobn|ý similar **to je ti –é** that's just like you
podotknout remark, point out
podpatek heel
podpaží armpit **v ~** under one's arm
podpěra support, prop
podpis signature
podplatit bribe
podpora **1** support, backing, encouragement, povzbuzování růstu promotion **3** výživa maintenance, relief **4** sociální benefit, allowance; v nezaměstnanosti unemployment, benefit, hovor. dole
podpořit **1** support, back, povzbudit encourage, promote, financovat sponsor **2** ohroženého advocate, champion
podprsenka bra
podprůměrný below the average
podpůrný subsidiary
podrazit: ~ obuv sole **~ komu nohy** trip sb. up
podrážděný irritation, exasperation
podráždit v. *dráždit*
podrážka sole
podrobit subject **~ se** submit, give* in (*čemu* to st.) **~ se zkoušce** take* an examination, sit* for an examination **~ si** subdue
podrobnost detail

podrobně in detail
podrobný detailed
podruhé next time
podružný secondary
podržet hold* (*komu co* st. for sb.)
podřadný inferior
podřeknout se let* st. out
podřídit se submit (*čemu* to st.)
podřízený subordinate, inferior
podstat|a substance, essence **máte v –ě pravdu** basically you are right
podstatn|ý essential **–é jméno** noun
podstavec stand*, base; sochy pedestal; malířský easel
podstoupit undergo*
podsvětí underworld
podšít line
podšívka lining
podtrhnout underline
poduška cushion
podvazkový pás suspender belt
podvědomí subconsciousness
podvědomý subconscious
podvést deceive, cheat
podvod cheat, swindle, deception, deceit
podvodní underwater
podvodník cheat, swindler
podvodný fraudulent
podvozek chassis*
podvratný subversive
podvrtn|out si (–utí) sprain
podvýživa malnutrition
podvyživený undernourished, malnourished
podzem|í(ní) underground **podzemní dráha** subway, tube
podzim(ní) autumn
poetický poetic
poezie poetry
pohádka fairy-tale
pohan(ský) pagan, heathen
pohánět drive*, propel; koho, hovor. prod
pohanský pagan
pohár cup, beaker, bowl
pohladit stroke, caress
pohlaví sex
pohlavní sexual **~ choroba** venereal disease **~ orgány** genitals PL **~ styk** (sexual) intercourse, sex
pohled 1 pohlédnutí look; letmý glance; upřený gaze **2** výhled sight; view (*na hrad* of the castle) **3** pohlednice (picture) postcard
pohledávka claim
pohlednice (picture) postcard, card
pohltit devour, absorb
pohmožd|ěnina(it) bruise
pohnout též dojmout, přimět move **~ ho, aby šel** make* him go*; induce him to go*
pohnutí emotion
pohnutka motive, inducement, drive
pohoda ease, well*-being
pohodlí comfort
pohodlně at ease
pohodlný comfortable
pohon drive, propulsion
pohonná hmota fuel
pohoršení scandal
pohoršovat shock **~ se** be* shocked (*nad* at)
pohoří mountain range n. chain
pohostinnost hospitality
pohostinný hospitable
pohostit v. *hostit*
pohoštění: děkuji vám za ~ thank you for your hospitality
pohotovost 1 připravenost promptness, readiness **2** voj alert
pohotovostní emergency
pohotový ready, prompt
pohovka couch, settee, sofa
pohovor interview, talk
pohovořit (si) have* a talk n. chat
pohrabáč rake, poker
pohraničí border
pohrdání contempt
pohrdat despise
pohrdavý contemptuous
pohroma calamity, disaster
pohromadě gathered, together
pohrozit threaten (*komu čím* sb. with st.)
pohřbít bury
pohřeb funeral

pohřební: ~ obřad burial service **~ ústav** undertaker's
pohřešov|at miss (*být –án* be* missing)
pohyb motion; movement; tělesný exercise
pohyblivý mobile; pohybující se moving; přemístitelný movable
pohybovat (se) move
pocházet come* (*z* from); původem descend (*od* from); pramenit originate (*v* in)
pochmurný gloomy, grim
pochod(ovat) march
pochopení understanding
pochopit grasp, make* out, comprehend
pochopitelný understandable
pochoutka delicacy
pochoutkový delicate
pochutnat si relish (*na čem* st.)
pochva 1 sheath **2** pohlavní orgán vagina
pochvala praise, compliment
pochybnost doubt (*mít –i o* be* doubtful about; *nade vší ~* beyond all doubt)
pochybný doubtful, dubious, questionable
pochybovat doubt (*o čem* st.)
pojednání essay, tract (*o* on)
pojednávat deal* (*o čem* with st.); consider, discuss
pojem concept; představa notion, idea (*o* of)
pojetí conception
pojistit insure (*proti ohni* against fire)
pojistk|a 1 insurance policy **2** el. fuse (*spálit –u* blow* a fuse)
pojistné premium
pojištění insurance (*národní ~* national insurance; *nemocenské ~* health insurance; *~ na život* life* assurance)
pojišťovna insurance company
pojízdný mobile
pojmenovat name (*po* after, am. for)
pojmout hold*; diváky seat; zahrnovat take* in
pokání repentance
pokárání rebuke, reprimand
pokazit v. *kazit*
pokaždé every time, each time
poklad treasure
pokládat považovat koho za co consider sb. st., count sb. (as) st., regard sb. as st., take* sb. for st.
pokladna nádražní booking-office; divadelní box-office; státní treasury; v obchodě cash register
pokladní(k) cashier
pokles fall*, náhlý, prudký drop; decline (*cen* in prices)
poklesek lapse, misdemeanour
poklice cover
poklička lid
poklona compliment
poklonit se bow
poklop hatch
poklus canter
pokoj 1 klid peace, quiet **2** místnost room **nemocniční ~** ward
pokojný quiet, peaceful
pokojská chambermaid
pokolení generation
pokora submission
pokorný humble
pokořit humiliate
pokousat bite*
pokoušet tempt
pokožka skin; pleť complexion
pokračování continuation, setrvání continuance, povídka, film sequel
pokračovat go* on (doing st.), go* ahead, get* on (*v čem* with st.); continue; nepřestávat carry on; znovu začít resume
pokraj verge (*na –i* on)
pokrčit v. *krčit*
pokrm food, dish
pokročilý advanced
pokrok advance; progress (*dělat –y* make* progress)
pokrokový progressive
pokrýt (se) v. *krýt*
pokrytec hypocrite

pokrytecký hypocritical
pokrytectví hypocrisy
pokrývka cover; deka blanket **prošívaná ~** quilt, hrubá vlněná rug
pokřik cry, cries PL
pokřikovat shout
pokřtít baptize
pokud 1 časové v. *dokud* **2** jestliže provided as long as, so long as **~ jde o** as regards n. concerns, as for, as far* as ... is concerned **~ vím** as far* as I know* **~ vím, ne** not that I know* **~ ne** unless
pokus 1 attempt (*oč* at st., to do* st., at doing st.) **2** vědecký experiment, test
pokusit se attempt (*oč* st.) (*~ o sebevraždu* attempt to commit suicide)
pokusný experimental
pokušení temptation
pokuta fine, penalty, forfeit
pokutovat penalize, fine
pokyn direction, instruction (*o* on)
pól pole (*severní, jižní ~* north, south pole)
polární polar
pole field
poledne noon, midday (*v ~* at noon, at midday)
polední midday
poledník meridian
polekat v. *leknout*
polemický controversial
polemika controversy, polemic
polemizovat argue
poleno log
polepšit: ~ si improve one's conditions **~ se** improve (*v* in)
poleva na nádobí glaze; na pečivu icing
polevit remit
polévka soup
pol|ibek(íbit) kiss
police shelf*, rack
polic|ejní(ie) police **policejní strážník** constable
policist|a policeman* **–ka** policewoman*
poliklinika health centre
polít pour over, spill*
politický political
politik politician
politika 1 věda i praxe politics **2** politická linie policy
politování regret **–hodný** regrettable
polknout swallow
polní field
polo- semi-
pólo: vodní ~ water polo
polobotky shoes PL
poločas half-time
polodenní zaměstnání part-time job
polodrahokam semi-precious stone
poloha position, situation
polokoule hemisphere
pololetí half-year; školní term
pololetní: ~ prázdniny mid-year holidays PL **~ vysvědčení** mid-year n. half-yearly report
poloměr radius*
poloostrov peninsula
polorozpadlý dilapidated
polotovar kuch. convenience food
polovi|ční(na) half*
polovodič semiconductor
položit v. *klást*
položka item; zapsaná entry
polštář cushion; jen na lůžku pillow
polyetylén polythene
polytechni|cký(ka) polytechnic
pomačkat wrinkle
pomalu slowly **~ ale jistě** slowly but surely
pomalý slow, liknavý sluggish, ležérní leisurely
pomást se go* mad, go* insane
pomatený insane
pomazánka spread
poměr 1 míra rate; proportion **v –u k** in proportion to **2** vztah relation, relationship **3** postoj attitude (*k* towards) **4 mít ~** be* having an affair (*s kým* with sb.)
pomeranč orange
poměrně relatively, comparatively

poměrný 1 relative, comparative 2 úměrný proportionate
poměry conditions PL, circumstances PL
pomezí frontier
pomíjivý passing
pomlčka dash, krátká hyphen
pomlouvačný slanderous
poml|uva(uvit) slander; tiskem libel
pomněnka forget-me-not
pomník monument, memorial
pomoc 1 help (*lékařská ~* medical help) 2 organizovaná aid (*první ~* first aid) 3 částečná assistance (*přijít na ~ komu* come* to sb.'s assistance) 4 zvl. sociální relief, assistance
pomocí by means of
pomoci 1 help (*komu* sb.), give* n. lend* a hand 2 lidem postižené oblasti relieve **pomoz mi s tím kufrem** would* you mind giving me a hand with this suitcase
pomocn|ice(ík) helper; assistant **–ice v domácnosti** (daily) help
pomocn|ý 1 helping, assistant 2 jaz. (*-é sloveso* auxiliary)
pomsta revenge
pomstít v. *mstít*
pomůck|a aid (*audiovizuální –y* audio-visual aids PL; *vyučovací ~* teaching aid)
pomyslit think* (*na* of) **jen si pomysli!** just fancy!
pomyslný imaginary
pomýšlet think* (*na* of); intend (*na to, že* to)
ponaučení lesson
pondělí Monday
ponechat si keep*, retain
poněkud rather, somewhat
ponětí idea (*nemám ~ o* I have* no idea of n. about)
poněvadž because, since
poník pony
ponížit humiliate
ponižující humiliating
ponorka submarine
ponořit plunge, dip **~ se** plunge, dive
ponožka sock
ponurý gloomy, grim
popadnout grab, snatch
popálenina burn
popel 1 ash, ashes PL 2 tělesné pozůstatky one's ashes PL
popelář dustman*
popelka Cinderella
popelnice dustbin
popelník ashtray
popínavá rostlina vine
popis 1 description 2 líčení account
popisovat 1 describe 2 líčit give* an account of
poplácat pat, clap
poplach alarm
poplašn|ý alarming (*–é zařízení* alarm; *–é znamení* alarm signal)
poplatek charge, fee
poplatník taxpayer
poplést v. *zmást*
popletený confused
poprášit powder
poprava execution
popravit execute
poprchávat spit*
poprosit ask
poprsí bust
popruh sling
poprvé (for) the first time
popředí foreground, forefront (**do ~** to the fore)
popření denial
popřít deny
popsat describe, give* a description n. an account of
poptávka demand (*po* for)
popud impulse
popudit irritate, incense, exasperate
popudlivý irritable
populace population
popularita popularity
populární popular **~ hudba** pop **~ zpěvák** pop singer
pór 1 pore 2 pórek leek
porada meeting, conference
poradce adviser, consultant, counsellor

poradit komu advise sb., give* sb. (a piece of) advice (*v čem* on st.) **dát si (odborně) ~ od koho** take* sb.'s advice **~ se** consult **~ si** cope, make* out
poradna: advokátní ~ legal aid (and advice) centre **~ pro volbu povolání** vocational guidance centre
poranit hurt*, injure (~ *se* get* hurt)
porazit 1 knock down; overthrow* **2** protivníka beat*, defeat **3** dobytek slaughter, kill
porážka 1 defeat **2** dobytka slaughter
porce helping, portion
porcelán china; kvalitní porcelain
pórek leek
pornografie pornography
porod childbirth
porodit give* birth to
porodní: ~ bolesti labour (pains) **~ asistentka** midwife
porodnice maternity hospital
porodnost birth-rate
porota jury
poroučet order, command **~ si** order, tyranizovat boss about n. around (*koho* sb.)
porouchat break* down
porovnat compare (*s* with, to) contrast (*s* and, with)
porozumění understanding
portrét portrait
poručík lieutenant
poručník guardian
porucha 1 též med. disorder **2** tech. failure, defect **3** breakdown
porušit break* (*zákon* the law); violate, invade (*něčí soukromí* sb.'s privacy)
pořad programme **~ jednání** agenda
pořadač file
pořádat 1 dát do pořádku put* in order, arrange, sort **2** konat arrange, run* (*koncert* a concert), give*
pořadatel organizer
pořád|ek order **dát do –ku** put* in order **něco není v –ku** there is something wrong **po –ku** one by one **v –ku!** all right!, O.K.!
pořadí order
pořádně properly; značně pretty
pořádný proper, sound, důkladný thorough; pořádkumilovný orderly, tidy
pořekadlo saying
pořezat (se) cut* (os.)
pořídit si get*, buy*
posadit seat **~ se** sit* down, take* a seat
posádka garrison; osádka crew
posedlost obsession, krátkodobá craze, frenzy
posedlý obsessive, keen, crazy
poselství message
poschodí floor (*v druhém ~* on the second floor)
posila 1 help; morální encouragement **2** zvl. voj. reinforcement
posílit strengthen, zintenzívnit intensity **2** voj. reinforce
posilnit stimulate
poskakovat hop, skip
poskytnout give*, provide
poslanec deputy, brit. Member of Parliament (MP)
poslanecký parliamentary
poslání mission
poslat send* (*~ pro doktora* send* for a doctor); lodí ship **~ poštou** post, send* by post
posledně last time
poslední last, nový latest **v ~ době** lately, recently
poslech listening
poslechnout 1 obey (*rodiče* one's parents) **2** follow, take* (*čí rady* sb.'s advice)
poslouchat 1 listen (*co* to) **2** rodiče obey
posloupnost sequence, succession
posloužit v. *sloužit* **~ si** help os.
posluhovačka daily (help)
posluchač listener; student undergraduate
posluchárna classroom; velká lecture hall
poslušný obedient

posloužte si help yourself
posměch ridicule, mockery
posměšek sneer
posměšný mocking
posmívat se komu make* fun of sb., ridicule sb., jeer at sb., mock sb.
posmrtný post-mortem
posoudit **1** judge **2** review (*knihu* a book)
pospíchat hurry (up), be* in a hurry **nepospíchej** take* your time
postačující sufficient
postarat se v. *starat se*
postava **1** stature, figure **2** v uměleckém díle character
postavení position, situation; společenské rank
postavit v. *stavět*
postel bed
poste restante poste restante
postgraduální postgraduate
postihnout afflict
postit se fast
postoj **1** posture, pose **2** stanovisko attitude (*k* towards)
postoupit **1** pokročit advance, (make*) progress, make* headway **2** někomu pass **3** majetek, území cede **4** přikročit proceed (*k* to)
postrádat **1** nemít lack **2** hledat miss
postranní side, lateral ~ **cesta** by-road, by-way, am. back road
postroj harness
postřeh perception
postřelit wound with a gun
postřik spraying
postříkat sprinkle; pocákat splash
postup **1** vpřed advance **2** metoda method, procedure **3** pokrok progress, headway **4** v zaměstnání promotion
postupně gradually, step by step
postupný gradual
postupovat **1** v. *postoupit* **2** jednat act, take* steps PL n. measures PL **3** pokračovat proceed
posudek **1** report **2** o liter. díle review **3** osobní reference
posun shift
posuzovat view
posvátný holy, sacred
posunout shift, move; vpřed advance
posypat sprinkle
pošetilost folly
pošetilý foolish, silly
poškodit damage, harm, pověst, zdraví injure
poškození damage, harm, injury
pošpinit **1** v. *špinit* **2** přen. disgrace, discredit
pošt|a post, mail; úřad post office (*poslat –ou* post, send* by post; *dát na –u* post; *leteckou –ou* by air mail)
poštípat sting*
poštovné postage
poštovní post(al) ~ **poukázka** postal order ~ **schránka** letter-box, pillar-box, post-box, mailbox am.
pot sweat, perspiration
potácet se stagger, reel
potáhnout **1** cover, coat **2** nosem sniff **3** kovem plate
potápěč diver
potápět se dive, plunge
potenciální potential
potěšení pleasure, delight **mít ~** enjoy (*z čeho* st.)
potěšit please, give* pleasure **~ se** čím be* pleased with st., enjoy st.
potěšitelný pleasant, pleasing
potit se sweat, perspire
potíž **1** difficulty, trouble **2** překážka hitch
potk|at (se) **1** meet* (*koho, s kým* sb.; *s čím* st.) (*–alo ho neštěstí* he met* with an accident) **2** náhodou come* across
potlačení suppression, repression
potlačit suppress, repress, put* down
potlesk applause
potloukat se loaf, prowl (about n. around)
potmě in the dark
potok brook
potom then, afterwards, later on ~ **když** after **hned** ~ next **teprve** ~ not until then

potomek descendant
potopit sink* **~ se** sink*; úmyslně dive
potrat miscarriage, umělý abortion
potratit miscarry
potrava food
potravinářský food **~ obchod** grocery
potraviny foodstuffs
potrestat punish
potrpět si na be* particular about, make* a point of
potrubí pipe-line
potřeb|a **1** need*, necessity (*v případě –y* in case of need*) **2 –y pro domácnost** household utensils PL
potřebný necessary
potřebovat need* **nutně ~** need* badly
potřeštěný crazy
potřísnit stain
potřít rub, spread, smear (*něco něčím* st. with st.; st. on st.)
potucha notion
potulovat se roam, potter about n. around
potupa indignity
potupit disgrace
potvrdit **1** správnost certify, confirm **2** acknowledge (*příjem čeho* receipt of st.)
potvrzení **1** správnosti confirmation, certificate **2** acknowledgement (*příjmu* of receipt)
poučit instruct (*o tématu* on a subject) **~ se** learn*
poučný instructive
pouhý mere
poukaz **1** odkaz reference (*na* to) **2** na zboží, služby voucher **3** peněz remittance
poukázat **1** nač refer (to), point out **2** peníze remit (money)
poukázka voucher, platební order, cheque, pošt. money order
pouliční street **~ ruch** traffic
poupě bud
poustevník chains PL, shackles PL
poutač placard
poušť desert
pouť fair
poutavý attractive
poutko loop, eye
poutník pilgrim
pouzdro case
pouze only
použít **1** use, make* use of, employ **2** aplikovat (*na* to) apply **3** co je k dispozici avail os. (*co* of) **4** uchýlit se k resort to
použití use (*návod k ~* directions PL for use)
použitý second-hand
povaha character, nature
povaleč idler, loafer
poválečný post-war
povalit knock down
povalovat se idle, lie* about, lounge
považovat consider, regard (*za* as); take* (*za* for) **~ za samozřejmé** take* for granted
povědět v. *říci*
povědomý faintly familiar
povel command
pověra superstition
pověrčivý superstitious
pověřenec commissioner
pověření commission
pověřit koho čím entrust n. charge sb. with st.; delegate (*koho, aby* sb. to)
pověsit v. *věšet*
pověst **1** vypravování tale, story **2** jméno reputation
povést se v. *dařit se, vést se*
povětrnostní weather
povíd|at talk, tell* **~ si** chat, have* a chat **–á se, že** there's a rumour going around that
povídavý talkative
povídka (short) story, tale
povidla jam
povinnost duty, závazek obligation
povinn|ý compulsory (*–á školní docházka* compulsory school attendance; *–á vojenská služba* compulsory military service) **2** zavázán obliged
povlak **1** coat(ing), film **2** návlek

cover, na polštář pillowcase
povléci postel change the bedclothes n. the beds, put* on clean sheets PL
povlečení bedclothes PL
povodeň flood
povodí basin
povolání occupation, vocation, vysoce kvalifikované profession
povolanost vocation
povolat call (in); k vojenské službě call up
povolení **1** svolení permission **2** koncese licence
povolit **1** dovolit allow, permit; úředně license **2** uvolnit loose(n), slacken, relax **3** ochabnout relent **4** ustoupit give* in, give* way (*před* to)
povoz vehicle, carriage
povrch surface
povrchní superficial
povrchnost superficiality
povrchový surface **~ důl** opencast mine
povstalec rebel
povstání uprising, insurrection
povstat **1** stand* up, get* up; též přen. rise* **2** vzbouřit se rebel, revolt
povyk fuss, uproar, racket
povýšený haughty
povýšit koho promotion
povzbudit koho cheer sb. up
povzbuzení encouragement
povzbuzovat encourage, prod
povzdech sigh
póza pose
povzbuzující encouraging, tělesně invigorating
pozadí background
pozadu backward(s) **být ~** be* behind (with) **být ~ za** lag behind
pozdě late (*přijít ~ do, na* be* late for)
pozdějš|i(ší) later
pozdní late
pozdrav greeting **vyřiďte mu můj ~** give* him my regards; remember me to him
pozdravit greet
pozdravný greeting
pozem|ek piece of land, lot **–ky** lands PL
pozemní overland **~ hokej** hockey
pozemský worldly
pozitiv print
pozice position
pozitivní positive
pozítří the day after tomorrow
pozlacený gilt
pozlátko gilt, přen. veneer
poznamenat remark **~ si** make* n. take* a note (*co* of st.); note, put* down (*co* st.)
poznámk|a remark, note; kritická, objasňující comment (*o* on) **~ pod čarou** footnote (*dělat si –y o* take* notes of)
poznání knowledge
poznávací: ~ značka registration number; samotná tabulka number-plate
pozn|at **1** (get* to) know* **2** recognize (*starého přítele* an old* friend) **3** zjistit find* out **4** koho make* sb.'s acquaintance, meet* sb. **těší mne, že vás –ávám** pleased to meet* you
pozor attention **dát si ~ na** be* careful about; varovat se čeho beware of **~ !** look out!
pozorně closely, attentively
pozornost attention (*odvádět ~ od* distract attention from; *věnovat ~ čemu* pay* attention to st.)
pozorný attentive; ohleduplný thoughtful, considerate
pozorování observation
pozorovat **1** sledovat watch, observe **2** všimnout si notice
pozorovatel observer
pozoruhodný remarkable
pózovat pose
pozpátku backwards
pozůstalost inheritance
pozůstalý truchlící mourner
pozůstat|ek relie, survival, vestige **–ky** tělesné relics PL, remnants PL
pozvání invitation
pozvánka invitation card
pozvat invite (*na oběd* to dinner; *k sobě* to one's house)
požádat v. *žádat*

požadavek demand; nárok claim; nezbytnost requirement
požadovat demand; nač mám nárok claim; jako nutnost require
požár fire
požární: ~ poplach fire-alarm **~ sbor** fire brigade **~ žebřík** fire-escape
požárník fireman*
požehnání blessing
požitek enjoyment, pleasure
prababička great-grandmother
práce work; povolání job; námaha labour **~ přes čas** overtime
prací washing
pracka paw
pracný laborious
pracovat 1 work (*na čem* on st.) (*~ přes čas* work overtime) **2** o stroji též operate
pracoviště working place
pracovitý hard-working
pracovna study
pracovní: ~ doba working hours PL **~ síla** manpower, hand **~ povolení** work n. labour permit **~ oděv** working clothes **~ plášť** overall **~ příležitost** vacancy
pracovník worker
pracující working man*; PL working people
pračka washing-machine
pradědeček great-grandfather
prádelna laundry; se samoobsluhou launderette
prádelník chest of drawers
prádlo 1 spodní underwear, underclothing **2** ložní bedclothes PL stolní linen **3** do prádelny washing, laundry
práh threshold
prach 1 nečistota dust (*utřít~ z nábytku* dust the furniture) **2 střelný ~** gunpowder
práchnivět moulder
prachovka cloth, duster
praktický practical **~ lékař** general practitioner
prales virgin forest
prám raft
pramen 1 zřídlo spring **2** zdroj source **3** původ origin
pramenit rise*
pramenitý spring
pramice rowing-boat, punt
praní washing
prapor 1 standard **2** vojenský oddíl battalion
prase pig
praskat crackle
prasklina crack, crevice, split
prasknout crack, burst*
prásknout slam (*čím* st.)
praskot crack, crackle
prasnice sow
prášek 1 powder **2** lék medicine, powder, pill, pro spaní sleeping-pill
prášit stir up, dust
práškový powdered **~ cukr** castor sugar
praštit plump
prát wash, do* the washing
prát se fight* (*s kým oč* with sb. for st.)
pravda truth **máš –u** you are right **nemáš –u** you are mistaken n. wrong **to je ~** it is true **mluvit –u** tell* the truth **abych řekl pravdu** to tell* the truth
pravděpodobně likely, probably, presumably
pravděpodobnost probability, likelihood
pravděpodobný probable, likely
pravdivý true
pravdomluvný truthful
právě just **~ teď** just now, at this moment **~ tak jako** as well as **proč ~ on?** why he, of all people?
pravěk primeval ages PL
pravěký primeval
právem rightly, justly
pravice right hand; polit. the Right
pravicový right-wing
pravidelnost regularity
pravidelný regular, periodic(al)
pravidl|o rule **–a slušného chování**

the properties PL
pravítko ruler
právní legal **~ zástupce** attorney, brit. solicitor
právnický juridical
právník lawyer
právo 1 right (*na co* to st.) 2 law (*mezinárodní ~* international law)
pravomoc authority
pravopis spelling
právoplatný valid
pravoúhlý right-angled
pravověrný orthodox
pravý 1 vpravo right, right-handed 2 skutečný true, real 3 nefalšovaný genuine, real
praxe practice
prázdninový holiday
prázdniny holidays PL
prázdn|ý empty **–é sedadlo** vacant seat **–é místo** na papíře blank
praž|ený(it) roast **–ená kukuřice** popcorn
prcek tot
prehistorický prehistoric, primeval
prémie bonus, premium
premiéra first night **~ filmu** first run
preparát preparation
prestiž prestige
preventivní preventive
prezence attendance
prezenční listina list of the persons present, attendance sheet
prezervativ condom, sheath
prezident president
prezídium board
prchlivý fiery, short n. quick-tempered
primární primary
primář head doctor
primitivní primitive
princ prince
princezna princess
princip principle **–iálně** in principle
priorita priority
privilegium privilege
privilegovaný privileged
prkno board (*rýsovací ~* drawing board; *žehlicí ~* ironing-board)
pro 1 for 2 kvůli because of, on account of, též díky čemu owing to **být ~ co** be* in favour of st. **~ mne za mne** for all I care
proběhnout 1 run* n. pass through; proklouznout slip 2 uplynout pass 3 konat se take* place
problém problem
probodnout stab, pierce
probořit break* through
probrat 1 go* through, deal* with (*téma* a subject) 2 roztřídit sort
probudit (se) wake* (up)
procedura procedure
procento 1 **deset procent** ten per cent 2 zastoupení percentage
proces process; soudní trial
procesí procession
proclení: máte něco k ~ ? have* you anything to declare?
proclít declare
proč 1 why 2 what ... . for (*~ to potřebuješ?* what do* you need* it for?)
prodat sell*
prodavač(ka) shop assistant
prodávat sell*
prodej sale (*být na ~* be* on sale) **~ v drobném** retail **~ ve velkém** wholesale
prodejna shop
prodejní: ~ cena selling price **~ automat** vending machine
prodělat 1 ztrácet lose*, be* out of pocket 2 zakusit experience; operaci undergo*; nemoc go* through
prodloužení extension, prolongation
prodloužit 1 např. sukni lengthen; prolong, extend (*pobyt* one's stay) 2 renew, prolong (*si pas* one's passport) **~ se** get* longer, lengthen
producent producer
produkce 1 production 2 představení performance
produkt product
produktivita productivity
produktivní productive
profese vocation, profession

profesionál(ní) professional
profesor(ka) zvl. vysokoškolský professor; teacher
profil profile
program programme (*být na –u* be* on the programme), schedule, **co je na –u v divadle?** what's on at the theatre?
programátor programmer
programovat program
prohibice prohibition
prohlásit declare, state **~ za neplatné** repel, quash
prohlášení statement **Prohlášení nezávislosti** the Declaration of Independence
prohledat search
prohlédnout examine (*nemocného* a patient) **~ si** have* a look (*co* at), see* (*~ si Prahu* see* the sights of Prague), view **~ si výklady** go* window-shopping
prohlídka 1 examination **2** sightseeing (*Prahy* in Prague) **3** visit (*muzea* to a museum)
prohloubit (se) deepen; zesílit intensify
prohnaný foxy, cunning
prohnout se bend*, pod tíží sag; v zádech arch one's back
prohra loss; porážka defeat
prohrá|t 1 lose* (*peníze* money; *s mužstvem* to a team) **2** hazardně gamble away
procházet pass (*dveřmi* through a door)
procházet se walk, stroll
procházk|a walk, stroll **jít na –u** go* for n. take* a walk
projednat discuss
projekt project
projektant designer
projektovat project; nakreslit design
projet se go* for n. have* n. take* a ride
projev 1 manifestation display **2** speech, address (*v rozhlase* over the radio) **~ soustrasti** condolence
projevit exhibit, manifest
projevit se 1 ne o lidech show* itself **2** jako prove* (to be*)
projíma|dlo(vý) laxative
projít pass (through) **to ti neprojde** you won't get* away with it
projít se go* for n. take* a walk
projížďka ride
prok|ázat 1 prove* (*svou nevinu* one's innocence) **2** do* (*laskavost* a favour)
proklínat curse, damn
prokurátor (public) prosecutor
prokuratura prosecution
proláklina depression
proletariát proletariat
proletář(ka)(ský) proletarian
prolomit (se) break* through
promarnit waste, squander
proměna change
promenáda promenade
proměnit (se) change, convert
proměnlivý changeable
promeškat miss (*příležitost* an opportunity)
prominout excuse; odpustit forgive*, pardon **promiňte!** (I) beg your pardon; sorry; při oslovení excuse me
promítací: ~ plátno screen **~ přístroj** projector
promítat project; screen, show*
promoce graduation ceremony
promočit drench
promoknout get* wet through, get* wet to the skin
promovaný graduate
promovat graduate, take* one's degree (*z* in) (*na oxfordské univerzitě* from Oxford University)
promyslit (si) think* st. over, consider st.
pronajmout let*, rent
pronásledování 1 pursuit **2** šikanování persecution
pronásledovat 1 honit pursue **2** šikanovat persecute
pronést deliver, make* (*řeč* a speech)

proniknout penetrate (*do* st. n. into st.)
pronikavý 1 penetrating (*rozbor* analysis) 2 resounding (*úspěch* success) 3 příchuť, pach pungent, pocit, pach pervasive, chlad, hlas piercing
proniknout penetrate, do všech částí pervade, tekutiny, plyny infiltrate, myšlenky, zprávy filter through n. in/out
propadák flop
propad|nout 1 fall*, sink* (down) (*otvorem* through a hole) 2 fail (*při zkoušce* an examination) 3 představení flop **~ zoufalství** fall* into despair**~ něčemu** become* addicted to st. **~ se** fall* in
propaga|ce(ční) publicity, advertising
propaganda propaganda
propagátor propagator
propagovat publicize, advertise, am. promote, propagate
propásnout miss
propast abyss
propást lose*, waste
propíchnout pierce; jehlou prick (through), pneumatiku puncture
proplatit refund, clear
propočet calculation
propočítat calculate
proporcionální proportional
propouštět 1 nebýt těsný leak 2 v. *propustit*
propracovat work out elaborate
propustit 1 discharge (*ze zaměstnání* from work); zbavit místa dismiss, hovor. sack, fire 3 uvolnit release
propustka permit
propuštění po vykonání povinnosti discharge; z vězení, ze zajetí release
prorazit break* (through), drive* through
proroctví prophecy
prorok prophet **–ovat** prophesy
prosadit through; silou enforce **~ svou** have* it one's own way
prosakovat nádoba, tekutiny, plyny leak; husté tekutiny n. přen. ooze (out n. away) (*z* from, out of), seep
prosazovat promote, boost, assert **~ se** vzbuzovat dojem rozhodnosti assert os.
prosba request, appeal
prosinec December
pros|it ask (*o* for) **–ím** 1 please 2 certainly (*Omluvte mne na okamžik. - Prosím* Excuse me for a moment. - Certainly) 3 **děkuji vám —ím** thank you –not at all, that's quite all right, don't mention it 4 **–ím?** (I'm) sorry? am. pardon?
proslavit make* famous **~ se** become* famous
proslov speech, address
proslulý famous, celebrated, noted
proso millet
prospěch 1 profit, advantage, benefit (*mít~ z* benefit from) **ve váš ~** in your favour 2 ve škole results PL
prospekt prospectus skládací folder
prosperita prosperity
prosperovat prosper, flourish
prosperující prosperous, flourishing
prospěšnost utility
prospěšn|ý useful, profitable, advantageous, beneficial (*pro zdraví* to one's health) **–á věc** asset
prospět komu do* sb. good*
prospívat 1 benefit, prosper 2 v. *prospět* 3 ve škole have* good* results; do* well*, get* on well*
prostě simply; just
prostěradlo sheet
prostírat: ~ na stůl lay* the table **~ se** stretch (*na tisíce mil* for thousands of miles)
prostituce prostitution
prostitutka prostitute
prostor space **~ pro zavazadla v autě** boot
prostorný spacious, roomy
prostorový space
prostořeký impertinent, hovor. saucy
prostranství space
prostřed|ek 1 střed middle **v –ku** in the middle 2 k čemu means **dopravní ~** means of transport **peněžní –ky**

funds PL, (financial) resources PL
prostředí environment; okolí surroundings PL; pozadí background
prostřední middle, central
prostřednictví mediation **–m** through, by means of
prostřít spread* (*ubrus na stůl* a cloth on the table) **~ k obědu** lay* the table for dinner
prostý **1** jednoduchý simple **2** nezdobený plain
prošít jako pokrývku quilt
prošlý overdue (*účet* bill)
protáhnout **1** co čím pass st. through st. **2** protract **~ se** stretch
protějšek osoba counterpart
protější opposite
protekce patronage
protektorát protectorate
protest protest
protestant Protestant
protestní protest
protestovat protest (*proti* against)
protěžovat favour
proti **1** místně opposite **2** against **3** **lék ~ kašli** medicine for a cough
protiatomový anti-atomic
protijed antidote
protiklad contradiction
protilátka antidote
protilehlý opposite
protiletecký anti-aircraft
protínat (se) intersect
protinávrh counter-proposal
protiopatření counter-measure
protiprávní illegal
protisměr: vozidla v –u oncoming vehicles PL
protistátní hostile to the state
protitankový anti-tank
protiútok counter-attack
protiva nuisance
protiválečný anti-war
protivit se čemu rebel against st., disobey st.
protivit si detest, abhor
protivládní anti-government
protivník adversary; odpůrce opponent
protivný **1** opačný opposite **2** nepříjemný nasty
protizákonný illegal
protlak: rajský ~ ketchup, tomato sauce
proto therefore; that is why; for that reason
protokol **1** minutes PL (*o schůzi* of a meeting) **2** řád procedure
prototyp model
protože because, since, as
proud stream, current (*po –u* downstream) **být v plném –u** be* in full swing
proudit stream, flow, pour
proutěný wicker
proužek strip, odlišný od okolí barvou, materiálem a pod. stripe, streak, papíru slip
proužkovaný striped
provádět **1** show* (*po městě* round the town), guide (sb. through a place) **2** konat practise, pursue
provaz rope, line
provázek string, cord
provdat v. *vdát*
prověrka test, check-up
prověřit test, check (up) (*co* on), investigate, hledat závady, nemoc screen
provést **1** v. *provádět* **2** vykonat do*, accomplish carry out, perform
province province
provinciální provincial
provinění offence
provinilec offender, delinquent
provinilý guilty
provinit se offend (*proti* against)
proviz|e(ní) commission
provizorní makeshift; dočasný provisional, temporary
provokace provocation
provokativní provocative
provokovat provoke
provolání proclamation
provoz **1** dopravní traffic **2** služební service **3** stroje, podniku operation
provozní working
provozovat **1** vést operate, work, run **2** činnost carry on, practise; hobby

go* in for, pursue, do*
próza prose
prozaik prose writer
prozatím meanwhile; for the time being
prozatímní provisional (*vláda* government); temporary (*pobyt* stay)
prozíravost foresight, prudence
prozíravý prudent, far-sighted
prozkoumat investigate, explore
prozradit **1** disclose, reveal, give* away (*koho, co* sb., st.) **2** zradit betray **~ se** give* os. away
prožít **1** live through (*dvě války* two wars) **2** strávit spend*, dobu pass **3** zakusit experience
prs(a) breast
prskavka cracker
prsní bradavka nipple
prst finger, na noze toe
prsten ring
prš|et rain (*–í* it rains, it is raining)
průběh course
průběžný running
průbojnost push
průbojný (self-)assertive, aggressive chápe se pozitivně, enterprising
průčelí front
prudký **1** severe, violent, intense, fierce (*prudká rána* blow) **2** abrupt (*prudká zatáčka* abrupt turn)
průduch vent, scuttle
průdušky bronchi PL
průdušnice windpipe
pruh **1** barevně odlišný band **2** lesa, pouště tract **3** na cestě lane
průhledný transparent
pruhovaný striped
průchod passage
průjem diarrhoea
průjezd(ní) passage
průkaz card (*občanský ~* identity card, am. ID card) **řidičský ~** driving licence
průklep carbon copy
průklepový papír flimsy
průkopník pioneer
průliv channel
průměr average; geom. diameter
průměrně on an n. the average
průměrný average
průmysl industry (*lehký, těžký* light industry, heavy industry)
průmyslový industrial
průplav canal
průřez cross-section
průsečík intersection
průsmyk pass
průsvitný translucent
prut cane, switch, též kovový rod (*rybářský ~* fishing rod)
průtrž mračen cloudburst
průvan draught
průvod **1** procession, parade **2** doprovod retinue, suite
průvodce **1** společník companion **2** vůdce guide; kniha guide (book)
průvodčí v tramvaji conductor; ve vlaku guard
průvodní dopis k dokumentům, zboží a pod. covering letter
průzkum veřejného mínění exploration
průvodní jev accompaniment
pružina spring
pružnost elasticity, flexibility
pružný též přen. elastic, flexible
prvek element
první **1** first (*na ~ pohled* at first sight; *~ pomoc* first aid) **2** dříve jmenovaný former **v ~ řadě** before anything else
prvobytný primitive
prvořadý primary
prvosenka primrose
prvotní primary
prvotřídní first-class
prý they n. people say* **je ~ nemocen** he is said* to be* ill*, I hear he is ill*
pryč away, off; o věku gone*
pryskyřice resin
přání **1** wish (*podle vašeho ~* as you wish) **2** blahopřání wishes PL (*s –m všeho nejlepšího k Novému roku* with best* wishes for the New Year); congratulations (*k* on) PL

přát wish (*komu dobré jitro* sb. good* morning) **~ si** **1** want **2** wish for (*má všechno, co si může člověk ~* he has everything a man* can* wish for) **3** desire (*zdraví* health)
přátelit se be* friends, be* on friendly terms; často se stýkat associate
přátelský friendly
přátelství friendship
přebal cover
přeběhnout run* across, run* over; dezertovat desert
přebrat **1** třídit sort **2** převzít take* over **3** v pití have* a little* bit too much* to drink
přebytečný superfluous; v umění n. o zaměstnancích redundant
přebyt|ek(ky) surplus
přece **1** jenom still, yet, anyway, all the same **2** vždyť **vy mě ~ znáte** you know* me, don't you?
přecenit overestimate
přecitlivělý touchy, sentimental
přečin misdemeanour
přečíst v. *číst*
přečkat wait till st. is over n. gone*; přetrpět go* through
přečnívat overlap
před **1** časové before (*~ válkou* the war); ago (*~ dvěma lety* two years ago) **2** místní vně outside (*nádražím* the station); přímo před in front of **~ soudem** before the court
předák politický leader
předat hand over
předávkov|ání(at) overdose
předběhnout koho get* ahead of sb., leave* sb. behind; udělat něco dřív forestall sb.
předběžný preliminary
předbíhat (se) ve frontě jump the queue, n. am. line **hodiny se předbíhají** the clock is fast
předčasný premature
předčíslí dialling code
předčít out do*, surpass
předehra prelude; operní overture
předejít **1** precede **2** zabránit prevent (*čemu* st.)
předek ancestor
předem in advance, beforehand
předepsat prescribe **~ komu dietu** put* sb. on a diet
předešlý previous
předevčírem the day before yesterday
především first of all
předhistorický prehistoric
předhonit overtake*, get* ahead of
předcházet precede
předchozí previous, prior
předchůdce predecessor
předjet overtake*
předklon forward bend
předkrm hors d'oeuvre
předloha model
předloktí forearm
předloni the year before last
předložit **1** put* forward, present, submit; k nahlédnutí produce **2** k jídlu serve
předložka **1** na podlahu rug **2** jaz. preposition
předměst|í suburb **–ský** suburban
předmět **1** object; obchodu article **2** školský, též námět subject; téma topic **3** jaz. object
předmluva preface
přednášející lecturer
přednáš|et(ka) lecture (*o* on)
přední front; vynikající prominent, leading, top
přednost priority, preference **dávat ~ čemu před** prefer st. to
přednosta chief
přednostní priority
předpis **1** lékařský prescription **2** zvl. kuch. recipe **3** úřed. regulation
předpisovat prescribe
předplatit subscribe (*co* to st.)
předplatné subscription
předpojatost bias
předpoklad presumption, assumption **za –u, že** provided that; podmínka precondition
předpokládat assume, suppose

předpona prefix
předposlední last but one
předpověď forecast (~ *počasí* weather forecast)
předpovědět predict, forecast
předprodej advance booking, prodejna a.b. agency
předseda chairman*
předsedat preside (*schůzi* at a meeting; *soudu* over a court), chair (*schůzi* a meeting)
předsednický presidential
předsednictvo board
předsevzetí resolution
předsíň hall
představa fancy, image; domněnka idea (*o* of), notion
představení 1 performance 2 seznámení introduction
představit introduce (*koho komu* sb. to sb.) ~ **se** introduce os. (*dovolte, abych se –il* let* me introduce myself) ~ **si** imagine, fancy
představitel(ka) representative
představivost imagination
představovat represent
předstíraný sham, ostensible
předstírat pretend; simulovat simulate
předsudek prejudice
předškolní pre-school
předtím before
předtucha premonition
předurčit predetermine
předvádět v. *předvést* ~ **se** show* off
předválečný pre-war
předvedení demonstration, umělecké presentation
předvést show*; demonstrate, um. dílo present
předvídat anticipate
předvoj vanguard
předvolat summon
předvolební pre-election
přehánět exaggerate
přeháňka shower
přehlasovat outvote
přehled survey ~ **zpráv** v rozhlase summary of the news
přehlédnout 1 zběžně survey, view probrat go* through 2 omylem omit, overlook, miss 3 vědomě ignore
přehledný lucid; uspořádaný well*-arranged
přehlídka vojenská parade **módní ~** fashion show*; hudby a podobně festival
přehlížet overlook, condone
přehnaný excessive
přehnout fold
přehodit 1 throw* over 2 nastavit switch, turn
přehoz cape, na postel bedspread
přehrada 1 barrier 2 údolní dam
přehradit bar (*silnici* a road); dam (*řeku* a river)
přehyb crease
přecházet v. *přejít* **~ sem a tam** pace up and down
přechod passage, postupný transition **~ pro chodce** crossing
přechodník participle
přechodný 1 temporary 2 jaz. transitive
přejet koho run* over sb. knock down sb.
přejezd passage, crossing
přejít 1 cross (*přes ulici* the street) 2 pass (*z, do* from, to); nevšímavě pass by
přejmenovat rename
překazit thwart, foil, frustrate, mar (*komu plány* sb.'s plans)
překážet 1 be* in one's way, obstruct, interfere with n. in st. 2 hinder (*komu v práci* sb. in his work)
překážka obstacle; sport. hurdle
překážkový běh hurdle-race
překlad translation
překladatel translator
překližka plywood
překonat overcome*; sport. **~ rekord** break* a record
překročit 1 cross step over n. walk over 2 mez exceed 3 neuposlechnout break*
překrývat se overlap, události coincide, nevhodně ve stejné době clash

překvapení surprise
překvapený surprised
překvapit surprise
překvapující striking
přeletět fly* over
přelézt climb over
přelíčení trial
přelidněný overcrowded
přeliv tint **dát si dělat** ~ have* one's hair tinted
přeložit **1** translate (*do angličtiny* into English) **2** přemístit transfer
přelstít outwit
přeměnit (**se**) transform, convert
přemet somersault (*udělat* ~ turn a somersault)
přemístit transfer
přemluvit koho aby persuade, induce, get* sb. to do* st.
přemoci overcome*, defeat; prevail (*koho*, *co* against n. over); pocit get* over ~ **se** control os.
přemýšl|et think* (about) (*když tak o tom –íte* when you come* to think* of it) ~ **kdo**, **kde ... jak asi** wonder
přemýšlivý thoughtful
přenášet rozhlasem broadcast*, transmit
přenesený metaphorical, figurative (*význam* meaning)
přenést carry over, transfer; nemoci, poznatky transmit
přenocovat stay over night, stay the night
přenos rozhlasový, TV transmission broadcast
přenosný transferable (*lístek* ticket); portable (*psací stroj* typewriter)
přepadení assault, attack (*na koho* on sb.); agrese aggression
přepadnout attack
přepážka counter
přepínač switch
přepis transcription
přepisovat copy
přeplavat swim* across
přeplněný congested, lidmi (over)crowded
přeplnit overfill, cram, crowd; lidmi overcrowd
přepnout switch
přepočí|st(**tat**) re-count **–tat se** miscalculate
přepojit switch over (*na* to)
přepracovan|ý **1** unavený overworked **2** **–é vydání** revised edition
přepracovat revise ~ **se** overwork
přeprava transit
přepravit convey, transport, carry
přepsat rewrite*; na stroji type out
přepych luxury
přepychový luxury, luxurious
přerůst outgrow*
přerušení interruption, intermission, suspension
přerušit break* (off), cut* off interrupt; dočasně suspend; dodávku discontinue ~ **spojení** disconnect
přes **1** over (*obličej* one's face), across (*ulici* the street) **2** přesah over, above **3** via (*jet do Londýna* ~ *Paříž* travel to London via Paris) **4** rozpor in spite of, despite; for all (*všechny své peníze* his money)
přesadit transplant
přesáhnout exceed
přesčas(**ový**) overtime
přesedat change (*na jiný vlak* trains)
přesednout (**si**) change one's seat
přeseknout cut* (across)
přesila odds PL
přeskočit **1** jump over, leap* **2** vynechat skip
přeslechnout miss, not to catch*; mimoděk zaslechnout overhear* ~ **se** misunderstand*
přesně exactly, precisely, plumb; dochvilně punctually
přesnídávka snack
přesnost accuracy, precision, exactness; dochvilnost punctuality
přesný accurate, precise, exact; dochvilný punctual
přespat stay overnight, stay the night
přespolní běh cross-country
přest|at stop, se zvykem drop **to už –ává všechno** that's the limit

přestavba reconstruction
přestavět reconstruct
přestávka pause, intermission; organizace break, interval
přestavovat reconstruct, rebuild*
přestěhovat (se) move
přesto in spite of that, even so, nevertheless, all the same, yet **~, že pršelo** in spite of the rain
přestoupit 1 v. *překročit* **2** change (*na tramvaj číslo* **3** to tram No. 3) **3** convert (*na křesťanství* to Christianity)
přestože (al)though
přestrojení disguise
přestrojit se disguise os. (*za ženu* as a woman*)
přestřelka skirmish
přestupek offence
přestup change (*sportovní* transfer)
přestupní changing, transfer
přestupný rok leap year
přesunout se též přen. shift
přesvědčení conviction, creed
přesvědčit convince, persuade (*o* of) **~ se** make* sure
přesvědčivý convincing, compelling, conclusive
přeškolit retrain (*na* in)
přetéci overflow
přetížit overload, též přen. overburden
přetrhnout (se) break*, snap; papír tear* across
přetvářet reform, reshape
přetvářka hypocrisy
přetvařovat se pretend
převaha supremacy; v počtu, síle odds PL
převařit overdo*
převázat bind* up; obvazem bandage; nově rebind*
převážně mainly, largely, predominantly
převažovat prevail
převést take* across; transfer
převézt transport v. *přenést*
převládající prevailing
převládnout prevail
převléci (se) change (*do* into) **~ za koho** disguise n. dress up as sb.
převlek disguise
převod 1 transfer **2** soustrojí gear
převoz ferry
převrat upheaval **státní ~** take-over, coup d'état
převrátit (se) turn upside down
převrhnout (se) tip up n. over, topple
převýšit exceed, surpass; počtem outnumber
převzít take* over; úřad, odpovědnost assume
přezdív|at(ka) nickname
přezimovat winter, hibernate
přezka buckle
přezout se change one's shoes
přežít 1 žít déle než outlive **2** zůstat na živu survive
přežitek anachronism
přežití survival
při 1 at (*hře* play) **být ~ ruce** be* at hand **2** on (*mém příjezdu* my arrival) **být ~ sobě** be* conscious **–nejmenším** at least
příběh story, tale
přibít fix, nail (to n. on st.; up; down)
přiblížit (se) v. *blížit (se)*
přibližně approximately, roughly
přibližný approximate, rough
příboj surf
příbor knife and fork; souprava set*
přibrat 1 take* more ... ; koho take* sb. on **2** na váze put* on weight
příbuzenský family
příbuzenství relation
příbuzenstvo family, kin relatives PL, relations PL **nejbližší ~** next of kin
příbuzný ADJ related (*s* to) **#** N relative, relation
přibýt arrive (*kam* at, in)
příčestí participle
příčina cause; důvod reason
příčka partition
přičleněný incorporate
příčný transverse
příď bow
přidat add **~ se** join in **~ se ke komu** join sb.

přídavek addition; k platu bonus; sociální allowance
přídavné jméno adjective
příděl ration
přidělit allocate, allot
přihlásit (se) v. *hlásit se*
přihláška application (*členská* for membership; *ke přijetí* for admission)
přihlédnout take* st. into account
přihlížet watch (*čemu* st.)
přihnat se rush (in)
příhoda incident, occurrence
přihodit se happen, occur
příhodný convenient
přihrádka shelf*; na zámek locker
přihrát pass (*míč* a ball)
přihrávka pass
přicházející v úvahu eligible
příchod arrival (*do* at, in)
příchuť smack, flavour
přijatelný acceptable
příjem 1 čeho receipt **potvrdit ~** acknowledge receipt **2** plat income **3** rozhlasový, televizní reception **4** do škol, armády a pod. intake
příjemce recipient, receiver
příjemný agreeable, pleasant
přijet come*; arrive (*kam* at, in)
přijetí reception (*hostů* of guests); adoption (*nových metod* of new methods)
příjezd arrival (*do* at, in) **při –u** on arrival
přijímací reception **~ zkouška** entrance examination
přijímač receiver
přijít come* (*do, na* to) (~ *ke komu* (*na návštěvu*) come* to n. and see* sb.), arrive (*do, na* at, in); dostavit se turn up **~ s něčím (novým)** come* up with st., introduce st. **nemohu na to ~** I can't work it out
příjmení surname, family name
přijmout 1 co se nabízí accept **2** obdržet receive **3** za své adopt **4** admit (*za člena* into membership) **5** take* up (*zaměstnání* employment)
příkaz order
přikázat command, order
příklad example
přikládat: ~ velikou důležitost čemu attach much* importance to st.; v. přiložit
příkop ditch
příkrý steep; strohý abrupt
přikrýt cover **~ se** cover os.
přikrývka cover; vlněná blanket **prošívaná ~** quilt
přikývnout nod
přilba helmet
přiléhající adjacent
přiléhat 1 o látce fit tightly n. close **2** o místnosti adjoin
přiléhav|ý 1 close- n. tight-fitting **2** hodící se, trefný fitting, apposite (*-á poznámka* apposite remark)
přilehlý adjoining, adjacent
přilepit v. *lepit* **~ se** get* stuck
přílet arrival
přiletět arrive (by plane)
příležitost 1 opportunity (*vhodná ~* good* opportunity; *mít~, aby* have* an opportunity to do*, of n. for doing st.) **2** occasion (*při této –i* on this occasion)
příležitostný occasional
příliš too
přílišný excessive
přilít pour, add
příliv flood; mořský high tide
přilnavý adhesive
příloha supplement, appendix* dopisu enclosure
přiložit 1 do kamen put* (fuel on the fire) **2** apply (*obklad* a compress) **3** enclose (*k dopisu* with a letter)
přiměřený adequate; o ceně reasonable
příměří truce, armistice
příměs dash
přimět make* (*koho k čemu* sb. do* st.); induce (sb. to do* st.)
přimhouřit v. *mhouřit* **~ oko** connive (*nad* at)
přimíchat mix st. in, add
přímka line

přímluva intercession (*za* for)
přimluvit se put* in a good* word, speak*, intercede (*za* for)
přímo direct(ly); straight (*jděte* ~ go* straight on; ~ *domů* straight home)
přimontovat fix
přímořské město seaside town
přímý **1** rovný direct, straight **2** vzpřímený upright **3** ~ **vlak** through train ~ **přenos** live broadcast
přinést bring*; **jít a** fetch
přínos contribution
přinucení compulsion (*z* ~ under compulsion)
přinutit compel, force ~ **se** bring* os. (*aby* to)
případ case (*v –ě, že* in case; *pro každý* ~ (just) in case); událost event **v žádném –ě** on no account, by no means
připada|t seem **–lo mi, že** it seemed to me that ~ **si** feel* v. *připadnout*
připadnout **1** fall* (*na neděli* on a Sunday) **2** majetek go* (*komu* to sb.)
případný appriopriate, relevant; eventuální prospective
připáli|t **1** burn* **2 –l byste mi laskavě?** may* I trouble you for a light? ~ **si** light* (a cigarette) **3** ~ **se** okraje něčeho, např. vlasy singe
připevnit fasten, fix
připínáček drawing-pin
připít komu toast sb.; drink* to sb.'s; drink a health to sb.
přípitek toast
příplatek **1** extra charge **2** odměna premium, bonus, extra pay*
připlout arrive (*do přístavu* at a port)
připnout attach, fix, jehlicí pin
připočíst add
připojený incorporate
připojit attach ~ **se** join (*k čemu* st.)
připomenout remind (*komu co* sb. of st.) ~ **si** recall
připomínat slavnostně commemorate
připomínka reminder; poznámka remark (*o* about), comment (*o* on)
přípona suffix
připoutat tie, attach ~ **se** pásem fasten one's belt; hovor. belt up
příprav|a(ek) preparation
připravený prepared, ready
připravit prepare ~ **se** get* ready
přípravný preparatory
připsat add ~ **někomu něco k dobru** credit sb. with st.
připustit admit
přirážka extra charge
přírod|a nature **horská** ~ mountain scenery **ve volné –ě** outdoors, in the open (air)
přírodní natural ~ **kino** open-air cinema
přírodopis vědecký natural history
přirovnání comparison
přirovnat compare (*k* to)
přirozený natural
příručka handbook, manual, reference book
příruční hand ~ **knihovna** reference library
přírůstek increase; peněžní increment; v knihovně, muzeu accession; v rodině addition to the family
přísada ingredient
přísaha oath
přísahat swear*
příslib promise
příslovce adverb
přísloví proverb
příslušenství accessories PL, equipment
příslušet belong
příslušník member **státní** ~ citizen, brit. subject **rodinný** ~ dependant
příslušnost: státní ~ nationality
příslušný odpovídající corresponding; zvl. případu se týkající respective, relevant
přísnost severity, strictness
přísný severe, strict (*na* with)
přispět contribute (*na* to)
příspěvek contribution; stálý peněžní allowance
příst **1** len spin* **2** o kočce purr
přistání landing
přistát land

přístav port
přistavět adjoin
přístaviště wharf, docks PL
přístavní port
přistěhovalec immigrant **–tví** immigration
přistěhovat move (in) **~ se** move in; do země immigrate
přistihnout catch* **~ někoho při činu** catch* sb. red-handed
přistoupit come* nearer, step nearer; k činnosti proceed to st.; k čemu jak approach st.
přístroj apparatus
přístřeší shelter
přístup access (*k domu* to the house); approach (*k problému* to a problem)
přístupný accessible (*veřejnosti* to the public)
přísudek predicate
přísun supply
přisuzovat attribute (*komu/čemu* to sb./st.), credit (*komu/čemu* to sb./st.; *komu/čemu co* sb./st. with st.)
přisvědčit agree to st., confirm st.
příšera monster
příšerný awful, ghastly, gruesome, monstrous
přišít stitch
přišpendlit pin
přišroubovat screw on
příště next time
příští next, following
přít se argue
přit|áhnout(ahovat) attract
přitažlivost attraction
přitažlivý attractive
přítel friend; milý boy-friend **–kyně** friend; milá girl-friend
přítěž ballast; přen. drag **být –í pro koho** be* a burden to n. on sb.
přitlouci nail (down; on; to st.; up)
přítok tributary
přitom at the same time
přítomnost 1 dnešek present **pro ~** for the present **2** kde presence
přítomný present
příušnice mumps
příval torrent, rush, vody, též přen. flood
přivázat tie (up), bind* (up)
přívěs caravan **cestování v –u** caravanning
přívěsek pendant, locket
přívěsný vůz trailer
přivést bring*, jít pro fetch **~ koho k životu** bring* sb. to
přívětivý amiable
přivézt bring*, jet pro fetch
přivítat welcome
přívlastek attribute
přivlastnit si appropriate
přivlastňovací possessive
přívod supply; el. lead(-in)
přivolat call; v případě nouze call out
přívoz ferry
přívrženec follower, supporter
přivyknout si get* used to, get* accustomed to
příze yarn
přízemí ground floor; am. first floor; v divadle the pit
přízemní 1 ~ dům one-storeyed house, bungalow **2** přen. dull, unimaginative
přízeň favour
příznačný characteristic (*pro* of), peculiar (*pro* to)
příznak symptom
přiznání confession, potvrzení declaration **celní ~** customs declaration
přiznat admit **~ se** confess (*k čemu* st.)
příznivý favourable
přizpůsobit adapt, accommodate **~ se** adapt (os.), adjust, conform (*čemu* to st.)
přizpůsobivý adaptable
přízrak phantom
přízvučný stressed
přízvuk accent, stress (*mluvit s cizím –em* speak* with a foreign accent)
příživnický parasitic
příživník parasite
psací: ~ potřeby writing materials

PL **~ stroj** typewriter **~ stůl** desk
psát write* **~ perem** write* with a pen **~ komu** write* (to) sb. **~ si s kým** correspond with sb. **~ na stroji** type
pseudonym pseudonym, pen-name
psí: ~ bouda kennel **~ obojek** (dog-)collar
pstruh trout*
psychiatr psychiatrist **–ická léčebna** mental hospital
psychiatrie psychiatry
psychický psychic
psycholog psychologist
psychologický psychologic(al)
psychologie psychology
pšeni|ce(čný) wheat
pštros ostrich
ptačí zob privet
pták bird
ptát se 1 ask (*koho na cenu* sb. the price; *na to* about it; *po kom* after sb.) **2** query (*na tvé zdraví* after n. about your health; *na vlak* about a train)
puberta puberty
publikace publication
publikovat publish
publikum audience
puč coup
pučet bud, sprout
pud instinct
půda 1 země land; též prsť soil **2** podstřeší loft
pudl poodle
pudink pudding
půdorys ground plan
pudový instinctive
pudr powder
pudrovat se powder one's face
pudřenka compact
puchýř blister
půjčit lend* **~ si** borrow; za poplatek hire, rent
půjčka loan
půjčovna lending office (*knih* lending library)
puk na kalhotách crease; sport. puck
puklina crack, rift, ve zdi, skále crevice
půl half* (*–hodina* half* hour; *~ hodiny* half* an hour; *dva a ~ dne* two days and a half*)
půlit halve
půlkruh semicircle
půllitr half* a litre
půlměsíc crescent
půlnoc midnight **o –i** at midnight
pulovr pullover
puls pulse
pult counter, desk
puma bomb
pumpa pump **benzínová ~** petrol station, filling station; am. gas station
pumpovat pump
punc hallmark
punč punch
punčocha stocking
punčochové kalhoty tights PL
puntičkářský scrupulous, particular
puntíkovaný dotted
pupík navel
pupen bud
puritán puritan **–ský** prudish
působiště sphere
působit 1 pracovat work **2** fungovat, uplatňovat se operate, work; affect (*na čí zdraví* one's health) **~ někomu bolest** cause n. give* sb. pain
působivý impressive
půst fast(ing)
pustina waste, wilderness
pustit 1 na zem drop, let* ... fall* **2** koho, aby šel let* sb. go*; na svobodu release; dát komu volno let* sb. off **~ z hlavy** forget*, dismiss
pustit se 1 nedržet se čeho let* go* of **2** go* into (*do podrobností* details); take* up (*do němčiny* German*); set* out (*kam* for; *do čeho* to do* st.)
pustošivý devastating
pustý 1 opuštěný desolate, deserted **2** neobydlený desert, waste **3** holý, nezalesněný
puška gun; vojenská rifle, lovecká shotgun
putovat wander
putovní travelling mobile **~ pohár** challenge cup

původ charm, grace **–ný** charming, graceful
původ 1 origin; rodinný parentage 2 zdroj source
původní original
pýcha pride (*na* in)
pyj penis
pykat atone (*za* for)
pyl pollen
pyramida pyramid
pyšný proud (*na* of)
pytel sack; vak bag
pytlačit poach
pytlák poacher
pyžamo pyjamas PL

R

racek (sea)gull
racionalizace rationalization
racionální rational
ráčit: račte se posadit will* n. would* you take* a seat, please
rád 1 s radostí glad (*~ přijdu* I'll be* glad to come*) 2 čemu glad (of, to) (*jsem ~ , že tě vidím* (I'm) glad to see* you; nice to see* you) 3 **~ bych** I would* like to (*přišel* come*) 4 dělat co like, love, enjoy, be* fond of (*číst* reading) 5 **mít ~** like, be* fond of, láskou love
rad|a 1 advice; jednotlivá a piece of advice **řídit se čí –ou** take* n. follow sb.'s advice 2 osoba counsellor, adviser 3 instituce council, board
radar(ový) radar
rádce adviser
raději 1 better*, rather (*~ postojím* I'd rather stand*) 2 **mít ~** like better* (*hokej než kopanou* hockey than football), prefer (hockey to football) 3 **~ bych měl** I had better*, I had rather (*jít* go*)
radiátor radiator
radikál(ní) radical
rádio radio
radioaktivita radioactivity
radioaktivní radioactive **~ spad** (radioactive) fall-out
radioamatér radio amateur
rádiový wireless
radit advise (*komu v čem* sb. on st.); give* sb. a piece of (n. a bit of n. a word of n. a few words of) advice (*v čem* on st.); profesionálně counsel **~ se s kým** consult sb., confer with sb. (*o* about)
radnice town hall
radost pleasure, joy, delight (*s –í* with pleasure; *k mé velké –i* to my great delight; *mít ~ z* be* pleased with; *udělat komu ~* please sb.)
radostný cheerful
radovat se rejoice (*z čeho* in n. at st.)
rafinérie refinery
rafinovaný 1 refined (*cukr* sugar) 2 cunning (*trik* trick)
rachot crash, rattle, din; při nárazu dvou předmětů clash
rachotit rumble, rattle
ráj paradise
rajsk|ý paradise **–é jablíčko** tomato
rak crayfish
raketa 1 tenisová racket 2 zápalná rocket (*kosmická ~* space rocket) **jaderná ~** nuclear missile
raketov|ý rocket **–á základna** missile base
rakev coffin
rákos reed
rakovina cancer
rám frame
rámcový general
rámec frame (work), scope
ramenatý square-shouldered
rameno 1 shoulder 2 řeky arm
ramínko 1 na šaty hanger 2 na prádle (shoulder-)strap
rampa ramp
rampouch icicle
rámus noise, din, racket
rána 1 úder stroke, blow; přen. shock, blow 2 otevřené zranění wound; řezná cut*, bodná stab 3 zvuk výstřelu report (*z*

pušky of a gun)
ranec bundle, pack
raněný 1 zbraní wounded (*do nohy* in the leg) 2 při nehodě injured
ranit 1 zbraní, též přen. wound (*koho do ruky* sb. in the arm; *čí ješitnost* sb.'s vanity) 2 při nehodě, též přen. injure, hurt* (*ranil se do hlavy* he injured n. hurt his head)
ranní morning
ráno morning; kdy? in the morning (*dnes ~* this morning; *zítra ~* tomorrow morning; *v neděli ~* on Sunday morning; *časně ~* early in the morning) **v 6 hodin ~** at six a.m.
raný early
rarita curiosity
rasa race
rasismus racism
rasista racist
rasový racial
rašelina peat
ratifikace ratification
ratifikovat ratify
ráz povaha nature, character
rázem suddenly, all of a sudden
razit coin **~ mince** mint
razítko (rubber) stamp **poštovní ~** postmark
rázný crisp, sharp
rčení saying
reagovat react, respond (*na* to)
reakce 1 reaction 2 jen reagování response (*na* to)
reaktor reactor
realismus realism
realista realist
realistický realistic
realizace realization, execution
realizovat realize, bring* into being
reálný real
rebarbora rhubarb
rebel rebel
recenz|e(ovat) review
recepce reception
recepční receptionist
recept 1 med. prescription 2 kuch. recipe
recitace recitation
recitátor(ka) reciter
recitovat recite
redakce 1 místnost editor's office 2 činnost editing, edition 3 redaktoři editorial board n. staff
redakční editorial
redaktor(ka) editor
redigovat edit
redukce reduction, cut*
redukovat reduce, cut*
referát paper **mít ~** read* a paper (*o* on)
referent funkcionář secretary
referovat report (*o* on) vylíčit give* an account of; review (*o knize* a book)
reflektor spotlight; vozu headlight
reflex reflex
reforma reform
reformátor reformer
reformovat reform
refrén chorus
regál shelf*
registrace registration
registrovat (se) register
regulace control
regulovat regulate; adjust
rehabilitace rehabilitation
rehabilitovat rehabilitate **~ se** reestablish one's good* name
rejstřík 1 v knize index 2 úřed., hud. register
reklama 1 zvl. v tisku advertisement; činnost advertising, promotion (*čeho* of st.) 2 publicity (*čeho* for st.) 3 **neónová ~** neon sign
reklamace claim
rekomando: dopis ~ a registered letter **poslat dopis ~** have* a letter registered
rekonstrukce reconstruction
rekostruovat reconstruct, restore
rekonvalescent(ka) convalescent
rekord record (*překonat ~* break* a record)
rekordman(ka) champion
rekordní record přen. bumper (*~ sklizeň* bumper harvest)

rekreace holiday, recreation
rekreační holiday, recreation (~ *oblast* holiday resort)
rekreant holiday-maker
rektor rector
relativita relativity
relativní relative
relé relay
reliéf relief
remíza draw*
remorkér tug(boat)
renesan|ce(ční) renaissance, hist. období Renaissance
renovovat renovate
renta annuity
rentabilní paying
rentgen(ovat) X-ray (*jít na* ~ go* for an X-ray)
reorganizace reorganization
reorganizovat reorganize
repertoár repertoire
reportér reporter
represálie reprisals PL
represe repression
reprezentační **1** representative (*mužstvo* team) **2** vybraný choice
reprezentant(ka) representative
reprezentovat represent
repríza repeat; filmu, pořadu rerun
reprodukce reproduction; dílo print
reprodukovat reproduce
reproduktor loudspeaker
reptat grumble (*na koho* at n. to sb.; *na co* about n. at n. over st.), mutter (*na* about, against, at)
republika republic
republik|án(ánský)(ový) republican
reputace reputation, standing
respekt(ovat) respect
restaurace **1** restaurant **~ se samoobsluhou** cafeteria **2** restaurování, znovunastolení restoration
restaurování renovation, restoration
restaurovat renovate; též znovunastolit restore
resumé summary
ret lip (*horní, dolní* ~ upper, lower lip)
retrospektivní retrospective
réva vine
revanšismus revanchism
revanšistický revanchist
revír honební preserve; průmyslový area; uhelný coalfield; policejní ward
revize revision; kontrola check(ing), účtů audit
revizionismus revisionism
revizor inspector; účetní auditor
revma(tismus) rheumatism
revmatický rheumatic
revoluce revolution
revolu|cionář(cionářka)(ční) revolutionary
revolver revolver, gun
revue **1** časopis review; obrázková magazine **2** div. show*, revue
rez rust
rezavět get* n. grow* rusty
rezavý rusty
rezerva reserve, nashromážděná store
rezervace **1** reservation booking **2** přírodní reserve
rezervní reserve, spare
rezervovanost constraint
rezervovaný reserved
rezervovat (si) reserve, book
rezignace resignation
rezignovat resign step down (*z úřadu premiéra* as prime minister)
rezoluce resolution
režie **1** production **2** podniku overhead(s) PL
režim regime
režisér director, producer
ring (boxing) ring
riskovat risk (~ *, že* run* the risk of ... –ing)
rituál(ní) ritual
riziko risk; *na vlastní* ~ at one's own risk)
robot robot
robustní stout, rugged
ročně annually
roční annual
ročník **1** časopisu volume **2** na základní škole class, na SŠ form, am. grade; na VŠ year **3** vína vintage

rod 1 aristokratický house* 2 jaz. gender; slovesný voice **–em** by birth
rodák native
rodič|e parents PL (*–ovské sdružení* parent-teacher association)
rodilý native **~ mluvčí** native speaker
rodina family
rodinný family **~ přídavek** allowance **~ příslušník** family dependant
rodiště birth-place
rodit bear*; dávat úrodu yield **po- koho** give* birth to sb.
rodný native **~ jazyk** native n. first language **~ list** birth certificate
rodokmen pedigree
roh 1 zvířete, též hud. nástroj horn 2 corner (*na –u* at the corner)
rohlík roll
rohovník boxer
rohož(ka) mat
roj swarm
ro|k year (*v letošním, minulém, příštím –ce* this, last, next year; *za ~* in a year; *v –ce 1991* in 1991; *před –kem* a year ago; *po celý ~* all the year round; *je mladší o tři –ky* he is three years younger; *Nový ~* New Year's Day; *Šťastný Nový ~ !* Happy New Year!)
rokle gorge, ravine
rokoko rococo
roláda cukroví Swiss roll; masová rolled meat
role role, part
roleta blind, am. shade
rolnický peasant, farming
rolnictvo the peasants PL n. the farmers PL
rolnička bell
rolník peasant, farmer
román novel
romance romance
romanopisec novelist
románský 1 jazyky Romance 2 stav. Romanesque
romantický romantic
romantika romance
romantismus romanticism
ropa oil, petroleum
ropná skvrna (oil-)slick
ropovod pipeline
ropucha toad
rosa dew
rosol jelly
rostlina plant
rostlinný vegetable, plant
rošt grate
rošťácký roguish
rošťáctví mischief
rošťák rascal
roštěná stewed steak
rota voj. company
rotace rotation
rotační rotary
roub(ovat) graft
roubík gag
roura pipe, tube
rovina 1 geometrická plane 2 zeměpisná plain (s PL) 3 vodorovná level
rovnat put* in order; arrange **~ se** equal (*čemu* st.), amount (*čemu* to st.)
rovně straight (*jděte pořád ~* go* straight on)
rovnátka brace
rovnice equation
rovněž also
rovník equator
rovníkový equatorial
rovnoběž|ka(ný) parallel (to n. with)
rovnocenný equivalent
rovnodennost equinox
rovnoměrný even
rovnoprávnost equality
rovnoprávný having n. with equal rights
rovnost equality
rovnou outright, straight (away)
rovnováh|a balance (*udržet, ztratit –u* keep*, lose* one's balance)
rovný 1 přímý straight; vzpřímený upright 2 plochý level 3 bez vyvýšenin even 4 stejný equal (*čemu* to)
rozbalit unpack, unwrap
rozběhnout se start (running), run* (*za* after)

rozbíhat se diverge
rozbít break* (up), ranou dash, smash (*na kusy* to pieces), otřesem shatter, rozdrtit crush
rozbor analysis*
rozbouřen|ý: –é moře rough n. stormy n. heavy sea
rozbřesk daybreak
rozcestí crossroads SG
rozcuchaný dishevelled
rozcuchat ruffle, tumble
rozčilení agitation, excitement
rozčilený ruffled, agitated
rozčílit agitate, upset* **~ se** get* excited, lose* one's temper (*kvůli* about); dělat povyk make* a fuss
rozdat **1** give* out hard, out; rozdělit distribute **2** karty deal*
rozdělat **1** rozvázat undo* **2** namíchat mix **3 ~ oheň** make* a fire
rozdělení division, pro každého distribution, zvláště ve státě partition
rozdělit v. *dělit*
rozdíl difference rozpor, propast gap **na ~ od** unlike, in contrast to n. with
rozdílný different
rozdrtit v. *drtit*
rozdvojka adaptor
rozeb|rat na součásti **1** take* to pieces, take* apart, dismantle **2** provést rozbor analyze **3 kniha je –rána** the book is sold* out; the book is out of print n. out of stock
rozední|t se: –vá se the day is breaking n. dawning
rozehnat dav break* up, disperse
rozehřát warm (up) **~ se** heat
rozejít se **1** rozptýlit se disperse **2** odloučit se separate, part; o partnerech break* up, split **3** zrušit spolupráci s ně-kým break* with sb. **4 ~ s kým v názoru na** disagree with sb. on
rozemlít grind* (down n. up); na prach powder
rozen|ý born (*řečník* orator) **–á** née
rozepnout undo*, unfasten, knoflíky unbutton
rozesmát make* sb. laugh **~ se** burst* out laughing
rozeštvat set* (persons) against each other
rozetřít **1** rub to powder **2** po čem spread* n. rub on n. over st.
rozeznat **1** distinguish, tell* (*X od Y* X from Y) **2** a chápat make* out
rozházet **1** dělat nepořádek scatter **2** utratit squander
rozhazovačný extravagant, prodigal
rozhlas radio; vysílání broadcast(ing) **vysílat –em** broadcast* **oznámit –em** announce over the radio
rozhlasový radio
rozhled **1** view (*na, po* of) **2** přen. outlook
rozhledna look-out tower
rozhlédnout se look round
rozhodčí sport. referee; v tenise, baseballu umpire
rozhodně definitely, za každou cenu by all means **~ ne** by no means, definitely not, on no account, no way
rozhodnost determination, resolution
rozhodnout **1** decide **2** určit determine **~ se** decide, make* up one's mind
rozhodnutí decision
rozhodnutý determined
rozhodný decisive; energický resolute, determined
rozhodující decisive
rozhořčení indignation, outrage (*nad* at)
rozhovor **1** conversation, talk **2** novinářský, přijímací interview
rozhraní interface
rozhrnout push n. apart
rozcházet se diverge
rozchod **1** parting **2** s přerušením styků break*-up, separation
rozjařený hilarious, jolly
roz|jet(jíždět) se různými směry separate, disperse, break* up, start, get* going
rozkaz order
rozkázat order (*komu, aby* sb. to)

rozkazovací způsob imperative
rozklad i přen. decay, na složky resolution (*na* into), zrušením spojů dissociation, decomposition, disintegration
rozkládací folding (*člun* boat; *lůžko* bed)
rozkládat 1 v. *rozložit* **2** rukama gesticulate
rozkládat se 1 be* situated, extend **2** hnilobně decay
rozkol split
rozkoš delight
rozkošný lovely, delightful, cute
rozkvést burst* into bloom, o stromech blossom
rozkvět bloom; přen. boom, flourishing
rozladěný out of tune, přen. sore
rozlámat v. *lámat*
rozléhat se resound (*křikem* with shouts)
rozlehlý vast
rozlepit unstick*, open **~ se** come* unstuck
rozletět se 1 disperse, scatter **2** o dveřích fly* open
rozlišit distinguish
rozlít (se) spill*
rozloha area
rozloučen|í farewell (*večírek na –ou* farewell party)
rozložit 1 na kusy take* to pieces **2** na ploše spread* (out), lay* out (*po stole* on n. over the table)
rozmach 1 swing, sway **2** rozkvět boom **3** do šířky expansion
rozmanitost diversity, variety
rozmanitý varied; diverse; s PL various, a variety of
rozmar whim
rozmazat 1 v. *rozetřít* **2** znezřetelnit blur **3** přen. make* a big thing of
rozmazlit spoil*
rozměnit change
rozměr dimension, size, velký bulk **–y** measures PL
rozměrný bulky
rozmístit lay* out, locate; voj. deploy
rozmluva conversation
rozmluvit komu co talk sb. out of doing st., dissuade sb. from st.
rozmnožit 1 násobením multiply **2** listinu make* copies of, duplicate
rozmnožování reproduction **~ se** reproduce
rozmoci se spread*
rozmotat disentangle
rozmrazit defrost
rozmrzelost annoyance
rozmrzelý annoyed, cross, sour, sulky
rozmyslet se change one's mind
rozmysl|et si co think* st. over **dobře si to –i** think* twice
roznést distribute; poštou deliver
roznětka fuse
rozpačitý embarrassed; zmatený puzzled, confused
rozpad disintegration
rozpadnout se collapse, fall* into ruin, moulder, tumble down
rozpa|ky embarrassment **být na –cích** be* at a loss **uvést do –ků** embarrass **bez –ků** without hesitation
rozparek slit
rozpětí span; přen. range
rozpínavost expansion
rozpínavý expansive
rozplakat se burst* into tears
rozpočet budget
rozpor contradiction
rozpoutat válku unleash **~ se** break* out, start
rozpoznat make* out
rozprášit 1 dav disperse **2** v kapkách spray
rozprodat sell* out
rozptýlení distraction
rozptýlit 1 disperse **2** pobavit divert
rozpustilý unruly
rozpustit 1 sůl, parlament dissolve **2** třídu dismiss **~ se** dissolve
rozpustný soluble
rozruch stir, commotion, fuss
rozrůst se spread* (wide)
rozrušení upset

rozrušit upset*, unsettle **~ se** be* upset
rozředit dilute
rozřezat na kousky cut* (up), slit*
rozříznout **1** udělat otvor slit*; cut* st. open **2** na dvě části cut*
rozsah extent
rozsáhlý extensive, large
rozseknout cut*
rozsévat sow*
rozsoudit settle, pass judgment n. a verdict
rozstřihnout cut*
rozsudek sentence, verdict, judgement
rozsvítit switch on n. turn on the light
rozsypat (se) spill*
rozšíření spread, zvětšení extension, enlargement
rozšířený widespread
rozšířit spread*, zvětšit extend, enlarge **~ se** spread*, zvětšit se expand
rozšroubovat unscrew
rozštípat v. *štípat*
roztáhnout stretch (out); od sebe draw* apart
roztát v. *tát*
roztavit v. *tavit*
roztok solution
roztomilý lovely, sweet, charming, cute
roztrhnout v. *trhat*
roztržitý absent-minded
roztřesený shaky
roztříštěný assorted
roztřídit v. *třídit*
roztříštit (se) mash, shatter, dřevo, kov, sklo splinter
rozum reason, intellect, schopnost uvažovat brains PL **to dá ~** that stands* to reason **máš ~?** are you serious? **zdravý ~** common sense **mít ~** be* sensible
rozum|ět understand* (*čemu* st.) **promiňte, nerozuměl jsem vám** I am afraid I didn't get* what you mean* **~ si** understand* each other **–íš tomu?** can* you make* anything of it? **to se –í** it goes without saying
rozumný **1** inteligentní, též přiměřený reasonable **2** praktický sensible
rozvázat ondo*, untie
rozvážet deliver
rozvážně deliberately
rozvážnost prudence
rozvážný prudent, judicious
rozvedený divorced
rozveselit (se) cheer up
rozvést se divorce (*s kým* sb.), get* a divorce (*s kým* from sb.)
rozvézt deliver, distribute
rozvinout **1** unfold, unroll; navinuté unwind* **2** develop **~ se** develop
rozvod divorce (*s kým* from sb.)
rozvodka adaptor
rozvodnit se overflow the banks, flood
rozvodná: ~ deska switchboard **~ síť** grid
rozvoj development
rozvojové země developing countries PL
rozvoz distribution
rozvrat disruption; rozkol split
rozvrátit subvert
rozvrh schedule; školní, dopravní timetable
rozzářit (se) light* up
rozzlobený angry (*na koho* with sb.; *na co* at n. about st.), cross (*na koho* with sb.; *na co* about st.)
rozzlobit make* angry **~ se** get* angry (*na koho* with sb.)
rozzuřený furious, livid
rozžhavený molten
rozžhavit heat, make* st. glow **~ se** glow
rožeň spit, grill
rtěnka lipstick
rtuť mercury
rub back reverse
rubat uhlí mine, dig*
rubín ruby
rubrika column
ručička hand
ručit guarantee (*zač* st.)

ručně manual, by hand
ruční hand
ručník towel
ruda ore
rudnout studem blush
rudný ore (*důl* mine)
rudý red
ruch bustle, rush **dopravní** ~ traffic
ru|ka hand; celá paže arm **po pravé, levé –ce** on one's right, left hand **po –ce** (near) at hand **z –ky** daleko out of reach **vzít za –ku** take* by the hand
rukáv sleeve
rukavice glove
rukojeť handle
rukojmí hostage
rukopis 1 dílo manuscript **2** individuální hand (writing)
rum rum
růst growth
rušení disturbance, interference
růst grow* (up), zvětšovat se increase
ruš|it 1 disturb, interfere with (sb.'s) st. **2** obtěžovat trouble **3** překážet ve výkonu obstruct st. **4** vysílání jam **promiňte, že –ím** I don't wish to intrude
rušno: je zde ~ this is a busy place
rušný busy
rutina routine
různorodý diverse, miscellaneous
různost variety
různý 1 odlišný different **2** rozmanitý various, miscellaneous, sundry
růž rouge
růže rose
růžičková kapusta Brussels sprout
růžový rose; barva pink, rosy
rváč bully, thug
rvačka fight, brawl, scrap
rvát se scramble (*o* for)
ryb|a fish **chytat –y** fish, na udici angle **jít na –y** go* fishing
rybář fisherman*; na udici angler
rybařit angle
rybářský fishing (~ *prut* fishing-rod)
rybí fish
rybíz (red, black, white) currant
rybník pond
rybolov fishing
rýč spade
rýha groove, score
rychle 1 fast **2** quick(ly) **~ !** hurry up!
rychlík fast train, express (train)
rychločistírna express cleaner's
rychloopravna while-you-wait repair shop
rychlost 1 speed (*–í 10 mil za hodinu* at (a speed of) 10 miles an hour; *plnou –í* at full speed) **2** motor. vozidla gear (*zařadit vyšší, nižší ~* gear n. change up, down)
rychlostní skříň gearbox
rychlý fast, quick, rapid, speedy
rým rhyme
rým|a cold (*dostat –u* catch* (a) cold)
rýmovačka rhyme, jingle
Rýn the Rhine
rýpadlo excavator
rypák snout
rýp|at(nout) dig*; škrábat scratch, scrape; zvíře burrow, root; do koho, čeho poke; jab (*do* at); přen. do koho, proti komu nag at sb., find* fault with sb.
rys zvíře lynx
rys 1 znak, charakteristika feature, trait **2** výkres drawing **3** obrys outline **v hrubých –ech** roughly
rýsovací deska drawing board
rýsování technical drawing
rýsovat draw* **~ se** na obzoru loom
ryšavý red
rýt 1 dig* **2** engrave (*do kovové desky* on a metal plate) **3** přen. nag (*do koho* at sb.)
rytec engraver
rytina engraving
rytíř knight
rytmický rhythmic(al)
rytmus rhythm
ryzí pure
rýž|e(ový) rice **–ové pole** paddy

řád 1 order (*společenský* ~ social order) 2 organizační rules PL 3 vyznamenání decoration **jízdní** ~ timetable, kniha railway guide
řada 1 row 2 série series 3 časový sled succession
řádek line
řadit 1 arrange 2 i zvratné rank (*mezi velké anglické malíře* among the great English painters) 3 ~ **rychlosti** change gear
řádit rage, rampage
řádný proper; též pravidelný regular
řadov|ý ordinary **–á číslovka** ordinal numeral ~ **dům** terrace(d house*)
řasa 1 oční eyelash 2 mořská seaweed
řasenka mascara
řeč 1 jazyk language (*mateřská* ~ mother tongue) 2 proslov speech
řečiště river-bed
řečník speaker; profesionální orator
ředit dilute
ředitel director, chief; obchodního podniku manager ~ **školy** principal headmaster
ředitelství directorate
ředk|ev(vička) radish
řeka river
řemen opasek, hnací řemen belt; k připevnění, svázání tie
řemeslník craftsman*
řemeslný ruční hand(-made)
řemeslo (handi)craft, trade
řemínek strap
řepa beet **cukrová** ~ sugar-beet
řepka rape
řeřicha cress
řešení solution
řešeto riddle
řešit (try to) solve, resolve; úlohu work out
řetízek chain
řetězový chain
řetízek chain
řev roar, yell; hluk row
řez cut
řezat 1 cut* 2 pilou saw* 3 bít thrash
řeznictví butcher's
řezník butcher
řezná rána gash
říci 1 say* (*řekněme* (let's) say* (*řekl jsem mu, aby ...* I told* him to + inf.; *říká se o něm, že ...* he is said* to (+ inf.) *říká se, že* people say* the story n. rumour goes* that; *neřku-li* not to say*, to say* nothing of n. about) 2 sdělit tell* 3 give* (*jméno, adresu, názor* one's name, address, opinion) ~ **si o** ask for **co tomu říkáš?** what do you think* of it?**chci tím** ~ I mean* **mírně řečeno** to put* it mildly **tak říkajíc** so to speak*
říční river
řidič driver
řidičsk|ý: ~ **průkaz** driving licence **–á zkouška** driving-test
řídit 1 direct, manage, operate, podnik run*; regulovat control; stroj operate; stát govern 2 drive* (*auto* a car); loď, vůz steer ~ **se** follow (*pokyny* the instructions)
řídítka handlebars PL
řídký 1 thin 2 rozptýlený sparse 3 vzácný rare; scarce
říhat belch
říje rut
říjen October
římsa ledge
římskokatolický, římský katolík Roman Catholic
římský Roman
řinčet clatter, clang
říše empire
řítit se dash, rush
řízek steak; cutlet
řízení 1 direction, management, operation 2 ovládání control (*dálkové* ~ remote control) 3 regulování regulation
říznout (se) cut* (*do prstu* one's finger)
řvát roar (*smíchem* with laughter), yell ~ **na někoho** yell at sb.

S

s, se **1** with (*s přítelem* with a friend; *nemám s sebou peníze* I have no money with me) **2** and (*chléb s máslem* bread and butter)
sabot|áž(ovat) sabotage
sací sucking, suction
sáček bag
sad orchard
sada set
sadba seed
sadismus sadism
sadista sadist
sadistický sadistic
sádlo fat, grease, vepřové lard
sádra plaster
safír sapphire
sahat **1** reach, extend (*až kam* as far* as ...) **2** v. *sáhnout*
sáhnout **1** nač touch, reach at, prsty finger (st.) **2** reach out one's hand (*po čem* for st.) **3** put* one's hand (*do kapsy* in one's pocket) **4** použít jako řešení resort (*k* to)
sako jacket
sakristie vestry
sál hall **operační ~** operating-theatre; am. operating-room
salám salami, German sausage
salát salad; hlávkový lettuce
sálat radiate
salón drawing-room, v minulosti parlour (*~ krásy* beauty salon)
salónek saloon
salto somersault
sám **1** o samotě alone, osamocený lonely, úplně sám by oneself **2** osobně, samostatně, tvoří přivlastňovací zájmeno + –self, on one's own, by os. **3** samovolně of one's own accord
samec male
samet velvet
samice female
samočinný automatic
samohláska vowel
samolibý self-satisfied, smug
samoobsluh|a self-service (shop) **obchodní dům se –ou** supermarket
samopal sub-machine-gun
samospráva self-government, autonomy
samosprávný self-governing
samostatnost independence
samostatný independent
samota solitude; též osamocenost loneliness
samotář loner, recluse
samotářský solitary lone
samotný v. *sám*, *samý*
samoúčelně for one's own sake
samoúčelný: být ~ be* an end in itself
samovolný spontaneous
samozřejmě as a matter of course **~ !** of course!, it goes without saying!, that stands to reason!, naturally; am. souhlasná reakce absolutely! sure!
samozřejmost matter of course
samozřejm|ý self-evident, obvious **považovat za –é** take* for granted
sam|ý **1** very (*na –ém začátku* at the very beginning) **od –ého začátku** right from the beginning **2** tolik nothing but
sanatorium sanatorium*; soukromé nursing-home
sandál sandal
sáně sledge SG
sanitka ambulance
sankce sanction
sáňkovat sledge (*jít ~* go* sledging), toboggan
saponát detergent
sardinka sardine
sarkasmus sarcasm
sarkastický sarcastic
sát suck
satelit satellite
satén satin
satira satire
satirický satirical
satirik satirist
sauna sauna
savec mammal
saxofon saxophone
sazba **1** polygrafická type, sázení composition **2** pro výpočty rate

saze soot SG
sázená vejce fried eggs
sazenice seedling
sáze|t 1 květiny plant 2 polygr. compose 3 do hry bet*, stake (*na* on) ~ **se** bet* (*s kým oč* sb. st.) **–ná vejce** fried eggs
sáz|ka stake, bet (*být v –ce* be* at stake)
sbalit v. *balit*
sběhnout se 1 do jednoho bodu converge 2 shromažďovat se gather
sběr collection ~ **odpadových surovin** scrap materials collection
sběračka ladle
sběratel collector
sbíječka pneumatic drill
sbírání collection
sbírat 1 collect 2 informace gather
sbírka collection
sbít hammer together, hřeby nail together
sblížit se become* close (*navzájem* to each other), přátelsky become* friends
sbohem goodbye
sbor 1 pěvecký choir 2 učitelský staff 3 voj., diplomatický, baletní corps
sborník liter. symposium*, příspěvky reports PL
sborovna staff-room
sborový choral
scéna scene
scénář script
scenérie scenery
scvrknout se shrink*, shrivel
sčítání addition; lidu census
sdělení communication; vzkaz message
sdělit inform (of; that); let* sb. know* (about; that)
sdělovací (... of) communication **hromadné ~ prostředky** the media PL
sdílný communicative
sdružení association (*rodičovské ~* parent-teacher association)
sdružovat (se) associate
se 1 přivlastňovací zájmeno + self (*bavit se* amuse os.) 2 vzájemnost each-other, one-another 3 obecný podmět one, you
sebedůvěra assurance, confidence
seběhnout run* down (*ze schodů* the steps)
sebejistý confident
sebeklam delusion
sebekritický self-critical
sebekritika self-criticism
sebemenší the least
sebeobrana self-defence
sebeurčení self-determination
sebevědomí confidence
sebevědomý self-confident
sebevra|h(žda) suicide
sebevzdělání self-education
sebezáchova self-preservation
sebezapření self-denial
sebou: vezměte s ~ děti take* your children* with you
sebrat 1 pick up 2 odejmout komu co take* st. away from sb., deprive sb. of st. 3 vzít bez dovolení; ale ne s úmyslem ukrást; hovor. bag 4 policie; hovor. nab 5 shromáždit gather
secí stroj drill
sečíst add (up), sum (up)
sedadlo seat
sedět sit* (~ *nad něčím* sit* over st.)
sedlák peasant, farmer
sedlina sediment
sedlo saddle; kabátu yoke
sedmikráska daisy
sednout si sit* down, take* a seat
sehnat 1 opatřit find* peníze raise, scrape up n. together 2 hnaním dohromady drive* together, gather
sehnout bend* (down) ~ **se** stoop (down), bend* (down)
sejf safe, místnost v bance vault
sejít 1 go* n. come* n. walk down (*ze schodů* the stairs); step off (*z chodníku* the pavement) 2 z očí, paměti get* out of ... 3 **sešlo z toho** it came* to nothing, it fell* through ~ **z cesty** lose* one's way, též přen. go* astray ~ **se** meet* (*s kým* sb.)

sejmout take* off n. down
sekačka na trávu lawn-mower
sekat cut* na kusy chop; trávu mow*, obilí reap; na drobno mince
sekce section
sekera axe
seknout cut* **~ se do prstu** cut* one's finger
sekretariát secretariat
sekretář(ka) secretary
sekta sect
sektor sector
sekunda second
sekýrovat boss (about n. around)
sele sucking-pig
selhat fail; poškozením break* down, zbraň misfire
selský rural
sem here **pobíhat ~ a tam** rush about **~ a tam** to and fro
semafor traffic-lights PL
semeno seed
semestr term
semifinále semifinal
seminář **1** kurs workshop **2** na VŠ seminar **3** církevní seminary
semiš chammy- n. chamois-leather
sen dream
senát senate
senátor senator
sendvič sandwich
seník loft
senilní senile
senná rýma hay-fever
seno hay (*sušit ~* make* hay)
sentimentální sentimental
senzace sensation
senzační sensational
sepsat write* down; do seznamu list
seriál serial; pořady na stejné téma series
série series; várka batch
sériový serial
seriózní respectable
servírka waitress
servírovat serve (*komu co* sb. st.)
servis ve všech významech service
seřadit (se) line up
seřídit adjust
sesadit depose, topple
seskočit jump down **~ padákem** parachute
seskok jump (*~ padákem* parachute-jump)
seskupit se group (*po dvou* in twos)
sesout se slide* (down)
sestavit **1** put* together; přístroj set* up **2** z několika různých věcí, např. lék make* up **3** informace compile; zkoncipovat draw* up
sestoupit go* n. come* n. step down (*ze schodů* the stairs)
sestra **1** sister **2** zdravotní nurse
sestrojit construct
sestřelit shoot* down
sestřenice cousin
sestřih vlasů hair-cut
sestup descent, pokles fall, úpadek decline
sešit notebook, exercise-book
sešít **1** díly sew* together; otvor sew* up **2** sešívačkou staple
sešívačka stapler
sešlý vzhledem shabby, seedy; věkem, stálým používáním decrepit
set set
set|ba(í) sowing
setkání meeting
setkat se meet* (*s kým* sb.)
setmět se grow* dark
setrvačnost inertia
setrvačná síla force of inertia
setrvat persist
setřít wipe off; smetákem mop
sever north **na ~ od** (to the) north of
severní northern, North (*~ Irsko* Northern Ireland; *nejsevernější* northernmost)
severoamerický North American
severovýchod north-east
severovýchodní north-east(ern)
severozápad north-west
severozápadní north-west(ern)
severský Scandinavian
sevřít grip, clench, clamp; stisknout clasp, clutch
sexuální sexual

seznam list
seznámení acquaintance
seznámit acquaint, make* acquainted (*koho s* sb. with); představit introduce (*koho komu* sb. to sb.) **~ se** get* acquainted (with); make* sb.'s acquaintance
sezóna season
sezónní seasonal
sežrat eat* up; o člověku; hovor. guzzle st. (down n. up)
sféra sphere, field
sfouknout blow* out
shánět look n. search for st., obíháním hunt (*co* for st.)
shledan|á: na –ou good-bye, see* you later n. again
shnilý rotten
shnít v. *hnít*
shoda agreement, correspondence **ve shodě s** in accord(ance) with **~ okolností** coincidence
shodit 1 throw* down n. off; drop **2** zbavit se něčeho - oblečení, listů, kůže, parohů a podobně shed*, lose* (*váhu* weight) **3** ze sebe - únavu, depresi apod. shake* off
shodnout se agree (*s kým v čem* with sb. on st.)
shodný identical
shodovat se nebýt v rozporu conform (*s* to n. with), agree n. correspond (*s* with); množství, obsah, seznam tally
shon rush, bustle
shora from above
shořet be* burnt up
shovívavost lenience
shovívavý indulgent
shrbený stooping, bent
shrnout 1 draw* (*přes* across) **2** na hromadu pile up **3** obsah sum up, summarize
shrnutí summary, résumé
shromáždění meeting, gathering; manifestace rally **Federální ~** Federal Assembly
shromáždit (se) gather, assemble
shýbnout (se) bend* down **~ se pro** reach down for
scházet v. *chybět*
schéma scheme, diagram, figure
schematický schematic
schnout (get*) dry
schod step, stair
schodek deficit
schodiště staircase
schod|y stairs PL (*po –ech nahoru, dolů* upstairs, downstairs)
schopnost 1 ability, capability, capacity **2** kvalifikace competence
schopný 1 able (*čeho* to + inf.) capable (of –ing) **2** kvalifikovaný competent, nadaný able **3** tělesně fit
schovan|ec(ka) foster-child
schovat 1 (se) hide* **2** dát někam put* (*stranou* away n. aside)
schránka box **poštovní ~** letter-box, post-box, pillar-box; am. mailbox
schůdný passable
schůze meeting
schůzka appointment; hovor. date
schválení approval, assent
schválit 1 pass (*předlohu zákona* a bill) **2** na státní úrovni ratify **3** souhlasit approve (*co* of)
schválně on purpose, intentionally, deliberately
si 1 sloveso zvratné **koupit ~** buy* **oblékl si kabát** he put* on his coat **2** vzájemně each other, one-another
sice it is true, it must* be* admitted (*cena je sice nízká, ale..* the price is low, it is true, but..)
sídliště housing estate
sídlit reside
sídlo seat, residence
sifon nápoj soda water
signalizovat signal
síla 1 strength **2** též násilí force **3** energie, moc power
sílit grow* strong
silnice road; hlavní highway
siln|ý 1 strong **2** mající v sobě velkou sílu powerful **3** heavy (*déšť, kuřák, poptávka po* rain, smoker, demand for)
silueta outline, silhouette; na obzoru skyline

silvestr New Year's Eve
simulovat nemoc malinger; předstírat simulate
síň hall
sípavý hoarse
síra sulphur
siréna siren
sirotčinec orphanage
sirotek orphan
sirup syrup
sít sow*
síť 1 net 2 soustava network
síto sieve; na hlínu, štěrk apod. riddle
síťovka mesh bag
situace situation
situovat locate
sjednat arrange (*co* st.; *aby někdo* n. něco for sb. n. st. to + inf.)
sjednocení unification
sjednocený united
sjednotit (se) unite
sjezd 1 shromáždění congress 2 lyžařský downhill race
sjízdný passable
skafandr potápěčský diving-suit, pro kosmonauta spacesuit
skákat poskakovat bounce, skip **~ radostí** jump for joy
skalnatý rocky
skála rock
skandál scandal
Skandinávie Scandinavia
skandinávský Scandinavian
skandovat chant
skaut scout
skeptický sceptical
skeptik sceptic
skica sketch
sklad stock (*být, nebýt na –ě* be* in, out of stock)
skládací folding, collapsible
skládačka jigsaw puzzle
skládat se z consist of, be* made* up of, be* composed of, comprise
skladatel composer
skladba 1 composition 2 jaz. syntax
skladiště storehouse*, storage, warehouse*
skládka tip, dump
skladný space-saving
sklánět se 1 o terénu slope (down) 2 v. *sklonit se*
sklápěcí sedadlo tip-up seat
sklárna glassworks SG i PL
sklář glass-blower
sklářský průmysl glass industry
sklenář glazier
sklenářství glazier's
skleněný glass
sklenice glass; s plochým dnem a rovnými stěnami tumbler
sklenička tumbler, s nožkou goblet **~ alkoholu** tot
skleník hothouse* n. greenhouse*
sklep cellar
skleróza sclerosis
skleslost, **sklíčenost** depression
skleslý, **sklíčený** dejected, desolate, gloomy
skličující depressing, oppressive, gloomy
sklidit 1 odstranit remove, clear away 2 úrodu harvest; gather (the crop)
sklizeň též žně harvest, jen výtěžek crop
sklo 1 glass (*broušené ~* cut glass) 2 výrobky glassware
sklon 1 svažování slope, slant 2 náklonnost inclination, tendency (*k* to)
sklonit se bow (down), stoop (down)
skloňování declension
skloňovat decline
sklopit let* down
sklouznout slip off
sklovina enamel
skluzavka chute; zábavní slide
skoba hook
skočit jump, leap* **~ do řeči** butt in (*komu* on sb.) **~ do vody** dive
skok jump (*~ daleký* long jump; *~ na lyžích* ski-jump) **~ o tyči** pole-vault **~ vysoký** high jump
skokan jumper
skokanský můstek ski-jump
skoncovat s čím put* an end n. a stop to st.; s kým break* with sb.
skončit v. *ukončit*

skopové maso mutton
skóre score
skoro almost, nearly, practically **~ stejný** much* the same
skořápka shell
skořice cinnamon
skot cattle
skotač|ení(it) romp
skoupý mean, stingy
skrčit (se) v. *krčit (se)*
skripta textbook; learning n. teaching material
skromnost modesty
skromný modest
skrovný scanty, meagre (*oběd* dinner)
skrýš hiding-place, hide-out
skrýt (se) hide*
skrytý inner, secret
skrz(e) through **znát co ~ naskrz** know* st. inside out, know* st. backwards
skříň 1 case (~ *na knihy* bookcase) **2** s policemi cupboard na šaty wardrobe
skříňka box; v soustavě na zámek locker
skřípat creak, grate; brzdy squeal **~ zuby** grind* one's teeth
skřivánek skylark
skupenství state (of aggregation)
skupina group
skutečně really; indeed
skutečnost reality, fact (*ve –i* really)
skutečný 1 real, opravdový genuine **2** ne abstraktní actual
skutek act, deed
skútr scooter
skvělý splendid, excellent, wonderful, brilliant
skvost jewel, drahokam gem
skvostný superb
skvrn|a 1 i přenes. stain; malá spot; inkoustová; i přen. blot, patch (*pes s bílými –ami* a dog with white patches) **3** oleje na hladině sleek, slick **4** něco, co vidíme rozmazaně blur
slabika syllable
slabina 1 na těle groin **2** nedostatek weak point
slábnout grow* n. get* n. become* weak, weaken
slaboch weakling
slabomyslný feeble-minded
slabost weakness **2** pro co indulgence in n. for st.
slabý 1 weak, chabý feeble **2** špatný poor **3** nepatrný slight
slad malt
sladit 1 sweeten **2** v. *ladit*
sladkost sweet
sladkovodní freshwater
sladký sweet
slalom slalom (*obří~* giant slalom)
slám|a(slaměný) straw
slamník straw mattress
slaneček pickled herring
slang slang
slanina bacon
slaný salt; chuťově salty
sláva glory; pověst fame
slavík nightingale
slavistika Slavonic studies PL
slavit celebrate, dodržovat observe
slavnost festival; celebration, soukromá party
slavnostní 1 festive (*příležitost* occasion) **2** solemn (*přísaha* oath)
slavný famous, renowned (*čím* for st.)
slečna young woman* n. lady, se jménem Miss (~ *Parkerová* Miss Parker); v oslovení madam*
sleď herring
sledovat watch, follow, odborně observe
slepec blind man*
slepecký blind
slepi|ce(čí) hen
slepit stick n. glue together
slep|ý 1 blind **2** náboj blank **–á ulička** blind alley, cul-de-sac; přen. deadlock **zánět –ého střeva** appendicitis
slepýš slow-worm
sleva reduction, discount
slévárna foundry
slevit reduce (*z čeho, na čem* st.); compromise (*ze svých zásad* one's

principles)
slezina spleen
slézt climb down (*po čem* st.), descend (*z* from)
slib, slíbit promise **~ slavnostní(ě)** pledge
slibný promising
slídit spy (*za* on)
slin|a saliva; vyplivnutá spit **sbíhaly se mi na to –y** it made* my mouth water
slintáček bib
slintat slobber
slipy briefs PL
slitina alloy
slitování mercy
slitovat se have* pity (*nad* on)
slíva plum
slivovice plum brandy
sliz mucus
slizký slimy, kluzký slippery
sloh 1 style **2** slohové cvičení composition
sloj bed
sloka verse
slon elephant
slonovina ivory
sloučenina compound, composition
sloučit (se) fuse, merge; chem. compound
sloup post, tyč pole; architektonický column
sloupec column
sloupnout peel off
sloužit serve (*jako* as), komu wait on sb.
Slovan Slav
slovanský Slav(ic), Slavonic
slovesný verbal
sloveso verb
slovní: ~ hříčka pun **~ zásoba** vocabulary
slovník dictionary **naučný ~** encyclopaedia
slov|o word (*jinými –y* in other words; *vzít koho za ~* take* sb.'s word for it) **beze –a** without saying a word **čestné ~!** honestly!
slovosled word order
složení composition, constitution, make-up
složenina compound, composition
složenka postal order
složit 1 put* together, set* up; smontovat assemble, umělecky compose **2** přeložením fold **3** dolů put* down; náklad unload, discharge **4** zkoušku pass **~ se** sbírat peníze raise money (*na něco* to buy* st.)
složitý complicated, intricate, complex
složka component
slučitelnost compatibility
slučitelný compatible
slučovat (se) combine
sluha servant
sluch hearing **mít hudební ~** have* a good* ear for music
sluchátk|o telefonu receiver **–a** headphones PL, earphones PL
sluchový auditory
slunce sun (*horské ~* sun-lamp); světlo sunshine
sluneční sun, solar (*~ hodiny* sundial; *~ soustava* solar system; *~ světlo* sunshine)
slunečnice sunflower
slunečník parasol, sunshade
slunečný sunny
slunit se bask
slunný sunny
slupka skin, peel; citrónu, pomeranče rind; obilí husk
slušet suit, fit **~ se** be* necessary n. advisable
slušivý becoming
slušnost decency
slušn|ý 1 decent **2** patřičný proper, přiměřený fair, reasonable **3** poměrně velký sizable **–é chování** propriety
služb|a 1 service (*státní ~* Civil Service) **2** povinnost duty (*ve –ě* on duty) **3** prokázaná favour
služebná maid, servant
slyšet hear*
slyšitelný audible
slza tear

slz|et: –í mi oči my eyes are watering
slzný plyn tear gas
smalt enamel
smaltovaný enamel(led)
smaragd emerald
smát se 1 laugh (*čemu* at st.) **2** smile (*na koho* at sb.)
smazat wipe off
smažen|ý fried **–é brambůrky** chips PL
smažit fry
smeč smash
smečka pack
smeknout take* off one's hat
smělý bold, fearless
směna 1 pracovní shift **2** výměna exchange
směnárenský kurs exchange rate
směnárna exchange office
směnit v. *měnit*
směnitelný convertible
směnka bill (of exchange)
směr direction, course; studijní stream **jdete stejným –em?** are you going my way? **ve –u jízdy** facing the engine **v tomto –u** in this respect **proti/ve směru hodinových ručiček** anti-/clockwise **–em k** onto
směrnice instruction, directive (*o* on); linie guideline (*pro* for)
směrodatný authoritative
směrovací číslo postcode
směrovka indicator
směs mixture
směsice mixture, medley
smést sweep* off
směšný 1 funny **2** pod úroveň ridiculous, laughable nemožný absurd
smět be* allowed to, be* permitted to **smím** I may* **nesmím** I must* not **smím se vás na něco zeptat?** may* I ask you a question?
smeták broom
smetan|a(ový) cream
smetí v. *odpadky*
smetiště rubbish heap, scrap heap
smích laughter **dát se do –u** burst* out laughing
smíchat v. *míchat*
smíření reconciliation
smířit reconcile **~ se 1** udobřit se become* reconciled, make* it up (*s kým* with sb.) **2** reconcile os. (*s čím* to st.)
smířlivý conciliatory
smíšenina composite
smíšený mixed
smlouv|a 1 contract (*o* of) **2** mezistátní treaty pact (*mírová ~* peace treaty; *uzavřít –u* make* a contract; conclude a treaty)
smlouvat 1 v. *smluvit* **2** při koupi bargain (*s kým o co* with sb. for st.)
smluvit arrange; práv. negotiate **~ se** arrange (*s kým* with sb.)
smluvní contract
smoking dinner-jacket
smontovat assemble
smrad stench, stink
smrk spruce
smrkat blow* one's nose
smršť whirlwind
smrt death (*odsoudit k –i* sentence to death; *rozsudek –i* death sentence) **~ hladem** starvation **trest –i** capital punishment **být na ~ nemocen** be* fatally n. hopelessly ill* **až do –i** for the rest of one's life*
smrtelník mortal
smrtelný mortal; též smrtící mortal, fatal, deadly, legal
smůla 1 pitch **2** neštěstí bad* luck
smuteční mourning, pohřební funeral **~ vrba** weeping willow
smutek 1 sorrow, grief; skleslost sadness **2** za zemřelým coll
smutný sad
smyčcový: ~ kvartet string quartet **–é nástroje** the strings
smyčec bow
smyčka loop
smyk skid (*dostat ~* skid)
smysl 1 sense (*~ pro humor* sense of humour) **2** účel purpose **3** hlavní význam point (*ten film nemá ~* the film

has* little* n. no point (to it) **4** nadání pro něco flair for st. **nedává to ~** it doesn't make* sense **nemá to ~ dělat** there's no point n. sense in doing it **v tom –u, že** in the sense that **něco v tomhle –u** st. along these lines
smysl|ný(ový) sensual
smýt wash off n. away
snad perhaps, maybe, possibly; may* + inf. (~ *máte pravdu* you may* be* right); lze se nadít hopefully
snadno easily
snadný easy
snaha effort (*o něco* to do* st.)
snacha daughter-in law
snášenlivost tolerance
snášenlivý tolerant
snášet endure, tolerate, bear*
sňatek marriage (*s* to n. with)
snažit se try, make* an effort (*o něco* to do* st.) **velmi se ~** do* one's best*, make* every effort
snaživý strenuous, painstaking
snědý dark, swarthy
sněhov|ý snow (*–á koule* snowball; *–á vločka* snowflake; *–á závěj* snow-drift)
sněhulák snowman*
sněm assembly, congress
sněmovna chamber, house* **Horní ~** the House* of Lords (Upper House*) **Dolní ~** the House* of Commons (Lower House*)
snesitelný bearable, endurable, tolerable
snést 1 bear*, endure; v otázce a záporu (can*) stand* (*já už to nesnesu* I can't* stand* it any more) **2** dohromady bring* together, gather
snést se 1 come* down, descend, ptáci alight **2** s kým be* on good* terms with sb., get* on n. along well*
sněženka snowdrop
sněž|it snow (*–í* it is snowing)
snídaně breakfast
snídat (have* one's) breakfast
sníh 1 snow **~ s deštěm** sleet **2** pěna meringue
snímek picture, photo, snap (shot)
sníst eat* up, finish
snít dream*
snížení reduction, cut*
snížit 1 bring* down, lower **2** zmenšit cut* (down), reduce
snob snob, prig
snobský snobbery
snobství snobbish
snouben|ec fiancé **–ka** fiancée
snubní prsten engagement ring
sob reindeer
sobec egoist
sobecký selfish
sobectví selfishness
soběstačný self-sufficient
sobota Saturday
socialismus socialism
socialist|a(ický) socialist
sociální social
sociologie sociology
soda soda
sodík sodium
sodovka soda
socha statue, sculpture
sochař(ka) sculptor
sochařství sculpture
sój|a(ový) soya
sojka jay
sok (yně) rival
sokol falcon
solený salted
solidarita solidarity
solidní solid
sólista soloist
sol|it(ený) salt
sólo(vý) solo
solventní solvent
sonáta sonata
sonda probe
sopečný volcanic
sopka volcano
sortiment assortment, variety, range (*široký ~ výrobků* wide variety n. range of products)
sosna pine
soška statuette
sotva ADV hardly, scarcely, barely (~

stojím na nohou I can* hardly walk; ~ *můžete očekávat* you can* hardly expect; ~ *někdo* hardly anybody) # CONJ as soon as
soubor 1 set, collection 2 počítačový file 3 umělecký ensemble **pěvecký** ~ choir
souborný collective; úplný complete
soucítit sympathize
soucit pity, sympathy (*s kým* for sb.)
soucitný sympathetic
současně at the same time
současník contemporary
současn|ý 1 dnešní contemporary, current, modern 2 simultaneous **v –é době** at present
součást(ka) part
součet total, sum
součin product
soud 1 instituce court 2 budova courthouse*; též místnost court of law, lawcourt 2 proces trial 3 úsudek judgement
soudce judge; policejní, vyšetřující magistrate
soudek cask
soudit 1 try, put* on trial (*koho pro co* sb. for st.) 2 mít názor judge (*o* of, about; *z* from; *podle* by); domnívat se presume
soudní law, judicial **~ řízení** proceedings PL **~ stíhání** prosecution
soudnictví justice
soudný judicious
soudobý contemporary
soudru|h(žka) comrade
soudržnost solidarity
souhlas 1 agreement (*s* with), consent (*s* to), approval (*s* of) 2 svolení permission, consent (*k* to)
souhlasit 1 agree (*s kým v čem* with sb. on n. about st.; *s čím* to st.); consent (*s* to) 2 schvalovat approve (of st.) 3 být v souladu conform (*s* to) příběh, množství tally (*s* with); plně coincide
souhláska consonant
souhrn 1 shrnutí summary 2 celek total
souhrnný total, overall
souhvězdí constellation
souchotiny consumption
soukromí privacy
soukromý private
soulad stejnost correspondence (*s* with between); harmonie harmony **v –u s** in accord(ance) with
soulož (sexual) intercourse
souměrnost symmetry
souměrný symmetrical
soumrak dusk
souostroví islands PL, archipelago
soupeř competitor; též sok rival
soupeření contention (*o* for)
soupeřit compete (*o* for)
soupis list; podrobný inventory
souprava set, oblečení suit; servis service (*jídelní* ~ dinner service n. set) **~ nábytku** suite
sourozenci brothers and sisters PL
soused neighbour
sousedit (se) adjoin (st.)
soused(ka) neighbour
sousední neighbouring; v sousedním domě n. pokoji next-door, přiléhající adjoining
sousedství neighbourhood
souslednost sequence **~ časů** jaz. sequence of tenses
sousoší group of statues
soustava system
soustavný systematic
sousto mouthful
soustrast 1 sympathies PL (*při úmrtí koho* on the death of sb.) 2 projevená condolence(s PL) (*projevit* ~ *komu* offer n. express n. present one's condolence to sb.)
soustruh lathe
soustružník turner
soustředění concentration
soustředěný concentrated
soustředit (se) concentrate (*na* (up) on)
souš (dry) land (*po –i* by land, overland)
soutěska pass
soutěž competition, contest
soutěžit compete (*v závodě* in a race; *o cenu* for a prize)

soutěž|ivý(ní) competitive
soutok confluence
souvětí complex sentence
souviset be* connected, be* related n. in relation (*s* to) **ne– s** have* nothing to do* with)
souvislost connection, pokračování continuity (*v –i s* in connection with)
souvislý continuous
soužití common life*; přen. coexistence
sova owl
sovětský Soviet
spací: ~ pytel sleeping-bag **~ vůz** sleeping-car
spáč (heavy) sleeper
spád 1 descent; místo dip **2** tempo pace
spadnout fall* (down)
spáchat commit (*přestupek* an offence; *sebevraždu* suicide)
spála scarlet fever
spálenina burn
spálit v. *pálit*
spalničky measles PL
spalovací motor combustion engine
spánek 1 sleep **2** kost temple
spaní sleep (*mluvit ze ~* talk in one's sleep) **před –m** at bedtime
spára seam
spartakiáda: celostátní ~ the National Spartakiad
spása salvation
spasit save
spasitel saviour
spát sleep* (*~ jako dřevo* sleep* like a log; *jít ~* go* to bed; *tvrdě ~* be* sound n. fast asleep)
spatra 1 dívat se ~ na look down on **2 mluvit ~** speak* off the cuff
spatřit sight, see*
specialista specialist
specialita speciality
specializace specialization (*na* in)
specializovat se specialize (*na* in)
speciální special
specifický specific
specifikovat specify
spěch haste, hurry, rush (*proč ten ~?*- why all this hurry?; *ve –u* in a hurry)
spěchat hurry, be* in a hurry **to nespěchá** there's no hurry
spekulace speculation
spekulant speculator
sperma sperm
spekulovat speculate
spěšně hurriedly, in a hurry
spěšnina express parcel
spěšný hasty **~ dopis** express letter
spiknout se conspire
spiknutí conspiracy
spirál|a(ový) spiral
spis 1 dílo work, book **2** dokument document, paper **–y** writings PL; akta records PL
spisovatel(ka) writer
spisovný literary
spíše rather **nej–** most likely, most probably **tím ~, že** the more so because
spíž larder, pantry
splácet na splátky pay* by n. in instalments PL
spláchnout flush; rinse off
splasknout deflate
splašit se bolt
splatit pay* off; zcela pay* up
splátk|a instal(l)ment (*koupit na –y* buy* on instal(l)ments PL)
splatnost maturity (*směnky* of a bill)
splatný payable, due
splav weir
splavný navigable
splést v. *plést*
spletitý intricate
splnění fulfilment
splnit 1 v. *plnit* **2** přání grant **~ se** come* true
splynout fuse, merge
spočítat v. *sečíst, počítat*
spodek bottom
spodnička petticoat
spodem by the lower end
spodky underpants PL, brit. pants PL
spodní bottom **~ prádlo** underclothes PL
spoj connection, dopravní communica-

tion **–e** post and telecommunications services PL; telekomunikační telecommunications PL
spojenec ally
spojenecký allied
spojenectví alliance
spojení **1** connection (*ve ~ s* in connection with); souvislost link, kontakt contact; mezi částmi organizace liaison **dostat telefonické ~** get* through **2** vytvoření svazku, svazek union **3** různého combination **4** styk communication **krátké ~** short circuit
spojen|ý joint; sjednocený united **Spojené národy** the United Nations
spojit **1** put* together **2** pevně connect, join **3** vytvořit nebo navrhnout spojitost link **4** sjednotit unite **5** účelně combine **~ se** unite
spojitost connection
spojiv|ka conjunctiva **zánět –ek** conjunctivitis
spojka **1** auta clutch **2** jaz. conjunction
spojovací čárka hyphen
spokojenost satisfaction
spokojený satisfied
spokojit se be* satisfied (s čím with)
spolčovat se associate
společenský **1** social **2** společensky obratný, družný sociable
společenství **1** obchodní partnership **2** lidské community **Společenství národů** the Commonwealth
společně together
společn|ice(ík) companion; obchodní partner
společnost **1** též vědecká society (*lidská ~* human society) **2** též obchodní company (*akciová ~* joint-stock company) **3** zábavní party
společn|ý common (*~ trh* common market (*mít něco –ého* have* st. in common) **–é prohlášení** joint statement **nemám s tím nic –ého** I have* nothing to do with it **–ě mít** n. **užívat** share st.
spoléhání reliance (*na* on)
spolehlivost reliability
spolehlivý reliable
spolehnout se rely (*na* on)
spolek union, association, club
spolknout swallow (up)
spolkov|ý **1** club (*život* life*) **2** federal (*–á republika* federal republic)
spolu together **~ s** along with
spoluautor co-author
spolubydlící room-mate
spolucestující fellow-traveller
spoluhráč partner
spoluobčan fellow-citizen
spolupachatel accomplice
spolupráce cooperation
spolupracovat cooperate
spolupracovník colleague, collaborator
spoluúčinkovat also take* part (*na* in)
spoluviník accomplice
spolužl|ačka(ák) class-mate, schoolmate, schoolfellow
spona clasp; přezka buckle
sponka do vlasů hair slide; na spisy paper-clip
spontánní spontaneous
sponzor sponsor
spor controversy, dispute (*beze –u* beyond dispute), argument
sporák cooker (*plynový ~* gas cooker)
sporný disputed, controversial; problematický questionable
sport sport **pěstovat ~** go* in for sport
sportov|ec sportsman* **–kyně** sportswoman*
sportovní sports, sporting **~ hala** indoor n. covered stadium
spořádaný straight
spořit save
spořitelna savings bank
spořitelní knížka bank-book
spotřeba consumption
spotřebič: elektrický ~ electrical appliance
spotřebitel consumer
spotřební zboží consumer goods PL

spotřebovat consume, use up
spousta plenty, a lot, lots, heaps PL (*čeho* of)
spoušť **1** zpustošení desolation, devastation **2** kohoutek trigger; fot. release
spoutat fetter
správa **1** řízení administration, management **2** oprava repair
správce **1** manager, administrator **2** hospodářský steward **3** domu caretaker, am. janitor
spravedlivě justly, rightly
spravedlivý just
spravedlnost justice
spravit repair, fix, mend; rychle n. provizorně patch up
správka repair, mending
správně right
správní administrative
správný right, correct
spravovat **1** v. *spravit* **2** řídit manage, control
sprcha shower
sprchovat se have* n. take* a shower
sprint sprint
sprintér sprinter
spropitné tip (*dát komu ~* tip sb.)
sprostý **1** člověk, chování rude **2** oplzlý obscene, lewd, smutty, crude; jazyk foul
spřátelit se make* friends (*s* with)
spřízněný allied
spustit **1** let* down **2** uvést do chodu start, get* going **3** o zbrani go* off
sraz meeting; schůzka date
sráz precipice, brow
srazit **1** knock down **2** snížit cut* (down), lower, reduce **3** odečíst deduct **~ se** **1** clash **2** v dopravě collide **3** o látce shrink* **4** o mléce curdle
sraženina clot
srážk|a **1** konflikt clash **2** nehoda collision **3** z ceny discount **vodní –y** precipitation, dešťové rainfall, sněhové snowfall
srdc|e **1** heart **2** zvonu tongue **co máš na –i?** what's on your mind?
srdečně: ~ děkovat thank very much* **~ uvítat** give* sb. a cordial n. hearty welcome
srdeční **1** heart (*~ choroba* heart-disease) **2** med. cardiac
srdečný cordial, hearty
srkat sip
srna roe
srnčí roe; maso venison
srnec roe (buck)
srovnání comparison (*ve ~ s* in comparison with)
srovnat **1** uspořádat arrange **2** zarovnat level **3** spor settle **4** přirovnat compare (*tyto dvě věci se nedají ~* there's no comparison between these two things)
srovnávací comparative
srozumitelný intelligible
srp sickle
srpek crescent
srpen August
srst hair, fur
sršeň hornet
srub log cabin
srůstat grow* together, o ráně heal (over n. up)
stabilizace stabilization
stabilizovat stabilize (*~ se* become* stabilized)
stabilní stable
stačit **1** postačovat be* enough, be* sufficient (*to bude ~* it will* be* enough, it will* be* sufficient, it will* do*) **2** komu keep* up with, keep* pace with **3** stihnout co manage, make* **4** na něco cope with st. **5** ve vodě be* within one's depth
stadión stadium
stadium stage
stádo herd (*dobytka* of cattle); flock (*ovcí* of sheep)
stagnace stagnation
stáhnout **1** pull down, ubrus take* off; z kůže skin **2** peníze, vojsko, návrh withdraw* **3** dohromady pull together **4** zmenšit contract; učinit těsným tighten (up) **~ se** contract, ustoupit pull out, též do sou-

kromí retreat
stáj stable
stále all the time, constantly, always ~ **ještě** still ~ **větší počet** an ever greater number
stálý constant, permanent steady, lasting
stan tent (*postavit* ~ put* up a tent) **hlavní** ~ headquarters PL
standard standard
standarta banner
stánek stall, stand, kiosk, booth; s knihami a časopisy bookstall
stání **1** soudní hearing **2 místo k** ~ standing room
stanice **1** station **2** zastávka (bus, tram) stop **konečná** ~ terminus
staniol tin foil
stanné právo martial law
stanovat camp (in tents)
stanoven|ý: ve –é lhůtě within the fixed period of time
stanovisk|o attitude (*vůči* to(wards)); point of view, standpoint (*z mého –a* from my point of view)
stanoviště stand
stanovit fix, set*; předpis lay* down, výšku poplatku, daně a pod. assess ~ **úkol** set* a task
stanovy statute; sdružení articles PL (of the association)
starat se take* care (*o* of), look after, attend; i zvířata tend; zvířata keep* of (*nestarám se o to* I don't care about it)
stárnout grow* old, age
starobylý ancient, antique, archaic
staromódní old-fashioned
starost **1** péče care (*o* of) **2** nesnáz, úzkost concern (*o* for, about, over); anxiety (*o* for, about; *mít* ~ *o* be* anxious n. concerned n. worried about) **mít na** ~ be* in charge **–i** worry
starosta mayor
starostlivý caring
starověk antiquity
starověký ancient, antique
starožitnictví antique shop
starožitnost antique
start start
startér starter
startovat start; o letadle take* off
startovní starting
starý old*; z dávných dob ancient ~ **papír** waste paper ~ **mládenec** bachelor **stará panna** spinster, old* maid **Starý zákon** the old* Testament
stařec old man*
stařena old woman*
stáří **1** age (*ve tvém* ~ at your age) **2** vysoký věk old age
stát state
stát **1** stand* **2** nehýbat se stand* still **autobus tam nestojí** the bus does not stop there **3** kde be* (situated) **4** koho kolik cost*; kolik be* ~ **o co** care for st.
stát se **1** kým, čím become*, jakým get*, grow* **2** přihodit se happen, occur (*co se stalo?* what happened?, what is the matter?)
stať article, essay
statečnost bravery, courage
statečný brave, courageous
statek estate, farm
statický static
statistický statistical
statistika statistics
statkář landowner
státní state ~ **poznávací značka** registration number ~ **správa** administration
státník statesman*
statný stout, robust, sturdy
statut statute
stav **1** state, condition (*v dobrém –u* in good* condition) **2** tkalcovský loom
stavba building, construction
stavební: ~ **dělník** construction worker ~ **dříví** timber ~ **inženýr** civil engineer ~ **místo** (building) site
stavebnice bricks PL
stavebnictví building n. construction industry
stavení building
staveniště building site

stavět 1 stand*, put* (*lampu na stůl* a lamp on the table) 2 dům build*, construct 3 o vlaku stop 4 na čaj, kávu put* the kettle on
stavět se 1 do řady line up 2 za něco back, support st. **jak se k tomu stavíš?** what's your attitude to it?
stavit se drop in
stavitel builder, architect
stavitelství architecture **pozemní ~** civil engineering
stávka strike (*generální, okupační ~* general, sit-in strike)
stávkokaz strike-breaker
stávkovat strike*, be* on strike
stávkující striker
stažení zúžení contraction, vojsk withdrawal
stéblo stalk; slámy straw
steh stitch
stehlík goldfinch
stehno thigh
stěhovací vůz removal van
stěhování move, removal
stěhovat move **~ se** move
stejně 1 totožně in the same way 2 beztak as it is (*~ jdeme pozdě* we are late as it is); nehledě na okolnosti all the same, anyway
stejnokroj uniform
stejnoměrný even, steady
stejnosměrný proud direct current
stejný the same (*jako* as), přesně identical; pro každého equal
stěna wall, side
st|en(énat) groan
stenografie shorthand
stenografovat take* down in shorthand
stenotypistka shorthand typist
step(ní) steppe, am. prairie
stěrač windscreen wiper
stereofonní stereophonic
stereotypní stereotyped
sterilizovat sterilize
sterilní sterile
stesk longing **~ po domově** homesickness
stevardka stewardess, (air-)hostess
stezka path, trail
stěžeň mast
stěží hardly
stěžovat si complain (*na* of n. about; *komu* to sb.)
stíhací: ~ letadlo fighter plane **~ letec** fighter pilot
stíhačka v. *stíhací letadlo*
stíhat 1 chase (after) 2 úředně zakročit prosecute
stihnout 1 vlak catch* 2 zastihnout, hlavně telefonicky reach 3 začátek be* in time for st.
stimul incentive (*k* to do* st.)
stimulovat stimulate, challenge
stín 1 vržený shadow 2 chladivý shade
stínidlo lampshade
stínit shade
stinný shady **stinná stránka** drawback
stipendista scholar
stipendium scholarship
stisk(nout) claps, grip **stisk ruky** handshake press, squeeze
stísněnost psychologická depression
stísněn|ý 1 o prostoru narrow, cramped 2 duševně depressed
stížnost complaint (*na* of)
stlačení press
stlačit 1 do menšího prostoru compress 2 páku, knoflík depress
stlát 1 postel make* the bed 2 strew* (*slámu* straw)
stlumit rádio turn down
stmív|at se: -á se it is getting dark
stočit 1 vinutím roll n. wind* 2 do kruhu coil 3 turn (*auto vpravo* the car to the right) v. *otočit*
stodola barn
stoh stack
stojací lampa standing lamp
stojan stand **malířský ~** easel
stojka na rukou handstand, na hlavě headstand
stoka sewer, gutter
stolek table (*noční ~* beside table)
století century

stolic|e stool (*jít na –i* go* to stool)
stolička zub molar
stolní table (*~ prádlo* linen; *~ tenis* table tennis)
stonat be* ill (*s* of), be* down (*s* with)
stonek stalk, stem
stop: cestovat –em hitch-hike
stop|a **1** vytlačená track, nohy footprint **2** náznak minulosti trace **3** lovecká trail **4** vodítko clue **5** míra foot* (*zmizet beze –y* disappear without trace)
stopař(ka) hitchhiker
stopka stem
stopky stop-watch SG
stopovat trace, track, lovit trail **2** auto hitch, thumb a lift
stoprocentní hundred-per-cent
stoupání rise (*cen* in prices)
stoupat rise*; climb, mount (*na horu* a mountain)
stoupenec follower
stoupnout **1** rise* **2** šlápnout tread* (*komu na nohu* on sb.'s toes)
stovka hundred; bankovka hundred-crown note
stožár mast; elektrického vedení pylon
strach fear (*z čeho* of st.) (*ze –u před* for fear of; *ze –u aby* for fear that) **mít ~** fear (*z čeho* st.), be* afraid n. scared (*z čeho* of st.; *o koho* for sb.)
straka magpie
strakatý spotted
stráň slope, hillside, mountain (side)
stran|a **1** side **2** v knize page **3** politická party **na druhé –ě** naproti tomu on the other hand
stranický **1** party **2** zaujatý biased
straník party member
stranit favour (*komu* sb.); v hádce, sporu side (*komu* with sb.)
stránka **1** v knize page **2** hledisko aspect **3** point (*dobrá, slabá ~* good*, weak point)
strast hardship
strašidelný phantom, ghostly
strašidlo phantom, ghost; přen. nightmare
straš|it frighten, haunt (*v domě –í* the house is haunted)
strašně awfully, an awful lot
strašný awful, dreadful, terrible, appalling; velmi špatný; hrůzný horrible, fearful, frightful
strategický strategic
strategie strategy
strava **1** jídlo food **2** způsob stravování diet **3** stravování board (*~ a byt* board and lodging)
strávit v. *trávit*
stravitelný digestible
strávník boarder
stravování board
stravovat se have* n. take* one's meals PL
stráž guard; vojenská sentry
strážce guard(ian)
strážník policeman*
strčit **1** push (*do čeho* st.) **2** put* (*do kapsy* in (to) one's pocket)
strhnout **1** tear* down **2** budovu demolish, pull down **3** částku deduct (*částku* a sum)
strkat nos do cizích věcí poke into other people's affairs
strmý steep
strniště stubble
strnout stiffen
strnulý stiff, rigid
strohý abrupt curt (*k* with); budova; způsob života austere; přísný severe (*k* on, with)
stroj machine; motor engine **–e** machinery
strojařský engineering
strojený artificial, stilted
strojírenství engineering
strojírna machine works
strojit **1** decorate (*vánoční stromek* the Christmas tree) **~ se** dress, get* dressed **~ úklady** (*s* with; *proti* against) intrigue, scheme (*co* for st.; *proti komu* against sb.)
strojní machine
strojník engineer

strojový mechanical; vyrobený strojem machine-made
strojvůdce engine (driver)
strom(ek) tree (*vánoční –ek* Christmas tree)
strop ceiling
strouhanka breadcrumbs PL
strouhat sýr grate
stroužek clove
strpení: okamžik ~! just a moment, please!
strpět endure, tolerate; v záporu a otázce (can*) bear*, stand*
stručný brief; zhuštěný concise, succinct
struhadlo grater
struk nipple
struktura structure
struna string
strun|ový(ný) stringed (*nástroj* instrument)
strup scab
struska slag
strýček uncle
strž gorge, ravine
střádat save (up)
střed 1 bod centre, am. center 2 middle 3 zájmu focus*; veřejného zájmu limelight
středa Wednesday
středisko centre, am. center
středně pokročilý intermediate
střední 1 zeměpis. central 2 mid(dle) 3 intermediate **~ škola** secondary school **~ vlny** medium waves **~ rod** jaz. neuter (gender)
středník semicolon
středoevropský Central European
středoškolský secondary (school)
středověk the Middle Ages PL
středověký medieval
Středozemní moře the Mediterranean (Sea)
střecha roof, kloboouku brim
střela 1 shot (*~ na branku* a shot at the goal) 2 kulka, náboj bullet, shell, raketa missile
střelba fire, shooting
střelec shot, marksman*; v šachu bishop
střelit shoot*, fire **~ branku** score a goal
střelivo ammunition
střelnice 1 vojenská range 2 zábavní shooting-gallery
střeln|ý: ~ prach gunpowder **–á zbraň** gun, firearm
střemhlav headlong
střep shard, sherd
střepina splinter
střeva bowels PL
střevíc shoe
střevní intestinal
střevo gut, intestine
střežit guard, watch
stříbr|ný(o) silver
střídat 1 change 2 pravidelně alternate **~ se** 1 pravidelně alternate 2 v něčem take* turns (*v čem* at st.)
střídavý alternating (*proud* current)
střídmý frugal; v rozumných mezích moderate
střih cut*
střih|at(nout) cut*; přistřihnout clip; ovce shear
stříkačka injekční syringe; hasičská fire-engine
střík|at(nout) sprinkle, splash; jemně spray, ze stříkačky squirt
střílení shooting
střílna loophole
střízlivý sober
stud shame
student(ka) student; vysokoškolák undergraduate
studentský student
studený cold **~ jako led** stone-cold
studie study
studijní research
studio studio
studium study **školské ~** studies PL **dálkové, večerní ~** extramural, evening courses PL
studna well
studovat study
studovna study, reading-room

stuha k převázání band; též ozdobná ribbon
stůl table (*sedět u stolu* sit* at a table) **psací ~** desk
stupeň **1** step **2** díl degree (*5 ° C* 5 degrees (centigrade)) **3** vývoje stage **4** úroveň level
stupnice scale
stupňování jaz. comparison
stupňovat **1** escalate **2** jaz. compare **~ se** increase, intensify, escalate
stužka v. *stuha*
stvol stalk, stem
stvoření **1** čin creation **2** tvor creature
stvořit create
stvořitel creator
stvrzenka receipt (*na* for, of)
stydět se be* ashamed (*za* of; *za to, že* that)
stydlivý shy, timid
styk **1** intercourse (*pohlavní ~* (sexual) intercourse) **2** contact, touch (*být ve –u s* be* in contact n. touch, with; *udržovat ~ s* keep* in touch with)
stýkat se be* in contact, často s přáteli associate, mix (*s* with)
styl style
stylistický stylistic
stylový stylish
stýsk|at se miss (*po čem* st.) **–á se mi (po domově)** I am homesick
subjekt subject
subjektivní subjective
subtropický subtropical
subvence subsidy
subvencovat subsidize
sud barrel
sudý even
sugestivní vivid
suchar **1** cracker, rusk **2** nudný člověk wet blanket
sucho drought
suchý dry
sukně skirt
sukno cloth
sůl salt
suma sum (of money)
sundat take* down n. off
sup vulture
superlativ superlative
supět pant
surovec brute
surovina raw material
surovinový raw-material
surovost cruelty
surový **1** nezpracovaný raw, crude **2** brutální brutal, cruel, savage
sušenka cracker, biscuit
sušený dried, dehydrated
sušit(se) dry
suterén basement
suvenýr souvenir
suverénní **1** sovereign **2** ve vystupování masterful
svačina dopolední elevenses, odpolední tea
svádět **1** tempt **2** v. *svést*
svah slope
sval muscle
svalit **1** roll down (*kámen* a stone) **2** povalit topple (over) **3** vinu blame (*na koho zač* st. on sb.), put* the blame on sb. **~ se** roll down; upadnout fall* down, topple (over)
sval|natý(ový) muscular
svářeč welder
svařit **1** tech. weld **2** boil
svatba wedding
svatební wedding **~ cesta** honeymoon
sváteční festive, o volných dnech holiday
svátek **1** holiday, feast; slavnost festival **2** jmeniny name-day
svatý holy, sacred, saint **~ Jan** St. John
svatyně sanctuary
svaz league, union **odborový ~** trade union
svázat tie, bind* (up)
svazek **1** klíčů bunch **2** kniha volume **3** států alliance
svažovat se slope; směrem k něčemu lean* towards st.
svědčit give* evidence (*u soudu* in court); witness (*o* to) testify (*proti*

komu against sb.)
svědectví testimony, evidence
svědek witness
svědit itch
svědivý prickly
svědkyně witness
svědomí conscience
svědomitý conscientious
svéhlavý headstrong, wilful
svépomoc self-help
svěrák vice
svérázný special, podivný peculiar
svěřit entrust (*komu co* st. to sb.; sb. with st.); zatížit charge sb. with st. **~ se** confide (*komu s čím* in sb. about st.)
svést 1 dokázat manage **2** na scestí mislead*, lead* astray; hlavně sexuálně seduce **3** vinit blame (*co na koho* st. on sb., sb. for st.)
svět world (*na –ě* in the world; *na celém –ě* all over n. all across the world)
světadíl continent
světák playboy
světec saint
světélkující luminous
světelný ... of light
světlý light
světl|o light (*bleskové ~* flashlight; *denní ~* daylight; *přední ~* auta headlight; *za –a* by daylight)
světlomet searchlight
světlovlasý fair-haired
světl|ý light(-coloured) **–é pivo** pale
světov|ý world; rozšířený po celém světě worldwide **–á velmoc** superpower
světoznámý world-famous
svetr pullover; lehký, bez zapínání jumper; vesta n. s rukávy, na zapínání cardigan; zvl. teplý sweater
světský secular; dbající jen o hmotné worldly
svévolný arbitrary; hlavně jako přívlastek wanton
svezení lift
svézt 1 dolů take* down **2** koho autem give* sb. a lift
svěžest vitalita vigour
svěží fresh; energický; osvěžující brisk; mysl, fantazie vivid; ovoce, zelenina; povětří; vystupování crisp
svícen candlestick
svíčka candle
svíčková sirloin
svině sow
svinout koberec roll up; provaz coil
svírat 1 pevně hold* tight **2** úhel contain
svislý vertical; vzpřímený upright
svišť marmot
svištět zoom
svítání dawn (*za ~* at dawn)
svítat dawn
svitek roll
svítilna lantern, lamppost **kapesní ~** torch
svít|it 1 shine* (*–í měsíc* the moon is shining); oheň burn* **2** mít rozsvíceno keep* the lights on **~ (si) na cestu** light one's way
svižný supple, nimble
svléci kus oblečení take* off; had cast* **~ se** undress, take* off one's clothes, strip (*~ se do naha* strip naked)
svobod|a freedom (*projevu* of speech; *tisku* of the press), liberty **pustit koho na –u** set* sb. free, release sb.
svobodný 1 free **2** neženatý, neprovdaná single, unmarried
svolat summon, call; členy, schůzi, zasedání convene
svolení consent, permission **dát ~ k** give* one's consent n. permission, to
svolit consent (*k* to)
svorka clamp, staple
svorný harmonious jednomyslný
svraštit též zvratné corrugate, wrinkle **~ se** suchem, teplem, chladem shrivel
svrbění itch
svrbět itch, prickle
svrbivý prickly
svrhnout overthrow*, topple
svrchník overcoat
svrchovanost sovereignty
svrchu 1 dívat se ~ look down (*na*

on) **2 ~ uvedený** the above-mentioned
svršky belongings PL
svůdný tempting
svůj: nebýt ve své kůži be* n. feel* off colour **hleď si svého** mind your own business **všechno má ~ čas** all in good* time
sýček screech-owl
syče|ní(t) hiss; o tuku sizzle
syfilis syphilis
sychravý raw
sýkora tit
sykot hiss
symbol symbol
symbolický symbolic
symbolizovat symbolize
symetrický symmetric(al)
symetrie symmetry
symfonický symphonic (~ *orchestr* symphony orchestra)
symfonie symphony
sympatický nice, pleasant, likable, sympathetic
sympatie liking (*k* for)
sympatizovat sympathize (*s* with)
symptom symptom
syn son
synagóga synagogue
synovec nephew
syntetický synthetic
syntéza synthesis*
sypat 1 rychle dávat shower **2** drobně sprinkle, rozhodit scatter
sypátko castor
sýpka granary
sypký loose
sýr cheese
syrov|ý raw
systém system
systematický systematic
sytý full

Š

šablona pattern; pomůcka stencil
šafrán crocus; kuchyňská přísada saffron
šachista chess-player
šachovnice chess-board
šachov|ý chess **–á figurka** chessman*
šachta pit
šachy chess
šakal jackal
šála scarf
šálek cup (~ *na čaj* teacup)
šalvěj sage
šampaňské champagne
šampión champion
šampon shampoo
šance chance, odds PL (*je šance, že ...* the odds are that ...)
šasi chassis*
šaš|ek dvorní fool; cirkusový clown **udělat ze sebe –ka** make* a fool of os.
šátek 1 scarf* **2** na krk neckerchief **3** pléd shawl
šatna cloakroom, am. checkroom **2** převlékárna changing-room
šatnářka cloakroom attendant
šatník wardrobe
šaty clothes PL; vhodné–sportovní, slavnostní outfit; dámské dress SG; frock SG, dlouhé gown
šavle sabre
šedivět v přísudku grey
šedivý grey
šedo-: –modrý greyish blue
šedovlasý grey-haired
šedý grey
šéf chief; hlavně školy principal; hovor. boss
šéfredaktor editor-in-chief
šek(ový) cheque, am. check (*vydat ~ na koho* draw* a cheque on sb.)
šeková knížka cheque-book
šelma beast of prey
šep|ot(tat) whisper
šeptem in a whisper
šeredný nasty
šerm fencing
šermovat fence **~ rukama** make* gestures
šer|o dusk, twilight (*za –a* in the dusk n. twilight)

šerpa sash; řádová cordon
šerý dark, dim
šeřík lilac
šeř|it se: –í se it is getting dark
šetrnost thrift
šetrný economical, spořivý thrifty
šetřit 1 peníze save (up), put* by (*na něco* for st. n. to buy* st.) 2 méně utrácet economize 3 dbát čeho spare (*nenámahou* spare no effort) **~ si** napříště reserve
šev seam
šibenice gallows SG i PL
šicí stroj sewing-machine
šidit cheat
šifra cipher
šifrovan|ý in cipher (*–á zpráva* cipher)
šikmý oblique
šikovný 1 jen o lidech able; praktický capable; agilní deft (*v čem* at st., at doing st.); chytrý clever 2 hodící se handy
šílenec žert. lunatic, odb. insane person
šílenství madness, lunacy
šílený crazy, mad; potřeštěný lunatic odb. insane
šílet be* mad; be* crazy (*po čem* about st.)
šilhat squint
šilhavý cross-eyed
šimpanz chimpanzee
šíp arrow
šípek hip
šipka 1 dart 2 ukazatel arrow
širok|ý wide, broad (*–á ramena* broad shoulders; *~ pojem* broad term); rozsáhlý extensive
šíře breadth
šířit (se) spread*
šířka 1 width, breadth 2 zeměp. latitude
šiška cone
šišlat lisp
šít sew*, do* sewing, do* needlework; šaty make* (*šitý na míru* made-to-measure, tailor-made)
šití sewing, needlework
škádlit tease
škaredý ugly
škeble shellfish, mussel (*na* st.), lastura shell
šklebit se sneer
škoda 1 damage, harm **2 to je ~** what a pity **~, že nemám** I wish I had*
škodit komu harm sb., do* sb. harm
škodlivý harmful
škodolibý malevolent
škol|a 1 school (*mateřská ~* nursery school; *základní ~* basic school; *odborná ~* vocational school; *ekonomická ~* school of economics; *průmyslová ~* technical school; *střední ~* secondary school; *večerní ~* night school, evening courses PL) **vysoká ~** university 2 vyučování lessons PL, classes PL
školačka schoolgirl
školák schoolboy
školení schooling, seminář workshop
školit (se) train (*jako* as)
školka nursery
školné school-fee PL
školní school
školník school caretaker
školský school, education(al) (*~ zákon* Education Act)
školství (system of) education
škrábat 1 scratch, scrape 2 psát scribble **~ se** 1 scratch 2 lézt clamber, scramble
škrabka scraper
škrábnout se graze, scratch (*o* against, on)
škrábnutí graze, scratch
škraloup skin; ztuhlý, např. ledový crust
škrob(it) starch
škrobený o člověku prim
škrtit strangle, throttle
škrtn|out 1 scrape (*čím oč* st. on n. against n. along st.) 2 přeškrtnout cross out n. through **3 ~ sirkou** strike* a match
škubnout nervózně, prudce; též sebou jerk; sebou wince
škubnutí jerk

škůdce pest
škvára slag
škvarky greaves PL
škvíra crack
škyta|t(vka) hiccough, hiccup
šlágr hit
šlacha sinew
šlapat tread; na kole pedal
šlápnout tread* (*komu na nohu* on sb.'s toes) **~ na plyn** step on the gas
šle braces PL
šlehačka whipped cream
šlehat whip, beat*
šlehnout 1 lash **2** jako blesk flash
šlechetný noble
šlechta nobility
šlechtěný improved, refined, cultivated
šlechtic(ký) nobleman*
šmouha smudge
šněrovací boty lace-ups PL
šněrovat lace (up)
šňůra 1 line (~ *na prádlo* clothes-line), string, k převázání tie; provázek cord **2** na psa leash, lead **3** k elektrickému spotřebiči flex, am. cord
šofér driver; soukromý chauffeur
šok shock
šokovat shock; hlavně v pasívu astound
šortky shorts PL
šovinismus chauvinism
šovinista chauvinist
špaček 1 starling **2** nedoplatek, zbytek tužky stub, stump
špalek block, log
španělský: to je pro mně –á vesnice it's Greek n. double-Dutch to me
špatně badly, wrong **je mi ~** I feel* sick **je na tom ~** he is badly off
špatný 1 bad* **2** nesprávný wrong **3** zlý evil* **4** chatrný poor
špeh spy
špehovat spy (*koho* (up) on sb.)
špenát spinach
špendlík pin (*spínací~* safety-pin)
šperk jewel
špetka pinch; přen. shred
špičatý pointed
špička 1 point, tip **2** hory peak **3** boty toe **4** dopravní rush-hour
špičkový top; výrobek top-quality
špína dirt, odporná filth
špinavý dirty, odporně filthy, ušpiněný soiled
špión spy
špionáž(ní) espionage
šplhat climb (*na strom* a tree)
šplouchat splash
špulka spool
šrám gash (*na* in)
šrot scrap
šroub screw; s maticí bolt
šroubek screw
šroubovák screwdriver
šroubovat screw
štáb staff
štafeta relay
štafle step-ladder
šťastn|ý 1 happy **2** úspěšný lucky **–ou cestu** have a pleasant journey
šťáva juice; z masa sauce
šťavnatý juicy
štěbet|ání(at) i přen. chatter
štědrý generous **Štědrý večer** Christmas Eve
štěk|at(ot) bark, bay
štěně puppy
štěnice bug
štěpina splinter
štěpit (se) split*
štěrbina crevice; kterou uniká kapalina, plyn leak; v automatu slot
štěrk gravel
štěstí 1 šťastný život happiness **2** šťastná náhoda good* luck (*zkusit ~* try one's luck; *to je ale ~ !* what a (great) piece of luck!; *mnoho ~ !* good* luck!
štětec brush
štětina bristle
štětka brush
štíhlý slender, slim
štika pike
štípat split*, chop
štípnout pinch (*koho do tváře* sb.'s cheek; *komu něco* sb.'s st.); hmyz bite*

štít 1 shield 2 vývěsní sign 3 domu gable
štítek 1 plate; nálepka label 2 čepice peak **děrný ~** punch card
štítit se 1 abominate st., feel* a strong dislike for st. 2 vyhýbat se čemu shrink* from (doing) st.
štítná žláza thyroid
štoček block
šťouchnout jab (*do* at); poke; k upoutání pozornosti nudge
štvanice hunt (*na* for)
štvát 1 zvěř hunt chase 2 agitate (*proti* against)
šumě|ní(t) murmur; též nápoj fizz
šumivý sparkling
šunka ham
šupina scale
šustit rustle
šváb cockroach
švadlena dressmaker
švagr brother-in-law
švagrová sister-in-law
švestka plum
švihadlo skipping-rope
švihnout v. *šlehnout*

T

tabák tobacco
tablet|a(ka) tablet
tábor(ový) camp
táborník camper
tábořiště camping site
tábořit camp
tabule 1 table, board 2 okenní pane, skla, plechu sheet 3 školní blackboard 4 vývěsní signboard
tabulka 1 diagram table, chart 2 s nápisem tablet, plate 3 čokolády bar
tác tray
tácek salver, tray
tady here
tah 1 zatažení pull 2 v loterii draw* 3 vzduchu draught 4 rys feature 5 v šachu move 6 při psaní stroke
tahat v. *táhnout*
táhnout 1 pull; uvádět do pohybu, dávat do jiné polohy draw*; za sebou drag 2 nést něco těžkého lug 3 v šachu move 4 o ptácích migrate **~ se** unaveně kráčet trudge
tachometr speedometer
tajemník secretary
tajemný mysterious
tajemství secret
tajit co před kým conceal (st. from sb.), keep* st. secret from sb.
tajný secret
tak 1 so (~ *říkajíc* so to speak*) **~ ... jako** as ... as **ne ~ ... jako** not so ... as 2 hovor. that (*není to ~ jednoduché* it's not that easy) **~ tedy** well*; now then
též 1 also, too **a ~** as well 2 **já ~** me too **já ~ ne** me neither
takhle in this way, like this
takov|ý such (*člověk* a man*) **něco -ého** something like that, that sort of thing
takt 1 hud. bar 2 taktnost tact 3 motoru stroke
taktický tactical
taktika tactics
taktní tactful
takto like this, in this way, this is the way (that) ...
taktovka baton
takže so
talár gown
talent talent, gift (*k* for)
talíř plate (*hluboký ~* soup plate; *mělký ~* plate)
talířek 1 dessert plate 2 podšálek saucer
talisman charm
tam there
tamější local, of that place
tamhle over there
tamten that (over there)
tan|čit(ec) dance
taneční: ~ hodiny dancing lessons **~ hudba** dance music
tanečn|ice(ík) dancer
tání thaw
tank tank

tankovat tank, fill up, refuel
tápat blunder about n. around; přen. be* in the dark (*ohledně* about)
tapeta wallpaper
tapetovat paper
tarif rate, tariff
tartan tartan
taška **1** brašna bag; školní satchel; náprsní wallet **2** krytina tile
tát thaw, melt **taje** it is thawing
tatarský Tartar
tatínek dad(dy)
Tatry: Vysoké, **Nízké** ~ the High, Low Tatra
tavený sýr processed cheese
tavič smelter
tavit fuse, melt; rudu smelt
taxa rate, charge
taxi taxi, cab
taxikář taxi-driver, cab-driver
tázací interrogative
tázat se v. *ptát se*
tázavý inquiring
tažení campaign, výprava expedition; křížové i přen. crusade
tažný: ~ **kůň** draught horse ~ **pták** bird of passage
téci **1** flow, run* **2** propouštět vodu leak
tečka **1** point, dot **2** interpunkční znaménko full stop; hlavně am. period
tečkovaný spotted
teď now (~ *když* now (that)); v dnešní době at present, nowadays; hovor. these days
tedy jak je vidět then, consequently; v souladu s tím accordingly
tehdejší ... of that time n. period
tehdy then, at that time
těhotenství pregnancy
těhotná pregnant
technick|ý technical **vysoká škola –á** College n. Institute of Technology
technik engineer, technician
technika **1** technology **2** vypěstovaná zručnost technique
technolog technologist
technologie technology
tekoucí: ~ **horká a studená voda** hot and cold running water
tekut|ina(ý) liquid, fluid
tele calf*
telecí maso veal
telefax v. *fax*
telefon **1** (tele)phone (*mít doma* ~ be* on the phone; *po –u* over the phone) **2** zavolání (phone)call
telefonický (tele)phone
telefonist(k)a telephone operator
telefonní: ~ **budka** call box, phone booth, (tele)phone box ~ **číslo** (tele)phone number ~ **seznam** telephone directory, book ~ **ústředna** (telephone) exchange ~ **vzkaz** message
telefonovat phone, ring* up, call (*komu* sb.)
telegraf telegraph
telegrafovat telegraph, cable
telegram telegram, wire
telekomunikace telecommunication
tělesn|ý **1** physical (*–é cvičení* physical exercise) **2** corporal (*–ý trest* corporal punishment) **–ě po- stižený** invalid **–á práce** manual labour
televiz|e television, TV (*dívat se na –i* watch TV; *v –i* on TV), hovor. telly
televizor television n. TV set
tělo body
tělocvična gym(nasium)
tělocvik gymnastics, physical education, P.E., physical training, P.T.
tělocvikář gym teacher, P.E. n. P.T. teacher
tělovýchova physical education
tělovýchovný P.T. n. P.E.
téma topic, subject, theme; posuzované matter; obsah knihy, projevu; probírané látka subject-matter
téměř almost, nearly
temný dark, též přen. gloomy
temperament temperament
temperamentní lively, brisk
temp|o pace (*udávat* ~ set* the pace; *rychlým –em* at a good* pace)
ten **1** the (*tohle je* ~ *dům* this is the house*) **2** that (*kdo je* ~ *člověk?*

who is that man*?; ~ *váš pes* that dog of yours)
tendence tendency (*k* towards, to do* st.); obecná trend (*k* towards)
tenis tennis (*stolní*~ table tennis, hovor. ping-pong)
tenisky gym-shoes PL, plimsolls PL, pumps PL; sneakers PL
tenisový: ~ kurt tennis court **~ míček** tennis ball
tenista tennis-player
tenkrát at that time
tenký thin; o hlase shrill; o textilu sheer, flimsy
tenor(ista) tenor
tento this; ze dvou jmenovaných the latter
tentokrát this time **pro ~** (just) for once; just this once
tentýž the same jako
teoretický theoretical
teorie theory
tep pulse
tepelný heat
tepláky track suit
teplárna heating plant
teplo 1 warmth **2 je ~** it is warm **je mi ~** I am warm
teploměr thermometer
teplot|a temperature (*mít –u* have* a temperature)
teplý 1 warm, ohřátý na potřebnou teplotu hot **2** homosexuální gay
tepna artery
teprve only, not until (*vrátila se až v červnu* it wasn't until June that she came* back)
terasa terrace
terč target
terén ground(s PL) voj. terrain
termín 1 term **2** konečný deadline **před –em** ahead of schedule
terminál terminal
terminologie terminology
termoska vacuum flask
teror terror
terorist|a(ický) terrorist
terpentýn turpentine
tesař carpenter
tesat hew*
těsnění seal
těsnopis shorthand **–em** in shorthand
těsné close; úzce closely
těsn|ý 1 blízký close (*v –é blízkosti* in close to; *–ě přiléhat* fit close), stahující tight **2** vítězství, většina narrow
test test
těsto dough, paste
těstoviny pasta
těš|it please **velmi mě –í, že vás poznávám** I am very pleased to meet* you **~ se 1** enjoy (*čemu* st.) rejoice (*z čeho* at n. over st.) **2** look forward (*na* to)
teta aunt
tetov|at(ání) tattoo
tetřev grouse
texasky jeans PL, denims PL
text text **~ písně** lyrics PL; div. hry, filmu, pořadu script
textil textile(s PL)
textilní textile
textový procesor poč. word processor
teze thesis
těžba output
těžce: ~ pracovat work hard **~ dýchat** breathe heavily, pant; o poškození, zranění a pod. severely
těžiště centre of gravity
těžit 1 exploit **2** z čeho make* (full) use of st., profit n. benefit from st.
těžko: ~ chápat be* slow on the uptake **to půjde ~** that won't be* easy **~ říci** it's hard to say* n. tell*
těžkopádný clumsy
těžký 1 heavy **2** složitý difficult
tchán father-in-law
tchoř polecat
tchyně mother-in-law
tíha v. *tíže*
ticho silence
tichý 1 silent, klidný quiet **2** hlas low, soft **Tichý oceán** the Pacific (Ocean)
tikat tick
tiket coupon

tílko vest, am. undershirt
tip tip (*na* for)
tíseň distress
tísňové volání distress call
tisíc thousand **Tisíc a jedna noc** the Arabian Nights PL
tisk 1 print **2** noviny press
tiskací: ~ písmeno block letter (*–m písmem* in block letters)
tiskárna press; hlavně k počítači printer
tiskař printer
tisknout 1 press; sevřít squeeze **2** knihu print
tiskopis 1 form **2** v poštovní dopravě printed matter
tiskov|ý press **–á chyba** misprint **ČTK** the Czechoslovak Press Agency
tísnit oppress, psychicky depress, disturb **~ se 1** be* cramped for space **2** v davu crowd
tísnivý oppressive
tištěný printed
titul title
titulek headline; pod obrázkem caption; filmový subtitle
tíže weight **zemská ~** gravity
tížit weigh sb. down, oppress; svědomí, žaludek lie* heavy on st.
tj. i.e. (that is)
tkadle|c(na) weaver
tkalcovský weaving **~ stav** loom
tkáň tissue
tkanička do bot shoe-lace
tkanina cloth, fabric
tkát weave*
tlačenice crush, press, hustle, crowd, throng
tlačit 1 press; boty, oblečení pinch **2** strkat push **~ se** crowd
tlačítko button
tlak pressure
tlakoměr barometer
tlakový pressure
tlampač (loud)speaker
tlapa paw
tleskat applaud, clap (*komu, čemu* sb., st.)
tlít decompose, rot
tlouci beat* (*na, do* at, on); třískat bang (*na, do* st., on st.); knock (*na dveře* at the door; *na okno* on the window); srdce, hlavně zrychleně throb
tloustnout grow* fat, put* on weight
tloušťka 1 thickness **2** člověka stoutness
tlukot beat; stálý rovnoměrný throb; zrychlený tep srdce palpitation
tlumit temper; zvuk muffle
tlumočení interpretation
tlumočit interpret
tlumočn|ice(ík) interpreter
tlupa hanl. band, gang
tlustý 1 thick **2** o člověku fat, stout
tm|a darkness, dark (*za –y* in the dark)
tmavozelený dark-green
tmavovlasý dark(-haired)
tmavý dark
tmel putty
to it, that (*to jest* that is (to say*); *to jsem já* that's me) **~ a to** namely
toalet|a, –ní toilet **toaletní stolek** dressing-table
toč|it 1 turn (round) **2** vinout, rolovat roll (up) **3** film shoot*; záznam record **4** nápoj draw* **~ se** turn (*kolem čeho* round st.); rychle spin*, twirl; kolem něčeho twist st. round st. **–í se mi hlava** I feel* dizzy n. giddy
točitý winding, devious
tok flow **vodní ~** stream
tolerance tolerance
tolerantní tolerant, broad-minded
tolerovat tolerate
tolik so much n. many (*dvakrát ~* twice as much n. many)
tolikrát so many times, so often
tombola raffle
tón tone; barevný shade; hud. note
tonáž carrying capacity, tonnage
tónina key
topení heating
topič stoker
topinka toast
topit v kamnech heat
topit se be* drowning

topol poplar
torna pack
torpédo torpedo
totalita totalitarianism
totalitní totalitarian
totální total
totiž that is to say*; namely, hovor. you see*
totožnost identity
totožný identical
touha desire, longing, silná yearn (*po* for; to do* st.)
toulat se wander, ramble, tramp
toulka ramble, tramp
toužebný longing, yearning
toužit desire, long, silně, vášnivě yearn (*po* for, to do* st.)
továrna factory, plant
tradice tradition
tradiční traditional
trafika tobacconist's
tragédie tragedy
tragický tragic
trajekt ferry
trakař (wheel) barrow
traktor tractor
trám beam
tramp 1 osoba hiker, camper 2 trampování hiking, camping
tramvaj tram (*jet -í* go* by tram, take* a tram)
transakce transaction
transformátor transformer
transfúze transfusion
transkripce transcription
transparent banner
tranzistor transistor
tranzistorov|ý(é) rádio transistor radio
tranzit(ní) transit
trápení suffering, worry
trápit 1 způsobovat utrpení torment 2 dělat starosti trouble, worry; hovor. play up ~ **se** 1 worry (*kvůli* about) 2 dát si s něčím práci bother
trapný embarrassing, awkward
trasa route
trať line, track
tráva grass
trávení digestion
trávit 1 digest (*potravu* food) 2 čas spend*; něco příjemně enjoy
travnatý grassy
trávník lawn
trčet stick* out
trefa hit
trefit 1 zasáhnout hit 2 dostat se někam find* one's way
tréma divadelní stage fright; školní exam fever
trend trend (*k* towards)
trenér coach
trénink training
trénovat train (*na zápas* for a match); někoho coach, train; něco practise
trenýrky (under)pants PL
trepky slippers PL
treska cod
trest punishment (*~ smrti* capital punishment; *tělesný ~* corporal punishment; *za ~* for a punishment, in punishment); za porušení zákona, dohody, pravidel penalty
trestanec convict
trestat punish
trestní: ~ právo criminal law **~ soud** criminal court **~ zákoník** penal code
trestný čin criminal act n. offence
trezor safe
trh market
trhat 1 tear* 2 květiny pick 3 škubat pull (*čím* at st.), cloumavě jerk **~ zub** pull out a tooth*
trhlina rift, crack; podélná split
trhnout jerk **~ sebou** jerk, wince
tribuna platform
tričko T-shirt
trik 1 též nejlepší způsob, zvláštní technika trick 2 schopnost, zručnost knack
triumf triumph
triumfovat triumph (*nad* over)
trn thorn
trofej trophy
trochu 1 a little*, a bit; čeho a little* n.

some **2** poněkud a bit, slightly (~ *příliš brzo* a bit too early)
troj|itý(násobný) triple
trojskok triple jump
trojúhelník triangle
trojúhelníkový triangular
trolejbus trolley bus
tropický tropical
tropy the tropics PL
trouba 1 trubka trumpet **2** na pečení oven **3** roura pipe **4** hlupák fool
trosk|a ruin; lodi, vozu, letadla, též obrazně o člověku wreck **–y** zříceniny ruins PL, remains PL; po havárii debris
trouba 1 na pečení oven **2** hlupák fool
troubit hoot; blow* (~ *na trubku* blow trumpet)
troufalý presumptuous
troufat si hlavně v otázkách a záporu dare*
trouchnivět moulder
trpaslík dwarf
trpělivost patience
trpělivý patient
trpět 1 suffer (*čím* from st.) **2** snášet endure
trpkost bitterness
trpký bitter
trpný passive **~ rod** jaz. passive voice
trubička tube
trubka 1 hud. trumpet **2** trubice tube, pipe
truhla chest
truhlář joiner
truchlit mourn (*nad* for, over)
trumf trump (*dát ~* play one's trump card)
trůn throne (*nastoupit na ~* ascend the throne)
trup trunk **~ lodi** hull
trust trust
trvalka perennial
trval|ý lasting, permanent **–á ondulace** perm
trvání duration
trvanlivost durability
trvanliv|ý 1 durable **–é pečivo** biscuits PL
trva|t 1 last (*dva roky* last (for) two years); o činnosti take* **2** naléhat insist (*na čem* on st.)
trychtýř funnel
trysk 1 běh gallop **2** proud jet
tryska jet
tryskat jet
tryskov|ý: ~ motor jet engine **–é letadlo** jet (plane), turbo-jet
tržba receipts PL
tržiště market-place, market-square
tržní market
tržnice market hall
třaskavina explosive
třást (se) shake*; zvl. na těle shiver (*zimou* with cold)
třeba 1 je ~ it is necessary **bude-li ~** if necessary **2** třebas, chcete-li if you like; snad perhaps, maybe (~ *je to pravda* it maybe true); například for instance
třebaže (al)though
tření friction
třepat shake* up
třepet|ání(at (se)) flutter
třesk(nout) crack, crash
třeš|eň(ně) cherry
tříbit refine
třída 1 class **2** vyšší školy form **3** místnost pro třídu classroom **4** ulice avenue
třídit sort
třídní class (~ *boj* class struggle; ~ *kniha* class register; ~ *učitel* form master; ~ *učitelka* form mistress)
tříkolka tricycle
třípokojový three-room
tříska chip, splinter
třískat bang (*na, do* st., on st.)
tříštit split*, scatter, shatter; jednotu break*
třít rub
třít se 1 rub os. (*o* against) **2** o rybách spawn
třpytit se glitter, sparkle, shine*, měkké světlo, např. měsíc gleam, shimmer; mokrý n. leštěný povrch glisten
třtina cukrová sugar-cane
tu here
tuba tube

tuberkulóza tuberculosis
tucet dozen
tučňák penguin
tučný fat
tudy this way
tuhnout grow* stiff, stiffen
tuhý stiff, tough; mráz severe
tuk oil, živočiš. fat, grease
ťukat tap, na dveře knock (at the door)
ťuknout si clink glasses (*s kým* with sb.)
tulák tramp
tuleň seal
tulipán tulip
tůň pool
tuna ton
tuňák tuna
tunel tunnel
tupý 1 nůž blunt **2** člověk dull
túra hike
turbína turbine
turista tourist
turistika tourism; pěší hiking
turnaj tournament
turné tour (*po* of)
turnus group
tuš Indian ink
tušení anticipation, premonition **nemám ~** I have no idea
tušit anticipate, guess
tužka pencil **~ s kuličkovým hrotem** ball-point pen
tvar 1 form **2** vnější, obrys shape
tvárný plastic
tvaroh cottage cheese
tvář 1 líce cheek **2** obličej face (*říci co komu do –e* say* st. to sb.'s face **–í v ~** face to face (*čemu, komu* with)
tvářit se nasadit výraz make* n. put* on a ... face
tvor creature
tvorba creation; dílo work(s PL)
tvořit 1 dávat vznik create **2** být částí make* up constitute **být tvořen čím** be* composed of st.
tvořivost: lidová ~ folk art
tvořivý creative
tvrdě hard **spát ~** sleep* soundly, be* fast n. sound asleep
tvrdit claim, argue, maintain, allege
tvrdohlavý obstinate
tvrdý hard; heavy (*~ spánek* heavy sleep; *~ trest* heavy penalty), opatření, zacházení stern; konkurence, zkouška, rozsudek stiff; muž tough **~ kurs** hard-line
tvůj your; yours
tvůrce creator
tvůrčí creative
ty you
tyč pole, bar, rod
tyčka stick, pole; zabodnutá do země picket
týden week (*tento, minulý, příští ~* this, last, next week; *ode dneška za ~* this day week)
týdeník weekly
týdně every week **dvakrát ~** twice a week
tyfus typhoid fever
tygr tiger
tykat si be* on familiar terms (*s kým* with sb.), use each other's Christian names
týkat se concern (čeho st.) (*to se tě netýká* that doesn't concern you; *pokud se mne týká* as far as I'm concerned); refer, apply (to st.) **co se týká ...** as for ...
tykev pumpkin
týl nape; voj. rear
tým team
tymián thyme
typ type, kind, sort
typický typical
tyran tyrant
tyranie tyranny
tyranský oppressive
týrat maltreat
tzv. so-called

U

u 1 at (*u stolu* at the table) **2** blízko near, close by, next to; v účelné blízkosti by (*u řeky* by the river) **3** with (*bydlet u rodičů* live with one's parents)

4 on (*nemám u sebe peníze* I haven't any money on me)
uběhnout 1 vzdálenost cover 2 o čase v. (*u*)*plynout*
ublížit též ranit přen. hurt* (*komu* sb.); injure sb., harm sb., do* sb. harm
úbočí slope
ubohý poor, miserable, wretched; velmi malý, opovrženíhodný paltry
úbor outfit **cvičební ~** track suit
ubránit save (*před* from) **~ se** resist (*proti komu, čemu* sb., st.)
ubrousek napkin
ubrus table-cloth
úbytek decrease
ubytování accommodation
ubytovat accomodate, též **~ se** put* up (*v hotelu* at a hotel)
ubývat decrease, diminish, dwindle
ucpat block (up); díru stop up, plug, přeplněním jam
úcta respect (*k* for)
uctít 1 pay* tribute (*čí památku* to sb.'s memory), commemorate sb. 2 treat (*koho čím* sb. to st.)
uctívat worship (*koho jako hrdinu* sb. as a hero*)
uctivý respectful
účast 1 podíl participation (*na* in), přítomnost attendance (*na* at) 2 soustrast sympathy (with)
účastn|ice(**ík**) participant
účastnit se take* part, participate (*čeho* in)
učebna classroom
učební plán curriculum
učebnice textbook, exercise book
účel purpose **za tímto –em** for this purpose **za tím –em, aby** in order to
účelný purposeful, useful
učeň apprentice
učenec scientist, scholar
učení 1 studium study 2 nauka teaching 3 řemesla apprenticeship
učený learned
účes hair-do, hair-style
učesat v. *česat*
účet 1 account (*otevřít ~ u banky* open an account with a bank; *vyrovnat ~* settle the account) 2 účtenka bill 3 za zboží invoice
účetní N accountant, bookkeeper # ADJ accounting **~ kniha** ledger **~ zápis** record
účetnictví accountancy
učiliště apprentice training centre
účinek effect
učinit v. *činit*
účinkovat v. *působit*
účinkující performer, obsazení the cast
účinnost efficiency
účinný effective
učit teach* **~ se** learn* **~ se do školy** learn* one's lessons
učitel(**ka**) teacher
učivo subject-matter
účtárna accounting department
účtenka bill
účtovat 1 vést účty account, keep* records n. the books 2 počítat charge (*komu 10 korun* sb. 10 crowns)
úd limb
údaj(**e**) data, information
údajný alleged
událost event
udat 1 jméno, adresu give*; veřejně sdělit state 2 policii inform (*koho* against sb.), report sb., denounce sb. 3 směrodatně určit set*
udatnost bravery
udatný brave
udavač(**ka**) informer
udělat v. *dělat* **dát si co ~** have* (n. get*) st. made* **~ zkoušku** pass an examination
udělit give*, grant (*komu co* sb. st.)
úder 1 stroke, blow, hit; útok, hlavně letecký strike; v tenisu, golfu stroke 2 zvuk beat; zvonu stroke
udeřit 1 v. *bít, tlouct* 2 na koho attack
udice fish-hook
údiv wonder, amazement, hluboký astonishment
udivený amazed, ohromený astonished (*čím* at st.)
udivit amaze ohromit astonish

údolí valley
údržba upkeep, maintenance
udrž|et(ovat) keep* up, maintain **~ si** preserve
udupat v. *dupat*
udusit v. *dusit*
udýchaný out of breath, breathless
uhádnout v. *hádat*
uhasit extinguish, put* out
uhel a piece of coal; kreslířský charcoal
úhel angle
uheln|ý coal (*–á oblast* coalfield; *~ důl* coal-mine)
uher pimple
uherský Hungarian
úhlavní deadly
uhlazený bland, suave, refined
úhledný neat
uhlový carbon
uhlí coal (*dřevěné ~* charcoal)
uhlohydrát carbohydrate
uhlopříč|ka(ný) diagonal
uhnout se dodge; swerve, turn off
uhodit strike*, hit
uhodnout tell*
úhoř eel
uhořet be* burnt to death
úhrada payment, settlement, reimbursement
uhradit v. *hradit*; reimburse
úhrn total, sum
úhrnem altogether, in total
úhrnný total
uchazeč applicant
ucházet 1 v. *ujít* **2** unikat leak, escape **~ se** apply (*o* for)
ucho 1 ear **2** držadlo handle, jehly eye
uchopit grasp, grip, seize
uchovat preserve, keep*
uchvátit okouzlit; hlavně v pasívu ravish
úchvatný ravishing, fascinating
uchýlit se resort (*k násilí* to force n. violence)
úchylka deviation
ujasnit make* clear, clarify
ujednat arrange
ujet leave*, go* away
ujistit assure (*o* of)
ujištění assurance
ujít 1 být přijatelný be* fairly good* n. passable n. tolerable **nechat si co ~** miss st. **nenechat si ~ návštěvu Prahy** make* a point of visiting Praque
úkaz phenomenon*
ujmout se 1 čeho take* on, undertake*, assume, vzít do držení take* hold of st. **2** dítěte take* charge of sb. **3** přijít do módy catch* on
ukáza|t 1 show*; odhalením reveal, bring* out **2** směr point (*k* to(wards))
ukáza|t se 1 dostavit se appear, turn up **2** jako prove* n. turn out to be* ..., prove* as ... (*–lo se, že* it turned out that) **3** znamenat indicate (příklad demonstration)
ukazatel cesty signpost
ukázka 1 zboží specimen, sample **2** výňatek extract, úryvek literární passage
ukázněný disciplined, orderly
ukazováček index finger
uklidit clean; dát věci na místo tidy up, dát pryč clear
uklidnit (se) calm down
uklízečka cleaning woman* n. lady, char(woman*)
uklizený tidy
uklonit se v. *klanět se*
uklouznout slip (off)
úkol task, pověření zprav. školní assignment **domácí ~** homework (*uložit domácí ~* set* homework)
ukolébavka lullaby
úkolov|ý: –á mzda task n. unit wage(s PL) **–á práce** piece-work
ukončit finish, bring* to an end
úkor: na ~ to the detriment (*čeho* of st.)
ukořistit capture
ukousnout bite* (off)
ukrást v. *krást*
ukrojit cut* (off), plátek slice (off)
úkryt hiding place, hide-out, přístřeší shelter
ukrýt hide* (away), conceal (*před* from) **~ se** hide*, pod ochranu find* shel-

ter (*před* from)
ukřižování crucifixion
ukřižovat crucify
ukvapený hasty
ukvapit se be* hasty (*s* in doing st.; to do* st.)
úl (bee)hive
ulehnout v. *lehnout*
ulejvák shirker; též o žákovi truant
ulejvat se shirk; chodit za školu play truant
úlek dismay
uletět fly* away
úleva **1** oddech relief **2** prominutí čeho concession
ulevi|t dát průchod čemu give* vent to st. **–lo se mi, když jsem ho našel** it was a relief to find* him
ulic|e street **na –i** in the street
ulička lane, alley; ve vlaku corridor; mezi sedadly aisle, gangway
ulita shell
úloha **1** cvičení exercise; mat. problem **2** herecká part, role
úlomek fragment; kousek skla, porcelánu chip (*z* off)
ulomit (se) break* off
úlovek, ulovit catch*
uložit **1** put*, účelně naskládat stow up **2** úkol set* **3** vklad deposit **4** daň impose **5** (*svěřit komu co* charge sb. with st.) náklad, zavazadla
ultrafialový ultraviolet
ultrazvuk(ový) ultrasound
umazat smear
umělec artist
uměleckoprůmyslová škola college of applied arts PL
umělecк|ý artistic **–é dílo** a work of art
umělkyně artist
uměl|ý artificial, napodobený fake, nepřírodní man-made **–é dýchání** artificial respiration **–á hmota** plastic **–é vlákno** man-made fibre
umění **1** art, souhrnně arts PL (*výtvarné ~* the fine arts PL) dovednost faculty, skill
úměrný proportional, proportionate (*čemu* to)
umět know*, know* how to; can*; dobře be* good* at
umíněný obstinate
umínit si set* one's mind (*co* on st.), make* a point (of doing st.)
umírat be* dying
umírněnosti modesty
umírněný modest
umístit place, locate, situate **~ se** v závodě finish (*jako 3.* third)
umlčet silence
umlít v. *mlít*
úmluva agreement, arrangement
umocnit na druhou square, na třetí cube
úmorný tiring, vedro scorching
umožnit **1** co make* (st.) possible **2** enable (*komu, aby* sb. to)
úmrtí death
úmrtnost mortality
umrtvení anaesthesia
umrtvit anaesthetize
umřít die
umučit torture to death
úmysl intention **mít v –u** intend
úmysln|ý intentional, deliberate **–ě** on purpose, deliberately, intentionally
umýt wash **~ se** (have* a) wash
umývadlo wash-basin
únava fatigue
unavený tired
unavit tire **~ se** get* tired
únavný tiring, mrzutý tiresome
unést **1** náklad be* able to carry **2** něco násilně kidnap, dívku abduct, letadlo hijack **nechat se ~ hněvem** get* carried away by one's anger
unie union
uniforma uniform
únik escape (*~ o vlas* a narrow escape); nežádoucí ztráta leakage; odčerpávání outflow **~ mozků** brain-drain
unik|at kapaliny, plyny leak, escape **plyn –á** gas is escaping (n. leaking)
uniknout **1** escape **2** vyhýbat se avoid, evade
univerzální universal **~ klíč** master-

key
univerzita university
únor February
upadat decline
úpadek decline; obch. bankruptcy
úpadkový decadent
upadnout 1 fall* down 2 zhoršit se deteriorate, decline, decay
úpal sunstroke
upálit burn* to death
úpatí foot*
upéci v. *péct*
upevnit fasten, fix; posílit strengthen
úpis bond
upjatý prim
uplakaný tearful
úplatek bribe
úplatkářství bribery
uplatnit 1 použít apply (*na* to), put* into practice 2 vliv, sílu, práva assert, exert, exercise **~ nárok** claim (*na* st.) 3 prosadit put* across, právně put* into force, enforce
uplést v. *plést*
úplně quite, completely, entirely, totally, wholly
úplněk full moon
úplný complete, entire, total, full, naprostý absolute
uplynout pass, elapse
uplynulý v. *minulý*
upomenout o něco demand st., press for st.; žádat vrácení claim st. back
upomínka 1 reminder, obch. request n. demand for payment 2 suvenýr souvenir
uposlechnout v. *poslechnout*
upotřebit v. *použít, využít*
upoutat něčí pozornost catch* n. attract sb.'s attention
upovídaný chatty, talkative
upozornění notice, na nebezpečí warning
upozornit 1 draw* sb.'s attention (*na* to), bring* st. to sb.'s attention 2 na nebezpečí warn (*na* of; *aby ne ...* against (doing) st.)
úprava 1 arrangement, rozložení, rozmístění lay-out 2 pozměněním modification, práv. amendment
upravený neat, trim, tidy
upravit 1 arrange 2 přizpůsobit adjust, dát do pořádku settle 3 uklidit tidy up 4 přizdobit trim 5 prohlédnutím revise 6 pro tisk edit
úpravný neat, elegant
uprázdnit vacate **~ se** become* vacant
upražit v. *pražit*
uprchlík refugee
uprchnout v. *prchnout, uniknout*
úprk dash (*kam* for st.)
uprostřed in the middle (*čeho* of st.)
upřen|ý fixed **~ pohled** gaze **–ě** fixedly
upřímnost sincerity
upřímný sincere, frank
upustit 1 v. *pustit* 2 od čeho give* up st.
uragán hurricane
uran(ový) uranium
úraz accident, injury
urazit 1 co knock n. strike* off 2 koho insult, offend (~ *se* take* offence)
uražený offended
urážka insult, offence
urážlivý 1 urážející insulting, offensive 2 přecitlivělý touchy, difficult, easy to take* offence
určení: místo ~ (place of) destination
určit determine, vymezit define; stanovit, domluvit si appoint
určitě surely, certainly (*on ~ přijde* he is sure n. bound to come*)
určit|ý certain, definite **v –ém smyslu** in a way
urgovat press for st.
urna 1 urn 2 volební ballot-box
úroda crop, harvest
urodit se v. *rodit se*
úrodnost fertility
úrodný fertile
úrok(y) interest
urostlý well*-built
úroveň level, standard (*životní ~* liv-

ing standard(s PL)
urovnat settle
urychlit speed* up, accelerate, quicken
úryvek literární passage, extract
úřad 1 též místnost office 2 úřední moc authority ~ **práce** employment service agency
úřední official; úředně zmocněný authorized, authoritative
úředn|ice(ík) státní, veřejný official; nižší clerk **státní** ~ civil servant
uříznout cut* (off); plátek slice (off)
usadit se 1 na židli sit* down, take* a seat 2 též přen. settle (down) 3 prach collect
usazenina deposit
úsečný curt, laconic, terse
usedlost farmstead, homestead; feudální manor; majetek estate
úsek section, sector, časový period; textu passage
useknout cut* off
uschnout v. *schnout*
úschova custody, safekeeping; uložení deposit
úschovna zavazadel left-luggage office; am. baggage room
usídlit se v. *usadit se*
úsilí effort(s PL) (*o* to + inf.), pains SG (*vynaložit* ~ take* pains)
usilovat v. *snažit se*
usilovně hard
usilovný hard-working, strenuous
úskalí přen. obstacle
uskladnit store
úskočný tricky, cunning
uskrovnit se v čem economize on st.
uskutečnění realization
uskutečnit carry out; úspěšně ukončit accomplish; proměnit v skutečnost ~ **se** konat se take* place 2 stát se skutečností be* realized; naděje, předpovědi come* true
uslyšet v. *slyšet*
usmát se smile (*na* at)
usmažit v. *smažit*
usměrnit direct; zaměřit, ukázat někomu cestu direct; poskytnout někomu informaci give* sb. a line (*o* on)
usměrňovat řídit control; regulovat regulate
úsměv smile
usmíření reconciliation
usmířit reconcile ~ **se** become* reconciled
usmívat se smile (*na* at)
usnadnit make* st. easer
usnesení resolution
usnést se resolve (*že* that), decide (*na* (up)on); pass n. adopt a resolution
usnout fall* asleep
usoudit v. *soudit*
uspat 1 send* sb. to sleep, zpěvem lull 2 před operací narcotize
úspěch 1 success 2 skutek achievement **mít** ~ be* successful n. a succes (*v* in) **nemít** ~ fail, be* a failure
uspěchaný nasty
úspěšný successful
uspokojení satisfaction
uspokojit satisfy
uspokojivý satisfactory
úspora saving **úspory** savings PL
úsporný economical
uspořádat v. *pořádat*, založit písemnosti file (away); roztřídit sort (out)
uspořit save (*komu co* sb. st.); peníze save (up)
ústa mouth
ustálit se stabilize
ustalovač fixative
ustanovení 1 appointment (*ředitelem* as manager) 2 právnické provision, regulation
ustanovit 1 appoint (*koho čím* sb. st.) 2 v. *ustavit, zřídit*
ustaraný preoccupied, worried
ustát se settle
ústav institute
ústava constitution
ustavičný constant, perpetual; pejor. continual
ustavit set* up, establish, založit found
ústavní 1 constitutional 2 institutional

ústavodárný constituent
ústí řeky, tunelu mouth, do moře estuary
ústit řeka empty (*do moře* into the sea), brána lead* (*do* (in)to)
ustlat make* the bed
ústn|í oral **–ě** orally
ustoupit **1** stranou step aside; zpět step back **2** povolit yield, give* in (*čemu* to st.) **3** voj. retreat
ústraní seclusion
ustrašený frightened, scared
ústrojí organ
ustrojit (se) v. *strojit se*
ústředí headquarters PL
ústředna: telefonní ~ (telephone) exchange
ústřední central (*~ topení* central heating)
ústřice oyster
ustřihnout v. *stříhat*
ústřižek shred; papíru slip; lístku counterfoil
ústup retreat
ústupek concession
úsudek judgement
usušit v. *sušit*
usuzovat v. *soudit*
usvědčit convict sb., find* n. prove* sb. guilty (*z čeho* of st.)
úsvit dawn, daybreak (*za* at)
ušetřit v. *šetřit*
ušít v. *šít*
uškodit v. *škodit*
uškrtit v. *škrtit*
ušlechtilý noble, myšlenka, záměr a pod. lofty
ušní ear (*~ bubínek* (ear-)drum; *~ lékař* ear specialist)
ušpinit smear
uštěpačný caustic
uštknout bite*
utábořit se pitch a camp; postavit stan put* up a tent
utáhnout stáhnout tighten
utajit v. *tajit*
utéci run* away, uprchnout escape, flee* (*z budovy* from the building; *ze země* the country); make* off; s použitím síly break* out (*z* of)
útěcha comfort
útěk escape, flight, s použitím síly breakout, utečenců exodus
utěrka cloth; na nádobí tea cloth; tea towel
úterý Tuesday
útes cliff
utěsnit seal (up)
utichnout die away
útisk oppression
utiskovat oppress
utišit bolest; dítě; nervózního člověka soothe; dav, dítě silence; někoho rozzlobeného pacify **~ se** quieten (down)
utišující prostředek sedative, tranquillizer
utkání match, game
utkat se play (*s kým v* sb. at); meet* (*koho v* sb. in)
utlačovat oppress
útlak oppression
útlý slender
útočiště refuge, haven, asylum (*před* from)
útočit attack (*proti komu* sb.,)
útočník aggressor **střední ~** centre forward
útok attack (*proti* on)
utopie mere vision
utopit drown (*~ se* get* drowned, drown)
utrácet v. *utratit*
útrapa hardship
útrata expenses PL, spending **na čí útraty** at sb.'s expense **zaplatit útratu** pay* the bill
utratit **1** spend* **2** zvíře destroy
utrhnout v. *trhat*
útroby bowels PL
utrpení suffering
utrpět v. *trpět*
útržek **1** fragment, scrap; papíru slip **2** vstupenky counterfoil
utřít wipe; setřít vlhkost mop, prach dust
útulek shelter, sociální home
útulný cozy, homely
útvar formation

utvářet se form
utvořit form, sestavit set* up
uvaděč(ka) usher
uvaděčka usherette
úvah|a 1 consideration; uvažování, contemplation o minulosti, reflection (*vzít v –u* take* st. into consideration) 2 výklad account (*o* of), odb. referát paper **to nepřichází v –u** that is out of the question
uvalit impose (*na* on)
uvařit v. *vařit*
uvázat v. *vázat*
uváznout v něčem get* stuck, stick*, jam
uvážit vzít do úvahy consider, take* into account n. consideration, take* account of
uvažovat reason **~ o něčem** think* about st.; dlouho ponder (on n. over) st.; hluboce o minulosti reflect (up)on st.
uvědomit si realize, perceive
uvědomělý conscious
úvěr credit
uveřejnit publish
uvěřit v. *věřit*
uvést 1 koho, kam bring* n. take* n. show* sb. (in)to st., též přenes. introduce; jako uvaděč usher in 2 obecenstvu present; výrobek, knihu bring* out; hru put* stage on **~ na trh** launch **~ v omyl** mislead*, fakta, důkazy, příklady give*; říct state, mention
uvěznění imprisonment
uvěznit imprison
uvidět v. *vidět*
uvítání welcome
uvítat v. *vítat*
uvnitř inside
úvod introduction, předmluva preface
úvodní opening
úvodník editorial, leading article, leader
uvolnění 1 relaxation 2 polit. easing (*čeho* of)
uvolněný 1 nedostatečně připevněný loose 2 bezstarostný relaxed
uvolnit loosen; z pevné polohy release; rozvázat undo*; energii, sílu obr. unleash; vyprázdnit clear, vacate **~ se** 1 z vázanosti loosen (be)come* n get* loose 2 oddychnout si relax 3 situace ease
uvozovky quotes PL
uzákonit enact
uzávěr vrchní část top, cover; nasazovaný na pero láhev, objektiv a pod. cap; vkládaný plug; zátka zámek lock
uzávěrka redakční close
uzavřený o člověku retiring, self-contained
uzavřít 1 závod close (down), shut* down 2 sjednat conclude, close; take* out (*pojistku* an insurance) 3 ukončit close, conclude
uzda bridle
uzdravit cure, restore to health **~ se** recover, get* well*
uzel knot
území territory
uzemnění earth
územní territorial
uzemnit earth; přen. floor
uzenáč kipper
uzenářství butcher's
uzené smoked meat
uzeniny smoked sausages PL
uzený smoked
úzkoprsý narrow-minded
úzkost anxiety
úzkostlivý scrupulous
úzký 1 narrow 2 sevřený close 3 těsný tight (*být v –ch* be* in a tight corner n. be* cornered)
uznání ocenění acknowledgement; právn. recognition **mluvit s –m o** speak* highly of
uznat acknowledge; přiznat admit; plně, de jure recognize **~ vinným** convict
uzrát v. *zrát*
už v. *již*
úžas amazement, astonishment
úžasný amazing; též skvělý marvellous
úžeh sunstroke
úžina strait(s PL)
užít 1 v. *použít* 2 k potěšení enjoy 3 lék take*

užitečný useful
užitek 1 use 2 zisk profit; výhoda benefit
uživit koho (be* able to) provide for sb.
užovka grass snake

V

v, ve 1 místní in, at 2 časově in (~ *roce 1991* in (the year) 1991; at (~ *poledne* at noon; ~ *tom okamžiku* at that moment; ~ 2 *hodiny* at 2 o'clock; *v 16 letech* at the age of 16); on (*v úterý* on Tuesday); v průběhu during, in the course of
vábit attract, lure
váček pouch
vada defect, kaz flaw
vadit: –í mi co I resent st. **to mi nevadí** I don't mind; it's all right with me **to nevadí** never mind; it doesn't matter; it makes no difference
vadnout fade, wither
vadný defective
vafle waffle
vagabund tramp
vagón carriage, coach
váh|a 1 přístroj balance; scales PL 2 hmotnost weight
váhání hesitation
váhat hesitate
váhavý hesitant
vaječník ovary
vaječný egg
vak pack
vakuum vacuum
válcovat roll
válcovna rolling-mill
valčík waltz
válčit be* at war (*s* with)
válec cylinder **parní** ~ steam-roller
válečník warrior
válečn|ý war (*–á loď* warship), z doby války war-time **–é námořnictvo** navy; **štváč** warmonger
válet roll; těsto knead **~ se** roll, v blátě apod. wallow (about n. around); lenošit lounge **~ se smíchy** roar with laughter
valit se roll
válka war, válčení warfare
valník dray
valuty (foreign) exchange SG, foreign currency
vana bath
vánek breeze
vánice snowstorm
vanilka vanilla
vánoc|e Christmas SG (*o –ích* at Christmas (time))
vánoční Christmas
vápenec limestone
vápenný lime
vápník calcium
vápno lime
var: bod –u boiling-point
varhaník organist
varhany organ SG
varieté music-hall, variety (show)
várka batch
varle testicle
varování warning
varovat warn, give* sb. a warning (*před* against) **~ se** avoid (*čeho* st.)
vařečka (wooden) spoon
vařený boiled
vařící boiling
vařič cooker
vařit 1 vodu boil (~ *se* boil, be* boiling) 2 jídlo cook make* 3 něco make*
váš your, yours
vášeň passion
vášnivý passionate
vata (cotton-)wool
vatra bonfire
vavřín laurel
váza vase
vázání lyžařské binding
vázanka tie
vázan|ý bound **–á kniha** hard-cover book
vázat 1 bind*, tie (up) 2 omezit commit
vazba 1 knihy hard-cover 2 soudní custody 3 jaz. phrase
vázn|out: někde to –e there's a

catch n. snag n. hitch in it
vážený respected, esteemed **~ pane** dear sir
vážit weigh
vážit si respect, highly regard; čeho appreciate
vážně seriously (*myslíte to ~ ?* are you serious?) **myslím to ~** I mean* it **vážnost** důležitost gravity, seriousness
vážný serious
vcelku altogether, v podstatě on the whole
včas in time (*přijít ~ na hodinu* be* in time for the class); přesně on time
včasný timely
včela bee
včelař bee-keeper, bee-farmer
včelařství bee-keeping
včelín beehive
včera yesterday
včerejší yesterday's
včetně including
vdaná married (*za* to)
vdát marry off (*dceru za koho* one's daughter to sb.) **~ se** marry (*za koho* sb.), get* married (to sb.)
vděčit komu/čemu za co owe st. to sb./st.
vděčnost gratitude
vděčný grateful
vdech|nout(ovat) breathe in; něco inhale
vdova widow
vdovec widower
věc 1 thing 2 záležitost matter, affair 3 soudní cause 4 podporovaný cíl, zásah cause 5 důležitá, zajímavá concern 6 nepojmenovaná, též věci stuff **to je tvoje ~** that's your own business **přistupme k –i** let's get* down to business
věcný businesslike objektivní dispassionate
večer N evening # ADV in the evening **dnes ~** tonight, this evening **včera ~** last night
večerní evening (*~ škola* evening classes PL; *~ šaty* evening dress SG)
večerník evening paper
večeř|e lehká supper, hlavní jídlo dne n. slavnostní dinner
večeřet have* dinner (n. supper); mimo domov dine out
večírek party
věčnost eternity
věčný eternal
věda science
vědec 1 scientist 2 učenec man* of science, scholar
vědecký scientific
vedení 1 skupina lidí leadership 2 el. circuit; vodovodní a plynové plumbing 3 řízení záležitostí conduct; správa management 4 vůdčí postavení, náskok lead; prvenství the lead (*ujmout se* move n. go* into the lead; take* the lead)
vědět know* (*pokud vím* as far* as I know*; *~ si rady* know* what to do*) **člověk nikdy neví** you never can* tell*
vedle PREP 1 beside, next to; podél alongside 2 navíc besides in addition to # ADV next to (*čeho* st.); ve vedlejším domě, bytě next door
vedlejší 1 přilehlý neighbouring, adjoining, adjacent 2 postranní side 3 méně důležitý secondary 4 navíc extra 5 nedůležitý unimportant, irrelevant **~ produkt** byproduct
vědom: být si ~ be* aware (*čeho* of st.)
vědomí consciousness (*ztratit/nabýt ~* lose*/regain consciousness) **brát něco na ~** take* note of st.
vědomosti knowledge SG
vědomý conscious
vedoucí ADJ leading # N chief, manager
vedro heat
vegetarián vegetarian
věhlas fame
vejce egg (*~ na tvrdo* hard-boiled egg; *míchaná ~* scrambled eggs PL)
vějíř fan
vejít enter; go* n. come* n. walk n. step (*do* into) **~ v platnost** come* into force **~ se: do tašky se ty**

knihy nevejdou the bag won't hold* n. take* the books; the books won't go* n. get* into the bag
věk 1 stáří age (*ve tvém –u* at your age) 2 epocha era
veka bread roll
velbloud camel
velení command
velet command; be* in command (*komu* of sb.)
veletrh fair
velice very, greatly, highly
veličina 1 mat. quantity 2 osobnost a big fish n. noise n. shot, hovor. VIP = Very Important Person
velikonoce Easter SG
velikost 1 size 2 významnost greatness
veliký v. *velký*
velitel commander
velitelství command (*vrchní ~* chief command)
velkolepý splendid, grand, magnificent; o vizuálně ohromujícím představení speactacular
velkoměsto city
velkoobchod wholesale
velkorysý broad-minded, liberal
velkostatek estate; feudální manor
velk|ý 1 big, plochou large, citově zabarveně great 2 vysoký tall 3 oděv loose **do –é míry** to a great extent, largely **–é písmeno** capital letter
velmi very, greatly, most; se slovesem (very) much **~ mnoho** very much n. many **~ krátké vlny** very high frequency
velmoc great n. big power
velryba whale
velvyslanec ambassador (*v* to)
velvyslanectví embassy
vemeno udder
ven out, outwards (*~ s tím* out with it; *~ !* get* out!)
věnec wreath
venkov the country (side) (*na ~* into the country; *na –ě* in the country)
venkovan countryman* **–ka** countrywoman*
venkovský country; provinciální provincial
venku outside; pod širým nebem in the open air
věno dowry
věnování dedication
věnovat 1 give* 2 čas, úsilí devote; ušlechtilé věci, též připisovat dedicate 3 oficiálně, slavnostně present (*komu co* st. to sb., sb. with st.) **~ pozornost** pay* attention (*čemu* to st.) **~ se** devote os., ušlechtilé věci dedicate os. (*čemu* to st.)
ventil valve; obr. outlet
ventilace ventilation
ventilátor fan
vepř pig
vepřové maso pork
veranda veranda
verbovat recruit (*do* to)
věrnost loyalty, fidelity, u manželů označuje sexuální věrnost faithfulness
věrný loyal, u manželů označuje sexuální věrnost faithful (*komu, čemu* to sb., st.)
věrohodný credible, plausible
verš verse
vertikální vertical
verze version
veřejnost the public
veřejný public
věřící believer
věřit 1 believe (*čemu* st.; *komu* sb.; *v koho co* in sb. st.) 2 důvěřovat trust (*komu* sb.)
veselo: bylo ~ we had* lots of fun
veselohra comedy
vesel|ý nálada cheerful, bright, srdečný jolly **–é vánoce** Merry Christmas
veslař oarsman*
veslo oar
veslování rowing
veslovat row
vesmír space
vesnic|e village (*na –i* in the village)
vesnický village, country
vespod underneath, bellow
vést 1 lead*, guide (*~ koho za ruku* lead* sb. by the hand; *~ zajímavý ži-*

vot lead* an interesting life*), conduct **2** instituci, kurs run* **3** vlastnit a spravovat keep* **4** řídit direct **okna vedou na ulici** the windows look out on the street **5** teplo, proud conduct
vesta waistcoat **pletená ~** cardigan
vestavěný built-in
veš louse*
věšák rail; ramínko, poutko hanger; stojan stand, kolík peg
věšet hang* (up)
veškerý all, entire
věta 1 jaz. sentence; v souvětí clause **2** hud. movement
větev též přen. branch; studijní stream
větrání ventilation
větrat air, ventilate
větrný windy **~ mlýn** windmill
větroň glider
větrovka v. *bunda*
větvička twig; s listy sprig
větvit se fork
většina majority
většinou mostly, predominantly
veverka squirrel
vězeň prisoner
vězení prison, jail
věznit keep* n. hold* in prison
vézt carry; a sám řídit drive*
věž tower; špičatá spire
vhod: přijít ~ come* in handy to sb.
vhodný fit(ting) suitable (*na, pro* for); appropriate (*pro* to, for); náležitý proper; vyhovující convenient; doporučeníhodný advisable; přicházející v úvahu eligible
vchod entrance
viadukt viaduct
vibrovat vibrate
víc(e) more*; se záporem no longer, not any longer **~ než** more than, over **~ méně** more or less **stále ~** more and more, increasingly **co nej–**as much as possible **ať se snaží sebe–** no matter how he tries
víčko lid, oční eyelid
vid jaz. aspect ((*ne*)*dokonavý ~* (im)perfective aspect)
videokazeta videotape
videomagnetofon video, video (cassette) recorder
vidět see* (*na vlastní oči* with one's own eyes; *do čeho, koho* through st., sb.) **viditelný** visible **spatřuje se** can* n. may* be* seen* **je zřejmé** it is evident
viditelnost visibility
vidle fork
vidlička fork
vichr whirlwind
vichřice gale
víkend weekend (*o –u* at the weekend)
viklat se be* loose
víko lid, cover
vila villa
víla fairy
vin|a 1 guilt **2** fault (*je to moje ~* it's my own fault) **3** blame (*dávat –u zač komu* put* the blame for st. on sb., blame st. on sb.; *čí je to ~ ?* who is to blame?)
vinárna wine cellar, wine restaurant
vinařství wine-growing, viniculture
vinice vineyard
viník culprit, offender
vinit blame (*koho z chyby* sb. for a mistake, a mistake on sb.)
vinný guilty (*z* of)
vinný wine **vinná réva** (grape-)vine
víno wine
vinobraní vintage
vinohrad vineyard
vinout se twist
viola viola
violoncello violoncello
vír whirl
víra 1 belief (*v* in) **2** náboženská faith
vir|ový(us) virus
vířit whirl **~ prach** raise dust
visací zámek padlock
visačka label
viset hang*
viš|eň(ně) cherry
višňový likér cherry brandy
vít weave*
vitamin vitamin

víta|ný(t) welcome; někoho s radostí, výkřiky cheer sb.
vítěz winner
vítězit win*
vítězný winning
vítězství victory
vítr wind
viz see*
vize vision
vizitka (visiting-)card, am. calling card
vízum visa SG
vjem percept
vjet go* n. drive* n. ride* in(to) st., enter
vjezd 1 brána gateway **2** příjezdová cesta drive
vklad deposit; podnikatelský investment
vkladní knížka bank book
vkus taste (*podle mého –u* to my taste)
vkusný tasteful, elegant, chic
vláčet trail
vlád|a 1 government, zvl. am. administration, cabinet **2** vládnutí control, rule; panovníka reign (*nad* over) **3** ovládání control **předseda –y** prime minister
vládce ruler
vládní government
vládnoucí ruling
vládnout govern (*nad čím* st.); rule (*nad* over)
vláha moisture, humidity; déšť rainfall
vlahý tepid, mild
vlajka flag
vlak train (*osobní* ~ nikoliv pro náklad passenger train, nikoliv rychlík stopping train; *nákladní* ~ goods train; *jet –em* go* by train; ~ *přijíždí* (*odjíždí*) *ve* **4** *hodiny* the train arrives (leaves* n. departs) at **4** o'clock; *ve –u* on a/the train)
vlákno fibre
vlas hair **–y** hair SG (*vstávají mi z toho –y hrůzou* it makes* my hair stand* on end)
vlásnička hairpin
vlast one's native country, one's home
vlastenec patriot
vlastenecký patriotic
vlastizrada high treason
vlastně as a matter of fact, actually, prakticky practically
vlastní 1 one's own, ... of one's own **2** proper (~ *Praha* Prague proper)
vlastnický proprietary
vlastnictví ownership
vlastník owner (~ *půdy* landowner)
vlastnit own, possess
vlastnost quality, rys feature, připisovaná attribute
vlašský ořech walnut
vlaštovka swallow
vlát fly*, třepetavě flutter
vlažný tepid, lukewarm
vlčák Alsatian (dog), am. German* Shepherd
vléci drag nést něco těžkého lug; v závěsu tow **~ se** drag os.; unaveně kráčet trudge; zaostávat, i přen. lag (behind)
vlečný člun tug
vlek tow (*vzít do –u* take* in tow)
vlévat se v. *ústit*
vlevo (to the) left*, nalevo (on the) left*
vlhký damp; o vzduchu, podnebí humid; mírně mokrý moist
vlhkost damp; vzduchu, podnebí humidity; vrstva kapek na povrchu n. v ovzduší moisture
vlhnout get* n. grow* n. become* damp
vlídný kind(ly), friendly
vliv influence (*na co/koho* (up)on st./sb.)
vlivný influential
vlnit se wave, ripple
vlk wolf*
vln|a 1 ovčí wool **2** zvlnění wave (*dlouhé, krátké, střední –y* long, short, medium waves; *velmi krátké –y* very high frequency)
vlněný woollen
vlnitý wavy; hlavně o vlasech curly
vločk|a flake (*ovesné –y* oat flakes PL)
vloni last year

vloupání burglary
vloupat se break* (*do* into); a vykrást burgle
vložit put* in(to), insert; peníze invest; do zásilky enclose st. in st.; zavést natrvalo introduce **~ něco do stroje** feed* st. into a machine **~ něco do počítače** load the computer with st.
vložka 1 do tužky, pera refill **2** menstruační sanitary towel n. pad **3** mezi programem interlude
vměšování interference
vměšovat se interfere, meddle (*do* in)
vnější outer, outward, outside, external, exterior
vniknout penetrate (*do* st. n. into st.)
vním|ání(avost) perception
vnímavý perceptive, responsive
vnímat perceive, take* in
vnitrozemí inland
vnitřek interior, inside
vnitřní inner, inside, internal, interior **~ obchod** home trade
vnitřnosti bowels PL
vnouče grandchild*
vnučka granddaughter
vnuk grandson
vnutit komu co force st. on sb., thrust st. (up)on sb.
voda water **pleťová ~** lotion **~ po holení** after-shave (lotion)
vodácký boating
vodič conductor
vodík hydrogen
vodit koho kudy show* (*po městě* round the town) v. *vést*
vodivý conductive
vodní water; žijící ve vodě aquatic
vodník water-sprite
vodojem reservoir
vodopád waterfall
vodorovný horizontal
vodotěsný watertight; waterproof
vodotrysk fountain
vodovod water-supply
vodov|ý water (*–é barvy* water-colours PL)
voják soldier
vojensk|ý military, práv. martial (*–á služba* military service; *~ soud* court martial)
vojsko army, troops PL
volant (steering-)wheel
volat call (*na koho* to sb.); telefonicky call; ring* sb. up; phone (*komu* sb.), give* sb. a ring
volb|a 1 výběr choice, option **2** kandidáta election; hlasování voting, ve volbách poll **–y** elections PL
volební: ~ místnost polling-booth n. polling-station **~ obvod** constituency **~ právo** the vote, right to vote **~ lístek** ballot
volejbal volley-ball
volič(ka) voter
volit 1 choose* **2** kandidáta elect **3** účastnit se voleb go* to the polls, vote
volitelný optional
volno 1 free n. spare time, leisure, time off; dovolená leave, holiday (*večer mám ~* I am free in the evening; *vzít si den ~* take* a day off)
voln|ý 1 svobodný free **2** uvolněný loose **3** uprázdněný empty, vacant, free **–é místo** vacancy **4** nemající nic v cestě clear **~ čas** v. *volno*
voňavka perfume, scent
vonět smell* good*
vor raft
vosa wasp
vosk(ovat) wax
vousy moustache
vozidlo vehicle
vozík cart; ruční trolley
vozit v. *vézt*
vozovka roadway
vpád invasion
vpadnout 1 na území invade **2** do místnosti burst* in(to) **~ někomu do řeči** interrupt sb. ('s speech)
vpravo (to the) right, napravo (on the) right
vpřed forward, ahead
vpředu in front, ahead
vpustit let* in, admit

vrabec sparrow
vrah murderer
vrak wreck
vrán|a crow **~ k –ě sedá** birds of a feather flock together
vráščitý wrinkled
vráska wrinkle
vrata gate SG
vrátit **1** return; give* n. hand n. poštou send* back **2** peníze refund, repay* **~ se** return, come* n. go* back
vratký unsteady, unstable
vrátnice lodge
vrátný porter
vrávorat stagger, reel
vrazit **1** thrust*, drive*, něco špičaté stick* (*co do čeho* st. in(to) st.) **2** narazit bump (*do* into, against); při chůzi walk into sb., st.3 do místnosti burst* (*do* in(to))
vražda murder; politická assassination
vraždit murder
vražedný murderous
vrba willow
vrčet growl, snarl
vrh koulí putting the shot
vrhnout **1** cast*, throw* **2** zvracet throw* up, vomit **~ se** někam rush, dash; do čeho plunge in (to st.); začít něco dělat throw* os. into st.; na něco, někoho rush at st., sb.; throw* os. at st., sb.; napadnout pounce (*na* on)
vrch hill
vrchní ADJ top, upper; hlavní chief, nejvyšší supreme
vrchol top, summit, peak (*~ sezóny* peak of the season)
vrcholit culminate
vrcholek summit, peak
vrcholn|ý top, v hierarchii supreme **–é baroko** baroque at its peak **–é dílo** greatest work, masterpiece
vroucný fervent
vrozený inborn
vrstva **1** layer **2** společenská section
vrt bore
vrt|ačka(ák) drill
vrtat drill, bore
vrtě|t wag (*pes –l ocasem* the dog wagged its tail) **~ se** wring* (about) **~ hlavou** shake* one's head
vrtoch whim
vrtule prop(eller)
vrtulník helicopter
vrýt engrave (*B do A* B on A, A with B) **~ se do paměti** be* engraved on one's mind
vrzat creak
vřed ulcer
vřelý **1** boiling, hot **2** srdečný warm
vřes heather
vřesoviště heath
vřídlo spring
vřísk|at(ot) scream, squeal, yell
vřít boil
vsadit **1** put* in **2** upevnit fix, put* **3** v. *sázet*
vsáknout (se) soak
vstát get* up, stand* up, vztyčit se rise*
vstoupit **1** do něčeho enter st., go* n. come* n. walk n. step in(to) st. **2** stát se členem čeho join st., become* a member of st. (*vstoupte!* come* in!; *~ v platnost* come* into force)
vstřebat absorb
vstříc: jít komu ~ go* to meet* sb. **vyjít komu ~** meet* sb.'s demands n. wishes
vstup **1** vchod entry, entrance **2** vpuštění admittance, admission (*~ volný* admission free; *~ zakázán* no admittance)
vstupenka ticket
vstupné admission
však however, yet na začátku, hovor. though na konci věty
vše all, everything
všední ordinary, každodenní everyday **~ den** weekday
všechen all, entire
všechno all, everything **~ nejlepší k narozeninám!** many happy returns (of the day) !
všelijak in all sort n. kind of ways
všelijaký all sort n. kind of
všeobecně generally, in general (~

řečeno generally speaking)
všeobecn|ý general, universal (*–é hlasovací právo* universal suffrage)
všestranný all-round; umělec versatile
všimnout si čeho notice (st.), take* notice (of st.)
všude everywhere
vtéci flow* (*do* into)
vteřina second
vtip 1 žert joke **2** vtipnost wit **~ je v tom, že** the point is (that)
vtipný witty
vtom at that moment, suddenly
vtrhnout invade
vůbec 1 otázce at all **2** celkem vzato on the whole, ... **~ ne** not at all
vůči towards
vůdce 1 leader **2** turistický guide
vůl ox*
vůle will* (*z vlastní ~* of one's own will* n. accord)
vulgarizovat vulgarize
vulgární vulgar
vůně smell, scent; fragrance, sladká a příjemná; parfém perfume, charakteristická odour
vůz wag(g)on, osobní car **dodávkový ~** delivery van **stěhovací ~** removal van **jídelní ~** dining-car **spací ~** sleeping-car **kuřácký ~** smoker **nákladní ~** truck
vy you
vybalit unpack, unwrap
vybavení equipment
vybavit equip
vyběhnout run* out
výběr selection, možnost vybrat si choice
výběrčí collector
výběrový selective
výběžek projection
vybídnout ask, invite
vybírání peněz collection
vybírat peníze collect
vybíravý fastidious
vybít discharge (*baterii* a battery)
vybledlý faded
výbojný aggressive
výbor 1 committee; v rámci organizace board **2** z díla anthology
výborně excellent (*~ !* excellent!, well* done*!)
výborný excellent
vybraný choice, exquisite
vybrat 1 choose*, select, pick (out) **2** z úschovy withdraw* **3** inkasovat collect; daně levy **~ si** choose*
vybudovat build* up, construct
výbuch 1 explosion **2** citu outburst **3** událostí outbreak
vybuchnout explode
vyburcovat rouse, stir (up) (*k* to)
výbušnina explosive
výbušný explosive; o člověku short- n. quick-tempered
vycpat pad; šaty pad (out)
vycpávka pad
výcvik training, drill
výčep pub
vyčerpaný exhausted
vyčerpat exhaust
vyčerpávající odpověď comprehensive, práce exhausting
výčet enumeration
vyčistit v. *čistit*
vyčítat reproach (*komu co* sb. of st.)
výčitk|a reproach **–y svědomí** remorse
vyčnívat protrude, project, jut out
výdaj expenditure (*na* on), expense
vydání 1 finanční expenses PL, expenditure, outgoings PL **2** uveřejnění publication **3** náklad knihy edition
vydařit se come* off
vyd|at(ávat) 1 odevzdat give* n. hand away n. over **2** uvolnit; desku release **3** teplo, páru give* off **4** uveřejnit publish, issue **5** redigovat edit **6** expose (*koho riziku* sb. to a risk) **7** zvuk utter **8** šek draw* (*na koho na 100 liber* on sb. for 100 pounds) **~ se 1** set* out (*na cestu* on a journey; *do Londýna* for London), start (*kam* for) **2** expose os. (*nebezpečí* to danger) **3** za koho pose as sb., set* os. up as sb.
vydatný substantial
výdech expiration

vydechnout breathe out, něco exhale **~ si** breathe a sigh of relief
výdej issue
vydělat(ávat) earn, make* money (*~ si na živobytí* earn one's living)
výdělek earnings PL
vyděračský blackmail(ing)
vyděsit startle, scare **~ se** be* startled
vyděšený startled
vydírání blackmail
vydírat blackmail (*koho* sb.)
vydra otter
vydržet **1** endure; hlavně v otázce a záporu (can*) stand*, (can*) bear*; stand* **2** kde stay, u něčeho stick* to st. **3** v ne-bezpečné n. složité situaci hold* on **4** zásoby last (*–í mi to dva měsíce* it will* last me two months) **5** počasí keep* fine, keep* up
vydržovat keep* up, maintain; koho provide for sb.
vyfouknout míč deflate, let* down
výfuk exhaust
výfukové plyny exhaust (fume PL)
vyhasnout go* out
vyhlásit declare, proclaim
vyhlášení declaration
vyhláška notice
výhled view (*na* of)
vyhledat **1** v. *hledat* **2** v knize, seznamu look up **3** navštívit see*
vyhlédnout look out, vykloněním lean* out
vyhloubit deepen, excavate
vyhlídka outlook, prospect (*do údolí* over the valley; *pro průmysl* for the industry) **dům s –ou do zahrady** a house overlooking a garden
vyhlídkový autokar sight-seeing coach
vyhlížet **1** v. *vypadat* **2** v. *vyhlédnout*
vyhnanství exile
vyhnat expel
vyhnout se **1** avoid (*čemu* st.) **2** povinnosti evade st.
výhoda advantage
vyhodit throw* away; do vzduchu blow* up; ze zaměstnání sack, fire
výhodný advantageous
výhonek sprout
vyhořet be* burnt down n. out
vyhostit banish
vyhovět comply (*přání koho* with sb.'s wish), accommodate (*komu* sb.)
vyhovovat suit (*komu* sb.)
vyhovující suitable, convenient
výhra cena prize; peníze, hlavně v sázce, kartách winnings PL
vyhrabat unearth
výhrada reservation (*k* about)
vyhradit (si) reserve (*místo* room)
výhradně exclusively
výhradní exclusive
vyhrát win* (*nad* over); získat gain
vyhrnout látku tuck up
vyhrožovat threaten (*komu čím* sb. with st.)
výhrůžka threat
vyhřívat se bask (*na slunci* in the sunshine)
vyhubit exterminate, root out
vyhýbavý evasive; aby se nezavázal non-committal
výhybka switch
vyhynout die out, become* extinct
vyhynulý extinct
vycházka walk
vychladnout cool (down n. off), get* cold
východ **1** odkud exit **2** světová strana east **na –ě** in the east **na ~** to the east, eastward **~ slunce** sunrise **Blízký, Střední, Dálný ~** the Near, Middle, far* East
východisko **1** začátek starting point **2** z nouze resort
východní east(ern)
výchova education, upbringing
vychování manners PL
vychovaný well*-bred
vychovatel tutor
vychovatelka v rodině governess
vychovávat bring* up, rear
výchovný educational

výchozí starting
vychytralý cunning, foxy
vyjádření statement; ztvárnění expression
vyjádřit express **~ se** express
vyjasnit clear up, clarify **~ se** o počasí clear up
vyjednat v. *jednat*
vyjednávat negotiate
vyjet si go* (*autem* for a drive; *na výlet,* for n. on a trip)
výjev scene
výjimečně exceptionally
výjimečný exceptional **~ stav** state of emergency
výjimka exception (*z pravidla* to the rule)
vyjít 1 go* out, come* out **2** o knize appear **3** o slunci rise* **4** podařit se come* off **~ s kým dobře, špatně** be* on good*, bad* terms with sb. **~ s platem** make* both ends **~ ze cviku** get* out of practice
vyjížďka v. *projížďka*
vyjmenovat v. *jmenovat*
vyjmout take* out; z textu extract; výjimkou exempt
vykácet v. *kácet*
vykartáčovat v. *kartáčovat*
vykat komu call sb. Mr (s) ... .
vykázat 1 přidělit assign **2** vyhnat turn out; ze země banish **3** výsledky show*
výklad 1 vysvětlení explanation **2** výkladní skříň shop window
výklenek recess; arkýře bay
vyklidit clear out; opustit vacate; hlavně o armádě evacuate
vyklonit se lean* out (*z* of)
vyklopit tip
vykloubený dislocated
vykloubit (si) dislocate
vyklouznout slip out
vykolejit derail
výkon 1 objem činnosti output **2** vykonaná práce, veřejné provedení performance **3** odvážný, náročný feat
vykon|at(ávat) funkci hold*; povinnost carry out, perform, execute; uskutečnit carry out, accomplish; vliv, nátlak exert (*na* upon)
výkonnost efficiency
výkonn|ý 1 efficient **2 –á moc** executive power
výkop excavation
vykopat dig* st. out, excavate, unearth
vykopávky excavations PL
vykořisťování exploitation
vykořisťovat exploit
vykoupat v. *koupat*
vykrást rob
výkres drawing
vykrmit v. *krmit*
vykrvácet bleed* to death
vykřičník exclamation mark
výkřik (out)cry, shout, zvolání exclamation
vykřiknout v. *křičet*
výkup purchase
výkupné ransom
výkupní cena purchasing price
výkyv fluctuation; výchylka deviation
vyladit rozhlasovou stanici tune in (to) (a station), hud. nástroj tune up
vyléčit v. *léčit*
vylekaný scared
vyleštit v. *leštit*
výlet trip (*jet na ~* go* on a trip), excursion
vyl|etět(étnout) fly* out
výletník tripper, hiker, holiday-maker
výlevka sink
vylézt 1 creep* out (*z* of) **2** vzhůru climb (up)
vylíčit give* an account (*co* of st.), depict
vylíhnout se v. *líhnout se*
vylisovat v. *lisovat*
vylít pour out
vylodit (se) disembark
výloha 1 v. *výklad* **2** v. *výdaj*
vylosovat v. *losovat*
vyloučeno: to je ~ that's out of the question
vyloučit 1 exclude (*z* from); z členství, ze školy expel; za přestupek, též dočasné sus-

pend; odstranit, vyřadit eliminate
vylovit v. *lovit*
vyložený naprostý downright
vyložit 1 odborně vysvětlit expound 2 náklad unload, zboží discharge 3 k prohlídce display 4 vložením dřeva, kovu inlay*
výložky facings PL
vymačkat squeeze
vymalovat decorate
vymazat i přen. erase
výměna exchange
vyměnit exchange; nahradit replace
vymezit define
vymínit si stipulate
vymknout (si) sprain, twist **~ se z ruky** get* out of control
výmluva excuse
vymluvit 1 v. *rozmluvit* 2 **~ se na co** use st. as an excuse
výmluvný eloquent
vymoci (si) exact (*co na kom* st. from sb.)
výmol (pot-)hole
vymoženost achievement
vymřít die out
vymykat se čemu be* beyond st.
výmysl fabrication, invention
vymyslet make* up; podvodně fabricate
vymyšlený fictional; podvodně fabricated
vynadat komu call sb. names; tell* sb. off
vynahradit 1 v. *nahradit* 2 **~ si** find* n. get* a compensation for st.
vynález invention
vynalézavost invention
vynálezce inventor
vynalézt invent
vynaložit expend
vynášet zisk yield
výňatek extract
vyndat take* out
vynechat 1 leave* out, omit 2 řádku skip
vynést 1 carry n. bring* n. take* out n. up 2 zisk pay*, bring* in, yield 3 rozsudek bring* in
vynikající excellent, outstanding, distinguished
vynik|at(nout) excel (*v čem* in st., at doing st.)
vynořit se i přenes. emerge
výnos 1 rozhodnutí decision, decree, edict 2 výtěžek yield, profit; proceeds PL
výnosný profitable, lucrative
vynucený forced
vynutit (si) něco compel; klid, disciplínu enforce; extort (*co na kom* st. from sb.)
vypáčit force
vypad|at look (*mladě* young; *~ jako něco* look like st.; *jak to vypadá?* what does* it look like?; *–á to na déšť* (it) looks like rain); jevit se appear, seem (to be* ...)
vypadnout fall* n. drop out **~ z paměti** slip from one's mind
vypálit 1 burn* out n. down 2 co do čeho burn* st. in (to) st.; kovem a přen. brand 3 rakety launch 4 střelnou ránu fire (off)
výpary fumes PL
vypařit se evaporate
vypátrat find* out
vypěstovat v. *pěstovat*
vypětí strain
vypíchnout poke n. jab out
vypínač switch
výpis extract
výpisek excerpt, note
vypískat koho hiss sb. off
vypít v. *pít*
vypláchnout (si) rinse (out)
vyplašit v. *plašit*
výplata wages PL, salary
vyplatit se pay*
vypláznout protrude
vyplivnout spit* out
vyplnit fill in, formulář complete
vyplout sail, put* (out) to sea, loď put* out
vyplývat result, arise* (*z* from), follow (*z* st.), be* a consequence of st.
vypnout switch n. turn off
vypnutý v přísudku off
výpočet calculation

vypočítat v. *počítat*
vypočítavost calculation
vypočítavý calculating
vypom|áhat(oci) help out, aid, vystřídáním relieve
vypořádat se s čím cope with st., deal* with st., handle st.
vypouklý convex
výpověď **1** prohlášení statement, proposition; místopřísežná testimony **2** propouštění notice
vypovědět **1** prohlásit state, declare, jako svědek testify **2** propustit koho give* sb. notice **3** dohodu denounce **4** expel (*koho ze země* sb. from the country)
vypracovat **1** sestavit draw* up **2** propracovat work out, elaborate **~ se** work one's way up (*k, na* to)
výprask thrashing, hiding, spanking
vyprášit v. *prášit*
vyprat v. *prát*
výprava **1** expedition, skupina turistů group **2** jevištní staging, scenery, stage
vyprávění narrative; příběh tale
vyprávět tell*, relate
výpravný **1** narrative **2** div. exquisitely staged
vyprázdnit empty, clear, odvedením drain **~ se** empty
vyprchat evaporate
vyprodáno all seats sold*; full house
vyproda|t sell* out n. off **–ný** sold-out, hlediště, sál booked up
výprodej clearance (sale), sale
vyprovodit see* (*koho domů* sb. home; *z domu* out; *koho při odjezdu* sb. off)
vyprovokovat v. *provokovat*
vypršet expire
vypsat **1** excerpt **2** nezkráceně write* out, na stroji type out **3** konkurs invite applications (*na místo koho* for the post of) **~ si** excerpt; make* notes (*co* of st.); chvatně jot down
vypůjčit si v. *půjčit si*
vypuknout break* out
vypuknutí outbreak
vypustit **1** koho let* out, release; nádobu empty **2** vynechat omit **3** raketu launch
výr owl
výraz expression
vyrazit **1** něco ven knock out; dveře break* n. burst open; otvor break* **2** na cestu v. *vydat se*
výrazný marked, considerable; osobitý characteristic
vyrážka rash
výroba production; vyrobené zboží output
výrobce manufacturer, producer
výrob|ek product, typ make **–ky** manufacture, produce
vyrobit make*, produce, manufacture; energii generate
výrobní production
výročí anniversary
výroční annual
výrok statement; soudu sentence
výron discharge; zranění sprain
výrostek adolescent, teenager
vyrovnanost composure
vyrovnaný balanced, stálý stable steady; též o soutěži even; duševně composed, even
vyrovnat **1** rozpočet balance **2** udělat rovným flatten, uhladit smooth (*~ nesnáze* smooth out difficulties) **~ rekord** equal a record **~ rozdíl** equalize **3** účet settle (*~ si to s někým* settle differences with sb.); dluh clear **~ se** komu compare with sb. **domácí stravě se nic ne-vyrovná** there's nothing like home-cooking
vyrozumět **1** pochopit understand* **2** oznámit notify (*o* of, that ...)
vyrůst v. *růst*
vyruš|it(ovat) disturb **promiňte, že –uji** I don't wish to intrude
vyrýt v. *vrýt*
vyřadit discard
vyřešit v. *řešit*
vyřezat řezbářsky carve
vyřezávaný carved
vyřídit **1** carry out (*objednávku* an order) **2** vzkázat tell* **mám něco ~?** will* you leave* a message? n. can* I

take* a message?
vyříznout cut* out
výsada privilege
vysadit cestující z lodi, letadla land; koho cestou put* off; drop (*koho z auta před domem* sb. (off) at his flat) **3** dělníka z práce lay* off
vysávat vacuum
vysavač vacuum cleaner
vyschnout v. *schnout*
vysílací stanice broadcasting station
vysílač(ka) transmitter
vysílání broadcasting, transmission
vysílat transmit, broadcast*
vysk|akovat(očit) jump
výskyt occurrence
vyskytnout se occur
vyslanec v. *velvyslanec*
vyslanectví v. *velvyslanectví*
výsledek result, outcome
výsledný eventual
výslech interrogation, formálně hearing
vyslechnout koho hear* sb. out; náhodou overhear*
vysloužilec veteran
vyslovit pronounce
výslovnost pronunciation
výslovný explicit, express
vyslýchat question, interrogate; u soudu hear*, try
vysmát se komu ridicule, mock
výsměch v. *posměch*
vysmrkat se blow* one's nose
vysoce highly
vysočina highlands PL
vysokoškolák undergraduate, university student
vysokoškolský university
vysok|ý **1** high (*je nejvyšší čas, abychom šli* it's high time we left*; *na nejvyšší míru* to the highest degree) **2** o člověku tall **3** pokuta, clo heavy **–á škola** university, college **–á zvěř** deer*
vyspat se have* a sleep; z čeho sleep* st. off
vyspělý advanced; zralý mature
vystačit v. *stačit*
výstava exhibition
výstavba construction
vystavět v. *stavět*
výstaviště exhibition ground(s,PL)
vystav|it(ovat) **1** display, exhibit **2** expose (*nebezpečí* to danger) **3** dokument issue; šek draw* **~ se** expose os. (*nebezpečí* to danger)
výstavní exhibition
vystěhovalec emigrant
vystěhovat se **1** z bytu move out **2** z vlasti emigrate
vystihnout **1** pochopit grasp; okamžik choose* **2** trefit hit* off, dobře vylíčit give* a true picture of ... , shodovat se agree n. accord with
výstižný lifelike, přiléhavý apposite
vystoupení umělce performance
vystoupit **1** z čeho get* out of st., get* off st. **2** vzhůru mount (*na pódium* a platform); s námahou climb (*na vrch* a hill) **3** před publikum appear, make* one's appearance **4** stand* up (*proti* against) **5** z organizace secede
výstra|ha(žný) warning
vystrašit frighten, terrify
vystrčit ven push out, vpřed, vzhůru push forth n. up
výstroj equipment, outfit, kit; na výpravu, sport gear
výstřední eccentric
výstřednost eccentricity
výstřel shot
výstřelek módní fad
vystřelit shoot*; fire
vystřídat relieve (*koho* sb.) **~ se** take* turns
výstřih neckline **šaty s hlubokým –em** low-cut dress
vystřihnout cut* out
vystřízlivění obr. anticlimax
vystřízlivět sober up, become* n. grow* sober
výstřižek cutting
výstup **1** na horu climb **2** div. appearance; výkon performance; scéna, též hádka scene

výstupek projection, prominence
vystupňovat escalate
vystydnout get* cold
vysvědčení školní report; lékařské health certificate; pracovní testimonial
vysvětlení explanation
vysvětlit explain, clarify **~ se** be* n. get* cleared up
vysvětlivka (explanatory) note, pod čarou footnote
vysvobodit rescue
vysypat (se) pour out, vyprázdnit empty, překlopením tip
výše v. *výška*
vyšetření examination
vyšetř|it(ovat) examine; případ investigate
vyšetřování investigation
vyšetřovatel investigator
vyšívání embroidery
vyšívat embroider
výšivka embroidery
výška height
výškov|ý: –á budova high-rise (building), tower block **~ rozdíl** difference in altitude
vyšroubovat ven screw out n. off
výt howl
výtah 1 lift am. elevator **2** obsah abstract, digest (*z* of)
vytáhnout pull out **~ zátku láhve** uncork a bottle
vytápět heat
vytapetovat decorate
výtažek extract; esence essence
vytéci flow* (n. run*) out
výtečný excellent
vytesat carve
výtěžek proceeds PL
vytěžit v. *těžit*
výtisk copy
vytisknout v. *tisknout*
výtka rebuke
vytknout 1 zdůraznit point out **2** v. *vyčítat*
vytlačit 1 v. *tlačit, vymačkat* **2** koho z místa displace; vyhnat force out
vytočit: ~ telefonní číslo dial a (telephone) number
výtok při zánětu issue
vytrh|at(nout) pull out; komu co snatch st. from sb. **~ z kontextu** take* out of context
vytrpět v. *snést*
vytrvalý tenacious, steadfast
vytrysknout spurt out
výtržnost riot, disturbance
vytříbený refined
výtvarník artist; div., film. designer
výtvarné umění fine arts PL
výtvor creation, work
vytvořit v. *tvořit*
vytyčit (si) set* (os.) (*úkol* a task)
vytýkat v. *vyčítat*
vyučený trained
vyučit se get* trained in st. n. to be* a ...
vyučovací teaching
vyučování 1 teaching **2** vyučovací hodiny classes, lessons PL (*nemáme dnes ~* we have* no lessons today) **3** soukromé tuition, lessons PL
vyučovat teach*, instruct; give* sb. lessons n. classes
vyúčtování clearance of accounts
vyúčtovat account (*co* for st.)
vyumělkovaný ornate; též efektovaný artificial
využít use; make* use of; výhody take* advantage of
vyvádět make* fuss
vývar: hovězí ~ broth, beef tea
vyvařit (se) boil (away)
vyvážet export
vyvést take* out **~ z omylu** put* n. set* sb. right **~ z rovnováhy** upset*
vyvíjet (se) develop
vývin development
vyvinout (se) v. *vyvíjet (se)*
vyvinutý developed
vyvlastnit expropriate
vyvodit závěry draw* conclusions (*z* from)
vývoj evolution, progress
vývojka developer
vývojové země developing coun-

tries
vyvol|at(ávat) 1 call; duchy summon; žáka call on 2 film develop 3 přivodit cause, produce, create, bring* about
vývoz export
vývozce exporter
vývozní export
vyvrátit 1 z kořene uproot; přen. eradicate 2 důkazem disprove
vyvrcholení climax
vyvrcholit v. *vrcholit*
vývrtka corkscrew
vyvrtnout si sprain n. twist (*kotník* one's ankle)
vyzařovat radiate
výzbroj armament(s PL)
vyzbrojit arm, supply with arms PL
výzdoba decoration
vyzdobit decorate, trim
vyzdvihnout v. *vyzvednout*
vyzkoušet v. *zkoušet*
výzkum research **~ veřejného mínění** public opinion poll
výzkumník researcher
výzkumný research
vyznačit designate
význačný prominent, distinguished
vyznačovat se be* distinguished (*čím* for st.)
význam 1 meaning 2 důležitost importance, significance **nemá ~ to dělat** it's no use n. good* doing it; there's no point in doing it
vyznamenání 1 distinction; školní honours PL 2 řád decoration
vyznamenat decorate **~ se** distinguish os.
významný important, significant
vyznání náboženské creed; víry, zásad confession; náb. skupina n. sekta denomination **~ lásky** declaration of love
vyznat: ~ lásku komu declare one's love to sb. **~ se** 1 z čeho confess 2 v čem be* familiar with
výzv|a 1 call (*na výzvu* on call) 2 k soutěži challenge
vyzvat 1 call (*koho k čemu* on n. to sb. for st.), appeal to sb. 2 k soutěži challenge
vyzvědač spy
vyzvednout 1 peníze withdraw* 2 stavit se pro call for, fetch, collect (*koho/co* sb./st.)
výzvědn|ý intelligence (*–á služba* intelligence service)
vyzvídat spy; na kom pump information (out of sb.)
vyzývavý provocative
vyžádat si ask for, demand
vyžadovat require, demand
vyždímat v. *ždímat*
vyžehlit v. *žehlit*
výživa 1 jídlo nourishment 2 podpora sustenance, maintenance, support
výživné alimony, maintenance
výživný nourishing, nutritious
vzácný precious (*~ kov* precious metal), zřídka se vyskytující rare
vzadu at the back
vzájemně mutually, one another, each other
vzájemný mutual
vzbouřenec rebel, insurgent
vzbouřit se v. *bouřit*
vzbudit v. *budit*
vzdálenost distance
vzdálený distant; odlehlý remote; v čase far-away
vzdát závod scratch **~ čest** pay* tribute (*komu* to sb.) **~ se** 1 give* up 2 převaze surrender
vzdech sigh
vzdělání education (*všeobecné, středoškolské, vysokoškolské ~* general, secondary, university education)
vzdělanost learning
vzdělaný (well*-)educated
vzdělávat educate **~ se** study
vzdor defiance
vzdorovat defy (*čemu* st.), resist (*čemu* st.); trucovat sulk (*kvůli* about, over)
vzduch air (*na –u* in the open air, outdoors)
vzducholoď airship
vzduchoprázdný vacuum

vzduchotěsný airtight
vzduchovka air-gun, air rifle
vzdušn|ý air; týkající se letectví aerial, byt, oblečení airy **–á čára** straight line, beeline
vzdych|at(nout) si sigh
vzepřít se revolt (*proti* against), oppose (*proti čemu* st.)
vzestup rise, růst increase, objemu growth
vzestupný rising
vzhled appearance, looks PL **–em k tomu, že** considering that
vzhůru 1 up(wards) **2 být ~** be* up, be* awake **hlavu ~!** cheer up! **~ nohama** upside down
vzchopit se pull os. together
vzít 1 take* **2** přijmout accept **~ si 1** take* **2** za ženu, muže marry **3** posloužit si help os. to **~ se** get* married **jak se to vezme** it depends
vzkaz message (*vyřídit / nechat někomu* give*/leave* sb. a message)
vzkázat komu let* sb. know*, give* sb. a message
vzklíčit v. *klíčit*
vzkřísit v. *křísit*
vzkvétat flourish, prosper
vzl|etět(étnout) fly* up, prudce soar, letadlo take* off
vzlyk|ání(at) sob
vzmáhat se 1 růst grow*, increase **2** zlepšovat se improve (one's position)
vznášet se float, drift; setrvávat na místě ve vzduchu) hover
vznést se o letadle take* off
vznešený noble
vznětlivý 1 materiál inflammable **2** člověk irritable
vznik rise (*dát ~ čemu* give* rise to st.)
vzniknout arise*, originate, come* into being
vznítit se catch* fire
vzor 1 model, vzorek pattern (*geometrický ~* geometrical pattern) **2** měřítko standard **3** soustava obrazců design **4** skvělý model, pattern, example (*řídit se koho –em* follow sb.'s example; *být –em pro* set* an example to)
vzorec formula
vzorek 1 sample, specimen, example **2** obrazec pattern
vzorný model
vzpamatovat se z čeho get* over st., recover from st.; vzchopit se pull os. together; z bezvědomí recover one's consciousness
vzpírání weight-lifting
vzplanout blaze n. flame up; přen. flare up
vzpom|enout(ínat) slavnostně commemorate (*čeho* st.), zmínit se mention **~ si** remember, recall, recollect (*nač* st.)
vzpomínka memory (*na* of)
vzpoura mutiny, rebellion
vzpruha 1 stimulus*, incentive, spur **2** povzbuzení encouragement
vzpružit koho buck sb. up
vzpřímený upright
vzpřímit se rise*, vsedě sit* up; napřímit se straighten (os.) up
vzrůst v. *růst*
vzrůst(at) grow*; (be* on the) increase
vzrušení excitement; rozruch commotion
vzrušený excite; nervózní agitated
vzruš|it(ovat) excite (*~ se* get* excited)
vzrušující exciting, thrilling
vztah relation(ship)
vztahovat ruku reach (*po čem* for st.) **~ se** relate, refer, apply (*na* to)
vztek rage, fury, anger
vzteklina rabies
vzteklý furious **~ pes** mad dog
vztyčit raise, put* up, erect **~ vlajku** hoist a flag
vždy(cky) always
vžít se do čeho imagine os. to be* (in the place n. position of ...)

Z

z, ze 1 from, out of (*vyskočit ~ postele* jump out of bed); of (*srdce z kamene* heart of stone) 2 příčina for, out of, from 3 výběr of (*kdo ~ vás* which of you)
za 1 místní behind; vzdálenější beyond; oddělený over 2 pořadí, cíl after 3 dík for 4 zastoupení on behalf of 5 čas. za čeho in, during; za vlády under; během (with) in (*za hodinu* within an hour) **~ prvé** firstly, in the first place
zabalit v. *balit*
zabarvení tinge
zábava 1 odpoutání pozornosti amusement 2 organizovaná entertainment 3 obveselení fun 4 večírek party
zabavení confiscation, seizure
zabavit confiscate, seize
zábavný amusing
záběr filmový shot
zabezpečení securing; proti čemu safeguard
zabezpečit secure, ensure
zabít kill (*~ se* get* killed) **~ dvě mouchy jednou ranou** kill two birds with one stone
zablácený muddy
záblesk flash
zabloudit lose* one's way
zabodnout stick*; thrust* **~ se** stick*
zabořit (se) sink*
zábradlí (hand)rail, railing(s PL) banisters PL
zábrana scruple
zabránit prevent, prohibit (*komu v čem* sb. from –ing st.)
zabrat 1 místo take* up (*málo místa* little* space); vojensky occupy 2 o léku take* 3 reagovat respond **u publika to zabere** it will* go* down well* with the audience
zabraný do čeho intent (up) on st.
zabýv|at se čím occupy os. with st., be* engaged in st.; provozovat pursue st.; hobby go* in for st.; o lit. díle consider, discuss, deal* with
záclona curtain
zaclonit screen
zácpa 1 congestion, jam; dopravní traffic jam 2 med. constipation
začáteční elementary
začátečník beginner
začát|ek beginning (*na –ku* at the beginning)
začít begin*, start
začlenit incorporate (*do* in)
zád|a back (*obrátit se –y ke komu* obr. turn one's back upon sb.)
zadarmo free of charge
zadat 1 rezervovat reserve, book 2 objednat order 3 úkol set*, assign
zadek zvířete rump, člověka bottom, buttocks PL, vozu rear, back
zadlužený in debt
zadní back; nohy hind
zadostiučinění satisfaction
zadržet stop, hold*, silou hold* back, na cestě hold* up, zločince detain
zadusit v. *dusit*
zadýchat se get* out of breath
záhada mystery
záhadný mysterious
zahájit open, start; kampaň launch
zahajovací opening
zahálet (be*) idle, loaf
zahálka idleness
zahanbený ashamed
zahanbit shame, make* sb. feel* ashamed
zahladit i přen. obliterate, efface
zahlédnout catch* sight (*koho* of sb.)
zahnat drive* back
zahodit throw* away
zahojit se heal
záhon (flower-)bed
zahrabat bury
zahrada garden, ovocná orchard
zahrádka za domem back-garden
zahradní garden
zahradnictví gardening
zahradník gardener

zahraničí foreign countries PL **v ~, do ~** abroad **zprávy ze ~** news from abroad **ministerstvo ~** Ministry of Foreign Affairs, brit. Foreign Office, am. State Department
zahraniční foreign
zahrávat si s něčím flirt with st.; s někým trifle with sb.
zahrn|out(ovat) include, involve, comprise
zahřát v. *hřát*
záhyb fold, crease
zahynout v. *hynout*
zacházení treatment, s věcmi usage (*s* of)
zacházet 1 s kým/čím jak treat sb./st. (*dobře* good*) **~ špatně** ill*-treat, maltreat **2** manipulovat handle (*s čím* st.)
záchod lavatory, toilet, hovor. brit. loo
zachovalý well*-preserved
zachování presentation
zachovat 1 udržet preserve **2** dodržet keep*, jednat v souladu s comply with st.
záchrana saving; záchranná akce rescue; zachování preservation
zachránce saver, rescuer
zachránit save, rescue
záchrann|ý: -á brzda emergency brake **-á služba** first aid **~ člun** life-boat **-á vesta** life* jacket **-á stanice** first-aid station
záchvat fit **srdeční ~** heart attack
zachytit 1 catch* **2** záznamem take* n. put* down; na desku, pásek record **3** umělecky render; vyjádřit express
zajatec captive, prisoner (*válečný* of war)
záj|em interest (*o* in); věc, která je pro někoho zajímavá n. důležitá concern (*v tvém vlastním -mu* in your own interest); **mít ~** be* interested n. take* interest (*o* in)
zajet 1 kam drive* n. ride* (to a place); pro koho/co drive* n. ride* to fetch sb./st. **~ na skok** call in n. round (*ke komu* on sb.; *kam* at st.), pop in **2** koho run* over
zajetí captivity
zájezd excursion, trip; turist. (package) tour
zajíc hare
zajímat koho be* of interest to sb. **~ se** be* interested n. take* interest (*o* in)
zajímavý interesting
zajistit secure, ensure
zajít 1 go* n. walk (to a place); pro koho/co (go* to) fetch sb./st. **~ na skok** call in n. round (*ke komu* on sb.; *kam* at st.), pop in **2** o slunci set*; go* down
zájmeno pronoun
zajmout capture
zákal oční cataract
zakalit i obr. dim
zákaz prohibition (*čeho* of st.), ban (*čeho* on st.)
zakáz|at forbid* (*komu co* sb. (to do*) st.), prohibit (sb. (from doing) st.); úředně ban **kouření -áno** no smoking **vstup -án** no entry
zakázk|a order (*na -u* to order)
zákazník customer
zákeřný insidious
základ basis*, foundation, ground (*-y* foundation(s PL) elementární rudiments PL, teoretické principles PL, fundamentals PL **mít dobré -y v angličtině** have* a good* grounding in English
zakladatel founder
základna base, spodek, opora footing, podklad basis*
základní basic, fundamental; výchozí primary, počáteční elementary; důležitý cardinal, crucial; nepostradatelný essential, vital; měřítko standard **~ číslovky** cardinals **~ škola** elementary school
záklon backward bend
záklopka valve
zákon law; schválený parlamentem act **Starý, Nový ~** the old*, New Testament
zakončit finish, close
zákoník code

zákonný legal, legitimate
zákonodárný legislative **~ sbor** legislature
zákonodárství legislation
zákop trench
zakopat bury
zakopnout stumble (*oč* over st.)
zakouřený smoky
zakouřit si have* a smoke
zakročit intervene
zákrok intervention
zakrýt cover
zákulisí; **v ~**, **do ~** též přen. backstage **v ~** přen. behind the scenes
zákusek dessert, sweet
zakusit experience
zalátat darn
zalepit stick* down (*obálku* an envelope)
zalévat water
zalézt creep* n. crawl (*do* into)
záležet **1** depend (*na* on) **2** být rozhodující matter, count (*–í na zkoušce* it's the exam that matters n. counts) **3 –í na vás (abyste rozhodl)** it's up to you (to decide) **4 dát si ~** do* one's best*
záležitost matter, affair
záliba liking (*pro* for); koníček hobby
zalít water
záliv gulf
záloha **1** peněžní deposit, advance **2** voj. reserve
založení establishment, foundation
založit **1** found; instituci establish, set* up **2** do evidence file **3** někam misplace, mislay* **4** v knize insert
záložka do knihy bookmark(er)
záložník reservist
záludný insidious
zamastit grease (*~ se* get* greasy)
zamazat smear, smudge
zamčený locked
zámečník locksmith
zámek **1** u dveří lock **2** dům castle
zaměnit mistake* (*co zač* st. for st.), confuse st. and st.
záměr intention, plan
záměrně deliberately, on purpose
záměrný deliberate
zaměření specialization (*na* in)
zaměřit direct (*na* to(wards); úsilí na něco efforts towards st. **~ se** aim (*na* at doing st.); na problém focus (*na* on)
zaměstnanec employee
zaměstnání job, employment (*polodenní~* part-time job)
zaměstnat **1** dát zaměstnání employ **2** udržovat v činnosti occupy, keep* busy
zaměstnavatel employer
zameškat miss
zametat sweep*
zamilovaný in love (*do* with)
zamilovat si (co), **~ se (do)** fall* in love with
záminka pretext
zamítavý negative
zamítnout reject
zamknout lock (up)
zamlčet co keep* st. secret, conceal st.
zamluvit si book, reserve
zamlžený foggy
zamořit infest, contaminate
zámořský overseas
zamotat (se) tangle
zámožný substantial
zamračený **1** o obloze cloudy, overcast **2** o člověku frowning
zamrzlý řeka covered with ice
zamyšlený thoughtful; a smutný pensive
zanedbat(ávat) neglect
zanechat abandon; též něčeho forsake
zaneprázdněný busy
zanést **1** bring* n. take* (*něco někam* st. somewhere) **2** ucpat block
zánět inflammation
zanícený **1** med. inflamed **2** nadšený enthusiastic, dedicated, devoted, zealous
zánik end
zaniknout become* extinct, cease to exist
zaokrouhlený round
zaostalý backward

západ west (*Západ* the West; *na -ě* in the west; *na ~* (to the) west, westward; *na ~ od* west of) **~ slunce** sunset
zapad|at 1 dobře ~ do fit in well* with **2 slunce -á** the sun is setting
západní west(ern) (*Západní Evropa* Western Europe)
zapadnout 1 dolů sink* **2** do sebe fit in **3** o slunci set*
zápach (bad) smell, stink
zapáchat smell* (*čím* of st.); intenzívně stink*
zápal 1 inflammation **~ plic** pneumonia **2** nadšení enthusiasm, zeal
zapálit light*; ničivě set* on fire
zápalka match
zápalný 1 hořlavý inflammable **2** zapalující incendiary (*puma* bomb)
zapalovač lighter
zapamatovat si remember; keep* st. in mind
zápas 1 fight; struggle (*o, za* for) **2** zvl. sport. contest, match **řeckořímský ~** wrestling
zápasit fight*, struggle; soutěžit contend, compete (*s* with, against; *o* for)
zápasník wrestler
zapečetit seal (up)
zápěstí wrist
zapírat deny
zápis 1 záznam entry, record **2** o průběhu jednání minutes PL (*o* of)
zápisné registration fee
zápisník notebook, diary
zapít 1 lék wash down **2** oslavit celebrate
záplata patch
zaplatit pay* (*co* for st.); dluh, půjčku clear, settle
záplava flood
zaplavit flood (*čím* with st.)
zápletka ve hře plot
zapn|out 1 fasten, knoflíky button (up); na přezku buckle **2** uvést do chodu start, turn on, vypínačem switch on **je -utý** o přístroji it's on
započítat include (*do* in)
zapojit 1 connect; do sítě plug in **2** koho do čeho engage, involve sb. in st.
zapomenout forget* (*nač* (about) st.) **abych nezapomněl** that reminds me; co kde leave* st. (behind)
zapomenutí oblivion (*upadnout do ~* fall* n. sink* into oblivion)
zapomětlivost forgetfulness
zapomnětlivý forgetful
zápor negation
záporný negative
zapracovat koho give* sb. required training
zaprášený dusty
zapřáhnout harness (*do* in)
zapření denial
zapřít deny
zapsat 1 write* down, put* down **2** do seznamu list **~ se** register (*na policii* with the police; *do kurzu* for a course; *v hotelu* at a hotel); v hotelu book in; při príchodu/odchodu sign in/out
zapůsobit impress (*na koho* sb.), make* an impression on sb.
zarámovat frame
zarazit 1 zastavit stop, check **2** překvapit take* aback, puzzle **~ se** stop, pause
zaražený puzzled
zármutek sorrow, sadness; hluboký grief (*nad* at, over)
zárodek germ, savčí embryo **~ něčeho** obr. the germ of st.
zarostlý bearded
zároveň at the same time, spolu s along with
zaručit guarantee **~ se** vouch (*za* for)
záruční: ~ lhůta guarantee; nápis na obalu potravin, léků best* before ... **~ list** certificate of guarantee
záruka guarantee
zařadit 1 do kategorií categorize **2** někoho v myšlenkách place sb. **3** začlenit include (*do* in) **4** do evidence file
záře i přen. blaze, glare; plamene flare; žár, i přen. glow
záření radiation
zářez notch, score

září September
zařídit 1 arrange, fix (up) (*co komu* st. for sb.), dohlédnout see* to st. 2 nábytkem furnish
zářit shine*, glare; přen. glow; radostí, štěstím beam; vyzařovat radiate
zářivka fluorescent lamp
zářivý shiny, brilliant
zařízení 1 bytu furnishings PL 2 vybavení equipment 3 mechanismus device, appliance
zásad|a principle (*ze –y* on principle)
zasadit 1 rostlinu plant 2 úder deal*, strike*, give*
zásadní... of principle; základní fundamental; podstatný essential
zásadový consistent
zásah 1 trefa hit 2 zákrok intervention; zasahování interference (*do* in, with)
zasáhnout 1 trefit hit 2 do intervene (*do* in) rušivě interfere, mettle (*do* in)
zase 1 again 2 naproti tomu on the other hand, for one's part (*Francie naproti tomu* ... France for its part ...)
zasedací síň assembly hall
zasedání meeting, session
zasedat be* in session, be* sitting
zaseknout (se) jam (up)
zásilka parcel; zboží consignment; lodní shipment
zásilková služba home-delivery service
zasklít glaze
zaslat v. *poslat*
zaslechnout catch*; náhodou overhear*
zasloužit (si) deserve
zásluh|a merit **vaší –ou** thanks to you **mít –u o** be* credited with
záslužný creditable, praiseworthy
zasněný dreamy, lost in dreams
zasnoubení engagement
zasnoubit se get* n. become* engaged (*s kým* to sb.)
zásoba reserve, supply, store(s PL) stock
zásob|it(ovat) provide (*koho čím* sb. with st. n. st. to sb.), plynule supply
zásobník magazine
zásobování supply (*čím* of)
zaspat oversleep*
zastaralý obsolete, out-of-date, outdated
zastarat become* obsolete; ztratit módnost, platnost be* n. get* out of date
zastat se stand* up (*koho* for sb.)
zastávat místo hold*
zastavět build* up
zastavit 1 stop 2 dát do zástavy pledge, pawn **~ se** stop; o voze též pull up, draw* up; na návštěvu drop in (*u koho* on sb.; *kde* into st.)
zastávka stop (*~ na znamení* request stop)
zástěra apron
zastihnout catch*
zastínit shadow, screen; též přen. overshadow
zastoupení firmy agency
zastoupit 1 cestu block 2 substitute, z pověření represent
zastrašit intimidate
zastrašování intimidation
zástrčka plug
zastřelit shoot* (dead)
zástup crowd
zástupce 1 představitel representative 2 počas něčí nepřítomnosti; zastávající druhou nejvyšší funkci deputy for sb. (*~ ředitele* deputy director) 3 obchodní agent 4 právní solicitor, poradce legal adviser
zastupitelství embassy, obchodní agency
zastupovat 1 reprezentovat represent 2 někoho u soudu defend sb., plead for sb.
zásuvka 1 stolu drawer 2 el. socket
zasvětit koho do čeho initiate sb. into st.
zasyp|at 1 hlínou bury 2 koho čím load sb. with st.
zašít mend, sew* up
záškolák truant
záškrt diphtheria
zaškrtnout tick
zašlápnout crush
zašpinit smear, smudge
zašroubovat screw

zášť k, proti resentment (against, towards), malice (towards), grudge (against)
záštita sponsorship, patronage
zatáčk|a 1 bend, curve 2 turning (*dejte se třetí –ou vlevo* take* the third turning to n. on the left*)
zatáhnout pull, draw* (~ *záclony* draw* the curtains)
zataj|it conceal (*co před kým* st. from sb.) **se –eným dechem** with bated breath
zatčen(ý) under arrest
zatemnit darken, dim
zatím 1 meanwhile, in the meantime 2 prozatím for the time being 3 do té doby by then
zatímco while
zátiší malířské still life*
zatížení load, burden
zatížit weight, též přen. load, přen. burden (*koho čím* sb. with st.)
zátka stopper, cork
zatknout arrest
zatlouci drive* in
zatmění eclipse
zato na oplátku in return; naproti tomu on the other hand
zatočit turn (*za roh* round the corner)
zátoka inlet
zatopit 1 v kamnech make* a fire 2 vodou flood
zatracený bloody
zatrpklý sour
zatvrzelý confirmed; pouze o špatné vlastnosti inveterate
zatykač warrant
zaučit train
zaujatý biased, partial (*v čí prospěch* towards sb.); plný předsudků prejudiced
zaujímat occupy, plochu cover
zaujmout 1 take*, occupy 2 upoutat attract sb.'s attention
zauzlit (se) knot
závada defect
závadný defective, škodlivý harmful
závan blow, puff
zavařenina preserve, jam **pomerančová** ~ marmalade
zavařený canned
zavařit preserve
zavazadlo luggage, am. baggage **–vý prostor v autě** boot
zavázán: být hluboce ~ komu za co be* deeply n. greatly indebted to sb. for st.
zavázat koho, přen. bind*, commit (*k* to)
závazek commitment
závazný binding
závaží weight
závažnost gravity
závažný weighty; důležitý major
závěj snow-drift
závěr 1 konec finish, close 2 úsudek conclusion, deduction 3 technický closure
závěrečný final
závěs drapery
zavést 1 kam take*, lead* 2 uvést introduce 3 nesprávně mislead*
závěť testament, will
zavézt take*; vlastním vozem drive*
záviděníhodný enviable
závidět envy (*komu co* sb. st.)
zavinit cause, be* the cause of
zavírací: ~ doba closing **~ špendlík** safety-pin
záviset depend (*na* on) **~ na drogách** be* addicted to drugs
závislost dependence (*na* on); přen. addiction (*na* to)
závislý dependent (*na* on); přen. addicted (*na* to)
závist envy (*na* at) **ze –i** out of envy
závistivý envious
závit thread; spirály coil
zavlaž|it(ovat) irrigate
zavlažov|ací(ání) irrigation
závod 1 závodění contest, competition, race (~ *s časem* race against time) 2 výrobní plant, factory; works SG n. PL
závodit race, contend, compete (*o* for)
závodní 1 race, racing (~ *dráha* racing track; *lyžařská* ski-run) 2 factory
závodn|ice(ík) competitor, contes-

tant
zavod|nit(ňovat) irrigate
závoj veil
závor|a bar; na dveřích bolt **–y** železniční gates PL
závorka bracket
závrať dizziness, vertigo (*mám ~* I am dizzy)
zavraždit murder
zavřít shut*, close; podnik shut* down; otočením turn off
zázemí voj. the rear; přen. background
záznam 1 record(ing) 2 zápis note, entry
zaznamenat 1 record 2 zapsat si write* n. take* down, note 3 do seznamu register, list; do evidence file
zázračný miraculous, marvellous **zázračné dítě** prodigy
zázrak miracle, wonder
zázvor ginger
zažít experience; něco nepříjemné, podrobit se něčemu undergo*
zážitek experience (jen SG)
zaživa alive
zažívací digestive
zažívání digestion
zbabělec coward
zbabělost cowardice
zbabělý cowardly
zbavit deprive (*koho čeho* sb. of st.) **~ se** get* rid (*čeho* of st.)
zběh deserter
zběhlý proficient
zběžně casually
zběžný casual, passing
zbít beat* up
zbláznit se go* mad n. crazy n. hovor. nuts; do čeho be* crazy n. nuts about st.
zblednout turn pale
zblízka from near; důkladně closely
zbohatlík upstart
zbohatnout get* rich
zbořit, zbourat demolish, pull down
zboží goods PL
zbožn|ý pious, devout **–é přání** wishful thinking
zbožňovat adore
zbra|ň weapon **–ně** arms PL **střelná ~** gun
zbrklý impetuous
zbrojařský armaments
zbrojení armament
zbrojit arm
zbylý remaining
zbý|t be* left, remain (*–vá 10 minut* there's 10 minutes left)
zbytečný unnecessary, useless, needless; na ničem se nezakládající groundless
zbyt|ek rest, remainder, nevýznamný remnant **–ky** remains PL; jídla leftovers PL
zcela quite, wholly **~ správně** exactly
zčervenat turn red
zda whether, if
zdaleka v záporu a superlativu by far*
zdanění taxation
zdání appearance (*~ klame* appearances are deceptive)
zdanit tax
zdánlivě seemingly
zdánlivý seeming, apparent
zdarma free (of charge)
zdařilý successful
zdát se 1 seem, appear (*jak se zdá* apparently; *zdá se mi, že* it seems to me that; *zdá se, že je unaven* he seems n. appears to be* tired) 2 sen dream (*zdálo se mi o* n. *že* I had a dream of that)
zdatný capable, able, tělesně fit
zde here
zdědit inherit
zdechlina carcass
zdejší local
zděšení alarm, panic
zdiskreditovat discredit
zdlouhavý lengthy, protracted
zdokonalení improvement
zdokonalit (se) improve
zdraví health (*dobrý zdravotní stav* good* health; *ve ~* in good* health; *pít na čí ~* drink* sb.'s health n. a health to sb.; *Na ~ !* Cheers !; *duševní ~* sanity)

zdravit greet
zdravotní health (~ *středisko* health centre) ~ **dovolená** sick-leave
zdravotn|ice(ík) lékař(ka) doctor; sestra nurse
zdravotnický medical
zdravotnictví National Health Service (NHS)
zdravý **1** healthy, momentálně well* **2** zdraví prospěšný wholesome
zdražit raise the price (*co* of st.)
zdrobnělina diminutive
zdroj source
zdržení delay ~ **se hlasování** abstention
zdrženlivost constraint
zdrženlivý **1** rezervovaný reserved, restrained **2** odpírající si temperate
zdržet delay, koho keep* sb. long ~ **se** abstain (*čeho* from st.)
zdřímnout si have* a nap
zdůraznit stress, emphasize
zdviž lift
zdvojnásobit double
zdvořilost politeness, courtesy
zdvořilý polite, courteous
zebra zebra
zeď wall
zedník bricklayer
zejména namely, particularly, especially, above all
zeleň green
zelenina vegetables PL
zelený green
zelí cabbage **kyselé** ~ sauerkraut
zelinářství greengrocer's, greengrocery
země **1** území country; pozemek land **2** půda soil, ground, earth **3** planeta earth n. Earth
zemědělec farmer
zemědělsk|ý agricultural, farming **–é družstvo** agricultural n. farming co-operative
zemědělství agriculture
zeměkoule globe
zeměpis geography
zeměpisn|ý geographical **–á délka** longitude **–á šířka** latitude
zemětřesení earthquake
zemřít die (*na* of)
zesílit strengthen, intensify, el. amplify
zesilovač amplifier
zeslabit weaken
zesměšnit ridicule
zesnulý the deceased, the late
zespoda from below
zestátnění nationalization
zestátnit nationalize
zeť son-in-law
zevně outwardly
zevnějšek exterior, vzhled appearance
zevnitř from within
zezadu from behind
zezdola from below
zfilmovat film, screen, put* st. on the screen
zhasnout **1** go* out **2** co put* out, vypínačem switch off, turn off
zhltnout též obr. devour
zhnusený disgusted (*čím, kým* at n. by n. with st., sb.)
zhoršit make* st. worse, též ~ **se** deteriorate, worsen
zhoubný pernicious, destructive, baneful, med. malign(ant)
zhroucení collapse
zhroutit se collapse, break* down
zhruba roughly
zhubnout lose* weight
zhoustnout thicken
zhudebnit set* n. put* st. to music
zchátralý dilapidated, squalid
zchudnout become* poor n. impoverished
zim|a **1** winter (*v –ě* in winter) **2** chlad cold (*je* ~ it is cold; *je mi* ~ I am cold)
zimní winter (~ *stadión* winter sports stadium)
zimnice ague
zimník overcoat
zinek zinc
zip zip (-fastener), am. zipper (*zapnout na* ~ zip up)
zírat stare, gape (*na* at)

zisk gain, profit
získat get*, obtain; něco cenného gain, úsilím, chováním acquire, usilovností, v soutěži win*
zištný egoistic
zítra tomorrow
zítřejší tomorrow's
zívat yawn
zjednodušit simplify
zjev appearance; jev phenomenon*
zjevný apparent
zjistit find* out
zkamenělina fossil
zkapalnit liquefy
zkáz|a destruction, ruin **podlehnout –e** perish
zkazit spoil **~ se** go* bad*
zkažený bad*, nepoživatelný rotten, putrid; morálně corrupt, rotten; člověk wicked
zklamání disappointment
zklamaný disappointed
zklamat disappoint; nechat koho na holičkách let* sb. down
zkostnatělý rigid
zkoumat **1** go* n. look n. inquire into st., examine, investigate **2** jako odborník do* research on st.; objevené explore
zkoušející examiner
zkoušet **1** učinit pokus try, attempt **2** žáka examine **3** prověřovat test **4** nacvičovat rehearse **5** oděv try on **~ si** velikost try on (st. for size)
zkouška **1** examination, hovor. exam (*z čeho* in st.) **2** pokus test **3** divadelní rehearsal (*generální ~* dress rehearsal) **4** u krejčího fitting **5** útrapy ordeal
zkrat short circuit
zkrátit shorten; text abridge
zkratka abbreviation; cesta short cut
zkrátka in short **~ a dobře** by and large
zkreslení distortion
zkreslit distort
zkroutit twist **~ se** twist, warp; su-chem, teplem, chladem shrivel
zkřehlý numb (*zimou* with cold)
zkřížit cross
zkumavka test-tube
zkusit try, attempt
zkušební: ~ jízda test-drive, trial run **~ let** trial flight **~ pilot** test pilot
zkušenost experience jen SG
zkušený experienced
zkvalitnit improve (the quality of)
zlatnictví goldsmith's
zlatník goldsmith
zlato gold
zlat|ý **1** gold **2** zlaté barvy; přen. golden **~ hřeb** highlight **–á střední cesta** the golden mean
zledovatělý icy
zlehčovat podceňovat depreciate
zlepšení improvement
zlepšit improve
zleva from the left
zlevnění reduction in prices, price reduction
zlevnit reduce the price (*čeho* of st.)
zle: je mi ~ I am sick
zlo evil, křivda wrong, ublížení harm
zlobit make* sb. angry, annoy, irritate **~ se** be* angry (*na* with sb., at n. about st.); hovor. be* cross (*na koho* with sb.)
zločin crime
zločinec criminal
zločinnost criminality
zloděj thief* **krámský ~** shoplifter
zlomek **1** úlomek fragment **2** mat. fraction
zlomenina fracture
zlomit (se) break*
zlomyslný malicious
zlost anger (*na* with sb., at st.); annoyance (*k mé velké –i* much* to my annoyance)
zlostný peevish, irritable, výbušný choleric; rozzlobený angry
zlověstný ominous
zlozvyk bad habit
zl|ý **1** k jiným evil* **2** špatný bad* (*to je –é!* that's too bad*!) **3** páchající zlo mischievous, vicious, wicked
zmačkat se crease, crumple
zmačkaný crumpled, creased

zmáčknout (se) squeeze; knoflík, páku press
zmást puzzle
zmatek 1 confusion, velký turmoil **2** nepořádek mess
zmatený confused; v rozpacích puzzled
změk|čit(nout) soften
změn|a 1 change (*čeho* of, in st.; *k lepšímu* for the better*; *pro –u* for a change) **2** pozměnění alteration, úprava modification **3** obrat turn (ing-point)
změnit (se) change (~ *svůj názor* change one's mind)
zmenšit lessen, omezit reduce, cut* **~ se** lessen, diminish, decrease
zmeškat miss
zmetek ve výrobě reject
zmije viper
zmínit se mention (*o čem* st.), refer to st.
zmínka mention (*o* of), reference (*o* to)
zmírnění: ~ mezinárodního napětí easing of international tension
zmírnit ease; trest, bolest mitigate; rychlost slow n. ease down
zmizení disappearance
zmizet disappear, vanish (~ *beze stopy* disappear without trace)
zmlknout hush
zmocnění warrant; plná moc proxy
zmocnit authorize, empower **~ se** take* possession (*čeho* of st.), seize (st.)
zmoknout get* wet (*na kůži* to the skin)
zmrazit freeze*
zmrzačit cripple, maim **~ se** become* a cripple
zmrzlina ice (-cream)
zmrzlý frozen
zmrznout freeze* (to death)
zmýlit mislead* **~ se** make* a mistake, go* wrong
značka 1 mark, sign, symbol **2** zboží trademark, brand, make **dopravní ~** road sign
značný considerable
znak 1 sign, společný rys badge, význačný rys feature **2** erb coat-of-arms, emblém emblem **3** v písmu character **4** sport. backstroke
znalec 1 odborník expert, specialist (*čeho* in), authority (*na* on) **2** schopný posuzovat judge **3** fajnšmekr connoisseur (*čeho* of st.)
znalost knowledge jen SG, command (*dobrá ~ angličtiny* a strong command of English); obeznámenost familiarity (*čeho* with st.)
znamenat mean*; zastupovat stand* for
znamení 1 sign **2** signal (*časové ~* time-signal)
znamenitý excellent, exquisite, grand
znaménko 1 mark (*mateřské ~* birthmark) **2** mat. sign
známka 1 projev sign **2** školní mark **3** poštovní stamp
známkovat mark
známost 1 vztah acquaintance(ship), relationship **2** člověk friend, acquaintance **–i** connections
známý ADJ well*-known, důvěrně familiar **nechvalně ~** notorious, se zlou pověstí infamous # N friend, acquaintance
znárodnění nationalization
znárodnit nationalize
znásiln|ění(it) rape
znát know* (*podle* by); být obeznámen be* familiar n. acquainted (*s* with) **nedat na sobě ~** give* no sign (*co* of)
znatelný noticeable
znázor|nit(ňovat) represent, ukázat demonstrate
znečistit chemicky pollute
znečištění pollution (~ *ovzduší* air pollution)
znehodnotit debase
znechutit někoho frustrate, sicken
znělka 1 báseň sonnet **2** rozhlasová signature tune
znemožnit make* st. impossible, komu co make* sb. unable to do* st.; společensky discredit

znění textu reading, verze version
znepokojení concern
znepokojený worried
znepokoj|it(ovat) worry **~ se** be* concerned (*kvůli* about)
znepřátelit: ~ se (s kým); **~ si (koho)** make* an enemy of sb.
znervóz|nit(ňovat) make* nervous
zneškodnit make* harmless, koho dispose of sb., bombu defuse
zneužít abuse (*čeho* st.), take* advantage of st., misuse, make* ill* use of st.
znevýhodnit handicap
zničení destruction
zničit destroy; budovu, teorii demolish, naděje, hovor. shatter
znít 1 sound **2** sdělovat run*, go*, read*, say*
znova again (*ještě jednou* once more, once again; *~ a ~* time and (time) again, over and over (again))
zobák beak
zobat peck
zobecnit generalize
zobrazit depict, v hlavních rysech feature
zodpovědný v. *odpovědný*
zóna zone
zoologick|ý zoological **–á zahrada** zoo
zoologie zoology
zopakovat si něco brush st. up, brush up on st.
zorný úhel přen. viewpoint, point of view
zostřit (se) sharpen
zotavit se recover
zotavovna convalescent home
zotročit enslave
zoufale desperately
zoufalství despair, desperation
zoufalý desperate (*z* of)
zout se take* off one's shoes n. boots
zpaměti by heart **mluvit ~** speak* from memory **naučit se ~** learn* by heart, memorize
zpáteční: ~ lístek return ticket, am. round-trip ticket **~ rychlost** reverse (gear)
zpátky v. *zpět*
zpestřit vary, make* varied, diversify
zpět back(wards) **dát ~ komu** give* sb. change
zpětn|ý reverse **se –ou platností** retroactively
zpěv singing
zpěvák singer
zpevnit reinforce
zpívat sing*
zpocený 1 sweating **2** prádlo sweaty
zpočátku at first, at the beginning
zpod from under
zpomalit slow down
zpopelnit cremate
zpověď confession
zpo|zdit se be* late **hodiny se –žďují o 5 minut** the clock is 5 minutes slow n. loses 5 minutes
zpoždění delay
zpracovat work; přesným postupem process
zprava from the right
zpráv|a 1 novina a piece of news n. news item **–y** news SG (*hlášení zpráv* the news bulletin; *přehled zpráv* the main points PL) **2** hlášení report (*o* on), žurnalistická dispatch
zpravidla as a rule
zpravodaj reporter
zpronevěra embezzlement
zpronevěřit embezzle
zprostit exempt (*koho čeho* sb. from st.), žaloby z čeho acquit sb. of st.
zprostředkovat mediate
zprostředkovatel intermediary
zprostředkovatelna práce jobcentre
zprotivit se disgust (*komu* sb.)
zpředu from the front (*pohled ~* front view); osoby en face
zpřeházet jumble
zpřesnit specify
zpříjemnit make* pleasant
zpříma straight (*~ do tváře* n. *očí* straight in the face), vztyčeně upright
způsob 1 way, method, svérázný man-

ner **tímto –em** in this way, like this **určitým –em** in a way **2** jaz. mood
způsobilý competent, qualified
způsobit cause, bring* about
způsobný well*-bred
způsoby manners PL
zpustlý 1 dům dilapidated **2** nemorální dissolute, immoral **3** prostor desolate, waste, wild
zpustošení devastation
zpustošit devastate, ravage
zrada 1 betrayal (*čeho* of) treachery (to st.) **2** státu treason
zrádce traitor
zradit betray
zrádný treacherous
zrak (eye)sight
zrakový visual
zralost vyspělost maturity
zralý ripe; vyspělý mature
zranění 1 injury **2** násilné wound
zranit 1 injure, hurt* **2** násilně wound
zranitelný i obr. vulnerable
zrát ripen
zrcadl|it se be* mirrored **–o** mirror
zrcátko mirror (*zpětné* ~ rear-mirror)
zrn|í(o) corn, grain
zrnko berry
zrovna já me, of all people
zručnost skill
zručný skilful, good* with one's hands, handy
zrůda monster
zrudnout turn red
zrušit 1 abolish **2** smlouvu, objednávku cancel
zrychlení acceleration
zrychlit (se) speed* up, accelerate, quicken
zrzavý red-haired
zřejmě obviously, evidently
zřejmý obvious, evident
zřetel respect **bez –e na** irrespective of **brát ~ nač** take* st. into consideration n. account
zřetelný distinct
zřícenina collapse, ruin
zříci se give* up; hlavně oficiálně renounce (*čeho* st.)
zřídit set* up, establish
zřídka seldom
zřídlo spring
zřítit se collapse, come* down, crash
zřízení: společenské ~ social order
ztížit make* st. difficult, zhoršit aggravate
ztloustnout get* fat, put* on weight
ztmavět darken
ztracený lost
ztrát|a 1 loss (*oddělení ztrát a nálezů* lost-property office) **2** plýtvání waste **3** na lidech casualty (*těžké –y* heavy casualties)
ztratit lose* **~ se** get* lost
ztrátový unprofitable
ztroskotání wreck; lodě shipwreck
ztroskotat be* wrecked; přen. fail
ztuhlý stiff
ztuhnout stiffen
ztvrdnout harden
zub 1 tooth* (*bolí mě* ~ I have* a toothache; *dát si vytrhnout* ~ have* a tooth* out; *zatnout –y* grit the teeth) **2** pily, výstupek jag (*mít čeho plné –y* be* sick of n. fed* up with st.)
zubař dentist
zubní dental **~ kámen** tartar **~ kartáček** toothbrush **~ pasta** toothpaste
zúčastnit se take* part (*čeho* in st.)
zúrodnit fertilize
zuřit rage, be* furious (with sb. about st.)
zuřivost rage
zuřivý 1 furious, raging **2** fanatický, nadšený ardent
zůstat stay, zbýt remain (~ *na večeři* stay for dinner; ~ *přes noc* stay the night n. overnight; ~ *naživu* remain alive) **~ stát** stop **~ u telefonu** hold* the line
zúžit (se) narrow; stažením contract
zužitkovat utilize
zvadlý faded, withered
zvan|ý 1 invited (*jen pro –é* admission by invitation only) **2 takzvaný** so-called

zvát invite (*na večeři* to dinner)
zvědavý curious **být ~** wonder (*jak, kdy apod.* how, when etc.)
zvednout raise, lift; sebrat pick up **~ se** rise*; postavit se stand* up, get* up
zveličovat exaggerate
zvenčí from the outside
zvěrokruh zodiac
zvěrolékař vet (veterinary surgeon)
zvěrstvo atrocity
zvěř wild animals PL, beasts PL, mysl. game **dravá ~** beasts of pray PL
zveřejnění publication
zveřejnit release
zvětšit 1 zvýšit počet increase **2** rozsah enlarge; rozšířit extend **3** opticky magnify **~ se** increase, grow*
zvětšovací: ~ aparát enlarger **~ sklo** magnifying glass
zvíře animal; přen. o člověku beast
zvířit přen. stir up
zvítězit 1 win* **2** beat* (*nad kým* sb.)
zvládnout co manage (st.), cope (with st.)
zvlášť 1 separately, stranou apart **2** navíc extra
zvláště especially, particularly
zvláštní 1 special, particular; oddělený separate; navíc extra **2** podivný strange, odd, peculiar; mimořádný extraordinary
zvláštnost peculiarity, curiosity
zvlhnout get* damp
zvolání exclamation
zvolat exclaim
zvon(ek) bell
zvonice belfry
zvonit 1 znít ring*, pod údery clang, lehce jingle, cinkat clink **2** zazvonit ring* the bell
zvracet vomit
zvrat twist
zvrhlý vicious, perverse
zvučný sonorous (*hlas* voice)
zvuk sound
zvukový sonic
zvukotěsný soundproof
zvyk habit, stálý rys custom **mít ve –u něco** be* in the habit of doing st.
zvyklý used, accustomed (*na* to)
zvyknout si get* n. become* used to st., get* into the habit of –ing
zvýšit raise (*~ hlas* raise one's voice), increase, na vyšší úroveň enhance **~ se** rise*, go* up, increase **~ si kvalifikaci** improve one's qualifications
zvyk 1 návyk habit (*kouřit* of smoking; *pozdě vstávat* of getting up late; *mít ve –u* be* in the habit of -ing; *ze –u* from habit) **2** zvyklost custom
zvykat si get* used (*na* to)
zv|ýšit(yšovat) increase, raise, step up (*~ ceny* raise prices; *~ výrobu* step up production) **~ si kvalifikaci** extend one's qualifications **~ se** increase, rise*

Ž

žába frog
žábry gills PL
žací stroj reaper
žádat 1 ask (*co* for st.), request; energicky vyžadovat demand **2** podat si žádost apply (*oč* for st.)
žadatel applicant
žádný 1 no; samostatně none; ze dvou neither **2** nikdo nobody, no one (*~ jiný* nobody else) **3** po záporu any **není to ~ sportovec** he isn't much* of a sportsman*
žádost 1 request (*o* for) (*na moji ~* at my request) **2** zvl. písemná application (*o* for) (*podat si ~* make* an application)
žádoucí desirable
žák(yně) pupil
žákovsk|ý(á) knížka report book
žalář jail, prison
žalob|a 1 soudní suit (*podat –u* bring* a suit (*proti* against)) **2** obžaloba prosecution
žalobce 1 žalující strana plaintiff **2** prokurátor prosecutor
žalovat 1 complain (*komu na* to sb.

of n. about) **2** škol. slang sneak (*na koho* on sb.) **3** koho u soudu bring* an action n. a suit against sb.
žalud acorn
žaludeční gastric (*vřed* ulcer)
žaludek stomach
žampión mushroom
žánr genre
žár glow; sálavý heat; přen. fervour
žargon jargon; argot cant
žárlit be* jealous (*na* of)
žárlivost jealousy
žárlivý jealous
žárovka (light) bulb
žáruvzdorný refractory, fireproof
žasnout be* astonished (*nad* at)
ždímačka wringer, odstředivá spin-drier
ždímat wring*, odb; přen. squeeze
že that
žebírko cutlet, chop
žebrák beggar
žebrat beg
žebro rib
žebřík ladder
žeh: pohřeb –em cremation
žehlení ironing
žehlící prkno ironing-board
žehlička iron
žehlit iron, press
žehnat bless
želé jelly
železárna ironworks PL
železářství ironmonger's
železitý ferrous
železni|ce(ční) railway, am. railroad **~ nádraží** railway station
železničář railwayman*
železný iron
želez|o iron **staré ~** scrap iron
železobeton reinforced concrete
želízka handcuffs PL
želva tortoise
žemle bun
žena **1** woman*; úředně female; v společ. styku, veřejných nápisech lady **2** manželka wife*
ženatý married
Ženeva Geneva
ženich bridegroom
ženijní engineering
ženit marry (*syna s někým* one's son to sb.) **~ se** marry (*s kým* sb.), get* married (*s kým* to sb.)
žensk|ý **1** female **2** jaz. feminine **3** pro ženy woman's, women's, ladies' **4** hodný správné manželky, matky womanly
žerď pole; praporu flagstaff
žert fun, joke (*nerozumí –u* he can't take* a joke; *tropit si –y* make* fun (*z* of); *–y stranou* joking apart; *ze –u* for fun)
žertovat joke
žertovný funny
žeton token
žhář fire-raiser
žhavý glowing, red-hot; náruživý ardent
Žid Jew
židle chair
Židovka Jewess
židovský Jewish
žihadl|o sting (*bodnout někoho –em* sting* sb.)
žíla vein
žiletka (razor-)blade
žíně horsehair
žíněnka mat
žíněný horsehair
žínka face-cloth, flannel
žirafa giraffe
žíravina corrosive
žíravý caustic, corrosive
žít live; být naživu be* alive **ať žije!** long live!
žit|ný(o) rye
živ|el element (*být ve svém –lu* be* in one's element)
živelní pohroma natural disaster
živelný elemental; nevázaný unrestrained
živit **1** potravou feed*, nourish **2** vydržovat provide (*koho* for sb.), maintain, sustain, support **~ se** make* one's living
živnostník tradesman*
živobytí living **vydělávat si na ~** earn one's living
živoči|ch(šný) animal

živořit lead* a poor n. miserable existence
život life* (*celý svůj ~* all one's life*; *na celý ~* for a lifetime)
životn|í ... of life*, of one's (own) life* **~ dráha** career **velikost** life-size **~ úroveň** living standard(s PL) standard of living **–é důležitý** vital
životnost lifetime
životný jaz. animate
životopis biography
životopisný biographical
životospráv|a way of life*; předepsaná regime(n) **vést špatnou –u** dělat příliš mnoho činností burn* the candle at both ends
živ|ý **1** live, žijící living **2** čilý lively, energetic, agile, active **3** sugestivní vivid **4** rušný busy **–é vysílání** live broadcast **–ý plot** hedge
žízeň thirst (*mít ~* be* thirsty)
žíznivý thirsty (*po* for)
žížala earthworm
žlab trough
žlábek groove
žláza gland
žloutek yolk
žloutenka jaundice
žluč bile, i přen. gall
žlučník gall-bladder
žluklý rancid
žlutý yellow; dopravní světlo amber
žně **1** úroda crop, harvest **2** doba harvest time
žnout trávu mow*; obilí reap; sklízet harvest
žňový harvest
žokej jockey
žonglovat juggle
žralok shark
žrát feed* (*co* on), eat*; o člověku guzzle
žul|a(ový) granite
župan dressing-gown
žurnalista journalist, news-man*, media-man*
žurnalistika journalism
žvanit drivel, prattle
žvatlat babble
žvýkací chewing
žvýkačka (chewing-)gum
žvýkat chew

ZNAČKY

Interpunkční znaménka a další značky - *Punctuation marks and other symbols*

,	*comma* [komə]
;	*semicolon* [,semi'kəulən]
:	*colon* ['kəulən]
.	*period* ['piəriəd]
–	*dash* [dæš]
!	*exclamation* [.eksklə'meišn] *mark*
?	*interrogation* [in,terəu'geišn] *or doubt*
-	*hyphen* ['haifn] spojovací čárka
'	*apostrophe* [ə'postrəfi]
( )	*parentheses* [pə'renθəsis]
[ ]	*brackets* ['brækit]
{ }	*brace* [breis], *composed bracked*
´	*acute* [ə'kju:t] *accent* čárka
`	*grave* [greiv] *accent* obrácená čárka
^	*circumflex* ['sə:kəmfleks]
*	*star* [sta:]
†	*dagger* ['dægə]; *obelisk* ['obəlisk]
‡	*double dagger*
#	*number; space*
&	*ampersand* ['æmpəsænd]; *and*
&c	*etcetera* [it'setərə]
@	*at*
%	*per cent* [pə'sent]; *per* [pə:] *hundred*
©	*copyright* ['kopirait]
®	*registered (trademark)*
™	*trademark* ['treidma:k]

Matematické symboly - *Mathematical symbols*

+	*1. plus; addition sign* *2. positive*
–	*1. minus; subtraction sign* *2. negative*
×	*multiplied by*
÷	*divided by;* používá se i lomítko
/	*slash* [slæš]
=	*equals; is equal to*
≠	*is not equal to*
≡	*is identical with; is congruent to*
~	*difference between; is equivalent to*
>	*is greater than*
<	*is less than*
≤	*less than or equal to*
≥	*greater than or equal to*
∞	*infinity* ['infiniti]
√	*radical sign (square root sign)*
∑	*sum* [sam]
∫	*integral* ['intəgrəl]
∪	*union* ['ju:njən]
∩	*intersection* [,intə'sekšən]
∈	*is a member of; is an element of; belongs to*
$\vert\ \vert$	*absolute value of; modulus of*
π	*ratio of circumference of any circle to its diameter*

ČÍSLOVKY

Základní číslovky - *Cardinal numbers*

0	*nought* [no:t], *cipher* [saifə], *zero* ['ziərəu]	50	*fifty* ['fifti]
		51	*fifty-one*
1	*one* [wan]	60	*sixty* ['siksti]
2	*two* [tu:]	61	*sixty-one*
3	*three* [θri:]	70	*seventy* ['sevnti]
4	*four* [fo:]	71	*seventy-one*
5	*five* [faiv]	80	*eighty* ['eiti]
6	*six* [siks]	90	*ninety* ['nainti]
7	*seven* [sevn]	100	*one hundred* ['handrəd]
8	*eight* [eit]		
9	*nine* [nain]	101	*hundred and one*
10	*ten* [ten]	102	*hundred and two*
11	*eleven* [i'levn]	110	*hundred and ten*
12	*twelve* [twelv]	200	*two hundred*
13	*thirteen* [,θə:'ti:n]	300	*three hundred*
14	*fourteen* [,fo:'ti:n]	451	*four hundred and fifty-one*
15	*fifteen* [,fif'ti:n]		
16	*sixteen* [,siks'ti:n]	1000	*a* n. *one thousand* ['θauznd]
17	*seventeen* [,sevn'ti:n]		
18	*eighteen* [,ei'ti:n]	2000	*two thousand*
19	*nineteen* [,nain'ti:n]	10 000	*ten thousand*
20	*twenty* ['twenti]	1 000 000	*a* n. *one million* ['miljən]
21	*twenty-one*		
22	*twenty-two*	2 000 000	*two million*
23	*twenty-three*	1 000 000 000	brit. a n. one milliard ['milja:d], am. a n. one billion ['biljən]
30	*thirty* ['θə:ti]		
31	*thirty-one*	1 000 000 000 000	brit. a n. one billion, am. a n. one trillion ['triljən]
40	*forty* ['fo:ti]		
41	*forty-one*		

Zlomky - *Fractions*

1/2	*one* n. *a half* [ha:f]	2/3	*two thirds*
1/3	*one* n. *a third* [θə:d]	3/4	*three fourths, three quarters*
1/4	*one* n. *a fourth* [fo:θ] n. *a quarter* ['kwo:tə]	2/5	*two fifths*
1/5	*one* n. *a fifth* [fifθ]	3/10	*three tenths*
1/10	*one* n. *a tenth*	1 1/2	*one and a half*
1/100	*one hundredth*	2 1/2	*two and a half*
1/1000	*one thousandth*	1.15	*one point one five*
1/1 000 000	*one millionth*	0.26	*(nought) point two six*

VÁHY A MÍRY

Délkové míry - *Linear measures*

1 *inch (in)* 1"		= 2,54 cm
1 *foot (ft)* 1'	= 12 *inches*	= 30,48 cm
1 *yard (yd)*	= 3 *feet*	= 91,44 cm
1 *furlong (fur)*	= 220 *yards*	= 201,17 m
1 *mile (m)*	= 1760 *yards*	= 1,609 km
1 *league*	= 3 *miles*	= 4,828 km

Námořní míry - *Nautical measures*

1 *fathom*	= 6 *feet*	= 1,829 m
1 *cable*	= 608 *feet*	= 185,31 m
1 *nautil, sea mile*	= 10 *cabels*	= 1,852 km
1 *sea league*	= 3 *nautical miles*	= 5,550 km

Britské objemové míry - *Measures of capacity*

1 *gill*		= 0,142 l
1 *pint (pt)*	= 4 *gills*	= 0,568 l
1 *guart (gt)*	= 2 *pints*	= 1,136 l
1 *gallon (gal)*	= 4 *guarts*	= 4,546 l
1 *barrel*	= pro ropu 35 *gallons*	= 159,106 l
	= pro pivo 36 *gallons*	= 163,656 l

Americké objemové míry - *Measures of capacity*

1 *gill*		= 0,118 l
1 *pint*	= 4 *gills*	= 0,473 l
1 *guart*	= 2 *pints*	= 0,946 l
1 *gallon*	= 4 *guarts*	= 3,785 l
1 *gallon*	= pro ropu 42 *gallons*	= 159,106 l

Soustava vah - *Avoirdupois weights*

1 *grain (gr)*		= 0,0648 g
1 *dram (dr)*	= 27,3438 *grains*	= 1,772 g

1 *ounce (oz)*	= 16 *drams*	= 28,35 g
1 *pound (lb)*	= 16 *ounces*	= 453,59 g
1 *stone*	= 14 *pounds*	= 6,348 kg
1 *guarter*	= 28 *pounds*	= 12,701 kg
1 *hundredweight (cwt)*	= brit. 112 *pounds*	= 50,8 kg
	= am. 100 *pounds*	= 45,36 kg
1 *ton*	= brit. 20 *cwt*	= 1016 kg
	= am. 2000 *pounds*	= 907,185 kg

Rychlost - *Velocity*

1 *mile per hour (mph)* = 1,61 km/h

1 km/h = 0.621 *mph*

Spotřeba paliva - *Fuel consumption*

1 *miles per gallon (mpg)* $= \frac{282}{\text{litrů } / 100 \text{ km}}$

1 litr/100 km $= \frac{282}{mpg}$

Síla - *Power*

1 *horse power (hp)* = 0,746 kW

1 kW = 1.34 *hp*

Teplota - *Temperature*

°C = 5/9 (°F - 32)

°F = 9/5 °C + 32

Abeceda - *Alphabet*

a	b	c	d	e	f	g	h	i	j	k	l	m	n
[ei]	[bi:]	[si:]	[di:]	[i:]	[ef]	[dži:]	[eidž]	[ai]	[džei]	[kei]	[el]	[em]	[en]

o	p	q	r	s	t	u	v	w	x	y	z
[əu]	[pi:]	[kju:]	[a:]	[es]	[ti:]	[ju:]	[vi:]	['dablju:]	[eks]	[wai]	[zed]

GEOGRAFICKÉ NÁZVY

Geografické názvy jsou řazeny dle názvu státu. U jednotlivých států jsou uvedeny další vybrané související názvy:
Název země 1 přídavné jméno 2 označení obyvatele, liší-li se od přídavného jména 3 měnová jednotka 4 hlavní město 5 poznámky

Afghanistan [æf'gænista:n] 1 *Afghan* ['æfgæn], *Afghani* [æf'gæni], *Afghanistani* [æf'gænista:ni] 3 *afghani* [æf'gæni]
Albania [æl'beiniə] 1 *Albanian* [æl'beiniən] 3 *lek* 4 *Tirana* [ti'ra:nə]
Algeria [æl'džiəriə] Alžír 1 *Algerian* [æl'džiəriən] 3 *dinar* [di:na:]
Andorra [æn'do:rə] 1 *Andorran* [æn'do:rən] 3 *franc* [fræŋk], *peseta* [pə'setə]
Angola [æŋ'gəulə] 1 *Angolan* [æŋ'gəulən]
Argentina [,a:džən'ti:nə], *the Argentine* [a:džəntain] 1 *Argentinian* [,a:džən'tiniən] 2 *Argentine* 3 *peso* [peisəu] 4 *Buenos Aires* [,bwenəs 'aiəriz]
Australia [o'streiliə] 1 *Australian* [o'streiliən] 3 *dollar* ['dolə] 4 *Canberra* [kænbərə]
Austria [ostriə] Rakousko 1 *Austrian* ['ostriən] 3 *schilling* [šiliŋ] 4 *Vienna* [vi'enə]
Bangladesh [,bæŋglə'deš] 1 *Bangladeshi* [,bæŋglə'deši]
Belgium [beldžəm] 1 *Belgian* [beldžən] 3 *franc* [fræŋk] 4 *Brussels* [braslz]
Belorus [,belo'ras] 1 *Belorussian* [,belo'rašn] 3 *rouble; ruble* ['ru:bl] 4 *Minsk* [minsk]
Bolivia [bə'liviə] 1 *Bolivian* [bə'liviən] 3 *peso* [peisəu] 4 *La Paz* [la:'pæz]
Brazil [brə'zil] 1 *Brazilian* [brə'ziliən] 3 *cruzeiro*
Bulgaria [bal'geəriə] 1 *Bulgarian* [bal'geəriən] 3 *lev* [lev], PL *leva* [levə] 4*['səufjə]*
Burma [bə:mə] 1 *Burmese* [,bə:'mi:z]
Cambodia [Kæm'bəudiə] 1 *Cambodian* [kæm'bəudiən] 4 *Pnompenh* [nom'pen]
Canada ['kænədə] 1 *Canadian* [kə'neidiən] 3 *dollar* ['dolə] 4 *Ottava* ['otəvə]
Chile ['čili] 1 *Chilean* ['čiliən] 3 *peso* [peisəu] 4 *Santiago* [,sænti'a:gəu]
China [čainə] 1 *Chinese* [,čai'ni:z] 3 *yuan* [ju:'æn] 4 *Peking* [pi:'kiŋ] 5 PL od *Chinese* je stejný
Colombia [kə'lombiə] 1 *Colombian* [kə'lombiən] 3 *peso* [peisəu] 4 *Bogota* [,bogəu'ta:]
Croatia [kro'ejšiə] Chorvatsko 1 *Croatian* [kro'ejšn] 3 *dinar* ['di:na:] 4 *Zagreb* ['za:greb]
Cuba ['kju:bə] 1 *Cuban* [kju:bən] 3 *peso* [peisəu] 4 *Havana* [hə'vænə]
Cyprus ['saiprəs] 1 *Cypriot* [sipriət] 3 *pound* [paund]
Czechoslovakia [,čekəusləu'vækiə] 1 *Czechoslovak* [,čekəu'sləuvæk], *Czechoslovakian* [,čekəusləu'vækiən] 2 *Czech* [ček], *Slovak* [sləuvæk] 3 *crown* [kraun] 4 *Prague* [pra:g]

Czech Republic [,ček ri'pablik]
Slovakia ['slouvækiə] 4 *Bratislava* [,brati'slava]
Denmark [denma:k] Dánsko 1 *Danish* [deiniš] 2 *Dane* [dein] 3 *krone* [krəunə] 4 *Copenhagen* [,kəupən'heign]
Ecuador ['ekwədo:] 1 *Ecuadorian* [,ekwə'do:riən] 3 *sucre*
Egypt ['i:džipt] 1 *Egyptian* [i'džipšn] 3 *pound* [paund] 4 *Cairo* [kairəu]
England ['iŋglənd] 1 *English* [iŋgliš] 2 *Englishman* [iŋglišmən], *Englishwoman* 5 národ jako celek = *the English*
Estonia [es'toniə] 1 *Estonian* [es'toniən] 4 *Tallinn* [talin]
Finland ['finlənd] 1 *Finnish* [finiš] 2 *Finn* [fin] 3 *markka* 4 *Helsinki* [helsiŋki]
France [fra:ns] 1 *French* [frenč] 2 *Frenchman* [frenčmən], *Frenchwoman* 3 *franc* [fræŋk] 4 *Paris* ['pæris] 5 národ jako celek = *the French*
Georgia ['džo:džiə] Gruzie
Germany ['džə:məni] Německo 1 *German* [džə:mən] 3 *deutschmark* [doičma:k] 4 *Berlin* [bə:'lin]
Great Britain [,greit 'britn] Velká Británie = (*the*) *United Kingdom* (*of Great Britain and Northern Ireland*) 1 *British* [britiš] 2 *Briton* [britn], am. *Britisher* [britišə] 3 *pound* [paund] 4 *London* [landn] 5 národ jako celek = *the British*
Greece [gri:s] Řecko 1 *Greek* [gri:k] 3 *drachma* [drækmə] 4 *Athens* [æθinz]
Holland ['holənd] = *the Netherlands* ['neðələndz] 1 *Dutch* [dač] 2 *Dutchman* [dačmən], *Dutchwoman* [dač'wumən] 3 *guilder* [gildə] 4 *Amsterdam* [,æmstə'dæm] 5 národ jako celek = *the Dutch*
Hong Kong [,hoŋ'koŋ] 4 *dollar* ['dolə]
Hungary ['haŋgəri] Maďarsko 1 *Hungarian* [haŋ'geəriən] 3 *forint* 4 *Budapest* [,bju:də'pest]
Iceland ['aislənd] Island 1 *Icelandic* [ais'lændik] 2 *Icelander* [aisləndə] 3 *krona* [krəunə] 4 *Reykjavik* [reikjəvi:k]
India ['indiə] 1 *Indian* [indiən] 3 *rupee* [ru:pi:] 4 *New Delhi* [deli]
Indonesia [,ində'ni:ziə] 1 *Indonesian* [,ində'ni:ziən] 3 *rupiah* [ru:'piə] 4 *Jakarta* [džə'ka:tə]
Iran [i'ra:n] 1 *Iranian* [i'reiniən] 3 *rial* 4 *Teheran* [tiə'ra:n]
Iraq [i'ra:k] 1 *Iraqi* [i'ra:ki] 3 *dinar* [di:na:] 4 *Baghdad* [bæg'dæd]
Ireland ['aiələnd] Irsko = *Eire* [eərə] 1 *Irish* [aiəriš] 2 *Irishman* [aiərišmən], *Irishwoman* 3 *pound* [paund] 4 *Dublin* [dablin]
Israel ['izreiəl] 1 *Israeli* [iz'reili] 3 *shekel* [šekl] 4 *Tel-Aviv* [,tel'əvi:v]
Italy ['itəli] 1 *Italian* [i'tæliən] 3 *lira* [liərə] 4 *Rome* [rəum]
Japan [džə'pæn] 1 *Japanese* [,džæpə'ni:z] 3 *yen* [jen] 4 *Tokyo* [təukjəu] 5 PL od *Japanese* se nemění
Jordan ['džo:dn] 1 *Jordanian* [džo:'deiniən] 3 *dinar* [di:na:]
Korea [kə'riə] 1 *Korean* [kə'riən] 3 *won* 4 *Seoul* [səul]
Kuwait [ku'weit] 1 *Kuwaiti* [ku'weiti] 3 *dinar* [di:na:]
Laos ['la:os] 1 *Laotian* ['la:ošn]
Latvia ['lætviə] Lotyšsko 1 *Latvian* ['lætviən] 4 *Riga* ['ri:gə]
Lebanon ['lebənən] 1 *Lebanese* [,lebə'ni:z] 3 *pound* [paund] 4 *Beirut* [,bei'ru:t]
Libya ['libiə] 1 *Libyan* [libiən] 3 *dinar* [di:na:] 4 *Tripolis* [tripəlis]

Liechtenstein ['liktənstain] 1 *Liechtenstein* 2 *Liechtensteiner* ['liktənstainə] 3 *franc* [fræŋk]

Lithuania [li'θju:einiə] Litva 1 *Lithuanian* [li'θju:einiən] 4 *Vilnius* ['vilniəs]

Luxemburg ['laksəmbə:g] 1 *Luxemburg* 2 *Luxemburger* ['laksembə:gə] 3 *franc* [fræŋk]

Macedonia [mæs'doniə] 1 *Macedonian* [mæs'doniən] 4 *Skopje* ['skopjə]

Malaysia [mə'leiziə] 1 *Malaysian* [mə'leiziən] 4 *Kuala Lumpur* ['kwa:lə 'lumpuə]

Malta ['mo:ltə] 1 *Maltese* [mo:l'ti:z] 3 *pound* [paund] 4 *Valleta* [və'letə]

Mexico ['meksikəu] 1 *Mexican* ['meksikən] 3 *peso* [peisəu] 4 *Mexico city*

Monaco ['monəkəu] 1 *Monegasque* [,monə'gæsk] 3 *franc* [fræŋk]

Mongolia [moŋ'gəuliə] 1 *Mongolian* [mon'gəuliən] 2 *Mongol* [moŋgl] 3 *tugrik*

Morocco [mə'rokəu] Maroko 1 *Moroccan* [mə'rokən] 3 *dirham* 4 *Rabat* [rə'ba:t]

New Zealand [,nju:'zi:lənd] 1 *New Zealand* 2 *New Zealander* [,nju:'zi:ləndə] 3 *dollar* ['dolə] 4 *Wellington* [weliŋtən]

Nicaragua [,nikə'rægjuə] 1 *Nicaraguan* [,nikə'rægjuən]

Nigeria [nai'džiəriə] 1 *Nigerian* [nai'džiəriən]

Northern Ireland [,no:ðən 'aiələnd] Severní Irsko 1 *Northern Irish* [,no:ðən 'aiəriš] 4 *Belfast* [,bel'fa:st]

Norway ['no:wei] Norsko 1 *Norwegian* [no:'wi:džən] 3 *krone* [krəunə] 4 *Oslo* [ozləu]

Pakistan [,pa:ki'sta:n] 1 *Pakistani* [,pa:ki'sta:ni] 3 *rupee* [ru:pi:]

Palestine ['pæləstain] 1 *Palestinian* [,pælə'stiniən]

Panama ['pænəma:] 1 *Panamian* [,pænə'meiniən]

Paraguay [pærəgwai] 1 *Paraguayan* [,pærə'gwaiən]

Peru [pə'ru:] 1 *Peruvian* [pə'ru:viən] 4 *Lima* [li:mə], am. [laimə]

(the) Philippines ['filipi:nz] Filipíny 1 *Philippine* ['filipi:n] 2 *Filipino* [,fili'pi:məu] 3 *peso* [peisəu] 4 *Manila* [mə'nilə]

Poland ['pəulənd] 1 *Polish* [pəuliš] 2 *Pole* [pəul] 3 *zloty* ['zloti] 4 *Warsaw* [wo:so:]

Portugal ['po:čugl] 1 *Portuguese* [,po:ču'gi:z] 3 *escudo* [e'sku:dəu] 4 *Lisbon* ['lizbən]

Romania [ru:'meiniə] Rumunsko 1 *Romanian* [ru:'meiniən] 3 *lei* [lei] 4 *Bucharest* [bju:kərest]

Russia ['rašə] 1 *Russian* [rašn]

Saudi Arabia [,saudi ə'reibiə] 1 *Saudi* [saudi] 2 *Saudi Arabian* [,saudi ə'reibiən] 3 *rial* [ri'o:l]

Scotland ['skotlənd] Skotsko 1 *Scottish* ['skotiš], *Scotch* ['skoč] 2 *Scot* ['skot], *Scotsman* ['skotsmən], *Scotswoman* ['skotswumən] 4 *Edinburgh* ['edinbərə]

Senegal [,seni'go:l] 1 *Senegalese* [,senigə'li:z]

Singapore [,siŋə'po:] 1 *Singaporean* [,siŋə'po:riən] 3 *dollar* ['dolə]

Slovenia [slo'vi:niə] 1 *Slovenian* [slo'vi:niən] 2 *Slovene* ['slovi:n] 4 *Ljubljana* [lublanə]

Somalia [sə'ma:liə] 1 *Somali* [sə'ma:li]

South Africa [,sauθ 'æfrikə] 1 *South African* [,sauθ 'æfrikən] 3 *rand* [rænd]
(the) ***Soviet Union*** ['səuviət 'ju:niən] Sovětský svaz = *(the) Union of Soviet Socialist Republics* 1 *Soviet* [səuviət] 3 *rouble* [ru:bl] 4 *Moscow* ['moskəu]
Spain [spein] Španělsko 1 *Spanish* [spæniš] 2 *Spaniard* [spæniəd] 3 *peseta* [pə'setə] 4 *Madrid* [mə'drid] 5 národ jako celek = *the Spanish*
Sudan [su:'da:n] 1 *Sudanese* [,su:də'ni:z] 3 *pound* [paund]
Sweden ['swi:dn] Švédsko 1 *Swedish* [swi:diš] 2 *Swede* [swi:d] 3 *krona* [krəunə] 4 *Stockholm* ['stokhəum]
Switzerland ['switsələnd] Švýcarsko 1 *Swiss* 3 *franc* [fræŋk] 4 *Bern* [bə:n] 5 PL se nemění
Syria ['siriə] 1 *Syrian* [siriən] 3 *pound* [paund] 4 *Damascus* [də'ma:skəs]
Thailand [tailænd] Thajsko 1 *Thai* [tai]
Tibet [ti'bet] 1 *Tibetan* [ti'betn] 4 *Lhasa* [la:sə]
Tunisia [tju:'nizjə] 1 *Tunisian* [tju:'nizjən] 3 *dinar* [di:na:] 4 *Tunis* [tju:nis]
Turkey ['tə:ki] Turecko 1 *Turkish* [tə:kiš] 2 *Turk* [tə:k] 3 *pound* [paund] 4 *Ankara* ['æŋkərə]
Ukraine [ju:'krein] 1 *Ukrainian* [ju:'kreiniən] 4 *Kyiv* [kiiv; kyiv]
(the) ***United States of America*** [ju:'naitid ,steits əv ə'merikə] Spojené státy americké 1 *American* [ə'merikən] 3 *dollar* ['dolə] 4 *Washington* [wošiŋtən]
Venezuela [,veni'zweilə] 1 *Venezuelan* [,veni'zweilən]
Vietnam [vjet'næm] 1 *Vietnamese* [,vjetnə'mi:z] 4 *Hanoi* [hæ'noi]
Wales [weilz] 1 *Welsh* [welš] 2 *Welshman* [welšmən], *Welshwoman* [welšwumən] 4 *Cardiff* [ka:dif]
Yugoslavia [,ju:gəu'sla:viə] 1 *Yugoslavian* [,ju:gəu'sla:viən] 2 *Yugoslav* [ju:gəusla:v] 3 *dinar* [di:na:] 4 *Belgrade* [,bel'greid]
Serbia ['sə:biə] 1 *Serbian* ['sə:biən]
Bosnia ['bosniə] 1 *Bosnian* ['bosniən] 4 *Sarajevo* [sarə'jevo]
Herzegovinia [her'cego'vi:niə] 1 *Herzegovinian* [her'cego'vi:niən] 4 *Sarajevo* [sarə'jevo]

Europe ['juərəp]
Asia ['eišə]
Africa ['æfrikə]
North America [,no:θ ə'merikə]
South America [,sauθ ə'merikə]
Australia [o'streiliə]
(the) ***Antarctic*** [æn'ta:ktik]
(the) ***Arctic*** ['a:ktik]

FRÁZE

Nápisy	Notices
Vstupné ...	*Admission (Fee) ...*
Vstup volný	*Admission Free*
Letiště	*Airport*
Konečná stanice aerolinií	*Air Terminal*
Příjezdy, přílety / Odjezdy, Odlety	*Arrivals / Departures*
Pozor!	*Look out*
Holič / Kadeřník	*Barber's / Hairdresser's*
Pokoj se snídaní	*Bed and Breakfast*
Pozor! Životu nebezpečno!	*Beware! Danger!*
Pozor zlý pes	*Beware of the Dog*
Pokladna (na nádraží)	*Booking Office*
Pokladna v divadle, kině	*Box Office*
Stanice autobusů	*Bus stop*
Parkoviště aut	*Car Park; Parking Place*
Šatna	*Cloakroom*
Zavřeno / Otevřeno	*Closed / Open*
Studená / teplá	*Cold / Hot*
Přecházejte / Nepřecházejte	*Cross Now;* am. *Walk / Don't Cross;* am. *Don't walk*
Jeďte krokem	*Dead Slow*
Objížďka	*Diversion; Detour*
Nedotýkat se	*Do Not Touch*
Nenahýbejte se z okna	*Don't Lean out of the Window*
Jeďte opatrně	*Drive carefully*
Nadjezd	*Flyover;* am. *Overpass*
Záchranná brzda	*Emergency Brake*
Nouzový východ	*Emergency Exit*
Směnárna	*Exchange Office*
První pomoc	*First Aid*
Půjčovna ...	*... For Hire*
Muži, Páni	*Gentlemen*
Topení	*Heating*
Nemocnice	*Hospital*
Nechte volný průjezd	*Keep Clear*
Uvolněte východ	*Keep Clear of the Door*
Jeďte vlevo	*Keep Left*
řidič začátečník	*L (Learner)*
Ženy, Dámy	*Ladies*
Záchod	*Lavatory; W.C.*
Úschovna zavazadel	*Left Luggage Office*
Výtah	*Lift;* am. *Elevator*
Odpadky	*Litter;* am. *Litterbag*
Ztráty a nálezy	*Lost Property Office*

Pozor schod	*Mind the Step*
Motel	*Motel; Motor Rest*
Dálnice	*Motorway;* am. *Freeway*
Nepovolaným vstup zakázán	*No Admittance Except On Business*
Přechod zakázán	*No Crossing*
Zákaz parkování	*No Parking*
Zákaz kouření	*No Smoking*
Zákaz zastavení	*No Stopping; Clearway*
Průjezd zakázán	*No Thoroughfare*
Plně obsazeno (např. v hotelu)	*No Vacancies*
Obsazeno / Volno	*Occupied / Vacant; Free*
Jednosměrný provoz	*One-Way Traffic*
Otevřeno / Zavřeno	*Open / Closed*
Tam / Sem	*Out / In*
Parkoviště	*Parking Lot* am.
Přechod pro chodce	*Pedestrian Crossing*
Nástupiště č. 1	*Platform No 1*
Jed	*Poison*
Policie	*Police*
Policejní stanice	*Police Station*
Pošta	*Post Office*
Zmáčkněte	*Press (the Button)*
Soukromý majetek	*Private*
Veřejné záchodky	*Public Conveniences*
Hospoda	*Inn; Pub*
Tam / Sem	*Push / Pull*
Železnice	*Railway;* am. *Railroad*
Občerstvení	*Refreshments*
Zastávka na znamení	*Request Stop*
Zadáno	*Reserved; Booked*
Toalety	*Washroom;* am. *Bathroom*
Kruhový objezd města	*Ring Road;* am. *Beltway*
Silnice se opravuje	*Road Under Repair*
Kruhový objezd	*Roundabout;* am. *Rotary*
Výprodej	*Sale(s)*
Místenky	*Seat Reservations*
Samoobsluha	*Self-service*
Sprcha	*Shower*
Ticho	*Silence*
Nájezd na dálnici / Výjezd z dálnice	*Slip road*
Vyprodáno	*Sold Out*
Stanice; Stanice autobusu; Stanice tramvaje	*Stop; Bus Stop; Tram Stop*
Podchod	*Subway; Underground Passage*
Podzemní dráha	*Subway* am.
Stanoviště taxi	*Taxi rank;* am. *Taxi Stand*
Konečná stanice	*Terminus*
Jízdní řád	*Timetable*

Pronajme se ...	*... to Let*
Zneužití se trestá	*Trespassers Will Be Prosecuted*
Stanice podzemní dráhy	*U (Underground Station)*
Podjezd	*Underpass*
Volné pokoje	*Vacancies*
Čekárna	*Waiting Room*
Vchod; vjezd / Východ	*Way In / Way Out*
Čerstvě natřeno	*Wet Paint*

Společenské obraty — *Conversational Phrases*

Pozdravy — *Greetings and Farewells*

Dobré jitro	*Good morning*
Dobré odpoledne	*Good afternoon*
Dobrý večer	*Good evening*
Nazdar	*Hello*
Ahoj při setkání	*Hi* hovor.
Na shledanou	*See you later;* týž den
Na shledanou	*See you*
- dnes večer	*- tonight*
- v neděli	*- on Sunday*
- ode dneška za týden	*- today week*
Sbohem	*Goodbye;* hovor. *Bye(-bye)*
Ahoj při loučení	*Cheerio; Bye; Be seeing you;*
Dobrou noc	*Good night*

Oslovení — *Modes of Address*

Pane Browne	*Mr Brown*
Paní Brownová	*Mrs Brown*
Slečno Brownová	*Miss Brown*
Paní; slečno	*Madam*
Dámy a pánové	*Ladies and gentlemen*
Vážení přátelé	*Dear friends*

Poděkování — *Thanks*

Děkuji	*Thank you;* hovor. *Thanks*
Není zač	*That's all right; That's OK; Not at all*
Děkuji mnohokrát	*Thank you very much*
Prosím	*That's quite all right; You're welcome*
Děkuji vám za vaši pomoc	*Thank you for your help*
Jsem vám velmi vděčen	*I'm very grateful to you*
Jste velmi laskav	*You are very kind*
To je od vás moc milé	*It's awfully nice of you*
To je maličkost	*It's the least I could do*
Velice vám děkujeme za vše, co jste pro nás udělal	*Thank you very much for everything you've done for us*
Udělal jsem to rád	*It was a pleasure*

## Prosby a žádosti	## *Requests and Demands*
Prosím vás, podejte / pomozte / půjčte mi ...	*Will you pass / help / lend me ..., please*
Prosím při podávání	*Here you are*
Prosím odpověď na žádost	*Certainly; Of course; You're welcome*
Velmi rád	*With pleasure*
Mohu vás o něco požádat?	*May I ask you to do me a favour?*
Rád bych se vás na něco zeptal	*There's something I'd like to ask you*
Chtěl bych ...	*I'd like ...*
Mohl byste mi pomoci?	*Could you help me?*
Dovolíte, abych ...	*Let me ...*
Neměl byste nic proti tomu, kdybych zavřel okno?	*Would you mind if I close the window?*
Raději ho nezavírejte	*I'd rather you didn't*
Vůbec ne	*Of course not*
S dovolením chceme-li projít	*Excuse me; Would you let me pass?*
Dejte mi to, prosím vás	*Give it to me, please*
Dejte pozor	*Take care; Be careful*
Mluvte	*Go ahead*
Mlčte	*Stop talking*
Buďte zticha, prosím vás	*Quiet, please*
Nechte mě	*Leave me alone*
Neobtěžujte se	*Don't trouble (bother) about that*
Nezapomeňte na to	*You won't forget, will you?*
Odejděte	*Please go away*
Otevřete (zavřete) dveře	*Open (close) the door, please*
Podržte mi to	*Will you hold it for me please?*
Pohlídejte mi to, prosím	*Will you keep an eye on it for me, please?*
Podívejte se	*Have a look*
Pojď sem	*Come here*
Pospěšte si	*Hurry up*
Poslyšte	*Look here*
Přestaňte	*Stop (it)*
Řekněte mu to, prosím	*Will you please tell him?*

## Omluvy	## *Apologies*
Promiňte	*I'm sorry;* hovor. *Sorry*
Prosím	*That's all right*
Prosím za prominutí	*Excuse me, please*
Promiňte, spěchám	*Excuse me, I'm in a hurry*
Promiňte, že jsem vás nechal čekat	*I'm (so) sorry to have kept you waiting*
Omlouvám se, že přicházím pozdě	*I'm sorry to be late (I'm late)*
Omluvte mě na okamžik	*Will you excuse me for a moment?*
Promiňte, nemohu za to	*Sorry, it's not my fault; I can't help it*
Není to moje vina	*I'm not to blame*
Odpusťte, že obtěžuji	*So sorry to trouble you*

To nevadí	*That's all right*
Nic se nestalo	*No harm done*
To nic	*It's no trouble at all*
Ale vůbec ne	*Not at all*
Nemusíte se omlouvat	*You needn't apologize*

Představování — *Introductions*

Dovolte, abych se představil. Jmenuji se ...	*Let me introduce myself. My name is ...*
Dovolte, abych vám představil ...	*Let me introduce ... (to you)*
Kdo je ten pán?	*Who is that gentleman?*
Mé jméno je ...	*My name is ...*
Známe se od vidění	*We know each other by sight*
Jsem rád, že jsem vás poznal	*(I'm) pleased (delighted) to have met you*

Zdvořilosti — *Polite Expressions*

Jak se máte?	*How are you?*
Děkuji, dobře, a vy?	*I'm well, thank you, and you?*
Děkuji, jde to	*Quite well, thank you*

Souhlas — *Agreement*

Ano	*Yes*
Zajisté	*Certainly; Of course*
Rozhodně; Samozřejmě	*By all means*
Myslím, že ano	*I think so*
Dobrá	*Good; OK*
Souhlasím	*I agree*
To se mi velmi hodí	*That'll suit me very well*
Platí	*Agreed; That's settled*
Chápu	*I see*
Dobře	*All right; Good; OK; Fine*
Výborně	*Very good;* hovor. *Splendid*
Beze všeho	*By all means; Willingly*
S radostí	*With pleasure*
Máte pravdu	*You're right*
To je pravda	*That's true; Quite true*
Opravdu	*Yes, indeed*
No právě	*Well, that's the point*
To je ono	*That's it; That's just the thing*
To je dobrý nápad	*That's a good idea*

Nesouhlas — *Disagreement*

Ne	*No*
Ne, naopak	*No, on the contrary*
Myslím, že ne	*I don't think so*
Raději ne	*I'd rather not*
Ještě ne	*Not yet*

Ale ne	*Oh no*
Vůbec ne	*Not at all*
To není pravda	*That's not true*
Nemáte pravdu	*You're mistaken*
To není možné	*That's impossible*
To nestojí za to	*It's not worth it*
Nechci	*I don't want to*
Já také ne	*I don't either; Neither (Nor) do I*
To nemá smysl	*It's no use*
V žádném případě	*On no account*
Nikdy	*Never*
Už nikdy	*Never again*
Ani nápad	*Far from it*

Otázky / *Questions*

Co?	*What?*
Co je to?	*What's this?*
Co si přejete?	*What can I do for you?*
Co hledáte?	*What are you looking for?*
Co se tím dá udělat?	*What can be done about it?*
Co tomu říkáte?	*What do you say to that?*
Co se děje?	*What's the matter?* al. *What's up?*
Co se stalo?	*What happened?*
Co je nového?	*What's new?*
Oč se jedná?	*What's the point?*
Nač to je?	*What is it for?*
Kdo?	*Who?*
Kdo je to?	*Who's that?*
Kdo je tam?	*Who's there?*
Kdo mě hledá?	*Who's looking for me?*
Koho hledáte?	*Who are you looking for?*
Na koho čekáte?	*Who are you waiting for?*
Od koho to je?	*Who is it from?*
Pro koho to je?	*Who is it for?*
S kým jste mluvil?	*Who did you speak to?*
Čí to je?	*Whose is it (this)?*
Kde?	*Where?*
Kde je ...?	*Where is ...?*
Kam jdete?	*Where are you going?*
Kudy se jde ...?	*Which is the way to ...?*
Odkud jste?	*Where are you from? Where do you come from?*
Odkud přicházíte?	*Where are you coming from?*
Kolik?	*How much?*
Kolik to stojí?	*How much does it cost?*
V kolik hodin?	*What time?*
Od kolika je otevřeno?	*What time do they open?*
Kdy?	*When?*

Odkdy jste v ...? — *How long have you been in ...?*
Dokdy? — *Until when?*
Jak? — *How?*
Jak dlouho? — *How long?*
Jak se jmenujete? — *What's your name?*
Jak jste se vyspal? — *Did you sleep well?*
Jak se vám to líbí? — *How do you like it?*

Vyhýbavé a nezávazné odpovědi — *Evasive of noncommittal answers*

Snad, asi — *Perhaps, it may be*
Možná — *Maybe*
To je jedno — *It makes no difference*
Mně je to jedno — *It's all the same to me*
Jak chcete — *If you like*
Přijde na to — *It depends*
Uvidíme — *We shall see*
Rozmyslím si to — *I'll think it over / I'll think about it*
Kdoví! — *Who knows*
Pravděpodobně — *Probably*

Lítost — *Pity, Regret*

Bohužel ... — *I'm sorry to say that ...*
Bohužel vám nemohu pomoci — *I'm afraid I can't help you*
Lituji, ale nedá se nic dělat — *Sorry, but there's nothing to be done*
To mě mrzí — *I'm very sorry about that*
To je škoda — *What a shame; What a pity*
Škoda, že nepřišel — *Pity he didn't come*
To je ale smůla — *That's bad (hard) luck*

Radost, spokojenost — *Pleasure, Satisfaction*

Výborně — *Very good;* hovor. *Splendid*
To jsem rád — *I'm glad about that*
Jsem rád, že vás vidím — *I'm glad to see you*
To mě opravdu těší — *I'm very pleased, indeed*
To je báječné — *That's marvellous*
To je prima — *That's fine; That's great*

Nespokojenost, rozhořčení — *Dissatisfaction, Indignation*

Už toho mám dost — *I'm sick of it;* hovor. *I'm fed up with it*
To mě otravuje — *That's annoying*
To je hloupé — *It's stupid (silly)*
Ano, bylo to dost nudné — *Yes, it was rather boring*
To je nesnesitelné — *It's unbearable*
To je ostuda — *It's disgraceful*
Nechte toho — *Stop it; Drop it;* sl.
Dejte mi pokoj — *Leave me alone*

Obavy / *Anxiety*

Mám strach	*I'm scared (frightened)*
Nemějte strach	*Don't be afraid*
Obávám se, že přijdu pozdě	*I'm afraid I'll be late*
Nedělejte si starosti	*Don't worry*

Omyly / *Errors, Mistakes*

To je omyl	*That's a mistake*
Mýlíte se	*You are mistaken*
Zmýlil jsem se	*I've made a mistake*
Omylem jsem si vzal váš deštník	*I took your umbrella by mistake*
Spletl jsem si číslo při telefonování	*I must have dialled the wrong number*
Spletl jsem si cestu	*I've taken the wrong way*

Pochybnosti, překvapení / *Doubt, Surprise*

Pochybuji	*I doubt it*
Tomu nevěřím	*I can't believe that*
To není možné	*That's impossible*
Nejsem si tím jist	*I'm not quite sure (about (of) it)*
Určitě?	*Are you sure?*
Cože?	*What?*
Jak to (že) ...?	*How come (that) ...?*
To je neuvěřitelné	*That's unbelievable*
To mě překvapuje	*That's surprising*
Přeháníte	*You're exaggerating*

Ujištění, sliby / *Assurance, Promises*

Určitě; Jistě	*Certainly; Of course;* am. *Sure*
Jsem si tím jist	*I'm quite sure about it*
O tom nepochybuji	*There's no doubt about it*
Buďte klidný	*Don't worry; Take it easy*
Ujišťuji vás, že ...	*I assure you that ...*
Slibuji vám to	*I promise*
Dodržím slovo	*I'll keep my word*

Blahopřání / *Greetings, Congratulations*

Blahopřeji	*Congratulations*
Vše nejlepší k narozeninám	*Happy birthday; Congratulations; Many happy returns (of the day)*
Příjemné prožití svátků	*Have a nice holiday*
Veselé vánoce a šťastný nový rok!	*A Merry Christmas and a Happy New Year*
Veselé velikonoce	*Happy Easter*

Soustrast / *Condolences*

Upřímnou soustrast	*Please accept my condolences*
Sdílím vaši bolest	*I share your distress*

Barvy / *Colours*

Jakou barvu má ...? — *What colour is ...?*
Jakou barvu si přejete? — *What colour would you like?*
Nemáte to v jiné barvě? — *Haven't you got it in another colour?*
Chtěl bych něco světlejšího — *I'd prefer something in a lighter shade*
Chtěl bych něco tmavšího — *I'd prefer something in a darker shade*

Určení místa a směru / *Place and Direction*

Kde? — *Where?*
Je to tady — *It's here*
- tam(hle) — *(over) there*
- blízko — *near*
- blízko náměstí — *off the square*
- blízko obchodů — *close to the shops*
- daleko (odtud) — *a long way (from here)*
- všude — *everywhere; anywhere*

Není to nikde — *It's nowhere*
Je to — *It's*
- dvě míle odtud — *two miles away*
- deset minut pěšky / autem — *a ten-minute walk / by car*
- napravo / nalevo — *on (to) the right / left*
- napravo od nádraží — *to the right of the railway station*
- vpředu — *in front*
- vzadu — *at the back*
- vzadu za domem — *at the back of the house*
- naproti poště — *opposite the post office*
- za mostem — *over the bridge*
- za kostelem — *behind the church*
- venku — *outside*
- uvnitř — *inside*
- na rohu ulice — *on (at) the corner of the street*
- za rohem — *round the corner*
- u zastávky autobusu — *near (by) the bus stop*
- před divadlem — *in front of the theatre*
- vedle školy — *next to (beside) the school*
- za městem — *outside the town*
- na okraji města — *on the outskirts of the town*
- v centru — *in the centre*
- pod podloubím — *under / in the arcades*
- pod hradem — *below the castle*
- na konci ulice — *at the end (bottom) of the street*
- na začátku ulice — *at the beginning (top) of the street*
- v polovině ulice — *half way down the street*
- na druhém konci náměstí — *at the other end of the square*
- na druhé straně ulice — *on the other side of the street*
- uprostřed náměstí — *in the middle of the square*

Kam?	Where (to)?
Jdu domů / do kina	I'm going home / to the pictures
Jedu do Londýna	I'm going to London
Pojďte sem	Come here
Položte to tam	Put it there
Jděte tam	Go there
- vpravo	- (to the) right
- vlevo	- (to the) left
- přímo	- straight ahead
- zpátky	- back
- směrem k nádraží	- towards the railway
- na křižovatku	- as far as the crossing
- na druhý chodník	- across the street; to the other side of the street
- opačným směrem	- in the opposite direction
- ulicí nahoru	- up the street
- ulicí dolů	- down the street
- touto ulicí	- along this street
- přes most	- across the bridge

Čas — *Time*

Čas	Time
Máte čas?	Have you got time?
Dnes nemám čas	I haven't got time today
Je (nejvyšší) čas, abychom šli	It's (high) time to go
Máme ještě čas si prohlédnout...?	Is there any time left to look round...?
Zbývá nám málo času	There's little time left
To je škoda času	It's waste of time
Počkejte chvíli, prosím	Wait a moment, please
Musíme chvilku počkat	We must wait for a while
Odešel před chvílí	He left a moment ago

Kdy?	When?
Kdy přijdete?	When will you come?
Chodíte často do kina?	Do you often go to the cinema?
Zřídka	Rarely
Občas	From time to time; Now and then
Někdy	Sometime(s)
Nikdy	Never
Vstává brzy	He gets up early
Přijďte včas / dříve / co nejdříve	Come in time / earlier / as soon as possible
Pospěšte si, je pozdě	Hurry up, it's late
Přijdu potom	I'll call again
Čekám tu už dlouho	I've been waiting here for a long time

Určování času	*The time of day*
Je za pět minut čtvrt na dvě	*It's ten past one*
Je čtvrt na tři a pět minut	*It's twenty past two*
Je za pět minut půl čtvrté	*It's twenty-five past three*
Je půl páté a pět minut	*It's twenty-five to five*
Je za pět minut tři čtvrti na šest	*It's twenty to six* (am. *twenty of six)*
Je sedmnáct hodin čtyřicet / pět hodin čtyřicet	*It's five forty p.m. / five forty a.m.*
Je za deset minut sedm	*It's ten to seven*
Je právě poledne	*It's just midday*
Bude půlnoc	*It's getting on for midnight*
Jsou už dvě pryč	*It's past two*
Ještě nejsou čtyři	*It's not four o'clock yet*
Brzy budou tři hodiny	*It's close on three o'clock*
Udělám to za hodinu	*I'll do it in an hour*
Přijde za půl hodiny	*He'll come in half an hour*
Máme ještě deset minut času	*There's still ten minutes left*

Týden - Dny	*Week - Days*
Neděle	*Sunday*
Pondělí	*Monday*
Úterý	*Tuesday*
Středa	*Wednesday*
Čtvrtek	*Thursday*
Pátek	*Friday*
Sobota	*Saturday*
Který den je dnes?	*What day is it today?*
Dnes je středa	*Today's Wednesday*
Sejdeme se v úterý odpoledne	*We'll meet on Tuesday afternoon*
Příští úterý nemám čas	*I won't be free next Tuesday*
Proč jste nepřišel minulou neděli?	*Why didn't you come last Sunday?*
Od středy za týden	*Wednesday week*
Příští týden v pondělí	*On Monday next week*
Vrátí se až ve čtvrtek	*He won't be back till Thursday*
Před dvěma dny	*Two days ago*
Před týdnem	*A week ago*
Za tři dny	*In three days*
Za týden	*In a week*
Tento týden	*This week*
Od čtvrtka za týden	*Thursday week*
Příští týden	*Next week*
Minulý týden	*Last week*
Předevčírem	*The day before yesterday*
Včera	*Yesterday*
Dnes	*Today*
Zítra	*Tomorrow*
Pozítří	*The day after tomorrow*

Den - Noc / *Day - Night*

Ráno, dopoledne — *Morning*
Poledne — *Noon*
Odpoledne — *Afternoon*
Večer — *Evening*
Půlnoc — *Midnight*
Přijde odpoledne / v poledne / o půlnoci — *He'll come in the afternoon / at noon / at midnight*
Vstává v devět hodin ráno — *He gets up at nine in the morning*
Zítra ráno odjíždím — *I'm leaving tomorrow morning*

Měsíce - Rok - Století / *Months - Year - Century*

Leden — *January*
Únor — *February*
Březen — *March*
Duben — *April*
Květen — *May*
Červen — *June*
Červenec — *July*
Srpen — *August*
Září — *September*
říjen — *October*
Listopad — *November*
Prosinec — *December*
Obvykle si beru dovolenou v červenci — *I usually take my holiday in July*
Jede do ciziny na půl roku — *He's going abroad for six months*

Datum / *The date*

1. ledna — *1st January* (čti *the first of January*)
2. června — *2nd June* (čti *the second of June*)
Máte kalendář? — *Have you got a calendar?*
Kolikátého je dneska? — *What's the date today?*
Je třetího dubna — *It's the third of April*
Dnes je desátého května — *Today's the tenth of May*
Zítra bude patnáctého března — *Tomorrow will be the fifteenth of March*
Včera bylo čtvrtého prosince — *Yesterday was the fourth of December*
Zůstanu tam až do jedenáctého září — *I'm going to stay there till the eleventh of September*
Přijedou prvního června — *They'll arrive on the first of June*
Odjeli jsme pátého června ráno — *We left on the morning of June the fifth*

Roční období / *The seasons*

Jaro — *Spring*
Léto — *Summer*

Podzim	*Autumn;* am. *Fall*
Zima	*Winter*
Na jaře	*In spring*
V létě	*In summer*
Na podzim	*In autumn*
V zimě	*In winter*
Letos na jaře	*This spring*
Letos v létě	*This summer*
Letos v zimě	*This winter*
Vloni na podzim	*Last autumn*
Letos je tuhá (mírná) zima	*We're having a hard (mild) winter this year*

Svátky / *Holidays*

Dnes je svátek	*Today's a holiday*
Zítra je všední den	*Tomorrow's a working day*
Blíží se vánoce	*Christmas is coming*
Kdy bude letos Štědrý den?	*What day does Christmas Eve fall on this year?*
Zítra je Nový rok	*Tomorrow's New Year's Day*
Kde budete slavit Silvestra?	*Where are you going to celebrate New Year's Eve?*
Kdy máte narozeniny?	*When's your birthday?*

Počasí / *Weather*

Teplé počasí	*Warm weather*
Jak je dnes venku?	*What's the weather like today?*
Je krásně / teplo	*It's lovely / warm*
Je slunce	*It's sunny*
Svítí slunce	*The sun's shining*
Vyjasňuje se	*It's clearing up*
Je dusno	*It's sultry*
Je strašně vedro	*It's awfully hot*
Bouřka	*Storm*
Bude bouřka	*There's going to be a thunderstorm*
Přichází bouřka	*A storm's coming*
Zablesklo se	*The lightning flashed*
Ošklivo	*Bad weather*
Je ošklivo	*It's awful* (hovor. *nasty) weather*
Je vlhko / zima / chladno	*It's damp / cold / chilly; cool*
Je zataženo	*The sky's overcast*
Je pod mrakem	*It's cloudy*
Vítr	*Wind*
Je vítr	*It's windy*
Práší se	*It's dusty*
Odkud fouká vítr?	*Where's the wind blowing from?*
Fouká ledový vítr	*Icy winds are blowing*

Je větřík	*It's breezy*
Vítr se utišil	*The wind's dropped*
Déšť	*Rain*
Je na déšť	*It looks like rain*
Zmokneme	*We'll get wet*
Začíná pršet	*It's beginning to rain*
Poprchává, mží	*It's drizzling*
Prší	*It's raining*
Je liják	*It's pouring (with rain)*
Přestalo pršet	*It's stopped raining*
Byla to jen přeháňka	*It was only a shower*
Padají kroupy	*It's hailing*
Zima	*Cold weather*
Je zima	*It's cold*
Dnes je psí zima	*It's beastly cold today*
Bude padat sníh	*It's going to snow*
Sněží	*It's snowing*
Je plno sněhu	*There's a lot of snow*
Mrzne až praští	*It's freezing hard*
Jsem zmrzlý	*I'm freezing*
Mrznou mi prsty	*My fingers are getting numb*
Klouže to	*It's slippery*
Je bláto	*It's muddy (slushy)*
Mlha	*Fog*
Je mlha lehká	*It's misty*
Je hustá mlha	*It's foggy*
Mlha houstne / padá	*The fog's getting thicker / falling*
Je rosa	*There's dew*
Předpověď	*Weather forecast*
Jaká je předpověď na zítřek?	*What's the weather forecast (report) for tomorrow?*
Podle předpovědi má pršet	*According to the forecast it'll be rainy*
Doufám, že pěkné počasí potrvá	*I hope the weather will stay fine*
Ochlazuje se	*It's getting colder*
Teplota	*Temperature*
Kolik je stupňů?	*What's the temperature?*
Je deset stupňů nad (pod) nulou	*It's ten degrees above (below) zero*
Je vám zima?	*Are you cold?*
Je mi teplo	*I'm warm*
Rozednívá se	*It's getting light*
Stmívá se	*It's getting dark*
Je tma / světlo	*It's dark / light*
Slunce vychází / zapadá	*The sun's rising / setting*
Je šero	*It's twilight*

Osobní údaje	*Personal data*
Osobní údaje	***Personal data***
Příjmení	*Surname*
Jméno	*First name / Christian name*
Dívčí jméno	*Maiden name*
Jméno otce	*Father's name*
Jméno matky	*Mother's name*
Datum narození	*Date of birth; Born*
Místo narození	*Place of birth*
Země	*Country*
Státní příslušnost	*Nationality*
Náboženství	*Religion*
- bez vyznání	*- agnostic*
- protestantské	*- protestant*
- řeckokatolické	*- Orthodox Catholic*
- římskokatolické	*- Roman Catholic*
- židovské	*- jewish*
Bydliště	*Residence; Address*
- přechodné bydliště	*- temporary address*
- trvalé bydliště	*- permanent address*
Povolání	*Profession*
Stav	*Marital status*
- ženatý, vdaná	*- married*
- svobodný	*- single*
- rozvedený	*- divorced*
- ovdovělý	*- widowed*
- vdovec; vdova	*- widower; widow*
Pas č. ...	*Passport No ...*
Průkaz totožnosti	*Identity Card*
Vydán dne	*Place of issue; Issued at*
- kdy	*- Day of issue*
- kým	*- Issued by*
Platný do	*Valid for*
Národnost	***Nationality***
Vy jste Angličan?	*Are you English?*
Ne, jsem Čech / Slovák	*No, I'm Czech / Slovak*
Jaké jste národnosti?	*What's your nationality?*
Jsem Angličan	*I'm English*
Fyzický vzhled	***Appearance***
Je velký / malý	*He's tall / short*
Je střední postavy	*He's of medium height*
Má hezkou postavu	*She's got a neat figure*
Je silný	*He's stout*
- zavalitý, podsaditý	*- thickset*

- hubený	*- slim*
Je štíhlá / silná	*She's slender (slim) / fat (plump)*
Má modré (černé) oči	*Her eyes are blue (dark)*
Má světlé	*He's got light*
- kaštanové	*- auburn*
- černé	*- dark*
- šedivé	*- grey*
- prošedivělé	*- greying*
- bílé vlasy	*- white hair*
Šediví mu vlasy	*His hair's going grey*
Má hladké	*She's got straight*
- kudrnaté	*- curly*
- zvlněné vlasy	*- wavy hair*
Je holohlavý	*He's bald*
Nosí plnovous / knírek	*He's got a beard / a moustache*
Má rovný	*He's got a straight*
- tupý	*- a stumpy (snub)*
- zdvižený nos	*- a turned-up nose*
Má hezké nohy	*She has neat legs*
Je to hezký muž	*He's a handsome man*
Vypadá mladě / staře	*He looks young / old*

Zdraví - nemoc / *Health - Disease*

Jak se vám daří?	*How are you?*
Už je vám lépe?	*Are you (feeling) better now?*
Vypadáte dobře	*You look well*
Daří se mi docela dobře	*I'm quite well*
Cítím se unaven	*I feel tired*
Měl byste jít k lékaři	*You should go to the doctor's*
To nic není, to přejde	*It's nothing; I'll soon get over it*
Teď je mi dobře	*I feel fine now*
Co je vám?	*What's the matter with you?*
Je mi špatně od žaludku	*I feel sick*
Co se vám stalo?	*What's happened?*
Udělalo se mi nevolno	*I don't feel well*
Upadl jsem a odřel jsem si nohu	*I fell down and bruised my leg*
Uhodil jsem se do kolena	*I hurt my knee*
Vyvrtnul jsem si kotník	*I sprained my ankle*
Zlomil jsem si ruku	*I broke my arm*
řízl jsem se do prstu	*I cut my finger*
Spálil jsem si záda (na slunci)	*I burnt my back (in the sun)*
Něco mi spadlo do oka	*There's something in my eye*
Bodl mě nějaký hmyz	*I was bitten by some insect*
Otekla mi ruka	*My arm's swollen*
Zranil jsem se na hlavě	*I hurt my head*
Pošlete pro lékaře	*Send for a doctor*
Sežeňte ihned lékaře	*Fetch a doctor at once*

Kde je zdravotní středisko?	*Where's the health centre?*
Kdy jsou ordinační hodiny?	*What are the surgery hours?*

U lékaře / *At the Doctor's*

Bolí mě	*I have*
- hlava	*- a headache*
- žaludek	*- a pain in my stomach*
- v krku	*- a sore throat*
- v zádech	*- a backache*
- na prsou	*- a pain in my chest*
- u srdce	*- a heart trouble*
Je mi špatně	*I feel rather unwell*
Je mi špatně od žaludku	*I've got indigestion*
Chce se mi zvracet	*I feel sick*
Nemám chuť k jídlu	*I have no appetite*
Špatně spím	*I don't sleep well*
Dusím se	*I'm short of breath*
Potím se	*I'm sweating*
Nastydl jsem se	*I've caught a cold*
Mám (velkou) rýmu	*I've got a (bad) cold*
Mám silný kašel	*I've got a bad cough*
Chraptím	*I'm hoarse*
Chytil jsem chřipku	*I've caught the flu*
Mám závrať	*I feel giddy*
Hučí mi v uších	*My ears buzz*
Točí se mi hlava	*I feel dizzy*
Pálí mě oči	*My eyes are smarting*
Píchá mě na pravé straně	*I have the stich (a sharp pain) in my right side*
Mám zácpu / průjem	*I've got constipation / diarrhoea*
Hrozně mě bolí záda	*I have a terrible backache*

Auto, vlak / *Car, train*

Dopravní značky	*Traffic signs*
Čerpací stanice	*Petrol station;* am. *Gas station*
Dej přednost v jízdě	*Give way*
Jednosměrný provoz	*One-way traffic*
Křižovatka	*Crossing*
Nebezpečí	*Danger*
Nebezpečí smyku	*Caution! Slippery when wet*
Nebezpečná zatáčka	*Dangerous bend*
Nebezpečně klesání	*Dangerous slope*
Nehlídané parkoviště	*Free car park*
Objížďka	*Diversion; detour*
Opravna	*Service station; garage;* am. *auto care;* am. *auto service*
Pozor, děti!	*Children crossing*

Práce na silnici	*Road under repair; Men at work*
Průjezd zakázán	*No thoroughfare*
První pomoc	*First Aid*
Přechod pro chodce	*Pedestrian crossing*
Tábořiště	*Campsite*
Zákaz odbočení vlevo	*No left turn*
Zákaz předjíždění	*No overtaking*
Zákaz zastavení	*No stopping*
Zúžená vozovka	*Narrow road*
Železniční přejezd	*Level crossing*
- chráněný	*- with gates*
- nechráněný	*- no gates*

Vlak — *Train*

Informace	*Inquiries*
Kde je tu nádraží?	*Where's the railway station, please?*
Z kterého nádraží jedou vlaky do Sheffieldu?	*What railway station do the trains for Sheffield go (depart) from?*
Promiňte, kde je informační kancelář?	*Excuse me, where's the inquiry office, please?*
Kdy jede první ranní vlak do Brightonu?	*What time does the first morning train leave for Brighton?*
Kdy jede poslední vlak do Londýna?	*When's the last train to London?*
Kdy je v Londýně?	*What time is it due in London?*
Je to přímý vlak?	*It is a through train?*
Kde musím přestupovat?	*Where do I have to change?*
Mám hned spojení na ...?	*Is there an immediate connection for ...?*
Jak dlouho se tam musí čekat?	*How long do I have to wait there?*
Jaké je spojení?	*What's the connection like?*
Staví vlak v osm hodin v Loughborough?	*Does the eight o'clock train stop at Loughborough?*
Má	*Are there*
- místenkové vozy	*- seat reservations*
- spací vagóny	*- sleeping cars*
- lehátkové vozy?	*- couchette cars?*
Je tam jídelní vůz?	*Is there a dining car (restaurant car) on the train?*
Kdy přijede rychlík z Glasgowa?	*When is the Glasgow train due in?*
Má deset minut zpoždění	*It is ten minutes late*
Má vlak s sedmnáct hodin připojení na expres do Glasgowa?	*Does the five o'clock train connect with the express to Glasgow?*
Rychlík v devatenáct hodin má přímé vagóny do Glasgowa	*There are through carriages to Glasgow on the seven o'clock express*
S dovolením, chci se podívat do jízdního řádu	*Excuse me, I'd like to have a look at the timetable*
Podle nového jízdního řádu vlak odjíždí ve dvacet hodin	*According to the new timetable the train leaves at eight p.m.*

Jízdenky	*Tickets*
Kde se prodávají jízdenky?	*Where can I get the tickets, please?*
Prosím	*I'd like*
- jednu jízdenku	- *a single*
- dvě zpáteční jízdenky druhé třídy	- *two return tickets second class;* am. *round-trip tickets*
- jízdenku první třídy	- *one first class;* am. *a first one-way*
- zlevněnou zpáteční jízdenku	- *a day return*
- dva zpáteční a jeden dětský (poloviční) do Oxfordu	- *two and a half return tickets to Oxford*
Kde je místenková kancelář?	*Where's the seat reservation office?*
Kde mohu dostat místenky?	*Where can I get seat reservations?*
Prosil bych dvě místenky na rychlík do Glasgowa ve čtyři třicet	*I'd like to book two seats on the four-thirty express to Glasgow*
Chtěl bych místo	*I'd like*
- u okénka / dveří / rohu	- *a window / corridor / corner seat*
- po směru jízdy	- *a seat facing the engine*
- proti směru jízdy	- *to sit with my back to the engine*
- v oddělení pro kuřáky	- *a seat in a smoking comparment*
- v oddělení pro nekuřáky	- *a seat in a nonsmoking compartment*
Chtěl bych jedno lůžko (lehátko) na pondělí - to je 1. června	*I'd like to book a couchette for Monday - that's the first of June*
Chcete horní nebo dolní lůžko?	*Would you like the upper or the lower berth?*
Na nástupišti	*On the platform*
Z kterého nástupiště jede vlak do Londýna?	*Which platform does the train to (for) London leave from?*
Na kterou kolej přijede rychlík z Glasqowa?	*Which platform for the express from Glasgow?*
Vlak mi jede za tři minuty	*My train goes in three minutes*
Ujel mi vlak	*I've missed my train*
Kdy jede příští vlak do Leedsu?	*When's the next train for Leeds, please?*
Je tohle vlak do Londýna?	*Is this the train for London?*
Městská doprava	*Municipal Transport*
Kdo je nejbližší stanice podzemní dráhy?	*Where's the nearest underground station, please?*
Je tu někde stanice autobusů?	*Is there a bus stop near here?*
Která linka jede do středu města?	*Which bus goes to the centre of the town?*
Kdy jede ráno první autobus do..?	*When's the first morning bus to ...?*
Kolik to stojí metrem?	*How much is the (metro) fare?*

Peníze / *Money*

Mám dost peněz	*I've got enough money*
Máme málo peněz	*We've got little money*

Nesmíme moc utrácet — *We mustn't spend too much*
Mohl byste mi půjčit ... liber? — *Could you lend me ... pounds?*
Někdo mi ukradl peníze — *My money has been stolen*
Utratil jsem skoro všechny peníze — *I've spent almost all my money*
Máte drobné? — *Have you got any small change?*
Mám jen pětilibrovou bankovku — *I've only got a five pound note*

Město, hotel, restaurace — *Town, hotel, restaurant*

Město — *Town*

Dotazy na cestu — *Asking one's way*
Promiňte, kde je ... — *Excuse me, where is ...*
- kudy se jde na ... — *which is the way to ...*
- jak se dostaneme na ... — *how do we get to ...*
- která je tohle ulice — *what street is this*
- co je to za budovu? — *what building is that?*

Jsem cizinec — *I'm a foreigner*
Nevyznám se tu — *I'm a stranger here*
Zabloudil jsem — *I've lost my way*
Nemohl byste mi ukázat cestu? — *Could you tell me the way?*

Hotel — *Hotel*

Můžete mi doporučit nějaký dobrý hotel blízko pláže (ve středu města)? — *Can you recommend a good hotel near the beach (in the centre of the town)?*
Je hodně drahý? — *It is very expensive?*
Kde je tu studentská noclehárna? — *Where's the students' hostel?*
Chtěli bychom bydlet v soukromí — *We'd like to take (to live in) lodgings*
Mohl byste mi dát nějakou adresu? — *Could you give me any address?*

Rezervování — *Reservations*

Rezervujte mi — *Please reserve*
- jeden jednolůžkový pokoj — *a single (room)*
- jeden dvoulůžkový pokoj — *a double (room)*
- pokoj s koupelnou — *a single room with bath*
- od ... do ... — *from ... to ...*

Přijedu brzy ráno / pozdě večer — *I'll arrive early in the morning / late in the evening*
V recepci hotelu — *At reception*
Máte volné pokoje? — *Have you any vacancies?*
Mohu dostat jeden dvoulůžkový — *Can I have a double room*
- s koupelnou — *with bath*
- bez koupelny — *without bath*
- se sprchou — *with a shower*

Restaurace - jídla — *Restaurant - Meals*

Kde se stravujete? — *Where do you have your meals?*
Snídám — *I have breakfast*

- v hotelu (kde bydlím)	- *in my hotel*
- v mléčném baru	- *at a milk bar*
Obědvám	*I have lunch*
- v restauraci	- *at a restaurant*
- v menze; v restauraci se samoobsluhou	- *at a canteen / at a cafeteria*
- v automatu	- *at a snack bar*
Obědvám obvykle doma / v práci	*I usually have lunch at home / at work*
Večeřím mimo domov,	*In the evening I dine out*

Nákupy - služby - správky — *Shopping - Services - Repairs*

Obchody — *Shops*

starožitnosti	*antiques*
pekařství	*bakery; baker's*
holičství	*barber's*
knihkupectví	*bookshop*
řeznictví	*butcher's*
lékárna	*chemist's; dispensary; pharmacy*
drogérie, lékárna	*drugstore* am.
obchod s porcelánem	*china and porcelain shop*
čistírna	*cleaner's*
oděvy	*clothes*
parfumérie	*cosmetics / perfumes*
mlékárna	*dairy; milk shop*
lahůdkářství	*delicatessen*
obchodní dům	*department store*
látky	*draper's*
drogérie, lékárna	*drugstore* am.
elektrické potřeby	*electrical appliances*
módní zboží	*fancy goods*
květinářství	*florist's*
tržnice	*food mart*
ovoce	*fruiterer's*
nábytek	*furniture*
pánské odívání	*gentlemen's outfitters*
dárkové předměty	*gift shop*
sklo	*glassware*
zelenina	*greengrocer's*
potraviny	*grocer's; grocery*
galantérie	*haberdashery*
dámské kadeřnictví	*hairdresser's*
železářství	*hardware; ironmonger's*
kloboučnictví	*hat shop / milliners*
potřeby pro domácnost	*household equipment*
klenotnictví	*jeweller's*

pletené zboží	*knitwear*
prádelna	*laundry*
optik	*optician's*
fotografické zboží	*photographic equipment*
správkárna obuvi	*shoe-repair shop*
obuv	*shoe shop; footwear*
papírnictví	*stationer's*
samoobsluha potraviny a věci pro domácnost	*supermarket*
krejčovství	*tailor's*
konfekce	*ready-made clothes*
prodej tabáku	*tobacconist's*
hračky	*toy-shop*
hodinářství	*watchmaker's*

Nákupy - *Shopping*

Hledám ...	*I'm looking for ...*
Potřebuji ...	*I need ...*
Chci si koupit ...	*I want to buy ...*
Rád bych si koupil ...	*I'd like to buy ..*
Nevíte, kde bych dostal ...	*Can you tell me where to buy ...*
Je tu někde obchod s ovocem?	*Is there a fruit shop near here?*

Telefon - *Telephone*

Dovolíte, abych si od vás zatelefonoval?	*May I use your phone?*
Máte telefonní seznam?	*Have you got a telephone directory (book)?*
Dá se odtud telefonovat?	*Can I phone from here?*

Dopisy - *Letters*

Adresa pisatele se v dopise píše vpravo nahoře, datum pod ní a oslovení pod datem po levé straně. Osobní zájmena se píší malými písmeny Vy ... *you* ... Postscript se píše bez teček: PS

Oslovení a závěr:

- Formální oslovení: *Sir, Madam* (+ příp. celé jméno)*; Gentleman, Mesdames;* pán *Mr. Smith, Mr. J. Smith, Mr. John Smith;* chlapec *Master Smith,* paní *Mrs. Scott,* slečna *Miss Scott,* paní nebo slečna *Ms. Scott;* titul *Dr. J. Smith.*
  Oslovení firmy obsahující osobní jméno: *Messers Smith and Sons*
  Závěr: *I am, Sir; I remain, Sir; Your obedient servant.*

- Méně formální oslovení: Dear Sir(s) (Madam, Mr. ...).
  Závěr: Yours faithfully (truly, sincerely)

- Oslovení mezi přáteli: Dear (John), My dear (Mary).
  Závěr: Yours ever; Yours affecionately

GRAMATIKA

Slovní přízvuk

Většina slov v angličtině má jeden přízvuk. Přízvuk může stát v různých slovech na kterékoliv slabice:

answer	['a:nsə]	odpověď
idea	[ai'diə]	myšlenka
humidity	[hju:'miditi]	vlhkost

Víceslabičná slova mívají dva přízvuky:

investigation	[in,vesti'geišn]	vyšetřování
politician	[,poli'tišn]	politik

Některá slova mají dva stejně silné přízvuky:

afternoon	['a:ftə'nu:n]	odpoledne
fourteen	['fo:'ti:n]	čtrnáct

Ve většině souvislostí slova s dvěma stejně silnými přízvuky ztrácejí druhý přízvuk:

fourteen girls	['fo:ti:n'gə:lz]	čtrnáct děvčat
afternoon programme	['a:ftənu:n'prougræm]	odpolední program

Slovní přízvuk v angličtině také rozlišuje:

1. slovní druhy:

record	['reko:d]	deska
record	[ri'ko:d]	nahrát
protest	['prəutest]	protest
protest	[prə'test]	protestovat

2. sousloví od složeného slova:

black bird	['blæk'bə:rd]	černý pták
blackbird	['blækbə:rd]	kos

3. přídavné jméno slovesné od gerundia:

a dancing-girl (příd. jm. slovesné)	['da:nsiŋgə:l]	tančící dívka
a dancing-master (gerundium)	['da:nsiŋ,ma:stə]	taneční mistr

Psaní velkých písmen

Velkých písmen se užívá v angličtině častěji než v češtině. Na rozdíl od češtiny se velká písmena píší v těchto případech:

1. u jmen dní v týdnu, měsíců a svátků, např.
   Monday pondělí, *August* srpen, *Christmas* vánoce.
2. u jmen jazyků a přídavných jmen označujících národnost, např.

English angličtina, anglický, *Russian* ruština, ruský, *French* francouzština, francouzský.

3. v zeměpisných názvech u všech slov kromě členů a předložek, např.
   the United States of America Spojené státy americké, *the Red Sea* Rudé moře, *the Virgin Islands* Panenské ostrovy.
4. u osobních titulů, např.
   Professor Jones profesor Jones, *Doctor Ride* doktor Ride, *General Abrahamson* generál Abrahamson.
5. u názvů hnutí, řádů, spolků, např.
   the Puritans puritáni, *the Methodists* metodisté, *the Hussites* husité.
6. u všech slov kromě členů a předložek v názvech knih, časopisů, novin ap., např.
   A New English Dictionary Nový anglický slovník, *Microwave Journal* časopis o mikrovlné technice.
7. ve zkratkách titulů a hodností, např.
   M.P. (Member of Parliament) poslanec, *B.A. (Bachelor of Arts)* bakalář humanitních věd, *M.Sc. (Master of Science)* mistr přírodních věd, *Ph.D. (Doctor of Philosophy)* doktor filozofie.
8. na počátku každého verše v básni.
9. u osobního zájmena *I* já.
10. v oslovení a v závěru dopisu, např:
    Dear Sirs,
    Thank you for...
    Na rozdíl od češtiny se však v dopisech píše malé písmeno ve slovech *you, your(s)* Vy, Váš.

Pravopis

Pravopisu každého anglického slova je třeba naučit se vedle výslovnosti zvlášť. Kromě toho existuje několik pravopisných pravidel:

1. Zdvojování koncové souhlásky. Před koncovkami a příponami začínajícími samohláskou *-ed, -ing, -er, -est* aj. dochází k zdvojování koncové souhlásky, je-li předcházející slabika přízvučná. K zdvojování souhlásky dochází proto, aby se zachovala zavřenost přízvučné slabiky a tím i stejná výslovnost u odvozených tvarů a slov.

stop [stop] zastavit	*stopped* [stopt] zastavil	*stopping* [stopiŋ] zastavení	*stopper* [stopə] zátka
hot [hot] horký	*hotter* [hotə] teplejší	*the hottest* [hotist] nejteplejší	
prefer [pri'fə:]	*preferred* [pri'fə:d]	*preferring* [pri'fə:riŋ]	dávat přednost

Koncová souhláska se nezdvojuje, pokud na předchozí samohlásce není přízvuk nebo pokud se samohláska píše zdvojeným písmenem.,

offer ['ofə]	*offered* ['ofəd]	*offering* ['ofəriŋ]	nabídnout
dread [dred]	*dreading* [drediŋ]		hrozit se

Po nepřízvučné jednoduché samohlásce se vždy zdvojuje
g** (humbug - humbu**gg**ing)* a ***c se mění na ***ck*** *(traffic - traffi**ck**ing).*
Koncové nepřízvučné, jednoduché ***l,n,p*** se po samohlásce zdvojuje v britské angličtině vždy:

travel ['trævl]	*travelled* ['trævld]	*travelling* ['trævəliŋ]	cestovat
worship ['wə:šip]	*worshipping* ['wə:šipiŋ]		uctívat

V americké angličtině se zdvojování koncového ***l,m,p*** před příponami a koncovkami začínajícími samohláskou řídí stejným pravidlem jako zdvojování ostatních souhlásek, tj. zdvojuje se pouze po přízvučné samohlásce psané nezdvojeným písmenem.

2. Odpadání koncového nevyslovovaného ***-e*** .
Koncové nevyslovované (tj. pouze pravopisné) ***-e*** zpravidla odpadá před koncovkami a příponami začínajícími samohláskou (*-ed, -ing, -er, -est* aj.):

arrive [ə'raiv]	*arrived* [ə'raivd]		přijít
wide [waid]	*wider* [waidə]	*widest* [waidist]	široký

3. Pravopisná změna ***y*** na ***i.***
Připojíme-li *-es, -ed, -er, -est* k ***y***, před nímž je souhláska, mění se toto ***y*** na ***i*** .

carry ['kæri]	*carried* ['kærid]	*carries* ['kæriz]	nést
early ['ə:li]	*earlier* ['ə:liə]	*earliest* ['ə:liist]	časný

Před *-ing* změna ***y*** na ***i*** nenastává:

carry [kæri]	*carrying* [kæriiŋ]	nésti

try [trai]	*trying* [traiŋ]	snažit se	

Je-li před koncovým ***y*** samohláska, změna rovněž nenastává:

stay [stei]	*stays* [steiz]	*stayed* [steid]	zůstat
valley ['væli]	*valleys* ['væliz]		údolí

Člen

Na rozdíl od češtiny staví angličtina před podstatná jména **člen**.
Člen je buď **určitý,** nebo **neurčitý**.

Neurčitý člen má dva tvary : ***a*** [ə], ***an*** [ən].

Tvar *a* klademe před vyslovovanou souhláskou : *a book, a postcard.*

Tvar *an* klademe před vyslovovanou samohlásku : *an apple, an exercise.*

Funkce:

neurčitý člen: něco, o čem ještě nebyla řeč, co je pro posluchače **nové**:
There is a book on the table. Na stole je kniha.
It is an apple. To je jablko.
Neurčitý člen se pojí výhradně s **jednotným číslem.**
Odpovídá významu "nějaký, jeden".
There was a book and a postcard. Byla tam nějaká kniha a nějaký pohled.
There was a boy and two girls. Byl tam jeden chlapec a dvě dívky.
Neurčitý člen mají podstatná jména označující povolání po slovese *be*:
Frank is a teacher. František je učitel.

Určitý člen má tvar ***the***, který vyslovujeme dvojím způsobem:

před vyslovovanou souhláskou zní [ð]:	*the book* [ð buk] *the postcard* [ð 'pəustka:d]
před vyslovovanou samohláskou zní [ði:]:	*the apple* [ði: 'æpl] *the exercise* ['ði: eksəsaiz].

Funkce:

určitý člen označuje něco, co je **známé**:

1. něco, o čem byla zmínka.
   A man wants to see you.- Let the man in. Chce s tebou mluvit nějaký člověk.- Pusť toho člověka dál.
2. něco, co je obecně známé.
   They live near the main station. Bydlí blízko hlavního nádraží.
3. něco, co je určené kontextem.
   I remember the postcard you've sent me. Vzpomínám si na ten lístek, který jsi mi poslal.

Určitý člen se pojí s **jednotným** i **množným číslem** a odpovídá výrazu "ten". Členy do češtiny většinou nepřekládáme, slova "ten, jeden, nějaký" užíváme v překladu pouze tehdy, vyžaduje-li to kontext.
U podstatných jmen označujících celou třídu věcí lze použít jak ***a***, tak ***the*** u jednotného čísla, avšak u množného čísla se členu neužívá:

A tiger can be dangerous. Tygr může být nebezpečný.
The tiger can be dangerous.Tigers can be dangerous. Tygři mohou být nebezpeční.

Kdy člen neužíváme:

1. u jmen vlastních:

   I love Frank. Miluji Františka.
   Prague is beautiful. Praha je krásná.

2. je-li před podstatným jménem číslovka nebo zájmeno přivlastňovací, ukazovací, tázací nebo neurčité:

a book	*the books*
one book	*two books*
my book	*my books*
this book	*these books*
what book	*which books*
any book	*some books*

3. u názvů svátků, dnů, ročních období, mluví-li se o nich obecně:
   Saturday is my favourite day. Sobota je můj oblíbený den.
   Winter is cold in Siberia. Zima je na Sibiři studená.
   I like Christmas very much. Vánoce mám moc rád.
   Ale: ***The*** *Saturday I broke my leg.* Tu sobotu jsem si zlomil nohu.
4. u jmen **látkových** a **hromadných,** mluví-li se o nich obecně:
   I don't drink mineral water. Nepiju minerálku.
   Určitý člen se u jmen látkových a hromadných užívá, jde-li o konkrétní výskyt:
   Pass me the sugar, please. Podej mi, prosím, cukr.
   U jmen hromadných označuje i kolektivy:
   the French, Francouzi
   Neurčitý člen označuje jednotlivý druh látky nebo počitatelnou jednotku látky:
   This is a very good beer. Tohle je moc dobré pivo.
   Excuse me. A mineral water and two beers. Prosím jednu minerálku a dvě piva.

Množné číslo podstatných jmen

1. Převážná většina podstatných jmen tvoří množné číslo koncovkou ***-s, -es,*** která se vyslovuje:

a) [s] po neznělých souhláskách mimo [s], [š], [č]:

hope	[houp]	*hopes*	[houps]	naděje
part	[pa:t]	*parts*	[pa:ts]	část

b) [z] po samohláskách

law	[lo:]	*laws*	[lo:z]	zákon
day	[dei]	*days*	[deiz]	den
aim	[eim]	*aims*	[eimz]	cíl

c) [iz] po [s], [z], [š], [ž], [č], [dž]:

case	[keis]	*cases*	[keisiz]	případ
cause	[ko:z]	*causes*	[ko:ziz]	příčina
wish	[wiš]	*wishes*	[wišiz]	přání
match	[mæč]	*matches*	[mæčiz]	zápalka, zápas
language	[læŋgwidž]	*languages*	['læŋgwidžiz]	jazyk

Pravopis

a) V písmě se zpravidla přidává pouze *-s*; jen vyslovované [iz] se píše *-es*, nekončí-li podstatné jméno už v jednotném čísle na němé *-e*:

class	*classes*	[kla:siz]	třída
speech	*speeches*	[spi:čiz]	řeč

ale:

office	*offices*	[ofisiz]	kancelář
page	*pages*	[peidžiz]	stránka

b) Podstatná jména končící na souhlásku a *-y* mají v množném čísle *-ies*:

family	*families*	rodina
difficulty	*difficulties*	obtíž

-y po samohlásce zůstává beze změny:

boy	*boys*	chlapec
way	*ways*	cesta
survey	*surveys*	přehled

Podstatná jména končící na *-o* mají v množném čísle jednak *-oes*, jednak *-os* (*-oes* je u běžných slov, *-os* mají podstatná jména cizí, nověji slova přejatá a zkrácená)

hero	*heroes*	hrdina
potato	*potatoes*	brambor
dynamo	*dynamos*	dynamo
photo	*photos*	fotografie

c) Písmena, číslice, příslovce, zkratky ap. mají v množném čísle apostrof + *s*

five 10's	[tenz]	pět desítek
many why's	[waiz]	mnohá "proč"
two M.P.'s	['em'pi:z]	dva poslanci

2. Všechny ostatní způsoby tvoření množného čísla se omezují na malý počet podstatných jmen.

a) Omezený počet podstatných jmen končících na [f] má v množném čísle [vz]; nejdůležitější z nich jsou:

half	[ha:f]	*halves*	[ha:vz]	polovina
knife	[naif]	*knives*	[naivz]	nůž
leaf	[li:f]	*leaves*	[li:vz]	list
life	[laif]	*lives*	[laivz]	život
loaf	[louf]	*loaves*	[louvz]	bochník
shelf	[šelf]	*shelves*	[šelvz]	polička
thief	[θi:f]	*thieves*	[θi:vz]	zloděj
wife	[waif]	*wives*	[waivz]	manželka

U ostatních podstatných jmen toto střídání nenastává:

belief	[bi'li:f]	*beliefs*	[bi'li:fs]	víra
chief	[či:f]	*chiefs*	[či:fs]	šéf
cliff	[klif]	*cliffs*	[klifs]	útes
proof	[pru:f]	*proofs*	[pru:fs]	důkaz
roof	[ru:f]	*roofs*	[ru:fs]	střecha
staff	[sta:f]	*staffs*	[sta:fs]	štáb

Obdobná změna nastává u podstatných jmen zakončených na [s] a [θ]; na rozdíl od změny [f] ve [v] se projevuje pouze ve výslovnosti. Změnu [s] v [z] má pouze

house	[haus]	*houses*	[hauziz]	dům

Ke změně [θ] v [ð] dochází nejčastěji po dlouhé samohlásce

path	[pa:θ]	*paths*	[pa:ðz]	stezka
mouth	[mauθ]	*mouths*	[mauðz]	ústa
youth	[ju:θ]	*youths*	[ju:ðz]	mladík

Po souhlásce

month	[manθ]	*months*	[manθs]	měsíc
birth	[bə:θ]	*births*	[bə:θs]	narození

b) Omezený počet podstatných jmen tvoří množné číslo změnou kmenové samohlásky:

man	[mæn]	*men*	[men]	muž
woman	[wumən]	*women*	[wimin]	žena
foot	[fut]	*feet*	[fi:t]	noha
goose	[gu:s]	*geese*	[gi:s]	husa
tooth	[tu:θ]	*teeth*	[ti:θ]	zub
mouse	[maus]	*mice*	[mais]	myš
louse	[laus]	*lice*	[lais]	veš

c) Koncovka *-en* v množném čísle je jen u těchto podstatných jmen:

child	[čaild]	*children*	[čildrən]	dítě
brother	['braðə]	*brothers*		bratři (rodní)
		brethren	[breðrən]	bratři (členové téže společnosti)
ox	[oks]	*oxen*	[oksən]	vůl

d) Některá podstatná jména nemají v množném čísle žádnou koncovku:

sheep	*sheep*	ovce
means	*means*	prostředek

Podstatná jména označující lovnou zvěř (*fish* ryba, *salmon* losos ap.)mají množné číslo bez koncovky, je-li jich použito v nepočitatelném významu (v terminologii lovecké, kuchařské ap.), jinak mají pravidelně množné číslo na *-s*:

one fish, two fishes jedna ryba, dvě ryby

ale:

we had fish for dinner měli jsme k obědu ryby

e) Ve vědecké odborné terminologii podstatná jména přejatá z latiny a řečtiny většinou uchovávají původní množné číslo:

alga	[ælgə]	*algae*	[ældži:]	řasa
formula	[fo:mjulə]	*formulae*	[fo:mjuli:]	vzorec
larva	[la:və]	*larvae*	[la:vi:]	larva
bacillus	[bə'siləs]	*bacilli*	[bə'silai]	bacil
focus	['fəukəs]	*foci*	['fəusai]	ohnisko
fungus	[faŋgəs]	*fungi*	[faŋgai], [faŋdžai]	houba
nucleus	[nju:kliəs]	*nuclei*	[nju:kliai]	jádro
radius	[reidiəs]	*radii*	[reidiai]	poloměr
stimulus	[stimjuləs]	*stimuli*	[stimjulai]	podnět, popud
genus	[dži:nəs]	*genera*	[dženərə]	rod
apparatus	[,æpə'reitəs]	*apparatus*	[,æpə'reitəs]	zařízení
maximum	[mæksiməm]	*maxima*	[mæksimə]	maximum
minimum	[miniməm]	*minima*	[minimə]	minimum
medium	[mi:diəm]	*media*	[mi:diə]	prostředí
spectrum	[spektrəm]	*spectra*	[spektrə]	spektrum
criterion	[krai'tiəriən]	*criteria*	[krai'tiəriə]	kritérium
phenomenon	[fi'nominən]	*phenomena*	[fi'nominə]	jev
series	[siəri:z]	*series*	[siəri:z]	řada
species	[spi:ši:z]	*species*	[spi:ši:z]	druh
analysis	[ə'næləsis]	*analyses*	[ə'næləsi:z]	analýza
basis	[beisis]	*bases*	[beisi:z]	základna
crisis	[kraisis]	*crises*	[kraisi:z]	krize

hypothesis	[hai'pɔθisis]	*hypotheses*	[hai'pɔθisi:z]	hypotéza
thesis	[θi:sis]	*theses*	[θi:si:z]	disertace

Vedle původního množného čísla latinského nebo řeckého proniká u běžnějších slov též domácí množné číslo na *-s*, např. *formulas, antennas, spectrums, apparatuses.*

Některá podstatná jména jsou užívána většinou jen v množném čísle, např.

data	[deitə]	údaje
addenda	[ə'dendə]	dodatky
errata	[i'reitə]	tiskové chyby

3. U slov složených se znak množného čísla *s, es* připojuje k hlavnímu slovu složeniny:

fellow-worker	*fellow-worker**s***	spolupracující
passer-by	*passer**s**-by*	kolemjdoucí

Počitatelnost podstatných jmen

Angličtina rozlišuje podstatná jména označující věci nebo jevy, které lze počítat, a podstatná jména označující věci a jevy, které nelze počítat. Prvá označujeme jako **počitatelná,** druhá jako **nepočitatelná**.

1. **Podstatná jména počitatelná** označují **konkrétní** předměty, osoby, jednotky časové, míry, váhy ap.; je jich možno užít s číslovkou:
   one ticket jeden lístek, *two tickets* dva lístky, *one member* jeden člen, *two members* dva členové, *one hour* jedna hodina, *two hours* dvě hodiny
2. **nepočitatelná** jsou:

a) **jména látková**, např.
   coal uhlí, *water* voda, *meat* maso, *iron* železo, *wool* vlna, *air* vzduch.

b) **abstraktní pojmy**, např.
   work práce, *rest* odpočinek, *nature* příroda, *culture* kultura, *importance* důležitost, *accuracy* přesnost.

c) **jména hromadná,** např.
   money peníze, *fruit* ovoce, *hair* vlasy, *feather* peří.

V angličtině se podstatná jména počitatelná a nepočitatelná liší v užívání **členu**, tvoření **množného čísla** a ve volbě výrazu pro **mnoho** a **málo**:

1. **Počitatelná** podstatná jména mají v jednotném čísle zpravidla člen (určitý, nebo neurčitý):
   an example příklad, *the person* osoba.
   Nepočitatelná podstatná jména zpravidla nemají člen neurčitý; mluvíme-li o nich obecně, jsou bez členu:
   Iron and coal are important raw materials. Železo a uhlí jsou důležité suroviny.
   Accuracy is of primary importance. Přesnost je zásadně důležitá.
   Jsou-li blíže vymezena, např. přívlastkem s *of* nebo větou vztažnou, mívají člen určitý:
   The money we are speaking about. (Ty) peníze, o kterých mluvíme.

The accuracy of the measurement. Přesnost měření.
Je-li třeba vyjádřit jisté množství nepočitatelného podstatného jména, užívá se neurčitého zájmena *some*:
When all debts had been paid, some money was left. Když byly zaplaceny všechny dluhy, nějaké peníze zbyly.

2. **Počitatelná** podstatná jména se vyskytují v množném čísle (stejně jako v češtině):
an advantage výhoda, *advantages* výhody, *the plant* rostlina, *the plants* rostliny.
Nepočitatelná podstatná jména buď vůbec množné číslo netvoří (např.: *air* vzduch, *work* práce, *importance* důležitost, *money* peníze) nebo v množném čísle mění význam (*pain* bolest, *pains* námaha, úsilí). Pokud není množné číslo nepočitatelných podstatných jmen spojeno se změnou významu, označuje:

a) **různé druhy**:
wine víno, *wines* různé druhy vín.

b) **rozsáhlost**:
sand písek, *sands* písčiny, písková plocha, pláž, *water* voda, *waters* rozsáhlé vodní plochy.

3. Počitatelná a nepočitatelná podstatná jména se pojí s různými výrazy pro **mnoho** a **málo**:

many cases	mnoho případů	*much coal*	mnoho uhlí
few cases	málo případů	*little coal*	málo uhlí
a few cases	několik případů	*a little coal*	trochu uhlí

Na rozdíl od češtiny jsou v angličtině nepočitatelná tato podstatná jména:

advice	rada, rady
business	obchod, obchody
evidence	důkaz, důkazy, svědectví
experience	zkušenost, zkušenosti
information	informace (jedn. a mn. číslo)
knowledge	znalost(i), vědomost(i)
luggage	zavazadlo, zavazadla
news	zpráva, zprávy
progress	pokrok, pokroky
success	úspěch, úspěchy

aj.

There is little evidence for this assumption. Pro tento předpoklad je málo důkazů.
We have gained some experience in this field. Získali jsme jisté zkušenosti v tomto oboru.

Některá podstatná jména jsou počitatelná v jednom a nepočitatelná v druhém svém významu:

nepočitatelná		počitatelná	
advice	rada, rady	*an advice (advices)*	avízo
experience	zkušenost, zkušenosti	*an experience (experiences)*	zážitek
fruit	ovoce	*a fruit (fruits)*	plod
glass	sklo	*a glass (two glasses)*	sklenice
interest	úrok(y)	*an interest (interests)*	zájem
iron	železo	*an iron (irons)*	žehlička (*irons* též pouta)
paper	papír	*a paper (papers)*	listina, noviny, odborný článek, referát
reason	rozum	*a reason (reasons)*	důvod
service	služba	*services*	služby
work	práce	*a work (works)*	umělecké dílo (*works* též závod)

Je-li třeba vyjádřit u nepočitatelného podstatného jména jednotlivý případ, užívá se výrazu *a piece of, an item of* aj.:
a piece of information jedna informace, *two items of evidence* dva důkazy.

Zájmena

Zájmena osobní

Osobní zájmena mají dva tvary, **podmětový,** který se v dnešní angličtině vyskytuje převážně jen před určitým slovesem ve funkci podmětu, a **předmětový,** kterým se označuje předmět slovesný a předložkový. Podmětový pád odpovídá českému 1. pádu, předmětový odpovídá ostatním českým pádům.

podmětový tvar			předmětový tvar	
I	[ai]	já	*me*	[mi:]
you	[ju:]	ty	*you*	[ju:]
he	[hi:]	on	*him*	[him]
she	[ši:]	ona	*her*	[hə:]
it	[it]	ono	*it*	[it]
we	[wi:]	my	*us*	[as]
you	[ju:]	vy	*you*	[ju:]
they	[ðei]	oni	*them*	[ðem]

I do not know him. Neznám ho.
We must wait for her. Musíme na ni počkat.
They will prepare it for us. Připraví nám to.

V hovorové angličtině se užívá předmětového tvaru také v těchto případech:

Who is it? *It's me.* Kdo je tam? To jsem já.
It's him. To je on.

I am tired. Me too. Jsem unavená. Já taky.

Zájmena přivlastňovací

V angličtině jsou dva druhy přivlastňovacích zájmen:

1. **Nesamostatná přivlastňovací zájmena** - užívá se jich v postavení před podstatným jménem:

my	[mai]	můj	*our*	[auə]	náš
your	[jo:]	tvůj	*your*	[jo:]	váš
his	[hiz]	jeho	*their*	[ðeə]	jejich
her	[hə:]	její			
its	[its]	jeho			

Přivlastňovací zájmena mají stejně jako přídavná jména týž tvar pro všechny rody a obě čísla:

my result	můj výsledek
my decision	moje rozhodnutí
my objection	má námitka
my fellow workers	moji spolupracovníci

Na rozdíl od češtiny angličtina nemá přivlastňovací zvratné zájmeno, kterým se přivlastňuje podmětu; v angličtině se přivlastňuje zájmenem příslušné osoby:

I gave my reasons	uvedl jsem své důvody
you gave your reasons	uvedl jsi své důvody
he gave his reasons	uvedl své důvody

atd.

Nesamostatných přivlastňovacích zájmen se v angličtině užívá častěji než v češtině. U částí těla, oděvu a osobních předmětů se zpravidla překládají českým zvratným zájmenem v 3. pádě; v mnoha případech se nepřekládají vůbec:

She has broken her leg. Zlomila si nohu.
Her hair was dark. Měla tmavé vlasy.

Nesamostatná přivlastňovací zájmena se zdůrazňují pomocným slovem ***own*** vlastní:

I do not have my own typewriter. I have no typewriter of my own. Nemám vlastní psací stroj.

2. **Samostatná přivlastňovací zájmena** - užívá se jich, nenásleduje-li podstatné jméno:

mine	[main]	můj	*ours*	[auəz]	náš
yours	[jo:z]	tvůj	*yours*	[jo:z]	váš
his	[hiz]	jeho	*theirs*	[ðeəz]	jejich
hers	[hə:z]	její			
its	[its]	jeho			

I have explained my point of view. What is yours ?
Vysvětlil jsem svoje hledisko. Jaké je vaše ?

Přivlastňovací zájmeno nemůže stát po členu a zájmenech ukazovacích, neurčitých a tázacích. V takovém případě se užívá spojení předložky *of* se samostatným zájmenem, které se klade za příslušné podstatné jméno:

an old friend of mine	jeden můj starý přítel
that watch of yours	ty tvoje hodinky

Vazby s neurčitým členem nebo číslovkou a nesamostatným zájmenem lze též vyjádřit jiným způsobem:

one of my old friends	jeden můj starý přítel
her two brothers	její dva bratři (má jen dva bratry)
the two brothers of hers	
two of her brothers	dva z jejich bratrů (má alespoň tři bratry)
two brothers of hers	

Zájmena zdůrazňovací a zvratná

myself	[mai'self]	*ourselves*	[auə'selvz]
yourself	[jo:'self]	*yourselves*	[jo:'selvz]
himself	[him'self]	*themselves*	[ðəm'selvz]
herself	[hə:'self]		
itself	[it'self]		

Zdůrazňovací zájmena odpovídají českému zájmenu "sám", "sama", "samo" (nebo "já osobně" atd.) a kladou se buď hned za větný člen, který zdůrazňují, nebo na konec věty:

He himself does not believe it. He does not believe it himself. On sám tomu nevěří.

Zvratná zájmena mají týž tvar jako zájmena zdůrazňovací. Označují vždy životný předmět (který je totožný s podmětem):

Let me introduce myself. Dovolte, abych se představil.
Have you injured yourself? Ublížil jste si?

Zvratná zájmena se vyskytují v angličtině řidčeji než v češtině, neboť je málo zvratných sloves. Mnoha českým slovesům zvratným totiž v angličtině odpovídají slovesa nezvratná, např.:

to argue	přít se
to ask	ptát se

Dále se mnoha anglických sloves užívá podmětově i předmětově bez změny tvaru:

to change	změnit (se)
to develop	vyvíjet (se)

Zvratné zájmeno u slovesa může vyjadřovat významový rozdíl:

	to behave	chovat se
ale:	*to behave oneself*	chovat se slušně

Behave yourself. Chovej se slušně.

Ve spojení s *as, like, but, except* lze použít jak zájmeno zvratné, tak osobní:

*For somebody like **me** / **myself** this is a big surprise.* Pro člověka jako já je to velké překvapení.

Zájmena				
osobní		přivlastňovací		zdůrazňovací zvratná
podmětový tvar	předmětový tvar	nesamostatná	samostatná	
I	*me*	*my*	*mine*	*myself*
you	*you*	*your*	*yours*	*yourself*
he	*him*	*his*	*his*	*himself*
she	*her*	*her*	*hers*	*herself*
it	*it*	*its*	*its*	*itself*
we	*us*	*our*	*ours*	*ourselves*
you	*you*	*your*	*yours*	*yourselves*
they	*them*	*their*	*theirs*	*themselves*

Stupňování přídavných jmen a příslovcí

Přídavná jména

Druhý stupeň jednoslabičných a některých dvouslabičných přídavných jmen se tvoří koncovkou ***-er.*** U víceslabičných přídavných jmen se tvoří opisem ***more.***

Třetí stupeň jednoslabičných a některých dvouslabičných přídavných jmen se tvoří koncovkou ***-est.*** U víceslabičných přídavných jmen se tvoří opisem ***most.***

U třetího stupně užíváme **člen určitý**.

přídavná jména	základní tvar	druhý stupeň	třetí stupeň
jednoslabičná a někt. dvouslabičná	*young* mladý	*younger* mladší	*the youngest* nejmladší
víceslabičná	*interesting* zajímavý	*more interesting* zajímavější	*the most interesting* nejzajímavější

Pozor na rozdíl :

the most interesting nejzajímavější
most interesting velmi zajímavý

Příslovce

Druhý stupeň jednoslabičných příslovcí se tvoří koncovkou ***-er.***

U víceslabičných příslovcí se tvoří opisem ***more***.
Třetí stupeň jednoslabičných příslovcí se tvoří koncovkou ***-est***.
U víceslabičných příslovcí se tvoří opisem ***most***.
Určitý člen se užívá, následuje-li vazba s *of*:
He works the best of all. Pracuje nejlépe ze všech.

příslovce	základní tvar	druhý stupeň	třetí stupeň
jednoslabičné	*soon* brzy	*sooner* dříve	*soonest* nejdříve
víceslabičné	*interestingly* zajímavě	*more interestingly* zajímavěji	*most interestingly* nejzajímavěji

Nepravidelné stupňování přídavných jmen a příslovcí:

bad, badly	*worse*	*(the) worst*	špatný, špatně
good, well	*better*	*(the) best*	dobrý, dobře
far	*farther*	*(the) farthest*	dál
	further	*(the) furthest*	
little	*less*	*(the) least*	malý, málo
much, many	*more*	*(the) most*	mnoho

Přehled infinitivních tvarů

Infinitiv	přítomný	minulý
činný prostý	*(to) call*	*(to) have called*
činný průběhový	*(to) be calling*	*(to) have been calling*
trpný prostý	*(to) be called*	*(to) have been called*

Soustava slovesných časů

Angličtina má kromě času **přítomného, minulého** a **budoucího** ještě časy **předpřítomný, předminulý, předbudoucí**.
Časy přítomný, minulý a budoucí jsou časy hlavní.
Časy předpřítomný, předminulý a předbudoucí vyjadřují děj probíhající před dějem hlavním nebo před určitým časovým momentem.

Každý čas používá **pomocné sloveso**.

the day before yesterday	*I had cooked*	*I had been cooking*	předminulý čas
yesterday	*I cooked*	*I was cooking*	minulý čas
a little while ago	*I have cooked*	*I have been cooking*	předpřítomný čas
today (now)	*I cook*	*I am cooking*	přítomný čas
tomorrow	*I will cook*	*I will be cooking*	budoucí čas
by next week	*I will have cooked*	*I will have been cooking*	předbudoucí čas

Pomocná slovesa jsou: ***be, do, have, will (shall)***.

To be

přítomný čas		minulý čas	
I am	*we are*	*I was*	*we were*
you are	*you are*	*you were*	*you were*
he *she is* *it*	*they are*	*he* *she was* *it*	*they were*

To do

přítomný čas		minulý čas	
I do	*we do*	*I did*	*we did*
you do	*you do*	*you did*	*you did*
he *she does* *it*	*they do*	*he* *she did* *it*	*they did*

To have

přítomný čas		minulý čas	
I have	*we have*	*I had*	*we had*
you have	*you have*	*you had*	*you had*
he *she has* *it*	*they have*	*he* *she had* *it*	*they had*

U každého času rozlišujeme čas **prostý** a čas **průběhový**.

Čas prostý označuje činnost, která se opakuje, je zvykem nebo proběhne jednorázově, např:

I cook every day. Vařím každý den.

Čas průběhový označuje činnost, která probíhá průběžně s jinou činností (1), nebo probíhá v určitém okamžiku (2), např :

- (1) *When **I was cooking**, the phone rang.* Když jsem vařila, zazvonil telefon.
- (2) ***I am cooking** the dinner now.* Teď vařím oběd.

Pomocným slovesem pro **přítomný a minulý čas prostý** je ***do***.
Pomocným slovesem pro **přítomný a minulý čas průběhový** je ***be***.
Pomocným slovesem pro **čas budoucí a předbudoucí** je ***will (shall)***.
Pomocným slovesem pro **čas předpřítomný a předminulý** je ***have***.

U slovesa musí být **vždy** vyjádřen **podmět** : *I cook.* Vařím.

Přítomný čas

Přítomný čas prostý

I cook	*we cook*
you cook	*you cook*
he cooks	*they cook*

Třetí osoba jednotného čísla má vždy koncovku ***-s, -es** (he cooks, he goes).*
Zápor se tvoří pomocí přítomných tvarů slovesa **do** a zápory **not**:
I do not cook. Nevařím.
nebo staženě: *I don't cook.*
Ve třetí osobě jednotného čísla je koncovka *-es* u pomocného slovesa *do*:
He does not cook. Nevaří.
(He doesn't cook).
Otázka se tvoří pomocí přítomných tvarů slovesa ***do***, které se kladou na počátku věty:
Do you cook? Vaříš?
Does she cook? Vaří?
V angličtině se často odpovídá stručně, pouze pomocným slovesem:
Yes, I do. Ano, (vařím).
No, I don't.. Ne, (nevařím).
V otázkách, kde tázací výraz *what, who...* stojí na začátku věty a má funkci podmětu, se *do* nepoužívá:
Who likes you? Kdo tě má rád?
V záporné otázce je však *do* nutné (kvůli *not*):
Who doesn't like you? Kdo tě nemá rád?
Není-li tázací výraz podmětem, užívá se *do*.
Who do you like? Koho máš rád?

České záporné otázky typu "Nezná tě náhodou?" se překládají **kladně**, tedy:
Does he know you?

Anglické *Doesn't he know you?* vyjadřuje údiv: Cožpak tě nezná?
Doesn't he like you? Cožpak tě nemá rád?

Přítomný čas průběhový

I am cooking	*we are cooking*
you are cooking	*you are cooking*
he is cooking	*they are cooking*

Všechny tvary se tvoří pomocí přítomných tvarů pomocného slovesa ***be***.
Významové sloveso má koncovku ***-ing***.

I am working. doslova znamená: Jsem pracující.
I am speaking. Jsem mluvící.

Do češtiny však překládáme přítomným časem: Pracuji.
Mluvím.

Zápor se tvoří pomocí záporky ***not,*** která se pojí se slovesem ***be***:
I am not cooking. Nevařím.
V **otázce** se mění pozice podmětu a slovesa *be* (tzv. **inverze**):
Am I cooking? Vařím?

Krátká odpověď: *Yes, I am.*
No, I am not.

Užití přítomného času prostého a průběhového

Základní rozdíl mezi přítomným časem prostým a průběhovým:
Přítomný čas **prostý** vyjadřuje **zvyk,** činnost, která se opakuje denně nebo pravidelně:
*I **cook** dinner every day.* Vařím oběd každý den.
Přítomný čas **průběhový** vyjadřuje činnost, která **právě probíhá**:
***I am** cooking dinner now.* Teď vařím oběd.
Další použití:
1. **instrukce**:
*To do this, **you press** the button.* Toho docílíme tím, že zmáčkneme knoflík.
2. **budoucnost s přítomným úmyslem**:
***I am sending** him a letter tomorrow.* Zítra mu pošlu dopis.
3. **konstatování faktu**:
*In this letter Frank **tells** me...*, František mi v dopise píše...
*...that **he is coming** tomorrow.*, ...že zítra přijede.
4. **znechucení**:
***You are** always **criticising** me!* Ty mě pořád kritizuješ!
(užívá se s výrazy: *always, for ever, perpetually, continually*).

Některá slovesa nemají průběhový přítomný čas, např:
*I **like** your sweater.* Líbí se mi tvůj svetr.

Rozkazovací způsob

(Let me cook)	*Let's cook!*
Cook!	*Cook!*
Let him cook!	*Let them cook!*

V 2. osobě se nepoužívá osobního zájmena *you.*
V ostatních osobách se rozkaz tvoří pomocí slovesa ***let*** (nechat) a předmětového pádu osobního zájmena. Tedy: *Let him cook!* doslova znamená Nechte ho uvařit; Nechte ho, aby vařil.
Do češtiny však přeložíme: Ať vaří!
Let's cook! Uvařme!
V 1. osobě jednotného čísla vyjadřuje opis s ***let*** nabídku:
Let me cook. Já uvařím.

Minulý čas

Minulý čas prostý

I cooked	*we cooked*
you cooked	*you cooked*
he cooked	*they cooked*

Většina anglických sloves tvoří minulý čas pravidelně, tvarem s koncovkou ***-ed*** ve všech osobách. Výslovnost koncovky *-ed* závisí na povaze předcházející hlásky:

[-d]	po znělých souhláskách a po samohláskách
[-t]	po neznělých souhláskách; avšak:
[-id]	po [t,d].

Pravopisné úpravy nastávají v těchto případech:

live - lived	končí-li infinitiv na němé *-e*, připojí se jen *-d*;
stop - stopped	souhláska po jednoduché přízvučné samohlásce se zdvojuje;
travel - travelled	koncové *-l* se zdvojuje v britské angličtině;
try - tried	koncové *-y* se mění v *-i-*, avšak v:
stay - stayed	koncové *-y* zůstává nezměněno.

Kromě toho má angličtina tzv. **nepravidelná** slovesa, která mají pro minulý čas zvláštní tvar. *(I sang.* Zpíval jsem.) Ve slovnících bývají označena hvězdičkou *.

Zápor se tvoří pomocí minulého tvaru pomocného slovesa ***do*** a záporky ***not:***
I did not cook. Nevařil jsem.
(I didn't cook.)

Otázka se tvoří pomocí minulého tvaru slovesa ***do***, který se klade na počátek věty:

Did you cook? Vařil jsi?

Krátká odpověď: *Yes, I did.*
No, I didn't.

Pro otázky s tázacími výrazy na začátku platí stejná pravidla jako v přítomném čase:

Who liked you? Kdo tě měl rád?
Who didn't like you? Kdo tě neměl rád?
Who did you like? Koho jsi měl rád?

Záporná otázka, stejně jako v přítomném čase, vyjadřuje údiv:

Didn't he like you? Cožpak tě neměl rád?

Minulý čas průběhový

I was cooking	*we were cooking*
you were cooking	*you were cooking*
he was cooking	*they were cooking*

Všechny tvary se tvoří pomocí minulých tvarů ***be***. Významové sloveso má koncovku ***-ing***. Doslovně tedy: *I was speaking.* Byl jsem mluvící.
Do češtiny však přeložíme: Mluvil jsem.
Zápor se tvoří pomocí záporky ***not***:

I was not cooking. Neuvařil jsem.
(I wasn't cooking.)

Otázka se tvoří **inverzí**:

Were you cooking? Vařil jsi?

Krátká odpověď: *Yes, I was.*
No, I wasn't.

Užití minulého časy prostého a průběhového

Základní rozdíl mezi minulým časem prostým a průběhovým:

Minulý čas **prostý** vyjadřuje **jednorázový,** v minulosti **ukončený** děj:

*Yesterday **I cooked** a good dinner.* Včera **jsem uvařila** dobrý oběd.

Minulý čas průběhový vyjadřuje průběh, trvání děje:

*Yesterday **I was cooking** all day long.* Včera **jsem vařila** celý den.

Další použití:

1. Oba časy se často vyskytují ve větě současně, průběhový čas tvoří pozadí k času prostému:
   While I was cooking, the phone rang. Když jsem vařila, zazvonil telefon.
2. Prostý min. čas je hlavním časem **vyprávění**:
   Frank came in, took off his coat and sat down. František přišel, svlékl si kabát a posadil se.
3. **zvyk v minulosti**:
   *Every day **she cooked** dinner.* Každý den uvařila oběd.

4. **dvě činnosti probíhající současně**:
*While Kate **was playing**, Frank **was singing**.* Zatímco Katka hrála, František zpíval.
5. **úmysl v minulosti**:
*I **was going to** speak, when the bell rang. Chystal jsem se promluvit, když zazvonil zvonek.*

Budoucí čas

Budoucí čas prostý

I shall / will cook	*we shall / will cook*
you will cook	*you will cook*
he will cook	*they will cook*

1. osoba budoucího času se tvoří pomocí slovesa ***shall*** nebo ***will***.
Ostatní osoby se tvoří pomocí slovesa ***will***.
Zápor se tvoří pomocí záporky ***not***:
I shall not (shan't) cook. Nebudu vařit.
nebo: *I will not (won't) cook.*
Otázka se tvoří **inverzí**:
Will she cook? Bude vařit?

Krátká odpověď: *Yes, she will.*
No, she won't.

Budoucí čas průběhový:

I shall / will be cooking	*we shall / will be cooking*
you will be cooking	*you will be cooking*
he will be cooking	*they will be cooking*

Všechny tvary se tvoří pomocí budoucího tvaru slovesa *be*: ***will be***, v první osobě též ***shall be***. Významové sloveso má koncovku ***-ing***. Doslovně tedy:
*I **will** / **shall** be speaking.* Budu mluvící.
Do češtiny však přeložíme: Budu mluvit.
Zápor se tvoří pomocí záporky ***not***:
I will not be cooking. Nebudu vařit.
(I won't be cooking.)

nebo: *I shall not be cooking.*
(I shan't be cooking.)

Otázka se tvoří **inverzí**:
Will you be cooking? Budeš vařit?

Krátká odpověď: *Yes ,I will.*
No, I won't.

Budoucnost v podmínkové a časové větě:

Po podmínkových spojkách, tedy především po *if*, a po časových spojkách se budoucnost vyjadřuje tvary pro přítomný čas:

If (when) she asks you about him, tell her. Jestliže (až) se tě na něj zeptá, pověz jí to.

Užití budoucího času prostého a průběhového

Základní rozdíl mezi budoucím časem prostým a průběhovým:

Budoucí čas **prostý** vyjadřuje **budoucí děj** nebo **stav**:

***I will cook** a good dinner.* **Uvařím dobrý oběd.**

Budoucí čas **průběhový** vyjadřuje děj, který bude v určitou dobu **probíhat**:

*At one o'clock **I will be cooking** dinner.* V jednu hodinu **budu vařit** oběd.

Další použití:

1. Budoucí čas průběhový vyjadřuje pozadí času prostého:
   I will be cooking dinner, when Frank arrives. Až František přijede, budu vařit oběd.
2. **domněnka**:
   ***You will understand** my difficulty.* (Jistě) pochopíte mé nesnáze.
3. zdvořilá žádost:
   Will you do it, please? Udělejte to, prosím.

Jiné způsoby vyjadřování budoucnosti

1. **Plánovaný** děj vyjadřujeme **přítomným časem průběhovým**:
   I am leaving next week. Příští týden odjíždím.
2. Záměr vyjadřujeme vazbou ***to be going to*** **+ infinitiv:**
   I am going to cook the dinner now. Teď uvařím oběd (= Jdu uvařit oběd).
3. **Bezprostřední budoucnost** vyjadřujeme vazbou ***to be about to*** **+ infinitiv:**
   I'm just about to cook dinner. Právě se chystám vařit oběd.

Předpřítomný čas

Předpřítomný čas prostý

I have cooked	*we have cooked*
you have cooked	*you have cooked*
he has cooked	*they have cooked*

Svým tvarem a do jisté míry i významem odpovídá českým výrazům "mám napsáno, nakoupeno, uděláno". Skládá se z přítomného času slovesa ***to have*** a trpného příčestí slovesa významového.

Trpné příčestí se tvoří u sloves pravidelných koncovkou ***-ed** (cooked)*, u sloves nepravidelných má zvláštní tvar *(written, spent,...)*.

Do češtiny se předminulý čas překládá obvykle minulým časem.

Zápor se tvoří pomocí záporky ***not***:
I have not cooked. Nevařila jsem.
(I haven't cooked.)
Otázka se tvoří **inverzí**:
Have you cooked? Vařila jsi?

Krátká odpověď: *Yes, I have.*
No, I haven't.

Předpřítomný čas průběhový

I have been cooking	*we have been cooking*
you have been cooking	*you have been cooking*
he has been cooking	*they have been cooking*

Tvoří se pomocí předpřítomných tvarů slovesa *be (have been, has been).*
Významové sloveso má koncovku ***-ing.***
Zápor se tvoří pomocí záporky ***not***:
I have not been cooking. Nevařila jsem.
(I haven't been cooking).
Otázka se tvoří **inverzí**:
Have you been cooking? Vařila jsi?

Užití předpřítomného času prostého a průběhového

Předpřítomného času se používá, chceme-li vyjádřit **děj, který právě skončil a je spjat s přítomností** (předpřítomný čas **prostý),** nebo **děj, který probíhal v minulosti a pokračuje v přítomnosti** (předpřítomný čas **průběhový).**

Rozdíl mezi minulým časem a předpřítomným časem:

Minulý	Předpřítomný
Yesterday I cooked dinner. Včera jsem uvařila oběd.	*I have just cooked dinner.* Právě jsem uvařila oběd (a tady je).
činnost skončila v minulosti a nemá nic společného s přítomností	činnost právě skončila následek je spjat s přítomností
Yesterday I was cooking all day long. Včera jsem vařila celý den.	*Today I have beeen cooking all day long.* Dnes vařím / jsem vařila celý den.
činnost probíhala a skončila v minulosti	činnost ještě neskončila

Předpřítomný čas se pojí s některými **příslovci,** zahrnují-li také přítomnost:

always	vždy
never	nikdy

often	často
sometimes	někdy
seldom	zřídka
just	právě
yet	ještě, už
ever	v otázce (ně)kdy

Have you ever been in London? Byl jsi někdy v Londýně?
I have often eaten Chinese food. Často jsem jedl čínská jídla.

Předpřítomný čas se pojí s **předložkami**: *since* (od té doby)
for + časový údaj (jak dlouho)
(*for five minutes, for a long time*)

I have known him for two years. Znám ho dva roky.
I haven't cooked Chinese food since I divorced him. Nevařila jsem čínská jídla od té doby, co jsem se s ním rozvedla.

Předminulý čas

Tvoří se stejným způsobem jako předpřítomný čas, ale užívá se minulého tvaru slovesa *have:* ***had***.

Předminulý čas prostý

I had cooked	*we had cooked*
you had cooked	*you had cooked*
he had cooked	*they had cooked*

Zápor se tvoří pomocí záporky ***not***:
I had not cooked. Nevařila jsem.
(I hadn't cooked).
Otázka se tvoří **inverzí**:
Had she cooked? Uvařila?

Krátká odpověď: *Yes, she had.*
No, she hadn't.

Předminulý čas průběhový

I had been cooking	*we had been cooking*
you had been cooking	*you had been cooking*
he had been cooking	*they had been cooking*

Zápor se tvoří pomocí záporky ***not***:
I had not been cooking. Nevařila jsem.
(I hadn't been cooking).

Otázka se tvoří **inverzí**:
Had she been cooking? Vařila?

Krátká odpověď: *Yes, she had.*

No, she hadn't.

Užití předminulého času prostého a průběhového

Předminulý čas vyjadřuje **děj, který proběhl před určitým okamžikem v minulosti**. Předminulý čas průběhový zdůrazňuje trvání děje.

When I had cooked the dinner, I left. Když jsem uvařila oběd, odešla jsem.
Before I had cooked the dinner, Frank came in. Než jsem uvařila oběd, vešel František.
I had been cooking for an hour when Frank came in. Když vešel František, vařila jsem (už) hodinu.

U sloves vyjadřujících úmysl, očekávání, předpoklad (*intend, mean* mít v úmyslu; *expect* očekávat; *hope* doufat; *suppose* předpokládat ap.) předminulý čas označuje, že děj, vyjádřený infinitvem po nich následujícím, se neodehrál:

I had intended to write to you. Měl jsem v úmyslu vám napsat (ale nenapsal).
I had expected to meet him there. Očekával jsem, že se tam s ním sejdu (ale nesešel).

Poznámka:
Totéž lze vyjádřit minulým časem, po němž následuje minulý infinitiv:
I intended to have written to you.
I expected to have met him there.

Předbudoucí čas

Předbudoucí čas prostý

I shall / will have cooked	*we shall / will have cooked*
you will have cooked	*you will have cooked*
he will have cooked	*they will have cooked*

Předbudoucí čas prostý se skládá z pomocného slovesa ***will*** (v 1. osobě též ***shall***) a minulého infinitivu významového slovesa (*have cooked, have spoken*). Odpovídá českému "budu mít uvařeno":

Zápor se tvoří pomocí záporky ***not***:
By two o'clock you will not (woun't) have cooked. Do dvou hodin nebudeš mít uvařeno.

Otázka se tvoří **inverzí**:
Will you have cooked by two o'clock? Budeš mít do dvou hodin uvařeno?

Krátká odpověď: *Yes, I will have.*
No, I won't have.

Předbudoucí čas průběhový

I shall / will have been cooking	*we shall / will have been cooking*
you will have been cooking	*you will have been cooking*
he will have been cooking	*they will have been cooking*

Skládá se z pomocného slovesa ***will*** (v první osobě též ***shall***), minulého infinitivu slovesa *be (= have been)* a významového slovesa s koncovkou ***-ing***.
Zápor se tvoří pomocí záporky ***not***:
I will not have been cooking.
(I won't have been cooking.)
Otázka se tvoří **inverzí**:
Will you have been cooking?

Užití předbudoucího času prostého a průběhového

Předbudoucí čas vyjadřuje **děj, který skončí v budoucnosti před určitým momentem**. Tento moment je obvykle vyjádřen předložkou ***by*** + **časovým údajem**:
by 10 o'clock - do deseti hodin
by Christmas - do vánoc

I will have cooked by 10 o'clock. Do deseti hodin vařím.
(Do deseti hodin budu mít uvařeno).

Průběhového předbudoucího času se užívá **velmi zřídka**. Vyjadřuje trvání budoucího děje, který skončí před určitým momentem.
At 10 o'clock tomorrow I shall have been cooking 4 hours.
Do češtiny překládáme volně: Zítra v 10 hodin za sebou budu mít 4 hodiny vaření.

Trpný rod

Trpný rod se tvoří v angličtině stejně jako v češtině, tedy pomocí slovesa být ***be*** a **příčestí trpného,** které se tvoří koncovkou ***-ed***:
invite - invited pozvat - pozván (pozvaný)
U nepravidelných sloves má příčestí trpné zvláštní tvar (*written, spent,...*)
He is invited. On je pozván.
The letter was written last year. Dopis byl napsán minulý rok.
Zápor se tvoří pomocí záporky ***not***:
He is not (isn't) invited. On není pozván.
Otázka se tvoří **inverzí**:
Is he invited? Je pozván?
Průběhových tvarů se užívá pouze u času přítomného a minulého.
Zdůrazňují moment, ve kterém děj probíhá.

čas	podmiňovací způsob prostý	podmiňovací způsob průběhový
přítomný	*I am invited.* Jsem pozván.	*I am being invited.* Jsem (právě) zván.
minulý	*I was invited.* Byl jsem pozván.	*I was being invited when Frank came.* Když přišel František, byl jsem právě zván.
budoucí	*I will be invited* Budu pozván.	
předpřítomný	*I have been invited just now.* Byl jsem pozván právě teď.	
předminulý	*I had been invited before I left.* Než jsem odešel, byl jsem pozván.	
předbudoucí	*By five o'clock I will have been invited.* Do 5 hodin budu pozván.	

Užití trpného rodu

Trpný rod se užívá zejména tehdy, je-li **konatel** děje **nedůležitý** nebo **neurčitý** (oni, někdo, jeden, lidé...).

He was invited. Byl pozván.
Pozvali ho.

Chceme-li konatele děje vyjádřit, užíváme vazby s předložkou ***by***:
He was invited by Frank. Byl pozván Františkem.
Do češtiny spíše přeložíme: Pozval ho František.
Trpný rod se v angličtině užívá mnohem častěji než v češtině.
Do češtiny ho často překládáme **rodem činným**.
He was invited. Pozvali ho.
Někdy se překládá také zvratnou vazbou **se**.
Poetry is written all over the world. Poezie se píše na celém světě.

Podmiňovací způsob

Podmiňovací způsob přítomný

Tvoří se pomocí ***would*** [wəd] a **infinitivu** významového slovesa

I would cook — *we would cook*
you would cook — *you would cook*
he would cook — *they would cook*

I **would** *cook the dinner.* Uvařila **bych** oběd.
Místo tvaru would lze použít i tvar *should* [šəd], ovšem *should* má ještě jeden význam: měl bych, měli by...

I should cook the dinner. 1. Uvařila bych oběd.
2. Měla bych uvařit oběd.

Zápor se tvoří pomocí záporky ***not***:
You would not (woudn't) cook. Nevařila bys.
Otázka se tvoří **inverzí**:
Would you cook? Vařila bys?
Otázkou se vyjadřuje také zdvořilá žádost:
Would you cook, please? Uvařila bys, prosím?

Should, ought to - měl bych

Should ve významu **měl bych** lze nahradit slovesem ***ought to*** [o:t tə]
You should cook. = You ought to cook. Měl bys vařit.
You shouldn't cook. = You oughtn't to cook. Neměl bys vařit.

Could, might - mohl bych

I could cook. Mohla bych vařit.
They might cook. Mohli by vařit.
Could you cook? Mohla bys vařit? (má význam žádosti)
Might I cook? Směla bych vařit?

Podmiňovací způsob minulý

Tvoří se tvarem ***would*** a **minulým infinitivem** významového slovesa.

I would have cooked	*we would have cooked*
you would have cooked	*you would have cooked*
he would have cooked	*they would have cooked*

Vyjadřuje se jím děj, který se odehrál obráceně, než si mluvčí představoval:
I would have cooked. Byla bych uvařila.
I wouldn't have cooked. Byla bych neuvařila.
Would you have cooked? Byla bys uvařila?
Podobně u ***should, could, might***:
I should have cooked the dinner. Měla jsem uvařit oběd (byla bych měla, ale neuvařila jsem).
I could have cooked the dinner. Mohla jsem uvařit oběd (byla bych mohla, ale neuvařila jsem).

Podmínková souvětí

Podmínková souvětí se skládají z **vedlejší věty podmínkové** a **věty hlavní**.
Děj věty hlavní závisí na splnění podmínky, vyjádřené větou vedlejší.

Podmínková souvětí jsou trojího typu: přítomná skutečná
přítomná neskutečná
minulá neskutečná

Věta vedlejší je uvozena těmito spojkami:

if	jestliže, -li, když
unless	ledaže, jestli(že) ne, ne ... -li, když ne; = *if ... not*
till	dokud by ne, než by, (tak dlouho) až by
before	(dříve) než by
after	(potom) až by
whether or not	ať už by ... nebo ne
provided (that)	za předpokladu, že
on condition (that)	pod podmínkou, že; jestliže ovšem
in case	v případě, že; pro případ, že

Časy v podmínkových souvětích

typ podmínky	čas podmínkové věty	čas nebo způsob věty hlavní
přítomná skutečná	přítomný	budoucí čas
přítomná neskutečná	minulý	podmiňovací způsob přítomný
minulá neskutečná	předminulý	podmiňovací způsob minulý

Prakticky:

typ podmínky	podmínková věta	věta hlavní
přítomná skutečná	*If she comes,* Jestliže přijde,	*she will cook the dinner.* uvaří oběd.
přítomná neskutečná	*If she came,* Kdyby přišla,	*she would cook the dinner.* uvařila by oběd.
minulá neskutečná	*If she had come,* Kdyby byla bývala přišla,	*she would have cooked the dinner.* byla bych bývala uvařila oběd.

1. **Podmínková souvětí přítomná skutečná**
   Děj věty hlavní se uskuteční, když se uplatní podmínka.
   V podmínkové větě se užívá přítomný čas, ve větě hlavní čas budoucí.
   If it rains, we won't go out. Jestliže bude pršet, nepůjdeme ven.
   Suppose she leaves you, what will you do? Dejme tomu, že tě opustí - co budeš dělat?
2. **Podmínková souvětí přítomná neskutečná**
   Děj věty hlavní je jen v představě mluvčího.
   V podmínkové větě se užívá čas minulý, ve větě hlavní podmiňovací způsob přítomný.

If it rained, we wouldn't go out. Kdyby pršelo, nešli bychom ven.
Suppose she left you, what would you do? Dejme tomu, že by tě opustila - co bys dělal?
U slovesa ***be*** se ve třetí osobě jednotného čísla udržuje tvar ***were***:
If she were well, she would come. Kdyby byla v pořádku, přišla by.

3. **Podmínková souvětí minulá neskutečná**
Podmínka už se nemůže uskutečnit.
V podmínkové větě je předminulý čas, ve větě hlavní je podmiňovací způsob minulý.
If it had been raining, we wouldn't have gone out. Kdyby bylo pršelo, byli bychom nešli ven.
Suppose she had left you, what would you have done? Dejme tomu, že by tě bývala opustila - co bys dělal?

Ve všech třech případech se uprostřed souvětí čárka klade pouze před větu hlavní, nikdy ne před spojku.

Souslednost časová

Souslednost časová se uplatňuje v **předmětných** větách, jež následují po řídícím slovese v **minulém čase**.
Jedná se o věty typu "Myslel jsem, že je doma."
Nejčastější případ souslednosti je nepřímá řeč: "řekl, že je doma."

1.	*I think he is at home.*	Myslím, že je doma.
	I thought he was at home.	Myslel jsem, že je doma.
2.	*I think he has been at home.*	Myslím, že byl doma.
	I thought he had been at home.	Myslel jsem, že byl doma.
3.	*I think he will be at home.*	Myslím, že bude doma.
	I thought he would be at home.	Myslel jsem, že bude doma.
4.	*I think he is going to be at home.*	Myslím, že bude doma.
	I thought he was going to be at home.	Myslel, jsem že bude doma.

Zatímco v češtině zůstává sloveso v předmětné větě nezměněno, v angličtině se mění:

řídící sloveso v minulém čase *(I thought)*	přítomný čas *(he is)*	minulý čas *(he was)*
	budoucí čas *(he will be)*	should *(he would be)*
	předpřítomný čas *(he has been)*	předminulý čas *(he had been)*
	minulý čas *(he was)*	předminulý čas *(he had been)*

Po řídícím slovese v čase přítomném, budoucím a předpřítomném se souslednost neuplatňuje:

*I **have thought** he **is** at home.*

Pravidly souslednosti se řídí i další věty, které jsou závislé na předmětné větě.

*I **am** sure he **will** return as soon as he **spends** his money.*
*I **was** sure he **would** return as soon as he **spent** his money.*
*He **says** he **will** return as soon as he **has spent** his money.*
*He **said** he **would** return as soon as he **had spent** his money.*

Kdy obecná pravidla o posuvu neplatí:

1. Jde-li o **obecně platné** tvrzení:
   *He **didn't** know that Princetown **is** in America.* Nevěděl, že je Princetown v Americe.
2. Jde-li o **minulost určenou datem**:
   *He **knew** she **arrived** in London in 1980.* (nikoli: *she had arrived*)
   Věděl, že přijela do Londýna roku 1980.
3. Jde-li o děj v **přítomnosti ještě platící**:
   I knew he is an able man. Věděl jsem, že je to schopný člověk.
4. ***Must*** zůstává beze změny:
   *He **said** that I **must** not smoke.* řekl, že nesmím kouřit.
   Opis ***have to*** však změně podléhá:
   *He **said** that I **had to** go.* řekl, že musím jít.
5. **Podmiňovací způsob** (*would*), *had better, used to* zůstávají beze změny:

He said that he would go.	1. řekl, že by šel.
	2. řekl, že půjde.

He said he had better go. řekl, že by měl raději jít.
He said he used to go there every day. řekl, že tam chodíval denně.

Způsobová (modální) slovesa

Způsobová slovesa vyjadřují možnost, nutnost, pravděpodobnost, zákaz, příkaz, dovolení, atd.

Jsou to slovesa:
can / could
may / might
must
shall / should
ought to
will / would
used to
need
dare

Způsobová slovesa mají tyto zvláštnosti:

1. v 3. osobě jednotného čísla nemají *-s*;
2. infinitiv po nich následující nemá *to*;
3. otázku a zápor tvoří bez pomocného slovesa *to do*:

Can you do it now? Můžeš to udělat nyní?
Students may not smoke in reading rooms. Ve studovnách studenti nesmějí kouřit.

4. nemají všechny tvary; vyskytují se jen v prostém (neprůběhovém) přítomném čase a některá mají mimo to tvar pro minulý čas a způsob podmiňovací. Ostatní tvary (infinitiv a složené časy) se vyjadřují opisy

	zápor	minulý čas	opisy	
can [kən]	*can't* *cannot*	*could* + opisy	*to be able to* *to be capable of* *to know how to* *to manage* *to be allowed to* *to be permitted to*	být schopen zvládnout smět
may [mei]	*may not*	*might* + opisy	*to be allowed to*	smět
must [mast]	*needn't* *don't have to* (nemuset) *must not* (nesmět)	*had to* *must have*	*need* *to have to*	muset
shall [šel]	*shall not* *shan't*			
should [šud]	*should not* *shouldn't*		*ought to* (viz podmiňovací způsob)	
will [wil]	*will not* *won't*			
would [wud]	*would not* *wouldn't*		*used to* (*I used to go.* Chodíval jsem.)	
need [ni:d]	*needn't* *do + not need*	zápor v minulém čase: 1. *didn't need to (go)* 2. *needn't have (gone)*		
dare [deə]	*daren't*	*dared* *durst* (zastaralé)		

Can / could

Sloveso ***can*** vyjadřuje:

1. **Schopnost:** *I can cook.* Umím vařit.
   I can't [ka:nt] *cook.* Neumím vařit.
   (*I cannot* [kænot] *cook.*)

   Can lze někdy překládat slovesem s předponou **u-**.
   He can carry it. Unese to.
2. **Povolení**: *Can I cook here?* Mohu zde vařit?
3. **Možnost**: *I can't cook here.* Nemohu zde vařit.
4. **Teoretická možnost**:
   Anybody can make mistakes. Každý se může mýlit.
   Tigers can be dangerous. Tygři mohou být nebezpeční.

Sloveso ***could*** je
1. minulý tvar
2. tvar podmiňovacího způsobu od slovesa *can.*

Vyjadřuje:
1. **Schopnost v minulosti:**
   I always could cook well. Vždycky jsem uměla dobře vařit.
2. **Zdvořilá žádost o dovolení**:
   Could I open the window? Mohl bych otevřít okno?
3. **Možnost**:
   We could go to the cinema. Mohli bychom jít do kina.
4. **Možnost v podmínkovém souvětí**:
   If we had money, we could go to the cinema. Kdybychom měli peníze, mohli bychom jít do kina.

Pokud se can vyskytuje se slovesy smyslového vnímání, nepřekládáme jej do češtiny:

I can see	vidím	*I could see*	viděl jsem
I can hear	slyším	*I could hear*	slyšel jsem

May / might

Sloveso ***may*** vyjadřuje:
1. **Povolení**:
   You may cook here. Můžete (smíte) zde vařit.
   May I open the window? Smím otevřít okno?
   (zdvořilejší než *can / could*),
   You may not. Nemůžeš.

   silnější zákaz: *You must not.* Nesmíš.
   I was not allowed to... Nesměl jsem...

2. **Skutečná možnost**:
   The road may be blocked. Cesta může být zatarasená.
   (It is possible that the road is blocked.)

3. **Přání**: (knižně)
   May he live forever! Kéž žil navěky!

Sloveso ***might*** je tvarem minulého času a podmiňovacího způsobu slovesa *may*.

Vyjadřuje:

1. **Povolení**:
   Might I open the window? Směla bych otevřít okno? (**velmi** zdvořilé)
2. **Možnost**:
   We might go to the cinema. (Možná) bychom mohli jít do kina.

Must

Sloveso ***must*** vyjadřuje:

1. **Povinnost**:
   I must cook the dinner. Musím uvařit oběd.
   opisem: *I have to cook the dinner.*
   Opis ***to have to*** vyjadřuje objektivní nutnost, ***must*** vyjadřuje příkaz a je více kategorický.
   Zápor a minulý čas se tvoří opisem:

I needn't cook.	Nemusím vařit
I don't have to cook.	
I didn't have to cook.	Nemusela jsem vařit

2. **Nutnost** (určitě):
   He must be at home. Určitě je doma (= Musí být doma).
   Minulý děj / stav se vyjadřuje pomocí minulého infinitivu významového slovesa:
   He must have been at home. Určitě je doma.
   Zápor ("určitě ne"):
   *He **can't** be at home.* Určitě není doma (= Nemůže být doma).

Shall / should

Sloveso ***shall/should*** vyjadřuje **záhodnost**.

Shall se užívá v 1. osobě v otázce:
   Shall I cook the dinner? Mám uvařit oběd?
   Shall we cook the dinner? Máme uvařit oběd?

Should je tvarem minulého času a podmiňovacího způsobu slovesa *shall*.

Vyjadřuje:

1. **Záhodnost**:
   You should cook the dinner. Měl bys uvařit oběd.
   Should s minulým infinitivem vyjadřuje, že se děj neuskutečnil:
   You should have cooked the dinner. Měl jsi uvařit oběd (ale neuvařil jsi).

2. **"Kdyby náhodou"**:
   If you should go there, please let us know.
   Kdybyste tam náhodou šel, dejte nám, prosím, vědět.

Will / would

Sloveso ***will*** vyjadřuje **předpověď**:

The game will be (must be / should be) finished by now. Ta hra už bude dohraná.

Sloveso ***would*** vyjadřuje:

1. Zvyk opakovaný v minulosti:
   Every morning he would go there. Chodíval tam každé ráno.
   Would může být nahrazeno vazbou ***used to***:
   Every morning he used to go there.
2. **Pravděpodobnost**:
   That would be his mother. To bude asi jeho matka.
3. **Děj, který se uskutečnil k nelibosti mluvčího**:
   It's your fault, you would take the baby with you.
   Je to tvoje chyba, ty jsi s sebou to dítě brát musela (nedala sis říct).

Need

Need ve funkci slovesa způsobového vyjadřuje **nutnost**:

Need you go there? Musíš tam chodit? Je nutné, abys tam šel?
Pomocí ***need*** se tvoří zápor ke slovesu ***must***:
I needn't go there. Nemusím tam jít.

Zápor v minulém čase se tvoří dvěma způsoby:

1. *I* ***didn't need to go*** *there.* Nemusel jsem tam jít (a nešel jsem tam).
2. *I* ***needn't have gone*** *there.* Nemusel jsem tam jít (ale šel jsem tam - zbytečně).

Need se vyskytuje také jako sloveso pravidelné významové:

He needs some bread. Potřebuje kousek chleba.

Dare

Znamená **opovážit se**:

How dare you? Jak se opovažujete?
He daren't come here. Neodvažujte se sem přijít.

Dare má také pravidelné časování jako významové sloveso. Obě formy se často mísí.

Tázací dovětky - "že ano?", "viď?"

Angličtina často užívá tzv. **tázacích dovětků**. Tázacími dovětky si mluvčí ověřuje pravdivost toho, co říká.
Do češtiny je překládáme že?, že ano?, viď?, viďte?, není-liž pravda?
Dovětek se tvoří pomocným slovesem (*be, do, have, will*)
Je-li věta, ke které se dovětek pojí, **kladná,** je sloveso v dovětku **záporné**:

You cook every day, don't you? Vaříš každý den, viď?

Je-li věta záporná, dovětek je kladný:

You don't cook every day, do you? Ty nevaříš každý den, viď?

Další příklady:

They haven't been there, have they? Oni tam nebyli, že?
She will come, won't she? Přijde, že?
They walked, didn't they? Šli pěšky, viď?

Je-li v úvodní větě sloveso ***be, have*** jako významové, nebo slovesa ***can, may, must***, vytvoříme dovětek inverzí:

He is here, isn't he? On je tu, viď?
They have the book, haven't they? Mají tu knihu, že ano?
She can't come, can she? Ona nemůže přijít, že?

Tázací dovětek je vždy oddělen čárkou.

Gerundium

Gerundium je tvar utvořený od slovesa koncovkou *-ing*. Kombinuje v sobě význam a funkci podstatného jména a slovesa.

***Swimming** is healthy.* **Plavání** je zdravé.
I'll try speaking English now. Teď zkusím mluvit anglicky.

Společně se slovesem má schopnost vyjadřovat vztah a rod

1. **rod**: činný (*helping*)
   trpný (*being helped*)

Do češtiny se gerundium překládá podle kontextu buď přídavným jménem slovesným nebo vedlejší větou.

I appreciate being helped by them. Oceňuji, že mi pomohli.
Oceňuji jejich pomoc.

2. **čas**:

a) **přítomné gerundium,** které vyjadřuje **současnost** s dějem slovesa určitého:
*I appreciate his **helping** us.* Oceňuji, jak nám **pomáhá**. (oba děje jsou současné)

b) **perfektní gerundium,** které vyjadřuje **předčasnost** před dějem určitého slovesa:
*I appreciate his **having helped** us.* Oceňuji, že nám **pomohl**.
Gerundium může být i záporné:
*I insist on his **not helping** us.* Trvám na tom, aby nám **nepomáhal**.

Má-li gerundium funkci podstatného jména, nestojí před ním člen a nemá vazbu s *of*:
reading books čtení knih

Gerundium vyžadují zejména tato slovesa a vazby (české že ..., když ..., jak ..., aby ...):

1. *appreciate* ocenit, vážit si; *avoid* vyhnout se (tomu, že by / aby); *deny* popřít; *dislike* nemít rád; *enjoy* mít rád; mít potěšení (z něčeho), bavit se (něčím); *mind* (v otázce a záporu) mít námitky proti; *miss* promeškat, postrádat; *risk* riskovat; *stand* snést, vydržet (jen v záporu, případně otázce); *suggest* navrhnout; *forgive* odpustit.

2. slovesa vyjadřující pokračování nebo skončení ideje:
   stop přestat; *finish* skončit; *keep* pokračovat; *give up* zanechat, vzdát (přestat dělat);
3. *it's (not) worth* (ne)stojí to za; *it's no good* je marné; *it's no use* nestojí to za, nemá smysl; *be afraid of* bát se (že, aby ne); *be fond of* rád (něco dělat); *insist on* trvat na (tom, že, aby); *be interested in* zajímat se o; *be used to* být zvyklý (něco udělat); *look forward to* těšit se; *advantage of, idea of, opportunity for / of, possibility of, ...*

Číslovky

Číslovky řadové

Tvoří se od základních příponou ***-th*** [θ]:

seventeen - seventeenth sedmnáct - sedmnáctý.
Koncové ***-y*** se mění na ***-ie***:
twenty - twentieth dvacet - dvacátý

Nepravidelné jsou pouze tyto číslovky:
First první, ***second*** druhý, ***third*** třetí, ***fifth*** pátý, ***eight*** osmý, ***ninth*** devátý a ***twelfth*** dvanáctý.
Vyjadřujeme-li číslovky řadové číslicí, připojujeme za ni poslední dvě písmena: *1st, 2nd, 12th.*

Číslovky násobné

Českému **-krát** odpovídá anglické ***times***.

fifteen times patnáctkrát

Nepravidelné je pouze: *once* jednou, *twice* dvakrát a zastaralé *thrice* třikrát.
Českému **-násobný** odpovídá anglické ***-fold***.

fifteenfold patnáctinásobný

Nepravidelné je pouze: *single* jednoduchý, *double* dvojitý, dvojnásobný, *threefold, treble, triple* trojitý, trojnásobný.

Psaní data

Česky:	anglicky:
6.února 1944	*February 6*
	February 6th

Udávání hodin

viz kap. Fráze

Předložky

about

1. kolem, okolo, po — *The planets revolve about the Sun.* Planety se otáčejí kolem slunce.
   to sail about the lake plout po jezeře
2. o — *disputes about the territory* spory o území
3. asi, kolem — *about one hundred dollars* asi sto dolarů

above

nad — *above the table* nad stolem, *above zero* nad nulou
above average nad průměrem

according to

podle — *according to our information* podle našich informací
according to his report podle jeho zprávy

across

(napříč) přes — *across the road* přes cestu

after

1. po (časově) — *after the revolution* po revoluci
   after some time po nějaké době
2. za, po (prostorově) — *one after another* jeden za druhým

against

proti — *against my will* proti mé vůli
against all the rules proti všem pravidlům

ago

před (časově) — *three days ago* před třemi dny
a short time ago nedávno

along

podél — *along the river* podél (kolem) řeky
along the street podél ulice, po ulici

along with

spolu s — *along with other advantages* spolu s jinými výhodami

amid(st)

uprostřed; mezi (knižně) — *amidst the ocean* uprostřed oceánu, *amidst the enemies* uprostřed nepřátel

among

mezi (více než dvěma) — *this sort is counted among the best* tento druh se počítá mezi nejlepší, *among others* mezi jiným(i)

apart from

nehledě k — *apart from the fact that* nehledě k tomu, že

around=round

as for, as to

co se týče — *There is no general agreement as to the nature of the observed phenomenon.* Není obecné shody, co se týče povahy pozorovaného jevu.

as regards

pokud jde o, co se týče — *As regards climate, the conditions are favourable.* Pokud jde o podnebí, podmínky jsou příznivé.

at

1. (místně) u, v, na — *at the window* u okna, *at the office* v kanceláři, *at the bottom of the list* na konci seznamu
2. (časově) v, na — *at five o'clock* v pět hodin, *at night* v noci

because of

kvůli, pro — *I did it because of Jill.* Udělal jsem to kvůli Jill.

before

před (časově a někdy i místně) — *before the war* před válkou, *the question before us* otázka před námi, *before the law* před zákonem

behind

za, na — *he sat behind the camel* seděl na velbloudu
what is behind all this co je za tím vším

below

pod — *below zero* pod nulou, *below average* pod průměr(em)

beneath

pod (knižně) — *beneath my dignity* pod mou důstojnost
beneath criticism pod kritiku

beside

vedle — *she sat behind me* seděla vedle mne
beside the road vedle silnice

besides

kromě, mimo — *There were two other applicants besides me.* Mimo mne byli ještě dva jiní žadatelé.
besides the fact that kromě toho, že

between

mezi (dvěma) — *between you and me* mezi námi dvěma
come between two and three o'clock přijďte mezi druhou a třetí hodinou

beyond

za, mimo — *beyond the horizon* za obzorem
beyond our control mimo nás

but

kromě, mimo	*all but me* všichni kromě mne

but for

nebýt (čeho)	*But for his help I should have failed.* Nebýt jeho pomoci, byl bych propadl.

by

nejčastěji označuje původce nebo prostředek (odpovídá českému 7. pádu)	*to send by post* poslat poštou, *driven by steam* poháněný párou, *to go by bus* jet autobusem, *it was written by Shakespeare* napsal to Shakespeare
Další významy:	
1. (místně) u	*by the door* u dveří
2. (časově) za, při	*by day* za dne, *by daylight* za denního světla
do (ne později než)	*The translation will have been finished by next week.* Překlad bude do příštího týdne hotov.
3. podle, pomocí	*by my watch* podle mých hodinek, *by means of* pomocí, *by means of the multimeter* pomocí multimetru

concerning

týkající se, o	*a remark concerning this point* poznámka týkající se tohoto bodu

despite

vzdor (čemu), přes	*despite my efforts* přes mé úsilí

down

dolů	*down the hill* dolů s kopce

during

během	*during my holiday* během mé dovolené *during the war* ve válce

except

vyjma, kromě	*in all cases except one* ve všech případech kromě jednoho *any day except Monday* kterýkoli den vyjma pondělí

for

1. pro	*a letter for you* dopis pro tebe *a basis for this theory* základ pro tuto teorii
2. (časově) po, na	*I have not seen him for a week.* Týden jsem ho neviděl. *for the first time* poprvé

for the sake of

kvůli	*for the sake of good relations* kvůli dobrým vztahům *for your sake* kvůli vám

from

od, z	*a letter from him* dopis od něho

from the very beginning od samého začátku
from your point of view z vašeho hlediska

from above
zeshora — *from above the table* z místa nad stolem

from amidst
ze středu — *A man emerged from amidst the crowd.* Ze středu zástupu se vynořil nějaký muž.

from under
zpod — *from under the table* zpod stolu

from within
zevnitř — *from within the box* zevnitř krabice

in
v — *in Prague* v Praze, *in summer* v létě, *in 1989* v r. 1989

in accordance with
ve shodě s, podle — *in accordance with the above principle* ve shodě s výše uvedenou zásadou

in addition to
kromě, mimo, vedle — *In addition to his ordinary duties he carried on some research.* Kromě svých běžných povinností prováděl nějaký výzkum.

in case of
v případě(, že) — *in case of illness* v případě nemoci
in case of your answer being positive v případě, že odpovíte kladně

in conformity with
ve shodě s, podle, v souhlase s — *in conformity with his statement* ve shodě s jeho prohlášením

in consequence of
v důsledku, následkem čeho — *in consequence of this failure* následkem tohoto nezdaru

in favour of
ve prospěch — *an act in favour of African Americans* zákon ve prospěch černochů

in front of
před (prostorově) — *he sat in front of me* seděl přede mnou

in place of
místo — *in place of you* místo tebe

in spite of
přes, navzdory — *in spite of his efforts* přes jeho úsilí

instead of	
místo	*The train arrived at seven instead of at six.* Vlak přijel v sedm hodin místo v šest.
in terms of	
pomocí	*We can express the relationship in terms of the following formula.* Tento vztah můžeme vyjádřit následujícím vzorcem (pomocí následujícího vzorce).
in the event of	
v případě	*in the event of the lecture being postponed* v případě, že přednáška bude odložena
in view of	
vzhledem k	*in view of this fact* vzhledem k této skutečnosti
inside	
uvnitř, dovnitř	*inside the box* uvnitř krabice, *inside out* naruby
into	
do (= dovnitř)	*He went into the house.* Vešel do domu. *to get into the train* nastoupit do vlaku
like	
jako	*there are few people like her* je málo lidí jako ona
near	
blízko, u	*near London* blízko (u) Londýna
next to	
(hned) u	*next to the door* (hned) u dveří
notwithstanding	
přes	*notwithstanding the initial difficulties* přes počáteční obtíže
of	
1. = český 2. pád	*the discovery of America* objevení Ameriky
2. z	*each of us* každý z nás, *to consist of* skládat se z
3. od	*south of Prague* na jih od Prahy
4. o	*to speak of* mluvit o
off	
s, od	*to fall off the ladder* spadnout se žebříku
on, upon	
1. na (místně)	*on the floor* na podlaze
2. o	*a conference on radioelectronics* konference o radioelektronice
3. po (časově)	*upon your arrival* po vašem příchodu

on account of
pro, kvůli — *He was chosen on account of his long experience.* Byl vybrán pro své dlouholeté zkušenosti.

on behalf of
za, jménem; ve prospěch, kvůli — *on behalf of all* jménem všech

opposite
proti — *opposite the railway station* proti nádraží

out of
(ven) z — *out of hearing* z doslechu (mimo doslech)
to jump out of the window vyskočit z okna

outside
mimo, vně — *outside the scope of physics* mimo oblast fyziky

over
1. nad — *over my head* nad mou hlavou
2. přes — *to climb over the wall* přelézt přes zeď
to stay over night zůstat přes noc
3. po — *all over the world* po (na) celém světě

owing to
pro, kvůli, následkem, díky — *The flight was delayed owing to the bad weather.* Let byl zdržen kvůli špatnému počasí.

past
1. kolem, mimo — *past danger* mimo nebezpečí
2. po (časově) — *half past five* půl šesté

prior to
před — *prior to the incident* před tou událostí

regarding
o, týkající se — *considerations regarding the agreement* úvahy o této dohodě

regardless of
bez ohledu na — *regardless of consequences* bez ohledu na následky

respecting
stran, ve věci — *I am at a loss respecting his behaviour.* Jsem na rozpacích stran jeho chování.

round, around
kolem, okolo — *to sit round the table* sedět okolo stolu
round the corner za rohem

save
vyjma, kromě — *all save him* všichni kromě něho

since	
(časově) od (až do přítomnosti)	*I have not been there since last week.* Nebyl jsem tam od minulého týdne.
thanks to	
díky čemu	*thanks to your help* díky vaší pomoci
through	
skrze	*to look through the window* dívat se oknem
throughout	
po (celé oblasti, celé období)	*throughout the region* po celé oblasti
till, until	
(až) do (časově)	*until recently* donedávna, *from - till (to)* od - do
till...ago	
až do (časově)	*I often met her till a few weeks ago.* Až donedávna jsem ji často potkával.
to	
1. k, do	*to go to work* chodit do práce *he moved to Houston* přestěhoval se do Houstonu *we came to a conclusion* došli jsme k závěru
2. v	*I've never been to England* nikdy jsem nebyl v Anglii
towards	
směrem k; k (časově); vůči	*We were walking towards the river.* Šli jsme směrem k řece. *towards the end of May* ke konci května *his attitude towards us* jeho postoj vůči nám
under	
pod; za	*under the tree* pod stromem *under these circumstances* za těchto okolností
underneath	
pod (knižně)	*underneath the surface* pod povrchem
unlike	
na rozdíl od	*Unlike his previous novels the latest one deals with the present.* Na rozdíl od jeho dřívějších románů ten poslední pojednává o přítomnosti.
up	
vzhůru (po), nahoru (do)	*up the river* vzhůru po řece, *up the hill* do kopce
up to	
až k, až do	*to count up to a hundred* počítat do sta

upon = on

via
přes — *to phone via satellite* telefonovat přes družici

with
s — *to listen with interest* poslouchat se zájmem
to cut with a knife krájet nožem

with a view of
aby; za účelem — *He did it with a view of his profit.* Udělal to za účelem zisku.

with regard to
with respect to
vzhledem k, pokud jde o (se týče) — *with respect to his position* vzhledem k jeho postavení

within
uvnitř, v rozmezí — *within the walls* mezi zdmi, *within two weeks* do dvou týdnů

without
1. bez — *without exception* bez výjimky
2. vně — *things without us* věci vně nás

Intenzifikátory

1. přídavná jména zesilující expresívní význam podstatného jména
   - *awful (death, weather, handwriting)* strašný, ošklivý
   - *terrible (mistake, heat, war)* hrozný
   - *tremendous (explosion, speed, eater)* ohromný
   - *absolute (idiot, nonsense, proof)* úplný, holý
   - *gorgeous (sunset, woman, time)* nádherný, skvělý
2. příslovce zesilující expresívní význam podstatného jména
   - *awfully (sorry, kind, worried)* velmi, moc, strašně
   - *extremely (interesting)* nesmírně, neobyčejně
   - *breathtakingly (beautiful, fast)* dech berouce, závratně
   - *terribly (funny, happy, sorry)* hrozně
   - *tremendously (silly, funny, long)* ohromně
   - *absolutely (impossible, sight, sure)* úplně, zcela
   - atd.

Tvorba slov

V angličtině se tvoří slova trojím způsobem:
skládáním, odvozováním, konverzí.
Složeniny jsou spojení dvou nebo více slov:
bedroom ložnice

blackbird kos
son-in-law zeť.
Odvozeniny se tvoří příponami a předponami.
Přehled nejčastějších předpon

Význam	předpona	příklad
opak	*un-*	*unable* neschopný
zápor	*in-*	*insane* šílený
odpor	*im-* před souhláskou	*impossible* nemožný
	il- před *l*	*illegal* nezákonný
	ir- před *r*	*irregural* nepravidelný
	a-	*amoral* amorální
	dis-	*disagrement* nesouhlas
	de-	*deform* deformovat
	mis-	*misprint* chyba tisku
	non-	*non-exist* neexistující
	anti-	*anti-fascist* antifašista
	counter-	*counteraction* protiakce
spolupůsobení	*co-*	*cooperation* spolupráce
přízeň	*pro-*	*pro-English* proanglický
opakování	*re-*	*rewrite* přepsat
vztahy místní a časové		
1. před	*pre-*	*prehistoric* předhistorický
	fore-	*foresee* předvídat
		forearm předloktí
2. po	*post-*	*postwar* poválečný
3. mezi	*inter-*	*international* mezinárodní

Přehled nejčastějších přípon

1. Přípony, kterými se odvozují podstatná jména

význam	přípona	příklad
jména činitelů	*-er*	*reader* čtenář *employer* zaměstnanec *waiter* číšník
	-or	*actor* herec
	-ist	*novelist* romanopisec
jména osob zasažených slovesným dějem	*-ee*	*employee* zaměstnanec *addressee* adresát
jména obyvatel	*-er*	*Londoner* Londýňan
jména ženského rodu	*-ess*	*lioness* lvice
jména abstraktní	*-ism*	*modernism* modernismus
	-ment	*employment* zaměstnání
	-ion (-ation, -ition, -ssion)	*creation* stvoření *submission* předložení
	-ness	*kindness* laskavost
	-hood	*brotherhood* bratrství
	-ship	*friendship* přátelství
	-al	*refusal* odmítnutí
zdrobněliny	*-let*	*booklet* knížečka
	-ie, -y	*auntie* teťička *Johny* Honzík

2. Přípony, kterými se odvozují přídavná jména

přípona	příklad
-able (-ible)	*eatable* jedlý *convertible* přeměnitelný
-al	*cultural* kulturní
-ed	*talented* talentovaný
-ful	*beautiful* krásný
-ian (od vlastních jmen)	*Victorian* viktoriánský
-ic (-ical)	*historic* historický (významný) *historical* historický (autentický)
-ish	*Danish* dánský *bluish* namodralý
-less	*helpless* bezmocný *useless* nepotřebný

3. Přípony, kterými se odvozují příslovce

přípona	příklad
-ly *-ward(s)*	*helplessly* bezmocně *upward(s)* nahoru (*up* - nahoře)

4. Přípony, kterými se odvozují slovesa

přípona	příklad
-ize *-fy* *-en*	*charakterize* charakterizovat *simplify* zjednodušit *moisten* zvlhčit

Konverze

Konverze je změna slovního druhu, při níž tvar slova zůstává beze změny. Pro angličtinu je konverze velmi typická.

původní slovní druh	nový slovní druh	příklad
podstatné jméno	přídavné jméno	*language* jazyk - jazykový
	sloveso	*hand* ruka, *to hand* podat
přídavné jméno	podstatné jméno	*evil* zlý - zlo
	sloveso	*dry* suchý, *to dry* usušit
příslovce	podstatné jméno	*up* nahoru, down dolů, *the ups and downs* výkyvy nahoru a dolů
	sloveso	*down* dole, dolů, *to down* položit

NEPRAVIDELNÉ TVARY

Nepravidelná slovesa

arise [ə'raiz]	*arose* [ə'rəuz]	*arisen* [ə'rizn]	vzniknout
awake [ə'weik]	*awoke* [ə'wəuk]	*awaked* [ə'weikt]	vzbudit se
be [bi:]	*was, were* [woz], [wə:]	*been* [bi:n]	být
bear [beə]	*bore* [bo:]	*borne* [bo:n]	nést, rodit
		born [bo:n]	narozen
beat [bi:t]	*beat* [bi:t]	*beaten* [bi:tn]	bít, tlouci
become [bi'kam]	*became* [bi'keim]	*become* [bi'kam]	stát se
begin [bi'gin]	began [bi'gæn]	begun [bi'gan]	začít
bend [bend]	*bent* [bent]	*bent* [bent]	ohýbat
bereave [bi'ri:v]	*bereft* [bi'reft]	*bereft* [bi'reft]	smrtí připravit o příbuzné
bespeak [bi'spi:k]	*bespoke* [bi'spəuk]	*bespoken* [bi'spəukən]	objednat si
bet [bet]	*bet / betted* [bet]/[betid]	*bet / betted* [bet]/[betid]	vsadit se
bid [bid]	*bid* [bid]	*bid* [bid]	nabízet cenu
bind [baind]	*bound* [baund]	*bound* [baund]	přivázat
bite [bait]	*bit* [bit]	*bitten* ['bitn]	kousat, štípat
bleed [bli:d]	*bled* [bled]	*bled* [bled]	krvácet
blow [blou]	*blew* [blu:]	*blown* [bloun]	foukat
break [breik]	*broke* [brəuk]	*broken* [brəukən]	zlomit
breed [bri:d]	*bred* [bred]	*bred* [bred]	rodit, plodit
bring [briŋ]	*brought* [bro:t]	*brought* [bro:t]	přinést
broadcast ['bro:dka:st]	*broadcast* ['bro:dka:st]	*broadcast* ['bro:dka:st]	vysílat rozhlasem

build	*built*	*built*	stavět
[bild]	[bilt]	[bilt]	
burn	*burnt / burned*	*burnt / burned*	pálit, shořet
[bə:n]	[bə:nt]/[bə:nd]	[bə:nt]/[bə:nd]	
burst	*burst*	*burst*	puknout
[bə:st]	[bə:st]	[bə:st]	
buy	*bought*	*bought*	koupit
[bai]	[bo:t]	[bo:t]	
can	*could*		pomocné sloveso
[kŏn], [kən]	[kud]		
cast	*cast*	*cast*	házet
[ka:st]	[ka:st]	[ka:st]	
catch	*caught*	*caught*	chytit
[kætč]	[ko:t]	[ko:t]	
choose	*chose*	*chosen*	zvolit, vybrat si
[ču:z]	[čəuz]	[čəuzn]	
cleave	*cleft / clove / cleaved*	*cleft / clove / cleaved*	štípat
[kli:v]	[kleft]/[kləuv]/-[kli:vd]	[kleft]/[kləuv]/-[kli:vd]	
cling	*clung*	*clung*	lpět
[kliŋ]	[klaŋ]	[klaŋ]	
come	*came*	*come*	přijít
[kam]	[keim]	[kam]	
cost	*cost*	*cost*	stát
[kost]	[kost]	[kost]	
creep	*crept*	*crept*	vplížit se
[kri:p]	[krept]	[krept]	
crow	*crowed / crew*	*crowed*	kokrhat
[krəu]	[krəud]/[kru:]	[krəud]	
cut	*cut*	*cut*	řezat, krájet
[kat]	[kat]	[kat]	
deal	*delt*	*delt*	zabývat se
[di:l]	[delt]	[delt]	
dig	*dug*	*dug*	kopat
[dig]	[dag]	[dag]	
do	*did*	*done*	dělat
[du:]	[did]	[dan]	
draw	*drew*	*drawn*	táhnout; kreslit
[dro:]	[dru:]	[dro:n]	
dream	*dreamt / dreamed*	*dreamt / dreamed*	zdát se, snít
[dri:m]	[dremt]	[dremt]	
drink	*drank*	*drunk*	pít
[driŋk]	[dræŋk]	[draŋk]	
drive	*drove*	*driven*	jet; řídit
[draiv]	[drəuv]	['drivn]	

eat [i:t]	*ate* [et]	*eaten* ['i:tn]	jíst
fall [fo:l]	*fell* [fel]	*fallen* [fo:ln]	padat
feed [fi:d]	*fed* [fed]	*fed* [fed]	krmit
feel [fi:l]	*felt* [felt]	*felt* [felt]	cítit
fight [fait]	*fought* [fo:t]	*fought* [fo:t]	bojovat
find [faind]	*found* [faund]	*found* [faund]	nalézt
flee [fli:]	*fled* [fled]	*fled* [fled]	prchat
fling [fliŋ]	*flung* [flaŋ]	*flung* [flaŋ]	hodit
fly [flai]	*flew* [flu:]	*flown* [floun]	létat
forbid [fo'bid]	*forbad(e)* [fo:bæd]	*forbidden* [fə'bidn]	zakázat
forecast ['fo:kast]	*forecast* ['fo:kast]	*forecast* ['fo:kast]	předpovídat
foresee [fo:'si:]	*foresaw* [fo:'so:]	*foreseen* [fo:'si:n]	předvídat
foretell [fo:'tel]	*foretold* [fo:'təuld]	*foretold* [fo:'təuld]	předpovídat
forget [fə'get]	*forgot* [fə'got]	*forgotten* [fə'gotn]	zapomenout
forsake [fə'seik]	*forsook* [fə'sok]	*forsaken* [fə'seikən]	opustit
freeze [fri:z]	*froze* [frəuz]	*frozen* ['frəuzn]	mrznout
get [get]	*got* [got]	*got* [got]	obdržet, dostat
give [giv]	*gave* [geiv]	*given* ['givn]	dát
go [gəu]	*went* [went]	*gone* [gon]	jít, jet
grind [graind]	*ground* [graund]	*ground* [graund]	rozmělnit
grow [grəu]	*grew* [gru:]	*grown* [grəun]	růst
hang [hæŋ]	*hung* [haŋ]	*hung* [haŋ]	viset
	hanged [hæŋd]	*hanged* [hæŋd]	oběsit

have	*had*	*had*	mít, vlastnit
[həv], [hæv]	[hæd], [həd]	[hæd], [həd]	
hear	*heard*	*heard*	slyšet
[hiə]	[hə:d]	[hə:d]	
heave	*heaved*	*heaved*	zvedat
[hi:v]	[hi:vd]	[hi:vd]	
hide	*hid*	*hidden*	skrýt
[haid]	[hid]	['hidn]	
hit	*hit*	*hit*	udeřit, zasáhnout
[hit]	[hit]	[hit]	
hold	*held*	*held*	držet
[həuld]	[held]	[held]	
hurt	*hurt*	*hurt*	zranit, bolet
['hə:t]	['hə:t]	['hə:t]	
inlay	*inlaid*	*inlaid*	vykládat
[,in'lai]	[,in'laid]	[,in'laid]	
keep	*kept*	*kept*	dodržovat
[ki:p]	[kept]	[kept]	
kneel	*knelt / kneeled*	*knelt / kneeled*	klečet
[ni:l]	[nelt]/[ni:ld]	[nelt]/[ni:ld]	
knit	*knit / knitted*	*knit / knitted*	plést
[nit]	[nit]/[nitid]	[nit]/[nitid]	
know	*knew*	*known*	vědět
[nəu]	[nju:]	[nəun]	
lay	*laid*	*laid*	klást, položit
[lei]	[leid]	[leid]	
lead	*led*	*led*	vést
[li:d]	[led]	[led]	
lean	*leant / leaned*	*leant / leaned*	naklonit
[li:n]	[lent]/[li:nd]	[lent]/[li:nd]	
leap	*leapt / leaped*	*leapt / leaped*	skákat
[li:p]	[lept]/[li:pt]	[lept]/[li:pt]	
learn	*learnt / learned*	*learnt / learned*	učit se
[lə:n]	[lə:nt]/[lə:nd]	[lə:nt]/[lɜ:nd]	
leave	*left*	*left*	pustit
[li:v]	[left]	[left]	
lend	*lent*	*lent*	půjčit
[lend]	[lent]	[lent]	
let	*let*	*let*	nechat
[let]	[let]	[let]	
lie	*lay*	*lain*	ležet
[lai]	[lei]	[lein]	
light	*lighted / lit*	*lighted / lit*	osvětlit
[lait]	[laitid]/[lit]	[laitid]/[lit]	
lose	*lost*	*lost*	ztratit
[lu:z]	[lost]	[lost]	

make [meik]	*made* [meid]	*made* [meid]	dělat
may [mei]	*might* [mait]		pomocné sloveso
mean [mi:n]	*ment* [ment]	*ment* [ment]	znamenat
meet [mi:t]	*met* [met]	*met* [met]	potkat, sejít se
mow [məu]	*mowed* [məud]	*mown / mowed* [məun]/[məud]	žnout, kosit
must [mast]	*must* [mast]		pomocné sloveso
need [ni:d]	*need* [ni:d]		pomocné sloveso
ought [o:t]			pomocné sloveso
pay [pei]	*paid* [peid]	*paid* [peid]	platit
prove [pru:v]	*proved* [pru:vd]	*proved* [pru:vd]	dokázat
		proven [pru:vn]	am.
put [put]	*put* [put]	*put* [put]	položit
guit [kwit]	*guitted* [kwitid]	*guitted* [kwitid]	opustit
	quit [kwit]	*quit* [kwit]	am.
read [ri:d]	*read* [red]	*read* [red]	číst
rebind [,ri:'baind]	*rebound* [,ri:baund]	*rebound* [,ri:baund]	převázat
rid [rid]	*rid / ridded* [rid]/[ridid]	*rid* [rid]	zbavit se
ride [raid]	*rode* [rəud]	*ridden* ['ridn]	jezdit
ring [riŋ]	*rang* [ræŋ]	*rung* [raŋ]	zvonit
rise [raiz]	*rose* [rəuz]	*risen* ['rizn]	vstát
run [ran]	*ran* [ræn]	*run* [ran]	běžet
saw [so:]	*sawed* [so:d]	*sawed / sawn* [so:d]/[so:n]	řezat pilou
say [sei]	*said* [sed]	*said* [sed]	říci

see	*saw*	*seen*	vidět
[si:]	[so:]	[si:n]	
seek	*sought*	*sought*	hledat, shánět se
[si:k]	[so:t]	[so:t]	
seld	*sold*	*sold*	prodávat
[seld]	[səuld]	[səuld]	
send	*sent*	*sent*	poslat
[send]	[sent]	[sent]	
set	*set*	*set*	umístit
[set]	[set]	[set]	
sew	*sewed*	*sewed / sewn*	šít
[səu]	[səud]	[səud]/[səun]	
shake	*shook*	*shaken*	třást se
[šeik]	[šuk]	['šeik'ən]	
shall	*should*		pomocné sloveso
[šæl]	[šud]		
shear	*sheared*	*sheared / shorn*	stříkat
[šiə]	[šiəd]	[šiəd]/[šo:n]	
shed	*shed*	*shed*	ztrácet
[šed]	[šed]	[šed]	
shine	*shone*	*shone*	svítit
[šain]	[šon]	[šon]	
shoe	*shod*	*shod*	obouvat
[šu:d]	[šod]	[šod]	
shoot	*shot*	*shot*	střílet
[šu:t]	[šot]	[šot]	
show	*showed*	*shown*	ukazovat
[šəu]	[šəud]	[šəun]	
shrink	*shrank*	*shrunk*	scvrknout se
[šriŋk]	[šræŋk]	[šraŋk]	
shut	*shut*	*shut*	zavřít
[šat]	[šat]	[šat]	
sing	*sang*	*sung*	zpívat
[siŋ]	[sæŋ]	[saŋ]	
sink	*sank*	*sunk*	klesat
[siŋk]	[sæŋk]	[saŋk]	
sit	*sat*	*sat*	sedět
[sit]	[sæt]	[sæt]	
sleep	*slept*	*slept*	spát
[sli:p]	[slept]	[slept]	
slide	*slid*	*slid*	klouzat se
[slaid]	[slid]	[slid]	
sling	*slung*	*slung*	mrštit
[sliŋ]	[slaŋ]	[slaŋ]	
slit	*slit*	*slit*	rozříznout
[slit]	[slit]	[slit]	

smell [smel]	*smelt* [smelt]	*smelt* [smelt]	čichat, vonět
sow [səu]	*sowed* [səud]	*sown / sowed* [səun]/[səud]	osít
speak [spi:k]	*spoke* [spəuk]	*spoken* ['spəukən]	mluvit
speed [spi:d]	*sped / speeded* [sped]/[spi:did]	*sped / speeded* [sped]/[spi:did]	uhánět
spell [spel]	*spelled / spelt* [speld]/[spelt]	*spelled / spelt* [speld]/[spelt]	hláskovat
spend [spend]	*spent* [spent]	*spent* [spent]	strávit
spill [spil]	*spilled / spilt* [splid]/[spilt]	*spilled / spilt* [splid]/[spilt]	rozlít
spin [spin]	*spun / span* [span]/[spæn]	*spun* [span]	točit se
spit [spit]	*spat* [spæt]	*spat* [spæt]	plivat
split [split]	*split* [split]	*split* [split]	štípat
spoil [spoil]	*spoilt / spoiled* [spoilt]/[spoild]	*spoilt / spoiled* [spoilt]/[spoild]	zkazit se
spread [spred]	*spread* [spred]	*spread* [spred]	roztáhnout se
spring [spriŋ]	*sprang / sprung* [spræŋ]	*sprung* [spraŋ]	skočit
stand [stænd]	*stood* [stud]	*stood* [stud]	stát
steal [sti:l]	*stole* [stəul]	*stolen* ['stəulən]	krást
stick [stik]	*stuck* [stak]	*stuck* [stak]	lepit
sting [stiŋ]	*stung* [staŋ]	*stung* [staŋ]	bodnout
stink [stiŋk]	*stank / stunk* [staŋk]	*stunk* [staŋk]	páchnout
stride [straid]	*strode* [strəud]	*stridden* ['stridən]	kráčet
strike [straik]	*struck* [strak]	*struck / striken* [strak]/['strikən]	udeřit
strive [straiv]	*strove* [strəuv]	*striven* ['strivən]	snažit se
strew [stru:]	*strewed* [stru:d]	*strewn* [stru:n]	rozházet
swear [sweə]	*swore* [swo:]	*sworn* [swo:n]	přísahat

sweep [swi:p]	*swept* [swept]	*swept* [swept]	zamést
swell [swel]	*swelled* [sweld]	*swollen /swelled* ['swəulən]/-[sweld]	dmout se
swim [swim]	*swam* [swæm]	*swum* [swam]	plavat
swing [swiŋ]	*swung* [swaŋ]	*swung* [swaŋ]	houpat se
take [teik]	*took* [tuk]	*taken* ['teikən]	vzít
teach [ti:č]	*taught* [to:t]	*taught* [to:t]	učit
tear [teə]	*tore* [to:]	*torn* [to:n]	roztrhat
tell [tel]	*told* [təuld]	*told* [təuld]	říci, povědět
think [θiŋk]	*thought* [θo:t]	*thought* [θo:t]	myslet
thrive [θraiv]	*throve /thrived* [θrəuv]/[θraivd]	*thriven /thrived* [θrivn]/[θraivd]	vzkvétat
throw [θrəu]	*threw* [θru:]	*thrown* [θrəun]	házet
thrust [θrast]	*thrust* [θrast]	*thrust* [θrast]	vrazit
tread [tred]	*trod* [trod]	*trodden* ['trodn]	šlapat
wake [weik]	*waked /woke* [weikt]/[wəuk]	*waked /woken* [weikt]/['wəukən]	vzbudit
wear [weə]	*wore* [wo:]	*worn* [wo:n]	nosit
weave [wi:v]	*wove/weaved* [wəuv]	*woven/weaved* [wəuvn]	tkát
weep [wi:p]	*wept* [wept]	*wept* [wept]	plakat
will [wil]	*would* [wud]		pomocné sloveso
win [win]	*won* [wan]	*won* [wan]	vyhrát
wind [waind]	*wound* [waund]	*wound* [waund]	točit se
wring [riŋ]	*wrung* [raŋ]	*wrung* [raŋ]	zakroutit
write [rait]	*wrote* [rəut]	*written* ['ritn]	psát

Nepravidelná podstatná jména

analysis [ə'næləsis]	*analyses* [ə'næləsi:z]	analýza
apparatus [,æpə'reitəs]	*apparatus* [,æpə'reitəs]	zařízení
appendix [ə'pendiks]	*appendices* [ə'pendisi:z]	dodatek
axis ['æksis]	*axes* ['æksiz]	osa
bacterium [bæk'tiəriəm]	*bacteria* [bæk'tiəriə]	baktérie
basis [beisis]	*bases* [beisi:z]	základna
beef [bi:f]	*beeves* [bi:vz]	am. hovězí maso
brother ['braðə]	*brethen* ['breðrən]	bratr člen bratrstva
bureau [bjuə'rəu]	*bureaux* [bjuə'rəuz]	psací stůl
cactus ['kæktəs]	*cactues / cacti* ['kæktəsiz]/['kæktai]	kaktus
calf [ka:f]	*calves* [ka:vz]	tele
chassis ['šəsi]	*chassis* ['šəsiz]	podvozek
child [čaild]	*children* ['čildrən]	dítě
crisis [kraisis]	*crises* [kraisi:z]	krize
criterion [krai'tiəriən]	*criteria* [krai'tiəriə]	kritérium
curriculum [kə'rikjuləm]	*cuuriculums / curricula* [kə'rikjuləmz]/[kə'rikjulə]	osnovy
diagnosis [,daiəg'nəusis]	*diagnoses* [,daiəg'nəusi:z]	diagnóza
dice [dais]	*dice* [dais]	hrací kostky
deer [diə]	*deer* [diə]	vysoká zvěř
emhpasis ['empfəsis]	*emphases* ['empfəsi:z]	důraz
fish [fiš]	*fish* [fiš]	ryba
focus ['fəukəs]	*foci* ['fəusai]	ohnisko

foot [fut]	*feet* [fi:t]	noha
fungus [faŋgəs]	*fungi* [faŋgai]/[faŋdžai]	houba
giraffe [dži'ra:f]	*giraffe* [dži'ra:f]	žirafa
goose [gu:s]	*geese* [gi:s]	husa
half [ha:f]	*halves* [ha:vz]	polovina
hero ['hiərəu]	*heroes* ['hiərəuz]	hrdina
hippopotamus [,hipə'potəməs]	*hippopotamuses* */hippopotami* [,hipə'potəməsiz]/ [,hipə'potəmai]	hroch
hoof [hu:f]	*hoofs* [hu:vs] *hooves* [hu:vz]	kopyto básnicky
house [haus]	*houses* [hauziz]	dům
knife [naif]	*knives* [naivz]	nůž
hypothesis [hai'poθisis]	*hypothese* [hai'poθisi:z]	hypotéza
larva [la:və]	*larvae* [la:vi:]	larva
leaf [li:f]	*leaves* [Il;vz]	list
life [laif]	*lives* [laivz]	život
loaf [ləuf]	*loaves* [ləuvz]	bochník
louse [laus]	*lice* [lais]	veš
madam ['mædəm]	*ladies* ['leidiz]	dáma, paní
man [mæn]	*men* [men]	člověk
maximum [mæksiməm]	*maxima* [mæksimə]	maximum
minimum [miniməm]	*minima* [minimə]	minimum
means [mi:nz]	*means* [mi:nz]	prostředky

medium [mi:diəm]	*media* [mi:diə]	prostředí
mouse [maus]	*mice* [mais]	myš
neurosis [nju'rəusis]	*neroses* [nju'rəusi:z]	neuróza
nucleous [njukliəs]	*nuclei* [njukliai]	jádro
ox [oks]	*oxen* [oksən]	vůl
penny ['peni]	*pence* [pens]	penny
	pennies [pens]	jednotlivé mince
phenomenon [fi'nominən]	*phenomena* [fi'nominə]	jev
radius [reidiəs]	*radii* [reidiai]	poloměr
reindeer ['rein,diə]	*reindeer* ['rein,diə]	sob
roe [rəu]	*roes / roe* [rəuz]/[rəu]	srnec
sanatorium [,sænə'to:riəm]	*sanatoriums / sanatoria* [,sænə'to:riəmz]/ [,sænə'to:riə]	sanatorium
scarf [ska:f]	*scarves* [ska:vz]	šátek, šála
series [siəri:z]	series [siəri:z]	řada
sheep [ši:p]	*sheep* [ši:p]	ovce
shelf [šelf]	*shelves* [šelvz]	police
species [spi:ši:z]	*species* [spi:ši:z]	druh
stimulous [stimjuləs]	*stimuli* [stimjulai]	podnět
swine [swain]	*swine* [swain]	svině
symposium [sim'pəzjəm]	*simposia* [sim'pəuzjə]	porada
thesis [θi:sis]	*theses* [θi:si:z]	disertace
thief [θi:f]	*thieves* [θi:vz]	zloděj
tooth [tu:θ]	*teeth* [ti:θ]	zub

turf [tə:f]	*turfs / turves* [tə:fs]/[tu:vz]	drn
vacuum ['vækjuəm]	*vacuums / vacua* ['vækjuəmz]/['vækjuə]	vakuum
wharf [wo:f]	*wharfs* [wo:fs]	přístavní hráz
	wharves [wo:vz]	am.
wife [waif]	*wives* [wiavz]	manželka
wolf [wolf]	*wolves* [wolvz]	vlk
woman [;wumən]	*women* ['wimin]	žena

Nepravidelná přídavná jména a příslovce

bad [bæd]	*worse* [wə:s]	*worst* [wə:st]	špatný
evil ['i:vl]	*worse* [wə:s]	*worst* [wə:st]	zlý
far [fa:]	*further / farther* ['fə:tə]/['fa:ðə]	*furthest / farthest* ['fə:ðist]/ ['fa:δist]	daleký, daleko
good [gud]	*better* ['betə]	*best* [best]	dobrý
ill [il]	*worse* [wə:s]	*worst* [wə:st]	nemocný
little ['litl]	*less* [les]	*least* [li:st]	málo
many [meni]	*more* [mo:]	*most* [məust]	mnoho
much [mač]	*more* [mo:]	*most* [məust]	mnoho
old [əuld]	*elder* ['eldə]	*eldest* ['eldist]	starý pro členy rodiny

O B S A H